Biblioteca U

Ferruccio Pinotti in BUR

Opus Dei segreta

85.000 membri in tutto il mondo, sempre più presente
negli ambienti della finanza e della politica. Ferruccio Pinotti
svela come si vive veramente dentro quella che è ormai
riconosciuta come una delle più potenti e controverse
organizzazioni della Chiesa di oggi.

Futuropassato - Pagine 480 - ISBN 1701225

Poteri forti

18 giugno 1982. Roberto Calvi viene ritrovato impiccato a Londra.
Un storia che ha lasciato dietro di sé molti interrogativi
senza ottenere risposte. Opus Dei, Vaticano, P2, banchieri,
sacerdoti, agenti segreti, avvocati. Le tappe di una misteriosa
vicenda italiana ricostruita grazie a documenti inediti
e nuove testimonianze.

Futuropassato - Pagine 418 - ISBN 1700355

Ferruccio Pinotti

FRATELLI D'ITALIA

BUR

FUTUROPASSATO

Proprietà letteraria riservata
© 2007 RCS Libri S.p.A., Milano

ISBN 978-88-17-01809-8

Prima edizione BUR FuturoPassato novembre 2007

Per conoscere il mondo BUR visita il sito **www.bur.eu**

A mio figlio e a mio padre

Avvertenza

Ringraziamenti

Un libro di inchiesta su un tema di impegno civile, quale quello affrontato in queste pagine, rappresenta sempre uno sforzo collettivo, il contributo di più persone che sentono il dovere morale di contribuire alla ricerca della verità. Ringraziarle tutte non è facile, ma sento di doverlo fare in modo esplicito almeno con alcune.

In primo luogo è doveroso rendere merito al principale collaboratore della ricerca, il giornalista Angelo D'Andrea, che ha condiviso gli sforzi che hanno portato alla sua realizzazione, spendendosi con impegno e passione. Un grazie di cuore anche ai colleghi Udo Gümpel, Antonio Nicaso, Edoardo Montolli e Carlotta Zavattiero, a Franco Eridani e a Beatrice Borromeo, che hanno collaborato al lavoro di indagine.

Fondamentale il sostegno di coraggiosi magistrati – il sostituto procuratore del Tribunale di Roma Luca Tescaroli in primis; Nicola Gratteri, sostituto procuratore della Repubblica a Reggio Calabria; e il giudice Carlo Palermo – nell'approfondire temi di elevata complessità.

Grazie di cuore infine all'avvocatessa Caterina Malavenda per la sua preziosa consulenza professionale. *Last but not least*, un affettuoso e grato riconoscimento a familiari, parenti e amici che con il loro affetto mi hanno sostenuto in questa impresa.

FERRUCCIO PINOTTI

Introduzione

Le ragioni di un'inchiesta

Quest'inchiesta si propone di rispondere a una domanda centrale: quanto conta oggi la massoneria in Italia? Attorno a essa ruotano altre domande, altrettanto importanti: qual è la consistenza di questo gruppo di potere nel nostro Paese? Quanti sono veramente i «fratelli»? Quali posizioni di vertice occupano nella società italiana? Il potere delle logge è in ascesa? Chi occupa le posizioni chiave nella politica, nelle banche, nell'industria, nelle istituzioni? Quali sono i rapporti tra la massoneria e gli altri «poteri forti»? Perché le inchieste giudiziarie che toccano la massoneria e il potere politico-finanziario non approdano mai a nulla, o vengono brutalmente soppresse?

L'indagine si propone di realizzare un reportage sull'attualità del potere massonico in Italia e nei suoi collegamenti internazionali. Il filo dell'inchiesta cercherà di condurre il lettore a capire – attraverso interviste esclusive, documenti, atti giudiziari, contatti in Italia e all'estero, testimonianze inedite – quanto conti davvero la massoneria e come sia strutturata.

Si tratta infatti – senza alcun dubbio – di una delle due grandi «chiese» che storicamente si contendono il potere in Italia: quella dei liberi muratori, appunto, e quella della Chiesa cattolica, l'altro «potere forte» per eccellenza.

Pur se in apparenza l'informazione è abbondante, più ci si avvicina alla massoneria e più ci si rende conto di non conoscerla, di non riuscire ad afferrare i vincoli che legano i «fratelli». Non bisogna dimenticare che, anche nell'era della comunicazione globale, la massoneria resta una realtà segreta, iniziatica, nella quale si entra per cooptazione.

Ciò che in questo senso va subito precisato, occupandosi di massoneria, è che ci si muove su un doppio livello: uno è quello ufficiale, lucente, carico di simboli e riferimenti a figure storiche di indubbio spessore,[1] un mondo a suo modo ricco di valenze filosofiche,[2] sociali, umanitarie, internazionalistiche, di cui è difficile negare il contributo su temi come la libertà, l'uguaglianza, la tolleranza religiosa, l'opposizione ai dogmatismi politici[3] e religiosi. Un secondo livello, immerso nell'oscurità e non privo di aspetti preoccupanti, è quello dell'uso del segreto come mezzo di potere fuori da ogni controllo; la trasformazione del *networking*, tipico delle logge, in comitato d'affari quando non in partito politico; ma anche i rapporti con il mondo della criminalità organizzata, con la mafia, con la 'ndrangheta, con la camorra; così come con i servizi segreti deviati e con il terrorismo stragista al servizio di disegni occulti.

Un'inchiesta su un tema così complesso non può ignorare entrambi i piani, perché questo significherebbe tradire la verità e compiere un'operazione manipolatoria, rafforzando la discrasia già presente in molta pubblicistica: si passa dall'agiografia, o comunque dai testi «ufficiali»,[4] a una produ-

---

1. Della massoneria hanno fatto parte in Italia figure come Vittorio Alfieri, Nino Bixio, Giosue Carducci, Massimo d'Azeglio, Enrico Fermi, Ugo Foscolo, Giuseppe Garibaldi, Melchiorre Gioia, Guido Gozzano, Attilio Momigliano, Giovanni Pascoli, Silvio Pellico, Salvatore Quasimodo. Controversa sul piano storiografico l'appartenenza di Giuseppe Mazzini.
2. Tra i filosofi che la massoneria annovera vi è in primo luogo Johann Fichte, autore di scritti sulla massoneria; ma anche altri grandi pensatori come John Locke, Charles-Louis de Montesquieu, Pierre-Joseph Proudon, Voltaire.
3. La massoneria è stata avversata dal fascismo. Si veda in particolare Fulvio Conti, *Storia della massoneria italiana. Dal Risorgimento al fascismo*, il Mulino, Bologna, 2003.
4. Si vedano gli studi di Aldo Mola, ritenuto il massimo esperto di massoneria in Italia. Tra i suoi scritti, *Storia della Massoneria italiana*

zione scandalistico-denigratoria che riduce la vicenda della massoneria a un fenomeno – pur gravissimo – come la P2 o a episodi simili.

Invece è proprio la contraddizione tra questi due mondi «paralleli» ciò che qui si intende approfondire. Con l'obiettivo di capire se, in fatto di massoneria, si possa parlare di un «caso italiano», di una specificità problematica che la rende un *unicum* all'interno dei Paesi più industrializzati del mondo.

Questo significa non trascurare i contributi positivi che la massoneria ha dato sul piano storico,[5] ma anche evitare di fare sconti in materia di inchieste giudiziarie, di verifiche sull'operato dei suoi appartenenti, di approfondimenti sulle pericolose contiguità con le realtà criminali che infestano vasta parte del nostro Paese.

Una realtà in forte crescita

La massoneria è, in Italia, un fenomeno in grande espansione. I dati ufficiali – forniti dalle principali obbedienze massoniche – mostrano un trend di continuo aumento in termini di consistenza numerica e soprattutto di domande di ammissione.

Le tre principali famiglie massoniche italiane – il Grande Oriente d'Italia, la Gran Loggia Nazionale d'Italia, la Gran Loggia Regolare d'Italia – registrano in sostanza una vera e propria «corsa al grembiulino», una diffusa voglia di «squadra e compasso».

I dati, aggiornati al 30 marzo 2007, del Grande Oriente

dalle origini ai nostri giorni, Bompiani, Milano, 1997; e *Giosue Carducci. Scrittore, politico, massone*, Bompiani, Milano, 2006.
5.   Forte il contributo della massoneria relativo al Risorgimento e al ridimensionamento del potere papale, così come su temi quali la scuola pubblica e la libertà della ricerca medica.

d'Italia sono in questo senso significativi. Gli iscritti alla principale comunione massonica italiana, guidata dal 1999 dall'avvocato Gustavo Raffi, sono passati da 12.630 nel 1998 a 18.117 nel 2007. Una crescita costante e progressiva, realizzata nonostante il grave danno d'immagine portato da scandali come quello della P2 o dall'inchiesta sui rapporti tra mafia e massoneria deviata del 1992-1993, sfociata nella «scissione» del Grande Oriente e nella nascita della Gran Loggia Regolare d'Italia. Nonostante questi eventi sfavorevoli, il Goi ha continuato a crescere. E oggi regioni come la Toscana contano, solo per il Grande Oriente, su 2755 affiliati, seguita dalla Calabria con 2171 affiliati e dal Piemonte-Valle d'Aosta con 1729 iscritti. Seguono poi la Sicilia (1606 affiliati), il Lazio (1512), la Lombardia (1386), l'Emilia-Romagna (967), la Liguria (943), la Sardegna (892), l'Umbria (891), la Puglia (753), le Marche (731), la Campania-Lucania (720), il Veneto (385), il Friuli-Venezia Giulia (271), l'Abruzzo-Molise (262), il Trentino-Alto Adige (143).

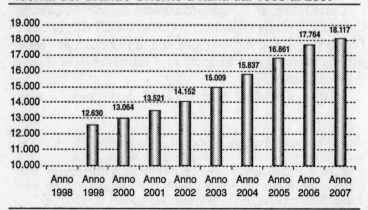

Iscritti del Grande Oriente d'Italia dal 1998 al 2007

Collegio	Iscritti	%
TOSCANA	2.755	15,21
CALABRIA	2.171	11,98
PIEMONTE-VALLE D'AOSTA	1.729	9,54
SICILIA	1.606	8,86
LAZIO	1.512	8,35
LOMBARDIA	1.386	7,65
EMILIA-ROMAGNA	967	5,34
LIGURIA	943	5,21
SARDEGNA	892	4,92
UMBRIA	891	4,92
PUGLIA	753	4,16
MARCHE	731	4,03
CAMPANIA-LUCANIA	720	3,97
VENETO	385	2,13
FRIULI-VENEZIA GIULIA	271	1,50
ABRUZZO-MOLISE	262	1,45
TRENTINO-ALTO ADIGE	143	0,79
TOTALI	18.117	100

Ma è soprattutto la richiesta di nuove adesioni a sorprendere. Il Gran Maestro Gustavo Raffi parla di una media di 1000-1500 nuove domande di ammissione all'anno. Dati impressionanti, che testimoniano quanto sia alto negli italiani il desiderio di essere cooptati in associazioni che fanno del segreto il loro punto di forza.

Gode di ottima salute anche la Gran Loggia Nazionale d'Italia, detta più comunemente di piazza del Gesù-Palazzo Vitelleschi (dal nome della sede), che si rifà alla Gran Loggia d'Italia fondata nel 1908 dal pastore protestante Saverio Fera, sulla base di una scissione dal Grande Oriente d'Italia. Questa comunione considera il 1944 come anno della sua costituzione ufficiale e dal 1955 è una comunione mista: ammette all'iniziazione anche le donne.

La Gran Loggia, guidata attualmente da Luigi Danesin, conta su oltre 8800 iscritti e si stima che una percentuale oscillante attorno al 27 per cento sia costituita da donne.

Danesin parla di forti incrementi di crescita, in particolare per la componente femminile. E di grande salute della sua «obbedienza». In un incontro pubblico[6] ha affermato che nel triennio 2003-2006 sono aumentati gli iscritti alle sue logge, ormai oltre 400 a livello nazionale, mentre 8 sono all'estero. Tra queste anche la loggia di Beirut, in Libano (sorta nel 2006), a capo della quale è stata posta una donna. «Negli ultimi anni – ha spiegato Danesin – c'è stato un progressivo incremento delle adesioni, soprattutto fra i più giovani. Oggi infatti alla loggia appartengono quasi 9000 fratelli e l'età media si è abbassata dai 65 ai 55 anni. In Italia sono 164 le città in cui è presente almeno una loggia e nella sola Torino, dove la massoneria ha mosso i primi passi, sono addirittura 19, con circa 830 iscritti.»[7]

Danesin ha anche parlato di «un'impennata di iscrizioni in rosa», precisando: «I numeri parlano chiaro: +25 per cento a livello nazionale, +20 per cento in Toscana regione che, pur essendo "rossa" ha una grande attenzione per la massoneria». Danesin ha sottolineato che «nell'obbedienza di piazza del Gesù le donne hanno par condicio da sempre e possono salire la "scala iniziatica" fino in cima, ovvero al grado 33, senza soffrire discriminazioni di sorta. Inoltre le donne che chiedono di entrare in massoneria sono istruite: la maggior parte è laureata».[8]

La terza comunione più diffusa sul territorio italiano è la Gran Loggia Regolare d'Italia, nata alla citata scissione dal Grande Oriente d'Italia: conta su circa 3000 affiliati.

Quanto alla caratterizzazione del massone italico, la sua

---

6. Dichiarazioni del Gran Maestro Luigi Danesin riportate dall'Ansa del 22 aprile 2006.
7. *Ibidem*.
8. Ansa, 24 settembre 2006.

età è di 44-45 anni, ma elevate sono le precentuali di «fratelli» anziani o prossimi a passare all'«Oriente eterno», come viene chiamato in linguaggio massonico l'aldilà.[9] Ma qualcosa sta cambiando negli ultimi anni, a conferma del dinamismo della libera muratoria in Italia. Un accurato studio pubblicato di recente da Einaudi segnala nell'ultimo decennio «un significativo incremento delle adesioni, pur ancor percentualmente limitate, dalla fascia giovanile: il 6 per cento per il Goi, il 9 per cento per la Gran Loggia si situa nella fascia compresa tra i 18 e i 25 anni».[10]

Piccoli massoni crescono, quindi. Ma l'incremento delle adesioni è ancora più significativo man mano che l'età sale. «Tale incremento rispetto al passato risulta più evidente nella seconda fascia d'età, quella tra i 25 e i 40 anni, che rappresenta il 22 per cento degli affiliati al Grande Oriente e circa il 25 per cento della Gran Loggia.»[11]

Il massone compie comunque la sua scelta di vita prevalentemente in età matura: «La fascia d'età compresa tra i 40 e i 60 anni costituisce la componente primaria: il 40 per cento per il Goi e una componente assimilabile per la Gran Loggia».[12]

Anche le due successive fasce di età (dai 60 ai 75 anni e oltre i 75) presentano dati omogenei per questi due gruppi, con percentuali valutabili rispettivamente al 20 per cento e al 12 per cento nel Goi, e al 25 per cento e 15 per cento nella Gran Loggia di piazza del Gesù.

Questi i dati delle principali obbedienze massoniche italiane.

---

9. Nel linguaggio iniziatico l'«Oriente eterno» è un oriente cui non si contrappone alcun occidente. Il sole splende nell'infinito e la sua luce è perenne creazione.
10. Fabio Martelli, *La Massoneria italiana nel periodo repubblicano*, in Gian Mario Cazzaniga (a cura di), *La Massoneria – Storia d'Italia*, Annali 21, Einaudi, Torino, 2006, pp. 722-749.
11. *Ibidem*, p. 748.
12. *Ibidem*.

Esiste poi una «comunione» solamente femminile, la Gran Loggia Femminile d'Italia (Glmfi), costituita nel 1990, ma erede della Gran Loggia Tradizionale Femminile d'Italia, sorta nel 1980. Essa ha ricevuto nel 1991 il riconoscimento della Gran Loggia Femminile di Francia: la «patente» per lavorare secondo i tre gradi del Rito scozzese antico e accettato. La Gran Loggia Femminile d'Italia, riconosciuta sulla base di rapporti d'amicizia dalla Gran Loggia di piazza del Gesù, conta su 160 adepte e 15 logge.

Ma veniamo alla composizione sociale della massoneria italiana.

Per il Grande Oriente, l'analisi dell'appartenenza in termini professionali,[13] rispetto alle connotazioni «aristocratiche» del passato evidenzia oggi un prevalere del ceto sociale medio. È infatti limitata l'appartenenza di operai (2 per cento circa), mentre gli insegnanti rappresentano il 20 per cento: un dato che, sommato a quello relativo agli impiegati, pari all'11 per cento, mostra un lieve superamento dei lavoratori dipendenti rispetto ai liberi professionisti (30 per cento). Rilevante anche la componente imprenditoriale, pari al 15 per cento; ma anche quella dei pensionati, pari al 22 per cento.

I dati disponibili per la Gran Loggia d'Italia, pur ripartiti in sole quattro categorie, mostrano una composizione più elitaria e significativi scostamenti rispetto al Goi: i liberi professionisti rappresentano il corpo professionale di gran lunga prevalente, con il 45 per cento del totale; i lavoratori dipendenti costituiscono solo il 20 per cento; mentre gli imprenditori rappresentano il 25 per cento e la percentuale dei pensionati è pari all'11 per cento, ovvero l'esatta metà della corrispondente quota nel Goi.

Quanto alla composizione della Gran loggia Regolare d'Italia, anche qui prevalgono i liberi professionisti pari al 42 per cento, un dato che sembra riprodurre quello dell'«obbedien-

---

13. Secondo le categorie dell'Eurispes.

za» di piazza del Gesù. I lavoratori dipendenti costituiscono il 32 per cento. Consistente la categoria dei pensionati, pari al 20 per cento.

Nelle varie obbedienze vi è comunque una netta crescita dei lavoratori dipendenti e di gruppi sociali assimilabili, che indica una tendenza all'allargamento della base sociale della massoneria italiana.

Quanto ai titoli di studio, si può rilevare per le tre «famiglie» massoniche una sostanziale omogeneità dei dati per la fascia più bassa. I titolari di diploma di scuola dell'obbligo rappresentano solo il 5 per cento dei tre gruppi. Nel caso del Grande Oriente il titolo di scuola media superiore è detenuto dal 25 per cento degli iniziati, a fronte del corrispettivo 35 per cento della Gran Loggia Regolare d'Italia e del 30 per cento della Gran Loggia Nazionale d'Italia. I laureati rappresentano il 60 per cento di questi due ultimi gruppi, percentuale che sale al 70 per cento nel caso del Grande Oriente.

Questa fotografia, realizzata con dati affidabili, offre della massoneria italiana l'immagine di una realtà in crescita nella società italiana. Sono i numeri a far riflettere.

Sommando ai dati delle tre principali comunioni massoniche quelli – più difficilmente valutabili – di altre obbedienze, «spurie» o «irregolari», si raggiunge e supera senza difficoltà il ragguardevole numero di oltre 30mila massoni in tutta Italia.

Una cifra considerevole, se si tiene conto che un altro gruppo – spesso ritenuto antagonista – che fa della riservatezza la propria caratteristica, l'Opus Dei, raggiunge in Italia poco più di 5000 aderenti.

I «fratelli d'Italia»[14] godono quindi di ottima salute. E il loro network di potere è più forte che mai. Di qui la necessità di un'inchiesta senza sconti sulla realtà della massoneria italiana.

---

14. L'autore dell'inno nazionale, Goffredo Mameli (Genova, 5 settembre 1827-Roma, 7 luglio 1849) era massone.

Prima parte

Nei segreti della massoneria

Le confessioni di un Gran Maestro

Diventare massone

Il nostro viaggio nei segreti dell'Italia massonica inizia a Trento, con una testimonianza che è al tempo stesso una confessione personale, una denuncia civile, una lucida e preziosa analisi storica. Attraverso questo racconto è possibile alzare per la prima volta il velo su molte vicende del presente e del passato di difficile comprensione, avere finalmente una chiave attendibile – certamente non l'unica – dei molti misteri che avvolgono la massoneria.

Giuliano Di Bernardo, oggi professore di Filosofia della scienza all'Università di Trento, è stato Gran Maestro della principale «obbedienza» italiana, il Grande Oriente d'Italia, dal 1990 al 1993.

La strada che porta alla villa è quella che dal capoluogo, attraverso la salita che passa per ponte Cornicchio e la ferrovia della Valsugana, si inerpica fino all'antico borgo nobiliare di Povo, che con le Ville Gherta, Saracini e Poggioli restituisce lo splendore architettonico e artistico della Trento settecentesca. Un grande cancello annuncia un lungo viale di ghiaia, che si snoda tra i vitigni curatissimi di una splendida tenuta. Al termine del percorso, immersa tra piante secolari, si erge una sontuosa villa d'epoca. Dalla terrazza circolare attigua alla villa si domina tutta la vallata.

Il professore mi accoglie con sobria cortesia, osservandomi con attenzione mentre mi porge la mano. Il suo sguardo è vigile, magnetico. Sono gli occhi di un uomo che ha visto e compreso molte cose. I capelli e la barba argentei sottolineano l'aspetto ieratico del Gran Maestro. Iniziamo il nostro dialogo in un salottino appartato, illuminato da una finestra a strapiombo sulla vallata, che lascia trapelare l'immagine di remote vette alpine. Sembra di essere nel nido di un'aquila, pronti a spiccare il volo. E forse sarà così.

Giuliano Di Bernardo è stato massone fin dal 1961 e ha fatto parte ai massimi livelli del Supremo Consiglio del Rito scozzese antico e accettato, un'élite nell'élite della massoneria.[1] È stato Gran Maestro della principale «obbedienza» italiana, il Grande Oriente d'Italia, in un uno dei momenti più drammatici della storia, quel biennio 1992-1993 durante il quale si scatenò la bufera dell'inchiesta del giudice Agostino Cordova sui rapporti tra mafia e massoneria deviata.[2] Proprio per aver collaborato con la magistratura, fu costretto ad abbandonare,[3] in forte dissenso, il Grande Oriente d'Italia.

La sua analisi parte da un'osservazione di metodo importante.

«La massoneria è una realtà complessa, e per potervisi orientare bisogna conoscerla dall'interno. Chi vuole iniziare ad analizzarla dall'esterno si deve appoggiare a qualcuno che ne abbia fatto parte e che possa permettersi un'ottica critica. I libri validi in materia sono rarissimi. Generalmente, o si fa

---

1. Le finalità del «rito», in massoneria, sono quelle di offrire la possibilità ai «fratelli» che hanno raggiunto il grado di maestro (3° grado simbolico) di continuare e approfondire la loro ricerca interiore proseguendo il cammino iniziatico. Il Rito scozzese antico e accettato comprende i gradi capitolari (speculativi) dal 4° al 18° (Massoneria Rossa) che hanno finalità di perfezionamento; quelli filosofici dal 19° al 30° grado (Massoneria Nera) che simboleggiano lo sviluppo del percorso iniziatico verso la conoscenza assoluta (la gnosi) e i gradi della Massoneria Bianca dal 31° al 33°, che hanno il compito di amministrare la Comunione.
2. Cfr. cap. «'Ndrangheta e massoneria».
3. Si dimise il 16 aprile 1993 e fondò la Gran Loggia Regolare d'Italia, subito riconosciuta dalla Gran Loggia Unita d'Inghilterra, la libera muratoria più autorevole del mondo, preoccupata dalle commissioni tra massoneria italiana e malavita organizzata; ma anche critica su alcune innovazioni «rituali» apportate dal Grande Oriente.

agiografia o – all'estremo opposto – vi è la critica basata sul pregiudizio. E anche questo si coglie subito.»

Perché, allora, un uomo come di Di Bernardo può permettersi di parlare e di abbattere il muro del silenzio che grava attorno a questo tema?

«Io, che sono stato ai vertici della massoneria, oggi posso parlarne con disincanto. Proprio perché, pur non rinnegandola, l'ho lasciata. Se lei avesse chiesto a me un giudizio sulla massoneria quando ero al vertice del Grande Oriente, avrei dovuto fare agiografia, non avrei mai detto quello che pensavo realmente. Adesso lo posso fare.»

Scavare nei meandri della massoneria non è più facile all'estero che in Italia, spiega Di Bernardo da profondo conoscitore della muratoria anglosassone.

«La massoneria inglese non ammetterebbe mai un giornalista alla conoscenza di cose che la riguardano intimamente. Né un massone straniero le dirà esattamente quel che pensa di un'altra massoneria. Lo stesso avviene in Italia: è un gioco di specchi dietro al quale è difficile intravedere la realtà.»

Per inquadrare l'avventura umana di Di Bernardo e l'arco degli eventi cui ha avuto modo di partecipare, è utile partire dal dato biografico. Che tipo di famiglia era quella del futuro Gran Maestro?

«Sono nato in provincia di Pescara, a Penne, il primo marzo 1939. Provengo dal connubio di due famiglie diametralmente opposte. Mia madre veniva dalla famiglia nobile dei Leopardi, mio padre era un artigiano. Quindi mondi completamente diversi. Comunque, né nella famiglia di mio padre né in quella di mia madre vi erano tradizioni massoniche.

«Io la mattina andavo a scuola e il pomeriggio studiavo filosofia. Dai tredici ai diciassette anni, divorai libri di filosofia: Aristotele, Platone, Hegel. La mia mente era completamente aperta nei confronti della riflessione filosofica. Ed è in quel periodo che ebbi l'occasione di conoscere un massone che si era trasferito a Penne. Veniva dalla Toscana. Ci siamo conosciuti e lui mi ha parlato per la prima volta della massoneria. Avevo l'età in cui si è come una spugna, si assorbe tutto. Avevo quattordici anni.»

Con quel nuovo «maestro», Di Bernardo trova forti stimoli: «Ricordo bene gli anni, i mesi, i giorni passati a discutere con questo massone. Quell'incontro fu un'illuminazione, per me. Perché sebbene io mi fossi addentrato nello studio della filosofia e malgrado ne trovassi grande gratificazione e nutrimento, mi sembrava tutto troppo astratto. Conoscendo la massoneria attraverso quella persona, io trovai l'anello mancante, il tratto di congiunzione tra le riflessioni filosofiche e la realtà sociale, l'uomo».

Quando aveva diciotto anni, la sua famiglia si trasferisce a Bologna, una realtà dove la massoneria vanta da sempre una tradizione di presenza forte e qualificata.

«Vi arrivai conoscendo già la massoneria. Avevo ottenuto una lettera di presentazione del gran segretario del Grande Oriente d'Italia di allora. Mi presentai a un massone molto importante, un esempio fulgido che mi ha fatto da guida al momento dell'ingresso ufficiale in massoneria. Prima che arrivassi da lui, sapeva già che sarei entrato, perché l'avevano informato da Roma; ma quando andai a trovarlo e la sua domestica mi introdusse nel salottino, mi vide e scherzando disse: "Ma tu sei un ragazzo, cosa vuoi?". Dovetti aspettare due anni. Infatti per accedere alla massoneria bisogna avere ventun anni, a meno che non si sia figli di massoni (nel qual caso si entra appena maggiorenni). Io allora ho aspettato, sono stato iniziato nel 1961 alla loggia "Risorgimento 8 agosto", una delle logge storiche di Bologna, di tradizioni risorgimentali.»

La passione per la filosofia non si era spenta, nel giovanissimo massone.

«Nel 1962 venni a sapere che a Trento si stava fondando l'Istituto Superiore di Scienze Sociali, la futura facoltà di sociologia. Non esitai un solo istante, mi iscrissi a sociologia e mi laureai.»

Si dice che l'Università di Trento sia nata da un «patto» segreto tra gesuiti e massoneria,[4] ma su questa leggenda Di Bernardo è cauto: «I gesuiti a Trento in quel momento erano rappresentati da padre Rosa,[5] uno studioso di grande valore. Lui all'epoca era una figura di punta del prestigioso centro San Fedele di Milano, un uomo carismatico, e sebbene io fossi massone avevamo instaurato un rapporto di amicizia profondo».

L'accenno al ruolo dei gesuiti mi permette una piccola digressione: esistono veramente delle «contiguità» tra gesuiti e massoneria? Delle concordanze?

Di Bernardo si illumina: «Le concordanze ci sono sempre, al vertice. A un certo livello ci sono sempre state, segretamente. Quando si parla di questo filo segreto, si parla di un dialogo sottile, profondo, che esiste tra persone di qualità. Sono queste convergenze a evitare – in caso di crisi o conflitti – i danni maggiori, le situazioni irreparabili. È chiaro che, alla base della piramide, troviamo il prete e il massone che si comportano come don Camillo e Peppone. Ma i vertici, poiché sono vertici illuminati, si toccano sempre».

Questo vale anche per i rapporti con il mondo islamico?

«Vale per tutto. E io ritengo che siano non solo fortunati, ma "beati", coloro che – sia pure per un solo istante del-

---

4. Tra le «leggende» che riguardano il rapporto tra massoneria e gesuiti a Trento, c'è l'appartenenza dello storico arcivescovo Alessandro Gottardi alla Gran Loggia Vaticana, la struttura massonica interna al Vaticano denunciata da «Op», il periodico del giornalista Mino Pecorelli, ucciso nel 1979. Stando a quanto riportava «Op», la sigla massonica di Alessandro Gottardi sarebbe stata «Algo».

5. Nato a Lonate Pozzolo il 5 novembre 1920, padre Luigi Rosa venne ordinato sacerdote il 9 luglio 1949. Studiò legge prima all'Università Statale di Milano, poi in quella di Roma, dove si laureò con una tesi in diritto costituzionale. A Milano svolse tutta la sua attività di sacerdote e di studioso dei problemi giuridici costituzionali presso la Comunità dei Gesuiti di San Fedele, e in particolare presso il Centro Studi Sociali fino al 1977. Intuì alcune esigenze dell'insegnamento sociale della Chiesa e cercò di realizzarle con la fondazione della Scuola di preparazione sociale di Reggio Emilia negli anni Sessanta; poi si fece tenace promotore della fondazione della libera Università di Trento per le Scienze Sociali.

la loro vita – possono vedere queste connessioni ideali tra i vertici. In questa chiave, tante divisioni del mondo attuale perdono significato. Non possiamo dimenticare che, quando la cultura greca si trasferisce ad Alessandria d'Egitto e i romani distruggono la biblioteca alessandrina, la grande filosofia emigra ancora una volta e si trasferisce a Baghdad, dove resta per cinquecento anni. Baghdad è stata per mezzo millennio una grande capitale culturale, un centro del sapere mondiale. È lì che hanno operato grandi pensatori come Avicenna e Averroè. Senza questi filosofi non ci sarebbe stata la filosofia occulta, il neoplatonismo e altre grandi correnti di pensiero che preparano il Rinascimento.»

Torniamo ora alla storia dell'ex Gran Maestro.

«Ho iniziato la carriera universitaria qui a Trento, nel 1974, diventando prima assistente di ruolo, poi libero docente, quindi professore stabilizzato. Di lì a qualche anno sarei arrivato alla cattedra, i miei colleghi dell'Università di Bologna, mi proposero di trasferirmi dalla loggia "Risorgimento 8 agosto" alla loggia "Zamboni De Rolandis", quella dei professori universitari, alla quale appartenevano il rettore Fabio Roversi Monaco, e nella quale c'erano tanti professori di diverse discipline. Una loggia particolare, unica, di alto spessore intellettuale. Così, nel 1974, pur risiedendo a Trento, decisi di farlo.»

Quale fu il rapporto di Di Bernardo con la nuova e potente loggia di cui entrò a far parte? La sfruttò come mezzo per acquisire potere?

«Per mia libera scelta, non ho mai cercato cariche all'interno della massoneria. Ho sempre seguito un ragionamento lineare: io sono un massone, studio la massoneria, agisco da massone, però non voglio cariche di alcun genere. Ricordo di essere stato per qualche anno segretario della "Risorgimento 8 agosto" perché allora Carlo Manelli,[6] il mio punto

---

6. Carlo Manelli è stato autore de *La massoneria a Bologna dal XVIII al XX secolo*, Ed. Analisi, Bologna, 1986.

di riferimento, era "venerabile" e me lo aveva chiesto, me lo aveva imposto. Quando c'è stato lo scandalo della P2, io ero un semplice maestro, pur se di un'importante loggia come la "Zamboni De Rolandis".»

La loggia P2

Veniamo allora alla storia d'Italia. Nel 1981, quando scoppiò lo scandalo P2,[7] Di Bernardo aveva quarantadue anni. Come ricorda quella fase? Ebbe cognizione del maturare di qualcosa di grave? Di Bernardo riflette, pesa le parole. Poi decide di fidarsi, di aprire l'archivio della memoria.

«Ciò che io ho avvertito nel periodo precedente all'esplosione dello scandalo è stato il trasferimento di alcuni nostri importanti fratelli, che abbandonavano logge storiche per entrare nella P2. Questo significa che Gelli stava facendo un reclutamento all'interno del Grande Oriente. E che da ogni loggia andava a scegliere i personaggi più influenti.»

Come avveniva questo processo di cooptazione?

«Ricordo un caso, alla "Zamboni De Rolandis": il rettore di un'importante università, che era membro di quella loggia, una sera annunciò che ci avrebbe lasciati perché era stato chiamato a un "compito superiore". Da quel momento non lo vedemmo più. Poi il suo nome apparve negli elenchi della loggia di Licio Gelli. Questo professore era un fisico valentissimo, di livello nazionale; non era un imprenditore qualsiasi che voleva fare affari con Gelli. Lui entrò nella P2 con entusiasmo, convinto di operare per il bene dell'Italia. Non bisogna dimenticare che molti sono stati attratti nella P2 con vane illusioni.»

Qui centriamo il nodo del problema. Se anche persone di qualità come lo scienziato citato da Di Bernardo entravano

---

7.   Il 17 marzo 1981 vengono sequestrate le liste degli appartenenti alla loggia coperta P2, maestro venerabile Licio Gelli.

nella loggia coperta, è evidente che questa rappresentava qualcosa di più di un «raggruppamento» riservato, creato dal direttore di una fabbrica di materassi.[8] C'era la consapevolezza, appunto, di essere stati chiamati a un compito, di rispondere a un progetto più vasto. Era perché Gelli rappresentava qualcosa di particolarmente forte, o qualcuno particolarmente potente? Cosa o chi c'era dietro di lui?

L'ex Gran Maestro non si tira indietro di fronte a una verità storica che ha potuto toccare con mano e che può raccontare con cognizione di causa e credibilità.

«Dietro Gelli c'erano gli ambienti americani. Gelli è un prodotto degli americani.»

È un'affermazione forte, netta. Per quanto questa ipotesi sia stata discussa, sentirla sostenere da chi è stato alla guida della principale realtà massonica italiana ha un altro sapore. Chiediamo a Di Bernardo di approfondire, di spiegare, di entrare nel dettaglio.

«In quel tempo» prosegue dopo un sospiro «Aldo Moro aveva perso la fiducia degli americani. Lo statista democristiano era ormai considerato un cavallo di troia, il "ponte" che avrebbe consentito ai comunisti di arrivare al potere. Quindi gli americani si trovarono senza rappresentanti autorevoli e affidabili in un Paese chiave dello scacchiere internazionale. E in piena guerra fredda.

«Sono anni convulsi, nei quali il confronto tra il mondo atlantico e il blocco comunista è durissimo: anni di riarmo nucleare, di servizi segreti attivissimi, di spie, di omicidi politici. Tutto appare lecito, in quel momento. La prospettiva di un "sorpasso" elettorale da parte dei comunisti, così come l'ipotesi di un "compromesso storico" tra Dc e Pci, terrorizza gli ambienti atlantici.

«Ampi settori della leadership statunitense avevano perso fiducia nei governanti italiani. I quali, secondo gli americani,

---

8. Licio Gelli, assunto alla Permaflex alla fine degli anni Cinquanta, ne fu dirigente dal 1965 al 1967.

stavano operando per creare un passaggio di fronte dell'Italia ai comunisti. Quando gli americani si sono trovati in questa situazione, che non comprendevano e non riuscivano a gestire, si sono lasciati prendere dal panico. Sembra strano, ma è così: eppure stiamo parlando della potentissima Cia, che noi siamo abituati a vedere come l'espressione della più alta razionalità umana. Invece anche in quei mondi, spesso attraversati da interessi personali di basso livello, si commettono errori grossolani.»

Il racconto di Di Bernardo si fa avvincente. Cosa avvenne, nel momento in cui il Dipartimento di Stato americano e la Cia si convinsero di avere a che fare con una situazione di emergenza in Italia?

«Qualcuno disse loro che in Italia c'era un personaggio che aveva la capacità di arginare il pericolo comunista, essendo il venerabile della più potente loggia massonica mai esistita. Gelli fu ricevuto dagli americani con tutti gli onori: ma la cosa più importante fu che gli diedero carta bianca, il mandato esclusivo di operare per loro conto in Italia. Non soltanto tutti i soldi che gli servivano, quindi, ma molto di più. In sostanza fecero pervenire ai politici più potenti un messaggio chiaro: mettetevi all'obbedienza di Gelli.»

L'analisi di Di Bernardo spiega molte cose: perché un politico di primo piano come Giulio Andreotti prestasse attenzione a Gelli sin dai tempi in cui si faceva ritrarre con lui e il cardinale Ottaviani a inaugurare uno stabilimento di materassi diretto dal piduista (Frosinone, 28 marzo 1965); perché politici di ispirazione «atlantica» come Francesco Cossiga abbiano sempre concesso udienza a Licio Gelli. Si trattava di obbedienza alla ragion di Stato, a rapporti di potere nati in una democrazia a sovranità limitata come quella italiana.

Di Bernardo ne è certo: «Gelli si è ritrovato a essere il più potente uomo che sia mai esistito in Italia, erano tutti al suo servizio».

Il problema è che l'interlocutore scelto dagli americani era stato un discusso fascista della prima ora, un volontario della guerra di Spagna decorato personalmente da Francisco Franco e Benito Mussolini. Un uomo di estrema destra che aveva aderito alla massoneria non certo per amore verso gli ideali di uguaglianza e libertà, ma per riciclarsi dopo la sconfitta del fascismo, ottenendo i contatti necessari per proporsi agli americani e ai servizi segreti di una Repubblica nata fragile e malata.

Di Bernardo inquadra bene questo punto.

«A Gelli fu affidato un potere enorme. Ma per fare che cosa? In teoria, una volta che si crea un potere così forte, bisogna governarlo per il bene del Paese in cui si opera. Ma come poteva un materassaio, coinvolto in mille situazioni oscure sin dagli anni Trenta, capire qual era il bene dell'Italia? Non era in grado. Gelli allora utilizzava molte delle persone che erano entrate nella P2 per i suoi affari, per interessi economici più che politici o strategici.»

La chiave dell'affarismo è molto importante per comprendere la P2. Rapidamente, la motivazione «atlantica» lascia spazio alla rete dei favoritismi, delle promozioni, dei finanziamenti concessi ai privati dalle banche vicine ai «fratelli», ai rapporti con mondi sempre più torbidi. Su questo punto il Gran Maestro è netto. E la verità di Di Bernardo si sposa con quella delle sentenze.

«Gelli non ha mai fatto una vera lotta allo Stato, una cospirazione in senso stretto, perché non era in grado di farla. Ma aveva attivato tutti i canali per creare una rete di potere funzionale a un certo numero di persone. Le faccio un esempio: nel momento in cui un colonnello dei carabinieri aspirava a diventare generale, era Gelli che indicava la strada. Aveva il potere di farlo nominare e, dunque, successivamente, di subordinarlo a sé. Era così potente, in questo senso, che riusciva a condizionare anche coloro che non aveva potuto far salire di grado. Per questi "esclusi" riusciva sempre a trovare un "premio di consolazione", o comunque essi sapevano che dovevano solo aspettare il momento in cui Gelli avrebbe aperto loro le porte di un più grande potere.»

In che modo Di Bernardo ha avuto la forza di resistere di

fronte alle spinte, alle tentazioni, alle promesse, alle offerte che gli venivano da una loggia come la nascente P2?

«Io non avevo ambizioni diverse oltre a quelle dei "lavori" di loggia, oltre all'università. Era una scelta di fondo, il mio modo di fare ed essere massone. Io ho vissuto da membro della loggia "Zamboni De Rolandis" le vicende della P2 in maniera molto distaccata. Il rettore di cui parlavamo fu "catturato" da Gelli – non dimentichiamo però che l'altra "mente" della P2 era Umberto Ortolani[9] – con questa promessa: noi stiamo creando un progetto sostenuto dal Presidente degli Stati Uniti, un progetto per cambiare l'Italia. Quel rettore si è ritrovato nell'elenco della P2 ed è stato anche oggetto di molti sospetti per questo. Certi politici, certi magistrati hanno voluto inculcare nell'immaginario collettivo l'idea del "piduista"... Nonostante lo scarso spessore della figura di Gelli, però, va detto che di essa fecero parte, magari ingenuamente, anche molte persone di valore.»

Nonostante l'idea di «piduista» sia stata spesso usata per creare mostri e le sentenze della magistratura abbiano ridimensionato l'effettivo ruolo della P2 – assolvendola dall'accusa di cospirare contro lo Stato, ma non da quella di essere stata uno spregiudicato e corrotto network affaristico –, ciò non toglie che le motivazioni che stavano dietro la P2, le «ragioni atlantiche per cambiare l'Italia», fossero quantomeno illegali. Così come i metodi utilizzati. Gelli aveva davvero la forza per portare avanti tali «ragioni atlantiche», aveva davvero il potere di dirottare l'Italia rispetto all'ipotesi di un governo di centrosinistra?

«Il vero Gelli era ed è una persona modesta. Tuttavia in

---

9. Finanziere molto vicino agli ambienti cattolici per la sua rilevanza nel caso Calvi-Ambrosiano, Ortolani fu probabilmente il punto di contatto tra Vaticano e P2. A questo proposito, si veda: Ferruccio Pinotti, *Poteri Forti*, Rizzoli-Bur, Milano, 2005, cap. «Il Vaticano e la massoneria», pp. 107-114 .

molti, a un certo punto, hanno cominciato a credere che, se si voleva un "favore", bisognava passare dalla sua struttura. Di coloro che si rivolgevano a Gelli, otto su dieci ottenevano qualcosa.»

Sul problema dell'appartenenza o meno della P2 al Grande Oriente, Di Bernardo spiega: «Quando si parla di Gelli, di Ortolani e della P2 come di "massoneria" non si dice il falso, perché Gelli, Ortolani e la P2 erano parte del Grande Oriente d'Italia. Ma si semplifica troppo. La P2 e i suoi esponenti non rappresentavano tutta la massoneria italiana. Ma certo ne erano parte».

La loggia coperta P2 assume forza durante la Gran Maestranza di Lino Salvini. Salvini avvertiva che stava crescendo il fenomeno della P2 all'interno del Grande Oriente? Come interveniva di fronte alle oscure manovre di Gelli?

«Con Salvini comincia la degenerazione della massoneria. Prima di lui la guida del Grande Oriente era affidata a Giordano Gamberini,[10] che aveva un'idea della massoneria già parzialmente distorta. Però le sue distorsioni riguardavano i rapporti con la religione, un certo tipo di ritualità, il simbolismo; in una parola, riguardavano la dottrina massonica. Si trattava di distorsioni che avevano effetti e conseguenze solo interne all'organizzazione.»

Entriamo nel merito del delicato passaggio dalla Gran Maestranza di Gamberini a quella di Salvini, entrato in carica il 21 marzo 1970 e rimasto alla guida del Grande Oriente fino al 18 novembre 1978.

«Diventa Gran Maestro Salvini, che si rende subito conto che la situazione interna al Grande Oriente non è a lui molto favorevole e che, trascorsi i tre anni del suo governo, sarebbe stato molto difficile per lui essere rieletto. Allora Salvini dà il via all'"operazione socialista": essendo lui membro del Partito socialista, di fatto trasforma molte sezioni del Psi in logge

---

10. Gamberini è stato Gran Maestro dal 17 luglio 1961 al 21 marzo 1970.

massoniche; questo gli avrebbe garantito la rielezione alla scadenza del mandato. Ma questa operazione ha iniettato nel corpo della massoneria italiana il germe che la porterà alla dissoluzione, al disfacimento.»

Il passaggio storico illustrato da Di Bernardo è fondamentale. L'abbraccio mortale tra la massoneria e il Psi, favorito da Salvini, porterà a quell'identificazione tra massoneria ed entourage dell'affarismo socialista, popolato da uomini come Silvio Berlusconi, Giancarlo Parretti, Florio Fiorini, vertici di banche o di aziende come l'Eni. Un gruppo di potere aggressivo, disinvolto, che utilizzerà la politica per impadronirsi dell'economia e della finanza, con conseguenze che arrivano sino a oggi. Per questo chiediamo all'ex Gran Maestro di soffermarsi su questo snodo così importante.

«Intendiamoci, non c'è nessuna ragione per cui un socialista non possa entrare in massoneria. Ma l'errore di Salvini è stato quello di conferire lo status di massone a persone che non lo volevano, né sapevano che farsene o che valore avesse. Ma sa com'è la natura umana... una volta acquisito quello status, anche non avendolo liberamente scelto, ci si guarda attorno e si dice: però non si sta mica male qui. E a poco a poco ci si abitua all'idea che tutto sommato si comincia a contare, che si inizia ad avere un potere.»

Di Bernardo illustra con più precisione questo meccanismo psicologico.

«Anche l'uomo che è un fallito nella società, quando indossa il grembiule massonico si sente un Dio in terra. Quando questa sensazione si diffonde, all'interno di una comunità massonica inizia la decadenza. Una comunione massonica è come un organismo: se inizia a popolarsi di cellule malate, si riproduce con quelle cellule. Quegli uomini non consentiranno mai a chi possiede uno spessore umano, o peggio ancora, a chi è loro superiore, di entrare nell'organizzazione. Semmai i mediocri selezioneranno i loro pari, meglio ancora

uomini di statura inferiore, perché saranno sempre più facilmente addomesticabili, più ubbidienti.»

Salvini, dopo aver a lungo lasciato correre, tentò una debole opposizione alla P2 di Gelli; ma uscì sconfitto dallo
scontro interno.

Di Bernardo in merito rivela: «Salvini nel 1974-1975 fece
deliberare dalla Gran Loggia lo scioglimento della P2.
Mandò anche una lettera a Gelli, dicendogli che la P2 era
stata sciolta. Ma qui si realizzò, in senso negativo, il "capola-
voro" di Gelli. Nel Grande Oriente esiste la tradizione di
scuola francese della "tavola d'accusa", per cui tutti possono
essere messi in stato d'accusa. Gelli mise in stato d'accusa
Salvini, al quale venne addebitato di aver preso soldi dalla
Fiat.[11] Lo scopo di Gelli era quello di costringere il Gran
Maestro a fare quello che voleva lui. Gelli voleva mantenere
l'autorità assoluta sulla loggia P2. Alla fine ci riuscì. E riot-
tenne il riconoscimento della P2 come loggia del Grande
Oriente. Dopo questi episodi, il potere di Gelli era diventato
talmente forte che Salvini gli diede un pacco di tessere di affiliazione già firmate. Gelli le distribuì a chi voleva, senza
neanche informare il Gran Maestro. Salvini assegnò anche
un numero – e il nome di "Propaganda Due" – alla loggia di
Gelli, fino ad allora denominata "Raggruppamento Gelli".

---

11. Alla richiesta di Salvini di restituire gli elenchi dei fratelli coperti, Gelli
oppone un netto rifiuto, seguito da un silenzio prolungato. Inoltre, serven-
dosi di Mino Pecorelli (tessera P2 n. 1750), fa apparire sull'agenzia «Op»
alcune note su presunti coinvolgimenti del Gran Maestro Salvini in vicende illecite. Pecorelli pubblica un articolo contro Salvini: «Della Società per
Azioni Firenze Libera. Il Gran Maestro del Grande Oriente d'Italia, il prof.
Linus Salvini, si dichiara iscritto al Psi e fa affari a Firenze per la famiglia
(sua)» («Op», 5 novembre 1975). Pecorelli si riferisce al coinvolgimento in
un traffico d'armi. E ancora scrive: «I personaggi che guidano oggi la massoneria la stanno conducendo inesorabilmente verso il declino e la cata-
strofe finale. Oggi i grossi contributi concessi dai vari enti vengono incame-
rati dal Gran Maestro che li considera come emolumenti ad personam, di-
sconoscendo il fatto che le contribuzioni sono indirizzate alla carica e non
alla persona fisica di Salvini» («Op», 13 marzo 1975).

Dopo questi fatti venne riconosciuta dal Goi. Fu chiamata "Propaganda Due" perché era già esistita una loggia "Propaganda Uno", a Torino. I vertici del Grande Oriente non seppero resistere alle tentazioni di Gelli: si lasciarono coinvolgere e travolgere dagli eventi, diventando di fatto garanti della tradizione iniziatica della loggia P2».

Quindi Gelli vide rafforzarsi il suo potere mentre, parallelamente, il legame tra massoneria e socialisti cresceva come una metastasi. «Salvini – di fondo – è stato sempre un sostenitore di Gelli, che lo ha controllato facilmente», afferma Di Bernardo.

Salvini resta in carica sino al 1978, gestendo la massoneria nella fase storica in cui Sindona, Calvi e Gelli accrescono il loro potere fatto di alta finanza, controllo dei media (come il gruppo Rizzoli-Corriere della Sera), corruzione politica e uso dei servizi segreti. La Gran Maestranza di Salvini si esaurisce ma, sostiene Di Bernardo, la tendenza alle collusioni pericolose non accenna a scemare.

«Il successore di Salvini, Ennio Battelli, anche se non è stato direttamente complice del sistema creato dal precedente Gran Maestro, ha messo la testa sotto la sabbia. C'è un episodio che su questo la dice lunga: Battelli un giorno incontrò Gelli, e questi gli mostrò l'elenco della P2. Mentre sfogliava quell'elenco, Battelli diventava di tutti i colori. Gelli gli disse: "Questa è la copia per te". Battelli rispose: "Io questo elenco non l'ho neanche visto. Portatelo via, fai quel che vuoi, ma io non ci voglio entrare".»

Ennio Battelli rimane in carica dal 18 novembre 1978 al 27 marzo 1982. È il periodo in cui Gelli raggiunge il suo massimo potere grazie all'appoggio dei banchieri di Dio iscritti alla P2: Michele Sindona e Roberto Calvi. Ma è anche il momento in cui esplode lo scandalo, con il ritrovamento delle liste degli iscritti il 17 marzo 1981.[12] In questa fase gli im-

---

12. Le liste furono rinvenute nel corso di indagini sulla «lista dei 500» di Sindona e sul coinvolgimento di Licio Gelli nella farsa del «rapimento» del finanziere siciliano. La magistratura di Milano ordinò la perquisizione

prenditori targati Psi – tra cui Silvio Berlusconi, con la famosa tessera n. 1816 – costruiscono il loro impero grazie all'appoggio dei «fratelli» situati nelle posizioni chiave della società italiana.

Il 28 marzo 1982, mentre il dramma di Roberto Calvi sta per raggiungere il suo culmine (morirà a Londra il 18 giugno successivo), sale alla guida del Grande Oriente un'altra figura piuttosto discussa: il sardo Armando Corona, un potente politico democristiano con idee brillanti in fatto di turismo e insediamenti edilizi.

Come si arrivò al cambio della guardia? In che senso si era modificato l'equilibrio di potere all'interno della più grande comunità massonica italiana?

«Battelli era stato travolto dagli eventi. Era cominciata la caccia al massone, al "piduista". L'atteggiamento del Pci, in particolare, era molto negativo, molto violento nei confronti non solo della P2, ma di tutta la massoneria. Battelli terminò il suo mandato, si ricandidò ma non venne rieletto. Venne invece eletto Corona. Non certo a sorpresa» racconta Di Bernardo.

«A Corona era affidato il compito di salvare il salvabile. Realizzò questo obiettivo non solo accusando la P2 e i suoi membri, ma mettendo sotto processo i tre Gran Maestri che lo avevano preceduto: Gamberini, Salvini e Battelli. Oltre ovviamente a Gelli. Questa mossa contro chi aveva fatto la storia della massoneria in Italia dal 1960 fu considerata negativamente dalla massoneria internazionale. Perché fu messa in atto la stessa logica che sarà applicata, per esempio, al processo ad Andreotti: se è vero che Andreotti, che ha governato l'Italia per quarant'anni, è stato colluso con la

della villa del venerabile e di altri uffici di Gelli. Alla loggia massonica Propaganda 2 risultarono appartenere 963 «fratelli»: uomini dei servizi segreti, politici, finanzieri, banchieri, personaggi dello spettacolo, alti ufficiali, funzionari dello Stato. Risulterà chiaro che la lista non era completa e nascerà così il mistero delle vere liste della P2, trasferite probabilmente in Uruguay dallo stesso Gelli.

mafia, allora significa che lo Stato italiano era nelle mani della mafia.»

L'ex Gran Maestro precisa, quindi, gli strumenti di questa operazione. «Se Salvini ha introdotto il germe della distruzione nella massoneria del Grande Oriente, Corona continua quest'opera trasformando i regolamenti massonici per "adattarli" al codice civile.» Di Bernardo intende dire che il suo predecessore adotta per la massoneria, strutturalmente elitaria e selettiva anche al proprio interno, un assetto del tipo «società per azioni».

«Nel codice civile non c'è scritto che il "presidente" sta al vertice in virtù dell'iniziazione o per le sue intrinseche qualità, ma perché viene eletto da un'assemblea. Quindi Corona ha trasformato la massoneria in una specie di società per azioni in cui la giunta è diventata un consiglio d'amministrazione. Un'evoluzione subdola, che io stesso facevo fatica a cogliere.»

La «riforma» di Corona tenta di simulare, secondo Di Bernardo, una democrazia interna: i candidati alla guida della massoneria presentano un programma, così gli elettori possono scegliere tra proposte alternative.

«In teoria può sembrare un'idea che funziona. Ma in pratica cosa avviene? Che gli "elettori" non votano in base a ciò che hanno letto del programma, ma in base a ciò che il capobastone della loggia gli dice di fare. E allora comincia il "mercato delle vacche", ovvero la compravendita dei voti. Il capobastone di una loggia va da un candidato e gli dice: "Io ti porto tanti voti, tu cosa mi dai in cambio?". Ma questa non è più la massoneria!»

Di Bernardo è molto critico riguardo all'operazione di Corona e in generale in merito a visioni «consociative» della massoneria. Per l'ex Gran Maestro il modello di riferimento corretto è quello inglese: elitario, selettivo in ragione del valore delle persone e non di cordate o cartelli elettorali.

«Corona, una volta eletto, fece riscrivere i regolamenti interni, le costituzioni del Grande Oriente. Quando fece questa operazione molti massoni se ne andarono, dicendo: "Questa non è più massoneria". Ci fu una scissione. E si formarono per la prima volta le cosiddette Gran Logge Regionali: la Calabria, la Puglia, la Sicilia. Gli artefici di questa operazione si volevano presentare come i veri tutori della tradizione massonica. A questo punto scese in campo l'ex Gran Maestro Gamberini che, da grande conoscitore della realtà massonica, ebbe l'intuizione di cercare di unificare le Gran Logge Regionali che si erano scisse dal corpo centrale del Goi. La riunificazione degli scissionisti avrebbe potuto creare qualcosa di nuovo, un'alternativa forte al Goi. Fu organizzata una riunione all'Hotel Argentina, a Roma, ma i partecipanti non trovarono un accordo. Totò Torchia,[13] rappresentante della Calabria, si oppose fermamente al progetto di Gamberini di ricostituire una Gran Loggia Nazionale per aggregazione delle Gran Logge Regionali scissioniste. Torchia non voleva correre il rischio di perdere anche solo una parte del suo potere regionale. Il naufragio del progetto di Gamberini determinò il successivo scioglimento delle Gran Logge Regionali, che non avevano la forza per reggersi da sole.»

Equilibri interni e questioni apparentemente «tecniche» come queste venivano osservate con attenzione in Italia e all'estero. A questo proposito, Di Bernardo fa una rivelazione inquietante.

«La riforma della costituzione massonica voluta da Corona fece perdere al Grande Oriente il riconoscimento da parte della massoneria americana. I gran maestri regionali, soprattutto del Sud, che erano molto irritati, avevano rapporti molto stretti con la Gran Loggia di New York. Quindi anche con la mafia, infiltrata nella famosa loggia Garibaldi: un concentrato di esponenti dell'area grigia tra massoneria e malavita. Ricordo che una volta, quando andai in visita a quella loggia, pensai di avere intorno a me tutti i capi di Cosa no-

---

13. Si tratta di Antonio Torchia, un importante massone calabrese.

stra in America. Su questi aspetti vorrei io stesso fare storia in modo disinteressato.»

I rappresentanti delle Gran Logge Regionali in rivolta fecero pressione sui «fratelli» della potente massoneria americana, legata sin dai tempi della Seconda guerra mondiale ai servizi segreti e in rapporti organici con ambienti siciliani. Non è un mistero che la massoneria siciliana sia stata fondamentale, insieme a elementi della mafia, nel preparare lo sbarco degli Alleati in Sicilia.

«I rappresentanti delle logge meridionali scissioniste dissero agli americani: "Guardate, Corona sta distruggendo tutto". Scese in campo, allora, il famoso Frank Gigliotti;[14] e gli americani mandarono una commissione d'inchiesta in Italia.»

Qui Di Bernardo fa riferimento a una figura piuttosto misteriosa, su cui sono fiorite anche alcune leggende. Si tratta di un reverendo protestante italo-americano, che negli anni della Seconda guerra mondiale entrò a far parte dei servizi segreti americani. Secondo rapporti del Dipartimento di Stato Usa, Frank Bruno Gigliotti, esponente della massoneria americana, ex capo consigliere della sezione italiana dell'Oss[15] dal 1941 al 1945 – periodo nel quale Licio Gelli sarebbe stato al servizio del Counter Intelligence Corp, cioè il controspionaggio militare americano – e poi agente della Cia, dopo la guerra operò per «riattivare la vecchia banda di agenti dei servizi segreti strategici in Italia come mezzo per combattere il comunismo». L'organizzazione massonica del Grande Oriente d'Italia aveva ottenuto, attraverso lo stesso

---

14. Fu Frank Gigliotti a preparare lo sbarco degli americani in Sicilia attraverso i rapporti con la mafia e la massoneria. Nella primavera del 1958 Frank Bruno Gigliotti fondò il «Comitato nazionale di cittadini americani per rendere giustizia alla massoneria italiana». Nell'agosto del 1960 la massoneria italiana proclamò Frank Gigliotti Gran Maestro Onorario a vita e rappresentante per l'Italia alla Conferenza Massonica di Washington.
15. Si tratta dell'Office of Strategic Service, che verrà sostituito con l'Ssu (Secret Service Unit), da cui poi nascerà la Cia.

Frank Gigliotti, il primo riconoscimento ufficiale della circoscrizione massonica del Nord degli Usa.

Di Bernardo spiega: «Gli americani parlarono con tutti. Alla fine trassero la conclusione che il Grande Oriente non dava più garanzie. Come spesso avviene in questi casi, per ragioni diplomatiche non esplicitarono in cosa consisteva il problema. Si appellarono al tema del monoteismo. Nelle vecchie costituzioni massoniche figurava il termine monoteismo, ma Corona lo aveva tolto. Gli americani dissero che il Goi era irregolare perché nella nuova costituzione non c'era più scritto "monoteismo". Era un pretesto, quello degli americani, che però servì loro per togliere il riconoscimento al Goi».

È una fase problematica per la massoneria italiana, sia all'interno che all'esterno. Corona ne esce con fatica.

«Fu solo dopo l'autoscioglimento delle Gran Logge Regionali scissioniste che Corona riuscì a farsi ridare il riconoscimento dagli americani. Nel frattempo il Gran Maestro era stato coinvolto in varie inchieste della magistratura e aveva rapporti organici con Flavio Carboni e Francesco Pazienza.[16] Ma la sua rete di potere era molto più vasta. Corona aveva rapporti con il Vaticano, ancora prima di diventare Gran Maestro. Il fatto di essere diventato Gran Maestro fece sì che la massoneria italiana venisse messa a disposizione dei "poteri forti". Quello era il periodo in cui, come imprenditore, nasceva e si affermava Berlusconi. Il quale ebbe intensi rapporti con Corona, rapporti che tuttora continuano. Quando era premier Berlusconi, del suo governo faceva parte Beppe Pisanu,[17] un sardo, un uomo vicino a Corona: una persona competente, che aveva il compito di tenere il collegamento con Berlusconi. I rapporti tra Berlusconi e Corona sono sem-

---

16. Entrambi coinvolti nelle inchieste sulla morte di Roberto Calvi.
17. Pisanu all'epoca del caso Calvi-Ambrosiano era sottosegretario alle Finanze. L'8 giugno del 1982 rispose a un'interrogazione parlamentare sulle dimissioni di De Benedetti dal Banco, fornendo indicazioni rassicuranti e dando l'impressione che la situazione dell'Ambrosiano fosse sotto controllo.

pre stati molto stretti: erano nati in Sardegna con la decisiva mediazione di Carboni, ma poi erano continuati autonomamente, anche fuori dalla Sardegna.»

Una vera e propria lobby?

«Affari. Affari. Una palude. Salvini predispose la massoneria del Grande Oriente a "entrare in questa palude". E Corona ce la fece entrare.»

Chiediamo a Di Bernardo di proseguire nell'analisi di quella fase complessa. Esiste infatti un'evidenza documentata[18] del fatto che Corona – a fine anni Settanta, ancora prima di diventare Gran Maestro – intrattenesse rapporti con l'entourage affaristico di matrice socialista che comprendeva anche Silvio Berlusconi. Allora è già con il legame Corona-Carboni che nascono i primi veri problemi per la massoneria italiana, prima ancora dello scandalo P2?

«Su questi aspetti dobbiamo essere precisi. Il rapporto di potere tra Corona e Carboni nasce e si sviluppa al di fuori della P2. Corona è al margine della P2: finché Gelli ne è stato il dominus, non ha potuto mettere piede in quella loggia. Tanto che, una volta nominato presidente della Corte centrale del Grande Oriente, fa espellere Gelli. Il problema è che poi Corona non avvia una reale opera di pulizia interna. Anzi, di fatto, si candiderà come erede di Gelli.»

Che l'affermazione di Di Bernardo sia storicamente corretta è testimoniato dal fatto che Roberto Calvi, disperato per la crisi dell'Ambrosiano che matura nella primavera del 1982, si rivolge con una lettera accorata a una persona vicina al Gran Maestro Corona, appena eletto, chiedendo di essere aiutato in sfere degli affari e della politica che non dovrebbero competere al capo di una comunione massonica.[19]

---

18. Si veda Ferruccio Pinotti, *op. cit.*, pp. 161-163, 260-261.
19. Non conosciamo il nome del destinatario, perché l'intestazione della lettera è mancante, ma da quello che Calvi scrive si deduce che con ogni probabilità doveva trattarsi di qualcuno molto vicino a Corona. La lettera è pubblicata in Ferruccio Pinotti, *op. cit.*, pp. 260-265.

L'assistente personale di Carboni, Emilio Pellicani, dichiara: «Il periodo in cui Corona inizia a prendere soldi da Carboni parte dal 1980, nel periodo in cui Corona era presidente della Regione Sardegna. In quel periodo, credo che abbia avuto tramite Carboni dei finanziamenti provenienti dal Gruppo Berlusconi per l'operazione Olbia 2». Pellicani continua: «Carboni mi disse di aver "bonificato" già alcune persone della Sardegna, tra cui l'onorevole Corona».[20]

Non va dimenticato che gli «investimenti» che Berlusconi compie in Sardegna, in quella fase, sono di circa sette miliardi di lire. Di Bernardo conferma questo scenario.

«Corona diventa Gran Maestro. Carboni, che non era massone, considera il Gran Maestro Corona come un suo uomo. E Corona apprezza quei soldi che arrivano in Sardegna per il tramite di Carboni. Sta di fatto che l'elezione di Corona è un fatto molto importante per Carboni, che sta cercando il modo di "governare" Roberto Calvi: inizialmente senza successo, in quanto lo stesso Calvi non lo considerava sufficientemente legittimato. Ma con l'elezione di Corona, Carboni può farcela, può agire su Calvi. Così l'intesa nata tra Carboni e Corona diventa un patto d'acciaio. Corona dà legittimità a Carboni: ora Carboni può andare da Calvi e dirgli di mettersi sotto la protezione del Gran Maestro del Grande Oriente d'Italia.[21] Ma per questa protezione Calvi avrebbe dovuto versare ingenti somme, forse 100 miliardi,[22] un quinto dei quali probabilmente sarebbe dovuto andare a Corona.»

---

20. *Ibidem*, pp.151-172.
21. Che sia così è comprovato dalla citata lettera di Calvi.
22. Questa cifra è stata indicata in molti documenti giudiziari come il «prezzo» che Calvi avrebbe dovuto pagare per il suo «salvataggio» dall'imminente crack dell'Ambrosiano e dalle vicende giudiziarie che lo vedevano coinvolto.

La morte di Calvi e il mistero degli elenchi P2

Essendo Di Bernardo un profondo conoscitore della massoneria inglese, gli chiediamo conto della voce secondo cui sarebbe stata la massoneria inglese – irritata dell'appoggio dato da Calvi all'Argentina nella guerra delle Falkland e dai «buchi» lasciati dall'Ambrosiano con alcune banche inglesi[23] – a decretarne la morte.[24]

«Io su questo punto non posso che fare delle ipotesi. Posso soltanto ragionare per induzione. L'ipotesi di una responsabilità della massoneria britannica per la morte di Roberto Calvi è assurda. Solo chi non conosce la massoneria inglese può sostenere una cosa del genere. La massoneria inglese non va a ripulire le stalle degli altri. Non ne ha alcun motivo. È in Italia che, secondo me, vanno cercati i mandanti dell'omicidio Calvi, e forse anche gli esecutori materiali. Secondo me, nessuno al di fuori dell'Italia poteva avere una ragione logica così forte da volere la morte di Calvi.»

Chiediamo all'ex Gran Maestro se privilegia la pista dell'eliminazione mafiosa. Di Bernardo anche su questo punto è netto: «Sì, ma solo a livello di esecutori, non a livello di mandanti». Un'altra affermazione che apre la porta a molte domande.

Nel 1981 – un anno prima della morte – Roberto Calvi è detenuto nella prigione di Lodi per reati valutari. Lì inizia a parlare delle sue amicizie con i socialisti, dei finanziamenti erogati, dell'entourage affaristico che ruota attorno al partito. Le «amicizie si trasformano in qualcos'altro», annota Di Bernardo. Ci si poteva aspettare che parlasse, che raccontasse tutto?

---

23. La prima grande banca a chiedere il rientro dei crediti fu la britannica Midland Bank, tradizionalmente legata ai servizi segreti inglesi.
24. Calvi fu trovato impiccato a Londra, sotto il Ponte dei Frati Neri, il 17 giugno 1982. Una causa civile, iniziata in Italia nel 1988, stabilì che si era trattato di omicidio.

«Certo. Infatti c'era da aspettarsi che lo uccidessero già in carcere. Vi era chi temeva questa eventualità.»

Calvi aveva preparato dei piani di fuga all'estero appena uscito dal carcere?

«Calvi è scappato con persone che rappresentavano per lui un rischio. L'atto conclusivo di questa tragedia è stato l'abbandono, diciamo così: il mandante ha deciso l'assassinio quando ha visto che il Vaticano aveva completamente abbandonato Calvi.»

Il caso Calvi resta intimamente connesso a quello della P2, anche a livello processuale. Come testimoniano gli atti della maxi-requisitoria del processo per l'omicidio,[25] il banchiere di Dio era intimamente legato agli ambienti della P2, che intendeva ricattare qualora non fosse emersa una soluzione ai gravi problemi del Banco Ambrosiano, gravato dall'operazione Rizzoli-Corriere della Sera e dal sostegno finanziario offerto a Solidarnosc per conto del Vaticano. Si torna sempre, quindi, al mistero della P2 e del suo reale peso nelle vicende italiane: il primo passo per chiarirlo è capire quale fosse la vera lista degli iscritti.

Poniamo quindi a Di Bernardo un quesito fondamentale: gli elenchi ritrovati dagli investigatori erano completi? Le liste trovate dai finanzieri a Castiglion Fibocchi su incarico dei magistrati Gherardo Colombo e Giuliano Turone comprendevano tutti i nomi degli affiliati alla loggia coperta, o si trattava solo di elenchi parziali?

«Chi era il presidente del Consiglio allora? Arnaldo Forlani, giusto? Quegli elenchi gli furono consegnati e lui si riservò di decidere cosa fare. Si prese del tempo per disinnescare la mina. Se il Gran Maestro Battelli avesse letto l'elenco che poi è stato reso pubblico e consegnato alla stampa, io

---

25. La sentenza di primo grado emessa dal tribunale di Roma il 6 giugno 2007 ha visto l'assoluzione per insufficienza di prove degli imputati Giuseppe Calò, Flavio Carboni, Ernesto Diotallevi e Silvano Vittor; ma il pubblico ministero Luca Tescaroli ha annunciato l'appello.

so per certo che i suoi capelli sarebbero rimasti al loro posto; non si sarebbe spettinato, come avvenne invece quando lesse i veri elenchi, avuti dalle mani di Licio Gelli.»

Cosa successe, veramente, al momento del sequestro? Il mistero, anche a distanza di molti anni, resta fitto.

«Il sequestro delle liste degli iscritti alla P2 fu ordinato dai pubblici ministeri Gherardo Colombo e Giuliano Turone. Ora, io sinceramente non posso credere che dopo il sequestro materiale degli elenchi, Colombo e Turone non li abbiano visionati nella loro forma integrale. Non vedo in Colombo uno che, ottenuto l'elenco degli iscritti alla P2, senza nemmeno darci uno sguardo dice ai carabinieri: "Portatelo al presidente del Consiglio". Non quadra. È qui che c'è il mistero. C'è una zona d'ombra.»

Il quesito sollevato dal professor Di Bernardo non è di poco conto. E ha un suo rigore logico indiscutibile. Tra l'altro, molti anni dopo è stato acclarato che dagli elenchi della P2 venne sottratta una pagina che conteneva il nome del generale Carlo Alberto Dalla Chiesa e di suo fratello. La rivelazione fatta da Francesco Cossiga è stata smentita da Nando Dalla Chiesa, anche se ne parla una lettera autografa di Gelli.[26] Quindi la fase relativa alla scoperta degli elenchi e alla loro «gestione» resta tuttora poco chiara.

La battaglia per la Gran Maestranza

Dopo aver esaminato alcune questioni relative ai suoi immediati predecessori alla guida del Grande Oriente, con Di Bernardo ci avviciniamo al momento in cui lui stesso assume la Gran Maestranza. Il professore viene eletto l'11 marzo del 1990. Conferma che a suo favore giocò l'appartenenza al Supremo Consiglio del Rito scozzese antico e accettato.

---

26. Di Bernardo ne ha fornito copia all'autore. Cfr. p. 55.

Chi ha sostenuto la candidatura di Di Bernardo? Come è nata? Ma soprattutto, come è possibile che sia stato candidato un massone che era al di fuori dei giochi di potere e che poco sapeva della realtà «interna» del Goi?

«Beh, andiamo a vedere chi mi aveva preceduto: Salvini, Battelli e Corona. Tre figure di Gran Maestri che nulla avevano della tradizione esoterica e iniziatica. E che avevano fatto della massoneria una delle tante associazioni che esistono in Italia. Tutti quei massoni che – come me – continuavano a fare solo il "lavoro" di loggia inizialmente non avevano voluto dare peso a questo dato di fatto. Ma a poco a poco all'interno del Grande Oriente si cominciò ad avvertire l'esigenza di un cambiamento. Nel 1990 Corona non poteva essere rieletto: gli ultimi cinque anni del suo mandato erano serviti per creare dei successori che continuassero il suo sistema di potere, ma tutti quei successori designati avevano le stesse caratteristiche dei loro designatori.»

Qualcosa, nella massoneria italiana, inizia a muoversi. È anche la fase, nella politica, in cui il potere della Prima Repubblica inizia lentamente a disgregarsi.

«Nella comunione, a un certo punto, si comincia ad avvertire uno slancio, un bisogno di rinnovamento. Si sente aria nuova, è come se si diffondesse un pensiero: facciamola finita con gli arrivisti. Serviva pulizia, cultura. Io nel 1987 avevo scritto un libro sul pensiero della massoneria moderna,[27] in cui avevo esposto la mia concezione massonica dell'uomo, anche attraverso il confronto con quella cristiana. Esistevano dei problemi teorico-filosofici di cui tutti parlavano e che io avevo affrontato in quel libro, come il rapporto controverso e difficile tra massoneria e Chiesa cattolica. Una volta pubblicato, iniziai a ricevere inviti a tenere conferenze da tutte le logge d'Italia. Alla fine di quegli incontri locali, i fratelli mi chiedevano se non avevo mai pensato di fare il Gran Maestro.»

---

27. Giuliano Di Bernardo, *Filosofia della Massoneria*, Marsilio, Venezia, 1987.

Attorno a Di Bernardo si forma lentamente un movimento d'opinione.

«È così che è andata, in questo modo è iniziata la storia della mia candidatura. L'appoggio della base della massoneria ha spazzato via tutte le candidature nate negli anni precedenti al 1990. Fu in questo percorso personale verso la Gran Maestranza che iniziai a vedere le prime cose che non andavano nel Grande Oriente. Il mio modello di massoneria era quello inglese,[28] attento alla correttezza formale e sostanziale.»[29]

Il professore si scontra – ancor prima di salire al «soglio» – con molte difficoltà. La trasformazione della massoneria in una «società per azioni», nella quale la giunta agisce come un consiglio d'amministrazione, non piace a Di Bernardo. Il quale considera fittizia e strumentale a giochi di potere l'evoluzione «democratica» voluta da Corona.

«Se l'avessi saputo prima di queste trasformazioni, mai mi sarei candidato a Gran Maestro. Quando arrivai a ufficializzare la mia candidatura mi dissero: "Adesso fai un programma, poi una campagna elettorale". Ma scherziamo?»

Di Bernardo focalizza un punto importante. La massoneria è strutturalmente un sodalizio ipertradizionalista, con tutti i difetti e i pregi che questa connotazione comporta. La selezione, in teoria, dovrebbe avvenire sulla base del sapere, delle qualità individuali, della ricerca personale effettuata dal singolo. E non sulla base di «cordate» o «cartelli» tra log-

28. In Inghilterra il gran Gran Maestro della massoneria è il re. Attualmente, poiché sul trono siede una donna, il Gran Maestro è il duca di Kent. Di Bernardo spiega: «Io so che né il principe Carlo né suo fratello Andrea intendono diventare Gran Maestro della massoneria. Però per tradizione, il Gran Maestro è sempre stato il re oppure un nobile designato da lui. Ora, il re è al vertice di una monarchia. Il Gran Maestro è al vertice di una piramide. In massoneria il potere discende dall'alto verso il basso, perché è una società iniziatica dove chi più sa "sta su"».
29. In realtà, anche la massoneria inglese è stata attraversata da numerosi scandali, che vanno dalle «coperture» date a crimini celebri, come quelli commessi da Jack lo Squartatore, ai depistaggi effettuati dalla polizia infiltrata sul caso Calvi, fino a episodi di corruzione nelle forze dell'ordine.

ge, che rischiano inevitabilmente di trasformarsi poi in gruppi di pressione interni, o in comitati d'affari.

«Con questo criterio cosiddetto "democratico", che non dovrebbe esistere nella massoneria, nel 1990 io sono stato eletto. A quel punto volevo e dovevo voltare pagina. Gran Maestro diventava un filosofo, per di più di Rito scozzese. Nella gerarchia di Rito scozzese, formata da 33 gradi, io ero stato al vertice nel Consiglio Supremo. Una posizione che mi premeva tenere distinta, per un fatto di correttezza. Infatti, quando diventai Gran Maestro del Goi, mi dimisi dal Supremo Consiglio del Rito scozzese, perché altrimenti avrei dovuto sottomettermi a esso e quindi sottomettervi il Grande Oriente. I fratelli del Goi avrebbero potuto pensare che io prendessi ordini dal Supremo Consiglio del Rito scozzese.[30] E non volevo che fosse così.»

La salita al vertice del Grande Oriente si profila da subito problematica, per Di Bernardo.

«Cosa c'entravo io con Corona, Salvini, con il loro modo di intendere e gestire la massoneria? Niente! C'era il desiderio, in molti massoni, di una guida nuova, di una sorta di "messia" che non avesse nulla a che fare con l'affarismo. I migliori spesso stanno in basso, in un angolo, non vengono mai portati su. Sono pericolosi. Perché sono critici. Io avevo scritto un libro con il quale avevo presentato alla massoneria italiana il mio pensiero. E già questo, potenzialmente, mi rendeva problematico.»

Corona, inoltre, aveva creato attorno a sé un sistema di potere ben oliato. Il professore trentino è molto efficace nel

---

30. Massimo della Campa, avvocato e massone dal 1943, Gran Maestro onorario del Goi, in *Luce sul Grande Oriente* (Sperling & Kupfer, Milano, 2005, p. 201), è molto critico su questi aspetti della carriera di Di Bernardo, di cui scrive: «La sua carriera massonica era stata oscura, perché svoltasi in buona parte "al coperto". Aveva infatti chiesto e ottenuto, con richiesta del 14 aprile 1972, di essere "coperto" a causa del suo lavoro "in un ambiente particolarmente difficile com'è quello dell'Università di Trento". Aveva poi fatto parte del Capitolo "coperto" del Rito scozzese antico e accettato, sciolto poi il 18 ottobre 1982».

descrivere i giochi di potere che animano una realtà come la massoneria italiana.

«Ecco, Corona aveva un delfino che desiderava gli succedesse: Paolo Tiberi,[31] di Perugia. Ma a un certo momento nacque la mia candidatura. Io mi presentai solo quando mi resi conto che in tanti lo chiedevano. Ebbi difficoltà a comporre la Giunta. Non tanto perché nessuno mi conosceva, ma perché molti erano stati convinti a non entrare nella mia Giunta. Corona tentò di delegittimarmi. Dato che non poteva più essere rieletto, aveva intenzione di continuare a esercitare la propria influenza attraverso qualcun altro. Allora cercò di colpirmi nel mio punto di forza: attaccò il mio libro e fece scrivere sulla rivista del Grande Oriente, "Hiram", una recensione pessima, redatta da un funzionario di banca. Nonostante questo, i consensi nei miei confronti non scendevano. Quando anche Corona si rese conto che ormai la mia candidatura era solida e che sarei stato eletto, cambiò atteggiamento. Non potendo distruggermi, tentò di trasformarmi in suo alleato. E cercò di piazzare nella mia Giunta i suoi uomini. Così ritrovai nella Giunta del Grande Oriente uomini che mi avevano avversato durante la "campagna elettorale". Tra questi Gustavo Raffi – l'attuale Gran Maestro – ed Eraldo Ghinoi[32] di Genova. Si immagini la situazione: io, il Gran Maestro della più potente massoneria italiana, di cui non sapevo pressoché nulla perché avevo fatto solo il professore universitario e nient'altro, ero "accerchiato" nell'organo di governo da uomini che erano miei avversari, perché sostenitori dell'altro candidato, l'avvocato Tiberi. Come Gran

---

31. Si tratta di un avvocato perugino che all'epoca era Grande oratore in carica e che era stato esponente del Partito repubblicano. Lo studio di Massimo della Campa (*op. cit.*, p. 199), lo definisce «privo di precisi orientamenti ed appiattito sulle posizioni di Corona, da lui spesso seguite anche acriticamente».

32. Gran Maestro reggente per pochi mesi, dal 5 maggio al 18 dicembre 1993, durante il terremoto che seguì le dimissioni di Di Bernardo.

Maestro ero assediato da Corona, Raffi e Ghinoi. Il senso della manovra era questo: tu, Di Bernardo, fai il rappresentante, diventi l'immagine della massoneria; noi governiamo.»

Ma qual era lo scopo ultimo di Armando Corona?

«Continuare a stare a Villa Medici del Vascello[33] per fare quello che aveva sempre fatto.»

Quali furono i primi provvedimenti di Di Bernardo, una volta eletto a Gran Maestro? Cosa intendeva realizzare?

«Volevo far uscire la massoneria dalle nebbie dell'oscura segretezza che l'avvolgevano. Lanciai il Progetto Trasparenza. Fui il primo a indire delle conferenze stampa. Parlai con i giornalisti per far comprendere le ragioni della massoneria, il suo ruolo civile nella società italiana. Il primo incontro[34] lo tenni all'Hotel Minerva, a Roma. In quell'occasione spiegai come doveva essere la massoneria italiana rispetto al passato. In quel periodo, nel 1990, c'era stato un attacco del Vaticano alla massoneria. Il Vaticano aveva deciso, regione per regione, di denunciare le "società occulte" attraverso dure prese di posizione. A Firenze c'era a quel tempo il cardinale Silvano Piovanelli[35] che lanciò una severa accusa alla massoneria. Io allora rilasciai un'intervista in cui, come fu scritto, "affilavo le armi": *La massoneria scende in campo e attacca il Papa*, così scrissero. Replicai all'offensiva di Wojtyla: "Siamo pacifici cittadini, viviamo nella riservatezza, non attacchiamo nessuno, ma se qualcuno ci attacca, come il Papa, siamo pronti ad attivare i nostri eserciti". Mi divertivo, quasi. Il senso di quello che dicevo pubblicamente era: "Il Papa ha fatto un peccato".»

---

33. Una delle sedi ufficiali del Grande Oriente, a Roma, insieme a Palazzo Giustiniani.
34. L'incontro si tenne il 22 marzo 1991.
35. L'arcivescovo di Firenze nella primavera del 1991 aveva parlato di «massoneria corruttrice della vita civile». Si veda *Chiesa contro Chiese*, in «Panorama», 24 marzo 1991.

L'Opus Dei

Di Bernardo, appena insediato, inizia una battaglia per la laicità dello Stato, contro i poteri occulti che si avvalgono di alte protezioni vaticane.

La sua analisi parte dall'attentato a Giovanni Paolo II del maggio 1981: un evento a ridosso dei rapporti tra i banchieri piduisti, Sindona e Calvi, e il Vaticano. Di Bernardo è convinto che l'attentato al Pontefice sia da collocarsi nell'ambito del vasto scontro di potere che si giocò in quella fase storica.

«Il killer potrebbe essere stato scelto all'interno del Vaticano.[36] Questo Wojtyla lo sapeva. Dopo l'attentato continuava ad aver paura: il Pontefice sapeva che, come ci avevano provato una prima volta, potevano provarci una seconda.»

In quel momento la Curia romana era divisa da un profondo scontro, segnato dalla crisi polacca e dalla drammatica evoluzione dei rapporti tra lo Ior di Marcinkus e l'Ambrosiano di Roberto Calvi.

«Wojtyla era grato all'Opus Dei perché l'Opus Dei aveva contribuito a farlo diventare Papa. Ma Giovanni Paolo II sapeva anche che l'aiuto ricevuto al conclave non era sufficiente a giustificare la concessione dello status di prelatura personale all'Opus Dei.[37] Secondo me venne concesso perché

36. Di questa opinione è anche Carlo Calvi, il figlio del banchiere Roberto Calvi. Quando lo intervistai a Montreal, nell'ottobre 2003, mi disse: «Io tendo a sostenere la tesi della pista interna, come si sta sviluppando adesso, nella direzione dell'inchiesta della Von Roques, pubblicata solo in tedesco. Non c'è dubbio che in Vaticano fosse in atto una svolta, che dava fastidio a molti». Il riferimento di Carlo Calvi è all'inchiesta della giornalista Valeska Von Roques, *Verschwörung gegen den Papst*, Karl Blessing, Verlag, 2001, che propende per la pista interna al Vaticano.
37. La *prelatura personale* è un'istituzione del nuovo diritto canonico, con finalità pastorali e slegata dal criterio della territorialità; è composta da presbiteri e diaconi del clero secolare, a cui è preposto come proprio ordinario un prelato. A tutt'oggi soltanto l'Opus Dei ha lo status di prelatura personale. Il 14 novembre 1981 la Congregazione per i vescovi, retta dal cardinale Sebastiano Baggio, inviò alle Conferenze episcopali una «Nota informativa riservata» che annunciava la decisione del Papa.

Giovanni Paolo II fu preso dalla paura per la propria vita. Il Papa era attraversato da un'umanissima paura e vedeva nell'Opus Dei un gruppo che gli poteva essere totalmente fedele in un momento molto difficile. Ma proviamo a chiederci cosa succederebbe se uno dei prossimi papi volesse togliere la prelatura personale all'Opus Dei. Si verificherebbe il più grande scisma della Chiesa cattolica negli ultimi duemila anni. Vede, questo accade perché l'Opus Dei ritiene di essere unico e vero interprete autentico del messaggio di Cristo e vede "l'altra chiesa" – quella che non è simile a loro – come una degenerazione.»

In molti si sono interrogati sulle analogie tra Opus Dei e massoneria: la segretezza degli appartenenti, il ruolo attribuito al potere e al denaro, il ritenersi un corpo d'élite all'interno della società in cui si opera. Giuliano Di Bernardo spiega: «La massoneria ha alcune regole che sono più o meno simili a quelle dell'Opus Dei, anche se quest'ultimo le ha sviluppate molto. Una di queste regole è la "riservatezza". Sia nella massoneria che nell'Opus Dei si opera una netta distinzione tra coloro che "stanno dentro" e coloro che "stanno fuori"».

La minuziosità di certe procedure, la tendenza a «ritualizzare» molti aspetti della vita collettiva accomunano massoneria e Opus Dei, secondo Di Bernardo.

«La massoneria presenta aspetti analoghi all'Opus Dei per quanto riguarda le regole interne all'organizzazione. È chiaro che i massoni non si flagellano e non indossano il cilicio. L'Opus Dei è una esasperazione delle regole di comportamento e di riservatezza interna tipiche della massoneria.»

Tuttavia Di Bernardo tiene a fare una distinzione importante: «Se i contorni dell'Opus Dei sono chiari e netti, non si può dire lo stesso della massoneria. La libera muratoria è un fenomeno più complesso, articolato, ma anche sfrangiato, non privo di incoerenze e limiti metodologici».

L'ex Gran Maestro ha criticato con forza l'Opus Dei in

più occasioni. In una intervista del 23 marzo 1991, rilasciata dopo un attacco di Wojtyla ai «poteri occulti», chiaramente riferito alla massoneria, affermò: «Se si parla di potere occulto, volendo fare riferimento alla massoneria, bisognerebbe considerare anche l'Opus Dei, che svolge una attività particolarmente occulta».[38]

Anche in un'intervista a Giovanni Bianconi del «Corriere della Sera», l'allora Gran Maestro espresse critiche sull'organizzazione fondata da Escrivá. Scrive Bianconi: «Il primo colpo Di Bernardo lo spara contro l'Opus Dei, un'organizzazione alla quale proprio il Papa ha riconosciuto in passato lo status di prelatura personale: "Forse che quello non è un potere occulto? La massoneria cerca sempre di far conoscere le proprie finalità, si muove sempre sulla strada della trasparenza. Non mi risulta che l'Opus Dei abbia fatto qualcosa di simile. Eppure esiste e si muove ai limiti della riservatezza. Dobbiamo pensare che in Italia esistano due pesi e due misure?"».[39]

Di Bernardo allarga la sua riflessione al rapporto tra Chiesa e massoneria.

«Storicamente sono sempre esistite delle logge massoniche all'interno della Chiesa cattolica. La Chiesa ha tenuto in considerazione la massoneria fin dalle sue origini in Inghilterra, nel Settecento. Dal 1717 al 1738 si concretizzò una situazione nella quale la Chiesa sperava di cambiare lo stato delle cose in Inghilterra attraverso la massoneria, riportando la Chiesa anglicana all'interno della Chiesa di Roma.»

Ma il tentativo di ricomporre lo scisma fallì.

«Nel 1738 il Papa emise la bolla di scomunica per i cattolici che si fossero iscritti alla massoneria. Questo avvenne solo quando la Chiesa si accorse che la massoneria non voleva, o non poteva, servire ai suoi fini. È da quel momento che si

---

38. Speciale Gr1 del 23 marzo 1991, intervista di Massimo Signoretti a Giuliano Di Bernardo.
39. Giovanni Bianconi, *I massoni all'attacco del papa. Il Gran Maestro: e che dire dell'Opus Dei?*, in «Corriere della Sera», 23 marzo 1991.

inizia ad affermare il principio dell'inconciliabilità tra l'essere massoni e l'essere cattolici. Il fondamento di questa incompatibilità è l'idea che il cattolico non abbia bisogno di un'altra religione. Da questo deduciamo che alla base vi è il riconoscimento, da parte della Chiesa cattolica, del carattere di religione alla massoneria. Esistono tuttavia documenti storici che dimostrano come la massoneria abbia sempre rifiutato la qualifica di religione. Per la massoneria, se un cattolico o un fedele di altra religione vuole entrare a far parte della libera muratoria, lo può fare. Perché la "fede" nella massoneria non è inconciliabile con altre fedi religiose, in quanto la massoneria non è una "religione" in quanto tale.»

Molti attacchi alla libera muratoria, secondo Di Bernardo, sono strumentali a lotte interne alla Chiesa.

«L'appartenenza alla libera muratoria di cardinali e alti prelati è stata spesso usata come strumento di attacco, ricatto e intimidazione all'interno della Curia romana. E questo ha falsato molto la realtà dei rapporti che io suppongo siano sempre esistiti tra i vertici laico-massonici e quelli curiali.»

Le pressioni di Gelli

Torniamo a ricostruire con il professore la fase in cui è stato alla guida della maggiore «obbedienza» italiana. Come abbiamo visto, il primo tentativo di Di Bernardo è quello di portare il Grande Oriente sulla strada della «regolarità» anglosassone. Ma con molta difficoltà.

«Ricordo che dissi: "Dobbiamo sviluppare il modello inglese. Siamo entrati nella massoneria regolare mondiale, ma in realtà continuiamo a vivere come la vecchia massoneria". Venivo criticato per la mia vicinanza alla Gran Loggia Unita d'Inghilterra. In realtà, cercavo di ridare un'identità alla massoneria italiana: non solo un'identità politica, ma anche esistenziale e operativa. Però, più andavo avanti su questa strada, più incontravo resistenza.»

Le nicchie di potere che Di Bernardo deve smantellare sono molte. Tra queste, l'ingombrante presenza di Licio Gelli: molti massoni premono affinché venga riabilitato e riammesso al Grande Oriente. È lo stesso Licio Gelli a fare pressione su Di Bernardo, con due lettere, finora inedite, che il professore ci consegna. Nella prima, datata 1° maggio 1990, Gelli è quasi minaccioso.

Serenissimo Gran Maestro,
Ho voluto attendere il tempo necessario dalla Tua elezione per poter giudicare, oltre alle parole dette a caldo, anche i fatti. Per questo è mio dovere di uomo e di massone rivolgermi a te, pur nel massimo rispetto, con grande fermezza e decisione. Non appena eletto, sei caduto nella trappola della grande stampa antimassonica, quella che ha guidato la caccia alle streghe contro la rispettabilissima loggia P2. Si è cominciato col bloccare la carriera di un magistrato[40] perché massone, si vuole stabilire l'incompatibilità tra appartenenza alla massoneria e alla magistratura. E siamo solo all'inizio: diverrà incompatibile essere massone e funzionario dello Stato, membro dell'esercito, diplomatico: una vera e propria discriminazione, che ricorda le peggiori persecuzioni antimassoniche. E tutto questo poteva essere evitato, e proprio da te, una volte impugnato il supremo maglietto. Invece di farti trascinare, sulla scia di Armando Corona, l'Attila della massoneria, nella politica dell'odio «fraterno», contro i fratelli perseguitati della loggia P2 e contro la mia persona, avresti dovuto difendere con fermezza l'Istituzione, senza fermarti di fronte a nulla. Era tuo dovere impedire la criminalizzazione dei fratelli e la loro discriminazione, rivolgendoti alle massime autorità dello Stato, alle potenze massoniche del mondo, denunciando la gravità dell'azione antiliberale e antidemocratica, e direttamente al popolo italiano. [...]
Non facendo nulla, e scagliandoti anzi contro i fratelli perse-

40. Nel 1990 era stata negata la promozione a presidente di sezione della Corte di Cassazione a un magistrato che era massone dichiarato, Angelo Vella.

guitati della loggia P2, hai tolto speranza e fiducia in tutti i fratelli che si sentono abbandonati e che un giorno potrebbero essere maledetti dai loro figli per essere stati massoni. [...] Sollecitato dal protagonismo, o confuso nel momento dell'elezione, hai perso il senso del tuo dovere di rappresentante del Grande Oriente. E hai concesso interviste che sono nuove pagine nere nella storia della fratellanza. Hai parlato con giornalisti profani e di stampa antimassonica, scagliandoti contro la loggia P2 e la mia persona di ex Maestro venerabile.

La lettera prosegue, in un alternarsi di minacce e blandizie, con una difesa della P2, dipinta come il migliore dei mondi possibili, come un consesso di puri spiriti senza alcuna ambizione di potere. Gelli non fa parola dei servizi segreti guidati interamente dai piduisti durante il caso Moro;[41] dei ministri in carica che fecero gli interessi della loggia coperta; dei soldi prestati dai banchieri piduisti agli «amici degli amici»; delle tanti morti misteriose, da Mauro de Mauro a Mino Pecorelli, da Roberto Calvi a Michele Sindona. Né delle commistioni tra massoneria deviata e criminalità organizzata, culminati nell'attentato al giudice Carlo Palermo e alla relativa strage di Pizzolungo del 1985, dove morirono tre persone innocenti.[42] Ma c'è un punto in cui Gelli – forse involontariamente – fa una rivelazione forte, perché certificata di suo pugno, in merito all'appartenenza alla P2 del generale dei carabinieri Carlo Alberto Dalla Chiesa, barbaramente assassinato a Palermo nel 1982.

---

41. Nei mesi del sequestro Moro i servizi segreti erano guidati dal generale Giuseppe Santovito (Sismi) e dal generale Giulio Grassini (Sisde), entrambi nelle liste della P2. Ma anche altre figure di primo piano della storia dei servizi risultarono negli elenchi: Vito Miceli (che era stato a capo dei servizi segreti militari dal 1970 al 1974), Walter Pelosi (a capo del Cesis), il generale Giovanni Allavena (responsabile dei noti «fascicoli riservati» del Sifar), il colonnello Minerva (amministratore del raggruppamento unità speciali del Sifar) e il generale Gian Adelio Maletti (ex capo del reparto D del Sid).

42. Cfr. cap. «Rivelazioni di un Presidente della Repubblica».

Il 3 settembre, il generale, noto per il suo impegno contro il terrorismo negli anni Settanta e in seguito impegnato nella lotta alla mafia, venne ucciso insieme alla moglie Emanuela Setti Carraro in un agguato mafioso. Il ministro dell'Interno Rognoni aveva fissato proprio per quel giorno una riunione dei prefetti per conferirgli i poteri di Alto Commissario per la lotta alla mafia. Le carte relative al sequestro Moro, che Dalla Chiesa aveva portato con sé a Palermo, sparirono dopo la sua morte: non è stato mai accertato se furono sottratte sul luogo dell'attentato, in via Carini, oppure se vennero trafugate dagli uffici della prefettura. Dell'appartenenza di Dalla Chiesa alla P2 nulla si seppe all'epoca, perché la pagina con il suo nome era stata «strappata» dalle schede che componevano le liste. Ecco la conferma «autografa» da parte di Gelli:

> Basti ricordare la drammatica fine di un autorevole fratello della P2, emarginato, perseguitato, e poi mandato allo sbaraglio perché massone, il generale Carlo Alberto Dalla Chiesa, un martire per lo Stato, ma anche per la causa massonica.

È stato Francesco Cossiga a rivelare per primo, anni dopo, il fatto che Dalla Chiesa era iscritto alla loggia P2, ma che la pagina con il suo nome era stata misteriosamente sottratta dagli elenchi sequestrati.[43] A riprova dei rapporti di grande confidenza tra Gelli e il «picconatore».

Come si evince da vari passi di questa lettera, il capo della P2, agli inizi degli anni Novanta, era ancora potente. E pretendeva la riammissione nel Grande Oriente con tutti gli onori:

> Basta con l'odio fraterno. Devi eliminare tutte le norme antimassoniche. Devi mantenere un giusto riserbo con la stampa

---

43. Cossiga fece questa dichiarazione in un'intervista rilasciata a Giovanni Minoli, andata in onda su Rai3 il 16 gennaio 2006.

e, prima di rilasciare dichiarazioni avventate e gravi, prendere atto di fatti, situazioni e documenti. Avevi il dovere, prima di fare affermazioni odiose e gravissime, di esaminare i fatti e soprattutto i documenti. E non unirti a quanti hanno pugnalato alla schiena un fratello. Era tuo immediato dovere, appena insediato, rivedere la drammatica vicenda della loggia P2.

Una lunga sequela di minacciose ammonizioni. Gelli conclude con queste parole la prima lettera a Di Bernardo:

A te dico: rifletti, scegli, decidi. Il futuro della massoneria, che riguarda la revisione dei gravi errori del passato, è nelle tue mani. Agisci perché la massoneria abbia futuro. E perché come ho già detto, i figli dei massoni di oggi non debbano maledire i loro padri.

In una lettera successiva, datata 25 agosto 1990, anch'essa finora inedita, Gelli è aggressivo: afferma di sapere già in anticipo – attraverso quali canali? – l'esito assolutorio dei giudici romani sulla P2. E pretende non solo la riammissione al Grande Oriente, ma un risarcimento morale.

Serenissimo Gran Maestro,
L'approssimarsi di una importante scadenza mi obbliga a chiedere la tua attenzione e a sollecitare il tuo interessamento. Il 23 ottobre prossimo, data ultima consentita dalla procedura, i giudici romani presenteranno le conclusioni della loro inchiesta sulla loggia Propaganda massonica n. 2, all'obbedienza del Grande Oriente d'Italia prima della sua soppressione. Non è un mistero per alcuno che queste conclusioni saranno interamente assolutorie. In altri termini, la famigerata loggia di Licio Gelli, alla quale sono stati ascritti tutti i reati previsti dal codice penale uscirà pulita, anzi immacolata dalla sua ingiusta e inimmaginabile disavventura giudiziaria. [...] Sono sicuro che questa grande congiura è stata architettata dal Kgb, per destabilizzare Paesi non direttamente controllati dall'Unione Sovietica.

[…] E la massoneria? Invece di reagire alla persecuzione, cercò affannosamente un alibi, di cui non aveva certamente bisogno, allestendo in fretta e furia un processo ai Fratelli Gelli e Salvini, davanti alla Corte Centrale, processo irrituale che si concluderà il 31 ottobre 1981 con l'espulsione del primo dalla Fratellanza massonica e la censura solenne del secondo. Non solo, ma il 25 marzo 1982, abdicando alla sua proverbiale saggezza, la Gran loggia elesse un uomo asservito a uno o più partiti, Armando Corona, alla suprema dignità di Gran Maestro, per i suoi meriti di «carnefice» di Gelli e della loggia P2, avendo presieduto la Corte Centrale. Nessun altro merito deponeva, infatti, a suo favore. […]

Siamo adesso all'oggetto, in senso stretto, di questa lettera che, spero vorrai perdonarmi, mi ha preso un po' la mano. Assolti dalla magistratura italiana, i membri della loggia P2 resteranno in una situazione abnorme e ingiusta per sempre? Essi avevano in tasca tessere di appartenenza all'Ordine, recanti le firme dei Grandi Maestri, tessere da me consegnate all'atto di una regolare iniziazione. Erano, anzi sono, massoni con tutte le carte in regola: persone che nella vita profana rilucevano per le loro doti di onestà, intelligenza, capacità, quasi sempre circondati da un grande prestigio. A mio avviso, avevano bussato alla porta del tempio perché richiamati dagli ideali e dal fascino dell'istituzione, ovvero perché disgustati dal comportamento dei partiti e dall'asservimento della società al partitismo dilagante e anche dalla Chiesa cattolica. Non dimentichiamo che furono quelli gli anni in cui Paolo VI indirizzava le sue benedizioni al Vietnam del Nord.

Ritengo, Serenissimo Gran Maestro, che con la conclusione dell'inchiesta giudiziaria sia arrivato il momento anche per noi di fare giustizia. […] La fratellanza dovrà rivedere le posizioni di questo ultimo decennio […] è ovvio che il nuovo «processo» dovrà avvenire alla luce del sole e non nelle tenebre nelle quali vennero ordite sentenze sommarie e calunnie.

Queste due missive evidenziano quanto – dieci anni dopo lo scandalo P2 – Gelli fosse ancora potente. Così potente da sapere in anticipo l'esito assolutorio dei complessi procedimenti che lo riguardavano. A riprova del fatto che la rete segreta della P2 non era affatto morta, ma che anzi proseguiva a operare indisturbata. È quella che alcuni magistrati hanno denominato «P3». Questo nucleo era ancora forte e ben determinato a riportare in auge i vecchi metodi.

Di Bernardo su questi aspetti è netto: «Alla luce delle lettere che Gelli mi ha scritto – due lettere alle quali non risposi – voglio mettere in evidenza il ruolo e la potenza che Gelli aveva all'interno del Grande Oriente. Alcuni fratelli ai vertici, a cui pure non avevo parlato di queste lettere, cominciarono a venire da me per perorare il rientro di Gelli nel Grande Oriente. Iniziai a ricevere tante pressioni. Ciò significava che la presenza, se non altro psicologica, di Gelli all'interno della massoneria era ancora molto forte. C'è un episodio che illustra bene questo clima. Eraldo Ghinoi un giorno venne da me con una scatoletta, la aprì e tirò fuori una strana medaglia. Su una faccia c'era l'effigie di Gelli, dall'altra parte la scritta: *Agli amici fedeli.* Io gli dissi: "A che titolo hai questa medaglia?". E lui: "Me l'ha regalata Gelli, mi onoro di essere tra i suoi amici; so che tu hai ricevuto delle lettere da Gelli; ebbene io ritengo sia un atto di giustizia fare quello che lui propone, cioè rivedere il processo in base al quale lui e tanti altri fratelli della P2 sono stati ingiustamente espulsi". Risposi: "Voglio vederci chiaro in questa vicenda". Ghinoi sapeva che doveva essere la nostra assise annuale, la Gran Loggia, a decidere in merito a un ipotetico rientro di Gelli, ma mi disse: "Non avrai molte difficoltà". La conclusione era chiara: gli amici di Gelli nel Goi erano ancora tanti e soprattutto influenti. Siamo nel 1990».

L'accerchiamento. Un sistema di potere

Di Bernardo continua a sentirsi «accerchiato». Il professore descrive bene l'atmosfera che si respirava.

«Nei tre anni di "governo" del Goi, il mio primo problema fu proprio Corona: avrebbe dovuto lasciare l'appartamento assegnato al Gran Maestro all'interno della Villa Medici del Vascello, sede centrale del Goi. Mi chiese di dargli del tempo per trovare un'altra sistemazione. Mi sarei aspettato cercasse un *pied-à-terre*, ma invece mi chiese di rimanere ad abitare nell'appartamento dove era sempre stato in qualità di Gran Maestro. Io, appena eletto, mi dovetti accontentare di una brandina in una stanzetta.»

Dettagli significativi. Ma non si trattava solo di questioni di immagine.

«Successivamente si verificarono una serie di situazioni che mi fecero aprire gli occhi su Corona. I fratelli che venivano a trovare me spesso si recavano anche da lui, nel suo appartamento di Gran Maestro. C'era qualcosa che non andava, in quella sorta di diarchia. La certezza mi venne data da Luigi Savina, che era stato segretario personale di Corona. Savina era rimasto nel suo ruolo anche con la mia gestione ed era un uomo che conosceva tutto. Io allora gli chiesi lumi e lui mi spiegò. Mi disse, a distanza di un mese o due dalla mia elezione: "Fai attenzione, i fratelli che sono stati in visita da Corona dicono che lui esprime giudizi assai negativi su di te, e che non supererai la prima Gran Loggia [il grande incontro di verifica annuale]". Cominciai a chiedere ai fratelli che uscivano dall'appartamento di Corona cosa il mio predecessore pensasse davvero di me, se era vero che tentava di screditarmi. Tutti i fratelli che interpellai confermarono le "male voci" che Corona metteva in giro sul mio conto. Il suo obiettivo era quello di togliermi il consenso, per poter tornare in sella. C'erano dei fratelli dalla sua parte, ma ce n'erano altri che temevano l'eventualità di un suo ritorno al potere.»

Quando Di Bernardo viene eletto, nel 1990, sono in forte

espansione due imprenditori, Silvio Berlusconi e Carlo De Benedetti,[44] che avevano fatto entrambi parte della massoneria.[45] Se si analizza la storia dell'economia e della finanza risulta chiaro che molte figure chiave si sono appoggiate alla massoneria, che le sono state organiche. Quali garanzie poteva dare Di Bernardo sul fatto che le cose non sarebbero cambiate rispetto alle gestioni precedenti?

«De Benedetti faceva parte di un certo ambiente finanziario che traeva dalla massoneria l'opportunità di fare affari. In quel periodo storico la massoneria aveva il controllo della finanza.»

Il Grande Oriente di allora era cosciente del complesso d'affari che si andava formando nel suo seno?

«Sì, se guardiamo ai rapporti Corona-Carboni-Berlusconi. Quando Corona si trova al vertice del Grande Oriente, ha tra le mani un potere molto forte, da portare in dote agli altri due e anche alla massoneria stessa.»

Di Bernardo afferma di non aver fatto parte di questo «sistema».

«Io come Gran Maestro, di garanzie ai poteri forti dell'economia e della finanza ne davo ben poche. Ero sempre stato "solo" un professore universitario. Quando proposi a Corona la possibilità di accettare una delega di rappresentanza della comunione massonica italiana all'estero, lui respinse l'offerta dicendo: "Non è arrivato ancora il momento, ti dirò io quando". Allora capii. Non voleva assolutamente lasciare la plancia di comando. Come avrebbe potuto continuare a tessere rapporti di potere con uomini d'affari in Italia se avesse viaggiato continuamente? Inoltre in Inghilterra i massoni sapevano tut-

---

44. Aldo Mola in *Storia della Massoneria italiana dalle origini ai nostri giorni*, Bompiani, Milano, 1997, p. 764, scrive: «... Sono stati in molti a voler visitare la loggia nella quale incontrare l'ingegner De Benedetti, d'altronde niente affatto assiduo, anche per la delusione provata per il livello delle riunioni alle quali ebbe ad assistere». Ne parla anche Antonio Socci nel suo articolo, *Quando De Benedetti era massone*, «il Giornale», 24 marzo 1994.
45. Cfr. cap. «I "fratelli" della grande finanza».

to di Corona, nel senso che sapevano chi era e cosa faceva. E cosa aveva fatto alla massoneria. Il fatto è che Corona era a capo di una congiura ai miei danni, interna alla massoneria. Voleva farmi cadere.»

L'inchiesta Cordova

Nell'estate del 1992, altre nubi si addensano sul Grande Oriente. Di Bernardo avverte che una nuova bufera giudiziaria, dopo quella della P2, sta per abbattersi sulla massoneria. Nel febbraio dello stesso anno, infatti, è scoppiata – con la confessione sulle tangenti versate dal direttore del Pio Albergo Trivulzio ai socialisti – l'inchiesta Mani pulite della Procura di Milano. Si diffonde in Italia un desiderio di giustizia e la speranza di una stagione nuova, che faccia piazza pulita della corruzione in tutto il Paese.

Il Gran Maestro ha notizia delle indagini in corso già mesi prima che il caso esploda.

«Ricordo che nell'agosto del 1992 ci furono le prime avvisaglie, delle critiche velate alla massoneria da parte di uomini politici come Flaminio Piccoli e Nicola Mancino. Io risposi tramite la stampa, in maniera molto dura. Piccoli tacque. Mancino mi fece sapere che era stato frainteso dai giornalisti. E che mai lui avrebbe criticato pregiudizialmente la massoneria. Erano i primi segnali della tempesta che stava per scatenarsi.»

Il 20 ottobre 1992, a Roma, presso la sede del Grande Oriente d'Italia a Villa Medici del Vascello, i carabinieri sequestrano, per ordine del procuratore di Palmi Agostino Cordova, gli elenchi degli iscritti alla massoneria. Pochi giorni dopo, il 1° novembre, nell'ambito dell'inchiesta svolta dalla Procura sulle logge massoniche parallele, vengono emessi centinaia di avvisi di garanzia in tutta Italia. Due giorni dopo i giudici che indagano sulla massoneria scoprono tre logge segrete, a Firenze, Milano (entrambe nate dalla P2) e Roma, sospettate, tra l'altro, di traffico di armi e riciclaggio di titoli rubati. Il

3 novembre Francesco Cossiga attacca Cordova, affermando: «Non avendo avuto il giocattolo della Direzione antimafia, vuole giocare al complottismo. Da Palmi è umano».[46]

Secondo Cossiga, Cordova aveva chiesto al Consiglio superiore della magistratura l'incarico di superprocuratore antimafia, che però gli sarebbe stato negato dal Guardasigilli Claudio Martelli.[47] Partono numerosi attacchi a Cordova, nonostante il magistrato precisi in molte occasioni di non avere «intenzione di inseguire obiettivi politici» e nonostante sottolinei la differenza tra la massoneria «ufficiale» di Palazzo Giustiniani e Palazzo Vitelleschi e la cosiddetta «massoneria deviata».

I «boatos» si inseguono. Il 7 novembre 1992, in un'intervista al «Corriere della Sera», l'onorevole Giacomo Mancini, esponente di minoranza del Psi, avanza il sospetto che Bettino Craxi sia affiliato alla massoneria e afferma che certamente lo sono Giusi La Ganga e Salvo Andò. Craxi non farà commenti, mentre Andò smentirà con decisione. Quanto a La Ganga, è stato affermato che, durante una perquisizione giudiziaria contestuale all'inchiesta Cordova, la scheda con il suo nome fu sottratta dagli elenchi del Grande Oriente dalla mano benevola di un fratello.[48]

Lo stesso 7 novembre, in una dichiarazione pubblica, il ministro della Giustizia Claudio Martelli critica l'inchiesta sulla massoneria condotta dal procuratore di Palmi: «Mi

---

46. Ansa, *Massoneria: Cossiga «lasciamo perdere i complotti...»*, 3 novembre 1992.
47. A offrire questa lettura dei fatti è Massimo della Campa (*op. cit.*, p. 203).
48. In un libro-confessione pubblicato nel dicembre 2006, (*Un massone racconta*, Bastogi, Foggia, 2006), Gian Piero Pagella, commercialista torinese, già Gran tesoriere aggiunto e Grande architetto revisore del Goi in quegli anni, svela: «Mentre venivano contate le schede Maurizio Volkhart le scorreva. Ad un certo punto, credendo di non essere visto, ne sfilò una e se la mise in tasca. Ma il maresciallo comandante della pattuglia lo sorprese sul fatto e gli ingiunse di consegnarla, cosa che Maurizio non poté rifiutarsi di fare. A chi era intestata? La Ganga Giuseppe, esponente di spicco del Psi» (p. 146).

sembra che questa inchiesta non abbia ancora chiarito quali siano i reati da perseguire e chi li abbia commessi. E questo può creare l'impressione di qualcosa di persecutorio».

In realtà, nello stesso periodo, sono molte le fonti[49] che parlano di intrecci tra massoneria e criminalità organizzata.

Il 6 dicembre 1992, il Grande Oriente d'Italia, con un comunicato, minaccia il ricorso alle «vie legali, pretendendo giustizia dai tribunali della Repubblica italiana e dalle autorità giudiziarie italiane».

Sono giorni convulsi: su un fronte d'indagine diverso ma contemporaneo, il 15 dicembre 1992 la Procura di Milano invia un avviso di garanzia a Bettino Craxi per concorso in corruzione, ricettazione e violazione della legge sul finanziamento dei partiti, elencando quaranta illeciti per oltre 35 miliardi di lire.

Di Bernardo ricorda bene quei giorni.

«Io vivevo a Villa Medici del Vascello. Vi fu la storica perquisizione ordinata dal giudice Cordova. Tra le cose che sequestrarono c'era di tutto, persino un piatto a sbalzo, un vaso antico di valore. Ma gli elementi veramente importanti gli inquirenti non li videro: non sapevano cosa cercare, perché non conoscevano la massoneria.»

La notazione dell'ex Gran Maestro è importante: quella della massoneria è una realtà stratificata, complessa, in cui la connessione delle informazioni e la raccolta di testimo-

---

49. Il 16 novembre 1992, deponendo alla Commissione parlamentare antimafia, Tommaso Buscetta afferma: «Al tempo del mio rientro negli Stati Uniti, vengo arrestato, e la prima cosa che mi domanda la polizia americana è: "Lo fate o no il golpe in Sicilia?"... Io dico: "Quale golpe?". "Quello con Borghese." Io dissi di non capire di cosa stessero parlando e quindi negai tutto, ma gli americani ne erano a conoscenza». Prosegue: «Nel 1974 ce n'era un altro preparato... Ho ricevuto dal mio direttore del carcere, dottor De Cesare, la notizia che pochi giorni dopo sarebbe successo un colpo di Stato e io sarei passato, attraverso un brigadiere della matricola, per un cunicolo, sarei entrato in casa sua e sarei stato liberato. Sapevo che c'erano anche dei militari... massoni e militari».

nianze dall'interno sono più importanti della «pistola fumante».

«Cordova inizia l'inchiesta con la Calabria e richiede gli elenchi dei massoni calabresi. Io ritenni legittima quella richiesta ed ebbi un atteggiamento collaborativo.[50] Per quanto mi riguarda, se un massone calabrese ha violato le leggi dello Stato, non conta nulla che sia massone. Poi Cordova allargò l'inchiesta a tutta Italia. Una scelta naturale, perché vedeva le connessioni della massoneria calabrese con la massoneria del resto d'Italia, questo è ovvio. Tuttavia l'inchiesta si allargò eccessivamente e questo le fece perdere efficacia.»

La situazione, per Di Bernardo, si fa molto difficile. Ma, nonostante le pressioni interne, il Gran Maestro sceglie di collaborare con la magistratura per far piena luce sugli addebiti.

«Ripeto, rispetto all'inchiesta giudiziaria avviata da Cordova io assunsi un atteggiamento collaborativo. Com'è ovvio, allo stesso tempo non dimenticavo di essere il Gran Maestro: dovevo garantire anche chi, all'interno della massoneria, non poteva essere etichettato come "mela marcia". Ecco perché mi opposi ai carabinieri quando vennero a sequestrare, su ordine di Cordova, il computer dove c'erano i nomi di tutti gli iscritti, nessuno escluso, del Grande Oriente. La reazione di Cordova fu quella di far sigillare il computer. Fece mettere un carabiniere, giorno e notte, a piantonarlo.»

Di Bernardo, in quel momento, si sente in dovere di opporre resistenza all'inchiesta, ma qualcosa lentamente lo convince che il lavoro di Cordova non è infondato, che l'inchiesta del magistrato si basa su elementi concreti. È il passaggio più difficile del suo racconto.

«Un giorno mi sono recato a incontrare Cordova in un luogo segreto. Ricordo ancora vividamente quell'incontro. Il

---

50. «Il 2 novembre 1992 il Gran Maestro Di Bernardo consegnò spontaneamente l'elenco di tutti gli iscritti al Grande Oriente d'Italia», racconta Massimo della Campa (*op. cit.*, p. 213).

magistrato mi guardò fisso e mi apostrofò con queste parole: "Professore, lei lo sa di essere un fiore su una palude? Lo sa di rappresentare delle realtà con le quali lei non ha nulla a che fare?". Cordova disse proprio così.»

Come valutò il professore quelle parole?

«Inizialmente reagii male: "Come si permette di dire cose del genere? Le può dire solo se è in grado di dimostrarle".»

Ma poi qualcosa mutò il suo atteggiamento. Di Bernardo spiega che Cordova gli produsse vasta evidenza empirica dei fatti, che le indagini sulle connessioni tra mafia, 'ndrangheta e massoneria si basavano su denunce che provenivano addirittura dagli stessi massoni, cioè da liberi muratori onesti preoccupati del dilagare dei comitati d'affari e delle collusioni pericolose con ambienti malavitosi.

Di fronte a queste rivelazioni, avvenute nell'incontro «segreto», Di Bernardo restò senza parole, ammutolito da una realtà molto più complessa di quella che poteva immaginare. Gli addebiti dell'inchiesta Cordova non erano fantasie, ma provenivano addirittura dall'interno del Grande Oriente. Non si trattava delle persecuzioni di un magistrato; ma di «fratelli» onesti, che erano stanchi di essere affiancati a disinvolti affaristi.

Di Bernardo deve affrontare un grosso dilemma morale: collaborare con la magistratura, dando così ai «fratelli» l'impressione di averli traditi, o assumere un atteggiamento di cieca difesa, tradendo così la propria coscienza?

Il Gran Maestro, in cuor suo, sente che non può ignorare quanto il magistrato gli sta dicendo; che il suo interlocutore ha delle ragioni serie per indagare. Sceglie così di collaborare con la giustizia, difendendo allo stesso tempo le ragioni della parte pulita della massoneria. Ma è una linea troppo sottile per essere compresa. Attorno a Di Bernardo si scatena un violento scontro, che non può essere percepito dall'esterno ma che scuote dalle fondamenta l'istituzione massonica.

La congiura e le minacce al Gran Maestro

L'inchiesta di Cordova prosegue per tutto l'autunno del 1992, con perquisizioni e indagini che si incrociano con quelle di altri magistrati, come quella del giudice Vittorio Corsi sulla malasanità torinese, che provoca indagini sulla gran tesoreria del Goi.

Ma è il 1993 l'*annus horribilis* della massoneria italiana. Anno che si apre in un clima di scontro. Durante la prima riunione di Giunta, Di Bernardo denunciò la congiura contro di lui: «Il presidente del Collegio Circoscrizionale del Piemonte Maurizio Volkhart e il Gran Maestro onorario Piero Sinchetto si sono recati dal professor Giorgio Cavallo,[51] rettore dell'Università di Torino, esortandolo a candidarsi per la Gran Maestranza in previsione delle mie dimissioni. [...] Mi sento in dovere di denunciare alla Giunta una vera e propria congiura contro di me, che viene messa in atto con un certo seguito da parte di alcuni notabili che, per ambizione personale, ritengo pronti anche a destabilizzare l'Istituzione pur di danneggiare il suo Gran Maestro».

Gian Piero Pagella riferisce[52] che anche Gustavo Raffi, all'epoca Grande oratore del Goi, chiese di «limitare i poteri del Gran Maestro».

Nonostante il nascere di una fronda, all'interno della massoneria l'inchiesta di Cordova solleva dubbi circa il fatto che tutti i «fratelli» siano puliti. Molti, in quel momento, se ne vanno. Pagella riferisce il caso della loggia Mathema di Torino: «In essa numerosi fratelli, con un gesto plateale, avevano deciso di porsi in sonno, mentre i rimanenti, solo sette, sarebbero confluiti in un'altra officina».[53]

---

51. Il professor Giorgio Cavallo è stato rettore dell'Università di Torino dal 1975 al 1984.
52. Gian Piero Pagella, *op. cit.*, p. 182.
53. *Ibidem*, p. 183.

Invece di promuovere l'autocritica, il Grande oratore Raffi proclama: «Non saranno i fratelli ad andarsene, saremo noi a espellerli».

In quel momento si pone anche il problema dei certificati penali e dei carichi pendenti, richiesti dagli inquirenti ai massoni della Calabria, del Lazio e del Piemonte: il provvedimento che obbliga a presentare la fedina penale viene revocato a maggioranza dai vertici del Grande Oriente; una scelta che solo in pochi contestano, tra cui Gian Piero Pagella.

Infiltrazioni mafiose

Nel febbraio 1993, Di Bernardo si reca negli Stati Uniti, per partecipare alla conferenza mondiale dei Grandi Maestri, e successivamente a Londra, per conferire con i grandi dignitari della Gran Loggia d'Inghilterra.

In quei giorni, gli ispettori della Digos compiono accertamenti su una società facente capo al Grande Oriente, la Urbs, e sulle società che costituiscono il patrimonio del Goi.

Che l'inchiesta di Cordova muovesse da preoccupazioni concrete è testimoniato da un passaggio fondamentale delle rivelazioni del Gran tesoriere Pagella, che sostanzialmente non si schierò con alcuna «fazione» interna al Grande Oriente, fatto che rende la sua testimonianza preziosa.

Nel suo libro Pagella racconta un episodio molto importante: «Il 17 febbraio il fratello Sergio Rosso[54] aveva indetto una riunione a casa sua per commentare gli ultimi sviluppi. Quando arrivai, Sergio mi chiese di appartarmi con lui e mi fece ascoltare la registrazione di una telefonata singolare. Un agente dei servizi di sicurezza rumeni, donna e

---

54. Membro del consiglio dell'ordine del Grande Oriente, organo collegiale presieduto dal Gran Maestro, Sergio Rosso apparteneva alla loggia Adriano Lemmi.

buona amica di Di Bernardo e di Sergio, riferiva il tenore di una telefonata perlomeno strana intercorsa con il Gran Maestro. Egli le annunciava l'intenzione di dimettersi platealmente dalla suprema carica del Grande Oriente d'Italia, perché non si sentiva in grado di controllare le infiltrazioni mafiose nell'Istituzione, perché era stufo di ricevere addebiti e minacce che coinvolgevano anche la sua famiglia». E perché «riteneva che la massoneria dovesse essere rifondata».

Pagella[55] riferisce che Sergio Rosso riteneva attendibile la fonte di questa rivelazione: «Mi fido molto della persona che ha riferito quella telefonata, ti assicuro che non è solita raccontare cose inesatte o esagerate».

Chiediamo conto a Di Bernardo di queste rivelazioni. L'ex Gran Maestro appare turbato, ma conferma di avere ricevuto gravi minacce, rivolte alla sua persona e alla famiglia.

Lo scontro finale

Nella primavera del 1993, a seguito dell'inchiesta Cordova, lo scontro interno al Grande Oriente si fa violento. La fronda contraria a Di Bernardo e alla sua «collaborazione» con Cordova prepara le condizioni per la detronizzazione del Gran Maestro alla gran loggia del 20 marzo 1993. Lo strumento utilizzato è il bilancio consuntivo. In seno ai Grandi Architetti Revisori, i controllori dei conti, si forma un nucleo dissidente[56] che punta alla bocciatura dei documenti contabili. I revisori frondisti parlano di «presunte irregola-

---

55. Pagella racconta anche che Savina, il segretario particolare di Di Bernardo, gli si rivolse con queste parole: «Ma non pensi che l'Istituzione sia ormai in stato comatoso, che debba essere rifondata?».
56. Si tratta di tre Grandi Architetti Revisori: Antonello Zucco, agente assicurativo di Roma; Giuseppe Wrzy, avvocato messinese; Michele Dolce, commerciante di abbigliamento di Palermo.

rità di carattere contabile e amministrativo che investivano anche il bilancio di previsione».[57]

La gran loggia del 1993 si aprì, il 20 marzo, in un clima da scontro finale. Il Gran tesoriere Pagella narra della «presenza minacciosa dei Grandi Maestri Onorari al completo e di Armando Corona che riappariva in un contesto ufficiale dopo oltre due anni».[58]

L'avvocato messinese Dino Arrigo, autore di un'accurata ricostruzione di quegli eventi, narra con efficacia la scena: «Il piano è chiaro ed i cospiratori sono tanti. La sera del venerdì 19 marzo, antecedente l'assemblea nazionale, è un pullulare di incontri e riunioni. Le salette private dell'Hilton sono tutte prenotate. I fratelli si incontrano a gruppi ristretti e discutono sul da farsi. Al piano seminterrato si riuniscono oltre un centinaio di fratelli. È presente l'ex Gran Maestro Armando Corona. Parla anche Enzo Paolo Tiberi, avvocato di Perugia, uscito sconfitto dall'incontro elettorale di due anni prima con Giuliano Di Bernardo. Si parla e si applaude. Il Gran Maestro deve dare le dimissioni. Il bilancio è un pretesto. Non approvandolo si metterà Di Bernardo in difficoltà, spingendolo sulla via dell'abbandono della carica. Tutti i presenti si dichiarano d'accordo».[59]

Il 20 marzo, la gran loggia all'Hilton si apre con la richiesta in assemblea di trenta interventi e con la dura contestazione del bilancio. «Le ore passano, i numeri e le tante voci del bilancio continuano a scorrere sui volti stanchi dei presenti, seduti in maniera ordinata e rituale. Per ogni fratello che conclude altri si iscrivono a parlare. Si decide di ridurre a cinque minuti ogni intervento. Poi a tre. Alcune voci si levano in difesa del Gran Maestro, altre risprofondano nelle

57. *Ibidem*, p. 193.
58. *Ibidem*, p. 194.
59. Dino Arrigo, *Fratelli d'Italia*, Rubbettino Editore, Soveria Mannelli, 1998, p. 78.

aride considerazioni matematiche dei conti» scrive Arrigo. «La sequela delle osservazioni viene bruscamente interrotta. Il Gran Maestro dal suo scranno rompe il silenzio osservato sino a quel momento ed inizia a parlare. Lancia accuse. Accuse contro gli istigatori dell'ormai evidente progetto. Contro coloro che ne erano diventati portavoce. Contro tutti quelli che si erano riuniti la sera precedente. Contro il governo dell'Ordine. Contro i Gran Maestri Onorari. Di Bernardo precisa e rilancia nuove accuse. Dichiara di essere stato lasciato solo. Isolato. Di non avere avuto alcun appoggio per le richieste di epurazione di alcuni fratelli. Di essere stato ostacolato nel suo progetto di trasparenza. Le accuse sono forti e cadono precise. Nella sala il silenzio è assoluto. Di Bernardo chiede improvvisamente che il bilancio sia posto ai voti. Dei circa 600 maestri presenti, solo 21 sono contrari. Il bilancio è approvato. Così come l'opera di Giuliano Di Bernardo. Le reazioni sono immediate. Si grida al tradimento. C'è chi è smarrito. I tre Grandi Architetti Revisori cercano il conforto dell'ex Gran Maestro Armando Corona.»[60]

Lo scontro è al massimo, le aggressioni personali fanno emergere accuse nascoste e ridde di supposizioni.

Gian Piero Pagella riferisce che Corona, incontrandolo nelle toilettes dell'Hilton, lo apostrofò dicendogli: «Mi è stato riferito da un autorevole fratello che tu vai dicendo che io sono pesantemente implicato in traffici poco puliti: armi, droga, e quant'altro».[61]

Affermazioni pesanti: ma alla richiesta di precisarne la fonte, Corona si sottrae: «Tu capisci bene che non posso costringere il fratello ad un confronto, non posso tradire le sue confidenze rivelatemi in privato…».[62]

Di Bernardo racconta: «Alla gran loggia del marzo 1993 riuscii a impormi. Ma la fronda interna rimaneva. Corona la-

---

60. *Ibidem*, pp. 79-80.
61. Gian Piero Pagella, *op. cit.*, p. 196.
62. *Ibidem*.

sciò l'assemblea dicendo: "Non finisce qui". Lui non aveva mai partecipato a nessuna gran loggia prima di quella data durante la mia maestranza. Vidi che era a capo di una congiura della quale faceva parte anche Eraldo Ghinoi, il mio successore. Corona era sicuro di riconquistare il potere, per riportare il Goi a una certa logica. Ma durante la gran loggia assunsi una linea di estrema decisione, e con il mio discorso ebbi il consenso dei duemila delegati massoni. Fui in grado di esprimere una reazione così forte perché avevo già deciso di lasciare il Grande Oriente. Avevo avuto dei colloqui con la massoneria inglese, guidata dal duca di Kent, Filippo di Edimburgo. I miei referenti in Inghilterra erano il Gran segretario Sir Michael Higham e il Gran portaspada, il marchese Lord Northampton, destinato a diventare futuro Gran Maestro. I primi contatti avvennero in concomitanza all'avvio dell'inchiesta Cordova».

Chiediamo a Di Bernardo quale fu l'impatto dell'inchiesta Cordova sui rapporti tra la massoneria inglese e quella italiana.

«La stampa inglese di quel tempo parlava dei problemi giudiziari della massoneria italiana, parlava di Corona. Gli inglesi nutrivano dei dubbi nei confronti di Corona. Erano dalla mia parte. Quando fondai la Gran Loggia Regolare d'Italia, nell'aprile del 1993, la massoneria inglese tolse il suo riconoscimento al Goi per darlo a me e ai fratelli che con me avevano dato vita alla nuova loggia. Nei mesi precedenti, Corona aveva anche fatto un tentativo di recarsi con un nucleo di fratelli a lui fedeli alla Gran Loggia d'Inghilterra, per spiegare le sue ragioni contro di me.»

La missione di Corona in Inghilterra non ebbe successo. Gli inglesi erano preoccupati delle notizie che, tramite canali riservati, avevano raccolto in merito ai rapporti tra la massoneria italiana e la malavita.

«Lord Higham mi scrisse affermando che, al limite, avrebbe ricevuto soltanto Corona, e non una intera delegazione. Se andiamo a rileggere le interviste rilasciate da Corona in quel momento, ci rendiamo conto che lui dichiarava che gli inglesi erano "amici suoi". Era convinto che gli bastasse avere un colloquio con i massoni inglesi per ritornare alla guida del Goi e mettere me in un angolo. Tentava anche la strada inglese per attuare il suo progetto eversivo contro di me e a danno della massoneria.»

Di Bernardo ha la meglio sui suoi avversari. Ma il Grande Oriente resta comunque spaccato, in uno stato di grande incertezza. Di Bernardo sapeva bene qual era la situazione reale dell'«obbedienza», la crisi morale che attraversava la libera muratoria, i pesanti addebiti di infiltrazione mafiosa sui quali la magistratura indagava. Avrebbe potuto approfittarne per umiliare i suoi nemici, per compiere un'epurazione, ma era troppo consapevole della gravità del momento per sfruttarlo a suo favore.

Gian Piero Pagella ne descrive bene il travaglio: «Di tanto in tanto guardavo il Gran Maestro, che sin dalla sera precedente non avevo avuto modo di incontrare, ma non mi sembrava particolarmente euforico. Anzi, verso la fine della cena mi avvicinai. Se ne accorse, mi venne incontro e mi abbracciò».[63] La mattina successiva Di Bernardo si rivolse al Gran tesoriere e gli disse: «Gianni, ho bisogno di riflettere, di programmare, per cui mi ritirerò a Trento per un mese. Dopo di che riunirò la Giunta e vi trasmetterò le mie disposizioni per il futuro».[64]

In quelle settimane Di Bernardo matura la decisione di lasciare la principale comunione massonica italiana per fondare una nuova «obbedienza». Si reca in Svizzera e in Inghilterra, dove incontra nuovamente il Gran segretario della Gran Loggia Unita d'Inghilterra, l'ex comandante di fregata Sir Michael Higham che, informato delle inchieste giudiziarie in corso, decide di sospendere il riconoscimento ufficiale

---

63. *Ibidem*, p. 197.
64. *Ibidem*, p. 198.

concesso fino ad allora al Grande Oriente d'Italia. Il *Board of General Purpose* della Gran Loggia Unita d'Inghilterra raccomanda[65] di sospendere le relazioni con il Goi.

Di Bernardo si isola per raccogliere le forze necessarie a compiere una scelta difficile. Il 14 aprile 1993 convoca una riunione dei membri di Giunta del Grande Oriente, in cui pronuncia queste parole: «Volevo comunicarvi le mie decisioni. Ho ricevuto minacce gravissime e con me tutta la mia famiglia. Ho visto mia madre piangere per l'inquietudine che avevano suscitato in lei quelle minacce. Ne hanno ricevute mia moglie e i miei figli. La mia famiglia è spaventata e vive in costante angoscia. Ho quindi deciso di dimettermi».[66]

Il 16 aprile il capitolo finale. Di Bernardo legge nella sede del Grande Oriente, a Villa Medici del Vascello, il testo di una drammatica lettera di addio, intitolata «Epilogo – Lettera alla Comunione». Ecco alcuni brani del testo, finora inedito.

Carissimi Fratelli, è giunto il momento che il Gran Maestro rompa il suo prolungato silenzio, per far conoscere a Voi tutti le sue riflessioni sui tre anni del suo magistero e le sue conseguenti decisioni.

Prima di fare ciò, tuttavia, egli sente il dovere di riflettere sulla natura e sulle finalità della massoneria, poiché ritiene che la diritta via sia stata smarrita.

La massoneria è una società di uomini che si ispira ai princìpi di libertà, di tolleranza e di fratellanza, che perfeziona se stessa percorrendo la via iniziatica, che opera nel nome del Grande Architetto dell'Universo. I massoni sono uniti dal vincolo dell'amore fraterno, agiscono nel reciproco rispetto ed esprimono i più alti valori morali. I «metalli» del mondo profano, come calunnia, odio, disprezzo, congiura sono vizi che vengono relegati in oscure e profonde prigioni. La lealtà e l'obbedienza al Gran Maestro sono virtù che tutti i massoni devono possedere

---

65. La decisione fu presa il 9 giugno 1993 dalla Gran Loggia Unita d'Inghilterra.
66. Gian Piero Pagella, *op. cit.*, p. 199.

al più alto grado. Sconfiggendo i vizi ed esaltando le virtù è possibile vivere in armonia e contribuire all'edificazione del tempio invisibile della Fratellanza umana.

Questa concezione ideale della massoneria è stata attuata, più o meno, nel passato e nel presente, in tutte le comunioni massoniche del mondo. Anche in Italia, dalla metà del secolo scorso all'avvento del fascismo, i massoni hanno dato il loro contributo per il trionfo dei valori di giustizia e di dignità della persona umana, lottando contro il dispotismo statale e il fanatismo religioso. [...]

La rinascita della massoneria italiana nel dopoguerra, proprio per le tragiche vicissitudine che l'hanno caratterizzata durante il fascismo, avrebbe dovuto significare l'accentuazione del fondamento iniziatico e del perfezionamento morale. Tuttavia, la pretesa, sciocca ed assurda, di voler contare nelle vicende della società italiana, ne ha favorito la politicizzazione, con la conseguenza innaturale che nelle logge entrassero non solo i «metalli» della società profana, ma che essi stessi diventassero lo scopo principale da perseguire. E così, anno dopo anno, la nostra Comunione si è allontanata dai princìpi autentici della Massoneria universale e ha inseguito illusioni pericolose che hanno portato, tra l'altro, alle vicende della Loggia P2.

Questo fatto traumatico avrebbe dovuto insegnare che la via fin lì percorsa era sbagliata e che, di conseguenza, era necessario far ritorno ai princìpi morali ed iniziatici, consapevoli del fatto che l'unica autorità che può esistere in massoneria è quella morale. Si è voluto, invece, continuare sulla via dell'impegno politico e, ancora una volta, si è posta la massoneria in posizione ambigua rispetto alla società.

Il Gran Maestro ha voluto invertire questa innaturale tendenza riportando la massoneria nell'alveo della tradizione secolare. Il suo progetto sulla massoneria – il cosiddetto «Progetto trasparenza» – tendeva a far conoscere, nel mondo profano, i princìpi a cui si ispirano i massoni mediante il potenziamento del piano culturale: convegni aperti ai profani, seminari di studi, conferenze stampa, la rivista «Hiram». Le conseguenze positive di tale «apertura» non si sono fatte attendere: atteggiamento non più fazioso della stampa, aumento delle iniziazioni, recupero di un'immagine deteriorata.

Ma mentre il Gran Maestro e i fratelli coinvolti nel «Progetto trasparenza» procedevano verso l'obiettivo di porre la massoneria italiana sullo stesso piano delle altre comunioni massoniche del mondo, un gruppo di Fratelli iniziava le ostilità. È purtroppo tradizione del Grande Oriente d'Italia che, dopo l'elezione del nuovo Gran Maestro, si costituisca un gruppo di potere, composto da autorevoli fratelli, i quali, per ragioni che nulla hanno a che fare con i princìpi della massoneria, cercano di condizionarlo. L'attuale Gran Maestro ha rifiutato ogni condizionamento e per questo gli oppositori interni hanno dato inizio ad una serie di ostilità contro di lui, che, col passare del tempo, è diventata sempre più forte e si è espressa recentemente nella richiesta delle sue dimissioni.

Il nostro Paese sta attraversando un periodo di profonda crisi istituzionale e sociale che coinvolge tutto e tutti. Coinvolge anche la massoneria, la quale, come spesso accade nella sua storia, è vista come capro espiatorio degli errori altrui. In una situazione del genere, non deve sorprendere che essa sia diventata oggetto di attacchi. Sarebbe sorprendente, viceversa, se non lo fosse stata.

Gli eventi che accadono nella nostra società hanno, più o meno, un comune denominatore: la gente è stanca della corruzione e degli egoismi personali. Vuole chiarezza ed onestà. Poiché la magistratura sta operando in questa direzione, essa la plaude e la sostiene. Quel cambiamento radicale che tutti noi abbiamo auspicato, si sta finalmente realizzando.

La gente vuole chiarezza ovunque e nei confronti di chiunque: la vuole anche nei riguardi della massoneria, la quale è da sempre vista come centro del potere occulto. Se vi è il sospetto che la massoneria trami contro le istituzioni dello Stato, che sia coinvolta in traffici illeciti e in tangentopoli, che si indaghi su di essa. Se non ha nulla da temere, allora accetti l'inchiesta come un male necessario, poiché alla fine la sua onestà prevarrà. Questo è l'atteggiamento che la gente comune, gli intellettuali, i rappresentanti dei partiti politici e delle istituzioni dello Stato hanno assunto nei confronti della massoneria.

Movendo da tali premesse, inizia l'inchiesta della Procura di Palmi, la quale ordina il sequestro degli elenchi dei massoni del Grande Oriente d'Italia. Se i giornali non avessero fatto tanto scalpore, tutto si sarebbe limitato ad un'ordinaria operazione della polizia giudiziaria. Ma il polverone c'è stato e il Gran Maestro ha risposto nella maniera che riteneva più saggia: egli ha scelto la via della ragione e non quella della polemica irrazionale. Proprio per questa sua scelta, egli è stato accusato di non aver difeso con sufficiente fermezza la massoneria italiana. Il Gran Maestro può spiegare a tutti i fratelli della comunione le ragioni che stanno a monte della sua linea di difesa, se i fratelli desiderano conoscerle. Ma chi lo ha criticato con estrema durezza non ha voluto conoscere ragioni: si è barricato entro la sua certezza ed è andato all'attacco. Ha chiesto le sue dimissioni, ma non gli ha mai detto che cosa avrebbe dovuto fare. È facile criticare, ma è arduo proporre soluzioni alternative. Ma chi attaccava voleva ben altro. Voleva che il Gran Maestro denunciasse alla Corte Internazionale dell'Aja i magistrati della Procura di Palmi per aver messo in atto una persecuzione contro il Grande Oriente d'Italia. Voleva anche che egli querelasse il Consiglio Superiore della Magistratura e quindi il Capo dello Stato, che ne è Presidente. Voleva tante altre assurdità!

Per il Gran Maestro sarebbe stato facile fare il populista, ma avrebbe messo a rischio l'esistenza della nostra comunione. Egli ha, invece, preferito la via della saggezza, più difficile da percorrere, soprattutto quando gli animi sono, anche a ragione, esagitati. Sapeva che la sua linea di difesa non avrebbe incontrato il favore di molti suoi fratelli, ma egli ha continuato in quella direzione proprio per difendere anche quei fratelli che lo accusavano.

Il secondo Dovere di Anderson così recita: «Un muratore è un pacifico suddito dei Poteri Civili, ovunque egli risieda o lavori, e non deve mai essere coinvolto in complotti e cospirazioni contro la pace e il benessere della Nazione, né condursi indebitamente verso i magistrati inferiori».

Questo Dovere, riferito all'inchiesta della Procura di Palmi, significa che, finché essa resta entro i limiti previsti dai nostri codici, è legittima ed opera nell'interesse dello Stato italiano. Per quanto ne sa il Gran Maestro, essa non ha violato i requisiti della sua legittimità. Come possiamo, allora, dichiarare che detta inchiesta è una persecuzione e che va denunciata, come tale, agli organismi internazionali di difesa dei diritti dell'uomo?

Inoltre, a che titolo, e con quale motivazione, querelare il Consiglio Superiore della Magistratura?

Ma supponiamo, per ipotesi, che il Gran Maestro avesse fatto proprio ciò che i suoi oppositori interni gli avevano chiesto. Come avrebbero, allora, reagito coloro che oggi lo criticano? Lo avrebbero plaudito? Ma nemmeno per sogno! Lo avrebbero accusato di essere stato irresponsabile nello scatenare la guerra contro la magistratura, che da un «giovane» Gran Maestro null'altro ci si poteva aspettare e avrebbero ugualmente chiesto le sue dimissioni.

Non illudiamoci: qualsiasi cosa egli avesse fatto sarebbe stato criticato e costretto alle dimissioni, perché questo è il progetto che il gruppo di opposizione ha inteso attuare.

Al Gran Maestro si rimprovera anche di non aver chiesto l'aiuto ai partiti politici, così come aveva fatto il suo predecessore in occasione della vicenda P2. A parte il fatto che il Gran Maestro ritiene un errore di principio far ricorso al potere politico per qualsiasi ragione, la verità è che oggi nessuno, in Italia, può o vuole prendere le difese della massoneria. Dobbiamo renderci conto allora che i migliori difensori di essa siamo noi massoni, con la nostra onestà e correttezza. Siamo noi che dobbiamo ispirare fiducia e credibilità, ma questo lo possiamo fare presentandoci con la nostra specchiata moralità. Non è più il momento di apparire, ma di essere! E noi dobbiamo essere i portatori della giustizia, dell'onestà e dell'amore fraterno. La migliore difesa dell'Istituzione è quella di mostrare al mondo profano che il Gran Maestro e tutti i vertici del Grande Oriente sono persone oneste e rispettose delle leggi dello Stato italiano e quindi dei suoi organi che tutelano l'ordine pubblico. [...]

Gli oppositori interni, divisi nella lotta per il potere ma coalizzati nell'intento di detronizzare il Gran Maestro, hanno arrecato un gravissimo danno alla nostra Comunione, poiché essi, facendolo apparire, con motivazioni inconsistenti, incapace di assolvere l'alto magistero, hanno favorito gli attacchi che forze avverse, sia tradizionali sia di recente formazione, stanno sferrando al Grande Oriente d'Italia, convinti che sia giunto finalmente il momento per «liberare» l'Italia dalla presenza scomoda dei massoni. Mai come in questo momento la nostra Comunione ha corso il pericolo della distruzione ad opera di lotte fratricide interne combattute da uomini che, accecati dal potere, hanno perso di vista i Princìpi fondamentali e la Tradizione iniziatica che giustificano e danno vita alla nostra esistenza!

Gli oppositori interni hanno costretto il Gran Maestro a scendere in guerra. Sebbene egli sia, per temperamento e per convinzione, un uomo pacifico, ha accettato lo scontro per difendere quei fratelli che hanno aderito, consapevolmente e liberamente, ai princìpi ideali della Massoneria universale. Imponendo il silenzio ai profanatori del Tempio, egli ha voluto evitare che i veri massoni venissero contaminati dall'aria di profanità che ha sempre aleggiato durante gli architettonici lavori della Gran Loggia.

Egli ha sconfitto le forze del male. Ma è stata vera vittoria? Se chi giudica assume il punto di vista profano, allora egli e coloro che hanno combattuto per lui e con lui hanno ottenuto una strepitosa vittoria. Ma se si vede l'evento dal punto di vista massonico, allora tutti hanno perso perché è stata sconfitta la massoneria.[...]

La società in cui noi massoni viviamo reclama ad alta voce ogni forma di pulizia. Il Gran Maestro ha promesso pulizia anche all'interno della massoneria, ma egli non può mantenere ciò che ha promesso, poiché non ha lo strumento pratico per farlo. Le Costituzioni vigenti dell'Ordine non gli danno il diritto di espellere i fratelli indegni.

Purtroppo, il Grande Oriente d'Italia, invece di essere un modello di alta moralità, è l'immagine speculare della società italiana, la quale, travagliata da uno stato di crisi generale, sta cercando tuttavia di rinnovarsi. Anche la massoneria ha bisogno di un profondo e radicale rinnovamento. Ma è ciò possibile? La crisi morale e di costume che essa manifesta da lungo tempo chiaramente attesta che ogni tentativo di terapia è destinato a fallire: i notabili, che esercitano influenza sul popolo massonico, invece di operare per eliminare o attenuare i conflitti interni, sono accecati dalla lotta per il potere e dall'affermazione delle loro ambizioni personali. Il «bene generale dell'Ordine» è una parola vana che essi usano per coprire interessi di gruppi o di correnti. In massoneria non esistono, né possono esistere, gruppi o correnti. Coloro i quali promuovono e alimentano gruppi o correnti violano le Costituzioni dell'Ordine e la tradizione muratoria secolare: la loro colpa massonica è gravissima!

Il Gran Maestro non può garantire che dei massoni non siano coinvolti con la mafia e organizzazioni similari, che essi non svolgano attività illecite di qualsiasi tipo e non appartengano a movimenti politici i cui fini non sono evidenti.

Il Gran Maestro non può garantire che la conflittualità e la corruzione morale che hanno caratterizzato i lavori della recente Gran Loggia non si verifichino ancora.

Il Gran Maestro, per coerenza con i propri ideali di vita e di pensiero, constatata la propria impossibilità di garantire che «tutto è giusto e perfetto», dichiara conclusa la sua opera al vertice del Grande Oriente d'Italia e rimette il Supremo Maglietto nelle mani della Gran Loggia e dei fratelli maestri che lo hanno eletto.

Mentre si allontana da Villa Medici del Vascello, Egli ritorna a vivere nella sua «utopia massonica», ove esiste una comunione di iniziati che percorrono la via del perfezionamento morale, che sono uniti dal vincolo dell'amore fraterno e operano nel nome del Grande Architetto dell'Universo. Nella società in cui essi vivono, non nascondono i loro nomi e i luoghi delle loro riunioni. Rispettano le leggi dello Stato e i magistrati che le fanno osservare. Esercitano la tolleranza nei confronti di tutti coloro i quali condividono diverse concezioni dell'uomo e rispettano le differenti fedi religiose. Partecipano ai progetti che tendono a curare o ad eliminare i mali che oggi affliggono l'umanità. Uniti idealmente e praticamente con l'antica tradizione iniziatica, essi portano luce nel mondo che li circonda.

Ma questa visione in cui egli crede è solo utopia? Il far ritorno all'utopia significa forse che egli intende allontanarsi definitivamente dal mondo reale? La risposta non deve lasciar dubbi: il Gran Maestro, ritornato ad essere il massone Giuliano Di Bernardo, continuerà la sua opera per l'affermazione dei princìpi della massoneria in Italia e nel mondo.

I fratelli che sono idealmente legati a Lui non devono sentirsi abbandonati. Egli sta per incamminarsi nel sentiero che conduce alla vera massoneria ed è pronto ad accogliere con un abbraccio fraterno tutti coloro che desiderano pensare e vivere secondo i nobili e antichi princìpi della massoneria universale.

Il giorno successivo, il 17 aprile 1993, Giuliano Di Bernardo, accompagnato da Luigi Savina, lasciò per sempre Villa Medici del Vascello. Due giorni dopo, all'Hotel Parco dei Principi, fondava ufficialmente, con la presenza significativa di Yves Trestournel, Gran segretario della Gran Loggia Nazionale francese, un nuovo gruppo massonico, la Gran Loggia Regolare d'Italia, composta da un migliaio di transfughi del Grande Oriente, che in assoluta segretezza aveva costituito come associazione non riconosciuta poco prima.

Di Bernardo rivendica con orgoglio la scelta di dimettersi e fondare una nuova comunione massonica: «In quella situazione io non sono fuggito dal Grande Oriente, bensì ho rifondato la massoneria su presupposti diversi e con obiettivi diversi rispetto a quelli del Goi e di Corona».

L'inchiesta Cordova proseguì tra molte difficoltà e attacchi all'indirizzo del magistrato, che lasciò la Procura di Palmi nell'autunno del 1993. In un'intervista rilasciata poco tempo dopo,[67] affermò di essersene andato «senza aver chiuso l'inchiesta sui massoni». Le indagini venivano trasferite – per «incompetenza tecnica» della Procura di Palmi a occuparsi della materia – alla Procura di Roma nel giugno del 1994 e affidate ai pm Lina Cusano e Nello Rossi.

Il procedimento restò pressoché fermo per quasi sei anni, poi, nel dicembre 2000, il giudice per le indagini preliminari Augusta Iannini disponeva l'archiviazione dell'inchiesta, nonostante gli ottocento faldoni raccolti nel corso degli anni e i sessantun indagati.

Analogie tra il passato e il presente

L'archiviazione dell'inchiesta Cordova ha lasciato aperti molti quesiti. E le ambigue connessioni tra massoneria e affari

67. *Un giudice scomodo racconta come è stato fermato*, in «Panorama», 12 settembre 1993.

sporchi, tra logge coperte e malavita organizzata hanno continuato a riproporsi.

Il 13 luglio 2007 si è diffusa la notizia che la Procura di Catanzaro, impegnata in una inchiesta sulla appropriazione dei fondi comunitari nella quale sono risultati coinvolti molti massoni, ha inviato un avviso di garanzia al presidente del Consiglio Romano Prodi. Le indagini hanno infatti chiamato in causa alcune figure vicine ai vertici istituzionali. L'inchiesta del pm De Magistris ha preso le mosse da fatti precisi, da vicende di corruzione nelle quali avrebbero avuto un ruolo attivo logge massoniche coperte, operanti come veri e propri comitati d'affari.[68]

Con Giuliano Di Bernardo analizziamo le analogie tra passato e presente, i corsi e ricorsi della storia.

«La situazione della massoneria in Calabria è esattamente quella di allora, dei tempi di Cordova, per quanto riguarda la collusione mafia-massoneria. Solo in Italia la massoneria continua a nascondersi. La realtà massonica è rimasta immutata. La differenza, oggi, potrà farla solo la magistratura, in termini di qualità delle indagini. Quello che è accaduto con l'inchiesta di Catanzaro è la riprova del fatto che i problemi sui quali avevo cercato di intervenire, senza riuscirvi, sono rimasti gli stessi di allora. Per un certo periodo di tempo hanno smesso di produrre effetti; o meglio, se ne hanno prodotti, sono rimasti sottotraccia. Adesso determinate situazioni tornano a riproporsi. E questo è davvero preoccupante.»

Simili anche le condizioni «ambientali».

«Non è casuale il periodo in cui questa nuova inchiesta esplode. Se noi andiamo con la memoria all'inchiesta Cordova, vediamo che inizia nel 1992, proprio quando la crisi politica era totale e si preparavano situazioni fino ad allora imprevedibili».

---

68. Cfr. cap. «Tra affari e Palazzo: l'inchiesta di De Magistris».

Secondo alcune analisi, il trasferimento dell'inchiesta Cordova al «porto delle nebbie» romano coincise con la *pax mafiosa* seguita all'assassinio di Falcone e Borsellino del 1992. Il 5 febbraio di quell'anno il Sisde inviava una nota al Ministero degli Interni: «Non è da sottovalutare la possibilità che frange eversive stipulino con la criminalità organizzata accordi di collaborazione ai fini operativi per la destabilizzazione del Paese». Mentre al giudice istruttore di Bologna Leonardo Grassi arrivava, il 4 marzo, una segnalazione che parla di «fatti intesi a destabilizzare l'ordine pubblico» e di «nuovo ordine massonico deviato».

Analogie inquietanti, che lo stesso Di Bernardo sottolinea.

«Oggi ci ritroviamo nelle stesse identiche situazioni politiche. Lo stato di crisi di oggi è esattamente quello che caratterizzava il periodo che ho vissuto. All'epoca Silvio Berlusconi scese in politica per "sbloccare" una situazione che appariva drammatica, come quella che stiamo vivendo adesso. La politica era in crisi, la gente non aveva più fiducia della classe dirigente, ecco che allora applaudì l'uomo forte, lo portò sugli scudi e lo fece eleggere.»

I paralleli sono numerosi.

«Così come a quei tempi c'erano le logge segrete, oggi si riparla delle logge coperte dedite agli affari. Ma mentre prima nelle logge segrete vi erano prevalentemente uomini d'affari, lobbisti privati, adesso sembrano farne parte anche rappresentanti delle istituzioni o figure a loro vicine. Significa che c'è stato un peggioramento, in questi quindici anni.»

L'inchiesta attuale, tuttavia, sembra partire da reati specifici per poi arrivare all'esistenza delle logge coperte e della massoneria deviata, funzionale in termini di corruzione, riciclaggio, reati tributari. Si segue il filo del denaro, non un teorema. Che analogie e che differenze esistono tra le due inchieste?

«C'è un aspetto importante. Non è che Cordova non avesse nulla di concreto in mano. Le carte – le prove – in mano lui le aveva. È che non le ha volute giocare sino in fondo.» Se la lettura di Di Bernardo sulla «fine» dell'inchiesta Cordova sia corretta è da verificare, naturalmente.

«Volevo dire, in conclusione, che queste situazioni strane c'erano allora come ci sono oggi. Ma adesso si tratta di vedere fino a che punto i magistrati vorranno andare in fondo a queste vicende. Perché dall'inchiesta di Catanzaro potrebbero nascerne altre, e serve molto coraggio per spingersi sino alle estreme conseguenze.»

Di Bernardo lascia capire che, quando queste indagini si avviano, o arrivano ai massimi livelli, provocando vari terremoti politici e istituzionali, o si arrestano da sole per la difficoltà a proseguire. Ovviamente, possono essere fermate in vario modo, lecito e illecito, politico e non.

«Si tratta di vedere le influenze che verranno dal mondo politico, dal mondo economico, dal mondo internazionale; se si cercherà di buttare acqua su questa vicenda.»

Secondo Di Bernardo, la collusione tra affari, massoneria e politica scoperta dalla Procura di Catanzaro ha radici lontane.

«Questa lobby dei fondi pubblici non parte oggi, va indietro nel tempo. Quindi il coinvolgimento di certe figure non stupisce. Alcune voci circolavano già anni fa, a Bruxelles e negli organismi europei. E circolavano a ruota libera.»

Le conseguenze di questi nuovi scandali sul degrado della politica sono pesanti, secondo l'ex Gran Maestro.

«Questi nuovi episodi creano una variabile di disturbo sulla situazione politica di oggi. Ciò che più preoccupa è il fatto che è cresciuto il cinismo, rispetto alle vicende che io stesso ho vissuto. Oggi c'è un'assuefazione al reato che rende il momento attuale di una pericolosa drammaticità. Il fatto che Prodi abbia ricevuto l'avviso di garanzia nell'ambito di una inchiesta così ampia è finito tra le notizie di seconda, terza o quarta pagina.[69] Questo significa che si vuole indurre

---

69. Il Tg1 del 14 luglio 2007 dava la notizia dell'avviso di garanzia a Prodi solo come quarta.

la gente a rassegnarsi, a far sì che dica: "Berlusconi era così, Prodi è così... ne verrà un altro e sarà come questi due". In termini di senso civico c'è un degrado spaventoso. Io sono in contatto con alcuni "osservatori" all'estero, e da lì la situazione italiana viene vista malissimo. Sono convinto che non si tratti di una esagerazione, anzi credo che purtroppo sia una rappresentazione ancora parziale della nostra realtà.»

Di Bernardo ha compreso che le contraddizioni interne alla massoneria non consentono la realizzazione dei valori ai quali tiene. E per questo l'ha abbandonata. La conclusione del filosofo è amara, disegna una società sempre più arretrata, corrotta, lontana dai circuiti virtuosi della democrazia. Ma c'è lo spazio per un filo di speranza.

«Persone corrette, oneste, capaci, intelligenti in Italia ce ne sono tante. Solo che sono fuori dal potere: o sono emarginate, o sono fuori perché hanno deciso di stare lontani, disgustati dagli eventi. Non tutti in Italia – e questo discorso vale anche per la massoneria – sono corrotti. La corruzione tra coloro che sono al potere esiste, ma bisogna sempre pensare al rovescio della medaglia. Al fatto che una classe dirigente può essere sostituita da una migliore. Si tratta di trovare il modo di valorizzare queste persone oneste. Diversamente, crescerà una visione nichilista. E questo va evitato. Il passato va compreso, sezionato, per capire se ciò che è stato si sta ripresentando. Ma soprattutto per progredire sul terreno civile.»

Rivelazioni
di un Presidente della Repubblica

Una passione per l'intelligence

Il nostro viaggio nei segreti della massoneria prosegue a Roma, per incontrare qualcuno che – a torto o a ragione – è stato sempre chiamato in causa quando si è parlato dei segreti della massoneria: Francesco Cossiga. Il Presidente emerito della Repubblica, senatore a vita, è nato in una famiglia che con la libera muratoria aveva rapporti intensi e sin dalla tenerissima età ha respirato contemporaneamente valori massonici e valori cattolici.

Fonti sempre smentite da Cossiga affermano che l'ex Presidente sia un 33° grado di Rito scozzese (lui stesso, scherzando, lo chiama «il rito di famiglia»), e che solo l'aver ricoperto e ricoprire tutt'ora importanti cariche istituzionali gli impedisca di rivelare la sua appartenenza.

Al di là della sua appartenenza alla libera muratoria, però, il Presidente emerito della Repubblica sa molte cose sulle logge: ha una vera e propria passione per i misteri, per gli uomini di intelligence che, ha raccontato, «non fabbricano segreti, ma forniscono gli strumenti per conoscerli e difenderli». Per le reti invisibili, per i dossier e per le spie.

«A me piacciono le spie come ad altri piacciono i fiori», si legge in un suo libro.[1] Forse questo è il frutto della formazione familiare massonica, ma anche della scuola Dc, che indi-

---

1. Francesco Cossiga, *Per carità di patria*, a cura di Pasquale Chessa, Mondadori, Milano, 2003.

viduò in lui e in Giuseppe Zamberletti[2] gli uomini adatti a occuparsi di servizi segreti per conto del partito.

In molte vesti istituzionali – come ministro, presidente del Consiglio, Presidente della Repubblica – Cossiga si è occupato di vicende nelle quali la massoneria ha avuto un ruolo primario. A partire proprio da Gladio. Nel 1956, attraverso un accordo fra la Cia e il Sifar (il servizio segreto militare istituito nel 1949), nasce Gladio, un'organizzazione segreta addestrata alla guerra non convenzionale e pronta a intervenire nel caso di invasione dell'Italia da parte di truppe del blocco sovietico o di vittoria elettorale del Pci. La nascita di questa struttura si inquadra nel più ampio piano della Nato denominato «Stay Behind», che prevede la creazione in tutti gli Stati europei di reti segrete pronte a entrare in azione nel caso dell'instaurarsi di governi comunisti. Governo e Parlamento italiani verranno tenuti per molti anni all'oscuro dell'esistenza del piano. A Gladio, verrà poi appurato, appartenevano uomini di estrema destra, ma anche molti massoni vicini alla causa anticomunista.

Anche il giovane Cossiga ne fece parte. Sarà egli stesso, anni dopo, mentre era Presidente della Repubblica, a rivendicare la sua appartenenza e il ruolo svolto da Gladio nella difesa del blocco occidentale. Cossiga era iscritto alla Dc dal 1945 e nel 1958 ne divenne il più giovane deputato. Aveva trent'anni e cominciò di lì la sua rapida *escalation* politica.[3]

---

2. Giuseppe Zamberletti (Varese, 1933) è stato parlamentare per diverse legislature. Ha fatto parte della Commissione difesa della Camera dei Deputati, dell'Assemblea dell'Atlantico del Nord e della Commissione parlamentare d'inchiesta sul terrorismo.

3. La sua carriera lo porterà a entrare nel III governo Moro come il più giovane sottosegretario alla Difesa (23 febbraio 1966); a diventare il più giovane (fino ad allora) ministro dell'Interno (il 12 febbraio 1976, a quarantotto anni); il più giovane (sempre fino ad allora) presidente del Consiglio (5 agosto 1979, a cinquantun anni); il più giovane presidente del Senato (12 luglio 1983, a cinquantacinque anni) e, infine, il più giovane inquilino del Quirinale, dove arrivò, a cinquantasette anni, il 24 giugno del 1985, con una maggioranza schiacciante (752 voti).

Nel dopoguerra, la sua fede anticomunista è provata e piace ai massoni americani che animano Gladio e Stay Behind. Di lui ci si può fidare. C'è un episodio a questo proposito: il 18 aprile 1948, in attesa dei risultati delle elezioni, Cossiga si trovava nella sede Dc di Sassari, armato di mitra Stern e bombe a mano, «parte di una formazione di giovani democristiani, armati dall'arma dei carabinieri, per difendere le sedi dei partiti e noi stessi nel caso che i comunisti, perdute le elezioni, avessero tentato un colpo di Stato», come lui stesso ha raccontato. «Probabilmente loro, se avessero vinto, avrebbero fatto la stessa cosa.»

I primi studi per la costituzione di Gladio risalgono al 1951, mentre l'accordo segreto tra Sifar e Cia fu stilato il 26 novembre del 1956. Il trattato dell'Alleanza atlantica era stato invece approvato dal Parlamento già il 1° agosto 1949.

«Segni, il mio predecessore [come Presidente della Repubblica, *Nda*] nel 1948, mi ha mandato a prendere le armi» ha raccontato Cossiga in un'intervista al «Corriere della Sera» del 13 gennaio 1992, «in previsione di un possibile tentativo comunista di golpe nel 1948 dopo l'attentato a Togliatti o come risposta alla vittoria elettorale della Dc. Giustificato perché a quel tempo i comunisti disponevano di armi più che l'intero esercito italiano».

Il 1° giugno 1959, in una nota riservata, l'Ufficio R del Sifar dichiara che sono state costituite cinque unità di Gladio, per un totale di 1500 effettivi e 3000 uomini mobilitabili. Nel dicembre dello stesso anno, l'Italia entra nel Comitato di pianificazione della Nato: si tratta dell'organismo che coordina le attività di Stay Behind, di cui fa parte Gladio.

Vengono stilate liste di persone «di sinistra» tratte dalla schedatura di 157mila persone e 40mila movimenti, organizzazioni, associazioni e gruppi vari, creata negli anni precedenti dal Sifar. A ordinare la schedatura era stato il capo del Sifar, generale De Lorenzo, nell'ambito di un piano di emergenza denominato Piano Solo (sul punto di essere attuato nel luglio 1964), che prevedeva in caso di necessità, l'impiego di milizie volontarie; l'internamento nelle basi militari in Sardegna (una di queste viene individuata in quella di Capo Marrargiu) delle personalità che avrebbero potuto essere ostili; l'instaurazione di un nuovo governo che avrebbe dovuto essere presieduto da Cesare Merzagora, massone della loggia coperta Giustizia e libertà e presidente del Senato.[4]

È una fase in cui massoneria e intelligence americana sono molto attive in Italia: nell'aprile del 1960 arrivano nel nostro Paese gli esponenti della massoneria americana Luther A. Smith e George E. Bushnell, per tentare la riunificazione delle varie osservanze massoniche, che porti gran parte delle logge italiane sotto l'influenza diretta di quelle statunitensi. Per questa operazione sono mobilitate da tempo tutte le logge americane in Italia: la Benjamin Franklin di Camp Darby, la base Usa nei pressi di Livorno, la Aviano di Trieste, la H.S. Truman di Bagnoli, la Colosseum di Roma, la McClellan di San Vito dei Normanni, la Val di Verona, la George Washington di Vicenza, delle quali fanno parte i massoni impiegati nelle basi Usa o Nato.

Così, il 7 luglio 1960, si svolge a Roma una cerimonia durante la quale il ministro delle Finanze Trabucchi riconsegna Palazzo Giustiniani, sequestrato durante il fascismo, alla massoneria del Grande Oriente d'Italia alla presenza dell'ambasciatore americano James David Zellerbach[5] e del pastore protestante e agente della Cia Frank Bruno Gigliotti. Sempre nel 1960 i «fratelli americani», attraverso l'opera dell'instancabile Gigliotti, cercano di imporre l'unificazione del Grande Oriente d'Italia con il Supremo consiglio della Sere-

---

4. Merzagora è stato presidente del Senato dal 1953 al 1967, durante tre legislature.
5. Ambasciatore in Italia dal 6 febbraio 1957 al 10 dicembre 1960.

nissima Gran Loggia del principe siciliano Giovanni Francesco Alliata di Monreale.[6]

Il 17 luglio 1961 Giordano Gamberini, di religione valdese, ritenuto da alcuni analisti agente della Cia, viene eletto Gran Maestro del Grande Oriente d'Italia, da poco reinsediatosi a Palazzo Giustiniani; rimarrà in carica fino al 21 marzo 1970. Sarà lui a sponsorizzare l'ascesa di Gelli nella massoneria, con l'incarico di proseguire l'opera di connessione con gli americani iniziata da Gigliotti. Sono molti, in quella fase, gli uomini potenti che entrano nella «fratellanza»: tra questi, il 15 settembre 1961, il potente finanziere Eugenio Cefis, futuro patron della Montedison e sponsor negli anni Settanta dell'operazione Rizzoli-P2,[7] che entra nella loggia coperta Giustizia e libertà di piazza del Gesù.

---

6.   Il principe Alliata di Monreale, nato a Rio de Janeiro nel 1921 e morto a Roma il 20 giugno 1994 mentre era agli arresti domiciliari, era un nobile siciliano erede di proprietà in Brasile. Attivo leader del Partito monarchico, nelle cui liste fu eletto in Parlamento per due legislature, è stato ritenuto – ma poi prosciolto – tra i mandanti della strage di Portella delle Ginestre (1° maggio 1947), in cui la banda di Salvatore Giuliano sparò su una manifestazione di lavoratori uccidendo dodici persone. Alliata fu anche a capo di una loggia massonica coperta attraverso la quale intratteneva rapporti con uomini d'affari in Sudamerica. Nel 1970 una «soffiata» gli permise di sfuggire alla cattura ordinata dalla Procura di Roma nell'ambito dell'inchiesta sul fallito golpe Borghese e di rifugiarsi a Malta. Secondo i giudici Alliata avrebbe partecipato alla stesura del progetto politico-militare del «principe nero» e avrebbe richiesto la collaborazione dei boss di Cosa nostra che, tramite Luciano Liggio, avrebbero però rifiutato. La Procura di Palmi ha emesso un ordine di cattura contro di lui l'11 maggio 1994 per «associazione a delinquere e associazione segreta per aver fatto parte di un gruppo massonico occulto con finalità di interferenza sull'esercizio delle funzioni di organi costituzionali, di amministrazioni pubbliche, di enti pubblici e di servizi pubblici essenziali e per impedire ed ostacolare il libero esercizio del diritto di voto». L'inchiesta è stata successivamente archiviata.
7.   Eugenio Cefis è stato presidente dell'Eni a metà degli anni Sessanta e quindi alla testa della Montedison dal maggio 1971. Fu Cefis a consentire ai Rizzoli di comperare il «Corriere della Sera» nel 1974 con la promessa di finanziamenti di molte decine di miliardi per il rilievo della quota e per la pubblicità. E fu ancora Cefis che, non onorando nel 1976 gli impegni assunti, costrinse Rizzoli a ricorrere al credito di ambienti bancari piduisti.

Cossiga, intanto, prosegue la sua ascesa politica, mantenendo intatta nel corso degli anni la sua specializzazione nelle attività di intelligence e, attraverso questa, i suoi contatti con gli uomini della massoneria impegnati in questo settore.

Il 24 ottobre del 1977, come ministro dell'Interno, vara la riforma dei servizi segreti. Nei primi mesi del 1978, sempre come ministro dell'Interno, crea il «Piano Paters»: un vero e proprio piano antiterroristico, secondo lo stile anglosassone, con una compagine nazionale, ma essenzialmente affidato a nuclei speciali autonomi dalle strutture centrali e periferiche dello Stato, dalle prefetture e dalle questure.

Nel gennaio 1978, con largo anticipo rispetto alla data fissata (il 22 maggio 1978), Cossiga con un decreto scioglie i vecchi servizi segreti, dando vita all'Ucigos (Ufficio centrale per le investigazioni generali e le operazioni speciali). Nello sciogliere e nel ricomporre le nuove unità Sismi e Sisde, coordinate dal Cesis (Comitato esecutivo per i servizi di informazione e sicurezza), fra eliminazioni e promozioni di vecchi e nuovi incarichi, non pochi malumori si crearono nell'ambiente.

I servizi appena riformati si trovarono ad affrontare subito una drammatica emergenza: il 16 marzo 1978 venne rapito Aldo Moro. Durante i cinquantacinque giorni del sequestro, Francesco Cossiga era ministro dell'Interno. Creò due «comitati di crisi», uno ufficiale e uno ristretto. Alcuni tra i componenti di entrambi i comitati erano iscritti alla P2 (il direttore del Sismi Santovito, il generale Grassini e il prefetto Pelosi); ne avrebbe fatto parte lo stesso Licio Gelli sotto il falso nome di ingegner Luciani (sotto tale nome opererà, nello stesso periodo, con un proprio ufficio presso la Marina militare).[8] Anche Gladio, nei giorni del sequestro, venne mobilitata.

Spesso, da parte di Cossiga, si registreranno posizioni di aperta difesa della massoneria. Il 21 marzo 1990, mentre è

---

8. Il 2 gennaio 1992 il periodico «Punto critico» pubblica un articolo sull'attività dell'ing. Lucio Luciani, uno dei nomi utilizzati da Licio Gelli almeno tra il 1979 e il 1981.

Presidente della Repubblica, interviene nel dibattito sulla liceità per i funzionari pubblici di appartenere alla massoneria con una lettera indirizzata al vicepresidente del Csm Cesare Mirabelli, nella quale contesta il diritto del Csm di inserire nell'ordinamento giudiziario una norma che vieti ai magistrati di iscriversi alla massoneria.[9]

Due anni dopo, il 3 novembre 1992, Cossiga attacca il procuratore della Repubblica di Palmi Agostino Cordova. In una relazione inviata al Csm il 27 maggio 1993, il procuratore Cordova scrive: «Su richiesta di Corona, Cossiga intervenne numerose volte in difesa della massoneria, come in occasione del caso Vella; Corona fu invitato all'insediamento di Cossiga e si recò da lui centinaia di volte. In caso di inviti improvvisi, veniva prelevato anche all'aeroporto dagli autisti del Quirinale; nel 1987 Corona comunicava a Berlusconi che Cossiga l'avrebbe ricevuto quando Berlusconi avesse ritenuto di andare».

Il 23 ottobre 2003, in una lunga intervista a Concita De Gregorio per il quotidiano «la Repubblica», Cossiga afferma: «La massoneria ha ripreso respiro, in Italia. Non nei quadri altissimi, piuttosto ai livelli intermedi dello Stato. Persino Licio Gelli, mi risulta, è stato riammesso mesi fa in una delle logge». Cossiga spiega chi sono i nuovi massoni: «La nuova massoneria sta rifiorendo nelle forze armate, nella Marina, nei lavori pubblici». L'ex Presidente passa poi a parlare di Moro e in particolare della versione del sequestro secondo cui il presidente democristiano sarebbe stato benvoluto dagli americani e Gelli si sarebbe adoperato per liberarlo: «La verità è sempre più complessa di quel

---

9. Il 23 marzo 1990, il Gran Maestro del Grande Oriente d'Italia, Giuliano Di Bernardo, plaude all'intervento sul Csm di Francesco Cossiga, dichiarando: «Sono soddisfatto dell'iniziativa del Presidente Cossiga [...] non tanto per ciò che ha detto sulla massoneria, quanto perché il suo è stato un intervento a favore della tolleranza, dell'uguaglianza e della libertà di associazione, princìpi che sono alla base della nostra istituzione e per i quali la risoluzione del Csm costituisce una minaccia concreta».

che sembra [...]. Sono convinto che la P2 nel sequestro Moro non abbia avuto un ruolo. L'intelligence americana era in contrasto con noi perché non volevamo trattare. Credo che il sequestro sia stato opera delle Br. I brigatisti non volevano soldi, né scambio di prigionieri. Volevano il riconoscimento politico».

Poi Cossiga passa a parlare di Berlusconi: «Si è iscritto per convenienza, e difatti gli è convenuto. È completamente a-massone. Un uomo pratico. Si figuri cosa gliene importa del rito di Osiride»; e del ministro Martino: «Massone di piazza del Gesù, loggia elegante, liberale, piemontese. Massone autentico, difatti uomo diversissimo da Berlusconi».

Berlusconi tace. Il ministro della Difesa Martino smentisce, ma Cossiga insiste: «Mi accorgo dal risentito tono della sua smentita che, nonostante egli sia liberale, liberal e "americano", in lui permangono i pregiudizi contro questa istituzione. Detto per inciso, non credevo che l'amico Antonio ritenesse così infamante l'attribuzione della qualità di massone da dare praticamente a un suo amico, responsabile di aver raccolto questa voce, del falsario. Ogni volta che mi chiesero, anche in sede giudiziaria, se io fossi massone, sempre risposi che non era vero, ma mai dissi "è falso". Direi "è falso" se mi attribuissero la qualità di mafioso o di camorrista o di appartenente alla triade cinese». Cossiga ricorda i grandi uomini politici italiani che sono appartenuti alla massoneria. «Desidero ricordare a Martino che, costituita con l'unità d'Italia la Gran Loggia del Regno, il gran magistero fu offerto dapprima a Cavour, che declinò dichiarandosi cattolico, poi al famoso ambasciatore e suo collaboratore, conte Costantino Nigra, che non accettò dichiarandosene non degno, e infine a uno degli esponenti massimi dell'aristocrazia risorgimentale siciliana, il principe di Paternò, cui è oggi intitolata un'autonoma e specialissima loggia massonica, direttamente collegata alla Casa Madre (una specie di Santa Sede dei massoni), la Gran Loggia d'Inghilterra, presieduta per delega della Corona dal duca di Kent».[10]

Cossiga ricorda di essere cattolico e fedele suddito della Santa Sede, ma anche che nella sua famiglia vi sono stati esponenti massoni. Il 13 ottobre 2003 annuncia la presentazione di un decreto legge che «riaffermi la libertà d'associazione e il diritto di riservatezza relativamente all'appartenenza a esse, massoneria compresa». È la riposta dell'ex presidente alla sentenza del Consiglio di stato che ha dichiarato legittimo l'obbligo per i consiglieri regionali e i dipendenti di quella amministrazione (contenuto in un legge della Regione Toscana) di rendere nota preventivamente la propria eventuale appartenenza alla massoneria. A questo proposito Cossiga ricorda che «gli organi della giustizia europea circa due anni fa condannarono proprio per l'adozione di queste leggi lo Stato italiano, per la violazione del principio della libertà di associazione».

Il 13 aprile 2007 Cossiga, in una missiva inviata al Gran Maestro del Grande Oriente d'Italia Gustavo Raffi, scrive: «Non massone, ma di famiglia massonica, da cattolico, da liberale, e da repubblicano ho sempre difeso la vostra Fratellanza come strumento di lotta per la libertà».

Una famiglia di tradizioni massoniche

I rapporti di Cossiga con la massoneria sono ricchi e complessi, pur se controversi sul piano della ricostruzione storica. Il senatore a vita accetta di parlarne, nella sua casa romana, a poca distanza dal Vaticano. La grande sala è piena di foto di capi di Stato, ma anche di immagini di figli, nipoti, generi e nuore. Colpisce una foto degli anni Quaranta: è una

---

10. Ansa, *Cossiga: non ho offeso Martino dicendo che è massone*, 13 ottobre 2003.

scuola privata per figli di antifascisti, a Sassari. Cossiga è un bambino con lo sguardo vivace di chi farà molta strada.

Partiamo proprio dalla famiglia, dalle ascendenze massoniche di Francesco Cossiga. «Se mio padre sia stato massone io non l'ho mai saputo, mio nonno Antonio Zanfarino lo era certamente. Era venerabile della loggia di Sassari. Ed era anche tesoriere del Goi. In più, era un 33° grado di Rito scozzese. Anche se è morto con i sacramenti di Santa Madre Chiesa, come quasi tutti i massoni…»

Che influenza ebbe sul giovane Cossiga il fatto che il nonno materno (e forse anche il padre) fossero massoni?

«Ebbe un'influenza laica. Mi fece diventare cattolico liberale dopo una breve ubriacatura dossettiana. Naturalmente la mia era una famiglia repubblicana, antifascista.»

Il Presidente emerito rivela un dettaglio illuminante.

«La nostra è una famiglia dove la parte femminile era strettamente cattolica e nella quale mio padre non so se fosse massone. So per certo che un giorno mi mandò in chiesa, in parrocchia, al grido "meglio i preti che i fascisti". Io sono fra quei ragazzi cui i fascisti strapparono il distintivo della Gioventù cattolica. Fu sostituito con una medaglietta; l'ordine era che si doveva andare a scuola con il distintivo della Gil, la Gioventù italiana del littorio. Ma sono stato nell'Opera nazionale balilla solo per un breve periodo.»

Non le offrirono mai di entrare nella massoneria, suo nonno o altre persone?

«Mai, perché io ero cattolico militante.»

Ma in teoria non c'è incompatibilità.

«Sì che c'è, sono due visioni totali della vita. C'è un unico Paese in cui ai cattolici è consentito essere massoni, la Svezia. Questo è consentito proprio dal Vaticano. In Svezia è permesso essere massoni e cattolici in virtù di uno speciale decreto che ha a che fare con il carattere monarchico e statuale della massoneria in Svezia. Una scelta prudente, di non conflittualità da parte del Vaticano.»

Quindi in Italia e nel resto del mondo l'incompatibilità rimane.

«Sì, assolutamente. Anche se ci sono stati gesuiti che hanno sostenuto la compatibilità. E la sostiene anche un famoso sacerdote, un paolino: padre Rosario Esposito. Alcuni settori della chiesa hanno mantenuto sempre dei canali aperti nei confronti della massoneria.»

Lo slancio della massoneria

Con il Presidente emerito veniamo al punto chiave del nostro incontro. La massoneria è forte in Italia? Più forte che in passato?

«Sì, è in fase di ripresa.»

In base a quali elementi si sente di affermarlo?

«Perché guardo chi sono coloro che scrivono nelle loro riviste, studio i loro nomi. Loro sanno benissimo che non sono un massone. Ma io li ho difesi sempre quando ero Presidente della Repubblica, quando ci fu quella caccia al massone, non solo al piduista…»

È innegabile che la vicenda della P2 abbia avuto risvolti gravi: dall'affarismo sfrenato di alcuni suoi membri ai piani di involuzione autoritaria, fino al coinvolgimento nelle pagine oscure dello stragismo. Qual era la vera natura della P2? Con quali finalità nasceva? Cossiga riflette, fa una pausa. Poi si apre a una riflessione schietta e critica.

«Il discorso vero della P2 è che essa fu una creazione degli americani. Se va a vedere chi faceva parte della P2, se verifica gli orientamenti dei singoli – lasciando stare Gelli, che ne era l'amministratore – si accorgerà che la P2 era tutta composta da ultramericani, da personalità molto vicine al mondo statunitense.»

Quindi era un'operazione americana.

«Esattamente. Filoamericana e atlantica.»

La P2 era perciò un baluardo anticomunista, un caposaldo di un certo tipo di politica estera e di pensiero.

«Naturalmente gli americani scelsero la forma massonica

per questa operazione, perché da loro la massoneria è molto radicata. Se guarda l'elenco delle personalità importanti negli Stati Uniti – pensi a Benjamin Franklin, uno dei "padri fondatori", a Jefferson, a Washington – si accorgerà che i Presidenti americani non massoni sono ben pochi: a uno, Nixon, hanno fatto fare una brutta fine; a un altro, Kennedy, l'hanno ammazzato. Quasi tutti i Presidenti americani erano massoni e nello stemma degli Stati Uniti ci sono delle valenze massoniche. Allo stesso modo, la banconota degli Stati Uniti, il dollaro, è tutta piena di simboli massonici.»

Torniamo al presente, all'Italia. La massoneria è non solo viva e vegeta, nonostante gli scandali. Ma più forte di prima.

«In Italia la massoneria è in ripresa. Non più agli altissimi livelli a cui era in un certo periodo storico, ma è forte. Tenga presente che durante la monarchia non si poteva nominare un capo di Stato maggiore dell'esercito, un capo di Stato maggiore della Marina o un comandante generale dell'ordine dei carabinieri che non fosse massone.»

Una lunga lista di situazioni oscure

Faccio rilevare a Cossiga che la massoneria, da lui difesa a spada tratta, è stata implicata in gravissimi scandali, culminati anche in morti misteriose. Come quella di Roberto Calvi. Mentre parliamo, si è appena conclusa la requisitoria del processo per l'omicidio del banchiere di Dio. Cossiga non rinnega conoscenze che per altri sarebbero scomode.

«Conosco benissimo Flavio Carboni: è un furbone, un *brasseur d'affaire*. Un giorno è stato qui tre ore e mi ha raccontato tutta la sua versione dei fatti: dice che Calvi si è ammazzato perché lo Ior lo ha mollato. Lui sperava che lo Ior gli desse i quattrini, è andato a Londra per questo. Quando ha visto che non c'era niente da fare si è impiccato. Questa è stata sempre la sua tesi.»

Lei come legge la morte di Calvi?

«Io ho più fiducia nella polizia inglese che in quella italiana. La giornalista de "la Repubblica" Sandra Bonsanti e un altro collega fecero un libro sostenendo che Calvi si era ucciso. Io credo che si sia ucciso per disperazione. Marcinkus stesso era un dilettante, non capiva niente. La realtà è che molti dei soldi dell'Ambrosiano che non si sono trovati sono andati a finire a Solidarnosc.»

È una tesi che con gli anni sta prendendo corpo.

«No, questo è certo» replica Cossiga, che precisa: «Non so se il Papa lo sapesse, ma i soldi destinati a Solidarnosc sono passati attraverso un'agenzia del Sismi che noi creammo in Lussemburgo, anche se non c'era nessun bisogno di creare un ufficio del Sismi. Dalla Polonia prestò il suo aiuto all'operazione anche un monsignore che poi diventò cardinale. La Polonia non ha mai avuto più di due cardinali, mentre a un certo punto ne ebbe tre.»

Chi era il monsignore polacco che canalizzò i soldi dell'Ambrosiano? Cossiga non vuole o non può rispondere. Ma torna al tema della morte di Calvi.

«È stata la famiglia Calvi a spingere la tesi dell'omicidio. Perché nell'assicurazione sulla vita che aveva Calvi c'era l'esclusione del caso di suicidio. Se loro riuscivano a provare che l'avevano ammazzato avrebbero ottenuto la riscossione della polizza.»[11]

Chiedo a Cossiga se crede alla tesi di Sciascia[12] secondo cui Calvi avrebbe quasi inscenato un finto omicidio, sotto il ponte dei Frati Neri.

«Sciascia aveva un notevole senso poliziesco…»

C'è però la simbologia massonica del taglio della gola a

11. Dopo la sentenza di un tribunale italiano che ammetteva la possibilità di un omicidio tra le cause di morte, la famiglia Calvi ha raggiunto una transazione con le Assicurazioni Generali.
12. In un lungo articolo del 24 luglio 1982 pubblicato su «Il Globo», Leonardo Sciascia scrive: «Che Calvi sia stato giudicato psicologicamente fragile da un collegio di periti non mi pare sia una ragione per credere il contrario. Lo era».

chi tradisce la massoneria, l'avvicinarsi di due gomene sotto l'altezza del livello dell'acqua e tanti altri simboli.

«Sì, i simboli massonici ci sono, in quella morte. E poi il ponte dei Frati Neri è legato simbolicamente alla loggia Quatuor Coronati,[13] la loggia più importante di Londra. Però io della magistratura italiana non mi fido per nulla, di quella britannica sì.»

Però anche gli inquirenti inglesi hanno riaperto le indagini sul caso Calvi. E adesso dicono che si trattò di omicidio. Cossiga crede sempre al suicidio?

«Sì, ma non ho sufficienti elementi per asserirlo. Lo stabiliranno le sentenze.»

Torniamo al presente: tra le varie massonerie italiane, qual è quella che conta di più? Il Goi oppure la Gran Loggia di piazza del Gesù?

«La massoneria vera, in Italia, è il Grande Oriente di Palazzo Giustiniani. Io però, come presidente del Senato, sono stato colui che si è fatto restituire Palazzo Giustiniani dalla massoneria, chiedendo al Grande Oriente che vi mantenesse solo una sede di rappresentanza.»

Quindi sono i massoni del Grande Oriente, la principale «obbedienza», a contare veramente in Italia.

«Sì, è quella più diffusa, molto repubblicana. Poi c'è quella di Palazzo Vitelleschi, situata a piazza del Gesù, piemontese, liberale.»

Come mai la Gran Loggia Regolare d'Italia, quella creata da Di Bernardo, è stata l'unica a essere riconosciuta dagli inglesi?

«A un certo punto il Gran Maestro Armando Corona – grande amico di Spadolini e uomo fortemente critico sulla P2 – fece l'epurazione della loggia creata da Gelli. Ma questa operazione venne condannata metodologicamente dalla massone-

---

13. La loggia Quatuor Coronati N. 2076 di Londra è la prima «loggia di ricerca nel mondo» ed è nata dal 1884 sotto gli auspici della Gran Loggia Unita d'Inghilterra. È considerata uno dei maggiori centri di potere del mondo anglosassone.

ria inglese, che disse che non bisognava sottoporre i fratelli al giudizio dei profani. Un altro "errore" che Corona commise, agli occhi della Gran Loggia Unita d'Inghilterra, fu quello di modificare le costituzioni del Grande Oriente e di togliere l'obbligo per i massoni di credere in Dio o comunque in un'unica figura monoteista. Infatti, mentre una parte della massoneria francese è atea, per quella inglese non si può essere atei.»

Eppure una parte della massoneria americana si caratterizza per essere piuttosto anticlericale.

«Anticlericale non vuol dire anticattolica. I massoni americani sono tutti religiosi; non si può essere massoni se non si crede in Dio. In America chi era davvero ostile al cattolicesimo, agli ebrei e ai neri era il *ku klux klan*, che proclamava la purezza della razza americana, il predominio degli *wasp*.»

Torniamo ai temi del presente, segnato da inchieste giudiziarie che parlano di infiltrazioni della massoneria deviata ad alti livelli dello Stato. La doppia lealtà verso un'associazione segreta e verso lo Stato non mina le basi della democrazia e la trasparenza dei processi decisionali?

«Assolutamente no. La massoneria è stata la grande religione civile del Risorgimento, con grandi figure di repubblicani. La prima loggia Propaganda, quella ottocentesca, ebbe come suo primo venerabile un uomo come Giuseppe Zanardelli. Era la loggia che ospitava i grandi militari, i grandi politici che stavano a Roma, ecco perché c'era la dispensa dal partecipare ai riti di loggia del sabato: perché avevano altro da fare, cose più importanti.»

Proviamo a insistere: l'appartenenza alla massoneria, dunque, non crea una sorta di conflitto di interessi? È normale che ci siano magistrati massoni e membri del Csm massoni?

«Sì, ce ne sono. E non vanno demonizzati. Come non andava demonizzata l'intera vicenda della P2. Mi dispiace dirlo, ma è stato Giovanni Spadolini a voler cavalcare questa storia, istruito da Andrea Manzella.»[14]

---

14. Andrea Manzella è stato un esponente del Partito repubblicano italiano, poi del Partito democratico della sinistra e dei Democratici di sinistra.

Eppure c'è chi dice che Spadolini fosse massone.

«Non lo era. Lui era stato repubblichino. Invece era massone Carlo Alberto Dalla Chiesa, che era nella P2.»

Come mai il suo nome fu stralciato dagli elenchi?

«È una cosa strana, che tutti si chiedono: nel fascicolo mandato dal giudice Colombo a Forlani fu strappata una pagina, perché non comparisse il nome di Dalla Chiesa.»

Chi la strappò quella famosa pagina?

«I magistrati. Non potevano accusare...» Cossiga si interrompe ma il senso del suo discorso è chiaro: i magistrati non potevano mettere sotto accusa anche gli alti vertici preposti alla sicurezza dello Stato, cioè lo stesso Dalla Chiesa. Torniamo a parlare di Gelli. Cossiga, parla del capo della P2 come di un doppio giochista: «Il nostro servizio segreto non dubitava che Gelli fosse agente americano, ma dubitava che Gelli fosse agente sovietico».

Avrebbe fatto il doppio gioco, quindi.

«Gelli aveva aderito alla Repubblica sociale italiana. Eppure fu reso libero nel dopoguerra dalle dichiarazioni fatte dal Pci, secondo le quali in realtà collaborava con il partito. Sempre lui, Gelli, ha fatto avere cinque miliardi dal Banco Ambrosiano a "Paese Sera". Poteva essere una figura di riferimento degli americani, ma era allo stesso tempo un doppiogiochista. Lui si è salvato per gli attestati dei comunisti della Toscana.»

Gelli frequentava la massoneria già dal 1946, e non dal 1965 come affermano molti libri?

«Sì, lui era un massone già dal dopoguerra, da subito. Ma a parte il discorso di Gelli, la P2 è stata un organismo di carattere atlantico, composto anche da persone di qualità, che non avevano bisogno di una loggia per fare carriera.»

Parlamentare europeo (1994-1999), senatore della Repubblica (dal 1999), è stato membro della Convenzione che ha elaborato la Carta dei diritti fondamentali dell'Unione europea, proclamata a Nizza il 7 dicembre 2000.

Secondo Cossiga l'idea della P2 nacque nella residenza dell'ammiraglio comandante della VI Flotta a Napoli. Il vero scopo era quello di mettere insieme i militari e i *civil servant* più filoamericani. E Licio Gelli doveva esserne l'organizzatore. Quando non fosse servita più, gli americani l'avrebbero abbandonata al suo destino.

«Gelli è uomo furbo, abile, sveglio, che ha saputo essere soprattutto un *trait d'union*. E un capro espiatorio di tutto. Perché una democrazia instabile come la nostra ha bisogno di trovare un colpevole.»

L'elezione di Pertini e la «circolare» ai deputati massoni

Cossiga prosegue il suo racconto rivelando gli stretti rapporti di Gelli con Moro, Andreotti e Fanfani. E non solo.

«Gelli è stato sostenitore della candidatura di Pertini. Nelle ultime votazioni per l'elezione del Presidente della Repubblica arrivò ai massoni, deputati e senatori, una "circolare" di Gelli perché votassero Pertini. Pertini era circondato di massoni: il suo grande elettore Teardo,[15] socialista, presidente della Regione Liguria, era della P2. Gelli, quando ci furono le elezioni, scrisse ai deputati massoni di votare Pertini, Ma di questo, in Italia, non si può parlare.»

Con l'ex Presidente Cossiga torniamo a discutere di P2. Se Gelli era solamente un intermediario, se pure di alto livello, chi era il vero riferimento?

«I referenti all'interno della P2 erano molti: gli alti ufficiali dei carabinieri soprattutto; i politici, i diplomatici, gli iper-americani.»

Come valuta la tesi che Andreotti fosse il capo occulto della P2?

---

15. Nel 1983 tutto il Psi del Savonese, la terra di Sandro Pertini, fu coinvolto in un'inchiesta che provocò numerosi arresti.

«No, Andreotti è il segretario di Stato permanente del Vaticano.»

Però ebbe rapporti forti con Gelli.

«Come tutti i grandi esponenti della diplomazia vaticana, tratta con tutti.»

Ci sono state molte rivelazione di pentiti, di vari collaboratori di giustizia che parlano di un rapporto organico tra mafia e massoneria.

«Teniamo presente una cosa. La mafia permette una sola affiliazione: alla mafia stessa. Non conta nelle sue fila dei politici; ci possono essere politici contigui, ma la mafia si fida soltanto dei mafiosi. Che ci sia stata contiguità con la massoneria può essere, perché la massoneria negli spiriti meno nobili è un'associazione di affari.»

Ci può essere stato un momento in cui la massoneria ha cercato un avvicinamento alla mafia, quindi?

«Direi che è stata più la mafia ad aver contattato la massoneria.»

Per esempio attraverso boss come Stefano Bontate, a Palermo.

«La loggia di Palermo, quella di piazza della Vittoria, è una delle logge più importanti.»

Parliamo di massoneria e finanza: chi ha rappresentato storicamente questo rapporto?

«Beneduce, il suocero di Cuccia. Massone, antifascista e socialista. Ma siccome Mussolini non era fesso, lo scelse per creare l'Iri.»

Con Cossiga discutiamo anche della questione del sostegno fornito a Solidarnosc dal banchiere piduista Calvi su indicazione del Vaticano. Ci fu davvero – come ha sostenuto Aldo Mola in uno scritto pubblicato dalla rivista diretta da Andreotti, «Trenta Giorni» – un «accordo» tra massoneria e Vaticano, con il coinvolgimento di Calvi, per sostenere Solidarnosc e abbattere il blocco sovietico?

«Calvi diede dei soldi. Ed era massone, questo sì. Ma il finanziamento di Solidarnosc è stato dovuto in parte anche ai fondi che aveva raccolto Craxi, che non era certo massone. Quindi ci fu un concorso: da una parte i fondi mobilitati da Craxi, dall'altra i soldi che Calvi aveva fornito al Vaticano.»

Secondo il Presidente emerito, la P2 ebbe tuttavia rapporti privilegiati non solo con i socialisti.

«Una grande *disinformatija* che ha confuso tutto è stata la commissione parlamentare sulla P2. È stata il frutto del fuoco di controbatteria dei comunisti; è un po' come l'affare Gladio in cui tutti sono stati assolti dalla Cassazione. Siccome i comunisti sentivano arrivare il fuoco di fila delle accuse su di loro, attivarono la controbatteria. Tenga presente che il primo finanziamento a Enrico Berlinguer, che aveva rifiutato ulteriori finanziamenti da Mosca, venne dal Banco Ambrosiano. Erano cinque milioni. E chi si era battuto per farglielo avere? Era stato Licio Gelli.»

Il fatto che i vertici della Bnl fossero tutti della P2 può avere avuto un ruolo nel finanziamento iniziale di Berlusconi?

«Ma, come già detto, Berlusconi non sa nemmeno cos'è la P2. Si iscrisse solo perché pensava che fosse una cosa che gli poteva essere utile.»

Cosa pensa Cossiga della recente inchiesta di Catanzaro sulle logge coperte di San Marino?

«Questa inchiesta non è solida.»

Ma le appropriazioni di fondi europei non sono una novità in questo Paese.

«Tutto questo può essere, per carità… Ma si può immaginare che un furbone come Romano Prodi si vada a sporcare le mani in queste cose? Avrà fatto qualche favore a qualcuno. Ma se sapesse quanti favori ho fatto io ai comunisti… Io e Prodi siamo cattolici, si vede dalla faccia che io e Prodi siamo cresciuti in sacrestia.»

Opus Dei e massoneria

Il dialogo con Cossiga si sposta sul rapporto tra due grandi forze che si contendono il potere in Italia: l'Opus Dei e la massoneria. Il Presidente emerito della Repubblica sceglie di partire, per la sua riflessione, proprio dall'organizzazione fondata da Josemaría Escrivá de Balaguer.

«L'opus Dei è forte: nelle università, contrariamente a quanto si crede, ha molta influenza; fa concorrenza alla massoneria nelle forze armate; è presente nelle forze di polizia. Però dalla politica sta assolutamente fuori. Come se ne sta assolutamente fuori in Spagna, contrariamente a quello che si pensa. Ciò che la gente non sa è che, per non essere compromessi, quelli dell'Opus Dei preferiscono evitare coinvolgimenti diretti. Io li conosco molto bene, sono a conoscenza di molti aspetti storici che pochi conoscono.»

Cossiga ci concede qualche rivelazione inedita.

«Il fondatore de Balaguer, quando scoppiò la guerra civile spagnola, se ne andò in esilio in Francia.»

Secondo la versione finora nota, invece, sarebbe scappato a Burgos, per unirsi ai franchisti. L'ipotesi di un esilio francese darebbe una lettura nuova di molti fatti. Cossiga sa molte cose sull'Opera.

«L'Opus Dei potente politicamente? Non lo è. Economicamente? Nemmeno. Contrariamente a quel che la gente crede, all'Opus Dei non raccolgono denaro se non per opere o finalità specifiche. Sono molto aperti, hanno una struttura che non è più misteriosa, che è composta da "soprannumerari", "numerari", "aggregati". I soprannumerari sono i laici. Tra loro c'è anche l'attuale portavoce del governo basco e, sino a poco tempo fa, un ministro del governo laburista di Tony Blair, la signora Ruth Kelly: sono numerosi gli opusdeini che militano nel partito laburista.»

Chiedo a Cossiga che punti di analogia vede tra la massoneria e l'Opus Dei.

«Nessuno.»

Ma sono realtà antagoniste?

«No. Quando l'Opus Dei è stata messa sotto tiro, la rivista ufficiale della massoneria, "Hiram", ne assunse le difese. Lo stesso avvenne quando in un consiglio comunale di centrosinistra fu votata una mozione perché i consiglieri dichiarassero se erano massoni o dell'Opus Dei. Scattò subito una solidarietà reciproca. Una cosa diversa sono i Legionari di Cristo.»

Cossiga si riferisce qui al discusso movimento fondato in Messico da padre Marcial Maciel. Poi l'ex Presidente torna a parlare dell'Opus Dei, per ribadire l'importanza della rete esterna che circonda l'organizzazione.

«Ci sono i cosiddetti "cooperatori", coloro che condividono le finalità civili dell'attività dell'Opus Dei: il presidente dei cooperatori italiani è un aristocratico tedesco, che continuo a credere sia massone. Si tratta di un luterano, presidente del consiglio di amministrazione della Chiesa luterana di Roma e cavaliere dell'Ordine di Malta, ramo luterano.»

L'intreccio ad alto livello dei poteri – seguendo le rivelazioni di Cossiga – appare inestricabile: massoni, cattolici, protestanti occupano posizioni di potere spesso connesse tra loro.

«Io conosco bene entrambe le realtà, massoneria e Opus Dei, perché alternativamente mi danno del massone – solo perché difendo i massoni e perché sono di una famiglia massona – e dell'Opus Dei. Ma non è vera né l'una né l'altra cosa.»

A Cossiga vengono attribuite entrambe le appartenenze, in effetti. E lui pare giocare volentieri sull'equivoco.

«È vero, io ho difeso la libertà di tutti e due. L'Opus raccoglie fondi solo per un'opera specifica. Non sono un'organizzazione ricca, sono un'organizzazione ricca di opere. Hanno però una struttura molto articolata a livello mondiale, quindi ricca, con fondazioni. E hanno i collegi, le scuole.»

Perché, come nel caso della massoneria cui è stata spesso accostata, c'è tanto mistero attorno a questa realtà?

«La cosiddetta segretezza dell'Opus Dei non è davvero

tale, è solo riservatezza. Per i membri dell'Opus Dei non vi è motivo – anche per non incutere timore – di palesare la loro qualità di appartenenti. Ma se viene richiesto non la dovrebbero negare. Tutto il resto sono menzogne. Finché possono, fanno sì che tutte le loro istituzioni siano laiche. Tutte le università dell'Opus Dei sono laiche, salvo quando la Chiesa non chiede – come per l'Università di Sant'Apollinare – che diventino espressamente cattoliche. Il campus biomedico creato dall'Opus Dei a Roma è un'università laica. L'Università di Navarra, fondata dall'Opus Dei a Pamplona – di cui io sono il solo italiano laureato *honoris causa* –, è un'università laica.»

Come è mutata nei confronti dell'Opus Dei la posizione della chiesa di Ratzinger rispetto a Giovanni Paolo II, che ne era stato un forte sostenitore?

«I cambiamenti della Chiesa sono lenti, difficili da decifrare.»

Cossiga a tratti si chiude, poi spariglia le carte e fa una rivelazione interessante.

«Se si parla dell'attuale Papa, gli si conosce una sola simpatia, una forma di approvazione sin da quando era cardinale: ed è Comunione e liberazione. Tanto è vero che le persone che si occupano di curare l'appartamento del Pontefice sono tutte ragazze consacrate alla Fraternità di San Carlo, che è un ramo di Comunione e liberazione.»

Insistiamo per sapere da Cossiga quale sia l'altra realtà che gode dell'appoggio totale di papa Ratzinger. L'ex Presidente svela il segreto.

«Vi è un'altra realtà che opera a cavallo tra l'Austria, la Germania e i Paesi fiamminghi che si chiama "Der Werke" [l'Opera, *Nda*].»

Si è parlato del fatto che Comunione e liberazione possa aspirare ad avere una prelatura personale come l'Opus Dei: uno status che le consentirebbe piena autonomia sul piano giuridico, una sorta di chiesa nella Chiesa.

«Non la cerca. La realtà più vicina – se lo volesse – a diventare prelatura è la Comunità di Sant'Egidio. Che però ha caratteristiche differenti dall'Opus Dei.»

In seno al Vaticano c'è però chi dice che Ratzinger sia contrario alla figura giuridica della prelatura personale, perché l'espansione di queste realtà autonome rischierebbe di far esplodere la Chiesa.

«In effetti in passato Ratzinger era contrario. Anche quando era cardinale fu contrario. Lo erano lui e l'Università Gregoriana.»

Questo perché le prelature rafforzano le spinte centrifughe all'interno della Chiesa?

«Sì. E per un altro motivo: è in corso una grossa discussione teologica sulle cosiddette chiese personali.»

Esiste davvero, in seno alla Chiesa, un dibattito teologico e giuridico forte su questi aspetti?

«Sì. Nella Chiesa il diritto segue sempre la teologia. Dunque, il primo concetto di Chiesa è stato nettamente territoriale: la Chiesa di Gerusalemme, la Chiesa di Roma, la Chiesa di Costantinopoli. Quindi l'aggancio a un territorio è sempre stato forte. Quelle di cui stiamo parlando sono invece chiese personali, che fanno riferimento a un leader. Le prelature che prima si conoscevano – le prime a essere costituite – sono state gli ordinariati militari. Però teniamo presente che quelle erano diocesi di carattere eminentemente pastorale, i cui membri erano bi-diocesani, avevano cioè una doppia appartenenza. Per esempio, un militare che si vuole sposare può fare le pratiche dentro l'ordinariato militare o nella parrocchia in cui vive. La gente ignora che l'ordinariato militare ha un'appendice molto importante: la presidenza della Repubblica. La presidenza della Repubblica è assoggettata all'ordinariato militare, tanto è vero che i cappellani della presidenza sono ufficiali e portano le stellette (in particolare portano le stellette con il simbolo della residenza della Repubblica, cioè con la "R" sopra).»

Cossiga parla con passione di questi temi. Mi mostra un libro raro che ci riporta al tema della massoneria.

«È sulla molteplice struttura della massoneria francese, la cui grossa divisione è fra massoneria credente e non credente; perché nella maggior parte delle logge, soprattutto in quelle anglosassoni, o si crede in Dio o non si può entrare. La massoneria inglese in questo senso è accusata di essere, diciamo così, "una massoneria cristiana".»

Ci sarebbe molto altro da chiedere a una «fonte» come Cossiga, il depositario dei tanti segreti della Repubblica, l'uomo cui ancora ricorrono i potenti per sapere come comportarsi in situazioni delicate, per leggere la realtà con strumenti più affilati. Il Presidente emerito promette un altro incontro per approfondire.

«Ci vediamo un'altra volta, se no devo fare attendere di là il comandante generale dell'Arma dei carabinieri...»

I segreti di Licio Gelli

Il nome di Licio Gelli, il venerabile della massoneria piduista, è stato chiamato in causa per spiegare molte vicende
oscure della storia d'Italia: dalla strage di Bologna alla morte
di Roberto Calvi, da Stay Behind alla strage di Ustica.

L'11 febbraio 2006 Gelli ha donato all'archivio di Stato
di Pistoia[1] i propri archivi personali, lasciando intendere di
non temere il giudizio della storia. Migliaia di documenti riservati e di fotografie, che coprono un arco di tempo impressionante: dagli anni del fascismo e della guerra civile
spagnola – cui Gelli partecipò come legionario – sino agli
anni Duemila, oltre alla corrispondenza riservata che il venerabile ha intrattenuto, dal dopoguerra in avanti, con tanti
uomini di potere.

Gli archivi però non sono affatto facili da consultare: una
parte è segretata per quarant'anni; per la parte scoperta, invece, bisogna inoltrare una domanda alla prefettura, che poi
la passerà al Ministero, dove un'apposita commissione va-
glierà se concedere o rifiutare l'autorizzazione. È concesso
solo di vedere la stanza blindata dove sono custoditi i faldoni
e visionare qualche ammennicolo di scarso interesse: guanti
bianchi, cappucci, armamentari simbolici. Su ogni faldone è
apposto un timbro dell'archivio di Stato: «Donazione Conte
Licio Gelli». L'archivio prende per buoni, quindi, i titoli no-
biliari posticci che Gelli si è fatto regalare nel corso della sua
lunga carriera.

---

1.   Artefice dell'operazione, sul piano tecnico, è stata Linda Giuva moglie
di Massimo D'Alema, docente di archivistica.

Gelli vince la sua iniziale diffidenza e accetta di essere intervistato. È sempre nella sua residenza storica, Villa Wanda, ad Arezzo. La prima sorpresa è che il Gran Maestro non è affatto agli arresti domiciliari e che anzi gode di libertà assoluta.

Cominciamo chiedendo a Gelli come mai si sia sempre trovato tra i protagonisti degli snodi principali della storia italiana ed europea del Novecento. Da cosa deriva questa voglia di esserci, nel bene e nel male, a ogni costo?

«Io credo che siano dei destini. La mia avventura inizia nel 1936, a sedici anni, con la partecipazione alla guerra civile spagnola. Tutto nacque da una espulsione a scuola, in seguito a un banale scontro con un professore.»

Gelli è un ragazzino, ma decide di unirsi ai volontari fascisti impegnati con le truppe di Hitler a sostenere Francisco Franco nella repressione della nascente democrazia spagnola. Molto ha contato, in quel frangente, l'esempio del fratello maggiore Raffaello, partito con il primo scaglione dei volontari di Spagna.

Gelli è il più giovane legionario del contingente fascista e si distingue in un'azione pericolosa. Viene decorato da Francisco Franco in persona. Ma la tragedia è alle porte: Raffaello viene ferito a morte nella battaglia di Malaga del novembre 1938: a uccidere l'amato fratello furono i «comunisti», quei «rossi» che ai suoi occhi di balilla stavano distruggendo l'Europa.

Dopo la morte del fratello, Licio viene rimpatriato. «Il secondo fatto importante della mia vita avvenne quando tornai. E lo posso attribuire a Mussolini: mi ricevette quando rientrai, con lo scaglione dei diecimila. Portavo con me la cassetta con i resti – la divisa e poche altre cose – di mio fratello. Il Duce mi ricevette in persona a Palazzo Venezia. Provai un'emozione enorme. Lo salutai battendo i tacchi. Mi venne incontro e mi abbracciò. Mi propose di frequentare i corsi del Centro di preparazione politica per i giovani. Accettai con entusiasmo.»

Licio Gelli, il più giovane legionario di Spagna, venne insignito di una medaglia d'oro che recava l'effige di Francesco

Ferrucci. Il capo della P2 si ferma per un attimo a riflettere: «Io sono maturato in camicia nera e non potevo pensare diversamente, concepire altri modi di vedere la vita. È una cosa che mi ha entusiasmato e ho continuato su quella strada».

Chiediamo se quest'adesione totale al fascismo si sia trasformata poi «automaticamente» in impegno anticomunista.

«Mi sono trovato a contatto con vari personaggi, durante il periodo fascista, che poi ho potuto ritrovare nel corso della mia vita, per consolidare con loro un'amicizia e una certa visione del mondo. Quando c'erano i podestà le cose in Italia camminavano. Nei comuni la mattina si riuniva la giunta, in consiglio; e la sera iniziavano a lavorare al provvedimento che era stato preso in quella riunione. Solo il podestà poteva decidere. Certo, aveva i suoi collaboratori, ma quando c'era un disaccordo decideva lui. Le cose oggi vanno male perché anche per la modifica di un piano regolatore occorrono degli anni, quando magari un terreno atto a sviluppare un'attività industriale non interessa più. Sono gigantesche perdite di tempo.»

Torniamo alla storia personale. Quando, nel febbraio del 1939, Gelli torna a Pistoia con la decorazione di Mussolini sul petto, è un piccolo eroe. Scrive le sue memorie di guerra[2] e diventa addetto d'ordine della Gioventù universitaria fascista, nonostante i suoi biografi sostengano che non sia mai andato oltre la licenza elementare.[3]

Il 10 giugno 1940 Mussolini, alleato dei tedeschi dal 1° settembre 1939, annuncia l'entrata in guerra al fianco della Germania. Gelli non deve attendere molto perché gli venga affidato un incarico: ispettore per l'organizzazione dei fasci di combattimento a Cattaro, un paesino del Montenegro situato in posizione strategica perché affacciato sulle omonime Bocche. Così, nel luglio del 1940, Gelli parte.

---

2. Licio Gelli, *Fuoco!*, Tip. Commerciale Pistoia, Pistoia, 1940 (rist. Ed. Dino, Roma 1991).
3. Mario Guarino, *Gli anni del disonore. Dal 1965 il potere occulto di Licio Gelli e della loggia P2 tra affari, scandali e stragi*, Dedalo, Bari, 2006, p. 11.

Nasce qui la prima delle molte leggende che fioriranno sulla sua vita: quella secondo cui nel 1942 si sarebbe impadronito del tesoro della Banca nazionale serba. A Gelli, secondo alcune ricostruzioni, viene affidato il compito di recuperare e trasportare in Italia il tesoro di re Pietro: 60 tonnellate di lingotti d'oro, 2000 chili di monete antiche, 6 milioni di dollari e 2 milioni di sterline che gli uomini del Sim (il servizio segreto fascista) avevano prelevato dai forzieri della Banca nazionale e nascosto in una grotta. Si sa anche che l'oro arrivò effettivamente in Italia, via Trieste, e fu consegnato alle autorità di Roma. Gelli sostiene che nel 1947 tutto il tesoro venne restituito dalla Banca d'Italia alle autorità jugoslave, sotto il controllo dello stesso Tito. In realtà risulteranno mancare 20 tonnellate di lingotti. In parte – sostiene qualcuno – trattenuti e portati in Argentina da Gelli. E c'è chi pensa che un'altra parte siano proprio i lingotti ritrovati nel corso di una perquisizione all'interno delle fioriere del giardino di Villa Wanda.

Il venerabile alterna smentite a mezze conferme, anche a sessantacinque anni di distanza dai fatti. Smentisce tuttavia le accuse secondo cui avrebbe collaborato come ufficiale di collegamento con la Hermann Göring Division delle SS.

«No, quando sono stato ufficiale di collegamento con la PlatzKommandantur non avevamo nulla a che fare con le SS. Io partecipavo alle riunioni quando arrivavano i membri del partito nazista che venivano ogni tanto, più o meno ogni mese, al PlatzKommandantur.»

Gelli, lavorando in ambito informativo, avvertiva le difficoltà dell'Asse.

«Ormai nel '44 avevamo la sensazione della perdita della guerra. Non eravamo a conoscenza dell'olocausto, ma sapevamo che gli ebrei venivano presi prigionieri e venivano dislocati nei campi di concentramento» racconta. E ammette di essere stato informato, già a quei tempi, dell'atomica che i nazisti stavano costruendo.

Fu in quel periodo di servizio nell'intelligence fascista che imparò ad archiviare dati, a raccoglierli, a classificarli. Un'attività che avrebbe portato avanti tutta la vita e sulla quale avrebbe costruito gran parte del suo potere. Già allora, da giovanissimo, comprese quanto potesse diventare importante avere e gestire informazioni.

Con Gelli affrontiamo allora un altro tema delicato: quello delle cosiddette *ratlines*, le linee segrete grazie alle quali molti nazisti trovarono rifugio in America Latina. Lui aiutò i nazisti a fuggire?

«La verità storica è difficile da stabilire. A Genova c'era una specie di ufficio del Consolato argentino cui si rivolgevano coloro che chiedevano un rifugio in Sudamerica: era un canale che li portava a Buenos Aires e da Buenos Aires li irradiava in tutto il continente. Tutti, all'epoca, avevamo bisogno di un aiuto. E tra camerati ci sentivamo tutti uniti.»

Il Vaticano dava una mano alla fuga dei nazisti, offriva loro supporto? «Questo non lo posso affermare con certezza. Ma penso di sì» sibila Gelli.

Al termine della guerra, la storia personale di Gelli si fa convulsa. Si dice che il futuro capo della P2 abbia iniziato a collaborare con la Cia. Ma il venerabile su questi temi è estremamente cauto, sulla difensiva. Si limita a non smentire quello che ormai pare un dato acquisito dalla ricerca storica.

«Se anche fosse vero, non avrei fatto niente di male nei confronti del mio Paese. Non c'era il controspionaggio, allora. Era una collaborazione.»

Nella visione del venerabile, attività di intelligence, cameratismo e aiuto reciproco ai «fratelli» si fondono in un tutto indistinto. Che lo porta, terminato il conflitto, al secondo grande «incontro» della sua vita. Subito dopo la guerra Gelli si avvicina per la prima volta alla massoneria, che si integra e in parte si sostituisce al suo mai rinnegato credo fascista.

«Nel 1945 mi spedirono in esilio in Sardegna: mi davano dieci lire al giorno, un chilo di pane, un'abitazione. Alla Maddalena mi condusse una motozattera che mi imbarcò a Civitavecchia. Dopo una settimana portarono lì anche mio padre. Allacciai rapporti – lì c'era l'alto comando della Marina – con alcuni ufficiali. Ed ebbi l'occasione di conoscere il sindaco della Maddalena, l'avvocato Marchetti, un ex gerarca. Fu lui a parlarmi per primo della massoneria. E io ne rimasi affascinato, soprattutto per la segretezza, il mistero che la circondava. Marchetti mi raccontava che durante il fascismo la massoneria era stata soppressa. E mi parlava di libertà; anche se forse non ne sapeva molto, perché in massoneria non c'è libertà, non c'è la democrazia.»

Chiedo a Gelli di chiarirmi il concetto.

«In massoneria c'è l'obbedienza. Assoluta. È come nella chiesa; al Papa non ci si può rivoltare.»

A quel punto Gelli cominciò ad attraversare momenti difficili.

«Dopo la Sardegna mi sono ritrovato nel carcere di Buoncammino a Napoli; e poi anche in quello di Regina Coeli, dove ho condiviso la cella con Valerio Borghese.»

Così il giovane Gelli stringe amicizia, in quei momenti difficili, con l'autore del futuro tentato golpe. «Sa cosa significa stare settantadue giorni in cella assieme, dalla mattina alla sera? È una conoscenza profonda dell'uomo, molto profonda.»

Quelli del dopoguerra sono anni oscuri, per Gelli; anche professionalmente. Dopo aver lavorato come assistente dell'onorevole democristiano Romolo Diecidue, negli anni Cinquanta passa alla Permaflex e avvia una finanziaria con la Romania.

«Quando arrivai alla Permaflex, si parlò di riorganizzazione e suggerii subito di aprire uno stabilimento nel Sud Italia, per poter essere pronti in caso di scioperi. Accettarono i miei suggerimenti, tanto che mi proposero di promuovermi direttore. Costruimmo il più grande stabilimento del genere in Europa: 90mila metri quadrati. All'inaugurazione c'era il cardinale Ottaviani del Sant'Uffizio. L'area politica di influenza di Ottaviani era quella di Andreotti. Ottaviani è stato anche un grande protettore dell'Opus Dei.»

Con gli appoggi della politica e del Vaticano, Gelli in quegli anni combina buoni affari, tra cui una commessa per la Permaflex dalla Nato. Secondo diverse ricostruzioni storiche, il futuro capo della P2 era diventato un «fratello» già nel 1946, ma Gelli preferisce stendere una coltre di nebbia sui suoi rapporti con la massoneria nell'immediato dopoguerra, un periodo che lo vede impegnato a trovare nuovi «alleati».

L'iniziazione e la nascita della P2

Come arriva, allora, Licio Gelli a entrare per la prima volta in una loggia?

«Sono entrato ufficialmente nella massoneria nel 1959, nel Grande Oriente d'Italia. Poi, nel 1963, sono passato alla loggia Gian Domenico Romagnosi di Roma.[4] Il maestro venerabile era l'avvocato Bruzio Pirrongelli. A quell'epoca avevo già conosciuto il colonnello Poletti, che era il governatore dell'Italia liberata,[5] e l'avvocato Roberto Ascarelli.[6] All'epoca era Gran Maestro Giordano Gamberini. I vertici del Grande Oriente compresero le mie qualità, il fatto che sapevo coinvolgere le persone, che avrei avuto la possibilità di fare proselitismo. Al-

---

4. La domanda di affiliazione alla loggia Romagnosi fu presentata il 6 novembre 1963. Cfr. Mario Guarino, *op. cit.*, p. 45.
5. Politico italo-americano (ricopriva la carica di vicegovernatore dello stato di New York), arrivò in Italia nel 1943, diventando con una «improvvisata divisa» governatore militare d'Italia col grado di colonnello. Ebbe rapporti con i boss mafiosi Calogero Vizzini e Genco Russo per preparare lo sbarco alleato in Sicilia (cfr. Ennio Caretto, Bruno Marolo, *Made in Usa. Le origini americane della Repubblica Italiana*, Rizzoli, Milano, 1996).
6. Esule antifascista in Svizzera a causa delle leggi razziali, esponente importante della comunità ebraica romana, rappresentò lo Stato di Israele nel 1961 nel processo contro Herbert Kappler. Massone dal 1923, fu Gran Maestro aggiunto del Grande Oriente d'Italia per tre volte (fino al 1970, anno della morte). Fu lui a segnalare Licio Gelli al Gran Maestro Giordano Gamberini.

lora mi proposero di creare un raggruppamento mio, il cosiddetto Raggruppamento Gelli. E io lo feci.»

È un momento cruciale nella vita di Gelli. La massoneria americana, attraverso Frank Bruno Gigliotti, uomo dell'intelligence Usa, rafforza la sua presenza in Italia, con la creazione di logge statunitensi appoggiate alle basi militari, ai consolati e all'ambasciata: nascono così la loggia Colosseum (presso l'ambasciata Usa a Roma); la Verona American Lodge (presso la Ftase, il comando operativo delle forze Nato del Sud Europa presente a Verona); la loggia George Washington a Vicenza (sede di un'importante base americana, il V Ataf, braccio operativo della Ftase); la loggia Aviano in Friuli (contigua alla base americana); la loggia Benjamin Franklin di Livorno (altra importante base militare Usa); la loggia Truman presso il comando di Bagnoli (Napoli); la loggia McLellan a San Vito dei Normanni (Brindisi).

Di questi mondi Gelli diventa il referente naturale, per la sua attiva militanza anticomunista. Nel frattempo, dopo l'esperienza come direttore alla Permaflex, diventa socio della famiglia Lebole, che in cambio di una partecipazione dell'Eni al capitale dell'azienda toscana – favorita da Gelli grazie ai suoi contatti –, gli cede la prestigiosa villa ottocentesca sul colle di Santa Maria delle Grazie, vicino ad Arezzo (ribattezzata Villa Wanda dal nome della moglie).

Gelli si muove, raccoglie adepti alla causa della massoneria. E il Gran Maestro Gamberini gli affida il compito di rivitalizzare un'antica loggia coperta, la Propaganda, fondata nel 1895. È così che, nel 1971, nasce ufficialmente la loggia Propaganda 2, o P2, destinata ad alte personalità che non vogliono rendere nota la loro appartenenza alla massoneria.

«I Grandi Maestri mi conferirono l'autorità di gestire la loggia P2. Nel giro di alcuni anni raggiungemmo il numero di mille "apprendisti" muratori. Apprendisti si fa per dire: erano tutte persone importanti, cui veniva immediatamente riconosciuto il grado di maestro. Come già la P1, la P2 dove-

va essere unica e chi ne faceva parte non doveva avere l'obbligo di partecipare settimanalmente ai lavori di loggia, come avviene nelle normali logge massoniche.»

La rete di potere in Argentina

L'appartenenza di Gelli alla rete di ex fascisti convertiti alla
causa dell'anticomunismo militante pone il capo della P2 in
contatto con gli ambienti della destra militare argentina
contigui alla massoneria e agli ambienti americani. Sono
rapporti che il maestro inizia a coltivare già nell'immediato
dopoguerra, sulla scia di un progetto maturato ai tempi delle *ratlines*.

«I primi contatti con l'Argentina li ebbi già nel 1952-
1953, quando conobbi il figlio del procuratore di Pistoia,
anche lui uomo di destra, con il quale discutemmo della
possibilità di andare a vivere in Argentina e di fondare lì una
specie di città ideale. L'avremmo chiamata Santa Maria, come la caravella di Cristoforo Colombo. Volevamo creare
qualcosa di nuovo, anche perché in Argentina al-
l'epoca venivano distribuiti gratuitamente appezzamenti di
terra a chi volesse valorizzarli e urbanizzarli. L'ex ministro
della Repubblica di Salò, Giampietro Pellegrini, per esempio, costruì una comunità, vicino a Buenos Aires, dove si lavoravano metalli ferrosi.»

Pellegrini riuscì ad acquisire il controllo di una banca, il
Banco del lavoro italo-americano, in Uruguay; un Paese do-
ve troveranno rifugio molti nazifascisti, protetti dal dittatore
Alfredo Stroessner. È in quegli anni che Gelli fa in America
Latina un'altra conoscenza che sarà fondamentale per il suo
sistema di potere.

«Ho conosciuto Juan Perón[7] durante il suo primo man-

---

7. Juan Domingo Perón (1895-1974) divenne Presidente dell'Argentina
nel 1946. Fu confermato nelle elezioni del 1951, grazie all'aiuto determi-

dato come Presidente. Poi ci siamo perduti di vista, fino al 1971, quando ci siamo incontrati nuovamente, in Spagna.»

I suoi legami con il Presidente-dittatore com'erano?

«Ottimi. Tanto è vero che Perón è stato anche qui a Villa Wanda. Quando ci siamo ritrovati, abbiamo lavorato subito all'idea di un suo ritorno al potere, dopo che il colpo di Stato del 1955 lo aveva costretto all'esilio.»

Il 1° marzo del 1973 si tennero in Argentina nuove elezioni. Fu eletto un peronista, Hector Campora che si dimise nel luglio successivo, spianando la strada a nuove consultazioni. A quel punto la confusione era tale che da più parti si invocò il ritorno di Perón. Il generale tornò in Argentina e vinse, divenendo Presidente per la terza volta nell'ottobre del 1973 e affidando alla sua terza moglie Isabel il ruolo di vicepresidente.[8]

«In quel periodo, mentre preparavamo una campagna di stampa a favore del ritorno al potere di Perón, si parlò di stabilire un collegamento organico del Grande Oriente d'Italia col Grande Oriente argentino.»

Come mai c'era tanta presenza massonica italiana in Argentina?

«Il Grande Oriente argentino aveva sede a Buenos Aires in Avenida Caliao, ed era diretto dal Gran Maestro Cesar De la Vega, un medico primario, in seguito ambasciatore in Danimarca. Grazie a lui abbiamo sviluppato stretti rapporti tra la massoneria italiana e quella argentina, nell'ottica di portare dalla loro parte gli alti quadri dell'esercito.»

nante della moglie Evita, molto amata dal popolo. Fu destituito nel settembre 1955 da un colpo di Stato militare. Tornato al potere nell'ottobre 1973, morì il 1° luglio 1974. È stato uno dei Presidenti argentini più discussi, anche per aver dato asilo e nascosto i nazisti che scappavano dai processi per crimini di guerra.

8.   Quando Perón morì gli succedette la terza moglie Isabel Martinez. Quest'ultima fu rovesciata da un golpe il 24 marzo del 1976 e il suo governo fu sostituito da una giunta militare.

Il modo con cui Gelli rende affermazioni di questo tipo, col sorriso sulle labbra, illustra bene il suo disinvolto cinismo.

«La massoneria si trova in tutto il mondo. Se voi sostenete la massoneria oggi, domani sarete ricompensati. L'abbiamo fatto anche con Lopez Rega, il braccio destro di Perón.»

La P2, in pratica, cercava di condizionare il governo dell'Argentina.

«La prima riunione della massoneria l'abbiamo tenuta al palazzo della presidenza, la Casa Rosada. Vennero tutti i Gran maestri dell'America Latina. Erano generali, ammiragli o Presidenti dei rispettivi Paesi. La massoneria argentina si sentiva protetta dalla nostra, che esercitava una forza di attrazione notevole.»

Anche la massoneria statunitense aveva un ruolo in Argentina?

«Sì, c'erano rapporti, collegamenti. Era l'onorevole Philip Guarino[9] che teneva i contatti.»

Anche il generale Perón era iscritto?

«Sì, certo, Perón ne faceva parte. È significativo il fatto stesso che il Gran Maestro De la Vega, dopo l'avvento del peronismo, fu nominato ministro del Bien Estar Social, ovvero del welfare; poi è stato nominato ambasciatore all'Unesco, a Parigi. Perón mi nominò consigliere economico dell'ambasciata argentina presso il governo italiano, con tutti i crismi. Poi mi diede il passaporto come ministro plenipotenziario per gli affari culturali, un incarico da diplomatico itinerante. In pratica venivo adoperato quando volevano scavalcare l'ambasciata.»

Gelli accenna anche alla storia della fornitura dei missili Exocet all'Argentina. Una vicenda complessa, per la quale si è fatto anche il nome di Roberto Calvi come finanziatore.[10]

---

9. Membro del comitato organizzatore della campagna elettorale di Reagan, secondo la Commissione P2 era il referente americano della loggia.
10. Nella primavera 1982, al culmine della guerra delle Falkland, in cui i missili Exocet avevano affondato due navi inglesi, Gelli tornò in Europa

«A farli comprare fu un militare, il generale Carlos Corti, in seguito addetto militare all'ambasciata di Francia. Un caro amico, con cui sono ancora in contatto», risponde Gelli, che però non sembra gradire che si parli di questo argomento.

Lo Schema R e il Piano Rinascita

Ma torniamo in Italia. Nel 1974-1975 Gelli mette a punto un piano per realizzare una repubblica presidenziale: controllo della stampa, dei partiti e della magistratura; dominio della televisione pubblica e avvio di una rete di televisioni private al servizio della «causa». Un piano che, secondo molti osservatori, è stato realizzato vent'anni dopo da Silvio Berlusconi. L'idea del «Piano di rinascita democratica» fu tutta di Gelli, oppure fu il frutto del concorso di una serie di persone?

«No, fu mia. Il Presidente Leone mi convocò insieme al Gran Maestro Lino Salvini per chiederci – dato che noi vivevamo in un "mondo" di cui desiderava conoscere il pensiero, la massoneria – i motivi del malessere italiano e le misure che avrei suggerito per venirne a capo. Stilai allora questo piano, lo Schema R – con R che non stava certo per "rivolu-

per cercare di ottenere nuove forniture di armi per gli amici argentini. I missili arrivarono in effetti in Argentina, partendo da porti italiani su navi libiche, in casse con scritto «macchine agricole». A quanto sostiene il faccendiere Francesco Pazienza, i missili erano stati pagati dall'Argentina usando i fondi del Banco Ambrosiano attraverso una banca peruviana. Un nuovo tentativo di acquistare missili fu fatto fallire dai servizi inglesi. Il periodo della trattativa sugli Exocet coincise con il viaggio di Calvi il quale, prima di approdare a Zurigo, venne portato da Pazienza in Austria, a Klagenfurt, dove operava il trafficante d'armi Sergio Vatta, inquisito dal giudice Palermo. Secondo alcune fonti, una delle cause della morte di Roberto Calvi (avvenuta solo quattro giorni dopo la fine della guerra delle Falkland) starebbe nel ruolo svolto dall'Ambrosiano e dalla P2 in appoggio all'Argentina durante quella guerra. Cfr. Luigi Cipriani, *Armi e droga nell'inchiesta del giudice Palermo*, in «Democrazia proletaria», maggio 1985.

zione" come è stato detto, bensì per "rinnovamento" – e lo consegnai a Nino Valentino, il suo segretario personale. Poi mi incontrai con Leone in persona. Lesse il mio piano e lo apprezzò, ma obiettò che era un piano "troppo profondo, troppo ardito", del quale in quel momento non si poteva pensare un'attuazione.»

Gelli distingue tra lo Schema R presentato a Leone – in pratica un progetto di repubblica presidenziale – e il Piano Rinascita: un piano molto più articolato di conquista del potere, attraverso non solo un mutamento della forma istituzionale, ma il controllo dei mass media, dei gangli dell'economia e della società.

Nel testo del Piano Rinascita, sequestrato assieme ad altri documenti alla figlia di Gelli all'aeroporto di Fiumicino nel 1982, si legge: «Primario obiettivo e indispensabile presupposto dell'operazione è la costituzione di un club (di natura rotariana per l'eterogeneità dei componenti) ove siano rappresentati, ai migliori livelli, operatori imprenditoriali e finanziari, esponenti delle professioni liberali, pubblici amministratori e magistrati, nonché pochissimi e selezionati uomini politici, che non superi il numero di 30 o 40 unità. Gli uomini che ne fanno parte debbono essere omogenei per modo di sentire, disinteresse, onestà e rigore morale, tali cioè da costituire un vero e proprio comitato di garanti rispetto ai politici che si assumeranno l'onere dell'attuazione del piano e nei confronti delle forze amiche nazionali e straniere che lo vorranno appoggiare. Importante è stabilire subito un collegamento valido con la massoneria internazionale».

Le morti di Sindona e Calvi

Con Gelli affrontiamo un nodo scabroso: Michele Sindona, una figura chiave negli scandali degli anni Settanta e Ottanta. Dove e come lo conobbe, Gelli?

«A Roma. Era il 1976. Me lo presentò il generale Vito Miceli[11] del Sid. La valutazione di Sindona è molto complessa: io credo che si possa parlare di due persone distinte, il Sindona A e il Sindona B. Il Sindona A è stato quello che ho conosciuto io. Lo chiamavano l'ingegnere dell'economia e in effetti sarebbe stato un ottimo governatore della Banca d'Italia, o un buon ministro del Tesoro: lo stesso Andreotti lo definì l'uomo della provvidenza. Lo sostenemmo in tanti. Anche quando entrò in difficoltà. Andai personalmente a New York per rendere una deposizione a suo favore al processo per il crack della Franklin Bank, per stilare un *affidavit*. Poi c'è il Sindona B: se è vero quello che gli hanno addebitato, la morte di Ambrosoli e poi l'autoferimento per simulare un rapimento, allora il mio giudizio muta e lo declasso immediatamente, non lo riconosco più.»

Che spessore tecnico aveva Sindona? Su questo punto gli analisti sono divisi.

«Sapeva tutto, in materia finanziaria; sapeva trasformare i fatti negativi in positivi.»

Lei crede al legame di Sindona con la mafia? Gelli si chiude, alza le barriere.

«A me non risulta.»

Che idea si è fatto Gelli dei rapporti tra Sindona e la finanza vaticana? È vero che Roberto Calvi ereditò i segreti di Sindona e gli subentrò nei rapporti con lo Ior?

«Negli ultimi tempi della vita di Calvi, lui e Sindona non erano in buoni rapporti. Inizialmente erano molto, molto amici ed era nata quasi una linea d'azione Sindona-Calvi, contro Cuccia.»

Di Enrico Cuccia, il potente patron di Mediobanca, che ricordo ha?

«Cuccia era intelligente. E soprattutto aveva una qualità: non parlava.»

---

11. Il capo dei servizi segreti era membro della P2.

Gli intrecci tra alta finanza e mondi criminali spesso si concludono con morti violente. Suicidi o omicidi?

«Per me Sindona è stato "suicidato". Lo stesso pensavo e penso di Calvi: l'hanno suicidato.»

Ma chi è stato a volere la morte di Calvi? Faccio presente al venerabile che molti vedono in lui e nella P2 i mandanti. Gelli è imperturbabile e parla di Calvi come di un vecchio amico.

«Ricordo che incontrai Calvi una mattina, a Roma. Era turbato e io gli chiesi cosa succedesse. Rispose: "Stamani devo sborsare 80 milioni di dollari per il sindacato polacco, Solidarnosc. Se in Vaticano non mi danno un aiuto, stia tranquillo, salta tutto". Era uno sfogo, poveretto. Lì ho capito che il dissesto del Banco Ambrosiano era dovuto alla Polonia.»

Il coinvolgimento in Polonia veniva richiesto a Calvi da Giovanni Paolo II in persona, o le pressioni venivano trasmesse da Marcinkus?

«Venivano da Marcinkus, era lui il capo dello Ior. Anche se il Santo Padre sapeva bene cosa succedeva oltre la cortina di ferro.»

Quindi il dissesto del Banco Ambrosiano fu davvero dovuto all'operazione in Polonia?

«Fu papa Wojtyla a organizzare tutto. Quando si mette in piedi una "rivoluzione", le necessità finanziarie sono enormi. Io credo che la disponibilità a coprire certe operazioni dipendesse dal carattere di Calvi. Era una persona leale, se prometteva una cosa la manteneva.»

Parlare del caso Calvi significa parlare anche della fase in cui l'Ambrosiano rilevò una quota importante del gruppo Rizzoli-Corriere della Sera. Chiediamo a Gelli di spiegarci come si articolò quella complessa operazione. E di parlare del cosiddetto «pattone», l'accordo che prevedeva un riassetto a tre con una quota del gruppo editoriale direttamente in mano all'«Istituzione», cioè la P2.

«Quando siamo arrivati al "pattone", la Rizzoli andava

molto male. Agnelli aveva disposto il rientro dei capitali concordati come prezzo per il passaggio delle sue azioni Rizzoli "entro 12 ore": bisognava quindi portare in fretta una certa somma di denaro. Io dissi ai Rizzoli: "Perché non la vendete? Vendete alla Confindustria". Poi subentrò il discorso della banca, l'Ambrosiano. Ora, quando si vende un'azienda come la Rizzoli, a vendere non è soltanto Angelo Rizzoli, o Andrea Rizzoli, o Tassan Din in persona. Da soli non potevano vendere, serviva l'assenso del consiglio, dell'assemblea. E per chi comprava era la stessa cosa. A comprare era una grande banca, non comprava Calvi. Quando io proposi a Calvi di rilevare la Rizzoli, lo proposi così, come battuta: "Ma perché non rilevi il 'Corriere'?". Quando si sono incontrati, Calvi e Rizzoli hanno siglato una lettera di intenti: occorreva tempo per avere le autorizzazioni dall'interno, sia all'uno che all'altro.»

Nella vicenda ebbe un ruolo forte anche Umberto Ortolani, il banchiere che fungeva da *trait d'union* tra la P2 e il Vaticano.

«Lo conobbi nel 1971, mi pare. Era un esperto e valente finanziere. Era introdotto in tutti gli ambienti, particolarmente in Vaticano. Ed era molto vicino a Calvi.»

La sentenza di Cassazione sulla bancarotta dell'Ambrosiano, del 1998, afferma che Licio Gelli lucrò ben 182 miliardi di lire da quelle operazioni. Una grossa cifra, un compenso per l'operazione Rizzoli?

«Il mio compenso fu di un miliardo e mezzo di lire.»

E i 182 miliardi di cui parla la sentenza come si spiegano, allora?

«Me lo dimostrino. La verità è un'altra. Io vengo accusato di bancarotta, ma in realtà ho concluso una transazione col Banco Ambrosiano, in Svizzera. C'erano tutte le autorizzazioni della Procura di Milano. Io ho transato e il Banco mi ha liquidato con 17 milioni di franchi svizzeri.»

L'Ambrosiano diede dei soldi a Gelli dopo la morte di Calvi?

«Abbiamo definito il tutto il 15 aprile 1993. Dandomi questo compenso, relativo a ciò che mi era stato ingiustamente sequestrato, io ho concluso la transazione: 17 milioni di franchi svizzeri, ripeto. E chi li doveva prendere, se non io? Mi hanno derubato di tutto.»

Chiedo a Gelli di ricostruire la fase in cui Roberto Calvi divenne membro della sua loggia coperta. Calvi quando entrò nella P2?

«Entrò nella P2 nel 1977.»[12]

Il figlio del banchiere, Carlo Calvi, ha rivelato[13] che tra le cose che il padre aveva con sé nella borsa a Londra, quando morì, c'era una misteriosa cartelletta intitolata «Bologna», con chiaro riferimento alla strage. Secondo lui il padre conosceva i mandanti della strage e con i nomi intendeva effettuare pesanti ricatti nei confronti della P2 e degli ambienti dei servizi deviati.

«Neanche per sogno, non ci credo. È troppo fantasioso. Secondo me portava con sé altre cose, relative al Vaticano. Era una brava persona. Può darsi fosse un po' fragile. Nel 1981 era stato bombardato psicologicamente, con il ritiro del passaporto, con il carcere. Oggi parlare a una persona di carcere non fa più effetto, è diventata quasi un'abitudine. Una volta no, non era così. Perché Mani pulite ha avuto tanta forza? Perché questa gente che finiva dentro aveva paura.»

Calvi, morendo, lascia nel caos la prima banca italiana e migliaia di azionisti. L'Ambrosiano era salvabile?

«L'Ambrosiano non era marcio, neanche per sogno. La dimostrazione è nel fatto che controllava il Credito Varesino, la Banca del Gottardo, la Toro Assicurazioni. Bastava vendere le due banche controllate.»

---

12. Dagli atti della Commissione P2 risulta che Calvi prese la tessera il 24 giugno 1977.
13. Conversazione privata. Cfr. Ferruccio Pinotti, *Poteri Forti*, Rizzoli-Bur, Milano, 2005.

E allora perché non è stato fatto?

«Hanno voluto farlo fallire. In tante situazioni simili le soluzioni si sono trovate senza particolari problemi. Quando ci fu il crack della Cassa di Risparmio di Prato – che creò 2500 miliardi di buco contro i 1200 dell'Ambrosiano – venne creato un pool di banche per il soccorso. E l'hanno salvato, come poteva essere salvato l'Ambrosiano. Invece hanno venduto la banca di Calvi al prezzo di un rottame. Ma quelli erano rottami d'oro. Le partecipazioni detenute dal Banco avevano già da sole un valore immenso.»

Chiedo a Gelli se crede all'ipotesi, oggi avvalorata dagli atti del processo per l'omicidio, che Calvi sia stato costretto a fare riciclaggio di denaro sporco.

«Ma sì, probabilmente sì; perché quando le cose cominciano a non correre nel verso giusto tutti approfittano della debolezza di un banchiere. D'altra parte, se uno è già debole e riceve un'altra pressione in più, crolla. Credo che molto del clima negativo che si creò attorno a Calvi sia dovuto ad ambienti della Chiesa. Subito dopo il crollo dell'Ambrosiano, tutti gli amministratori della Curia di Milano si sono ritrovati nel comitato dei liquidatori: Franco Spreafico, Felice Martinelli, e gli altri. Erano tutti amministratori della Curia, quelli entrati nel comitato di liquidazione dell'Ambrosiano. In un primo tempo rifiutarono con me la transazione, che poi invece è stata fatta.»

Misteri italiani

Il 20 marzo 1979 il giornalista Mino Pecorelli, iscritto alla P2 ma «dissidente», veniva ucciso a colpi di pistola in un agguato a Roma. Nei suoi articoli sull'agenzia di stampa «Op» erano stati chiamati in causa tanti potenti d'Italia, da Andreotti a Berlusconi, da Caltagirone ai Rovelli. Pecorelli aveva parlato anche di una «gran loggia massonica» attiva in Vaticano. Gelli che ne pensa?

«Pecorelli? Un ottimo scrittore, ma inaffidabile. Anche se va detto che si era iscritto alla P2.»

Si era iscritto per avere informazioni riservate.

«No, perché non gli facevamo vedere nulla di importante. Lui spesso parlava per deduzione.»

Certo che Pecorelli ha fatto una brutta fine.

«Ma credo che Andreotti non c'entri.»

Lei è stato chiamato in causa anche per il golpe Borghese.

«Conoscevo bene il principe Junio Valerio Borghese, ma non partecipai al tentativo di golpe.»

Con Gelli affrontiamo il capitolo relativo a Gladio e Stay Behind. Si dice che fu il capo della P2 l'artefice dell'operazione. O comunque una delle sue colonne.

«Era un'operazione riservatissima, nata nel 1948. Molti dei partecipanti vennero reclutati negli ex legionari di Spagna e tra i paracadutisti della Folgore. Reclutavano elementi di una certa fede, di destra, che conoscessero il maneggio delle armi. Erano questi i requisiti.»

L'ex Presidente della Repubblica Cossiga ha rivendicato di farne parte.

«Sì, senza dubbio ne ha fatto parte. Era una legione invisibile, quella di Gladio; ma esisteva veramente. Così come esistevano tre depositi: uno di armi, uno di viveri e uno di denari.»

Problematico, sul piano storico, anche il capitolo relativo alla strage di Bologna. La P2 è stata chiamata in causa a vario titolo, sia in termini di depistaggio delle indagini che di partecipazione all'ideazione della strage. Licio Gelli, però, ha parlato di una pista araba. È davvero convinto che siano stati degli attentatori stranieri?

«L'esplosivo, a quell'epoca, era facilmente reperibile. Con una battuta potrei dire che si trovava anche nei supermercati. In Cecoslovacchia era facile trovarlo, ad esempio. Io credo che quello di Bologna sia stato un "incidente di percorso" accaduto a terroristi in transito; che siccome Bologna è un centro strategico e di smistamento, si trovava a passare di lì della gente che trasportava questo esplosivo. Forse qualcuno ha buttato un mozzicone; forse il mozzicone è andato a toccare l'esplosivo e lì è scoppiato. Questo lo affermo perché, fra l'altro, con tutti i resti delle vittime, composero i corpi di due persone a cui non hanno mai dato un nome: ottantasette quindi e non ottantacinque.[14] Erano senza dubbio terroristi in transito. Gli arabi le stragi le rivendicano e quella strage non è stata rivendicata da nessuno. Chi poteva rivendicare un simile attentato? Se fosse stata un'organizzazione italiana si sarebbero dissociati tutti.»

Dalla discussione sulla strage del 2 agosto 1980 ci spostiamo temporalmente di poco meno di un anno. Il 17 marzo 1981, in uno degli uffici di Gelli, viene sequestrato l'elenco alfabetico dei 962 iscritti alla loggia P2, che sarà reso noto alla stampa dalla presidenza del Consiglio il 21 maggio 1981. Che idea si è fatto Licio Gelli delle modalità del sequestro delle liste da parte dei giudici? Condivide le perplessità espresse dall'ex Gran Maestro Di Bernardo, che ha parlato di prelievi «selettivi»?

«Credo di sì. La perquisizione qui a Villa Wanda – nel corso della quale non hanno asportato nulla – era dovuta alla ricerca del famoso tabulato dei «500» di Sindona.[15] Tabulato che io, del resto, non ho mai visto, anche se l'ho chiesto più volte a Sindona.»

L'evasione dal carcere svizzero

Poco prima del sequestro delle liste della P2 (di cui era stato evidentemente avvertito) Gelli si diede latitante. Fu arre-

---

14. Anche su questo le interpretazioni si dividono. Con i poveri resti delle vittime sarebbe stato infatti composto il corpo di un'ottantaseiesima vittima, e non di ottantasette.
15. Una «lista dei 500» più importanti esportatori di valuta all'estero, che Sindona custodiva gelosamente come strumento di ricatto di importanti personalità.

stato poco più di un anno dopo in Svizzera, il 13 settembre 1982, mentre stava tentando di effettuare un'operazione di prelievo in un'agenzia dell'Unione banche svizzere a Ginevra. Il 9 settembre 1983, Licio Gelli riusciva a evadere dal carcere svizzero di Champ Dollon, dove era rinchiuso. Ebbe la possibilità di scappare nonostante un rapporto della guardia di finanza avesse avvisato con largo anticipo le autorità italiane dell'esistenza di un piano di fuga. All'epoca, era presidente del Consiglio Bettino Craxi. Gelli si rifugiò in Sudamerica, dove rimase a lungo; si riconsegnò alle autorità svizzere solo nel settembre 1987, quando ottenne garanzie sulla non punibilità di una serie di reati per cui erano stati emessi ordini di cattura in Italia. Sarà estradato il 17 febbraio 1988, con la garanzia degli arresti domiciliari (motivati con ragioni di salute). Cosa può dire Gelli della sua evasione dal carcere di Champ Dollon? Come andò?

«Diciamo che fu una notte fortunata, trovai tutte le porte aperte. L'elicottero venne a prendermi a due chilometri dal carcere, da cui uscii con la complicità di una guardia, che mi caricò sul furgoncino che portava via la biancheria sporca. Mi rifugiai in Francia, nei paraggi di Nizza.»

I rapporti di un ufficiale dell'ufficio Informazioni della guardia di finanza, Rino Stanig, avevano anticipato al governo l'esistenza dei piani di fuga. Ma il capo della P2 se ne andò tranquillamente. Come mai?

«Io me ne sono andato tranquillo, sereno, senza violenze, perché se avessi dovuto danneggiare qualcuno o anche solo dare uno schiaffo non lo avrei fatto. È stato un po' avventuroso, questo sì; ad aspettarmi c'era il furgone, fuori. Quei furgoni con lo sportello laterale. Sono entrato e mi sono messo sotto le coperte. Il fatto è che nel frattempo era stata scoperta la fuga. Ma io avevo preparato un'ulteriore copertura. Pungendomi il dito con uno spillo, avevo impiastricciato la parete di sangue. In sostanza avevo creato la messinscena di una colluttazione, di un'aggressione tesa a eliminarmi. Quindi in un primo tempo le autorità svizzere dissero che ero stato rapito. Poi scattò l'allarme vero e proprio: cani, ricerche... Fu divertente, perché inizialmente il furgone che doveva portarmi aveva problemi di accensione; ci fu un momento di panico, poi io dissi al conducente di farsi dare una spinta, allora i poliziotti spinsero l'automezzo e partimmo. Quando capii che attraversavamo il cancellone aperto del carcere mi sentii rivivere. Il furgone andò dove era previsto; due chilometri più in là c'era un elicottero che mi portò via, fino a una macchina che mi condusse altrove.»

Gelli ha sempre avuto questo atteggiamento ironico e divertito nei confronti dei fatti, anche drammatici, che ha vissuto. Fino a rasentare l'istrionismo.

«Sì, ebbi anche un incontro con Tina Anselmi – la presidentessa della Commissione P2 – mentre ero ricercato. Eravamo casualmente entrambi in un albergo a Firenze, dove soggiornavo nel periodo in cui ero latitante. Ero mascherato, ma feci in modo che una persona ci scattasse una foto in cui io e Tina Anselmi sembravamo assieme... fu pubblicata e suscitò molto sconcerto.»

A colloquio con il Papa

Nella sua lunga esperienza Gelli ha anche conosciuto dei pontefici.

«Sì certo, papa Montini lo conobbi. Ne serbo un ricordo ottimo, magnifico. Avemmo una breve conversazione, poi lui mi chiese: "Mi può segnare il suo recapito su un pezzo di carta? Non si sa mai...". Lo fece battere a macchina.»

E di una realtà come l'Opus Dei cosa pensa, Licio Gelli? Il commento del capo della P2 sembra essere entusiasta.

«Una grande organizzazione, veramente segreta. Migliore della massoneria. Coltivano sentimenti di solidarietà verso chi ha avuto incidenti di percorso; fanno muro attorno a chi è caduto in disgrazia; fanno quadrato, e finché non lo hanno salvato lo assistono in tutto e per tutto. Non fanno quel che fecero molti alla loggia P2. Si costituì addirittura un nucleo, nel Goi, di persone che si chiamarono massoni democratici...»

All'Opus Dei invece queste cose non succedono. Sono più coesi, sanno mantenere meglio il «segreto»?

«Tutte le "comunioni" devono avere una struttura riservata. Devono esistere, soprattutto per i politici, dei "serbatoi", delle strutture riservate che si riuniscono di rado, i cui membri sono in contatto forse solo con il Gran Maestro.»

La Chiesa di oggi, quella di Ratzinger, le piace?

«Riempie le piazze. Ma dovrebbe riempire le chiese. E attrarre i giovani.»

Berlusconi e la P2

Il 26 gennaio 1978 Silvio Berlusconi entra nella P2. Licio Gelli ricorda bene l'iniziazione del futuro presidente del Consiglio, l'uomo che sarebbe diventato il più potente imprenditore d'Italia.

«I nuovi membri della loggia P2 venivano iniziati all'orecchio del Gran Maestro, "sulla spada", come si suol dire. Il nome veniva sussurrato e l'iniziazione avveniva con una semplicissima cerimonia, perché a volte ce n'erano tre o quattro al giorno da iniziare. Si dedicava un'ora e un quarto a ogni iniziazione: l'iniziato parlava della materia di cui si interessava, veniva fatta una prolusione, una cosa semplicissima; poi c'era una discussione, una specie di colloquio. Le ammissioni alla P2 venivano organizzate secondo le capacità dei candidati, le loro attitudini, in modo da trovare una persona che potesse avere con loro un colloquio approfondito su varie questioni di carattere spirituale.»

Come ricorda Gelli l'incontro con Berlusconi? Che tipo di persona era allora? Il venerabile tentenna, ha un attimo di esitazione; sa di avventurarsi su un terreno delicato.

«Nella P2 c'erano vari personaggi di rilievo, erano tutte persone che rappresentavano un settore importante. L'idea era quella di riunire il meglio della società.»

Ma Berlusconi dove ha preso i soldi per la sua brillante carriera da imprenditore?

«Lui ha avuto la fortuna di fabbricare molto, su terreni che costavano nulla. E poi c'è stato il boom dell'edilizia. Ma tutti gli imprenditori di quel genere, di quel settore si sono arricchiti molto. Tanti italiani all'epoca volevano lasciare le campagne per venire in città e avere la propria casa. Perciò le abitazioni appena erano finite venivano acquistate. Credo che questa sia stata la via del suo arricchimento.»

Viene spontaneo chiedere a Gelli se non abbia l'impressione che Berlusconi abbia «usato la P2». Che abbia approfittato del mondo massonico per i suoi affari.

«Queste sono cose che possono succedere. Come è facile immaginare, fra le tante persone che facevano domanda non tutte avevano un pedigree con dieci decimi. Coloro che si pensava non fossero degni non venivano accettati. E quelli che venivano accettati si riteneva che fossero tutti sulla stessa onda.»

Osserviamo con Gelli che, di fatto, Berlusconi ha fatto suo il Piano Rinascita e vi ha ispirato il programma dei suoi governi.

«Può darsi che gli sia piaciuto, questo non lo so. Il Piano Rinascita, dalla riforma della giustizia alla divisione delle carriere nella magistratura, da una nuova organizzazione della scuola alla nascita di un sindacato indipendente, era fondato su ottimi princìpi. Prevedeva poi una repubblica presidenziale: è giusto che in una nazione ci sia qualcuno che dice sì o no.»

Ma Gelli non ha mai avuto la sensazione che Berlusconi abbia tradito il suo progetto?

«Noi non seguivamo i singoli massoni uno per uno, dopo la loro ammissione: non potevamo occuparci da vicino di ciò che ognuno singolarmente faceva e controllarlo. Il colloquio di ammissione era molto approfondito e vedevamo se aveva le caratteristiche per poter partecipare all'associazione. Quando si viene ammessi a una qualunque loggia massonica si deve rispondere a determinate domande, e dopo si viene giudicati; il candidato deve avere dei princìpi validi. Non è vero che la massoneria è nata per avvantaggiarsi, non è vero che è nata per poter influire sulla società. È sorta soltanto per poterla migliorare, per insegnarle qualcosa. La massoneria poggia su alcuni valori forti: cerca di fare quello che desideri venga fatto a te; prevedi e provvedi alle necessità di tuo fratello senza che esso conosca da quale parte proviene. È un po' difficile, ma se uno fa una buona scelta... perché più che altro è il comportamento, non è la tessera che fa il massone. Uno deve nascere in un certo qual modo massone. Perché ci sono più "fratelli senza grembiule" che non nei templi. Quella del tempio è una formazione che si può apprendere, per quanto riguarda la materia esoterica. E basta. Per il resto devi essere tu stesso portato al bene.»

Che effetto fa a Gelli quando, leggendo gli atti del processo Dell'Utri, diversi collaboratori di giustizia affermano che Berlusconi ha avuto contatti con figure come Stefano Bontate?

«Come si fa a valutare se una persona appartiene alla mafia oppure no? Come si fa a scoprirlo? Nei vari contatti? Può darsi che Berlusconi abbia avuto rapporti. Può darsi. Ma come faccio a sapere se uno ha una tendenza piuttosto che un'altra? Io d'altra parte immagino che, nel mondo, Berlusconi avrà avuto una infinità di incontri, come ne avrà tutt'ora. Che ne avrà con delle brave persone, come con persone che non sono degne. Ma come si fa a stabilirlo?»

Ma Gelli e Berlusconi sono rimasti in contatto?

«Se lo incontro, lo saluto. Ne ho incontrati tanti altri, di appartenenti alla P2. Li ho salutati e basta, finito. La loggia è stata sciolta e quindi...»

C'è chi dice, invece, che la P2 sia proseguita.

«No, secondo me è stata sciolta. È irripetibile.»

Passato e presente

Licio Gelli con quali pendenze penali rimane?

«Se si interpreta bene la legge Spadolini,[16] in fondo lo scioglimento della loggia massonica non doveva avvenire, perché non era proibita. I magistrati e la politica hanno approfittato della P2 per fare chiasso; dovevano distrarre l'opinione pubblica da tante cose che non andavano. Poi in primo, secondo e terzo grado la P2 è stata assolta completamente dalle accuse di cospirazione ai danni dello Stato. I magistrati in primo grado erano sei non togati e due togati. Tutti furono concordi. E il supremo tribunale di Strasburgo condannò l'Italia a chiedere scusa, cosa che fece. Ricevemmo un assegno di 22 milioni per spese legali. E altri 20 milioni per risarcimento danni. Io volevo che quei soldi fossero devoluti a opere di bene.»

E per il resto?

«Io ho concluso ogni pendenza, anche con l'Ambrosiano. Non restano strascichi nemmeno per la strage di Bologna. E non sono agli arresti domiciliari, anche se lo scrivono spesso sui giornali.»

Come andò la storia dei lingotti trovati qui in giardino?

«I lingotti d'oro erano miei. Li avevo acquistati nel corso del tempo, di volta in volta. Li avevo messi sotto una pianta. Poi li trovarono. Sono tuttora sotto sequestro, si tratta di un milione e mezzo di euro.»

La Villa Wanda è all'asta?

«Dicono sia all'asta, che è stata in effetti bandita, ma nei fatti l'asta non c'è stata. Oppure non si è presentato nessuno per partecipare. È quattro anni che lo dicono, ma se c'è stata

---

16. Il riferimento è alla legge 17 del 25 gennaio 1982, che sciolse la P2 e rese illegale la costituzione di associazioni segrete con analoghe finalità, in attuazione del secondo comma dell'articolo 18 della Costituzione italiana, che proibisce le associazioni a scopi, anche indirettamente, politici mediante organizzazioni di carattere militare.

l'asta io non me ne sono accorto. Si dicono tante cose non vere. D'altra parte, io querele non ne faccio più. È una perdita di tempo e di denaro.»

Gelli ha nostalgia di tante cose, anche del fascismo. Viene spontaneo chiedergli che Italia avremmo se il fascismo – di cui lui è stato un fedele seguace – avesse seguito le sorti del franchismo, istituzionalizzandosi.

«Avremmo un'Italia molto più ordinata, più serena. Un'Italia che avrebbe una giustizia. Che avrebbe maggiore sicurezza, perché oggi non c'è sicurezza da nessuna parte. Siamo nel degrado, completo e totale. Stanno dilagando miseria, malversazione, violenza, insicurezza.»

Molti hanno avvicinato alla figura di Mussolini quella di un uomo politico centrale negli anni delle vicende vissute da Gelli: Bettino Craxi. Che impressione ebbe di lui il capo della P2?

«Credo sia stato il miglior leader politico dell'epoca. Uno dei più validi di tutto il dopoguerra. Era un uomo di buon senso; era uno statista, come lo sono stati Andreotti, Cossiga, ancor più De Gasperi, tra quelli che ho conosciuto. Ho un ricordo positivo di Craxi: sarebbe stato ottimo per il Paese. E lo sarebbe anche ora. La sua vicenda giudiziaria? Sì, certo, il finanziamento ai partiti esisteva, così come l'esportazione di valuta all'estero. Come diceva Sindona, i denari non li porta all'estero solo chi non li ha. I politici dovevano pur finanziarsi, no? Ogni parlamentare aveva due o tre segreterie nel suo collegio. E chi pagava? Certamente non bastava lo stipendio da parlamentare; i soldi dovevano venire da qualche parte fuori.»

Ma vicende come il «conto protezione» non vanno oltre i limiti del lecito?

«Il Partito socialista era molto indebitato, allora. Il conto protezione fu un'operazione normalissima. Il Psi aveva 18 miliardi di debiti con l'Ambrosiano, 5 miliardi di debiti con il Monte dei Paschi. E quei debiti si dovevano ripianare. Allora i socialisti si misero d'accordo con l'Eni, che aveva circa

3000 miliardi di disponibilità nelle banche. Fu fatto una specie di compromesso: ciò che transitava al Banco Ambrosiano avrebbe dovuto fruttare qualcosa, un mezzo punto di interesse che andava al Partito socialista e che a poco a poco risanava il debito.»

E Maurizio Costanzo, anche lui affiliato alla P2, come lo ricorda Gelli?

«Una figura inaffidabile. Concordammo con Angelo Rizzoli e Tassan Din che avrebbe dovuto fare un giornale, "Tribuna Illustrata", un prodotto simile a quelli che si facevano una volta, con le illustrazioni sulla prima facciata. Ma videro che non era capace e gli fu tolta questa iniziativa da Rizzoli. Poi lui volle fare un giornale informativo, il famoso "Occhio", che non andava. Io ero contrario e lo avevo detto a Rizzoli.»

La famosa intervista che ha rilasciato al «Corriere della Sera»[17] fu un'idea di Costanzo o sua?

«Fummo insieme mezza giornata, restò qui a colazione. A un certo punto mi ero anche stancato e gli dissi: "Maurizio ora basta, ho altre questioni più importanti da definire", ma lui diceva: "Ti faccio l'ultima domanda: se da piccolo ti avessero chiesto cosa vuoi fare da grande, cosa avresti risposto?". E io risposi: "Il burattinaio". Nacque così la leggenda. Poi in seguito ribadii che a quella domanda risponderei ancora così: meglio il burattinaio che il burattino. Il burattinaio qualcosa mangia sempre, il burattino no.»

Craxi disse, però, in sede di Commissione parlamentare sulla P2, che lei era solo un organizzatore, che c'era qualcuno sopra di lei.

«Sì, il Padreterno. Smentisco questa lettura dei fatti.»

Gli atti del processo Dell'Utri dicono che in una certa fase ci fu un avvicinamento tra mafia e massoneria. E che la P2 in questo ebbe un ruolo.

---

17. Apparsa il 5 ottobre 1980.

«Guardi, la interrompo subito. Niente di niente. Noi non parliamo mai di mafia.»

Parliamo dei misteri del rapimento Moro, allora.

«Non mi riguarda e non ne so nulla. I rapporti tra Moro, Andreotti e Cossiga mi sembravano ottimi, almeno a livello ufficiale. Oggi tutti si insultano, allora l'insulto era bandito.»

Lei ritiene che Berlusconi sia il suo erede?

«No, non abbiamo nulla in comune.»

E Caltagirone come lo valuta? Ricucci ha affermato che è massone.

«Caltagirone è un grande imprenditore. Ha avuto le sue disavventure, è stato negli Stati Uniti per un certo periodo. Dovette rifugiarsi lì. Era ben protetto, lui, negli Stati Uniti… sarebbe rimasto lì anche Sindona.»

Quelli sono anche gli anni dei Rovelli, protagonisti dello scandalo Imi-Sir, una vicenda da mille miliardi di lire.

«Rovelli era un ottimo imprenditore. Erano ottimi imprenditori, quelli della chimica: lui, Gabriele Cagliari. Avranno anche lucrato, ma hanno lavorato molto per il Paese.»

Lei ricorda la Banca Rasini, l'istituto guidato da Luigi Berlusconi che poi diventò di proprietà dei Rovelli?

«Questi sono fatti personali di cui non mi sono mai occupato.»

Cosa pensa delle vicenda Antonveneta-Banca Popolare di Lodi? E dell'ex governatore Fazio?

«Fazio? Una brava persona. È stata una brutta notizia quando l'hanno chiamato in Procura.»

Come valuta lo scenario politico che si è creato dopo la vittoria del centrosinistra nell'aprile 2006?

«Mi pare di notare una grande stanchezza nel popolo. Non abbiamo una vera classe politica dirigenziale. Un risultato sostanzialmente di pareggio al 50 per cento e 50 per cento determina un quadro di ingovernabilità. Berlusconi avrebbe dovuto fare alcune dichiarazioni per vincere. Primo: il ritiro di tutti i militari italiani che sono nel mondo, sia perché non possiamo sostenere questi sforzi, sia perché le operazioni di pace non ci interessano più visto che non abbiamo ambizioni espansionistiche. Secondo: misure per sostenere l'industria. In Cina i prodotti costano così poco che mettono in difficoltà i nostri, ma i dazi doganali non si possono più applicare e l'Unione Europea è poco coesa su questi temi. Si deve cercare una tassa diversa, un differenziale di prezzo che consenta alle nostre produzioni di non soccombere. Bisogna poi controllare questo fenomeno di acquisizioni di piccole e medie realtà italiane da parte di capitali cinesi. Loro arrivano con la valigetta piena di soldi e comprano: ma questo denaro ai cinesi chi glielo dà? Pagano tutto in contanti. Ci sono problemi di riciclaggio di denaro sporco.»

Può tornare al potere Berlusconi?

«Berlusconi è stato un ottimo statista, all'inizio, poi anche lui come tutti mi pare che abbia commesso qualche errore. Non lo so se in futuro potrà ritornare, è difficile. Doveva promettere poco e mantenere molto, ma le riforme non le ha fatte. Doveva fare la riforma della giustizia, mentre quella prodotta dal governo Berlusconi è un aborto. Mi sento un po' responsabile: la separazione delle carriere, con concorsi distinti, era una mia idea.»

Come valuta Romano Prodi?

«Una totale nullità. Basta ricordare quello che ha fatto all'Iri. Operazioni sbagliate al punto che lo buttarono fuori.»

La massoneria oggi

La massoneria italiana come è cambiata dagli anni Settanta a oggi?

«La massoneria italiana è cambiata in peggio perché ha aperto le porte a tutti. L'enfasi è sulla quantità, non sulla qualità. È questo il punto. Si è abbassato il livello, notevolmente. Un libero professionista può entrare senza problemi in una loggia non coperta, ma chi ha alte cariche nell'ambito dello Stato non può farlo, perché prima o poi si trova sulla stampa.»

Oltre al Grande Oriente esistono in Italia la Gran Loggia Nazionale d'Italia di piazza del Gesù e la Gran Loggia Regolare d'Italia. Che differenze esistono tra queste realtà? Quale conta di più in termini di potere, oggi?

«Il Grande Oriente si sta sciogliendo, c'è una fuga di persone, tanti che se ne vanno, da quando le riunioni della Gran Loggia si fanno a porte aperte, a Rimini. Molti maestri anche importanti sono stati fotografati col grembiulino addosso. Questo ha dato fastidio a tanti massoni che sono entrati "in sonno". La situazione è migliore per Palazzo Vitelleschi, l'obbedienza guidata da Luigi Danesin; qui va meglio, perché si guarda molto alla qualità: sono circa 410 logge, un numero inferiore a quello del Grande Oriente, ma di maggior qualità. Sono dei cristiani credenti, che fanno un proselitismo più controllato.»

Quale tra le due maggiori obbedienze è più riconosciuta all'estero, visto che solo la Gran Loggia Regolare d'Italia ha ottenuto il riconoscimento inglese?

«Nessuna delle due. Il Goi ottenne un riconoscimento inglese con il Gran Maestro Corona. Lo facemmo ottenere noi, attraverso Vittorio Emanuele di Savoia, che era iscritto alla P2. Facemmo venire il duca di Kent in Italia e portò il riconoscimento alla massoneria italiana, rispondendo ufficialmente a una lettera del Grande Oriente che giaceva presso la massoneria inglese da un secolo, in attesa di una risposta. La bolla è nell'archivio che ho donato a Pistoia.»

Cosa pensa Gelli dell'ammissione delle donne alla massoneria di piazza del Gesù?

«Questa è una cosa che non va bene, l'idea di una massoneria promiscua. La massoneria non può aprire alle donne. Sa, a volte bisogna prendere delle decisioni delicate e non è opportuno che ci siano le donne. Anche in America le fanno entrare, ma è concettualmente sbagliato.»

Chiediamo al venerabile di svelare un piccolo mistero:

l'ex Presidente Ciampi è o non è massone? Le illazioni su questo tema si sono sprecate, nel corso del tempo.

«Ciampi era massone, faceva parte – quando era giovane – della loggia Hermes di Livorno, una loggia del Grande Oriente. Questo è stato detto anche da tanti "fratelli".»

Com'è il rapporto tra Chiesa e massoneria, oggi?

«C'è ancora un contrasto, tra Chiesa e massoneria. Con padre Esposito[18] discutemmo di questi aspetti. Non c'è più la scomunica per i laici, è stata esclusa dal codice di diritto canonico del 1983, anche se resta per i religiosi che fanno parte della massoneria. La massoneria apre i lavori tenendo su un tavolo il Vangelo di Giovanni. E noi massoni riconosciamo le leggi della Chiesa.»

In quali settori dello Stato è particolarmente forte oggi la massoneria?

«È tradizionalmente forte tra i militari e gli statali, la cui appartenenza alla massoneria è importante per fare carriera.»

E all'estero dove è forte la massoneria?

«Negli Stati Uniti se non si passa attraverso la massoneria non si va avanti. Credo che soltanto quattro o cinque Presidenti non siano stati massoni. Più che massoni dell'Ordine, sono massoni del Rito scozzese antico e accettato, che è molto forte.»

Un massone può andare all'estero e mettersi in contatto con qualsiasi loggia?

«Certo. Può andare e farlo senza problemi. Se lei è massone e ha la tessera può recarsi a qualsiasi loggia, farsi invitare e partecipare ai lavori. La rete di solidarietà lavora normalmente. C'è reciprocità, la massoneria è una scuola etica, morale, di costume.»

Ma esistono ancora logge coperte, oggi?

«Ogni Comunione – Palazzo del Vascello, piazza del Ge-

---

18. Studioso della massoneria, padre Rosario Esposito ha pubblicato *La Massoneria e l'Italia dal 1800 ai nostri giorni*, Edizioni Paoline, Roma, 1979.

sù – ha un "contenitore" che ha maggiore riguardo alla riservatezza. Quindi esistono ancora, sì. Una loggia coperta, come la P2, è un contenitore che raggruppa una serie di persone che non desiderano far conoscere la propria appartenenza alla massoneria; persone che hanno dei requisiti particolari. Nella P2 avevamo giornalisti, banchieri, sei ministri, dodici sottosegretari, trentacinque generali dei carabinieri, il capo di Stato maggiore, il comandante generale della guardia di finanza, i vertici della Bnl al completo, dirigenti della Comit. Uno di questi ultimi diventò ministro dell'Economia, Gaetano Stammati: era direttore generale della Comit. Con noi nella P2 c'era anche Enrico Manca, presidente della Rai.»

Persone di alto livello, di ogni credo politico e religioso.

«La massoneria è molto forte in ambito cattolico. Anzi, è meglio se uno è cattolico.»

Vede in crescita la massoneria in Italia?

«Da un lato c'è una crisi qualitativa. Ma dall'altro c'è una grossa richiesta. Forse ciò è dovuto al vuoto politico attuale. Non a tutti coloro che bussano viene aperto. C'è un serbatoio, un "contenitore" riservato, destinato a persone le cui identità – per l'incarico che hanno e la professione che svolgono – sono conservate dal Gran Maestro. Questi che le mostro sono i moduli delle domande per chi vuole entrare, li consegno io stesso al Gran Maestro Danesin.»

Ha più dato o più ricevuto nella sua vita?

«Non c'è una contabilità. L'importante è comportarsi bene con tutti. Come diceva Virgilio a Dante: "Non ti curar di loro, ma guarda e passa".»

Cosa l'ha più ferita?

«Questa persecuzione da parte della magistratura contro la loggia P2 e contro tante persone che ne hanno fatto parte. In fondo, solo Raffaele Giudice, comandante generale della guardia di finanza, fu coinvolto in un piccolo scandalo di petroli. Per il resto, tutti sono stati assolti nei tre gradi di giudizio.»

Segreto di Stato

Come abbiamo visto, la P2 o persone legate alla loggia di Gelli sono state a vario titolo implicate in scandali e misteri della storia repubblicana. In queste vicende spesso il confine tra Stato e anti-Stato si è fatto così labile da risultare pressoché impercettibile. Del resto, la segretezza e la riservatezza che il venerabile invocava per i suoi iscritti e per i suoi affari talvolta ha coinvolto pezzi degli apparati democratici e si è sovrapposta all'ufficiale «ragion di Stato». È il motivo per cui è difficile attribuire un significato preciso all'espressione «servizi deviati»: quando esattamente i servizi segreti diventano servizi deviati? Quando il segreto può essere ricondotto, al di là di ogni ragionevole dubbio, a una più alta ragion di Stato e quando invece copre solo inconfessabili responsabilità personali? In altre parole, il segreto – di Stato o meno – è compatibile con il controllo popolare proprio di una democrazia?

C'è un episodio, accaduto più di venticinque anni fa, che mostra bene la difficoltà di rispondere a questa domanda. È solo una storia tra le tante che hanno inquinato e ammalato la democrazia italiana, ma è una vicenda di cui pochi hanno parlato volentieri e di cui nessuna parla più, una storia su cui sono calati il silenzio e il segreto in modo particolarmente pesante e definitivo. Eppure tutto era nato dal desiderio di raccontare, di far capire, dal lavoro di due giornalisti partiti e mai tornati.

In questa sezione dell'inchiesta è interessante approfondire, attraverso documenti inediti e testimonianze, la vicenda che qui riportiamo.

Giornalisti di guerra

Il 2 settembre 1980 due giornalisti italiani, Italo Toni e Graziella De Palo, scomparivano a Beirut, in Libano. I corpi non sono mai stati ritrovati e sulla loro sorte in Italia vige tuttora il segreto di Stato.

Graziella De Palo, collaboratrice di «Paese Sera», e Italo Toni, redattore dei «Diari» di Giancarlo Parretti, erano partiti il 23 agosto da Roma. Graziella, ventiquattro anni, era una speranza del giornalismo investigativo, si era distinta per una serie di coraggiose inchieste sul traffico d'armi. Italo Toni, cinquantun anni, autore di prestigiosi servizi per testate internazionali e scrittore, era esperto di problematiche del Terzo mondo e di movimenti di liberazione. Insieme cercavano il grande «scoop» in Libano.

Il momento in cui i due reporter partono è particolarmente agitato: tre settimane esatte dopo la strage alla stazione di Bologna del 2 agosto 1980,[1] un evento che verrà attribuito dai giudici all'estremismo nero, con il significativo supporto di figure della P2.[2] Ma per l'attentato sono state sollevate – senza esiti processuali – anche le ipotesi di una «pista libanese» e di coinvolgimenti palestinesi. Sta di fatto che Toni e De Palo scompaiono un mese esatto dopo la strage.

---

1. Sabato 2 agosto 1980, alle ore 10,25, un ordigno esplode nella sala d'attesa della stazione di Bologna. È la strage più grave della storia italiana in tempo di pace: ottantacinque morti e oltre duecento feriti.
2. Dopo alterne vicende processuali e tentativi di depistaggio, nel 1995 vengono condannati all'ergastolo per strage Francesca Mambro e Giuseppe Valerio Fioravanti (entrambi dei Nar, un gruppo neofascista), che continuano a proclamarsi innocenti. Nel 2002 saranno definitivamente riconosciute anche le responsabilità di Luigi Ciavardini. Nel maggio del 1994 erano stati condannati in via definitiva per i depistaggi delle indagini sulla strage Licio Gelli, Francesco Pazienza, il generale Musumeci (vicecapo del Sismi) e il colonnello Belmonte (del Sismi). L'accusa era quella di «calunnia aggravata da finalità di terrorismo». Nelle parole del giudice istruttore del Tribunale di Bologna Libero Mancuso: «La P2 era assolutamente interessata a impedire l'accertamento della verità».

Il viaggio, inizialmente, era stato concordato con il responsabile dell'ufficio dell'Olp di Roma, Nemer Hammad, e aveva lo scopo di far visitare ai due giornalisti ospiti – che da tempo si interessavano della questione – alcuni campi di addestramento palestinesi in Libano. Italo Toni era un reporter coraggioso che aveva già realizzato uno scoop per «Paris Match», riuscendo a documentare la vita dei *commandos* palestinesi pronti agli scontri con le milizie israeliane.

Ricostruiamo la vicenda con Giancarlo De Palo, fratello di Graziella, partendo dall'inizio, cercando di capire le motivazioni che avevano spinto i due giornalisti a recarsi in Libano. Cosa stavano cercando, qual era il filone su cui svolgevano il loro lavoro investigativo?

«Già qui c'è un primo mistero: Graziella e Italo il motivo vero per cui andavano in Libano non lo esplicitarono» esordisce Giancarlo. «Dissero che partivano per un servizio sui campi dei palestinesi gestiti dall'Olp, l'organizzazione per la liberazione della Palestina; ma erano andati in Libano con tutta la loro curiosità per i temi sui quali stavano lavorando in Italia: la politica mediorientale dei nostri governi e il traffico d'armi favorito dai servizi italiani in Medio Oriente. Era un tema di cui Graziella si era occupata, scrivendo un articolo che era un po' il ritratto della P2,[3] in cui si accenna al ruolo di ufficiali dei servizi[4] che poi avrebbero avuto una posizione chiave proprio nelle indagini sulla loro scomparsa.»

Le carte processuali segnalano la presenza della massoneria nella vicenda. Giancarlo De Palo spiega: «Era della P2 il capo dei servizi segreti che si occupò della sparizione, il generale Giuseppe Santovito, poi incriminato insieme al capo

---

3.   Graziella De Palo, *False vendite, spie, società fantasma: così diamo armi*, in «Paese Sera», 21 marzo 1980.
4.   Nell'articolo aveva inserito un riferimento che chiamava in causa il colonnello dei carabinieri e capocentro Sismi di Beirut Stefano Giovannone.

del centro Sismi di Beirut Stefano Giovannone;[5] era iscritto alla P2 il segretario generale della Farnesina dell'epoca, Malfatti di Montetretto; erano iscritti alla P2 il generale Giulio Grassini, capo del Sisde e Walter Pelosi, ai vertici del Cesis, il comitato di coordinamento tra Sismi e Sisde, i due servizi coinvolti nella vicenda; era della P2 il prefetto Mario Semprini, segretario particolare dell'onorevole Forlani, Primo ministro durante la seconda parte della storia [dal 19 ottobre 1980 al 28 giugno 1981, *Nda*]. Va ricordato che al momento del rapimento (2 settembre 1980) era presidente del Consiglio Francesco Cossiga. Persino Yasser Arafat, il capo dell'Olp, si diceva fosse iscritto a una loggia massonica. C'è poi un'altra oscura figura, Edera (detta Teila) Corrà, una giornalista vicina alla massoneria, che si mosse in Libano in relazione alla nostra vicenda. Compare infine nell'inchiesta il discusso informatore Elio Ciolini, autore di molte rivelazioni in merito al ruolo della massoneria deviata. Quindi tutta la nostra storia è segnata da oscure coperture massoniche, sancite dalla stessa magistratura».

Ma torniamo ai fatti. Quella che i due giornalisti intendono svolgere è un'inchiesta pericolosa, ad ampio raggio, in una fase – l'estate del 1980 – segnata dalla strage di Bologna e prodromica allo scoppio dello scandalo P2, nel marzo 1981.

---

5. Stando all'ordinanza di rinvio a giudizio del 25 febbraio 1986, Giovannone, in concorso con Santovito, pose in essere «più azioni esecutive di un medesimo disegno criminoso, aiutando gli autori del sequestro e del presunto omicidio dei giornalisti Toni Italo e De Palo Graziella». Questo al fine di «eludere le investigazioni e le ricerche delle autorità, controllando ed ostacolando l'attività istituzionale di ricerca svolta dall'ambasciatore d'Italia a Beirut, accreditando fatti inesistenti o strumentali e compiendo atti tendenti ad "inquinare" l'accertamento della verità ed in particolare a "depistare" le ricerche e le indagini delle autorità sulla scomparsa dei suddetti giornalisti dal settore occupato dai palestinesi a quello occupato dai falangisti, commettendo il fatto con abuso dei poteri e violazione dei doveri inerenti alle loro funzioni; in Beirut ed altrove, dal settembre 1980 in poi».

Chiedo a Giancarlo De Palo se veda qualche collegamento tra la strage di Bologna e la morte di sua sorella.

«È una domanda importante, che mi costringe a scendere in un ricordo personale, che non ho mai rivelato. Io avevo aiutato mia sorella a preparare quel viaggio in Libano. In quei giorni avvenne la strage di Bologna. Dopo la strage si cominciò a parlare della pista libanese e io ebbi un presentimento atroce: la paura che da quel viaggio Graziella non sarebbe più tornata. Ne parlai con lei, cercai di impedirle di partire, ci litigai persino; ma non fu possibile fermarla. Era chiaro che avrebbe indagato anche su quello: sulla pista libanese, o comunque mediorientale, della strage.»

Come è emerso successivamente, il governo italiano aveva siglato negli anni Settanta un accordo segreto con l'Olp mirato a evitare atti di terrorismo: in cambio della possibilità per gli attivisti palestinesi di circolare sul territorio italiano, l'organizzazione di Arafat si sarebbe impegnata affinché non avvenissero attentati sul suolo nazionale. L'intesa sarebbe stata pensata già da Aldo Moro e perseguita anche dai suoi successori. Secondo alcune interpretazioni, per una ragione che resta sconosciuta il «patto» sarebbe stato violato dal governo italiano, scatenando la reazione araba,[6] ovvero l'attentato alla stazione di Bologna, compiuto da un terrorista kamikaze. È la tesi con la quale è stata spiegata la presenza dei resti di un'ottantaseiesima vittima della strage: un corpo mai identificato e appartenente forse all'attentatore.

---

6. Si parla di uno «scontro» su questioni di traffici d'armi e di transito di arsenali destinati al terrorismo internazionale. Ma a violare l'accordo potrebbe essere stato uno scontro interno tra Arafat e le fazioni «dissidenti» dell'Olp, desiderose di coinvolgere anche l'Italia nell'ondata di attacchi terroristici che aveva colpito l'Europa.

Parla Cossiga

Su questo tema – che potrebbe costituire la chiave di volta per spiegare la morte di Graziella De Palo e Italo Toni – abbiamo raccolto le dichiarazioni dell'ex Presidente Francesco Cossiga, che all'epoca della sparizione dei giornalisti era presidente del Consiglio.

«Questa vicenda va a inserirsi nell'ambito dei complessi rapporti derivanti dall'accordo che Aldo Moro siglò coi rappresentanti dei palestinesi» esordisce il Presidente emerito. Il quale commenta l'atteggiamento tenuto dal direttore del Sismi Santovito e dal colonnello Giovannone con queste parole: «Probabilmente dissero: "Non andiamo a impicciarci in questa storia perché se no ci mettiamo di nuovo contro la guerriglia islamica"».

Ma esisteva davvero questo accordo segreto tra Moro e i palestinesi?

«Io ne ebbi una prova diretta come presidente del Consiglio quando ci fu il famoso episodio dei missili.[7] Alcune persone legate ai palestinesi trasportavano missili sul territorio italiano:[8] si trattava di figure collegate a una organizzazione terroristica del Medio Oriente, guidate da Daniele Pifano.[9]

---

7. Nella notte fra il 7 e l'8 novembre 1979 a Ortona (Chieti) furono trovati due lanciamissili SA-7 Strela in un'auto. Vennero arrestate quattro persone: Daniele Pifano, Abu Anzeh Saleh, Luciano Nieri e Giorgio Baumgartner.
8. Secondo «l'Unità» del 14 dicembre 1979, «i carabinieri del nucleo speciale di Dalla Chiesa avrebbero raggiunto la conclusione che l'obiettivo dei terroristi era il presidente del Consiglio dei ministri Francesco Cossiga. I due missili a raggi infrarossi – a quanto si pensa – avrebbero dovuto essere adoperati per colpire l'auto del presidente del Consiglio dei ministri, blindata in modo speciale: tuttavia non si esclude del tutto l'ipotesi di uno spaventoso piano per abbattere addirittura l'aereo su cui viaggiava il capo del governo. Nel caso di un attacco a terra, contro l'auto blindata, dicono gli esperti balistici, la potenza dei missili sarebbe stata ridotta del 60 per cento, agevolando un tiro ravvicinato».
9. Daniele Pifano era uno dei leader più noti dell'Autonomia romana, esponente del Collettivo Policlinico e del Circolo dei Volsci.

Il capo di questa organizzazione terroristica[10] palestinese, attraverso il colonnello del Sismi di Beirut, Stefano Giovannone,[11] mi mandò un telegramma in cui in sostanza affermava: questo è un missile di passaggio, restituitecelo perché è nostro e scarcerate Pifano, perché quel missile non era diretto a voi; se sequestrate il missile andate contro gli accordi che a suo tempo sono stati fatti tra noi palestinesi e il governo italiano.»

Quindi esisteva veramente un accordo segreto – sconosciuto alla Nato e all'Europa – per evitare atti terroristici?

«Sì, assolutamente. Infatti noi, in Italia, siamo riusciti a non avere attentati.»

Ma chi fu il primo a siglare questa intesa?

«Aldo Moro. Per un lungo periodo noi siamo stati al riparo dal terrorismo mediorientale. La fedeltà dei servizi segreti, la fedeltà della burocrazia nei confronti di Moro era totale. Anche dopo la sua morte. Non è che ci sia un accordo scritto, dimostrabile *per tabulas*, ma la politica di ostilità che noi conducevamo nei confronti di Israele, la politica di benevolenza nei confronti degli Hezbollah e di Hamas, insomma...»

---

10. Cossiga si riferisce al Fronte popolare per la liberazione della Palestina (Fplp), che in effetti con una lettera del 2 gennaio 1980 (diretta al presidente del Tribunale di Chieti) confermò il fatto che i due «lanciamissili» erano di proprietà dell'Fplp e che «stavano solo transitando in Italia».

11. Il settimanale «L'Europeo» del 22 novembre 1979 riporta una sua rivelazione: «Aeroporto di Ciampino, mezzogiorno di domenica 11 novembre. Il "Dc 9" con le insegne militari punta diritto verso l'alto, prende quota e compie un'ampia virata verso nord. È diretto a Parigi, a bordo c'è il presidente del Consiglio Francesco Cossiga e tutto il suo seguito. È in programma una visita ufficiale a Giscard. "Buttarlo giù, con uno di quei missili, sarebbe stato uno scherzo. Vengono i brividi a pensarci. Immagini lei quello che sarebbe successo". L'ufficiale del Sismi [Giovannone, *Nda*] si passa la mano sulla fronte: "Un colpo di fortuna, un incredibile, sfacciato colpo di fortuna. Se Baumgartner, uno dei tre autonomi, sì il dottore, avesse avuto con sé un documento, il furgone non sarebbe stato perquisito, i missili sarebbero giunti a destinazione. E adesso quel puntino lassù che è l'aereo con Cossiga sarebbe un ammasso di cadaveri e lamiere».

Cossiga racconta un altro episodio a sostegno della sua tesi.

«Ci fu un altro episodio: ero appena stato eletto Presidente della Repubblica, nel 1985, quando a Fiumicino[12] ci fu un attentato palestinese al banco della compagnia aerea El Al. Non uccisero neanche un italiano, perché i terroristi palestinesi fecero attenzione a sparare solo agli impiegati israeliani della El Al, ritenuti agenti dello Shin Bet, il servizio di controspionaggio israeliano. Le nostre forze di polizia non reagirono, non spararono.»

La tesi di Cossiga sulla strage di Bologna è che a compiere l'attentato furono dei terroristi palestinesi in transito e che l'ordigno esplose per sbaglio.

«Ormai anche "il manifesto", "Liberazione" e buona parte dell'estrema sinistra sostengono che i responsabili della strage non furono Fioravanti e la Mambro: assassini sì, ma non in quel caso; quei due ragazzi non c'entravano niente. A mio avviso si trattò di un incidente,[13] che è la prima cosa che mi dissero quando arrivai a Bologna: un palestinese che stava trasportando una valigia di esplosivo era saltato.»

A causare la strage sarebbe stato quindi un attivista al quale era stato consentito di transitare armato in Italia, in virtù dell'accordo segreto tra i palestinesi e Moro.

---

12. Il 27 dicembre 1985, in pieno clima natalizio, Roma è sconvolta da un inferno di fuoco all'aeroporto di Fiumicino. Terroristi del gruppo estremistico Abu Nidal con raffiche di mitragliatori e bombe a mano provocano una strage negli uffici box d'imbarco della compagnia israeliana El Al e di quella americana Twa. Restano vittime quindici persone, compresi cinque americani, altre centodieci sono ferite. Nello scontro quattro terroristi vengono uccisi.

13. Carlo Calvi, il figlio del banchiere piduista, ci ha rivelato un dettaglio importante: «Mio padre, quando si recò a Londra, aveva con sé nella famosa borsa una cartelletta con scritto "Bologna". Al processo che lo attendeva avrebbe rivelato tutto» (cfr. cap. «I segreti di Licio Gelli»), intendendo con questa affermazione che il padre, uomo chiave della strategia finanziaria piduista, era in grado di fare rivelazioni importanti in merito agli autori della strage di Bologna. Esse – dati i rapporti che il banchiere intrattenne coi vertici della P2 – potevano riguardare le coperture offerte dagli uomini della P2 agli attentatori.

«Esatto. Ma non possiamo pretendere che questo lo dica la magistratura, che entri in frattura con tutto un contesto storico-politico» prosegue Cossiga.

Seguendo questa linea di interpretazione, lo Stato, il governo e i servizi segreti avrebbero coperto i veri responsabili della strage di Bologna per rispettare l'accordo segreto coi palestinesi. Si tratterebbe di una verità sconvolgente. E se Italo Toni e Graziella De Palo, attraverso le loro fonti palestinesi in Libano, avessero messo le mani su una simile «lettura» della strage di Bologna, si giustificherebbe la loro sparizione e si spiegherebbero le coltri di fumo e i depistaggi posti in essere da Giovannone[14] e dal generale Santovito sulla loro morte, tanto da essere rinviati a giudizio. Soprattutto si capirebbe il motivo dell'imposizione, sull'intera vicenda, del «segreto di Stato», che permane tutt'oggi. Se questa fosse la chiave di lettura, saremmo di fronte a un osceno patto tra servizi segreti italiani infiltrati dalla P2 (uno per tutti: il capo del Sismi Santovito), lo Stato e i terroristi palestinesi.

Ma esiste anche la possibilità – e in questo caso le coperture italiane sarebbero ancora più colpevoli – che l'attentato non sia stato affatto un incidente: il Fronte popolare di liberazione della Palestina, guidato dal terrorista George Habbash,[15] era

---

14. Il colonnello del Sismi Stefano Giovannone, conosciuto tra le «barbe finte» come «Stefano D'Arabia» o come «Il Maestro», era un uomo fidatissimo di Aldo Moro, del quale condivideva la linea filopalestinese. E dalla prigione delle Br Moro chiese l'aiuto di Giovannone. Scrivendo a Flaminio Piccoli (allora presidente dei deputati Dc), Moro chiese di far «intervenire il colonnello Giovannone, che Cossiga stima». Nella missiva indirizzata al sottosegretario alla Giustizia Erminio Pennacchini aveva poi scritto: «Vorrei che comunque Giovannone fosse su piazza».
15. I lavori della Commissione Mitrokhin hanno evidenziato il fatto che, nei mesi che precedettero la strage di Bologna, gli apparati di sicurezza italiani segnalarono a più riprese le minacce di «ritorsione» al nostro Paese da parte del Fronte popolare per la liberazione della Palestina (Fplp) se non fosse stata attenuata la pena per il suo rappresentante in Italia, Abu Anzeh Saleh, condannato per la vicenda dei lanciamissili.

in forte dissenso con Arafat. In un'intervista del settembre 2002 al mensile «Arab Monitor», Habbash alla domanda: «Quale sentimento prova quando sente parlare Yasser Arafat?», rispondeva: «Disprezzo, e il novanta per cento dei palestinesi della diaspora prova lo stesso sentimento». Del resto anche l'altra fazione dissidente, quella del Fronte democratico di liberazione della Palestina guidato da Nayef Hawatmeh, era in dissenso rispetto alla linea di Arafat verso l'Europa e non era nuova a gravi azioni terroristiche.

Presagi di morte

Torniamo alla vicenda dei due giornalisti e agli «interventi» effettuati dalla P2.

Il 23 agosto 1980 Graziella De Palo e Italo Toni arrivano in aereo a Damasco, in Siria, da dove proseguono per Beirut. Qui, il giorno dopo, si insediano all'hotel Triumph, uno dei due alberghi nei quali l'Olp era solita accogliere i suoi ospiti.

Lo scenario in cui si muovevano i due reporter era quello della guerra civile che dal 1975 divideva il Libano: come risultato dell'eterno conflitto israelo-palestinese, Beirut era divisa in due settori e preda di continui scontri; all'epoca era una delle città più pericolose del mondo. Ma la capitale libanese era anche una delle realtà dove si facevano gli affari sporchi più lucrosi: dal traffico della droga a quello delle armi. Nel Libano erano situate le più vaste coltivazioni di cannabis del mondo e venivano smistate le più grandi partite di cocaina dirette all'Europa; in Libano si muovevano grossi «intermediari», spesso in rapporti con gli ambienti della finanza internazionale e dei trafficanti d'armi.

Nella settimana dal 23 agosto al 1° settembre 1980 i due giornalisti italiani iniziano la loro inchiesta a Beirut. Finora nessuno ha rivelato su cosa «scavassero» e con chi fossero entrati in contatto. Con ogni probabilità, oltre a interessarsi del problema dei palestinesi, allargarono il raggio della loro inchiesta, forse interessandosi alla pista palestinese della strage di Bologna. Magari qualche fonte all'interno dell'Olp disse loro che a mettere la bomba – o a esplodere «per sbaglio» con essa, come sostiene Cossiga – era stato qualcuno delle fazioni palestinesi dissidenti: il Fronte popolare per la liberazione della Palestina di George Habbash o altre attive tra il Libano e la Siria.

Forse si interessarono di traffico d'armi; forse ricevettero delle confidenze, trovarono delle piste che conducevano al ruolo dell'Italia in questo ambito; forse i due reporter «di sinistra» vennero a sapere dei neofascisti rifugiati in Libano, a Beirut Est. Sta di fatto che qualcosa, nel loro programma, mutò. Sentirono di avere in mano un grosso scoop, ma anche che c'erano dei seri pericoli per la loro vita. Capirono di aver messo le mani su verità per le quali qualcuno avrebbe potuto uccidere.

Il 1° settembre 1980 Italo e Graziella si presentano all'ambasciata italiana, chiedendo la «tutela» dei diplomatici italiani: «Se non dovessimo tornare entro tre giorni», fanno sapere agli uomini della delegazione italiana allora guidata dall'ambasciatore Stefano D'Andrea,[16] «venite a cercarci voi».

Il mattino del 2 settembre Toni e De Palo escono dall'hotel Triumph, lasciandovi il bagaglio personale. Il portiere dell'albergo – tale Gargi Chaker, persona di fiducia dell'Olp – afferma che i due giornalisti si sarebbero allontanati per recarsi a Baghdad, un'indicazione non suffragata da riscontri.[17] All'ambasciata italiana Toni e De Palo avevano invece dichiarato che si sarebbero recati verso i campi palestinesi nel sud del Libano. Risulterà poi che quella mattina i due giornalisti

---

16. Quel giorno il diplomatico era in vacanza, ma poi attiverà un'inchiesta sulla scomparsa dei giornalisti.

17. Toni e la De Palo, stando a quanto affermano gli atti giudiziari, non avevano alcuna possibilità di recarsi in Iraq, in quanto ospiti dell'Olp. E infatti non erano compresi nella lista dei passeggeri dei voli diretti, quel giorno, a Baghdad.

si sarebbero dovuti incontrare con esponenti del Fronte democratico di liberazione della Palestina. Altre fonti parlano del tentativo dei due di avere contatti con esponenti dell'Fplp di Habbash.[18] Meno probabile l'ipotesi di un pericoloso spostamento di Graziella e Italo a Beirut Est, zona controllata dai nemici dei palestinesi, i cristiano-maroniti della Falange.[19]

«Se ne deve dedurre che il Toni e la De Palo sono stati prelevati – con l'inganno (il pretesto di portarli ai campi del Sud) o con la forza – dall'albergo per essere sequestrati», scrive nell'ordinanza di rinvio a giudizio[20] del 25 febbraio 1986 il consigliere istruttore aggiunto Renato Squillante; un magistrato che anni dopo sarebbe stato chiamato in causa per accuse di corruzione.

L'ipotesi che il 2 settembre 1980 i due giornalisti dovessero effettuare un'intervista pare suffragata dal fatto che all'uscita

_____

18. Ecco la ricostruzione offerta da una fonte dei carabinieri, per molti anni operativa a Beirut, che ha chiesto di mantenere l'anonimato: «Il 2 settembre 1980 i giornalisti Italo Toni e Graziella De Palo scompaiono alle 23,55 alla periferia nord di Beirut, mentre erano attesi a un incontro "segreto" nel vilaggio di Jenin, nei pressi della valle della Bekaa, con un agente dei servizi di sicurezza libanesi, infiltrato nell'Fplp. Il Sismi accuserà falsamente i falangisti della scomparsa che, in realtà, avviene in una zona controllata dall'Olp. La De Palo conduceva accurate inchieste giornalistiche per "Paese Sera" e "Astrolabio" sui traffici internazionali di armi. In particolare seguiva il filo delle confessioni di Patrizio Peci, soprattutto quella resa a un giudice di Torino, in cui lo stesso raccontava che le armi in dotazione alle Brigate rosse provenivano dal Libano. Mario Moretti e Riccardo Dura (ucciso il 28 marzo 1980 nel covo di via Fracchia) le avrebbero ricevute dall'Olp e trasportate in Italia con una imbarcazione».
19. Secondo il cugino di Italo Toni, Alvaro Rossi, il reporter si era armato di macchina fotografica perché, com'era avvenuto per lo scoop con «Paris Match», desiderava documentare fotograficamente qualche fatto di rilievo. Quando abbiamo parlato con lui, ci ha raccontato che «se avesse saputo che a Beirut Est si addestravano dei neofascisti italiani, questo è un tema che lo avrebbe sicuramente interessato».
20. Ordinanza di rinvio a giudizio del 25 febbraio 1986 emessa dal Tribunale di Roma nei confronti di Damiano Balestra, Stefano Giovannone, Giuseppe Santovito e George Habbash.

dall'hotel Triumph non portarono con sé i bagagli. Quindi presumevano di fare ritorno e non di compiere un lungo viaggio.

Le agende di Graziella

Il personale dall'albergo ha consegnato alla polizia libanese (che poi li ha trasmessi all'ambasciata italiana) gli effetti personali dei due giornalisti, tra i quali figura l'agenda di Graziella. È interessante allora capire, attraverso gli atti, cosa ci fosse negli appunti della giornalista. Questa pista, non sufficientemente approfondita, potrebbe dare spunti importanti per una nuova inchiesta. La lista stilata dal giudice Squillante nell'ordinanza è purtroppo molto laconica, ma elenca così le carte di Graziella:

– Talune notizie flash dell'Ansa, di politica internazionale, prevalentemente interessanti il Medio Oriente;
– notizie sulla SIMC S.r.l. italiana che annovera tra i soci alcuni stranieri e, quale importante cliente, il Ministero della Difesa;
– una cartina del Libano meridionale;
– la copia fotostatica, con due cartoncini illustrativi, di un grafico sul quale è riportata la struttura organizzativa della Palestine Martyrs Works Society;
– una lettera della De Palo, marzo 1980, all'Ordine dei giornalisti;
– il block notes – composto di 58 fogli, di cui otto in bianco e due dimezzati – contiene riflessioni, appunti vari, indirizzi, nomi ed inoltre un'intervista con Nayef Hawatmeh sui rapporti tra Olp e Paesi Cee;
– note su una proposta di legge dell'on. Accame, finalizzata alla soppressione dei «traffici sporchi nei porti italiani, controllati esclusivamente da militari»;
– un riassunto di fatti e problemi socio-politici e di lavoro riguardanti la Siria, il tutto verosimilmente derivante da informazioni e interviste raccolte;
– alcuni nomi di esponenti Olp;
– un appunto, su cinque campi palestinesi del Libano sud, situati verso la frontiera con Israele, redatto, presumibilmente, in

base ad una intervista, con tale Zaki,[21] capo delle operazioni Olp e libanesi della zona di Tiro, in cui si leggono alcuni particolari quali i nomi dei campi e di qualche dirigente responsabile di questo o quel settore.

L'atto giudiziario segnala poi:

> Quanto all'agenda, che è integra, prescindendo dalle usuali annotazioni, risulta utilizzata anche per segnare fatti o considerazioni. Di rilievo appaiono gli appunti sulla conferenza di Malta dei Paesi del Mediterraneo; sui contatti avuti, a partire dal 1980, con Nemer Hammad (si vedano i fogli corrispondenti ai giorni 12 e 13 agosto); le varie note su società italiane e straniere presumibilmente interessate al commercio delle armi. L'agenda è in bianco a partire dal 20 agosto.

A parte il fatto che l'ordinanza omette di citare il nome delle «società italiane e straniere presumibilmente interessate al commercio delle armi», sarebbe interessante capire che società era la Simc srl, che annovera tra i soci alcuni stranieri e come «importante cliente» il Ministero della Difesa.

L'annotazione dell'agenda di Graziella relativa alla Palestine Martyrs Works Society segnala invece che la giornalista volesse lavorare alla comprensione della struttura economico-finanziaria dell'Olp: la società, infatti, nata per l'assistenza degli orfani palestinesi, si era trasformata nel tempo in uno dei principali bracci operativi dell'Olp. Importante e tutta da approfondire anche l'annotazione relativa al lavoro svolto da Falco Accame,[22] un ex ufficiale di Marina che si era occupato molto di traffici d'armi. E che aveva

---

21. Potrebbe trattarsi del ministro per gli Affari dei rifugiati dell'Autorità nazionale palestinese, Abbas Zaki.
22. Già comandante della forza navale multilaterale della Nato nel Mediterraneo, Falco Accame è stato parlamentare e vicepresidente della Commissione difesa della Camera. Impegnato a sostegno dell'associazione dei familiari delle vittime del servizio militare, Accame è stato in tempi recenti particolarmente attivo nelle questioni legate all'uso dell'uranio impoverito.

indicato Beirut come centro di segreti che toccavano persino la morte di Aldo Moro e il suicidio del colonnello Mario Ferraro.[23]

C'è poi un'indicazione assai rilevante relativa a un'intervista con Nayef Hawatmeh, il leader del Fronte democratico per la liberazione della Palestina, ancora oggi vivente. Si tratta di un'informazione preziosa, su cui nessuno ha lavorato. Eppure è essenziale: è probabile, infatti, che Graziella volesse incontrare questa importante fonte all'indomani di fatti gravi come la strage di Bologna. Da lui avrebbe potuto cercare informazioni relative alla tragedia; capire se quel gruppo aveva di nuovo imboccato la linea stragista già seguita in passato; avere indicazioni in merito alle responsabilità di un'altra fazione dissidente dell'Olp, l'Fplp di George Habbash.

Il leader dell'Fdlp Hawatmeh, oggi settantenne, è un cristiano greco ortodosso, nato in Giordania, di formazione marxista. È stato a lungo uno stretto alleato di Arafat. Poi con George Habbash ha creato l'Fplp. Nel febbraio del 1969 Nayef Hawatmeh ha lasciato l'Fplp per creare il Fronte democratico e popolare per la liberazione della Palestina.[24] Alla base della separazione c'erano dispute dottrinarie tra fazioni entrambe filosovietiche: questi due gruppi, infatti, pur facendo parte dell'Olp, si distinguevano dal Fatah di Yasser Arafat perché non si limitavano a combattere per l'indipendenza della Palestina, ma miravano a una rivoluzione comunista panaraba. Hawatmeh lasciò la Palestina nel 1967 per rifugiarsi in Siria, da dove ha operato sino a tempi recenti. È ritenuto l'organizzatore del gravissimo attentato terroristico alla scuola israeliana di Maalot del 15 maggio 1974, una stra-

---

23. A Beirut ha infatti operato anche il colonnello Mario Ferraro, l'agente del Sismi trovato impiccato al portasciugamani del bagno di casa sua, a Roma, il 6 luglio 1995. Un «suicidio» che lascia spazio a molti dubbi.
24. Cfr. Alain Gresch, *Dall'Olp allo stato, la lunga marcia dei palestinesi*, in «Le Monde Diplomatique», settembre 1998.

ge in cui tre guerriglieri palestinesi uccisero ventuno liceali israeliani e i loro tre insegnanti prima di essere a loro volta feriti a morte dai soldati israeliani.

Hawatmeh, che è sempre stato molto critico su Yasser Arafat, di cui ha detto: «Voleva un regime totalitario basato sul nepotismo», era una delle possibili fonti di Graziella De Palo? L'uomo da intervistare? Una fonte molto pericolosa, se Hawatmeh aveva legami con la strage di Bologna o con il traffico d'armi. Ma una fonte pericolosa anche qualora avesse voluto rivelare ai due giornalisti dettagli su George Habbash, che il pm Armati indica come il responsabile dell'omicidio dei due giornalisti. Nella settimana dal 23 agosto al 1° settembre, Habbash avrebbe potuto infatti aver saputo dell'intervista e sospettato che Hawatmeh si accingesse a dare informazioni riservate ai due giornalisti italiani. E averli eliminati per questo.

Secondo il cugino di Italo Toni, Alvaro Rossi, molto legato al reporter, «Italo aveva conosciuto Hawatmeh, l'aveva intervistato per "Paris Match". Mio cugino lo considerava affidabile e si conoscevano abbastanza bene. Italo non aveva invece simpatie per Habbash né per Arafat. Effettivamente è possibile che Italo, estremamente informato su tutto ciò che accadeva in Medio Oriente, si interessasse di una possibile pista araba relativamente alla strage di Bologna. Può darsi che ci sia una connessione delle sue ricerche e della strage di Bologna con il trasporto dei missili effettuato da Pifano e le attività dell'Olp. Mio cugino era molto attento a tutte le dinamiche dei Paesi arabi e all'Olp. Forse in Libano cercava qualcosa di mirato. Forse aveva capito o saputo qualcosa del contenzioso sorto tra Olp e governo italiano a causa del traffico d'armi bloccato con l'arresto di Pifano e di un esponente palestinese. Certo è che Italo e Graziella mi appaiono come le vittime sacrificali di giochi molto più grandi di loro».

Le indagini sulla scomparsa e i depistaggi piduisti

I giorni successivi al 2 settembre 1980 (quando Toni e la De Palo non fanno ritorno all'hotel Triumph) scorrono veloci. Secondo quanto scrive il pubblico ministero Giancarlo Armati nella sua ordinanza di rinvio a giudizio del 4 febbraio 1985, il capocentro del Sismi a Beirut – il colonnello Giovannone – nonostante la sua posizione di «interlocutore privilegiato dei palestinesi, in grado di ottenere notizie di prima mano su quanto avveniva nell'area controllata dai gruppi dell'Olp», si comporta come se fosse l'ultimo agente dei servizi di un Paese qualsiasi, quando è incaricato di svolgere ricerche per conoscere la sorte dei due giornalisti scomparsi proprio nel settore palestinese di Beirut.

Secondo il magistrato, «il Giovannone non riesce a fare di meglio che invischiarsi in oscure cicliche inconcludenti trattative con personaggi libanesi di secondo piano. [...] La verità è che il Giovannone non poteva non sapere. Ed infatti egli seppe, "subito o quasi", la sorte in cui erano incorsi i due giornalisti. E, d'accordo con il Santovito, si adoperò per "coprire" le responsabilità palestinesi. A questo scopo, ideò e pose in essere un "sistema" idoneo a far smarrire, invischiandoli come in una tela di ragno, tutti coloro – tra i primi i familiari di Graziella De Palo – che, non addentro al groviglio di rapporti e di interessi che si accentra in Libano, non potevano che credere alle notizie riferite, sacrificando talora gli intenti di verifica alla speranza di liberazione degli ostaggi».[25]

Il sostituto procuratore Giancarlo Armati sottolinea: «Il Giovannone, avvalendosi del suo patrimonio di conoscenza e di esperienza del settore medio-orientale (pari a quello di pochi, in campo occidentale), facendo apparire che svolgeva indagini in ogni direzione, riferì tutto e il contrario di tutto, accreditò strumentalmente una pista falangista da contrap-

---

25. Richiesta di rinvio a giudizio del pm Giancarlo Armati, Procura della Repubblica di Roma, 4 febbraio 1985.

porre a quella palestinese e siriana, costruendo una rete così confusa ed inestricabile di notizie e di ipotesi da rendere impossibile, a chiunque non avesse una approfondita conoscenza di quel settore e non potesse operare dirette verifiche, di orientarsi nella ricerca della verità».[26]

Giovannone, secondo gli inquirenti, pose in essere uno stretto controllo dell'attività di ricerca svolta dall'ambasciatore D'Andrea, imponendo a Damiano Balestra (poi condannato), appuntato dei carabinieri addetto alla codificazione e decodificazione dei messaggi intercorrenti fra l'ambasciatore e il Ministero degli Esteri, di rivelargli il contenuto dei messaggi. «Ed allorché apprese che le autorità libanesi (Johnny Abdo, polizia segreta libanese) si accingevano a comunicare all'ambasciatore l'esito definitivo delle indagini, prendendo a pretesto una imminente liberazione dei due giornalisti, o almeno della sola De Palo, procurò, d'accordo con il Santovito, che il Ministero degli Esteri ordinasse all'ambasciatore, il 29 ottobre 1980, di sospendere le indagini, in modo da "non turbare" lo scenario in cui i due dovevano ricomparire.»[27]

Proprio nel corso di questo breve periodo di sospensione delle indagini, il 1° novembre 1980 avvenne un fatto significativo. Stando agli atti giudiziari, «si verificò l'incontro del Santovito con Arafat a Beirut, durante il quale Arafat avrebbe detto al Santovito che, ove i due non fossero vivi, era opportuno "stendere un velo" sulla vicenda. Ammissione del Santovito, questa, estremamente significativa. Ed infatti, cessata la sospensione delle indagini, l'ambasciatore D'Andrea si trovò di fronte, nei suoi ulteriori contatti, ad un muro di silenzio. Il periodo successivo vedrà il Giovannone ancora impegnato, ciclicamente, nelle "sue" indagini, secondo il sistema collaudato, in attesa che l'interesse per la vicenda dei due giornalisti si estinguesse naturalmente con il decorso del tempo.»[28]

26. *Ibidem.*
27. *Ibidem.*
28. *Ibidem.*

Le risposte della politica

Dopo quel misterioso 2 settembre, i diplomatici italiani cominciano le ricerche, coordinate dal Ministero degli Esteri, allora guidato dal democristiano Emilio Colombo. Cala un incomprensibile velo di silenzio sulla vicenda. Le famiglie dei due giornalisti vengono invitate a osservare un rigido silenzio stampa, fatto passare come necessario per non intralciare le trattative coi «rapitori». E qui si innesca una girandola di depistaggi che chiamano in causa le opposte fazioni che si fronteggiano nel Libano diviso dalla guerra civile.

Per settimane viene fatta balenare la possibilità che i giornalisti siano vivi. Presidente del Consiglio, in quei giorni, è Francesco Cossiga. Poi, dal 19 ottobre 1980, al governo Cossiga succede quello di Arnaldo Forlani. Il nuovo presidente, incontrando la famiglia di Graziella De Palo, afferma che la ragazza era «prigioniera dei falangisti», avvalorando l'ipotesi di «una pista cristiano-maronita». L'ipotesi sottesa era che i due giornalisti avessero cercato di entrare a Beirut Est (controllata dai cristiano-maroniti) e che lì avessero messo le mani su qualche pista pericolosa.[29]

Il piduista Santovito, direttore del Sismi, e il suo capocentro Giovannone si occupano della vicenda, tessono contatti. Ma invece di fare chiarezza, aumentano l'incertezza che regna attorno alla sparizione. Interviene anche il Sisde, affidando il compito di verificare la pista cristiano-maronita al capo della Rosa dei Venti, il generale Amos Spiazzi di Corte Regia. Ma appena questi scopre qualcosa, il suo

---

29. Il 19 settembre 1980 Rita Porena, giornalista ed esperta di Medio Oriente, già corrispondente dell'Ansa da Beirut, intervistò Abu Ayad per il «Corriere del Ticino». Il numero due dell'Olp, responsabile dei servizi di sicurezza di Al Fatah, dichiarò che in alcuni campi in Libano, controllati dalle destre maronite, si sarebbero addestrati neofascisti tedeschi, francesi e italiani e che da questi era venuto a conoscenza dei progetti di un attentato a Bologna.

«contatto» (l'ufficiale falangista Camille Tawil) viene arrestato a Roma.

«Si muove anche il Cesis (il cui segretario, il prefetto Pelosi, è iscritto alla P2). Sul fronte della Farnesina c'è il segretario generale Francesco Malfatti di Montetretto, anch'egli membro della loggia di Gelli», racconta Giancarlo De Palo.

Tutti sembrano attivarsi, ma in realtà la cortina fumogena aumenta. L'ordine sembra quello di osservare il «segreto di Stato» che regola i rapporti tra l'Olp e il governo italiano. Non bisogna sollevare l'idea che i due giornalisti abbiano scoperto chi, all'interno del mondo palestinese, ha commesso la strage di Bologna; o che esistono dei traffici d'armi tra Italia e Libano. Meglio lasciare al loro destino i due reporter.

Intanto i parenti della giornalista tentano di tutto. Incontrano persino il leader dell'Olp Arafat che promette loro, nella notte di Pasqua del 1981, che si sarebbe impegnato per far tornare a casa la loro congiunta. La Procura della Repubblica di Roma avvia un'inchiesta, affidata al sostituto Giancarlo Armati, e si aprono nuove piste di indagine.

L'ingegner Francesco Siniscalchi, un massone che fu tra i primi a denunciare le deviazioni della loggia P2, rivelò ad Armati che i due giornalisti potevano essere stati rapiti da un'organizzazione che si dedicava al traffico di armi. Siniscalchi aveva parlato in passato di un commercio clandestino di armi nel quale sarebbero stati coinvolti esponenti della P2. E della P2, come si è visto, faceva parte il generale Giuseppe Santovito, il capo del Sismi indagato nel corso dell'indagine svolta da Armati sui due giornalisti scomparsi.

L'onorevole Falco Accame, avanzò l'ipotesi che fossero state «fatali» ai due giornalisti italiani le scoperte che avevano fatto sul traffico di armi fra l'Italia e il Medio Oriente. La pista da seguire per conoscere la sorte dei due italiani, dichiarò Accame, «è quella delle armi, una pista che trova ostacoli proprio nei servizi segreti che del traffico d'armi hanno sempre conosciuto i segreti».

Nel frattempo emergevano elementi da parte di un discusso supertestimone che aveva fatto rivelazioni anche a proposito della strage di Bologna, Elio Ciolini. Ciolini riferì ai magistrati di aver appreso che i due giornalisti romani erano scomparsi dopo essersi trovati casualmente presenti, a Beirut, a una riunione per discutere di traffico d'armi alla quale partecipava un noto esponente politico italiano, che sarebbe stato da loro riconosciuto. L'ordinanza di Squillante riporta che «tale Ciolini Elio, detenuto in Svizzera, aveva affermato per iscritto che i due giornalisti erano stati catturati e rinchiusi in un campo Olp, a sud del Libano, poiché in occasione di una intervista loro concessa in Beirut, il 2/9/1980, da Nayef Hawatmeh del Fdlp (Fronte Democratico Liberazione Palestinese), essi avevano casualmente riconosciuto un uomo politico ed un noto terrorista italiano, sicché si era resa necessaria la loro soppressione. La De Palo sarebbe stata anche stuprata».

L'indicazione relativa a Nayef Hawatmeh sembra coincidere con l'annotazione presente nell'agenda di Graziella.

La pista del traffico d'armi

Anche se poco conosciuto, il flusso di materiale bellico dall'Italia al Libano (e tramite il Libano ad altre regioni) è sempre stato consistente. L'Italia è stata, ad esempio, la prima fornitrice di armi al Libano tra il 2000 e il 2004, e dopo Russia e Cina è il maggior esportatore di materiali bellici in Medio Oriente.[30] Nel caso del Libano le vendite sono state di armi leggere e munizioni. In passato, aziende di primo piano come Fiat e Agusta hanno ricevuto dal Medio Oriente importanti commesse militari. Ma il Libano è sempre stato anche un porto sicuro per industriali e banchieri italiani alla ri-

---

30. Lo svela un'inchiesta del mensile «Microfinanza», basata sui dati del commercio estero delle Nazioni Unite.

cerca di protezione per i loro affari sporchi, tanto da essere conosciuto come «la Svizzera del Medio Oriente», ed è stato per anni il luogo ideale per chi voleva occuparsi di riciclaggio, traffico d'armi e di droga, transazioni petrolifere coperte. Spie, killer e affaristi popolavano Beirut, offrendo qualsiasi soluzione in cambio di denaro facile.

Il primo a ripararvi era stato Felice Riva, un industriale tessile milanese, presidente del Milan Club, che negli anni Sessanta si rifugiò a Beirut per sfuggire agli arresti dopo aver fatto bancarotta. Ma scappò in Libano anche una figura strettamente legata a Michele Sindona: il senatore democristiano Graziano Verzotto, una delle ultime persone ad avere avuto contatti con il «grand commis» e petroliere Enrico Mattei.[31] Le «relazioni pericolose» di Verzotto sono emerse durante il processo a Milano contro Michele Sindona. Quando nel 1975 Verzotto venne colpito da un mandato d'arresto nel quadro dell'*affaire* Sindona, per lo storno di fondi dall'Ente minerario siciliano, si sottrasse alla giustizia rifugiandosi in Libano, dove continuò a fare affari con l'Iran dello Shah e la Libia di Gheddafi. Tra l'altro il nome di Verzotto compare nella lettera-testamento[32] che Giorgio Ambrosoli lasciò alla moglie.

Certo è che, fin dalla metà degli anni Settanta, Beirut era divenuta una delle capitali del riciclaggio di denaro frutto del traffico d'armi e di droga. Secondo un lungo servizio dall'ufficio di corrispondenza dell'Ansa da Beirut del 1982,[33] anche

---

31. Il presidente dell'Eni, l'Ente petrolifero italiano, morì il 27 ottobre 1962 in un misterioso incidente aereo su cui la magistratura ha indagato molto, ritenendo probabile l'ipotesi dell'attentato di matrice mafiosa volto a servire gli interessi delle multinazionali petrolifere americane.
32. Il testo è riportato in Corrado Stajano, *Un eroe borghese. Il caso dell'avvocato Giorgio Ambrosoli assassinato dalla mafia politica*, Einaudi, Torino, 1991, pp. 102-103.
33. Si tratta di un servizio-inchiesta dell'Ansa del 25 novembre 1982, articolato in tre lanci d'agenzia inviati dall'ufficio di corrispondenza di Beirut e intitolato *Traffico d'armi; retroscena da Beirut*.

il Banco Ambrosiano e Roberto Calvi erano attivi in questo sistema. E in effetti è stato appurato che una delle più misteriose consociate estere create da Calvi per la sua «rete segreta» era proprio il Banco Ambrosiano Middle East di Beirut. La pista del riciclaggio è tra l'altro ritenuta fondamentale nel processo, ancora in corso, per l'omicidio di Calvi.

Il servizio Ansa segnala: «Secondo "The Middle East Review", l'Ambrosiano avrebbe fornito supporto operativo e finanziario a un traffico di armi tra l'Italia e il Medio Oriente. Una società svizzera legata a Calvi avrebbe fatto arrivare all'Iran, all'epoca impegnato contro gli iracheni, armi procurate da Israele. In cambio gli iraniani avrebbero fornito allo Stato ebraico petrolio a prezzo di favore. La rivista, che cita fonti diplomatiche della Germania Federale e afferma di aver avuto conferme da uomini d'affari cristiano-maroniti a Beirut Est e da funzionari della consociata Esso in Italia, sostiene che il traffico di armi era organizzato dalla società svizzera Dreikot Driving and Financial Company, che apparteneva ai fratelli Hans e Albert Kunz, rappresentanti in Svizzera di Roberto Calvi. Altri intermediari, sempre secondo "The Middle East", sarebbero stati un gruppo di affaristi sciiti libanesi residenti in Svizzera, legati sia a Israele sia al partito falangista libanese. Essi si sarebbero serviti come agente del neofascista italiano Stefano Delle Chiaie».[34]

L'inchiesta prosegue: «Delle Chiaie, secondo "The Middle East Review", avrebbe addirittura avuto un ufficio di rappresentanza nel centro di Teheran, fino a quando venne espulso dall'ex Presidente Bani Sadr». Il servizio segnala poi l'esistenza di voci a Beirut «su una mafia interconfessionale cristiano-musulmana che organizzava un traffico di armi verso la Siria e l'Iran; e di stupefacenti verso l'Europa».[35]

---

34. *Ibidem.*
35. *Ibidem.*

I rapporti tra i falangisti libanesi e gli ambienti della destra italiana sono documentati. I cristiano-maroniti erano un punto di riferimento per neofascisti[36] ed estremisti di destra[37] provenienti da tutta Europa. È peraltro vero che c'erano ambienti dell'estrema destra che coltivavano rapporti anche con il mondo islamico.

Nel periodo 1980-1982, alcuni neofascisti italiani partirono per il Libano e si arruolarono volontari nella falange cristiano-maronita, che combatteva a fianco dell'esercito israeliano contro i mujaheddin islamici. Fra loro c'era Alessandro Alibrandi,[38] attivista di estrema destra accusato di omicidio[39] e figlio di un noto magistrato.

Il Libano, in quella fase, sembra essere molto frequentato. A fornire un'interessante ricostruzione del clima di quegli anni è Fausto Biloslavo, giornalista, autore di reportage e

---

36. Già nel 1973, Massimiliano Fachini, esponente veneto del gruppo di estrema destra Ordine nuovo, aveva organizzato un viaggio per portare una trentina di neofascisti ad addestrarsi per un mese in un campo dei cristiano-maroniti in Libano.
37. Il 14 dicembre 1979, in una sede romana del movimento vengono arrestati tre esponenti di Terza posizione, colti durante il trasporto di una cassa piena di bombe a mano. Nella perquisizione successiva, la Digos troverà divise dei carabinieri e della guardia di finanza, documenti rubati e falsi, fucili ed esplosivi vari. Su possibili legami tra Terza posizione ed i terroristi dei Nar indagò all'epoca il giudice Mario Amato, che fu assassinato da Gilberto Cavallini, dei Nar, il 23 giugno 1980.
38. Alibrandi apparteneva insieme ai due fratelli Fioravanti, a Franco Anselmi, Francesco Bianco, Enrico Lenaz, Massimo Rodolfo e Stefano Tiraboschi a un gruppo che faceva capo alla sezione romana del Msi di Monteverde. Un'altra oscura figura, Massimo Sparti, un quarantatreenne legato alla banda della Magliana (che poi accusò Fioravanti della strage di Bologna), faceva da appoggio logistico al gruppo.
39. La protezione di cui godeva Alessandro Alibrandi non si fermava nell'ambito della magistratura romana, dove il padre, famoso per le sue non nascoste simpatie di destra, esercitava la professione di giudice, ma si allargava anche alla questura se, come sembra, la fuga del giovane fu permessa dall'emissione di un regolare passaporto dopo la sua incriminazione per l'omicidio di Walter Rossi.

inchieste in molti teatri di guerra. Il reporter è stato più volte in Libano.

«Il Libano, all'epoca, era un universo molto frastagliato e pericoloso. E Beirut era una delle città più a rischio del mondo. Basti dire che era tagliata da una linea che la separava in due blocchi, che a loro volta erano attraversati da profonde divisioni», spiega Biloslavo, che come fotografo free lance riprese l'invasione israeliana del Libano e fu l'unico a immortalare il leader palestinese Arafat in fuga dalla città di Beirut.

L'inviato di guerra ritiene che la storia di Toni e De Palo si inserisca nel complesso scenario dei rapporti di potere interno al mondo palestinese: «Secondo me Toni e De Palo erano là coi palestinesi, hanno visto qualcosa di pesante e sono spariti. È incredibile, però che non siano stati trovati neanche i corpi. È un fatto anomalo, in un contesto come quello della Beirut di allora, dove i cadaveri venivano lasciati per le strade. Sembra quasi presupporre l'organizzazione di un delitto premeditato».

Quanto all'esistenza di contatti tra gruppi maroniti libanesi ed estremisti di destra italiani, Biloslavo spiega: «Sì, c'erano certamente dei contatti. Non penso tuttavia che i falangisti c'entrino niente con questa storia di Toni e De Palo. In Libano c'era la guerra civile e i cristiano-maroniti avevano propri rappresentanti in Europa. Venivano anche in Italia a fare conferenze nelle sedi del Fronte della gioventù e propagandavano le finalità della loro battaglia. Io stesso ne ho conosciuti tanti, so che c'era anche gente che si è addestrata in Libano e che poi ha militato nel terrorismo, nei Nar e così via. Con questi non avevo niente a che fare, ma so che in quel periodo – fine anni Settanta e inizi anni Ottanta – esistevano questi rapporti: questo è indubbio, perché i cristiani della Falange venivano visti come forza di destra nei confronti dei palestinesi che erano invece filosovietici, di sinistra, e appoggiati dai cubani. In Libano uno di questi era Alibrandi; ma anche Walter Sordi, che poi si è pentito; questa gente qui, il gruppo di Roma. C'era vicinanza politica di certi gruppi italiani di destra a questi cristiani libanesi, maroniti».

Risulta però che ci fossero gruppi, come Terza posizione, che esprimevano vicinanze al fondamentalismo islamico.[40] Questo getterebbe una luce diversa sulla vicenda Toni-De Palo e anche sulla stessa strage di Bologna.

«Sì, esistevano anche sintonie di questo tipo. In quegli anni c'erano elementi di destra[41] che in funzione antiebraica simpatizzavano con arabi e palestinesi. Così come estremisti tedeschi, neonazisti, vicini alla causa palestinese. Si è trattato di un filone peculiare, che è cresciuto sino a oggi. Certi gruppi estremisti di destra sono più favorevoli agli islamici – e lo sono tutt'ora – che ai cristiani libanesi, considerati "papisti". Anche in Italia c'è gente di estrema destra che si è convertita all'Islam e che è contigua ai gruppi sciiti italiani, o che simpatizza per l'Iran: gente che è più vicina all'Islam militante che a Israele.»

---

40. «Francesco Mangiameli, Roberto Fiore, Gabriele Adinolfi stavano fondando una nuova organizzazione e dando alle stampe un giornale. Si sarebbero chiamati entrambi "Terza posizione"» (Gianni Flamini, *L'ombra della piramide*, Teti, Milano, 1989). Era il 1979, e Flamini cita un brano dei loro scritti: «Terza posizione rimuove le stagnanti acque della rassegnazione e si manifesta come polo per tutti coloro che vogliono disegnare con noi il futuro del nostro sistema. Dobbiamo considerarci naturali alleati dell'Islam, a cui non può non andare la nostra stima».

41. I quotidiani «la Repubblica» del 4 agosto 1998 e «il manifesto» del 5 novembre 1998 ripresero gli articoli dell'inglese «Guardian», nei quali si leggeva che «sulla base di nuove informazioni di un ex agente della Cia in Europa» Roberto Fiore (oggi leader di Forza nuova) e Massimo Morsello (cantautore di estrema destra), dopo una condanna per associazione sovversiva si sarebbero rifugiati in Libano. Lì sarebbero stati «reclutati» nei primi anni Ottanta dal servizio segreto inglese MI6. E che per questo motivo la Gran Bretagna non ha mai concesso la loro estradizione all'Italia. La rivista inglese «Searchlight» (nei numeri di giugno e luglio 1989) sostenne che il MI6 riteneva «sufficientemente importante quello che Fiore sa sui campi di addestramento di Al Fatah in Libano, per permettergli di gestire anche tre ditte a Londra». I dirigenti di Forza nuova hanno più volte smentito queste affermazioni.

Biloslavo descrive efficacemente la Beirut in cui si muovevano Italo Toni e Graziella De Palo: «I crisitiano-maroniti erano asserragliati a Beirut Est. Si opponevano ai siriani e ai palestinesi. La guida del loro partito era Bashir Gemayel, che poi diventò Presidente e venne ucciso dai siriani. Anche i cristiano-maroniti erano molto divisi al loro interno, si scomponevano in varie fazioni, in certi casi anche in lotta feroce tra loro.»

Forti le influenze esterne. «Alcuni gruppi erano filoisraeliani: così come i siriani appoggiavano i palestinesi, allo stesso modo gli israeliani appoggiavano i cristiano-maroniti, passavano loro armi» spiega Biloslavo.

«Come c'erano quelli di destra che andavano in Libano, così c'erano quelli di sinistra che avevano contatti e coperture da parte dell'Olp. Avevano contatti col Libano elementi delle Br, delle Raf tedesche. Nel 1982 li vedemmo noi con i nostri occhi, avevano persino una tipografia. C'era gente che si nascondeva a Beirut perché era ricercata.»

Il reporter triestino ha potuto constatare *de visu* il fatto che Beirut fosse centrale nel traffico d'armi, un tema del quale Graziella De Palo si occupava ostinatamente.

«I traffici d'armi esistevano, ovunque. Tutte le fazioni presenti a Beirut si armavano. Le armi venivano da tutte le parti, perché c'era una guerra civile in corso. E non esisteva uno Stato. Dal porto di Junieh, poco più a nord di Beirut, giungevano le armi in città. Beirut era divisa in due e tutti avevano bisogno di armi e munizioni per combattere. Se le facevano dare dai rispettivi Stati "padrini" o le compravano. Quindi il commercio d'armi era fiorentissimo. Inoltre, le fazioni erano talmente parcellizzate e microscopiche che ognuno aveva i suoi fornitori, là erano tutti armati.»

Quanto alla presenza di interessi italiani, Biloslavo conferma: «Armi italiane sicuramente ne arrivavano. Mine italiane, armi di vario tipo, affluivano attraverso intermediari. È un fenomeno che molti anni dopo ha interessato anche l'Afghanistan, tramite l'Egitto. A Beirut c'era un commercio fiorente.

Non era difficile per due giornalisti svegli, come Toni e De Palo, scoprire questi traffici. Se loro hanno messo il naso in queste cose, c'era certamente un buon motivo per farli fuori».

Biloslavo spiega con efficacia i rischi che Toni e De Palo possono aver corso a causa delle loro simpatie politiche: «La vicinanza di questi colleghi ai palestinesi poteva essere un'arma a doppio taglio: puoi anche essere considerato un "compagno", ma se scrivi delle cose importanti senza neanche capire che tocchi tasti delicati ti possono far fuori lo stesso. Magari, grazie a certe entrature, Toni e De Palo hanno seguito qualche pista che dava fastidio a qualcuno e sono stati fatti fuori. Quelli erano i tempi del famoso colonnello Giovannone del Sismi, che operava a Beirut e che era in contatto con tutti. Il fatto di essere di sinistra poteva facilitarli con l'Olp, ma se loro volevano rivelare aspetti scomodi questo poteva essere pericoloso. Il non ritrovamento dei corpi fa pensare a un'eliminazione organizzata».

Secondo Biloslavo, «tanti attivisti di sinistra e di destra sono stati utilizzati come depistaggio per vicende più grosse di loro. Il Sismi utilizzava sia elementi di estrema destra che di estrema sinistra. Quando vai in Libano o in posti simili e parteggi per una parte, può darsi che riesci a vedere delle cose interessanti. Ma sono le cose che ti ammazzano. Alla fine resti sempre un giornalista, non è che fai il militante o il guerrigliero. Anche Giuliana Sgrena, mia amica, era dalla parte degli iracheni; eppure l'hanno rapita e per un pelo non ci ha lasciato la pelle. Può darsi che Giovannone abbia cercato poi di scaricare la colpa su quelli della Falange per coprire tutto».

Biloslavo sottolinea il fatto che passare da una parte all'altra di Beirut non era semplice, in uno scenario di guerra come quello.

«Se i due colleghi si muovevano a Beirut Ovest è difficile che siano stati i cristiano-maroniti a farli fuori. Per farli sparire da Beirut Ovest su impulso di volontà "esterne", avrebbe dovuto rapirli il Mossad. Falangisti e Sismi non avevano il potere di determinare le cose a Beirut Ovest. A Beirut tutti erano in armi, non è che andavi dall'altra parte, prendevi due e li portavi via. Questo solo il Mossad poteva farlo a quel tempo e in quegli anni. O i siriani. Il Mossad a volte li prendeva, li interrogava, li spremeva come limoni pensando che questi sapessero qualcosa, poi magari li faceva sparire. Ma entrare a Beirut Ovest e prendere due giornalisti non era un gioco da ragazzi. Tenderei a escludere i falangisti, perché non avevano l'organizzazione per fare un'impresa del genere.»

Il reporter di guerra triestino sottolinea il fatto che è doveroso cercare la verità sulla sorte dei due giornalisti scomparsi, conservarne viva la memoria.

«Erano certamente due colleghi bravi, impegnati. È assurdo ricordare tutti ma non Italo Toni e Graziella De Palo. Possono essersi resi conto di traffici d'armi e averlo voluto denunciare. Hanno visto qualcosa che non dovevano vedere, collegato all'Italia. Magari oggi, tra i palestinesi, qualcuno potrebbe parlare. Il caso va riaperto.»

Le rivelazioni del capo della Rosa dei Venti

Una strana connessione, che lega la morte di Toni e De Palo al tema dell'«accordo» segreto italo-palestinese e alla strage di Bologna, è un'altra vicenda scoperta nel corso di questa inchiesta. Al momento del sequestro dei due giornalisti si mise in moto non solo il Sismi, ma anche il Sisde, il servizio segreto civile (guidato dal generale Giulio Grassini, anch'egli iscritto alla P2). E i suoi agenti si affidarono alla Rosa dei Venti, la misteriosa organizzazione chiamata in causa per molte vicende eversive degli anni Settanta.

Il generale Amos Spiazzi di Corte Regia, monarchico, settantacinque anni, capo della Rosa dei Venti e prosciolto in tutti i gradi di giudizio dalle numerose accuse rivoltegli (golpe Borghese, cospirazione contro lo Stato, Gladio, rapporti con Terza posizione), ha una memoria molto lucida. Lo abbiamo incontrato.

Alcune sue rivelazioni, anche in merito a terribili eventi come la strage di Bologna, sono state confermate nel corso del tempo. Fu Amos Spiazzi a rivelare al Sisde, di cui era collaboratore in virtù dei suoi rapporti con l'estrema destra, che Francesco Mangiameli, un ambiguo siciliano (detto «Ciccio»), andava predicando negli ambienti di estrema destra la necessità di un attentato mirato a provocare un'involuzione autoritaria. Spiazzi segnalò la cosa ai servizi segreti civili, ma non fu ascoltato.

«La mia segnalazione non ebbe alcun riscontro, anzi a ogni mia richiesta fu risposto con estremo imbarazzo e in maniera evasiva. In seguito a mie ulteriori insistenze mi fu fatto capire che questo "Ciccio" era un uomo del Ministero dell'Interno», ci racconta Spiazzi.

Poco dopo le sue segnalazioni avvenne la strage di Bologna. Spiazzi, che è sempre stato un uomo fuori dai canoni, un monarchico cattolico convinto, non digerì il fatto di non essere stato ascoltato. E pochi giorni dopo la tragedia rilasciò un'intervista a Pino Nicotri dell'«Espresso», nella quale rivendicava di aver avvertito il Sisde dei pericoli di un attentato e in cui descriveva Mangiameli come un infiltrato nell'estrema destra.

«La mia coscienza era a posto e non potevo che constatare, ancora una volta, come in seno ai nostri servizi agiscano spesso dei cani sciolti che non si sa quale padrone servano e quali scopi abbiano. Poco tempo dopo Mangiameli fu trovato giustiziato a Roma. Il giudice che indagava sulla sua morte ebbe a dirmi che io avevo contribuito con la mia intervista a causare l'eliminazione di un collaboratore della polizia. Dopo alcuni anni si seppe che a eliminarlo erano stati due giovani di destra, per motivi inerenti a sue presunte mancanze nei confronti del gruppo in cui operava.»[42]

---

42. Spiazzi ha affidato le sue rivelazioni a un memoriale, pressoché introvabile: *Il mistero della Rosa dei Venti*, Centro Studi Carlo Magno, Verona, 2001.

È curioso il fatto che proprio ad Amos Spiazzi – che è parso sapere molto sulla strage di Bologna – fosse affidato dai servizi il compito di indagare sulla sparizione di Toni e De Palo, che forse erano in Libano proprio per indagare su quell'attentato. Come andò la vicenda?

«Il mio punto di riferimento nel Sisde – il nome in codice era Francesco Barone – mi disse: "Dovremmo stabilire un contatto con i libanesi, Lei avrebbe qualche possibilità?". Io conoscevo un certo Camille Tawil, rappresentante dei cristiano-maroniti in Italia. Era venuto ad alcune riunioni del nostro Fronte popolare di riscossa monarchica,[43] di cui ero vicepresidente. Ho telefonato a Tawil, residente a Milano, per organizzare un incontro tra lui e i nostri servizi. Ma poi sparì perché venne messo in galera, forse in seguito alla mia telefonata, non lo so. E vi rimase per un mese.» Una vicenda strana, anomala. Spiazzi stesso ammette che fu «un errore» organizzare l'incontro tra Tawil e il Sisde, ma non riuscì mai a sapere perché l'ufficiale della Falange libanese fosse stato arrestato.

È evidente dalle parole del generale che qualcuno molto in alto nel governo italiano non voleva che il rappresentante dei cristiano-maroniti svelasse ciò che i falangisti sapevano del rapimento di Toni e De Palo a Beirut.

Spiazzi rivela un altro particolare: «Ero riuscito a contattare a Roma un sacerdote maronita che avrebbe potuto dare delle dritte per stabilire un contatto tra i servizi italiani e quelli libanesi. Il maronita si dimostrò molto disponibile e si incontrò con gli uomini del Sisde in un bar dei Parioli. Ma i servizi, come è loro costume, non mi dissero neanche l'esito di questo incontro».

Chiedo a Spiazzi che impressione ebbe, circa il rapimento dei due giornalisti.

---

43. All'epoca il presidente era l'avvocato Enzo Trantino, futuro avvocato di Marcello Dell'Utri.

«L'impressione, dalle informazioni avute, è che fossero in mano a dei terroristi, a della brutta gente. Non erano certamente dei falangisti, dei cristiano-maroniti. Erano i loro avversari. E il sacerdote era in grado di dare delle informazioni affinché i nostri servizi potessero contattare persone della parte avversa.»

Il riferimento è alle diverse fazioni palestinesi. Poteva trattarsi del Fronte popolare per la liberazione della Palestina di Habbash, lo stesso che ha rivendicato la proprietà dei due lanciamissili sequestrati a Ortona. Oppure del Fronte democratico per la liberazione della Palestina di Hawatmeh, che Graziella e Italo volevano intervistare. Spiazzi riceve la sua credibilità anche dal fatto che, pur essendo di estrema destra e vicino a Ordine nuovo, segnalò ai servizi il pericolo di un attentato a Bologna.

«Siccome per me nessuna ideologia può giustificare l'uccisione di persone innocenti, un attentato, posto in essere anche da persona del mio stesso orientamento contro persone inermi io lo denuncio immediatamente e cerco di impedire che venga fatto. A Roma, dove mi ero recato per il congresso del Fronte monarchico, avevo sentito dire che c'era questo "Ciccio" che spingeva a fare azioni eversive o addirittura criminali. Dopo aver avvisato il Sisde, avendo notato che loro tendevano a minimizzare, parlai con Nicotri e dissi che c'era questo tizio di destra che cercava di provocare i giovani a fare atti inconsulti. Così sarebbe stato scoperto e fermato.»[44]

Tornando al caso dei due giornalisti e al nesso con la strage di Bologna, Spiazzi racconta: «Ebbi indiscrezioni sul fatto che l'attentato fosse stato provocato dai libici o dai palestinesi, quindi da ambienti musulmani o arabi. Tanto che avrebbero trovato un cadavere che esulava dalla lista degli italiani. Queste persone dei servizi dicevano che molto probabilmente l'attentato e il rapimento di Toni e De Palo erano

---

44. Amos Spiazzi, *op cit.*, p. 277.

stati una ritorsione per la violazione di accordi segreti precedenti. Appresi che i due giornalisti sequestrati avrebbero dovuto essere una sorta di "capro espiatorio": se, per esempio, l'attentatore di Bologna fosse stato catturato vivo, magari sarebbe stato possibile proporre uno scambio. Questi sono i discorsi che ho sentito fare. E che mi hanno riferito persone che erano addentro a cose dei servizi».

Spiazzi prende le distanze dalle connivenze massoniche che inquinavano i servizi segreti.

«Sono sempre stato antimassone. Una volta un generale mi pregò di andare al circolo ufficiali per conoscere due persone importanti: erano due massoni, capi di logge. Volevano che entrassi nelle loro logge, ma dissi che ero antimassone. Loro replicarono dicendo che la massoneria era molto infiltrata tra gli alti gradi dell'esercito e nei servizi. Quei due mascalzoni mi dissero: "Guardi che noi abbiamo delle persone di alto livello dentro; se lei vuole fare carriera e non avere noie si iscriva". Io risposi: "Neanche per sogno". E loro mi dissero: "Se ne pentirà amaramente, perché abbiamo anche i mezzi per vendicarci".»

Gli sviluppi giudiziari

Gli sviluppi giudiziari della vicenda di Toni e De Palo sono stati particolarmente confusi. Quando scoppia il caso, il colonnello Giovannone invoca il segreto di Stato, che viene confermato nel 1984 dal presidente del Consiglio Bettino Craxi[45] e che perdura sino a oggi. Il pm Armati, nel febbraio 1985, chiede il rinvio a giudizio dell'appuntato Damiano Balestra, di Giovannone, Santovito e Habbash. L'inchiesta passa nelle mani del giudice istruttore Renato Squillante, che il 25 febbraio 1986 emette un'ordinanza di rinvio a giudizio che per le famiglie degli scomparsi ha il sapore di una soluzione salo-

---

45. Presidente del Consiglio dei ministri dal 4 agosto 1983 al 17 aprile 1987.

monica. Dichiara infatti di non doversi procedere nei confronti di Stefano Giovannone e Giuseppe Santovito «perché estinti[46] per morte del reo»; di non doversi procedere nei confronti di George Habbash «in ordine ai delitti di sequestro di persona ed omicidio, per insufficienza di prove». Unico rinviato a giudizio (e poi condannato) sarà il povero appuntato dei carabinieri Damiano Balestra, accusato di «spiare il D'Andrea» a favore del capocentro Sismi Giovannone.

Una soluzione che, in pratica, non fa giustizia della morte dei due giornalisti e che non pone la parola «fine» né ai quesiti sui mandanti né ai quesiti sugli esecutori di un omicidio.

Nel settembre del 2005 la signora Renata De Palo ha inviato una lettera al Presidente della Repubblica Carlo Azeglio Ciampi, chiedendogli di attivarsi affinché la vicenda di sua figlia e di Italo Toni non sia dimenticata e perché non sia lasciata senza giustizia. Nel settembre del 2005, la giunta della Federazione nazionale della stampa ha lanciato un appello[47] al mondo politico e alla magistratura affinché il caso venga riaperto e perché sia sollevato il velo del segreto di Stato che finora ha impedito l'accertamento della verità. Ma per ora nulla è successo. Uno scandalo tutto italiano continua perciò a gravare sulla libertà di informazione.

Coperture massoniche

Quella di Italo Toni e Graziella De Palo è una vicenda estremamente complessa. Abbiamo chiesto al fratello di Graziella, Giancarlo, di fare un'analisi complessiva, di spiegare che

---

46. Il colonnello Giovannone era morto il 17 luglio 1985, mentre Santovito è scomparso nel febbraio 1984.
47. Il gruppo di giornalisti «Senza Bavaglio» ha presentato un documento agli Stati Generali dell'Informazione tenutisi a Roma il 15 settembre 2005. Firmato da decine di colleghi, il documento è stato approvato dalla giunta Fnsi all'unanimità.

idea si è fatto della morte di sua sorella e di Italo Toni. Perché sono stati uccisi?

«Perché si sono interessati di cose molto più grandi di loro, di vicende delle quali – secondo chi li ha fatti fuori – non avrebbero dovuto interessarsi. Sono stati uccisi per gli stessi motivi per i quali sono stati uccisi tutti coloro che indagavano sui misteri italiani: Ilaria Alpi, Mauro De Mauro, Giancarlo Siani e molti altri giornalisti. La cosa atroce è che di mia sorella e del suo collega è stato estinto persino il nome: quando scorrono in tv gli elenchi dei giornalisti scomparsi, Rai compresa, si parla di tanti, ma di Italo Toni e di Graziella De Palo non esiste più nemmeno il nome. Sono riusciti a cancellare anche la loro memoria.»

Graziella De Palo era particolarmente attiva sulla tematica del traffico d'armi, sulla quale aveva scritto articoli e inchieste importanti e ben documentati. Chi li ha letti può constatarne lo spessore e il coraggio.

«Sì, Graziella ha scritto su questo tema difficile articoli che hanno fatto storia. Il direttore di "Paese Sera" Giuseppe Fiori e il vicedirettore Piero Pratesi gliene resero pubblicamente atto. Graziella indagava sul tema del traffico d'armi. Ma in Libano cercava certamente anche risposte ad altri quesiti più complessi.»

Quanto allo svolgimento delle indagini, De Palo denuncia le colpevoli inefficienze, le numerose incongruenze, la mancata volontà di arrivare alla verità.

«Ufficialmente le indagini vennero svolte in tutte le direzioni, ma poi si crearono due filoni di ricerca: quello che attribuiva la responsabilità ad ambienti dell'Olp, o comunque palestinesi, e quello che invece, sollevando l'Olp, attribuiva la responsabilità ad ambienti falangisti, quindi cristiano-maroniti. La mia convinzione, suffragata da elementi raccolti dalla polizia libanese già nell'ottobre del 1989, è che i killer fossero membri dell'Olp di Fatah. Ma sarebbe giusto che la magistratura riaprisse le indagini.»

De Palo sottolinea che il 18 ottobre 1980 l'ambasciatore

Stefano D'Andrea inviò alla Farnesina assicurazioni – sulla base di informazioni avute dalla Sureté Générale libanese – che il rapimento era stato effettuato dal Fatah dell'Olp su richiesta siriana.

«A Beirut era voce comune che fossero stati rapiti a Beirut Ovest, area di responsabilità siriano-palestinese, mentre Beirut Est era sotto il controllo israeliano-falangista.»

Resta aperto però il discorso dei mandanti, delle complicità italiane che hanno attivato depistaggi e cortine fumogene. Inoltre l'ingegner Francesco Siniscalchi, un massone avversario della P2, accusò la loggia segreta di essere coinvolta in oscuri traffici d'armi e di avere avuto una ruolo nella morte di Graziella e Italo.

«Posso rivelarle che Siniscalchi era amico di Graziella. Mia sorella partì per il Libano con un suo dossier, che non si è mai ritrovato. Noi l'abbiamo anche incontrato, Siniscalchi.»

Giancarlo De Palo non ha dubbi in merito a pesanti interferenze massoniche in tutta la vicenda.

«Francesco Malfatti di Montetretto, iscritto alla P2, era la vera eminenza grigia della Farnesina, di cui era segretario generale. Nemmeno Spadolini,[48] un laico chiamato a fare pulizia della P2, riuscì a scalfire il potere di Malfatti, che gli fece la guerra all'interno della Farnesina. L'ambasciatore D'Andrea, che fece una inchiesta sul caso per il Ministero – affermando che i due giornalisti erano stato rapiti dall'Olp –, venne sospeso dall'indagine e trasferito a Copenhagen. Non dimentichiamo poi che il piduista Malfatti, in qualità di segretario generale della Farnesina, faceva parte di diritto del Cesis, il comitato di coordinamento dei servizi di cui faceva parte Walter Pelosi, iscritto alla P2.»

---

48. Spadolini è stato presidente del Consiglio dal 28 giugno 1981 al 23 agosto 1982 e dal 23 agosto 1982 al 13 novembre 1982. Secondo De Palo, era espressione di una massoneria «pulita» chiamata a fare giustizia del fenomeno P2. Si tratta tuttavia di opinioni personali non suffragate da riscontri documentali.

Né va trascurato il ruolo dell'altro servizio segreto che indagò sulla vicenda, il Sisde, il quale aveva ai suoi vertici il generale Giulio Grassini, anch'egli P2. «Ci fu quindi un coordinamento P2 delle indagini, effettuato con il generale Santovito del Sismi. Malfatti estromise D'Andrea e venne fatta prevalere la tesi falangista.»

De Palo è invece convinto delle responsabilità dell'Olp e delle coperture fornite dai servizi italiani, in virtù dell'accordo segreto stipulato già da Moro coi palestinesi.

«Al Fatah era il gruppo maggioritario dell'Olp e il suo leader era Arafat, con il quale era in ottimi rapporti Santovito. Si arrivò al paradosso che quando mia sorella e Toni scomparvero, il Ministero degli Esteri ci disse di non fare niente. In realtà la diplomazia italiana parallela, quella del Sismi, aveva rapporti strettissimi e faceva azioni in comune con l'Olp. Esisteva un Sismi pro-Olp di Giovannone e Santovito.»

Sullo sfondo di questi rapporti ci sono le verità mai rivelate sulla strage di Bologna. Ma anche gli affari, il traffico d'armi. Graziella e Italo erano davvero determinati a scoprire i flussi delle armi tra l'Italia e il Libano?

«Certo. Avevano anche comprato una bellissima macchina fotografica, che infatti non è più stata ritrovata. La loro grande ingenuità è stata l'avere avuto eccessiva fiducia nei palestinesi, dati i debiti che questi avevano nei confronti dell'azione informativa svolta a favore dei loro diritti. Loro si sentivano dalla parte dei deboli e credevano che l'Olp potessero aiutarli nella loro sete di inchiesta su molte vicende italiane dell'epoca.»

Quanto alla pista dell'«accordo segreto» tra governo italiano e Olp a fini di antiterrorismo e alla tesi dell'ottantaseiesimo corpo trovato a Bologna, De Palo non si sente di escludere che Italo Toni e sua sorella indagassero anche su quel filone.

«È altamente probabile che se ne stessero interessando, essendo due giornalisti esperti e preparati. Ed è altrettanto difficile pensare che l'Olp – se loro misero il naso in queste cose – potesse andare contro i propri interessi. Italo e Graziella non potevano immaginare quanto l'Italia fosse legata strettamente all'Olp. E viceversa. Certamente sfuggiva loro l'esistenza di accordi segreti tra l'Italia e l'Olp. Tra l'altro, dobbiamo proprio a questi "accordi" l'imposizione del segreto di Stato su questa vicenda. Esso venne imposto proprio perché il colonnello dei servizi a Beirut, Giovannone, venne incriminato per favoreggiamento nel sequestro e nell'omicidio di mia sorella e di Italo. Lui si trincerò dietro il segreto di Stato che il presidente del Consiglio, Bettino Craxi, poi confermò. Segreto di Stato che permane tutt'ora e che noi chiediamo con forza che venga tolto, riaprendo l'inchiesta.»

Da dove si potrebbe ripartire?

«Da un serio riesame della carte. È francamente ridicolo che l'unico condannato per la morte di due giornalisti che indagavano su temi importanti sia un appuntato dei carabinieri, l'addetto all'Ufficio cifra, che passava al Sismi i telegrammi dell'ambasciatore alla Farnesina. Lascia poi perplessi il rinvio a giudizio di Giovannone e Santovito, morti nel frattempo; così come il proscioglimento di un terrorista come George Habbash, gravemente indiziato, per il quale il giudice Squillante non accolse la richiesta di condanna.»

Giancarlo De Palo – e con lui i parenti di Italo Toni, rappresentati da Alvaro Rossi,[49] – sottolinea il fatto che molti protagonisti dell'epoca sono ancora vivi. E alcuni, come il leader del Fronte democratico per la liberazione della Palestina, Nayef Hawatmeh, potrebbero sapere molto. Così come alcune figure istituzionali potrebbero dire ora ciò che era difficile dire allora.

Giancarlo De Palo conclude: «Bisogna rompere il muro di omertà. È un debito che abbiamo tutti quanti, come cittadini italiani».

---

49. Alvaro Rossi è stato in questi anni autore di un amplissimo lavoro documentale, che consentirebbe di riaprire l'inchiesta avvalendosi di una sistematizzazione organica di atti giudiziari, testimonianze e articoli di stampa.

Seconda parte

Viaggio nella massoneria italiana

Il Grande Oriente d'Italia:
una sfida difficile

Dentro la Gran Loggia

Il grande tempio massonico è immerso nella penombra. Al fondo della sala un enorme monolite bianco, sul quale sono iscritte delle iniziali dal contenuto misterioso, è sovrastato da un triangolo contenente un occhio.

Sul monolite, accanto alla sigla A.G.D.G.A.D.A.,[1] figurano tre parole: libertà, uguaglianza, fraternità. Lunghe file di colonne neoclassiche poste sui lati dell'ampio spazio recano anch'esse simboli. Una volta stellata crea l'impressione di un mondo magico, nel quale il reale e il surreale perdono i loro confini, mentre una musica solenne e carica di *pathos* crea un'atmosfera di intensa carica emotiva.

I maestri massoni entrano lentamente nel tempio. Indossano abiti scuri, da cerimonia, sui quali spiccano i paramenti dei *liberi muratori*:[2] in vita portano il grembiulino, mentre il collo è cinto da una fascia di raso, che termina con un medaglione. I volti sono concentrati, l'atteggiamento è quello di chi sa di trovarsi di fronte a un grande momento rituale.

La sala è enorme, può contenere migliaia di persone. I

---

1. A Gloria Del Grande Architetto Dell'Universo: è il motto della massoneria.
2. «Libero muratore» è la traduzione dell'inglese *free-mason* (da cui «massone»). Il significato primitivo dell'espressione, risalente al XIV secolo, è assai controverso: potrebbe riferirsi agli scalpellini (che nel Medioevo erano, appunto, liberi) per distinguerli dai *rough-mason* (che non lo erano); oppure ai maestri muratori, che erano «liberi» rispetto agli apprendisti; o ancora al fatto di poter lavorare senza limitazioni territoriali.

massoni sciamano dentro, silenziosi, decisi. A poco a poco migliaia di liberi muratori prendono posto nelle due ali in cui è diviso il tempio. È impressionante vedere tutti questi professionisti, intellettuali, banchieri, artisti, fondersi lentamente in un'unica aggregazione compatta, coesa. I massoni si stringono le mani, si abbracciano, saldano con un sorriso legami di antica fratellanza. Basta una rapida occhiata per capire che alcuni di loro sono più potenti di altri: indossano lunghi mantelli, cinture di foggia particolare, persino spade.

La riverenza che i fratelli esprimono verso questi maestri ne testimonia il potere. I differenti livelli di consapevolezza sono percepibili nell'atteggiamento, nel modo di porsi, nei dettagli più insignificanti: si ha chiara la percezione che vi sia una gerarchia interna riconosciuta. Lentamente i fratelli si compongono, si siedono. Nella sala buia scende il silenzio. Un drappello di massoni forma due file che presidiano il lungo corridoio che dall'entrata conduce al monolite bianco. La musica si fa più solenne. Gli alti dignitari fanno il loro ingresso nel tempio. A guidarli è il Gran Maestro, un uomo alto, dal fisico imponente. L'avanzata nel corridoio tra le due ali del popolo massonico ricorda una parata militare, o certi funerali dell'aristocrazia inglese nei quali i convenuti marciano in sincronia. I massoni disposti sui lati del lungo corridoio centrale sguainano le spade e le tendono, a formare un'immaginaria galleria sotto la quale passano gli alti gradi dell'istituzione, simili a cavalieri templari. I fratelli presenti in sala si alzano in piedi e rendono omaggio.

Gli alti dignitari prendono posto davanti al monolite e appoggiano le mani su una sorta di altare. Le affinità simboliche con un rito religioso sono molto forti. Il capo supremo del Grande Oriente d'Italia, prima di dare inizio ai lavori, parla senza esitazione di «pagine tragiche e dolorose per rivedere la luce», del «duro lavoro di questa generazione di massoni». Il riferimento, palese, è alla lunga serie di scandali che hanno colpito la massoneria in Italia, alle molte vicende oscure che l'hanno chiamata in causa.

Da quest'immagine, reale e allo stesso tempo carica di valenze simboliche, parte il nostro approfondimento nella vita delle principali obbedienze[3] che hanno iniziato a organizzare incontri aperti al pubblico e a dotarsi di siti internet.[4]

Siamo a Rimini, per assistere alla Gran Loggia,[5] un incontro che ogni anno riunisce per tre giorni tutti i massoni del Grande Oriente d'Italia, la principale «Comunione» massonica italiana. Il Gran Maestro Gustavo Raffi,[6] si appresta a dare inizio ai lavori.

Dopo il saluto, nella sala risuona l'inno garibaldino *All'armi*: le migliaia di massoni presenti nel tempio scattano in piedi e appoggiano una mano sul cuore nel ricordo del valoroso massone.[7] Dalle note legate all'«eroe dei due mondi» la colonna sonora della Gran Loggia si trasforma – chissà secondo quale nesso logico – in un celebre motivo di Ennio Morricone, il tema del film *C'era una volta il West*.

---

3. Il Grande Oriente d'Italia, con oltre 18mila appartenenti, è la prima; la seconda obbedienza, è la Gran Loggia Nazionale d'Italia, con oltre 8000 iscritti; la terza è la Gran Loggia Regolare d'Italia, con circa 3000 fratelli.

4. Quello del Grande Oriente è: www.grandeoriente.it; quello della Gran Loggia Nazionale d'Italia (piazza del Gesù-Palazzo Vitelleschi) è: www.granloggia.it; il sito della Gran Loggia Regolare d'Italia è: www.granloggiaregolareitalia.org.

5. Quest'incontro della Gran Loggia del Grande Oriente d'Italia si è tenuto al Palacongressi di Rimini dal 13 al 15 aprile 2007.

6. Nato a Bagnacavallo (Ravenna) il 4 gennaio 1944, Gustavo Raffi è stato iniziato nel 1968, ed è Maestro Libero Muratore dal 1970. Fondatore della loggia La Pigneta di Ravenna, della quale è stato più volte Maestro venerabile, è stato membro della Corte Centrale per il quinquennio 1985-1990 e ha ricoperto la carica di presidente del Collegio circoscrizionale dei Maestri venerabili dell'Emilia-Romagna per due mandati. Già grande oratore della Giunta esecutiva dell'Ordine dal 1990 al 1993, e Gran Maestro nel quinquennio 1999-2003, è stato rieletto alla guida del Grande Oriente d'Italia il 4 aprile 2004 per il quinquennio 2004-2009. Avvocato civilista con specializzazione in diritto commerciale e marittimo, esercita la libera professione a Ravenna, dove risiede.

7. L'«eroe dei due mondi» aderì alla massoneria in Uruguay a trentasette anni e poi fu eletto Gran Maestro della massoneria dell'Italia Unita nel 1867 in Sicilia.

È a questo punto che giunge il saluto di un grande «amico» della massoneria, il Presidente emerito della Repubblica Francesco Cossiga.

«Non massone, ma di famiglia massonica», scrive a Raffi il Presidente emerito nel suo messaggio di augurio ai lavori della Gran Loggia 2007, «da cattolico, da liberale e da repubblicano ho sempre difeso la vostra Fratellanza come strumento di lotta per la libertà».

Inatteso, giunge persino il saluto ufficiale del governo Prodi: si alza in piedi il sottosegretario alle politiche giovanili Elidio De Paoli, che con qualche pomposità dichiara: «La Repubblica e il governo vi salutano. La Repubblica italiana si riconosce nei valori della massoneria». Aggiungendo: «La massoneria è stata un baluardo nella difesa della libertà del cittadino, pagando un prezzo durissimo soprattutto durante il fascismo, periodo durante il quale era stata decretata la sua messa fuorilegge». Altri politici[8] segnalano la loro simpatia con messaggi di saluto.

Una certa soddisfazione si dipinge sui volti degli astanti: anche il centrosinistra, spesso avaro di attestazioni, oggi apprezza i massoni. E il cattolicissimo Prodi non disdegna di intrattenervi buoni rapporti.

È il momento dell'allocuzione di Raffi. Il tema della Gran Loggia 2007 è impegnativo: «Pedagogia delle libertà». Il Gran Maestro, probabilmente cogliendo il rischio di possibili assonanze politiche, esordisce così:[9]

> Gentili autorità intervenute, signore e signori, carissimi fratelli, il Grande Oriente d'Italia non ha finalità partitiche o interesse nell'azione politica, che deve svolgersi conformemente alle regole democratiche in altri contesti e in altri ambiti istituzionali.

---

8. L'onorevole Daniele Capezzone (Rosa nel Pugno) e il senatore Marco Filippi (Ulivo) hanno inviato i loro messaggi di saluto.
9. Gran Loggia 2007, «Pedagogia delle libertà», testo dell'allocuzione del Gran Maestro del Goi Gustavo Raffi, Rimini, 12-15 aprile 2007.

La nostra funzione appare, invece, quella di stimolare la società civile su temi qualificanti, intorno ai quali riteniamo di poter portare un contributo sereno e razionale, in modo da prendere parte al difficile cammino di costruzione di un contesto civile migliore e più giusto.

Raffi prosegue con una citazione del fratello del premier in carica, lo storico Paolo Prodi:

Ben più di un'agenzia della moderna laicità, come l'ha definita con rispetto lo storico Paolo Prodi,[10] la massoneria contemporanea svolge un ruolo storico di azione intellettuale e socio-culturale, volta non tanto alla difesa, quanto piuttosto all'espansione di tutti quei principi etici che conformano la Carta dei Diritti Umani per tutte queste ragioni, il tema fondamentale scelto quest'anno, quello della "Pedagogia delle libertà", non è affatto né casuale né banale.

Ecco come Raffi sviluppa il concetto:

Nel corso del suo lungo cammino, la massoneria si è di norma posta come laboratorio di idee, come spazio libero e adogmatico di incontro tra uomini diversi, che, attraverso il dialogo e lo studio, accrescono la loro spiritualità, affinano la conoscenza, rinsaldano la morale e si preparano a vivere socialmente, in forza dei valori di tolleranza, libertà, eguaglianza e fratellanza. Vi rammento che i massoni hanno sempre lavorato alla costruzione delle più importanti istituzioni democratiche, alla redazione delle costituzioni moderne, alla definizione filosofico-giuridica dei princìpi fondamentali sui quali sono state create istituzioni straordinarie come la Società delle Nazioni e la Croce Rossa; non dimentichiamo, inoltre, che i liberi muratori hanno sistematicamente lottato per il suffragio universale, per la scuola

---

10. Dall'agenzia Ansa viene la conferma che Paolo Prodi, fratello di Romano, nel 2006 aveva definito il Grande Oriente d'Italia come «una delle più importanti agenzie produttrici di etica che abbia creato dal suo seno la storia dell'Occidente».

pubblica e gratuita, per l'abolizione della pena di morte, lavorando attorno a un'idea in continuo rinnovamento della piena dignità dell'uomo.

Dall'analisi di Raffi emerge il timore di una clericalizzazione progressiva della società italiana:

> Da tempo abbiamo espresso la nostra preoccupazione sul fatto che la laicità dello Stato si stia profondamente annacquando. Ogni tema cruciale diventa oggetto di un negoziato tra teologia e mondo laico, tra proclami da crociata e richiami al dogmatismo religioso e accordi più o meno sottobanco, in un mercato delle libertà che ci appare inqualificabile.

Il Gran Maestro entra quindi nel merito; e affronta subito il tema della fecondazione artificiale:

> Non solo il nostro Paese si è ritrovato con una delle peggiori normative rispetto alla ricerca scientifica concernente i diversi aspetti della genetica e della fecondazione artificiale, ma si è tecnicamente dichiarato che la fecondazione eterologa sarebbe un reato per puri motivi legati ad una posizione teologica specifica, non condivisa né dalla comunità scientifica né da una parte della stessa Chiesa cattolica. Il fatto poi che prestigiose istituzioni religiose abbiano proposto una pedagogia del disimpegno invitando i cittadini a non votare in occasione del referendum, nel merito del quale il Grande Oriente d'Italia non aveva espresso alcuna indicazione di voto se non quella di esercitare il diritto di voto, è stato indice di una manifesta strategia diseducativa nei confronti soprattutto delle generazioni più giovani. Denunciamo come scellerato l'invito, da qualunque parte provenisse, a disertare le urne.

Raffi passa poi ad analizzare il tema dell'eutanasia:

> Altri e più difficili argomenti sono emersi nel panorama presente e di fronte ai quali non possiamo tacere. I massoni non hanno timore di interrogarsi sul tema del dolore e della morte.

Riteniamo che ci siano momenti dell'esistenza – o di un'esisten-za che non è più pienamente tale, almeno per chi soggettiva-mente la sta esperendo – davanti ai quali lo Stato dovrebbe ri-spettare la dignità e la libertà di coscienza del cittadino, di chi in particolare patisce in prima persona. Non è ammissibile che una sola pretesa verità assoluta possa essere imposta alla comu-nità civile come l'unico vincolo etico-morale da accettare senza deroghe. Lo Stato laico ha il pieno dovere di rispettare il dolore e, nei casi stabiliti, riconoscere la legittimità da parte del singo-lo di sottrarvisi, poste determinate condizioni. Una sorta di dit-tatura morale sul corpo malato viene, invece, spacciata come valore universale, mentre si tratta piuttosto di un'imposizione illiberale di stampo totalitario.

Il Gran Maestro lancia un altro severo affondo contro l'inva-denza della Chiesa:

Ricusiamo, inoltre, tutte le accuse che, anche di recente, vengo-no evocate contro le famose *lobby* laiciste, che minerebbero i valori fondamentali della vita e della società. La Chiesa Cattoli-ca non ha mai condannato in modo inequivocabile né la pena di morte né lo strumento della guerra e, nella sua storia pluriseco-lare, ha fatto uso sia dell'una sia dell'altro quando lo ha ritenuto necessario. Peraltro, sappiamo bene che molti massoni per ra-gioni di coscienza non accetterebbero mai l'eutanasia, ma allo stesso tempo essi non imporrebbero mai agli altri una loro scel-ta personale su di un argomento così ontologicamente privato e terribilmente lacerante. Questa per noi è libertà nella diversità; esercizio delle proprie convinzioni senza vincoli teologici da im-porre agli altri. La Chiesa ha certamente tutto il diritto di richia-mare i suoi fedeli alle proprie verità, alla sua teologia, alla sua morale. Crediamo che sia invece inaccettabile che essa ritenga di poter assumere una tutela morale sulla libertà di coscienza di tutti gli italiani, e soprattutto sul loro Stato, in modo che le sue leggi non siano conformi ai princìpi di laicità riconosciuti dalla Costituzione repubblicana, ma a quelli dell'autorità religiosa.

Raffi prende posizione su uno dei suoi temi più cari, la salva-guardia della scuola pubblica:

Ritorniamo così al tema della pedagogia delle libertà. Nel solco di una storia secolare, vogliamo ribadire l'importanza della scuola pubblica e della formazione universitaria, così come dell'educazione permanente degli adulti. Ogni investimento dedicato ai giovani, alla costruzione di una identità forte, matura, attenta ai cambiamenti epocali e alle sfide della modernità, non può che ritornare in futuro decuplicato nei suoi effetti.

Il Gran Maestro si richiama a uno dei padri nobili della massoneria italiana:

È inevitabile richiamare allora la memoria di uno dei più grandi massoni italiani del passato, di cui quest'anno ricorre il centenario della morte, Giosue Carducci, il quale dal suo magistero non cessò mai di sottolineare la radicale importanza dei docenti, del loro ruolo civile, attori principali nel processo di costruttori di un Paese e della sua identità, enfatizzando quindi la straordinaria fecondità dell'istituzione scolastica. Inoltre, bisogna insistere sulla fondamentale importanza della scuola di Stato come strumento di integrazione degli stranieri, come luogo di costruzione dei cittadini futuri, evitando che si cada nel modello della scuola-ghetto, ove le diverse confessioni si fabbricano il proprio modello educativo in una sorta di tregua armata con le altre comunità.

Un altro tema di attualità sul quale Raffi prende posizione, è quello dei Dico:

Non è compito della libera muratoria pronunciarsi su temi scottanti quali quelli dei cosiddetti Pacs o Dico; diverse sono le opinioni dei singoli massoni su tale questione. La materia è certamente difficile, ma non sembra degna di un paese maturo una discussione basata su proclami e scomuniche, sui richiami alla famiglia naturale senza una riflessione assennata sulla complessità della vita di relazione e sulle sue costellazioni che da essa scaturiscono nella realtà del XXI secolo. Ci troviamo allora dinanzi a paradossi bizzarri. Si difende a giusto titolo la famiglia naturale, che in realtà è il frutto di una complessa evoluzione storica e sociale, mentre non si ricorda che nel nostro Paese è diventato drammatico per le donne lavoratrici avere figli, senza strutture adeguate e senza servizi degni di questo nome. Un Paese dove le adozioni sembrano delle forche caudine e la possibilità di trovare un lavoro stabile alza sempre di più l'età media dei giovani che entrano finalmente nella dimensione del mondo degli adulti.

Ma quali obiettivi specifici la massoneria può individuare oggi, per continuare a contribuire al bene e al progresso dell'umanità?

Il Grande Oriente d'Italia intende «lavorare» per insegnare all'uomo ad apprendere e formarsi: intende continuare ad essere laboratorio di idee incessante, non prefabbricato, sempre in atto, infinito, ricerca critica, emancipativa. Ma questo significa educare alle libertà: essere costruttori di comprensione e di dialogo in un mondo troppe volte trafitto dalla violenza e dalle ingiustizie; ma soprattutto fa comprendere la vera grandezza dell'essenza del vivere.

L'allocuzione è terminata. La figura di Gustavo Raffi si staglia nella penombra del grande tempio massonico. Migliaia di maestri si alzano in piedi e lo applaudono fragorosamente.

L'incontro annuale della Gran Loggia rappresenta una verifica molto importante in termini di consenso: il Gran Maestro, nella massoneria moderna, non è più un sovrano assoluto, bensì un monarca che deve periodicamente sottoporre il suo potere a un riscontro sottile, fatto di segni, di sguardi, di tacita approvazione o disapprovazione.

Molti massoni si stringono intorno a Raffi per abbracciarlo. Il Gran Maestro appare affaticato, ma soddisfatto. Sente di avere in mano la situazione: la sua linea di parziale e progressiva apertura della massoneria al mondo esterno sta dando buoni frutti. È un processo lento, iniziato il 20 marzo

1999.[11] Cercando di mutare l'immagine di una realtà gravemente danneggiata dallo scandalo P2, dal caso Calvi-Ambrosiano dagli scandali.

Senza contare la lunga sequela di scandali nei quali, più o meno apertamente, il nome della massoneria è stato chiamato in causa anche in tempi recenti: il caso Telekom Serbia, il caso Telecom, le inchieste delle Procure di Potenza e di Roma, la maxi-inchiesta della Procura di Catanzaro su massoneria e comitati d'affari. Proprio a causa di questi sgradevoli addebiti la massoneria tiene a offrire ai mass media un'immagine di correttezza, pulizia, trasparenza.

Perché non va dimenticato che – proprio mentre il Gran Maestro tiene il suo discorso di alto profilo morale all'assise dei massoni – ci sono in Italia almeno due o tre Procure che indagano sulla massoneria deviata, sui comitati d'affari, sulle *lobbies* massoniche illecite, sui rapporti con la mafia e con la 'ndrangheta. Realtà apparentemente lontane e inconciliabili. E non si può passare sotto silenzio il fatto che la massoneria sia spesso chiamata in causa proprio quando si parla in concreto di «dominio occulto delle forze economiche e finanziarie», per usare le parole dello stesso Raffi. Valga per tutti l'esempio più noto: prima che esplodesse il caso della loggia P2 – sorta nell'ambito del Grande Oriente come loggia coperta – non una voce si levò dall'interno a denunciare le commistioni tra finanza sporca, politica e mass media. Nel 1981 Raffi aveva trentasette anni ed era massone dal 1968, ovvero da tredici anni.

---

11. Data in cui Gustavo Raffi succede a Eraldo Ghinoi alla guida del Grande Oriente d'Italia.

Pensiero massonico

La Gran Loggia è il grande Consesso pubblico del Goi. Il fatto che sia un incontro aperto ai «profani» lo rende un'occasione unica di confronto tra il pensiero massonico e quanti sono fuori dalle logge: simpatizzanti, curiosi e critici.

Nel 2007 ad aprire i tre giorni di lavori pubblici è un convegno sulle «Libertà civili».[12] Il primo a prendere la parola è lo stesso Gran Maestro, che rispetto alla prolusione di apertura alza i toni, parlando dell'emergere sempre più importante di una ideologia del cristianesimo, di un «cattolicesimo pericoloso» nel quale i vescovi «parlano troppo e a sproposito».

È poi la volta di uno studioso della massoneria, Sergio Moravia[13] dell'Università di Firenze, che affronta il tema della religione civile. «Perché parlare di religione civile? Cosa serve questo termine nel momento in cui abbiamo necessità di valori laici? Non evochiamo la religione e "poteri non negoziabili", come dice papa Ratzinger. Quello che serve è invece un'etica laica, alla Simone Weil.» Moravia conclude così: «Cari fratelli, proprio da noi massoni si parla di libertà religiosa! È possibile una repubblica atea? È una domanda di strepitosa importanza».

Al consesso organizzato dalla Gran Loggia del Goi è invitato anche Alberto Melloni,[14] professore dell'Università di

12. Tavola rotonda «Libertà civili», Palacongressi di Rimini, 13 aprile 2007.
13. Una delle riviste ufficiali del Grande Oriente, «Erasmo» (n. 15, 31 marzo 2007) elogia Sergio Moravia, professore di Storia della filosofia all'Università di Firenze. Moravia ha curato (insieme a Zeffiro Ciuffoletti) il volume *La Massoneria. La storia, gli uomini, le idee*, Mondadori, Milano, 2004.
14. Alberto Melloni è ordinario di Storia contemporanea all'Università di Modena e Reggio Emilia. Membro della Fondazione per le scienze religiose Giovanni XXIII di Bologna, fa parte della direzione di «Concilium» e di «Cristianesimo nella storia», oltre a collaborare con il «Corriere della Sera».

Modena, che interviene partendo da un presupposto storico: «Dalla metà del Seicento all'Ottocento si diffonde l'idea perniciosa secondo cui l'esperienza religiosa è inconciliabile con la libertà civile»; un connubio che secondo Melloni deve invece rimanere possibile. Il paradigma della separazione tra fede e libertà civile, della rottura della modernità scaturito nel XVI secolo – spiega Melloni – è arrivato fino a oggi. «Ma nel Novecento cristiani ortodossi, riformati, anglicani e anche cattolici hanno cercato di coniugare fede e libertà civile.» Molte le contraddizioni – spiega Melloni – che hanno segnato questo percorso, con momenti di vera intolleranza verso la laicità. Di fronte alla spinta dell'ateismo di Stato seguito alla Seconda guerra mondiale nei Paesi comunisti, si sono affermate figure come quella del cardinale Ottaviani[15] «secondo cui lo Stato confessionale esiste, è giusto. È il modello della Spagna di Franco, del nazional-cattolicesimo. È il cardinale Ottaviani che condanna il gesuita americano Murray[16] per le sue affermazioni sulla laicità», prosegue Melloni.

Secondo lo studioso, tuttavia, i primi a capire che lo Stato «portatore di forti verità» è pericoloso sono i cardinali Wyszyski[17] e Wojtyla. Poi cita Marcello Pera – l'ex presidente del Senato considerato vicino alla massoneria, ma che negli

---

15. Il cardinale Alfredo Ottaviani (1890-1979), nominato prefetto del Sant'Uffizio da papa Pio XII, fu noto soprattutto per le sue posizioni tradizionaliste e di strenua opposizione a qualunque riforma all'interno della Chiesa (si batté per la scomunica dei comunisti e dei cattolici progressisti), che gli valsero l'appellativo di «carabiniere della fede».
16. Il reverendo americano John Courtney Murray (1904-1967) fu un teologo e un intellettuale di spicco, difensore della libertà religiosa anche all'interno del Concilio Vaticano II. Nel 1953 fu condannato dal cardinale Ottaviani per le sue tesi sulla separazione tra la sfera d'influenza dello Stato e quella della Chiesa.
17. Stefan Wyszyski (1901-1981) fu cardinale primate di Polonia, dove svolse un ruolo determinante nell'evoluzione dei rapporti tra Chiesa cattolica e regime comunista. Grande amico di papa Wojtyla, morì proprio mentre quest'ultimo era ricoverato in ospedale a seguito dell'attentato di piazza San Pietro.

ultimi anni è parso propenso a un'evoluzione «teocon» –, sostenendo che soffrirebbe di un «delirio identitario». Melloni osserva: «Pera sembra dire: poiché sono tanti i giocatori, giochiamo a scacchi, con tante pedine». Il nome di Pera non lascia insensibile l'uditorio: si ha quasi la sensazione – ascoltando gli umori della grande sala – che l'ex presidente del Senato sia considerato un «traditore», un uomo che è stato molto vicino ai liberi muratori e che oggi li rinnega.

Tocca poi a Claudio Bonvecchio,[18] docente all'Università dell'Insubria, che affronta il tema «Comunicare la libertà».

Bonvecchio parte subito da una domanda epistemologica forte: «È facile comunicare la libertà?». Lapidaria la sua risposta: «No! I mezzi di comunicazione sono pochi e incontrollabili». Poi il professore passa a trattare di comunicazione e umanesimo: «Prima era il filosofo-mago, l'*armonia mundi*, ora la comunità non si amplia, bensì si restringe. Prima c'era il *savant*, oggi la comunicazione è sottomessa ad altri poteri e diventa funzione della globalizzazione. Ma la vera libertà coincide con i diritti, con il superamento dell'egoismo».

Difficile, in tutti questi interventi di esimi professori, cogliere un filo coerente, lo sviluppo di un discorso analitico chiaro sulla condizione della massoneria in Italia.

Un altro convegno della Gran Loggia è l'incontro «Educazione alla libertà», coordinato dal professor Antonio Panaino, influente massone «professo» e preside di facoltà all'Università Bologna, una città che vanta una tradizione forte e figure massoniche di grande potere. La relazione del preside di facoltà Panaino è una strenua difesa della scuola pubblica.

---

18. Claudio Bonvecchio è ordinario di Filosofia delle scienze sociali all'Università dell'Insubria (Varese). Tra le sue pubblicazioni più recenti: *L'ombra del potere* (con Claudio Risè), Red, Milano, 2004; *Inquietudine e verità. Saggi di simbolica e comunicazione*, Giappichelli, Torino, 2004; *La maschera e l'uomo. Simbolismo, comunicazione e politica*, Franco Angeli, Milano, 2002.

Poi interviene la professoressa Luisella Battaglia, esperta di bioetica, che affronta il caso Welby esordendo con un pensiero che è difficile non condividere: «Allungare la vita non sempre è positivo».

Porta il suo contributo al convegno anche Giuseppe Spadafora,[19] creatore in Italia della Fondazione John Dewey per l'Europa. Parla di Giovanni Gentile e dello «Stato pedagogico», di «embedded powers» dei giovani e della necessità di «far scoprire all'allievo le sue potenzialità nascoste». Si tratta di una pedagogia massonica? Difficile dirlo.

Tocca poi a Dino Cofrancesco,[20] che esordisce con una domanda polemica: «Chi ha detto che il pluralismo è una cosa buona?». E attacca: «Anche la tolleranza ha dei limiti». Elogia Randolfo Pacciardi:[21] «Fece un progetto di Seconda Repubblica, ma fu accusato di essere fascista per la sua revisione della democrazia parlamentare»; parla poi di Giuseppe Maranini[22] «ostracizzato da Calamandrei,[23] che ne chiese l'espulsione dall'università italiana, anche se era un genio». Cita Rosario Romeo[24] e Renzo De Felice,[25] poi denuncia la «devastazione della scuola italiana che emerge dalle cronache» e

19. Professore ordinario di Pedagogia interculturale all'Università di Calabria, dove è preside del corso di laurea in Scienze della formazione.
20. Ordinario di Storia del pensiero politico all'Università di Genova.
21. Randolfo Pacciardi (1899-1991) è stato segretario del Partito repubblicano italiano. Dopo la guerra, da ministro della Difesa, favorì l'ingresso dell'Italia nella Nato.
22. Giuseppe Maranini (1902-1969), costituzionalista liberale, insegnò Diritto internazionale all'Università di Firenze.
23. Pietro Calamandrei (1889-1956), noto giurista, politico e docente universitario, fu tra i fondatori del Partito d'Azione e poi membro dell'Assemblea costituente. Fu anche rettore dell'Università di Firenze subito dopo la liberazione della città (settembre 1944).
24. Rosario Romeo (1924-1987), storico e politico, è stato esponente del Partito repubblicano italiano e parlamentare europeo. Dal 1962 ha insegnato Storia moderna in varie università.
25. Renzo De Felice (1929-1996) dal 1960 è stato lo «storico del fascismo» più importante e discusso dal 1960 fino all'anno della sua morte. Ha insegnato Storia dei partiti politici e Storia contemporanea in diverse università.

sostiene la necessità di «far risorgere la conoscenza, rileggendo Weber e il suo *Il lavoro intellettuale come professione*».

Non è sempre facile dipanare il filo del pensiero che emerge dagli incontri della annuali della Gran Loggia del Goi: più che di riflessioni organiche, sembra spesso che si tratti di momenti rituali tesi ad accreditare all'esterno l'idea che esista un «dottrina sociale» della massoneria.

Se si confrontano le affermazioni emerse nei tre giorni di Gran Loggia a Rimini, si ha la sensazione di un panorama disomogeneo e frastagliato, anche riguardo ai temi civili dei quali la massoneria afferma di essere portatrice.

Massoni in cappa e spada

L'incontro annuale della Gran Loggia è anche un'occasione ideale per cogliere l'«atmosfera» della grande famiglia massonica. Delegazioni da tutta Italia e dall'estero affollano il Palacongressi di Rimini. Alcuni momenti, come i lavori rituali all'interno del tempio, sono vietati ai giornalisti. Attorno alla Gran Loggia si svolgono, inoltre, incontri paralleli di gruppi «paramassonici».[26]

I maestri massoni si aggirano tra le sale carichi di paramenti e grembiulini. È un buon momento per capire chi sono, quale pezzo di società rappresentano. Proviamo ad avvicinare qualcuno.

Il primo è Giancarlo Seri, è Sovrano Gran Maestro dell'Antico e Primitivo Rito di Memphis e Misraïm.[27] La sigla

---

26. Tra questi il meeting dell'Ordine internazionale De Molay, che si ispira alla figura di Jacques Molay, l'ultimo e misterioso Grande Maestro dei templari.
27. Le enciclopedie massoniche riportano diverse centinaia di riti diversi, Nelle massonerie di tradizione «egiziana» dominano il rito di Memphis (95 gradi) e quello di Misraïm (90 gradi), nonché varie loro combinazioni. In alcuni Paesi varianti del Memphis e/o del Misraïm sono riconosciute come riti anche da obbedienze «regolari».

suona sconosciuta al profano, ma il massone spiega: «Si tratta di un ordine massonico che, nei suoi primi tre gradi, è stato affidato al Grande Oriente d'Italia. Il Rito di Memphis e Misraïm pratica invece i gradi superiori al terzo. Si arriva sino al 95° grado, in quanto il rito riassume molte tradizioni. E ogni grado comporta dei momenti di crescita che hanno un significato non solo formale: sono livelli di conoscenza che fondano i loro insegnamenti attingendo alla tradizione cabalistica, ermetica, alchemica delle scienze misteriche dell'Occidente.»

Ci domandiamo come cambi la visione del mondo di un massone man mano che progredisce in queste conoscenze iniziatiche.

«È una cosa progressiva, che viene da sé. È un maturare dell'iniziato, un disporsi a guardarsi dentro, a meditare, anche a pregare laicamente, perché l'iniziato dev'essere profondamente spiritualista, credente.»

Domandiamo al Gran Maestro se sia cattolico.

«Sì, direi di sì; cristiano certamente. Ma per noi il Cristo è una figura molto più universale, più ampia, non chiusa e definita in un discorso religioso. Anche se il cattolicesimo rappresenta comunque una parte delle radici dell'Occidente.»

Cerchiamo allora di capire da un «fratello» cosa significhi essere massoni oggi e quale contributo possa dare la massoneria alla società italiana.

«Intanto il termine è un francesismo, *framasson*, quindi preferirei dire che noi siamo muratori, liberi muratori. Una famiglia muratoria può dare alla società in cui è inserita un contributo alla formazione dell'uomo interiore. Di conseguenza è un elemento importante della società civile. Maggiore è il numero degli uomini che sono consapevoli di sé, che amano la libertà, che rispettano la persona, che rispettano l'altro da sé, tanto più è possibile costruire una società migliore.»

Viene spontaneo chiedere se di fronte all'aggressività delle religioni storiche e «codificate» – il cattolicesimo, l'Islam, l'ebraismo – la massoneria, che in fondo si propone come religione civile, non rischi di essere schiacciata, di finire come il classico vaso di coccio tra due vasi di marmo.

«No, anzi. La massoneria potrebbe diventare un metodo di avvicinamento all'altro. Un'educazione alla religiosità. E potrebbe diventare in futuro un modo per esercitare la propria spiritualità in una forma laica.»

È curioso però – faccio osservare al mio interlocutore – che realtà discutibili come Scientology abbiano ottenuto lo status giuridico di «chiesa» dallo Stato italiano, mentre del termine massoneria può appropriarsi chiunque, facendone anche strame. E che nessuno possa esprimere una critica su Scientology senza essere attaccato legalmente, mentre la massoneria in teoria non può difendersi.

«La massoneria in questo è molto reticente, l'istituzione muratoria dovrebbe riflettere su questi aspetti», replica Giancarlo Seri.

Una élite laica

Nei vasti saloni dove si tiene la Gran Loggia raccogliamo un'altra testimonianza, quella del professor Marco Calzavara di Noale (Venezia), chirurgo. Anche lui indossa vistosi paramenti. Spiega che è massone da venticinque anni.

«Questa divisa ricorda i Cavalieri beneficenti della Città Santa, che fa parte come 28° grado del Rito di Memphis e Misraïm. È uno dei riti accreditati, studiati e riconosciuti dal Grande Oriente d'Italia. Quindi, pur appartenendo alla massoneria in senso lato, faccio parte di un rito che dedica particolare attenzione all'esoterismo e alla cultura. E che si dedica alla beneficenza.»

Chiedo a Calzavara di spiegare qual è il senso profondo dell'essere massone, oggi.

«Ci sono delle idee fondamentali – quelle di fratellanza, di uguaglianza, di libertà – che sono un po' i capisaldi della nostra vita. Quindi una gran parte del mondo massonico è fatta di idealismo, di volontà di procedere bene, di costruire bene se stessi, di occuparsi attivamente della propria famiglia e dei propri amici. Questo è indispensabile per un vivere comune. Noi massoni siamo per tutto quello che può unire. Unire il pensiero, unire l'intelligenza. Fondamentalmente siamo dei socialisti in senso lato, anche se non ci interessiamo di politica. Ma la nostra cultura è quella, il socialismo umanitario.»

Come vede allora un massone l'avanzata «teocon» in atto nella società italiana?

«Sono molto preoccupato. È una cosa che ci addolora, ci preoccupa l'attacco ai diritti di coloro che vogliono unirsi sul piano civile, parlo dei Pacs. Io ritengo sia giusto che la gente faccia quello che meglio crede, ovviamente secondo determinate regole, lo Stato è deputato a dare le regole. Ma nessuno ha il diritto di dire a un altro ciò che deve fare, soprattutto in una materia così personale.»

Eppure spesso, nell'immaginario collettivo, la massoneria è avvicinata ad altri movimenti «segreti» come l'Opus Dei, non a caso qualificato come una «massoneria bianca.»

«Quello dell'Opus Dei è un fenomeno troppo forte, pericoloso, da combattere: ci vorrebbe intelligenza, dialogo. Ma loro non accettano il dialogo. Danno disposizioni precise, non accettano repliche. Non ci si può mettere alla pari di queste persone, ragionando con il loro stesso metro integralista.»

Chiediamo quindi se da questo punto di vista lo Stato laico sia a rischio.

«Sì. Purtroppo. Le faccio un esempio: la nostra loggia è dedicata a Garibaldi. Ecco, lui ha combattuto per tutti, per l'unità d'Italia. E così vogliamo fare noi.»

Veniamo ora alle vicende legate alla fase più problematica della massoneria italiana, quella della P2.

«Io credo che la massoneria nel suo complesso non si debba sentire responsabile di queste deviazioni. La massoneria cambia, quella di dieci anni fa non è quella di oggi.»

Guardando all'oggi, allora, domandiamo se la massoneria in Italia conti di più o di meno che nel passato.

«Una volta la massoneria era una realtà per pochi eletti, laica, che indubbiamente è servita moltissimo alla società di allora. Adesso la cosa è molto diversa.»

Nelle parole del Gran Maestro si affaccia un'ombra di delusione di fronte al «popolo delle partite Iva» che sempre di più affolla le logge di tutta Italia. Il medico veneziano si sforza al contrario di portare avanti nella sua vita un ideale nobile, cavalleresco.

«Io stesso, che sono il Gran Priore dei Cavalieri Beneficenti della Città Santa, dedico un giorno della settimana del mio lavoro a chi ha bisogno, come si usa nella nostra confraternita. E non devono essere massoni i beneficiati. A fare come me sono altri chirurghi, cardiochirurghi, medici, dentisti: una giornata alla settimana siamo a disposizione di chi ha bisogno. Chi vuole, viene da noi ed è aiutato. Un servizio laico e umanitario alla società. La massoneria può essere utile nel propagandare ideali che non ci sono più, o che si sono persi. Noi massoni cerchiamo il contatto con le persone, con i giovani, con i figli, con la famiglia. Il contatto con lo Stato, il contatto con la gente che lavora.»

Mentre raccolgo queste testimonianze, i lavori della Gran Loggia, intanto, proseguono. È una «tre giorni» intensa, fitta di appuntamenti. Nel pomeriggio della seconda giornata, l'incontro più importante è quello sul tema delle «Libertà future», coordinato dallo psichiatra, scrittore e opinionista tv Alessandro Meluzzi, massone dichiarato. Ha accettato l'invito a presenziare anche il presidente emerito della Corte costituzionale Antonio Baldassarre.

L'esordio di Baldassarre nel suo intervento al convegno suona forte, considerate le alte cariche che ha rivestito e il peso che ancora detiene: «La tripartizione dei poteri è superata dalla molteplicità dei poteri in campo nella società moderna». Il professore fa capire che il vero potere è il «potere mediatico» e cita la «sentenza su due reti nel possesso di un

202 Fratelli d'Italia

solo soggetto»; ancor più pericoloso è «il potere finanziario».
Qui «è lo Stato che deve porre i limiti. Con un principio di
precauzione, però».

Lo psichiatra Meluzzi chiede a Baldassarre quali siano le
libertà più minacciate e quali le libertà non ancora presenti
nel nostro sistema.

Baldassarre risponde: «Bisogna salvaguardare le libertà
della persona. Fino alla fine degli anni Sessanta e negli anni
Settanta si è assistito a una forte espansione delle libertà e
questo si vede in tutta la giurisprudenza occidentale, ad
esempio l'aborto, permesso in Usa dal 1973. Da un certo
momento in poi c'è un'inversione, con l'erosione delle libertà conquistate. Questo anche a causa del terrorismo. Oggi c'è una situazione di pericolo per le libertà individuali».
Baldassarre elenca altri problemi urgenti da affrontare: «Il
processo, in Italia, è un disastro. Processi lunghi vent'anni.
Le indagini sono poco garantiste, e trionfa il perdonismo.
Di fronte a questi fenomeni, serve una continua educazione
alle libertà».

Molto deciso un altro relatore: Oscar Giannino, il giornalista finanziario che piace per le sue posizioni intransi-
genti, specie sui nemici di Berlusconi. Giannino, pur avendo vasta cognizione degli scandali finanziari nei quali è rimasta coinvolta la «fratellanza», non esita a definire la
massoneria una «grande fabbrica etica». Subito scoppia
l'applauso.

Giannino parla poi della rivolta fiscale, scegliendo una
prospettiva che incontra particolare favore, quella del popolo delle «partite Iva», sempre più numeroso nelle logge.
Giannino sferra un attacco alle grandi imprese che non pagano tasse, raccogliendo calorosi applausi. Poi stila un lungo
cahier de doléances sulle mille imposte che gravano sui «piccoli»: una sottrazione di risorse che non ha eguali in Europa.
E che prepara tempi bui e tempestosi, se non arriverà qualche «salvatore».

Poi tocca a Morris Ghezzi, sociologo del diritto dell'Università di Milano – indicato tra i possibili successori di Raffi – che coniuga il tema delle «libertà future» facendo capire che ormai le «regole» sono una cosa vecchia e ottocentesca. Per farlo, Ghezzi si addentra in un ragionamento complesso: spiega che il sistema giuridico italiano è superato, che i parlamenti sono «normodotti in cui passa di tutto». Ovvero dei «canali» dove far transitare ciò che fa comodo al potente di turno.

Ghezzi si spinge oltre, fino ad affermare: «La nostra è una società della comunicazione e dell'immagine. Il diritto serve ancora? Ormai nascono ordinamenti giuridici individuali». Morris Ghezzi avverte: «Ci sono strutture impersonali che producono controlli eteronomi. Bisogna salvaguardare i diritti».

In questo qualificato contesto massonico, è stato invitato anche il filosofo Giulio Giorello,[28] l'autore del libro-manifesto *Di nessuna Chiesa*. Il filosofo milanese appare pessimista: «Più che nuove libertà future, nella nostra società avremo molte servitù future».

È interessante chiedere al filosofo, al termine del suo intervento, quale contributo possa dare alla società italiana una realtà come la massoneria.

«In molti movimenti libertari la massoneria ha avuto un ruolo importantissimo. Nel nostro Risorgimento, mi pare, di massoni ce ne sono stati abbastanza; e hanno avuto una funzione chiave. C'era anche quel signore con la camicia rossa, mi sembra si chiamasse Garibaldi e che fosse massone», ironizza Giorello.

E subito puntualizza: «Dopo di che oggi penso che la massoneria, come ogni altra forza che si rifà a un certo tipo di tradizioni, dovrebbe tirar fuori il meglio di queste, cioè valorizzare il più possibile il contenuto libertario della sua

---

28. Giulio Giorello (Milano, 1945) è ordinario di Filosofia della scienza presso l'Università Statale di Milano. Scrive sul «Corriere della Sera» e dirige la collana «Scienza e idee» delle edizioni Cortina.

identità, che mi sembra peraltro presente anche in tradizioni religiose come il protestantesimo, che ha una forte componente libertaria, anche se purtroppo non c'è solo quella. Si parla tanto di Giordano Bruno bruciato in Campo de' Fiori, ma c'è anche il caso di Miguel Serveto,[29] bruciato a Ginevra».

Allora forse questo spirito libertario potrebbe costituire il senso di una realtà «vecchia» come la massoneria nel mondo di oggi?

«Forse la cosa più interessante, oggi, è il tentativo di creare un nuovo spirito di collaborazione da parte di donne e di uomini diversamente interessati alla libertà di ricerca e di espressione. Non importa da dove esso venga, se chi vi partecipa è massone, ebreo, valdese, protestante o ateo, l'importante è che si riesca a collaborare positivamente. E che si cerchi di mettere uno stop a questa "testarda voglia di proibire" – l'espressione è di John Milton, non è mia – che a volte viene fuori nei cattolici: non dico in tutti, ma di certo in alcuni esponenti della Chiesa.»

Il professor Giorello è massone?

«Non sono massone, però difendo la libertà dei massoni. Mi dà fastidio qualunque forma di negazione della libertà.»

Restano però dei problemi, come quello della doppia *loyalty* dei massoni, quando ricoprono cariche dello Stato, o comunque di interesse pubblico, che implicano imparzialità. I «fratelli» si aiutano sempre tra di loro...

---

29. Il 27 ottobre 1553, lo spagnolo Miguel Serveto, scienziato, medico e teologo antitrinitario, moriva sul rogo a Ginevra. Aveva scritto la Christianismi restitutio, libro che lo fece condannare e incarcerare dalla Chiesa cattolica come eretico; ne aveva inviato una copia a Calvino, nella convinzione che fosse dalla sua parte. Ma il riformatore svizzero, in seguito alla lettura del testo, cominciò a nutrire nei confronti dello spagnolo una profonda avversione. Così quando Serveto, evaso dalle carceri della Chiesa, riparò in Svizzera, Calvino lo condannò a bruciare su un rogo alimentato dalle copie del suo stesso libro.

«Questi sono problemi molto delicati. Una grande battaglia per la libertà, in Inghilterra, fu il fatto che i cattolici furono ammessi molto tardi alle carriere ufficiali, o addirittura a deporre legalmente in tribunale, perché si diceva: "Questi hanno una doppia lealtà, sono più leali al Papa che al re d'Inghilterra; e quindi non li prendiamo sul serio". Ancora John Stuart Mill si esprime su questo punto nel 1859, difendendo naturalmente i diritti dei cattolici a essere testimoni nei processi, come tutti gli altri. Ecco, non possiamo arrivare a questo punto.»

Giorello parla della massoneria in modo molto «laico».

«Qualcuno dice che anche la massoneria sia una Chiesa, con i suoi riti. Ritengo che dal punto di vista politico – non delle scelte individuali – bisogna essere *of no church*, di nessuna Chiesa, come diceva il buon vecchio John Milton.»

A colloquio con l'esperto dei simboli

A questo punto raccogliamo una testimonianza molto critica. È quella di Andrea Vitali di Faenza, scrittore e studioso di simboli di fama internazionale, nonché proprietario di una delle più belle collezioni di tarocchi al mondo, esposta nella sala del Palacongressi che accoglie la grande assise dei massoni. Andrea Vitali è un uomo di cultura e parla con grande onestà intellettuale della propria esperienza nella massoneria. Fa parte della Gran Loggia Regolare d'Italia, la massoneria sorta nel 1993 dalla scissione operata da Di Bernardo.

«Sono entrato nella massoneria quattro anni fa, nel 2003. Sono stato contattato dalla Gran Loggia Regolare d'Italia, quella di Di Bernardo, ora guidata da Fabio Venzi. Mi chiesero di fare delle conferenze sui tarocchi presso diverse logge, cosa che ho fatto. Poi hanno insistito perché entrassi, ero curioso. Sono entrato soprattutto per curiosità. E adesso sono Maestro di questa obbedienza.»

Vitali non vede differenze sostanziali rispetto al Grande Oriente.

«Non trovo grandi differenze tra il Goi e la Gran Loggia Regolare d'Italia. Certo, Venzi si sta adoperando per trovare un accordo il più possibile armonioso con la Chiesa. Invece il Grande Oriente si mantiene su posizioni più anticlericali. D'altronde, per quanto Venzi possa fare, anche se c'è un cappellano che viene a dir messa per noi, io trovo che sia inconciliabile l'appartenenza alla massoneria con quella alla Chiesa cattolica. Perché dobbiamo partire dal concetto storico che la Chiesa è un tramite fondamentale tra l'uomo e Dio. Può darsi che col tempo, con l'apparire di tutte queste sette religiose, la Chiesa venga incontro alla massoneria, ma attualmente è impossibile.»

Vitali è un esperto di simboli, un profondo conoscitore dell'esoterismo. Viene spontaneo chiedergli cosa abbia appreso dalla massoneria. Se la libera muratoria sia stata fonte di conoscenze nuove, per lui. La risposta è secca.

«No. Non mi ha insegnato assolutamente nulla.»

Una persona preparata non trova nuove risposte, nella vita di loggia?

«A dire il vero sono stato anche tentato di andarmene, dopo aver fatto questa esperienza. Io essenzialmente non ho imparato niente di nuovo, finora; e non perché sia un mostro di cultura. Sa cos'è? Trovo che nella massoneria non è che ci siano tante teste brillanti. Tutti quanti sono desiderosi di apprendere ma…».

Non sembra aver constatato un gran livello intellettuale, l'esperto dei simboli.

«Purtroppo no. L'interesse ad apprendere c'è, ma il livello medio è basso. Detto tra noi, il 50 per cento dei massoni mi chiede, per esempio, cosa c'entrino i tarocchi con la massoneria; non sanno che è la bibbia della massoneria. E questo mi lascia un po' perplesso.»

Chiediamo ad Andrea Vitali se abbia la sensazione che i nuovi adepti entrino in massoneria per fare conoscenze, incontri, affari.

«Sì, senza dubbio. Non penso che tutti i signori qui presenti siano così desiderosi di amare il prossimo, di diffondere un messaggio ecumenico, evangelico. O di salda moralità. Questa è gente che sta bene, che vuole avere rapporti di amicizia, di affari. Non a caso, quando succede qualcosa – penso agli scandali – uno si chiede se sia colpa della massoneria, se tutte le responsabilità sono della massoneria... Ma perché i Gran Maestri delle varie obbedienze non si danno da fare per dire cosa facciamo all'interno della massoneria? Perché non spieghiamo ai mass media, a livello popolare, chi siamo, cosa facciamo? Che siamo anche un ente di beneficenza? Io ho parlato con personaggi importanti, di spicco, autorevoli, per manifestare loro l'opportunità di una maggiore trasparenza. Ma sa cosa rispondono? Che poi la massoneria perde fascino... Ma io mi dico: siamo bambini? Giochiamo ai misteri?»

Ma questo vorrebbe dire anche diffondere gli elenchi degli affiliati, renderli pubblici.

«Io li diffonderei, certamente! Direi: "Noi facciamo questo, il nostro pensiero religioso è questo, il pensiero esoterico è questo". Ma quando si dice così ai grandi capi, questi si trincerano dietro mille giustificazioni: "La gente non capirebbe...". Ma se non si comincia, la gente non capisce comunque.»

Forse abbiamo trovato l'interlocutore adatto a spiegarci cosa sia il famoso segreto iniziatico.

«Non esiste. Non c'è alcun segreto iniziatico. La famosa storia che dice che i massoni sono eredi dei templari e delle antiche tradizioni esoteriche è una stupidaggine. Come è una stupidaggine affermare che i templari fossero a loro volta i custodi del Sacro Graal. Sappiamo benissimo come sono andate le cose coi templari: il re di Francia aveva bisogno di soldi, si mise d'accordo col Papa e li fecero fuori... Ma il messaggio che i templari lasciarono era un messaggio cristiano; molti simboli che noi vediamo sono cristiani, cristianissimi: non c'è niente di travolgente. Anche i Rosacroce, che sono sorti tra fine Cinquecento e inizio Seicento, non c'entrano niente: le loro elucubrazioni misteriosofiche e filosofiche avevano uno scopo principale, la diffusione del pensiero esoterico e alchemico. La massoneria, invece, è sorta essenzialmente per liberare l'Italia, il popolo oppresso.»

Quindi niente segreto iniziatico. Ma resta il fatto che ci si mette il cappuccio...

«Ripensi alla storia di Giacobbe, che si addormenta e sogna una scala che parte dalla terra e arriva in cielo, poi sogna Dio che gli dice: "Il luogo dove ora dormi sarà dato a te e a tutti i tuoi discendenti in eterno". Giacobbe si sveglia e dice: "Allora il luogo dove mi sono addormentato è la porta tra il cielo e la terra, è il Betel, la porta di Dio è qui, la casa di Dio è qui". Quindi pronuncia la frase: *terribilis locus est iste*, cioè "questo è un luogo terribile". Questa frase, che appare all'entrata della chiesa di Rennes-le-Château, si riferisce a tutte le case di Dio, dove Dio regna e impera. Il fatto è che terribile può voler dire importante, pieno di forza; invece gli esoteristi hanno bisogno di crearci attorno un alone di mistero che in realtà non c'è: è come un gioco che rimanda a un altro gioco. Il Sacro Graal? Lo trovi all'interno di te stesso, non esiste in concreto, è la continua ricerca interiore. Se un giorno qualcuno della massoneria rivelerà il segreto iniziatico, si scoprirà che è quello che io ora le rivelo: l'uomo non ha bisogno di intermediazioni per arrivare alla comprensione di se stesso e di Dio. Deve trovare Dio all'interno di se stesso; e i mezzi per giungere a Dio, in questo senso, sono la purificazione dai propri egoismi. Questo è l'esoterismo.»

Veniamo ora all'attualità e chiediamo ad Andrea Vitali come mai la Gran Loggia Regolare d'Italia abbia ottenuto il riconoscimento dalla Gran Loggia Unita d'Inghilterra e le altre obbedienze massoniche italiane no.

«C'è un fatto politico, dietro questa storia. Il Gran Maestro Di Bernardo uscì dal Goi per una serie di motivi, anche personali; in sostanza perché il Grande Oriente intendeva fare troppa politica. Se ne andò perché desiderava che l'atteggiamento della massoneria fosse di tipo prevalentemente filosofico, orientato alla conoscenza. Che è quello che piace di più agli inglesi. Allora la Gran Loggia Unita d'Inghilterra ha dato il suo riconoscimento.»

A questo punto varrebbe la pena chiedersi se quella degli inglesi non sia stata anche una scelta indotta dalle circostanze, cioè dall'inchiesta del procuratore di Palmi Agostino Cordova, che nel 1992-1993 sconvolse la massoneria. Perché c'è chi sostiene che gli inglesi non abbiano più concesso il riconoscimento al Grande Oriente proprio per le vicende relative ai rapporti tra massoneria e criminalità organizzata, messe in evidenza da quell'inchiesta.

«Sì, forse è così. Però lei faccia una casistica di quanti massoni sono risultati autori di truffe o abbiano creato scandali in politica. E quanti non massoni? O quanti iscritti al Lions? O tra gli iscritti all'Opus Dei? Stabilire, poi, a cosa serva un attestato di riconoscimento massonico dal Canada o dal Brasile è difficile dirlo. Vuol dire che siamo più iniziatici? O più spirituali? Davvero non lo so, non mi sembrano aspetti significativi. Se io resto nella massoneria è perché vedo che ogni tanto ci sono dei momenti di apertura e di diffusione di una logica esoterica corretta: cioè il fatto che possiamo porci delle domande e cercare di amarci.»

Lasciamo per un momento gli ideali regolativi della condotta massonica e affrontiamo con Vitali la questione del potere: potere nell'economia, nella finanza, nella società.

«Ogni obbedienza ha la sua storia. Nella nostra, la Gran Loggia Regolare d'Italia, più che altro si tratta di scambi di favori, contatti. Da noi c'è l'ossessione di evitare situazioni di scambio. Poi forse a livelli più alti... combineranno degli affari.»

Quindi la massoneria aiuta ancora a fare carriera?

«Dipende, anche dalla realtà geografica. A Bologna, per esempio, aiuta ancora molto. Voglio dire: gli amici ci sono. C'è stato un momento, un po' di tempo fa, in cui ho avuto un grosso problema finanziario con l'associazione "Le Tarot" [di cui Vitali è presidente, *Nda*], perché dovevamo fare una mostra in Israele, avevamo investito molto nell'organizzazione e poi è scoppiata la guerra con i palestinesi. Allora c'è stato un tracollo. A quel punto ho proposto di vendere una parte dei pezzi più pregiati della collezione per rientrare. Quando l'ho detto in loggia, tutti hanno tirato fuori i soldi. Si sono autotassati per 20mila euro. C'è solidarietà. A loro piaceva che un'associazione così importante continuasse a esistere.»

Il preside di facoltà massone

Nel corso della Gran Loggia del Goi approfondiamo alcuni temi con il professor Antonio Panaino, preside della facoltà di Conservazione dei beni culturali dell'Università di Bologna. Di questo studioso, classe 1961, si dice che sarà il successore del Gran Maestro Raffi, quando l'avvocato di Ravenna, nel 2009, terminerà il suo mandato. La sua figura di studioso è inusuale: esperto dell'Iran preislamico, dedica particolare attenzione alle sue tradizioni religiose (zoroastrismo, manicheismo e cristianesimo dell'Asia centrale) e all'evoluzione dell'astronomia e dell'astrologia tra mondo antico e Medioevo. Quindi un uomo che ha fatto del multiculturalismo e dell'interculturalità la sua professione. Viaggia e scrive molto. Proviamo a capire come si concili una figura del genere con il prototipo del massone intellettualmente «limitato» disegnatoci da Andrea Vitali.

Il professore, durante la sua relazione, ha fatto riferimento alla salvaguardia della scuola pubblica e dell'università come uno degli impegni necessari della massoneria. Ha parlato proprio dell'università italiana come «vittima di un progetto occulto per livellarla e peggiorarla». Decidiamo di iniziare proprio da questo punto la nostra conversazione con il preside massone.

«La storia della massoneria italiana dall'Ottocento – penso a figure come Zanardelli, a massoni come Carducci – è quella di un'istituzione che ha voluto una scuola pubblica democratica, l'apertura alle donne e la valorizzazione del ruolo femminile all'interno di questa istituzione fondamentale. Per noi oggi questo valore è ancora più importante, perché di fronte alle sfide della multiculturalità e della multietnicità la difesa della scuola pubblica significa anche difesa del senso di cittadinanza».

Il discorso sulla scuola pubblica del professor Panaino sembra in controtendenza rispetto al potere crescente del mondo ecclesiastico nella sfera dell'istruzione; rispetto alla continua rivendicazione di fondi pubblici che poi di fatto vanno alle scuole cattoliche.

«Noi lo vediamo pericoloso, questo attacco alla scuola pubblica, per lo stesso mondo ecclesiastico. La nostra posizione è molto serena: chiunque vuole farsi la sua scuola se la faccia, è nel suo diritto. Il problema è che lo Stato, nel momento in cui deve sostenere a sue spese le scuole private, oggi lo fa con la scuola cattolica – anche perché in Italia per ora parlare di scuola privata, vuol dire parlare di scuola cattolica – ma domani dovrà farlo con le scuole islamiche. Cosa significherà? Che noi avremo migliaia di scuole islamiche? Magari divise per tipologia? Avremo le scuole sunnite? Le scuole sciite? Le scuole ismaelite? Il pericolo è che a questo punto noi, con un investimento economico dello Stato, organizziamo una scuola che non forma il cittadino, ma forma il membro di una comunità separata che ragionerà nei confronti delle altre comunità non come membro dello Stato e della società civile, ma come membro di una comunità che negozia con le altre comunità. È il presupposto di una guerra tra bande. Se la scuola abdica al suo ruolo, dove e come formiamo i cittadini?»

Ma la questione della scuola è solo un aspetto di un discorso più vasto sul peso della Chiesa nella vita sociale e politica italiana. In questo senso, anche la massoneria subisce sempre di più l'«attacco» di realtà come l'Opus Dei e Comunione e liberazione.

«Innanzitutto, essere massone – come esperienza etica, o etico-morale e spirituale – è un atto di grande trasgressività. Quindi, per molti di noi, dichiarare la propria appartenenza vuol dire anche testimoniare certi valori. Può essere addirittura una garanzia per gli altri, perché l'appartenere a questa comunità di fatto ci responsabilizza doppiamente: noi rispondiamo del nostro comportamento all'esterno, sia per il nostro valore professionale sia per il fatto di appartenere a una certa comunità. Quindi dobbiamo mantenere un profilo di altissima qualità, di grande responsabilità.»

In questo contesto il Grande Oriente come si sta muovendo?

«Il Goi sta facendo un grosso sforzo, ma ha trovato anche antagonismi al suo interno, perché ovviamente ci sono tradizioni culturali differenti. Diciamo culturali per nobilitarle, in realtà a volte si tratta di spinte provincialistiche, da conventicola. A noi sembra che in una società postmoderna, in una società della comunicazione, in una società democratica la massoneria abbia il dovere di dialogare con la società civile, di spiegare che noi non ci riuniamo per fare intrallazzi, anche perché andremmo nei partiti politici, nei club, nelle associazioni professionali, che sono preposte per l'attività di *lobbying*. Questi sono i luoghi dove giustamente il potere dialoga con le sue regole. È chiaro che si può dire che anche la massoneria è un "club", un club importante. E questo è vero: tramite la massoneria si conoscono tante persone; che hanno tante amicizie.»

Ma il professor Panaino come ha visto cambiare la massoneria nel corso degli anni?

«Io sono entrato una decina di anni fa in massoneria [a trentasette anni, *Nda*]. Da allora la massoneria è cambiata moltissimo. Non è solo un fatto quantitativo – perché siamo cresciuti di 8000 persone in dieci anni, siamo 18mila adesso – ma è cresciuta qualitativamente; perché una massoneria pubblica, una massoneria che ospita dibattiti come quello di questi giorni o altre iniziative, è chiaro che attira persone di valore. Quanto più è il valore a contare, più sale la qualità: *similes cum similibus*. È chiaro che una massoneria degli intrallazzi chiama intrallazzi, se la massoneria è uno yacht club in grembiule richiamerà quelli che si occupano di certe cose.»

Si tratta implicitamente di un giudizio su certe vicende della storia massonica, come la P2.

«Il mio giudizio su certe vicende storiche è severissimo. Quella che è stata coinvolta dalla P2 era una massoneria che in parte aveva perso i punti di riferimento e che voleva scimmiottare comportamenti verticistici, allearsi con grandi club di potere europei, sentiti come prestigiosi; abdicare ai propri grandi valori spirituali ed etici. Quei valori sui quali invece ci si distingue.»

Nonostante queste vicende pesino sulla storia della massoneria italiana, certe clamorose rotture, come quella del Grande Oriente con la Gran Loggia Unita d'Inghilterra, sembrano indicare che esista una via italiana alla massoneria, distinta rispetto a quella anglosassone.

«Diciamo che il Goi è legato all'esperienza italiana – quella di una nazione che ha conquistato la libertà molto tardi – e ha partecipato e vissuto i drammi legati alla storia del nostro Paese. Quindi anche le condanne da parte della Chiesa nei confronti della massoneria noi le viviamo come un fatto che appartiene al passato, non abbiamo una *querelle* aperta con la Chiesa cattolica e con le altre religioni. Chiunque appartenga a qualunque religione per noi è ben accetto e non abbiamo problemi ad accogliere vescovi e cardinali: se venissero troverebbero un luogo dove nessuno vuole fare il lavaggio del cervello o negare le verità religiose, ma semplicemente un contesto dove persone di religioni differenti – nel Grande Oriente abbiamo protestanti, cattolici, qualche musulmano, molti ebrei, tanti valdesi – si ritrovano per un grande dialogo tra estrazioni e formazioni diverse. E si arricchiscono reciprocamente dal punto di vista spirituale, della conoscenza.»

In quali regioni italiane e più forte la massoneria oggi?

«Noi abbiamo una forte presenza in Toscana, in Lombardia, in Piemonte e in Emilia-Romagna. C'è molto dinamismo anche in Calabria, in Sicilia, con persone che si distinguono molto nell'impegno.»

Chiediamo al professore che tipo di contributo abbiano dato alla massoneria italiana figure di massoni come Berlusconi.

«Non lo so. Sono cose che appartengono a un periodo in cui io non ero presente, quindi è un *no comment*. Nel senso che dovrei esprimermi su un'ontologia che non conosco. Un percorso come quello massonico è un percorso che può essere declinato in molti modi: può essere esperito per grandi motivazioni etiche o per motivazioni diciamo di conoscenza ambientale, per la necessità di allargare i propri orizzonti, o anche a volte per motivazioni meno profonde. Come posso dare un giudizio sulle motivazioni intime, spirituali in base alle quali una persona ha aderito alla massoneria?»

La società italiana è sempre più povera in termini di accesso e di mobilità sociale. È possibile che la massoneria sia vista da molti come un tramite per superare questo «handicap»?

«Sì. C'è un problema di accesso, ma anche di qualità della formazione. Se prendiamo l'università ci accorgiamo che abbiamo un investimento sempre più scadente. La massoneria, al contrario, prende degli impegni. E siccome è una realtà della società civile, assumere delle posizioni che difendano la ricerca, la conoscenza, l'aiuto ai giovani, il sostegno a una prospettiva di crescita della conoscenza secondo noi è un dovere. Così come l'impegno sulla solidarietà civile che noi operiamo sul territorio italiano, con moltissime associazioni e progetti, direttamente connessi alle attività del Grande Oriente. Dando un sostegno ai giovani, senza nulla chiedere in cambio. Questo è il mio modo di concepire la massoneria.»

Tra il segreto e la tv. Meluzzi, massone e «cristiano rinato»

Un'altra testimonianza, che è stato possibile raccogliere nel corso della Gran Loggia del Goi al Palacongressi di Rimini, è quella di Alessandro Meluzzi, psichiatra e scrittore. È stato per due legislature parlamentare di Forza Italia e attualmente fa parte del comitato scientifico della rivista «Hiram», organo ufficiale del Grande Oriente d'Italia. È noto al grande pubblico soprattutto per i suoi numerosi interventi televisivi.

Il professor Meluzzi è un massone professo. Ma cosa significa essere massoni?

«La solidarietà con i fratelli di loggia è espressione di una solidarietà più diffusa con l'insieme dell'umanità. Lavorando per il progresso interiore si lavora per il progresso dell'intera umanità. È qualcosa che va al di là della beneficenza e del filantropismo stile Lions o Rotary. È una ricerca interiore libera, volontaria e, soprattutto, adogmatica, fatta nel contesto di una comunicazione con l'altro. Oggi è il caso di dire che se una cosa del genere non ci fosse bisognerebbe inventarla», esordisce Meluzzi, che negli ultimi anni si è spostato su posizioni teocon.

«Si può discutere poi se la massoneria oggi sia adeguata o meno alla formazione e autoformazione della personalità individuale, a una pedagogia delle libertà, a favorire l'incontro tra persone appartenenti a credi religiosi diversi, a strati sociali diversi; se sia adeguata o meno a costituire un contesto di amore fraterno e di discussione su cosa è meglio per sé e per l'umanità intera. Secondo me non è sufficiente, perché è chiaro che stiamo parlando di una goccia nel mare del bisogno umano. Ma la massoneria come pedagogia delle libertà è un esperimento interessante. È stata utile nel periodo delle guerre di religione, nell'Europa del Seicento e del Settecento, per formare la classe dirigente italiana. È stata utile come etica e come religiosità laica di ambienti che si definivano in contrapposizione alla Chiesa cattolica romana.»

La massoneria è adeguata anche come strumento di selezione della classe dirigente dello Stato, come cultura delle istituzioni?

«Teoricamente sì. Soprattutto nel passato lo è stato. Oggi direi che la complessità della società è tale che la massoneria si pone come uno di quei tanti "corpi intermedi" che rendono viva la democrazia. Forse neanche il principale, ma uno dei tanti, certo con una tradizione nobile, soprattutto in materia di laicità della scuola pubblica. Ricordiamo in proposito che grandi riforme della scuola pubblica sono state fatte da massoni come De Sanctis. Grandi etiche laiche educative, come quelle contenute nel libro *Cuore*, sono state proposte da massoni come De Amicis; esiste un socialismo utopistico-umanistico integrale che ha animato il filone di nobili figure del Risorgimento italiano; e che ha una sicura cifra massonica.»

Ma il professor Meluzzi ha avuto effettivamente modo, nella vita di loggia, di curare la sua formazione? O è stato un modo per emergere?

«Io sono entrato in massoneria nel 1988. A quel tempo mi pareva che si stesse scatenando una persecuzione ingiusta nei confronti dei massoni, soprattutto a Torino. Erano gli anni in cui tra l'altro si preparava Tangentopoli e l'eliminazione *manu militari* di due grandi partiti democratici come la Dc e il Psi. E a me, che gravitavo un po' nell'area socialista, era parso che quel processo – come dire – un po' affrettato alla classe dirigente italiana postbellica non fosse salutare per il Paese, come poi si è visto nei vent'anni di storia successiva. Sono entrato in massoneria a Torino, iniziato alla loggia Ausonia: la loggia di Cavour, la loggia dove fu fatto il Risorgimento.»

Meluzzi, che si è persino autodefinito un «cristiano rinato», come vede il rapporto tra la Chiesa e la massoneria?

«Ci sono radici comuni, storiche. Ci sono radici comuni che in altri Paesi del mondo, come nell'America Latina, rendono meno tesi i rapporti. Il dialogo con la Chiesa cattolica deve continuare. Se le vediamo dal punto di vista spirituale, si tratta di due entità molto diverse, ma se le vediamo dal punto di vista etico e civile sono due cose che si sfiorano. Sono due grandi "agenzie" che si occupano dell'educazione dell'uomo alla solidarietà, all'incontro, alla tolleranza, all'accoglienza, alla fraternità.»

Quindi non esiste un'incompatibilità di principio tra Chiesa e massoneria?

«C'è la vecchia storia dell'interdetto di Clemente XII,[30] mai superato; e poi c'è quel pronunciamento del Sant'Uffizio in epoca più recente fatto da Ratzinger,[31] che considera ancora un peccato grave che i cattolici frequentino gruppi massonici. Siccome credo che il peccato abbia bisogno di una "materia prima", ritengo che in massoneria questa materia di peccato non ci sia.»

Il professor Meluzzi persegue un impegno di fede che lo porta oggi a mettersi al servizio dell'altro attraverso il messaggio evangelico. È probabile che questo lo porti a un allontanamento dalla massoneria; rivela anzi l'intenzione di mettersi in «sonno».

«Io non rinnego e non rinnegherò nulla del mio passato massonico. Devo dire che anche all'interno della loggia non ho mai avuto difficoltà a parlare del Vangelo. Tutti quelli che hanno sentito o letto i miei discorsi in loggia sanno benissimo che io ho sempre posto con forza la questione dell'annuncio evangelico. D'altra parte, i lavori di loggia si aprono

---

30. Il 28 aprile 1738 papa Clemente XII pubblicò la lettera apostolica *In eminenti apostolatus specula*, il primo documento pontificio di condanna delle associazioni massoniche.
31. L'ultimo documento ufficiale ed esplicito della Santa Sede sulla massoneria è la *Dichiarazione sulla massoneria*, emessa dalla Congregazione per la dottrina della fede (Prefetto Joseph Ratzinger) con la specifica approvazione del pontefice Giovanni Paolo II in data 26 novembre 1983. Si legge nel documento: «Rimane pertanto immutato il giudizio negativo della Chiesa nei riguardi delle associazioni massoniche, poiché i loro princìpi sono stati sempre considerati inconciliabili con la dottrina della Chiesa e perciò l'iscrizione a esse rimane proibita. I fedeli che appartengono alle associazioni massoniche sono in stato di peccato grave e non possono accedere alla Santa Comunione».

sul Vangelo di Giovanni, e la dimensione del divino nella vita dell'uomo è uno degli aspetti fondanti della massoneria. Non parlare di politica e di religione in loggia non significa che non si parli mai di politica e di religione, ma vuol dire che non se ne parla in forma tale da contrapporre gli uomini nella ricerca della verità, col solo risultato di dividerli nel cammino di ascolto reciproco.Tuttavia ci sono princìpi di incompatibilità realistici che sono legati alla storia, e dalla storia non si può prescindere.»

Ma l'impressione che se ne ricava è che tutti questi «ordini» di appartenenza ecclesiastica e/o massonica – da un lato le varie «comunioni» massoniche, dall'altro Opus Dei, Cavalieri di Malta, Comunione e liberazione, Legionari di Cristo – siano, seppure in forme molto diverse tra loro, la dimostrazione di una chiusura progressiva della società, di un Paese sempre più fatto di «cerchie», dove solo chi è parte di un circolo coeso di persone avanza.

«No, francamente non credo. Credo che negli uomini ci sia un bisogno di appartenenza che è uno dei bisogni più atavici, essenziali. Questo tipo di bisogno giustifica ampiamente i "corpi intermedi", che se visti in una prospettiva carismatica sono l'espressione di una "grazia". Se intesi in una prospettiva civile sono il sintomo di una ricchezza del tessuto democratico.»

Ma quanto conta la massoneria nella politica italiana? Chi la rappresenta meglio?

«Non saprei. Berlusconi è uno dei personaggi meno massoni nel carattere, nel temperamento e anche nella pratica, che mi sia mai capitato di conoscere. Credo che anche il fatto di aver sfiorato, nella sua storia, personaggi legati alla P2 e a Gelli sia un episodio del suo cammino. Semmai la massoneria ha contato fintantoché sono esistiti i grandi partiti laici di massa: il Partito repubblicano con la sua anima mazziniana; il Partito liberale con la sua anima risorgimentale e cavouriana; il Partito socialista con la sua anima riformista, turatiana, craxiana. Parlo di partiti che hanno avuto un'impor-

tanza decisiva nella Costituente e che avevano una salda ispirazione massonica. Mi pare che oggi non ci sia nessun grande gruppo organizzato che incarni, o abbia davvero connessioni con questa società di persone civili e di buoni costumi
che si ritrovano nelle logge per discutere del Grande Architetto dell'Universo, delle fragilità della società, del mondo
giovanile.»

Non si può negare che rispetto a vent'anni fa la massoneria in Italia abbia maggior peso. I numeri – almeno quelli dichiarati dalle obbedienze – sono in forte crescita. E sembra
esserci una corsa alle logge.

«Direi che è cambiato soprattutto l'alone della rispettabi-
lità che circonda la massoneria. Quando sono entrato io, la
massoneria era una sorta di organizzazione paramafiosa: e il
solo sfiorarla rendeva sospetti. Questa fu una delle ragioni
che mi spinsero ad associarmi. Io voglio far parte di un'associazione per vedere di cosa si tratta, se tutti mi dicono che
non bisogna farne parte. Questo è un mio atteggiamento "di-
vergente", ribellista, anarcoide. È il mio bisogno di sperimentare, di toccare con mano le cose.»

Il Gran Maestro Raffi ha più volte sottolineato l'importanza della comunicazione. La massoneria – con i suoi simboli, le sue metafore – può essere considerata una buona
scuola di comunicazione?

«Secondo me sì, ma dipende molto dalla loggia in cui ci si
ritrova a stare. Se c'è una loggia che è fatta di trenta-quaran-
ta massoni intelligenti, sensibili, che studiano, che si impe-
gnano anche nel trasferirsi delle informazioni utili per sé e
per gli altri, allora la loggia può diventare un'ottima scuola,
una palestra del saper "parlare in pubblico"; come ad esempio lo sono state, nelle loro migliori esperienze, le sezioni del
Pci e le organizzazioni dell'Azione cattolica.»

Meluzzi è stato accusato di eccessiva mobilità politica:
dal Pci a Forza Italia all'Udeur al Gruppo misto. Fa parte
della mentalità massonica questa possibilità e «facilità» di
cambiamento? Ci sono libri massonici che teorizzano l'«in-

coerismo»[32] come mezzo di affermazione nel mondo. E molte figure al potere in Italia sembrano campioni di «incoerismo».

«Il massone è l'uomo dell'etica del dubbio. È l'uomo che si sottopone al vaglio della critica e del cuore. Non è una persona che sta così facilmente nella disciplina di un partito. Ma il massone è anche uno capace di dire, come Felice Cavallotti: "Non è vero che tutti i massoni sono delinquenti, ma non ho mai conosciuto un delinquente che non fosse anche massone". Lo disse il massone Cavallotti prima di essere ucciso in duello da un altro "fratello". E questo la dice anche lunga sul "non-spirito" di corpo della massoneria.»

La massoneria continua ad avere un peso in finanza e in economia?

«Non questa massoneria, il Grande Oriente d'Italia. Io comincerei a parlare di massonerie. Quella del Grande Oriente è trasparente, ufficiale, visibile, così come anche la massoneria di piazza del Gesù. Ho la sensazione che la massoneria che "pesa" sia, in realtà, una conventicola che ha e utilizza simboli massonici, ma che non ha il livello di accessibilità democratica della massoneria ufficiale.»

Ma la trasparenza non può convivere con la possibilità di esercitare un potere in modo occulto. E nella massoneria trasparenza e segreto coesistono: è vero che ci sono momenti di contatto con il pubblico, ma poi si discute di cose riservate solo laddove il pubblico non accede. La risposta di Meluzzi a quest'obiezione suona cinica.

«Il potere vive e si sviluppa nel segreto, non nelle realtà trasparenti e accessibili. Ma del resto, penso che alla spartizione della torta partecipi solo chi ha qualche titolo su quella torta, non altri.»

---

32. Si veda in merito Remy Boyer, *Risveglio & Incoerismo – Le nuove forme della Via Iniziatica*, Firenze Libri, Regello (Fi), 2006. L'autore parla dell'«incoerismo» come di «immobilità in movimento», come «terza via» in cui «l'adepto si mostra come un artista che gioca, che crea.

Ma la massoneria è di destra o di sinistra?

«La massoneria ha il cuore a sinistra e la testa a destra. I valori tipici della sinistra, come fraternità e solidarietà, sono inseriti all'interno di una razionalità e di un senso del limite e della misura che sono caratteristiche di destra.»

Quindi la massoneria è il vero partito della borghesia, come disse Gramsci?

«Lo era nell'Ottocento, oggi no. La borghesia italiana, se ve n'è una, è inclassificabile sul piano dei valori, mentre la massoneria ha una struttura valoriale ben definita.»

Ma probabilmente la Chiesa cattolica teme che la massoneria possa tornare a rappresentare la borghesia italiana come nell'Ottocento.

«La Chiesa è un contenuto; la massoneria è un metodo, una prassi di ricerca. In questo metodo possono coabitare molti e diversi contenuti, religiosi e politici.»

Ci sono sempre più giovani che vogliono entrare in massoneria. Da cosa li vede motivati, un esperto come Meluzzi?

«Dal bisogno di trovare dei luoghi per discutere di questioni essenziali della vita, luoghi che si fa fatica a trovare altrove: non nei posti di lavoro, non nella famiglia, non nell'associazionismo tradizionale. La dimensione di un incontro ritualizzato, come quello che avviene dentro la loggia, è una dimensione che incuriosisce.»

Con lo psichiatra affrontiamo il tema delle donne in massoneria. L'apertura di piazza del Gesù è una piccola rivoluzione, in questo senso.

«Qui esiste un problema di tradizione. Si dice che le donne non entrano nelle logge perché la loggia implica un'iniziazione solare, mentre le donne rappresentano la metà lunare del cielo, le stelle d'Oriente. È un problema di riti e di tradizioni che hanno un loro valore antico e radicato. La questione è se oggi sia possibile definire le distinzioni di genere su base genetica.»

Concludiamo chiedendo a Meluzzi se sia vero che vuole farsi diacono, come gli ho sentito dire una volta, di fronte a terzi. Sembra una scelta strana, per un appartenente alla massoneria, la forza che più ha cercato di contenere il potere della Chiesa in Italia.

«Sì, è verissimo. Io a breve diventerò diacono permanente della comunità di don Pierino Gelmini, che è il mio padre spirituale e con cui ho condiviso gran parte della mia vita nella comunità "Incontro". E questo discernimento si è compiuto discutendo ampiamente con i "fratelli" massoni. Io vado in sonno semplicemente perché le regole lo richiedono, a noi massoni. Sarà doloroso, ma così come ho servito il dialogo tra Chiesa e massoneria per vent'anni dal versante della massoneria, mi auguro di servire il dialogo tra Chiesa e massoneria dal lato della Chiesa.»

Massone sudista

Alla Gran Loggia del Goi raccogliamo il pensiero di un massone calabrese che si distingue per la sua vivacità. Giuseppe Miraglia, libero muratore di Schiavonea, frazione di Corigliano Calabro (Cosenza) spesso interviene negli incontri pubblici della Gran Loggia di Rimini con interventi accesi, polemizza, si infiamma. È doveroso sentire anche il suo pensiero, allora.

«Sono trent'anni che seguo la massoneria, ne ho settantadue. Mi sono diplomato come geometra a Salerno nel 1962 con l'idea di fare l'imprenditore, perché pensavo di costruire case, strade, scuole. Invece mi sono dedicato al settore della lavorazione dei marmi. Era il periodo in cui volevano la tangente, il 1982. Mi sono opposto e quindi mi hanno rotto un occhio. Perché sa, la libertà non gliela regala nessuno. O si ha nelle ossa, geneticamente acquisita, come la delinquenza, o niente; e se è genetica non c'è niente da fare, si resta così per sempre.»

Durante i lavori dedicati al tema della «Pedagogia delle libertà», Miraglia è tuttavia sembrato critico nei confronti della massoneria italiana di oggi. Il massone «sudista» non ha particolarmente apprezzato l'appoggio del Gran Maestro Raffi ai promotori dei Dico e dei Pacs.

«L'essere laici va bene, ma i laici non sono i gay. Il laico è colui che non è cattolico e cioè incarna la natura. L'uomo deve nascere da un rapporto naturale. I gay li rispetto perché purtroppo hanno avuto questa tegola in testa, però non bisogna ostentarlo. Dobbiamo ricordare la storia: Sodoma e Gomorra, gli incesti, l'impero egiziano è finito prima perché facevano all'amore in quel modo...»

Forse è opportuno venire a temi più vicini all'attualità, come i problemi che la massoneria ha vissuto con Gelli e la P2. Anche su questo Miraglia ha le idee chiare.

«Ma io sono amico di Gelli. Cosa penso di lui? Che in quel periodo Gelli ha fatto ciò che riteneva opportuno. Ovvero quello che fanno gli altri adesso. Finito un Gelli, ne esce un altro. E magari! Infatti io sono andato a trovarlo, nel 1992, e gli ho detto: "Ma se lei è un uomo così potente, per quello che si dice sui giornali – e sul libro di Gianfranco Piazzesi, che ho letto[33] – guardi che Lei può fare anche del bene". E lui mi ha risposto: "Ma io ho sempre fatto del bene". Io non ho fatto parte della P2 perché sono uno libero. Io sono per l'onestà, perché le cose si facciano senza tanti imbrogli.»

Si è parlato molto di rapporti tra mafia e massoneria in Sicilia: la loggia Scontrino, l'affiliazione del superboss Stefano Bontate, le dichiarazioni dei pentiti sui rapporti tra logge coperte e Cosa nostra. Che ne dice il massone Miraglia di questi addebiti?

«Tutto è stato consequenziale al Pci. Quando sbarcano gli Alleati in Sicilia, nel 1943, una radio diceva che i comunisti avrebbero fatto una repubblica popolare. Chi comandava non gradì. "Ma facciamo venire i comunisti in Sicilia?", si

---

33. Gianfranco Piazzesi, *Gelli: la carriera di un eroe di questa Italia*, Garzanti, Milano, 1983.

sono domandati. E allora chi comandava ha fatto delle indagini per capire come eliminare quella radio. Finché qualcuno ha detto loro che dovevano andare da don Pippo Calò. Dopo poche settimane la radio non trasmetteva più. Adesso nel 2000 non si pone più il problema Sicilia-mafia-P2: perché non c'è più la menzogna comunista, dell'Est.»

Quindi in passato il rapporto tra mafia e massoneria è stato giustificato dall'anticomunismo. Varrà lo stesso discorso per i rapporti tra massoneria e 'ndrangheta in Calabria?

«Io personalmente non lo so. Però la colpa è della burocrazia, dei politici. Ma dove sono gli uomini? Gli uomini veri? Sono tutte mezze calzette, perché non hanno il coraggio di dire la verità! Chi la dice la verità in Italia?»

Già, chi la dice la verità? Berlusconi?

«Berlusconi è un genio. Si è saputo arricchire. Ha avuto una capacità senza limiti. Io lo prendo come metro di paragone.»

Chiediamo a Miraglia cosa pensi dell'immigrazione.

«Bisogna andare in Africa e sterilizzare queste africane, perché fanno figli come conigli. Non è possibile continuare così: prima avevamo bisogno di manodopera, adesso basta un trattore; e quindi dobbiamo bloccarli lì. Dobbiamo andare lì non con le medicine delle multinazionali, ma con trattori e motopale per piantare miliardi di alberi. La terra ha bisogno di foreste.»

Torniamo a parlare di massoneria e soprattutto tentiamo di capire se Miraglia possa darci qualche informazione sulla forza delle logge in Calabria, la sua regione.

«Senta, io vorrei che la Calabria la facessero gli affiliati alla massoneria. Io sono pronto a lavorare. La massoneria ha una grande funzione, se vuole può fare risorgere la Calabria. Noi possiamo cambiare la Calabria dalla sera alla mattina, ma i politici non devono prendersi una lira, quando approvano i progetti.»

C'è una «comunione», la Gran Loggia Nazionale d'Italia, che ha ammesso le donne. Chiediamo a Miraglia un'opinione su questo tema.

«No, le donne dentro la massoneria no; meglio restare separati, perché la donna bisogna andarci a letto insieme, ecco, farle stare a casa. Più stanno a casa le donne e meglio è. Perché lo stimolo verso la donna lo si ha quando tu la pensi, l'avvicini, la cerchi: più si sta vicini e peggio è.»

San Marino, la massoneria off shore

Nel pomeriggio del terzo giorno, gli alti dignitari del Grande Oriente, Gustavo Raffi in testa, si spostano da Rimini a San Marino per i lavori della Gran Loggia di San Marino. Gli iscritti alla loggia, che è una filiazione del Goi, tengono molto a sottolineare la loro estraneità alla loggia sotto accusa nell'ambito dell'inchiesta «Why Not».[34] Ne parliamo con Domenico Bruschi, Grande oratore, membro di giunta della Gran Loggia Serenissima; e con Sergio Rabini, Gran segretario della Gran Loggia di San Marino. Cerchiamo di capire innanzitutto come funziona tecnicamente l'affiliazione a questa loggia.

Il Grande oratore spiega: «Se un non sammarinese abita a San Marino o esplica attività economiche e lavorative a San

---

34. Nell'estate 2007, all'interno dell'indagine condotta dal pm Luigi De Magistris della Procura di Catanzaro, è emerso il coinvolgimento di una loggia coperta sammarinese. I reati contestati, a vario titolo, sono quelli di associazione a delinquere, corruzione, violazione della legge Anselmi sulle associazioni segrete, truffa, finanziamento illecito ai partiti. Indagati politici calabresi, funzionari regionali, il capocentro del Sismi di Padova e una funzionaria del Cesis. Indagini anche sull'ex presidente nazionale della Compagnia delle Opere e su un generale della guardia di finanza. L'operazione prende il nome di una società di lavoro interinale con sede a Lamezia Terme che «presta» lavoratori alla regione per servizi informatici. De Magistris avrebbe individuato un gruppo di potere trasversale, tenuto insieme proprio da una loggia massonica coperta (la «San Marino»): una vera e propria *lobby* sospettata di aver influito sulle scelte di amministrazioni pubbliche per l'utilizzo di finanziamenti e l'assegnazione di appalti.

Marino può diventare membro della Gran Loggia. Deve avere un legame stabile con il nostro Stato. Però noi dobbiamo chiedere il nullaosta del Paese dal quale viene, cioè al Grande Oriente in Italia, in Francia alla Gran Loggia Nazionale francese. Per il momento abbiamo 60 iscritti, tutti sammarinesi, divisi in tre logge: Guaita, Cesta e Montale, i nomi delle tre torri simbolo di San Marino. I nostri rapporti internazionali sono gli stessi che detiene il Grande Oriente. Quindi abbiamo 100 riconoscimenti di 100 grandi logge estere di tutto il mondo, europee, statunitensi, asiatiche e americane, nomina di ambasciatori e così via.»

Ma che rapporto c'è tra la loggia di San Marino e il Goi?

Sergio Rabini, Gran segretario, commenta: «Particolarmente stretto, perché noi siamo nati nel 2003 su iniziativa del Grande Oriente d'Italia e della Gran Loggia del distretto di Columbia[35] [Stati Uniti, *Nda*], in quanto due grandi logge devono tenere a battesimo una nuova gran loggia perché essa abbia la regolarità. È importante essere nati dal patrocinio di due grandi logge regolari del mondo. Noi sammarinesi, che l'abbiamo creata, eravamo tutti iscritti al Goi. Sappiamo da voci di corridoio che esistono a San Marino realtà massoniche irregolari che non hanno niente a che fare con noi. Noi non le riconosciamo, non sappiamo chi sono; sappiamo solo per sentito dire che esistono, ma non ne vogliamo sapere niente. Fra l'altro sentiamo dire che non sono composte da cittadini sammarinesi, quindi sono cittadini esteri che si sono dati il nome di San Marino o di Gran Loggia e che sfruttano l'immagine della loggia di San Marino per i loro affari. Sono affaristi, non sappiamo chi siano».

Cosa fa la Gran Loggia «regolare» di San Marino, allo-

---

35. La Serenissima Gran Loggia è stata «installata» dal Gran Maestro del Goi, dal Gran Maestro della Gran Loggia del Distretto di Columbia (Usa) e dall'ex Gran Maestro del Distretto di Columbia (Usa).

ra, per tutelare la sua immagine rispetto alle voci di riciclaggio e di evasione fiscale che circolano sulla massoneria
del Titano?

Bruschi replica: «Noi abbiamo un'immagine pubblica,
parliamo con i giornali: a questi rapporti è deputato il Gran
Maestro Italo Casali,[36] che parla con i giornali ogni qual-
volta c'è una citazione a sproposito della massoneria di San
Marino. La massoneria ufficiale, a San Marino, siamo solo
noi. Come il Grande Oriente, noi abbiamo un volto pubblico. Siamo trasparenti, abbiamo un sito internet[37] in cui
si può leggere qualsiasi informazione su di noi. Partecipia-
mo continuamente a riunioni di logge italiane. Rispettiamo
le leggi della Repubblica di San Marino, inclusi gli aspetti
religiosi: i massoni non fanno differenza né di politica né di
religione. Tra i nostri affiliati ammettiamo musulmani, protestanti, cattolici non abbiamo problemi. Non abbiamo fatto entrare però dei personaggi pubblici, politici di grande
rilievo, per non identificarci – in una realtà piccola come la
nostra – con l'uno o con l'altro partito. Subito verremmo
tacciati di appartenere all'uno o all'altro schieramento».

Ma come la mettiamo con l'accusa relativa agli affari
sporchi?

Il Gran segretario risponde: «Per tornare alla sua domanda, purtroppo San Marino viene spesso associata agli affari e
al regime fiscale favorevole. Ovvio che qualcuno possa pensare che dietro la loggia di San Marino ci siano comitati d'affari. Ma noi siamo nati proprio per evitare questo, perché si
sapeva che esistevano gruppi oscuri di affaristi che andavano

---

36. Il 20 giugno 2007 Italo Casali, il Gran Maestro della S.G.L.R.S.M., ha
rivolto «un appello ai tanti giornalisti che svolgono il loro lavoro con onestà intellettuale, spinti e motivati dalla sola forza della verità, poiché con la
massima obiettività e con il giusto spirito critico, riescano a scrivere notizie e commenti liberamente tali da non suscitare ombre, dubbi e precon-
cetti su una Istituzione sana e laboriosa».
37. Il sito della Gran Loggia di San Marino è: www.sglsrm.eu.

da un avvocato e dicevano: "Vogliamo fare una massoneria, ci riuniamo in cinque o sei e creiamo una loggia massonica". Sapendo questo, in accordo con il Gran Maestro Raffi, nel 2002[38] ci siamo organizzati per coprire il territorio dal punto di vista massonico. Proprio per fronteggiare questa situazione. Non solo. Noi siamo trasparenti e parliamo coi giornalisti. Ma siamo solo noi a farlo, il che le dice che gli altri hanno molto da nascondere».

Parla il Gran Maestro

Al termine dei nostri tre giorni riminesi, per provare a tirare le fila di quanto abbiamo visto e ascoltato durante i lavori della Gran Loggia, e per fare il punto sullo stato di salute della principale obbedienza massonica, il Grande Oriente d'Italia, affrontiamo alcuni temi centrali con il Gran Maestro Gustavo Raffi. Il suo è certamente un punto di vista privilegiato per capire meglio cosa sia la massoneria italiana oggi e quali siano le sue prospettive.

Dal 1999 Raffi ha fatto dell'allargamento delle libertà laiche e civili il fulcro del suo mandato. E questo è stato il tema della Gran Loggia 2007.

«A mio avviso bisogna reintrodurre un'etica, nel mondo sociale e politico. E questo postula la riscoperta del dialogo. Noi riceviamo molte sollecitazioni a continuare la nostra battaglia sui grandi princìpi laici. E d'altra parte, a mio avviso, questa sfida ridà un ruolo alla massoneria.»

Chiediamo al Gran Maestro, che parla del suo repubblicanesimo e mazzinianesimo come di «malattie dell'anima», se veda un'avanzata dell'integralismo nella società italiana.

---

38. In data 6 aprile 2003 si è tenuta la cerimonia di Installazione ed Insediamento della Serenissima Gran Loggia della Repubblica di San Marino, ove è stato nominato il primo Gran Maestro ed i Gran Dignitari per il quinquennio 2003-2007.

C'è una caccia alle streghe nei confronti dei laici? Si assiste a un'erosione delle libertà civili?

«Credo che nella Chiesa ci sia un'ala aperta, un'ala che purtroppo fu penalizzata a suo tempo dalla morte di Paolo VI. Il punto è questo. Ci fu un periodo di dialogo forte, un confronto che era partito ai massimi livelli, poi tutto si fermò; e questo coincise con la morte di Paolo VI. Io non credo di violare la regola dell'«obbedienza» dicendo che il fenomeno associativo massonico non lo si può continuare a misurare su quelle che erano state le sue affermazioni originarie, ma si deve valutare seguendone i passi. E, aggiungo, è lo stesso discorso che si può fare nei confronti dell'altra parte: la Chiesa cattolica è dovuta arrivare alla *Rerum Novarum* per compiere una vera svolta, per non ritenere più che il potere derivi solo da Dio, che gli Stati teocratici e le monarchie siano l'espressione di un disegno divino. Bisogna trovare un punto di equilibrio. E soprattutto avere chiaro un concetto, che forse è il vero tema di fondo: anche i princìpi che hanno superato il vaglio del tempo vanno storicizzati. Restano vivi, ma vanno attualizzati. Allo stesso tempo bisogna avere anche il convincimento profondo che ci sono dei nuovi valori, dei nuovi princìpi che vanno ideati e sperimentati, perché nuove sono le condizioni. Ci sono dei valori che sono correlati ai mutamenti, quindi credo che vada definita un'etica di frontiera, che proceda all'attualizzazione e nel contempo all'elaborazione. Questo, nella nostra accezione, altro non è che la traduzione in termini moderni del principio della tolleranza. Il dialogo postula il rispetto dell'alterità; presume che si vada ad affrontare l'antagonista con rispetto, non con volontà di supremazia. Se dall'altra parte mi si dice: "Dialogo sì, purché non sia relativismo", allora che dialogo è? È come dire: "Io ho ragione, poi discutiamo". Allora non va. Io mi colloco come uomo del dubbio, colui che pensa che in ogni uomo c'è uno spezzone di verità. E quindi si va a confrontare con apertura mentale, disposto a modificare del tutto o in parte quella che riteneva fosse una verità. La scoperta dell'errore dev'essere vissuta con soddisfazione, perché

vuol dire che si è fatto un passo avanti. A differenza di altre visioni, nelle quali all'etica della responsabilità si contrappone
l'etica della convinzione. Io rispetto profondamente le visioni
degli uomini della Chiesa, di tutte le Chiese. E non nego che
esse si esprimano coerentemente. Però c'è un punto fermo:
non si può pretendere di imporre agli altri un proprio convincimento.»

Eminenza, si dia una calmata

Come si pone oggi il Vaticano nei confronti della massoneria? Come si sono evoluti i rapporti negli ultimi anni?
    «Vede, laici si nasce; anticlericali si diventa. Cosa significa
oggi essere laico? Il laico è un uomo aperto, che rispetta l'altro, che dialoga. A volte, di fronte a certe affermazioni di alti
prelati, mi verrebbe da esclamare: "Eminenza, si dia una cal-
mata". Oggi c'è un eccesso: non contesto le valutazioni morali, ma l'ingerenza sì. Bisogna stare attenti, le intolleranze
nascono ovunque, sono colpa della *forma mentis* che si adotta. Se andiamo a combattere l'Aids in Africa non importa se
siamo massoni, cattolici o altro. Il periodo migliore della
Chiesa, dal punto di vista del dialogo, è stato senza dubbio il
periodo montiniano.»
    Il punto è che la massoneria in Italia, oggi, è configurabi-
le come un centro di potere. Tanto quanto lo sono la Chiesa,
la politica, la grande finanza. Quello che vorrei capire è che
rapporti ci sono oggi, tra questi centri di potere.
    «Dov'è possibile, c'è dialogo. La massoneria inventò il
dialogo, allora si chiamava tolleranza. Le prime logge inglesi, non a caso, prendevano il nome dalle osterie, dalle birre-
rie in cui avvenivano gli incontri. Si diceva: "Invece di am-
mazzarci, parliamone!"; ma per dialogare bisogna essere uomini del dubbio, cioè interrogarsi. Da qui nasce il confronto, gli altri possono essere portatori di uno spezzone di verità. Attraverso questo processo di conoscenza si arriva a ca-

pire che la scoperta dell'errore è una conquista, non una sconfitta. Le certezze sono pericolose, le si vuole imporre agli altri. Di qui l'intolleranza. C'è un bellissimo pensiero di Locke che dice: attenti, perché l'eresia di oggi può essere l'ortodossia di domani.»

Ma la Chiesa ha molta influenza sulla gente, e quindi sulla politica. E sul piano delle libertà laiche e civili, tanto sbandierate dalla massoneria, l'Italia sembra arretrare, invece di progredire. Senza che i massoni muovano un dito.

«I politici danno alla Chiesa più di quanto viene loro richiesto. Invece di preoccuparsi della loro funzione si occupano di altro. Sono più reverenziali di quanto gli competa. Mi viene da pensare alla Prima Repubblica. C'era un partito dei cattolici che era sicuramente laico! Il Parlamento, quando la maggioranza era dominata dalla Democrazia cristiana, ha varato le leggi sul divorzio, sull'aborto. Oggi c'è uno schieramento politico diviso in due blocchi, che si contendono sul filo del rasoio la vittoria. Quindi c'è una gara a chi offre di più.»

Chiediamo a Raffi se il papato di Ratzinger abbia mutato linea rispetto a quello di Wojtyla, nei confronti della massoneria.

«Tra Ratzinger e Wojtyla non c'è una grossa differenza. Da un lato c'era la grande popolarità di Wojtyla, la sua grande arte di comunicatore; però non dimentichiamo che il custode dell'ortodossia della Chiesa, anche durante il suo papato, era Ratzinger. Sotto certi profili può essere – è ancora presto per dirlo – che questo cambiamento di ruolo lo porti a essere meno estraneo a certe problematiche che lui viveva "in laboratorio". Quindi potrebbe essere un Papa più concreto. Anche perché certi eccessi di presenzialismo nella politica da parte di Wojtyla sono andati a detrimento della Chiesa. Loro hanno il problema delle chiese vuote, della crisi di vocazioni. E allora possono anche ottenere l'8 per mille, la redistribuzione del non optato, le esenzioni varie; però sul piano della spiritualità dove vanno? C'è per certi aspetti la situazione di una Chiesa che privilegia l'aspetto terreno.»

Raffi critica anche i privilegi economici e fiscali concessi alla Chiesa.

«Esiste un concordato, che ha posto dei diritti ma anche dei doveri. Allora non cerchiamo di invocare sempre i diritti, e mai i doveri. La mia è una convinzione che viene da Giuseppe Mazzini: ogni diritto nasce dall'espletamento di un dovere; ci dev'essere un discorso bilanciato. Soprattutto penso che le autorità religiose debbano porsi il problema del patto di convivenza, del patto di fratellanza che lega gli uomini su un territorio.»

L'accesso al 5 per mille

Com'è valutata da Raffi la possibilità di dare alla massoneria uno status giuridico di «religione civile»? Di fronte allo scontro tra religioni forti come l'Islam e il cristianesimo, la massoneria non rischia di restare stritolata?

«Se ci mettiamo nell'ottica di poter attingere all'8 per mille, la massoneria è fuori. Perché la massoneria non è una Chiesa, non ha mai inteso esserlo e non esprime una teologia. Che poi ci siano dei massoni preti, questo è possibile. Vuole un esempio tangibile di tolleranza? L'India. Nei templi in India si trovano i libri sacri (i Veda, il Corano) ma sono raccolti anche i libri sacri che esprimono il credo dei fratelli massoni. La massoneria è un momento di armonia, nel quale il credo religioso appartiene alla sfera privata. Il momento di armonia è la credenza in un principio superiore, che è simboleggiato dal Grande Architetto dell'Universo. Il Grande Architetto non è una divinità alternativa: è un collante. La religione non dev'essere un momento di rottura dell'armonia. E allora per il credente non c'è un Dio sostitutivo; c'è invece un luogo – la massoneria – che è uno spazio libero, critico, adogmatico, dove attraverso il confronto si rafforza la propria spiritualità e la propria fede religiosa.»

Il discorso dell'accesso alla lista delle realtà associative che hanno diritto al 5 per mille nella dichiarazione dei redditi è un'idea che non dispiace a Raffi.

«Come istituzione che ha valori sociali, culturali e solidaristici sarebbe possibile accedere al 5 per mille; si dovrebbe solo studiare una via tecnica. Ma non è così semplice, perché poi nella dichiarazione dei redditi si dovrebbe di fatto dichiarare la propria appartenenza. Per me non è un problema, e devo dire che oggi ci sono meno problemi che in passato a dichiararsi massoni.»

Raffi rivendica i risultati raggiunti dalla propria «Comunione».

«Noi abbiamo riportato la massoneria nella storia: la massoneria è stata un'associazione segreta nel periodo delle teocrazie, nel Risorgimento. Una necessità, se no c'era il patibolo. Era vitale, la segretezza. Poi la massoneria diventò pubblica con la costituzione dello Stato unitario. Addirittura si riuscì ad avere degli uomini della massoneria in posizioni chiave come Coppino[39] all'Istruzione, Zanardelli[40] alla presidenza del Consiglio. Poi, durante il fascismo, la massoneria è stata di nuovo segreta, per forza di cose, come lo erano i partiti politici. Per lo stesso motivo, la libertà era in gioco.»

Nel dopoguerra, secondo Raffi, c'è stato un ritardo culturale, un problema di comunicazione.

«C'era una classe dirigente datata; e per lungo tempo la massoneria è stata il museo delle cere. Quando si era in difficoltà è prevalso il richiamo a Garibaldi, a temi del passato. Addirittura non abbiamo saputo spendere – ma ora c'è

39. Michele Coppino (1822-1901) fu ministro della Pubblica Istruzione nel primo e nel secondo governo Depretis (1876-1878).
40. Giuseppe Zanardelli (1826-1903), più volte ministro nei governi Depretis e Crispi, fu autore di molte riforme fondamentali dello Stato postunitario: quella sul lavoro minorile e femminile, il primo codice penale e la riforma della magistratura. Fu presidente del Consiglio, con l'appoggio dell'estrema sinistra, dal 1901 al 1903. A causa di una forte opposizione popolare, fu costretto a ritirare una sua proposta di legge sul divorzio, già approvata dalla Camera.

un libro molto bello su questo[41] – quello che è stato il ruolo della massoneria italiana a Parigi, negli ambienti antifascisti; da Pacciardi – che va a comandare la Brigata Garibaldi in Spagna – in poi. Ma perché non far conoscere certi capitoli della nostra storia? Questa visione da emarginati, il godimento masochistico degli esclusi... In fondo io che cosa ho fatto, come Gran Maestro? Un'opera molto semplice: ho detto ciò che tanti pensavano, ma non avevano il coraggio di dire, credendo di fuoriuscire dall'ortodossia massonica.»

Raffi vuole affermare la legittimità dell'orgoglio di essere massoni.

«Diversamente, che senso ha essere Gran Maestro? Per fare il capro espiatorio di tutti i mali d'Italia? Se tu offri un contenitore privo di senso, i contenuti te li mettono gli altri e sono tutti credibili. Io penso che la domanda della gente non sia quella di discutere del passato: come fai a parlare sempre di Garibaldi, di Crispi,[42] di Costantino Nigra,[43] di Nathan?[44] È un passato glorioso, ma mi vuoi dire chi sei oggi e cosa pensi di fare domani? Noi abbiamo cercato di dare questa risposta: bene o male, oggi come oggi, il rispetto per noi c'è.

---

41. Santi Fedele, *La Massoneria italiana nell'esilio e nella clandestinità (1927-1939)*, Franco Angeli, Milano, 2005.
42. Francesco Crispi (1819-1901) fu più volte ministro e presidente del Consiglio dal 1887 al 1891 e dal 1893 al 1896. Mazziniano e repubblicano prima, si convertì a fede monarchica. Dopo la caduta della destra divenne presidente della Camera con i governi della sinistra, ma nello stesso tempo guidò l'opposizione contro il ministro Depretis.
43. Costantino Nigra (1828-1907), filologo e diplomatico, e politico, fu segretario prima di d'Azeglio e poi di Cavour. Affiancò sempre la sua carriera diplomatica e politica con la sua attività di studioso, collaborando con le principali riviste filologiche e linguistiche tedesche, francesi e italiane.
44. Ernesto Nathan (1845-1921), politico italiano di origine inglese, fu sindaco di Roma dal 1907 al 1913. Cosmopolita e mazziniano, massone e profondamente laico, fu il primo sindaco di Roma estraneo alla classe di proprietari terrieri.

Dirò di più: possiamo esprimere anche delle valutazioni sbagliate, ma meglio essere contestati e contrastati su una valutazione errata che non avere valutazioni.»

Ma proprio le posizioni rappresentate dalla massoneria sono spesso lontane e contraddittorie al proprio interno. È difficile oggi capire se ci sia e quale sia il pensiero «pubblico» – la dottrina sociale – della massoneria italiana. Si va da chi applaude esaltato quando un ospite parla di rivolta fiscale, a chi – come Raffi e Panaino – difende la scuola pubblica.

«Queste differenze sono la prova del fatto che la massoneria è uno spazio libero, aperto a pensieri e visioni differenti. La massoneria, se funziona, deve essere pluralista all'esterno ma anche all'interno. Da noi non viene dettata una linea politica. Io non dirò mai a un progressista di votare da conservatore; o viceversa. Ognuno si muove secondo il suo modo di pensare, l'importante è che ognuno testimoni nella vita di tutti giorni certi princìpi.»

Sembra di notare una diversa composizione sociale, agli incontri della massoneria. La «fratellanza» si sta trasformando da partito della borghesia in senso aristocratico, come aveva detto Gramsci, alla *lobby* della piccola borghesia?

«Come realtà che nasce dall'Unità d'Italia, la massoneria è un "partito" che volge al basso, dove si può trovare anche l'artigiano autodidatta. Nasce e si sviluppa come strumento educativo. Espressione di uomini che combattono per delle idee. Nel Risorgimento c'era un mondo di ideali che nella massoneria ha trovato una scuola di formazione. Parliamoci chiaro: ai grossi potentati economici non interessa un processo di educazione. Anzi: la gente meno pensa e meglio è. Per noi è diverso, prendiamo ad esempio le tante iniziative umanitarie massoniche.

I *capitoli oscuri*

Parliamo ora dello stato di salute della massoneria italiana, dopo lo scandalo P2 e l'inchiesta Cordova, cui è seguito lo scisma con Di Bernardo; mentre la massoneria di piazza del Gesù va per conto suo.

«Bisogna fare chiarezza. Quando scoppia lo scandalo P2, le prime vittime siamo noi. La P2 sta al Grande Oriente d'Italia come le Brigate rosse stanno al Partito comunista. Nella P2 non esisteva alcuna finalità massonica. C'era solo una sigla, ma non è il *nomen juris* quello che attesta che una realtà sia la massoneria. Addirittura – le faccio un esempio – quando a Trapani si verificò un fenomeno locale [di collegamento tra la massoneria e la malavita organizzata, *Nda*], orribile ma locale, il Centro Scontrino – un nucleo di politici e malavitosi locali che organizzavano le cosiddette logge segrete – si trattò di un fenomeno che non usciva dal Comune di Trapani. Ma venne generalizzato. Qualsiasi mariuolo o presunto tale che avesse una tessera con tre puntini veniva etichettato come nostro. E allora ho dovuto fare una battaglia di comunicazione per far capire che noi purtroppo non abbiamo la denominazione esclusiva del termine massoneria...».

E cosa dice il Gran Maestro Raffi di Licio Gelli? Era espressione di interessi americani, dell'atlantismo anticomunista?

«Io ho il vanto di non averlo mai incontrato. E il fatto che abbia parlato male di me è una medaglia. Una figura come la sua è il simbolo del crepuscolo della Repubblica. Probabilmente bisognerà capire chi era il vero burattinaio, nella P2. Tant'è che poi, comunque, quando si vanno a vedere gli atti processuali, ci si accorge che vengono fatte ipotesi di affarismo. La chiave di lettura di Massimo Teodori[45] è quella giu-

---

45. Massimo Teodori è stato membro della commissione parlamentare d'inchiesta sulla P2 e autore della relazione di minoranza; ha scritto *P2: la controstoria*, Sugarco, Milano, 1986.

sta: c'era una partitocrazia che aveva bisogno di risorse e serviva qualcuno che gliele procacciasse, di *brasseur d'affaires*. In questo senso, Gelli è stato a mio avviso l'espressione della Prima Repubblica e del suo tramonto. Non aveva alcuna voglia di sovvertirla, perché cambiando il sistema politico lui perdeva la possibilità di interagire. Ma si deve dire anche che nel Grande Oriente a un certo punto furono bloccate le iscrizioni alla sua loggia, perché c'era una marea di gente che voleva entrare nella P2. La gente voleva la P2. Questo è successo perché nell'immaginario collettivo diventava la chiave di volta per ottenere ciò che non si meritava. È assurdo, ma è così.»

È risultato però dagli atti processuali che la P2 faceva parte a pieno titolo del Grande Oriente. E le responsabilità del Gran Maestro Lino Salvini sono documentate. In una prima fase consegnò delle tessere firmate in bianco a Licio Gelli. E anche in seguito la sua opposizione fu debole e sottoposta a ricatti.

«Le iscrizioni, da una certa fase in poi, furono bloccate. Dopo di che ci fu la criminalizzazione della massoneria. La verità è che Gelli si è sempre mosso per conto suo: fascistissimo, poi salvato dai partigiani...»

Raffi fa una rivelazione interessante in merito alla vasta «legittimazione» di cui godeva Gelli, alle vere ragioni del suo potere.

«C'era un patto tra la finanza sporca vaticana e questo personaggio, questo centro di interessi. Un patto non scritto: se le cose vanno male paga la massoneria. Anche la lettura del crack dell'Ambrosiano e la figura di Marcinkus vanno riviste: è chiaro che con le risorse dell'Ambrosiano è stato finanziato Solidarnosc. Sul piano politico mondiale poteva essere anche un'azione condivisibile, certo non lo era se si guarda agli interessi degli azionisti. Se la "sponsorizzazione" di Calvi era in quella direzione, allora chi è stato a uccidere Calvi? *Cui prodest?* È una pagina oscura della fine della Prima Repubblica. Certo è che chiunque abbia un'intelligenza non può ridurre la storia della massoneria all'omino di Arezzo. La massoneria è quella di chi comandava la Brigata Garibaldi nella guerra di Spagna.»

Chiedo al Gran Maestro se figure come Beneduce, Mattioli, Cuccia possono essere considerati i numi tutelari della finanza laica e massonica. Finiti loro, sembra prevalere la finanza cattolica, sia pure con figure molto diverse come Geronzi e Fazio da un lato; e Bazoli dall'altro.

«Nella vulgata di una certa finanza cattolica, chi non è dei loro nel 99 per cento dei casi è massone. Almeno se si accetta la massoneria come categoria mentale, nel senso che ci sono tanti massoni senza tessera; e tanti che non sono massoni, pur essendo affiliati. Ora si parla tanto di massoneria, ma sono altre le forze che stanno occupando la società italiana. Io, per esempio, andrei a vedere com'è organizzato in Lombardia lo strapotere di Comunione e liberazione. Nella sanità e in tante altre realtà.»

Berlusconi è stato interpretato come espressione della finanza massonica e piduista. Poi però, nei fatti, è sembrato più muoversi nell'alveo della finanza cattolica dei Sindona e dei Calvi, piduisti ma vicinissimi al Vaticano.

«Non lo so. Non sono un esperto di finanza, io sono un giurista. Berlusconi, semmai, proprio per la sua rapida apparizione nel mondo piduista, ha il terrore di avere un'etichetta massonica. Quindi, a guardare i fatti, anche se era partito con un'impostazione liberista e liberale, in realtà poi è diventato espressione di un mondo cattolico. Quanto meno si vede una strumentalizzazione, da parte sua; si nota in lui il convincimento che il mondo cattolico è determinante, in termini di voto. Senza tralasciare il fatto che la Chiesa e la grande imprenditoria non saranno mai in opposizione. Non lo sono mai state e non lo saranno mai.»

Faccio osservare a Raffi l'esistenza di politici che usano la massoneria come un treno su cui salire quando serve, ma dal quale scendere quando è scomodo. Durante la Gran Loggia sono state notate molte contestazioni su figure come Marcello Pera, che prima si comporta come un massone, poi diventa l'alfiere delle posizioni più conservatrici della Chiesa.

«Passare da Popper alle guerre di civiltà, come ha fatto Pera, è un passo lungo. Che Ratzinger faccia Ratzinger è normale. Ma Pera? Dicci chi sei!»

E il professor Meluzzi? Massone professo per anni, ma ora prossimo ad andare in sonno, in crisi mistica, cristiano rinato.

«Meluzzi lo conosco da molti anni. Se vogliamo è una mina vagante, ma nel senso migliore. Tutti gli abiti gli vanno stretti, è un tipo libero, quindi a mio avviso lui può avere della propensioni che sono diverse da altri, ma non c'è nulla di male. Anzi, con figure come lui torniamo al discorso del mosaico che facevamo prima. Lui non poteva far politica.»

Con Raffi parliamo ora della massoneria italiana nel contesto dei rapporti di potere con quella internazionale. Nel 1992 si tiene al largo di Civitavecchia il famoso incontro del Britannia, a cui partecipano Prodi, Draghi e altre figure chiave della finanza.[46] E sembra che lì la massoneria internazionale concordi con i nostri esponenti un'ondata di privatizzazioni. Lì pare decidersi un attacco a molte aziende italiane: molte passano di mano, la cosa si ripeterà dopo con Bnl e Antonveneta, oggi con Telecom; e per tanti altri gruppi che si stanno sfaldando. C'è chi legge questi eventi come un attacco della massoneria internazionale a quella italiana.

«Lì è giocare sulla suggestione, sulle tinte. Tutto è politica, tutto è religione. Il problema è nella misura, nel modo in

---

46. Il 2 giugno 1992 vi fu un incontro a bordo del panfilo Britannia, di proprietà della Corona inglese, a bordo del quale erano ospiti alcuni finanzieri inglesi e americani, durante il quale si decise una politica di privatizzazione delle aziende partecipate dallo Stato italiano. Di lì a un anno effettivamente passarono in mani straniere Buitoni, Invernizzi, Locatelli, Galbani, Negroni, Ferrarelle, Peroni, Moretti, Mira Lanza e molte altre aziende. Mario Draghi era allora alto funzionario al Tesoro e Romano Prodi sarebbe stato richiamato di lì a pochi mesi alla presidenza dell'Iri.

cui si attuano certi comportamenti. I massoni americani hanno espresso Presidenti degli Stati Uniti, lo stesso Clinton ha fatto parte di associazioni paramassoniche come l'ordine De Molay.»

Si avverte però una forte distanza tra il Goi e la grande massoneria angloamericana. Non c'è stato il riconoscimento formale, nei confronti del Grande Oriente.

«Alla nostra Gran Loggia c'erano trenta massoni americani da New York e quindici da Washington. Il problema è che in Europa gli inglesi, per certi versi, vogliono esprimere un'egemonia. Gli inglesi vogliono da sempre esportare il loro modello di pensiero, ma è espressione di un altro modo di pensare e di un'altra cultura. In Italia sarebbe inaccettabile se esistesse una confusione di poteri come in Gran Bretagna. In Inghilterra il re è capo dello Stato, capo della Chiesa e capo della massoneria: attualmente il capo è il duca di Kent, perché il sovrano è una regina e le donne non sono ammesse alla massoneria; tuttavia la regina Elisabetta II è gran patronessa della Gran Loggia Unita d'Inghilterra. Capiamo già da questo che è una situazione molto diversa dalla nostra. Una storia diversa. La nostra storia, se vogliamo, è più vicina a quella degli Stati Uniti d'America. Il costituzionalismo nasce là. L'illuminismo americano è più simile all'illuminismo del continente europeo. L'Inghilterra ha una sua storia a parte. Ci sono grandi differenze tra le massonerie. Nonostante questo, la posizione della Chiesa è uguale verso tutte le obbedienze. Questo è stato ribadito dal Gran Maestro Venzi all'incontro su Chiesa e massoneria tenutosi un mese fa.[47] Ratzinger nel 1983 è intervenuto sul codice di diritto canonico, che aveva espunto la scomunica nei confronti dei massoni, facendola di fatto rientrare e dicendo che c'è inconciliabilità tra l'appartenenza alla Chiesa

---

47. Raffi si riferisce al convegno dal titolo «È possibile il dialogo tra Chiesa Cattolica e massoneria?», tenutosi il 1° marzo 2007 presso la Pontificia Facoltà Teologica San Bonaventura-Seraphicum di Roma.

e l'appartenenza alla massoneria. Perché lui continua a vedere i massoni come coloro che tramano contro i poteri. Il che è una pura invenzione. Però se noi ripensiamo a ciò che dicevamo prima, sul massone come uomo del dubbio, dobbiamo concludere che non è la pratica dei rituali a inquietare la Chiesa.»

Le altre obbedienze

La Gran Loggia di piazza del Gesù parla di grande dinamismo della propria obbedienza. Organizza maxi-convegni in occasione del centenario della morte di Carducci.[48] Come valuta questa «Comunione»? I vertici della Gran Loggia Nazionale d'Italia di Palazzo Vitelleschi affermano che la loro massoneria è più dinamica di quella di Palazzo Giustiniani. Il Gran Maestro Raffi è sferzante.

«Anche questa è una cosa esilarante: Carducci muore nel 1907, quando loro neanche esistevano. Carducci era iscritto al Grande Oriente d'Italia. Comunque la massoneria di piazza del Gesù è un qualcosa di profondamente diverso da noi. Io non ne potrei far parte. E le spiego perché: è una massoneria che si identifica con il Rito scozzese, in poche parole è una piramide che arriva sino al 33° grado; e nella quale a un certo punto si va avanti per cooptazione. È una cosa molto verticistica, che non condivido. Io invece nel Goi ho fatto una riforma rivoluzionaria: un maestro un voto. Le nostre cariche sono tutte elettive. Poi esiste anche da noi il Rito scozzese, ma è un'opzione. I gradi valgono all'interno di quel percorso; e devono restare in quel percorso.»

A Palazzo Vitelleschi però parlano di «grandi alleanze mediterranee» con la Turchia, la Grecia, il Libano, con i Pae-

---

48. Il 31 marzo e il 1° aprile 2007 si è svolto in Toscana il convegno intitolato a Giosue Carducci dal tema «Carducci maestro della Terza Italia».

si del Medio Oriente. Forse è il primo passo di una «deriva» mediterranea della massoneria italiana? Anche nel campo della massoneria l'Italia lascia l'Europa?

«Non lo so, dico solo che loro, nel grande circuito delle massonerie internazionali, non sono presenti in maniera forte. Non fanno parte delle massonerie "di serie A", delle massonerie regolari. Che loro oggi fruiscano dell'immagine che nel tempo il Grande Oriente si è saputo costruire è indubbio. Penso che chiunque oggi venda il "prodotto massoneria" si trovi facilitato dal nostro lavoro. Loro si avvantaggiano di un indotto che abbiamo portato noi; ma hanno anche un grosso complesso di inferiorità, comunque.»

Il fatto che nella Gran Loggia di piazza del Gesù siano ammesse le donne può essere una punto di forza? Li può aiutare a crescere con maggiore velocità? Li può rendere più forti rispetto al Goi?

«Non credo, da quello che ne so. Perché la regola internazionale è quella di non ammettere le donne. Se vogliamo, in questo siamo in compagnia delle grandi religioni monoteiste. Personalmente penso che se non si elabora seriamente il problema, il rischio è che un modulo maschilista venga imposto alle donne. Io sono a conoscenza di esperienze di Gran Logge esclusivamente femminili; sono percorsi che sottolineano la diversità, una spiritualità e un modo di avvertire e comunicare differenti. La domanda è: "Uomini e donne possono coesistere nello stesso seno, o devono seguire percorsi diversi?".»

Quindi per il Grande Oriente resta la chiusura all'ammissione delle donne alla massoneria.

«Non dev'essere un tabù. Oggi la regola è questa. Ma se dovessi fare una battuta ironica, direi che la massoneria è un po' come un supermercato: trovi di tutto, la massoneria esclusivamente maschile, la massoneria mista, la massoneria esclusivamente femminile.»

Adesso siete più di 18mila, un numero che in apparenza

indica lo stato di salute della massoneria italiana. Ma è un dato che testimonia anche la diffusa aspirazione a fare parte di un'associazione segreta.

«Sì, abbiamo superato il nostro massimo storico, nel periodo repubblicano. Questo testimonia il grado di salute del Grande Oriente. Soprattutto mi dà speranza il fatto che continui l'abbassamento dell'età media di chi fa parte del Goi. Noi abbiamo un'età media intorno ai cinquantadue anni; però l'età media di quelli che sono entrati negli ultimi otto anni è di dieci anni più bassa, quindi quarantadue anni. È chiaro che anche oggi, se arriva un sessantenne che si vuole iscrivere, non lo posso escludere, ma la preferenza è ovviamente per i giovani. Non è stato facile riassorbire il trauma della scissione di Di Bernardo perché, se non provocò un esodo, offrì a tanti l'alibi per tornarsene a casa, per giustificare quelli che in fondo si dicevano "ma cosa ci sto a fare...". Oggi un esodo non c'è più, anzi si va in senso opposto. Dobbiamo contenere le richieste di adesione. Ogni anno ci sono 1500-1600 domande, ma noi non possiamo ammetterne più di un migliaio. Poi è chiaro che ci sono i fratelli molto anziani, che anche per ragioni fisiche non possono frequentare. Soprattutto in passato, nel Grande Oriente avevamo un ambiente molto vecchio. Poi ci sono i passaggi all'Oriente Eterno.»

Qual è il tasso di abbandono? Ci sono voci discordanti, in merito.

«Irrisorio.»

Facciamo chiarezza su un punto. Le liste dei massoni sono o non sono depositate nelle prefetture, città per città? Insomma, sono pubbliche o no? Sono a disposizione dei prefetti e di chi le voglia consultare, oppure no?

«No, non vengono depositate. C'è stato un momento, nel periodo della persecuzione – perché va chiamato così – in cui si andarono a resuscitare delle norme espunte dal nostro ordinamento. Si rende conto di quello che hanno fatto con la legge sulla P2? Hanno abrogato le norme del testo unico.[49] Ma come? Eh sì, perché per assurdo le norme che erano già cadute in dissuetudine dopo il fascismo sono state ravvivate dalla normativa P2. Quella degli elenchi è una storia fascista: le liste si possono chiedere in presenza di ipotesi di reato; non si può censire il pensiero del singolo, dei cittadini anche sotto gli aspetti associativi, se vogliamo essere una democrazia. Per questo in un certo periodo si andarono a portare gli elenchi in prefettura. Ma ora è un'usanza abrogata. Se una singola loggia lo vuol fare, lo fa.»

Quindi è una scelta delle singole logge.

«Ma non è una scelta. Ci sono gli statuti e i regolamenti della massoneria, che sono pubblici. E le manifestazioni, che sono pubbliche. Basta andare sul nostro sito e si trovano i nomi di tutti i vari gerarchini e gerarchetti del Grande Oriente. Comunque io ho dato ordine che si privilegi il contenuto delle riunioni, più che la lista dei nomi. Ricostruire gli appartenenti a una loggia non è impossibile. A Ravenna è semplice, non è New York. È il segreto di Pulcinella.»

Sarebbe interessante sapere come funziona all'estero, se c'è qualche massoneria che pubblica le liste degli appartenenti.

«Nessuno pubblica le liste. È vero che non siamo un Paese molto civile: abbiamo recepito all'italiana la direttiva europea sulla privacy con diciott'anni di ritardo. Negli anni Cinquanta chi era iscritto al sindacato poteva vedere compromessa la propria carriera. Sono fenomeni che arrivano fino agli anni Settanta, con le schedature della Fiat.[50] C'è voluto lo Statuto dei lavoratori per far cessare il censimento delle opinioni. Poi, dopo, si è cercato di reintrodurre forme di

---

49. Il riferimento è all'articolo 212 del testo unico di pubblica sicurezza n. 773 del 1931, che prevede sanzioni disciplinari (fino alla destituzione) per i dipendenti pubblici appartenenti a società segrete, escludendo, però, l'applicabilità di una sanzione penale.
50. Nell'agosto del 1971, il pretore Raffaele Guariniello, a seguito di una perquisizione, scoprì una colossale attività di schedatura messa in atto dalla Fiat. Nell'ufficio «servizi generali» erano custodite 354mila schede informative sui lavoratori, di cui 151mila riferite al periodo 1967-1971.

controllo. Noi pubblichiamo un annuario che mandiamo anche al Presidente della Repubblica e ai presidenti delle Camere, nel quale ci sono tutte le cariche del Grande Oriente. Ma gli iscritti hanno diritto alla privacy. In passato c'era la caccia al massone, ci sono state persone che per la propria appartenenza massonica hanno perso il posto di lavoro. Quando le norme sulla trasparenza saranno applicate a tutte le formazioni sociali e una legge prevederà l'affissione dei nominativi sui muri, lo faremo anche noi. Ma solo allora, però».

Un problema che riguarda la massoneria, ma anche realtà riservate come l'Opus Dei, è quello della doppia *loyalty*, della doppia fedeltà a un'appartenenza di gruppo e ai doveri verso lo Stato.

«Ma no: se uno prende la cosiddetta promessa solenne, il giuramento di appartenenza alla massoneria, c'è l'impegno al rispetto pedante della Carta costituzionale e delle leggi che la stessa impone. La regola massonica è questa. Anche nelle Costituzioni di Anderson[51] c'è scritto che tu non ti puoi opporre al potere costituito. Devi rispettare le leggi. Addirittura, in passato, nella massoneria ci si pose un interrogativo: e se sale al potere un tiranno? Si rispettano le leggi della tirannide? La regola inglese, e anche quella americana, è che le leggi si rispettano fino a quando non sale al potere una dittatura.»

Le iniziazioni all'orecchio esistono ancora?

«No, assolutamente.»

Questo vuol dire che non esistono logge segrete, gruppi riservati o simili? O logge specializzate: di banchieri, piuttosto che di giornalisti?

«No, niente. Non siamo un sindacato di interessi. Personalmente mi sono convinto – e di questo fu un grande sostenitore Armando Corona – che la loggia dev'essere uno spaccato della società. Allora attraverso di essa si riesce a matura-

---

51. Il riferimento è a *Le Costituzioni dei Liberi Muratori* di James Anderson del 1723.

re una visione universale. Tante volte è l'uomo semplice che
ti illumina, perché fa un'osservazione che con la tua grande
elaborazione hai sottratto, non hai visto.»

Ma resta il fatto che uno come Gelli continua a ricevere
persone pronte a iscriversi a logge coperte; ha rapporti con
personaggi, come lo «spione» Cipriani, implicati nello scandalo Telecom.

«Non lo so, non voglio neanche sapere chi sono e cosa
fanno. Sinceramente è possibile tutto nella vita, ma che uno –
oggi come oggi – si faccia abbagliare da Gelli mi sembra incredibile. È possibile che uno sogni di trovare la chiave che
apre tutte le porte. Ma piuttosto si iscriva all'ultimo dei partiti politici, che sono comunque un momento più serio di tutela degli interessi.»

Torniamo a parlare di politica, di interessi generali, di segretezza. Raffi si lancia in una citazione colta.

«Fichte diceva: che la massoneria non può surrogarsi alle
istituzioni; né esercitare una supplenza, affermando che le stesse non funzionano. Perché allora diventerebbe un pericolo per
la società. Se qualcuno mi chiede se conosco i nominativi dei
18mila membri del Goi potrei rispondere, in maniera brutale,
che non me ne importa nulla, non mi interessa cosa fanno o cosa non fanno. L'unica cosa che ho cercato di fare in questi anni
è di esaltare l'intelligenza.»

Ma una persona cosa può imparare dalla massoneria oggi? Esoterismo, simboli, vecchi miti e riti vari? Per quelli non
può bastare un buon libro?

«La massoneria ti deve educare a non fermarti alle apparenze. Ad andare oltre. Però questo percorso di affinamento,
se è fine a se stesso, non serve a niente. Cioè, non esiste una
componente esoterica e una essoterica.[52] Sono due compo-

---

52. L'esoterismo si contrappone all'occultismo e si differenzia rispetto al-
l'essoterismo, la via della religione «pubblica» che convive dialetticamente
con la via dell'iniziazione, senza confondersi in essa pur partecipando alla
stessa dimensione spirituale.

nenti che si bilanciano. Per il massone, l'uomo è simboleggiato da una pietra grezza. Attraverso il lavoro di loggia, il cammino massonico, questo uomo deve levigare la sua pietra e da grezza farla diventare cubica. Ebbene quando questa pietra grezza è diventata cubica, cosa fa il massone? La porta a spasso? La deposita nel magazzino delle coscienze? Se la lega al collo e si butta nel fiume? O la va ad assemblare con altre pietre cubiche per costruire il tempio dell'umanità, una società migliore, la centralità dell'uomo? Con questo che il concetto è il medesimo, che si usi un linguaggio iniziatico o meno: la massoneria che esercita un virtuosismo, che esalta l'egotismo non risolve nulla.»

Ma è difficile credere che chi entra nella massoneria abbia tutta questa voglia di imparare, di elevarsi.

«Questo si verifica nel percorso. Bisogna vedere con quale idea uno è arrivato, cosa pensava di trovare. Faccio un'affermazione forte: la massoneria non può essere una stanza di compensazione per frustrati e falliti. Non è possibile che uno cominci ad agghindarsi con paramenti, grembiulini e guanti bianchi; che si circondi di titoli, e poi torni a casa, oltrepassi la porta e la moglie gli dica: "Stai zitto, cretino". Perché l'autorevolezza non deriva dalla autocertificazione. Deriva dal riconoscimento.»

L'Italia tuttavia resta il Paese del «non accesso», un Paese in cui gli spazi di democratizzazione, di meritocrazia e di partecipazione sembrano ridursi, invece che crescere. Sempre meno persone hanno accesso alle informazioni che contano. La massoneria rappresenta uno strumento di accesso all'informazione, uno strumento di selezione della classe dirigente?

«Noi tentiamo di farlo. Sì, noi cerchiamo di farlo. Però non vogliamo rappresentare solo le classi forti della società, ma anche coloro che non sono giustamente valorizzati.»

Le inchieste giudiziarie

Con il Gran Maestro Raffi affrontiamo il tema delle inchieste che in anni recenti hanno coinvolto la massoneria. Partiamo dall'inchiesta di Potenza di John Henry Woodcock, che chiama in causa i rapporti tra malavita e massoneria.[53] Esistono questi rapporti?

«Con l'inchiesta di Potenza torniamo alle deformazioni del passato. Siccome quello che si è creato in un'area del Sud Italia lì sarebbe un potentato, allora gli si dà la denominazione di massoneria. Tra l'altro, da quello che ho letto, c'è tutto un percorso che riconduce a determinate figure politiche che nulla hanno a che fare con la massoneria. Poi, magari, c'è un'inchiesta dove si parla di uno che era entrato e uscito dalla massoneria negli anni Novanta. Io su questi temi sono durissimo: se uno viene accusato di qualcosa di grave io lo sospendo».

Facciamo ulteriore chiarezza. Se un iscritto viene inquisito, il Goi come si regola? Attende la sentenza di terzo grado per espellerlo?

«Non aspetto il terzo grado per sospendere. Ma dipende dalla tipologia di reato. Per un reato infamante, che crea allarmismo sociale, la sospensione è immediata. Io addirittura sono andato oltre: so che ci sono realtà non facili, come in Calabria e in Sicilia. So benissimo che la coscienza giuridica non trasferisce ai figli le colpe dei padri, però per ragioni di opportunità devo affermare il principio che né i familiari né i frequentatori di mafiosi possano avere accesso alla massoneria. Ho avuto su questo un confronto pubblico col vescovo di Locri.»[54]

---

53. Cfr. cap. «'Ndrangheta e massoneria».
54. Il 28 gennaio 2007 il vescovo di Locri, monsignor Giancarlo Bregantini, in un convegno della Caritas tenutosi a Falerna (Catanzaro) ha proposto una revisione delle modalità delle esequie per i mafiosi e per coloro che appartengono alla massoneria deviata. «La mafia – aveva affermato monsignor Bregantini – è diventata ancora più insidiosa perché ora è meno evidente e stringe sempre più i rapporti con la massoneria.» Un'affermazione che ha subito provocato una dura reazione di Gustavo Raffi, leader del Grande Oriente d'Italia.

In Calabria e in Sicilia ci sono realtà non facili: esistono numerose testimonianze di collaboratori di giustizia che parlano di rapporti organici tra malavita organizzata e logge coperte. Con Raffi cerchiamo di affrontare il tema della massoneria deviata. Ma il Gran Maestro ha una reazione difensiva.

«Quello della massoneria deviata è un messaggio molto scorretto. Perché poi nella mente dell'uomo della strada l'aggettivo "deviata" scompare e resta la parola "massoneria". A sua volta la massoneria, nell'immagine collettiva, coincide col Grande Oriente, e così si forma la distorsione. Quando si invitano a uscire dall'ambiguità in sede di causa civile o penale, questi che fanno certe affermazioni si tirano indietro. Ma io, se si ripetessero episodi come quelli del Centro Scontrino a Trapani, vado lì e faccio una sfida alla Ok Corral. Mando in giro una macchina con l'altoparlante e dico a quelli che parlano di "massoneria deviata" di venire in piazza a discutere.»

Dagli atti del processo Dell'Utri emergono però pesanti testimonianze che parlano del rapporto tra mafia e massoneria, dell'affiliazione del superboss Stefano Bontate, della creazione di logge segrete di cui facevano parte membri delle varie famiglie mafiose.

«Bisogna anzitutto vedere a quale aggregazione massonica si fa riferimento. A un certo punto sui giornali si è parlato degli anni Settanta e al fatto che un certo Angelo Siino [ministro ai lavori pubblici di cosa nostra, *Nda*] era iscritto a una loggia. Allora io guardo nell'elenco del Grande Oriente, dove c'è scritto tutto. Viene fuori una frequentazione brevissima di Angelo Siino, neanche sei mesi. Io allora faccio richiesta di una copia della domanda, nella quale figurano chi sono i presentatori. Mi rispondono che non hanno più niente. Allora vado a Palermo e dico: "Cari fratelli, non mi venite a dire che l'avete fatto a tutela dell'Istituzione, perché quel nominativo a Roma ci sarà sempre. Se mi dite che l'avete fatto per non farmi conoscere i nominativi dei presentatori, questa volta va così ma la prossima volta finisce male". La cosa che mi tranquillizza è che Siino sia entrato e uscito perché ha visto che non era funzionale. E questo è un messaggio politico. Siino non aveva trovato il suo *habitat*.»

Ma il Gran Maestro e i vertici del Grande Oriente sono in grado di garantire un controllo effettivo sulle regioni più difficili? Sul fatto che non vi siano infiltrazioni mafiose o affaristiche nelle logge?

«Noi questo lo facciamo, nei limiti dell'umano, del possibile. Diciamo che ci sono delle regioni difficili, dove anche i fratelli possono avere dei momenti difficili. Io lo capisco benissimo: uno che vive in certe realtà... Però questo lo facciamo proprio seriamente.»

Poche settimane dopo il nostro incontro con Raffi, il sostituto procuratore di Potenza Henry John Woodcock ha chiesto alle prefetture dei 103 capoluoghi di provincia d'Italia gli elenchi delle logge massoniche e degli iscritti. Gli abbiamo chiesto se fosse disponibile a rendere pubblici gli elenchi degli iscritti alla sua loggia.

«Il fatto è che a monte c'è un discorso che riguarderebbe la massoneria deviata. La contraddizione di fondo è che se in queste inchieste giudiziarie si parla di massoneria deviata, non si vanno a richiedere gli elenchi alla massoneria ufficiale. Anni fa in Sicilia ci fu una mozione strana, che concludeva dicendo che i membri di una società segreta dovevano dichiarare la propria appartenenza. Vede, delle volte quando si esagera si ottiene un effetto controproducente. Non abbiamo nessun problema se il discorso riguarda un'informativa su alcuni personaggi che sono iscritti. Ma io faccio l'avvocato, e mi ricordo che la normativa fascista imponeva a tutte le associazioni di consegnare gli elenchi. Queste norme non esistono più. Ma cosa si vuole fare? Conoscere i nomi di 18mila persone? Questa è violazione della *privacy*».

Allora, seguendo la logica di Raffi, esiste una massoneria deviata.

«Io mi sento di escluderlo. Non ho arti divinatorie, ma

posso rispondere che per quanto riguarda il Grande Oriente assolutamente no. Anche perché io amo molto la massoneria, e siccome la massoneria per me è un inno alla gioia – è l'istituzione che ha aperto alla modernità – ha bisogno di farsi conoscere per quello che è. Quindi da parte mia c'è la massima trasparenza.»

Però nelle carte delle Procure verrebbe fuori il coinvolgimento della massoneria nel rapimento di Abu Omar. E anche nel caso Telecom: Cipriani, amico di Licio Gelli, è un massone. È possibile davvero escludere che esista una massoneria deviata?

«Ma io mi sento di escluderlo assolutamente! Una denominazione come la nostra, che viene usurpata continuamente, provoca un danno alla realtà associativa originale. Io ho criticato duramente la P2. La legge purtroppo non mi consente di impedire a gruppi di cittadini di costituirsi e darsi un nome; in questo caso il nome di massoni.»

A maggior ragione, quindi, anche a tutela della massoneria, sarebbe necessario garantire trasparenza e correttezza.

«Sui fatti di Trapani[55] ho già detto che ci costituiremo parte civile come ente a tutela degli individui estranei ai fatti, della massoneria che non c'entra. Qualche giorno fa a Torino abbiamo tenuto un incontro massonico aperto al pubblico, presenti anche i giornalisti. Insomma la mia riflessione è questa: più c'è vetrina, più c'è trasparenza e più i personaggi strani si squagliano. I personaggi strani non vogliono la luce, non vogliono la trasparenza. L'antidoto è svolgere con coerenza la propria funzione culturale, etica e pedagogica.»

A Raffi chiediamo di spiegarci qualcosa anche in merito alla Loggia Serenissima di San Marino, che è nata come germinazione del Grande Oriente. San Marino è stata infatti chiamata in causa dall'inchiesta della Procura di Catanzaro come sede di discutibili affari.

---

55. Centro Scontrino e loggia Iside 2 (cfr. cap. «Mafia e massoneria»).

«La Loggia di San Marino nasce da un'esigenza di questo tipo: noi non eravamo favorevoli, in passato, alla costituzione di una loggia in quella realtà; bastavano le logge di Rimini e di Pesaro. Ma mentre noi ce ne disinteressavamo, altri a San Marino avevano costruito delle Gran Logge. Ed erano personaggi non sammarinesi. Una sorta di consorteria. C'erano tre Gran Logge, a un certo momento. Era una situazione pericolosa: se succede qualcosa, la colpa ricade su di noi. Allora abbiamo deciso di costituire una Gran Loggia e di dare a essa il patrocinio del Grande Oriente. A noi interessa la regolarità, che le cose siano fatte bene. Così abbiamo stroncato ogni possibilità di consorterie, a San Marino».

Il bilancio di un Gran Maestro

Gustavo Raffi è Gran Maestro dal 1999. Gli chiediamo se esistano dei limiti temporali alla carica. O se sia lui stesso a porseli.

«Io penso sempre che vanno verificate le condizioni del proprio operato. Il mio mandato cessa nel 2009. A quell'epoca saranno dieci anni che sono al governo della massoneria. Se ci saranno dei problemi, li verificheremo. Oltre al grosso impegno necessario al Gran Maestro, si deve anche verificare se sorge una volontà di cambiamento all'interno della comunione massonica. È legittimo che sia così.»

Come vorrebbe che fosse ricordata la Sua lunga maestranza?

«Come l'azione di un uomo che ha dato corpo a un sogno. Un sogno di trasparenza, di umanizzazione, il sogno di una visione laica della società. Ho sempre coltivato un sogno di armonia con me stesso, anche perché non sono mai stato schiavo del denaro. Tant'è che a Ravenna tutti quanti si interrogano su come mai un avvocato nel pieno della sua carriera abbia in parte frenato la sua vita professionale. Io credo in quello che dico. Tutto quello che ho fatto e detto è persino sul sito e me ne assumo la responsabilità. Un giornalista una volta mi ha detto: "Ma si rende conto, avvocato, che quello che sta facendo toglie il fascino del mistero alla massoneria, la suggestione?". Io gli ho risposto: "Sì, forse è vero. Ma abbiamo pagato un prezzo troppo alto". Anche su altri aspetti formali della massoneria io prendo le distanze, perché sono contrario agli stili troppo teatrali: sì certo, qualcosa devi concedere alla spettacolarità; ma le entrate e le uscite eccessivamente solenni alla Gran Loggia non le voglio. Tant'è che non voglio neanche che si usi nei miei confronti un linguaggio troppo arcaico: Serenissimo Gran Maestro e cose simili. Gran Maestro basta. E a proposito dei lavori di loggia, quando nomino la persona che di volta in volta affronta il tema di riflessione comune, parlo di "relatore" e non di "colui che traccia la grande tavola architettonica". Un conto è il linguaggio interno, ma quando parli anche a persone che non fanno parte della massoneria devi parlare in modo che ti capiscano tutti.»

Il Gran Maestro sottolinea più volte la sua distanza da interessi materiali e di potere. Ed è doveroso prenderne atto. Proviamo a chiedergli dei suoi figli, se siano anche loro massoni.

«Ho due figli grandi. Uno quest'anno compie quarantun anni e l'altro trentanove. Uno si chiama Filippo e l'altro Michele. Sono avvocati nel mio studio di diritto commerciale. Il più grande è massone, l'altro è ancora un ragazzo: pensa che prima o poi toccherà anche a lui diventare massone, ma adesso ha altre cose da fare.»

Conoscendo la realtà italiana in tutti i suoi risvolti – oscuri e non – non ha mai avuto la tentazione di consigliare ai suoi figli di andare a vivere all'estero? Non è un'Italia così bella, quella di oggi.

«Io personalmente la tentazione di partire l'avevo avuta. Ma bisognerebbe vivere due volte. Volevo che i miei figli nascessero professionalmente senza l'ala protettrice del padre.

Mi piacerebbe che facessero un'esperienza all'estero e che avessero una visione internazionale, perché il mondo si è allargato.»

La massoneria del futuro

Che tipo di figura si augura il Gran Maestro Raffi alla guida del Grande Oriente, quando lui nel 2009 lascerà?

«Io vorrei che questa stagione non avesse termine. Magari anche migliorando l'azione compiuta finora. Io il secondo mandato l'ho svolto proprio per il timore che ciò che avevo avviato potesse andare perso. Un fratello mi ha fatto un complimento, mi ha detto: "Tu sei uno strano animale, perché riesci a coniugare la cultura con la politica. In genere se uno sa fare una cosa, non sa fare l'altra". Infatti io penso che la massoneria debba svolgere una funzione politico-culturale.»

Qual è il profilo giusto per il nuovo Gran Maestro?

«Non è semplice. Bisogna avere una grande umanità nell'incontro. Poi è necessaria tanta intelligenza ma anche una buona capacità organizzativa. Ci vuole un mix, non è facile.»

La funzione della comunicazione quindi è fondamentale...

«Sì. Negli Stati Uniti i massoni sono quattro milioni, ma in passato erano il doppio.[56] O ti aggiorni o perisci. Negli anni dell'inchiesta Cordova, poi finita a tarallucci e vino – e devo dire che la stampa non ha dato sufficiente risalto al modo in cui si è conclusa l'indagine – io dissi: "Se questo è il prezzo da pagare per mantenere nel cittadino la credibilità nei confronti della magistratura, siamo disposti a pagarlo. Ma solo per questo".»

Come si pone la massoneria nei confronti dello strapotere dell'economia e della finanza, dei nuovi "poteri forti" di cui parlava Baldassarre al convegno della Gran Loggia?

---

56. In realtà erano quattro milioni nel 1960; ora sono due milioni.

«Il grande problema che abbiamo di fronte è la gestione della globalizzazione. C'è sempre stata, è l'incontro tra culture diverse. Ma l'abuso, cioè il trasferire in certi Paesi le tecnologie per avere la manodopera a basso costo, ha creato distorsioni. Al punto che questa manodopera ha imparato come si fa e ora i loro prodotti tornano sul mercato a prezzi stracciati che mettono in crisi l'economia. Allora siamo in grado di pensare a istituzioni realmente sovranazionali? C'è una capacita di intervento velocissima sul versante dell'economia e della finanza, mentre c'è qualcosa che non funziona altrove. Se uno non si pone il problema di globalizzare anche i diritti umani, di considerare l'uomo non solo come l'utente finale di processo di produzione, non si va da nessuna parte. Lei pensi all'immobilismo delle Nazioni Unite. Ora, teoricamente i princìpi delle Nazioni Unite sono perfetti – d'altra parte fu un'intuizione massonica, la Lega delle nazioni – ma sono un forum dove si dibatte solamente; non c'è lo strumento per attuarli, al massimo si hanno delle risoluzioni che se si applicano è bene, se non si applicano è lo stesso. Se noi andiamo a vedere questi "princìpi", poi, scopriamo che si applicano in ragione degli interessi che esistono in determinate aree del globo: in Bosnia, ad esempio, dove non c'era il petrolio, la pace si è raggiunta al compimento della pulizia etnica. I croati sono stati raggruppati coi croati, i serbi coi serbi, i musulmani coi musulmani. È una cosa mostruosa. La massoneria anche in questo è diversa, unisce. La Gran Loggia di Bosnia tiene insieme musulmani, bosniaci, croati e serbi. In teoria esiste una regola secondo cui una Gran Loggia deve avere come riferimento una nazione: ma i nostri fratelli, quando implose la nazione jugoslava, volevano rimanere insieme come loggia. E l'hanno fatto. Le posso annunciare poi che andremo a installare la Gran Loggia del Montenegro. Quindi si assiste a una rinascita della massoneria in quei Paesi. La massoneria in quei contesti ha un significato: è quello mazziniano. Nella visione mazziniana i nazionalismi sono una degenerazione. La frontiera per un massone non è un luogo di demarcazione, ma un luogo di incontro, un ponte tra culture diverse.»

Chi, secondo il Gran Maestro Raffi, rappresenta al meglio in Italia la cultura massonica? Non è strano che i grandi massoni vengano riscoperti o celebrati solo quando sono morti? O che vengano ricordati cent'anni dopo? Come mai non vengono portate alla luce le figure illustri della massoneria del presente?

«Io sono contrario alle categorie e valuto un uomo dal paradigma esistenziale ed educativo che interpreta. Non è necessario che uno sia iscritto alla massoneria: meglio se lo è, ovviamente! Per certi aspetti, come ha scritto Fichte, la massoneria può essere sterile, perché non si esprime all'interno di una comunità più ampia: uno può essere stato massone tutta la vita senza che si sia nemmeno saputo. Ma se uno pensa a Carducci, si accorge che è stato un punto fermo della massoneria anche se all'epoca non si seppe. Lui non volle mai essere chiamato senatore o poeta, ma professore. Perché lui aveva capito una cosa importante: una volta fatta l'Italia, bisognava fare gli italiani. E la scuola era lo strumento principe. Su questo non derogava: nel momento in cui è stato disoccupato e ha avuto la possibilità di andare a lavorare in una scuola privata, non ci è andato. Vorrei concludere dicendo che dobbiamo ispirarci a queste grandi figure, per cercare di costruire un'Italia più unita, più laica e più solidale.»

La Gran Loggia Nazionale d'Italia:
l'apertura alle donne

Una massoneria mista

La seconda grande comunione massonica italiana, in termini numerici, è la Gran Loggia Nazionale d'Italia,[1] che conta circa 8800 aderenti, il 27 per cento dei quali è costituito da donne. Si tratta infatti dell'unica obbedienza – tra le grandi famiglie massoniche italiane – che ammetta la presenza femminile, distanziandosi in questo dalla tradizione inglese, che concepisce la massoneria come un «club» esclusivamente maschile.

La Gran Loggia Nazionale d'Italia si è formata nel 1910 da un nucleo del Supremo Consiglio di Rito scozzese antico e accettato, che il 24 giugno del 1908 aveva lasciato il Grande Oriente d'Italia.

Le finalità del Rito sono quelle di offrire ai «fratelli» che hanno raggiunto il grado di Maestro (3° grado simbolico) la possibilità di continuare e approfondire la loro ricerca interiore proseguendo il cammino iniziatico. Il Rito scozzese antico e accettato, seguito dalla Gran Loggia d'Italia, comprende i gradi capitolari (speculativi), dal 4° al 18° (Massoneria Rossa), che hanno finalità di perfezionamento; seguono quelli filosofici, dal 19° al 30° grado (Massoneria Nera), che simboleggiano lo sviluppo del percorso iniziatico verso la «conoscenza assoluta» (gnosi); infine i gradi della Massoneria Bianca dal 31° al 33°, che hanno il compito sia di applicare la conoscenza rag-

---

1. Fra i personaggi noti che hanno fatto parte della Gran Loggia Nazionale d'Italia figurano artisti come Totò, Gino Cervi e Hugo Pratt, il creatore di Corto Maltese.

258   *Fratelli d'Italia*

giunta all'amministrazione della Comunione, sia di diffonderla nella società. Nei gradi «scozzesi» si ritrovano influenze misteriche, filosofiche, gnostiche, cavalleresche, metafisiche; si incontrano miti derivati dalla tradizione biblica, rosacrociana, illuministica, templare. Caratteristica particolare della Gran Loggia Nazionale d'Italia è di avere come organo esecutivo del supremo consiglio e della Gran Loggia una stessa persona, nel contempo sovrano gran commendatore e Gran Maestro, e di considerare continuativi tutti i gradi dal 1° al 33°.

Quando nel 1908 vi fu la scissione dal Grande Oriente, alla guida del gruppo andò l'allora luogotenente sovrano gran commendatore Saverio Fera, pastore protestante di origine calabra, ma residente e operante a Firenze. Nella storia delle obbedienze che risalgono a Fera e al suo successore Raoul Vittorio Palermi, dette spesso «di piazza del Gesù» (dal nome della piazza romana dove la loggia ha sede), gli scismi sono stati frequenti e costituiscono un elemento decisivo per spiegare la compresenza in Italia di numerose obbedienze massoniche minori.

Fera mirava a salvaguardare alcuni dei princìpi fondamentali della cultura iniziatica della libera muratoria, tra cui quello della libera ricerca personale e religiosa. Pur essendo molto critico nei confronti del cattolicesimo, era ostile all'anticlericalismo esasperato del Grande Oriente, che agli inizi del Novecento talvolta accolse personaggi e tematiche anticristiane. Rispetto al Grande Oriente, quindi, vi è stata in questa obbedienza una maggiore presenza di elementi «cristiani» e talora anche «filo-cattolici», che vi sono confluiti a partire dalla seconda metà degli anni Cinquanta. Il tutto risponde a una definizione che la Gran Loggia dà spesso di se stessa: «adogmatica».

Le obbedienze, come la Gldi, che aderiscono al Clipsas[2]

2. Il Clipsas (Centre de Liaison et d'Information des Puissances maçonniques signataires de l'Appel de Strasbourg, «Centro di collegamento e di informazione delle potenze massoniche firmatarie dell'Appello di Strasburgo») riunisce dal 1971 i Grandi Orienti di Francia, Belgio e Germania

criticano infatti «il dogmatismo e il conservatorismo sociale della massoneria anglosassone», ammettono gli atei e gli agnostici, talora anche le donne. E non rinunciano a un'azione politica in favore dei diritti dell'uomo e della democrazia (così recita l'Appello di Strasburgo firmato dagli aderenti al Clipsas).

Sul piano storico, all'origine della profonda divergenza della Gran Loggia con il Grande Oriente vi fu la mancata approvazione al Parlamento del Regno d'Italia di una regolamentazione dell'istruzione religiosa nelle scuole elementari. Nel 1907, l'allora Gran Maestro Ferrari diede voto favorevole a una mozione che affermava il «carattere laico della scuola elementare», ma il progetto non fu approvato proprio a causa del voto contrario di molti deputati massoni. Questi, ispirandosi ai princìpi di tolleranza religiosa, stimarono che il provvedimento fosse lesivo della libertà di scelta tra laicità e confessioni religiose, e che limitasse la loro stessa autonomia, poiché non accettavano che l'istituzione massonica desse direttive in materia di scelte politiche.

La Gran Loggia Nazionale d'Italia, che nel 1910 portava il titolo distintivo di «Serenissima Gran Loggia d'Italia», contava già più di 5000 fratelli nel 1915. E fin dal 1912 la Conferenza internazionale dei supremi consigli di Rito scozzese, riunita a Washington, la riconobbe come unica diretta discendente del Grande Oriente del 1805.

Anche la Sgldi, nonostante una serie di tentativi di dialogo col fascismo, fu soppressa nel 1925 a seguito della promulgazione della legge sulle associazioni. All'indomani della Seconda guerra mondiale, l'obbedienza riprese i propri lavori. Nel 1950 diventò Serenissima Gran Loggia Nazionale e si stabilì nella storica sede di piazza del Gesù. Negli anni Cinquanta le donne, alle quali l'obbedienza riconobbe da allora assoluta uguaglianza iniziatica con gli uomini, comin-

– in quest'ultimo Paese è presente però anche una Gran Loggia «regolare» di Obbedienza inglese – e le Grandi Logge olandese e danese, nonché la Gran Loggia d'Italia (Palazzo Vitelleschi).

ciarono a lavorare nei templi della Gran Loggia d'Italia, che sancì l'identità completa dei diritti e dei doveri dell'uomo e della donna nella massoneria.

La Gran Loggia Nazionale d'Italia vide un notevole sviluppo durante la guida di Giovanni Ghinazzi, che ne resse le sorti dal 1962 al 1986. Il successore, Renzo Canova, diede all'obbedienza la sua denominazione definitiva in occasione dell'inaugurazione della sede centrale di Palazzo Vitelleschi, il 16 novembre 1991.

Il «metodo» Danesin

Una buona occasione per comprendere il *milieu* umano della Gran Loggia Nazionale d'Italia è la due giorni di lavori massonici dedicata a «Giosue Carducci, il Maestro della terza Italia».[3]

Arrivano massoni da tutta Italia. Per lo più i partecipanti sono di estrazione sociale media; anche in questa comunione massonica avanzano piccoli commercianti, artigiani, titolari di piccole e medie imprese. I «notabili» sono pochi e si distinguono subito dal tratto: qualche grosso professionista milanese, romano, napoletano o veneto; un paio di professori universitari.

I lavori del convegno per celebrare il centenario della morte del celebre poeta, premio Nobel per la letteratura, sottolineano ovviamente che nella formazione di Carducci ebbe un ruolo chiave l'appartenenza alla libera muratoria. Le relazioni celebrative si susseguono senza sosta, ma alla fine è possibile avvicinare il Gran Maestro Luigi Danesin.

Consulente del lavoro, Danesin nel tempo ha ricoperto cariche di responsabilità nel tessuto economico del Triveneto, ed è stato cofondatore della Banca Popolare di Venezia. La sua multiforme attività «profana» non gli ha impedito

---

3. Tenutasi, come già detto, il 31 marzo e il 1° aprile 2007 a San Vincenzo (Piombino), presso l'Hotel Villa degli Etruschi.

una vita massonica intensa, caratterizzata da numerosi incarichi all'interno dell'obbedienza.

Massone dal 1968, è stato sovrano gran commendatore
Gran Maestro per due mandati consecutivi, dal 2001 al
2007. Il suo mandato termina nel novembre 2007. Danesin
ricopre inoltre la carica di coordinatore dell'Unione delle
potenze massoniche del Mediterraneo.

I suoi sei anni di Gran Maestranza hanno teso a rafforzare un'immagine di sobrio *understatement*. Viaggia moltissimo e cura personalmente ogni dettaglio e ogni rapporto con
i «fratelli». Notevole il suo forzo per allargare la «base»: tra
le nuove logge c'è quella neonata di Beirut, a capo della quale è stata posta una donna.

Danesin rende noto: «Il 27 per cento dei nostri affiliati
sono donne, molte delle quali presiedono una loggia. Quest'anno celebriamo il cinquantesimo anniversario dell'entrata delle donne in massoneria, un caso che anche gli inglesi
stanno guardando con attenzione. D'altra parte anche Garibaldi ha iniziato delle donne».

Parla il Gran Maestro

Con Luigi Danesin iniziamo un'analisi per capire cosa sia e
come si collochi oggi la Gran Loggia Nazionale d'Italia.

«La Gran Loggia Nazionale d'Italia è una realtà che è
molto cresciuta in questi anni», esordisce Danesin, «i fratelli
hanno superato quota 8800, le logge sono 457, articolate in
165 "orienti",[4] con un'età media degli iscritti che negli ultimi

---

4. L'Oriente è la località ove ha sede almeno una loggia; la provincia massonica è il territorio ove hanno sede più orienti e corrisponde, di norma
ma non necessariamente, al territorio amministrativo della provincia dello
Stato italiano; la regione massonica è l'insieme di più province massoniche
il cui territorio corrisponde, di norma ma non necessariamente, al territorio amministrativo della regione dello Stato italiano.

anni si è abbassata dai 65 ai 55 anni. Siamo presenti in tutte le regioni e in tutte le province, persino in quelle di nuova costituzione. Bisogna considerare che abbiamo anche 186 "camere superiori" che sono logge di rito dal 4° al 33° grado. Un'opportunità di perfezionamento in più: la massoneria vive di simboli; e la propria verità ognuno deve trovarla da sé. Il simbolo significa quello che tu apprendi.»

Il profano non capisce però perché – se i massoni sono tutti «fratelli» – le varie obbedienze non possano unirsi tra loro. Non sarebbe già questo un segnale di chiarezza? Danesin parte da una premessa.

«Quando si parla di massoneria si usa un termine astratto. E allora bisogna capirsi in via preliminare, calarsi in quelle che sono le obbedienze massoniche: c'è il Grande Oriente di Palazzo Giustiniani; c'è la nostra obbedienza, ovvero la Gran Loggia Nazionale d'Italia di Palazzo Vitelleschi; c'è la Gran Loggia Regolare d'Italia. Fatta questa distinzione, ne serve un'altra. Vi sono due grossi schemi di pensiero, che regolano il nostro mondo: la massoneria dogmatica, che si rifà all'Inghilterra e al mondo anglosassone, e la massoneria adogmatica,[5] che si rifà al bacino del Mediterraneo, culla di tutte le discipline iniziatiche ed esoteriche. Dall'antico Egitto alla Grecia classica, tutto nasce qui, nel Mediterraneo. In tutto il mondo esistono questi due grossi filoni di pensiero, ognuno con la propria sovranità; e ognuno ha qualcosa da dire. Oltre a questi – che da noi sono interpretati dalle due massonerie di Palazzo Giustiniani e Palazzo Vitelleschi, e lo stesso accade in Francia e in Spagna – esiste una miriade incontrollabile e nemmeno censibile di realtà, che non sono in senso tecnico obbedienze massoniche. Si tratta di gruppuscoli, spesso nati da personaggi espulsi o in lotta nel momento in cui, nelle varie obbedienze, si arriva all'elezione del

---

5. Per «adogmatica» si intende la massoneria aperta su temi come l'ammissione delle donne e la possibilità per gli atei di far parte dell'obbedienza.

Gran Maestro: succede infatti che ci sia un "venerabile" che non viene eletto, si offende, va via e crea una propria realtà. Sono logge o obbedienze spurie, persone che si attribuiscono titoli roboanti tra di loro, ma che non hanno riconoscimenti internazionali. Sono situazioni che nascono e che spariscono. Insomma, non sono la massoneria.»

Il Gran Maestro porta un esempio di attualità, di grande interesse date le inchieste giudiziarie che in tempi recenti hanno interessato la massoneria.

«Con il giudice John Henry Woodcock, che ha avviato un'inchiesta sulla massoneria dalla Procura di Potenza, abbiamo parlato per un'ora e mezzo di massoneria. Ho infatti deposto còme persona informata dei fatti. Al magistrato ho spiegato che per condurre un'inchiesta, certamente legittima, è importante non limitarsi ad analisi generiche, mentre è necessario conoscere a fondo il fenomeno. Il mio suggerimento è stato quello di seguire un metodo diverso da quello seguito nel 1992-1993 dal giudice Cordova, che partiva da una scarsa conoscenza del fenomeno massonico. Cordova – giustamente, dal suo punto di vista – doveva indagare sulle questioni della massoneria perché c'erano dei personaggi che avevano commesso dei reati; ma non conosceva la materia – lo dico in tono riguardoso – e per questo ha dovuto mollare tutto, anche se ha toccato alcuni gruppuscoli spuri che potevano essere implicati in reati.»

Faccio osservare a Danesin che l'atteggiamento di Raffi nei confronti dell'inchiesta di Woodcock è stato diverso, piuttosto duro. Anche questa è una differenza tra le due obbedienze?

«Tra noi e Palazzo Giustiniani vi sono forti differenze, in tanti campi. Partiamo da quelle di carattere filosofico. Loro sono "dogmatici", in particolare non ammettono le donne. Per loro il massone dev'essere uomo: giusto o sbagliato che sia, per loro è così. Ma a parte questi aspetti, va detto che noi abbiamo come principio base la tradizione, la continuità, la difesa della sacralità del tempio massonico, l'istituto dell'iniziazione. Tutto è curato in ogni dettaglio. Il Goi, purtroppo, è invece il gruppo in cui è nata la mala pianta della P2. Come mai è nata lì? Da noi non poteva nascere, perché la nostra gerarchia a piramide non consente la formazione di "bande", non permette la creazione di entità come la P2.»

Faccio notare al Gran Maestro che nel 1986 la magistratura sequestrò a Palermo la lista di una loggia coperta alla quale appartenevano molti boss mafiosi condannati per gravissimi reati; e che questa lista fu attribuita al Centro sociologico italiano di via Roma, a Palermo, ritenuto espressione della massoneria di piazza del Gesù. Una relazione della Commissione bicamerale antimafia, nel 1992, affermava testualmente:

In Sicilia sono particolarmente presenti comunioni e pseudo-comunioni massoniche che si richiamano all'obbedienza di piazza del Gesù, con peculiarità organizzative che le contraddistinguono rispetto all'altra obbedienza massonica, quella del Grande Oriente d'Italia. Le comunioni di piazza del Gesù, infatti, sono spesso caratterizzate dalla presenza di strutture organizzative che aggregano gli affiliati sulla base della comune professione svolta (camere tecnico-professionali), sovrapponendosi alla tradizionale organizzazione territoriale (logge). Molte logge di queste comunioni, spesso coperte, operano esclusivamente nel campo delle cosiddette «attività profane», professionali, politiche, amministrative, affaristiche. Esse si caratterizzano per una troppo estensiva interpretazione del concetto di solidarietà massonica e sono perciò in grado di determinare gravi interferenze nell'esercizio di funzioni pubbliche.[6]

Il Gran Maestro Danesin non si sottrae a questa domanda.

«Credo che quella volta alla Commissione antimafia abbiano preso un abbaglio grosso. Ricordo che mi recai alla

---

6. Resoconto stenografico della seduta del 4 dicembre 1992 (n. 38, XI legislatura) della Commissione Parlamentare Antimafia (presieduta dall'onorevole Luciano Violante), pp. 1833-1834.

Commissione, formata da rappresentanti del Senato e della Camera; lavorava a Palazzo San Macuto ed era presieduta da Luciano Violante. Fummo ricevuti in cinque, come membri di giunta della Gran Maestranza. Io all'epoca ero Gran Maestro aggiunto. A forza di parlare, ci chiarimmo su un equivoco: quella di via Roma 391 non era la nostra sede. La sede della nostra obbedienza era effettivamente in via Roma, ma a un altro numero. Via Roma è una via lunghissima, la più lunga di Palermo. La cosa si chiuse lì. Quella di cui erano state sequestrate le liste era una loggia spuria, spero non esista più. Non era roba di casa nostra, né di Palazzo Giustiniani.»

Chiedo a Danesin se non abbia mai sentito parlare nemmeno della loggia coperta Giustizia e libertà,[7] secondo alcune ricostruzioni confluita poi nel Grande Oriente.

Il Gran Maestro risponde: «Il nome Giustizia e libertà è piuttosto diffuso, tra le logge. E questo in entrambe le principali obbedienze. A chi faceva capo, da chi era rappresentata? Non lo so. Bisognerebbe fare una ricerca specifica.»

Si dice fosse della Gldi, ma che poi sia confluita nel Grande Oriente...

«È il discorso della P2: il Grande Oriente, invece di curare la ritualità, la tradizione e la continuità – tutte cose che fanno della massoneria una realtà eccezionale – si preoccupava del potere. Loro mirano più a queste cose, sono più portati a quel tipo di mentalità. Bisogna invece evitare il formarsi di bande e gruppi separati: il Gran Maestro non è il presidente di un'as-

---

7. Della loggia Giustizia e libertà parla Aldo Mola, *Storia della Massoneria italiana dalle origini ai nostri giorni*, Bompiani, Milano, 1997, p. 744. Ma della sua esistenza parla anche il libro di Roberto Fabiani, *I Massoni in Italia* (Editoriale L'espresso, Roma, 1978), che afferma: «Anche a piazza del Gesù, come in tutte le massonerie del mondo, esisteva una loggia coperta, destinata a riunire i fratelli più in vista. Si chiamava *Giustizia e Libertà* e in passato aveva visto una comparsa (rapida) dell'ex presidente del Senato e senatore a vita Cesare Merzagora, dei generali Giuseppe Aloja e Giovanni De Lorenzo; perfino il caporione fascista Giulio Caradonna era entrato e uscito diverse volte».

sociazione qualsiasi, è il capo di un'obbedienza iniziatica e come tale rappresenta tutte le logge, tutta l'Italia. Poi il Gran Maestro delega, ma quella dell'obbedienza resta una struttura piramidale. Il capo è uno solo. Al Goi la struttura è diversa: i maestri venerabili di una regione eleggono il presidente regionale. È una modalità che nulla ha a che vedere con noi; si creano gruppi di potere, il concetto iniziatico si perde e succede quel che è successo. Quando vado all'estero mi chiedono ancora della loggia P2. Salta sempre fuori, tra un discorso e l'altro. Stiamo pagando duramente, per questi errori.»

Danesin sottolinea di non voler criticare i fratelli del Goi, ma ritiene che un'autocritica farebbe bene a tutta la massoneria italiana.

«Il Goi è fatto così: io tempo fa ho ricevuto una raccomandata, da Raffi e da un altro avvocato, nella quale mi diffidano dal parlare del Grande Oriente nel corso degli incontri che tengo andando in giro per l'Italia. Ma non è certo colpa mia se la gente, o i giornalisti, mi chiedono della P2! Quello che in realtà dà fastidio a molti è che la Gran Loggia Nazionale d'Italia comincia a essere una grandissima obbedienza ed è assurta a posizioni internazionali. Prima erano solo loro, nessuno interferiva ed è saltata fuori la P2, che ha provocato la legge Spadolini per la quale ci rimettiamo tutti. A noi non interessa che entri il capo dei servizi segreti, o il ministro, o quello che entra per curare esclusivamente i suoi interessi. Non possiamo accogliere nessuno con questo tipo di visione della massoneria.»

Ma le liste della Gran Loggia d'Italia sono tutte depositate?

«Formalmente sono tutte depositate nelle singole prefetture, in pratica solo in alcune città più organizzate è stato fatto. Comunque per noi non è un problema.»

Ecco allora ritornare la domanda chiave: quando Woodcock ha chiesto gli elenchi della massoneria di piazza del Gesù, i suoi vertici come si sono comportati?

«Quando ho incontrato Woodcock, mi ha chiesto le liste: io gliele ho date in un dischetto dopo due ore. Quindi Woodcock sa benissimo chi siamo. Ha le liste complete della Gran

Loggia Nazionale d'Italia. Mi ha fatto sigillare la busta con la ceralacca; ha firmato lui e ho firmato io e mi ha detto: "Sicuramente, da quello che capisco, questa busta non la apriremo nemmeno, le saprò dire...". Io gli ho detto che se voleva poteva andare nel mio studio a Roma, a Palazzo Vitelleschi, e guardare nei cassetti: sono aperti. L'inchiesta di Woodcock è seria, vorrei ce ne fossero altre di questa qualità.»

Il Gran Maestro Raffi di fronte alla richiesta di Woodcock si è appellato alla legge sulla privacy, almeno stando a quanto ha dichiarato pubblicamente.

«Forse ha qualche scheletro nell'armadio. Io sono stato pienamente disponibile nei confronti del magistrato. In seguito gli ho anche comunicato per iscritto la costituzione di nuove logge, con la relativa lista degli aderenti. Ho trovato in Woodcock un magistrato di grande portata. Ha avuto la gentilezza e la pazienza di cercare di capire molte cose, di approfondire.»

E come valuta il Gran Maestro Danesin l'inchiesta della Procura di Catanzaro che ha visto recapitare un avviso di garanzia a Romano Prodi[8] in merito alla massoneria coperta di San Marino come terminale di vicende poco trasparenti relative ai fondi europei?

«Le logge di San Marino? Si tratta di gruppuscoli spuri, non hanno diritto di chiamarsi massoneria. Guardi, a me piacerebbe molto andare con Raffi dal Presidente Napolitano, presentarci in Quirinale e dire: "Signor Presidente, eccoci qui, noi siamo la massoneria in Italia, ognuno con la sua storia e la sua sovranità. Congiuntamente auspichiamo che l'articolo 18 della Costituzione venga regolamentato,[9]

---

8. Cfr. cap. «Tra affari e Palazzo: l'inchiesta di De Magistris».
9. L'art. 18 della Costituzione recita: «I cittadini hanno diritto di associarsi liberamente, senza autorizzazione, per fini che non sono vietati ai singoli dalla legge penale. Sono proibite le associazioni segrete e quelle che perseguono, anche indirettamente, scopi politici mediante organizzazioni di carattere militare». Si tratta di una norma di carattere precet-

così facciamo pulizia e ordine in tutta la materia. Diversamente siamo sempre alle mercé dei soliti quattro delinquenti che si mettono insieme, creano logge spurie, fanno delle porcherie e poi la colpa ricade sulla massoneria". Non a caso noi abbiamo registrato il nome della Gldi insieme alla denominazione "Palazzo Vitelleschi" e l'abbiamo depositato.»

Chiedo a Danesin in che modo la Gran Loggia Nazionale d'Italia riesca a garantire la qualità dei propri «fratelli»: come si fa a evitare che entrino affaristi senza scrupoli, personaggi di dubbio spessore che usano le logge per creare dei «comitati d'affari»?

«Per entrare da noi servono almeno due fratelli di una certa anzianità, che presentano il candidato; dopo di che il maestro venerabile, che è il capo della loggia, incarica altri fratelli di andare a *tegolare* l'aspirante, quindi di condurre una serie di colloqui mirati a valutare le intenzioni del candidato. Dopo che sono state effettuate una serie di verifiche, avvengono tre votazioni, in tre tornate. E anche se c'è solo una "pallina nera", il candidato non entra. Non basta: la pratica passa all'ispettore provinciale, che deve emettere un nullaosta. A sua volta la domanda passa al delegato regionale, che coordina le varie province e che deve anche lui dare un placet. Infine arriva sul mio tavolo. L'aspirante deve, inoltre, portare un certificato dei carichi pendenti e uno del casellario penale generale.»

Pratiche che non garantiscono necessariamente la qualità delle intenzioni di una persona rispetto a un'associazione che per natura è altamente riservata.

tivo ma non dotata di immediatezza, e quindi necessita dell'attuazione del legislatore ordinario (quanto agli elementi sintomatici della segretezza e alla determinazione delle misure conseguenti). A tutt'oggi questa legge non c'è.

Il bilancio di sei anni di mandato

Luigi Danesin, settantacinque anni, sta concludendo il suo secondo mandato triennale e le norme interne non gli consentono di essere rieletto (se non tra sei anni, quindi a ottantuno). È quindi il momento giusto per tracciare un bilancio dei sei anni trascorsi alla guida della massoneria di piazza del Gesù.

Qual è il «clima» che contraddistingue la massoneria di Palazzo Vitelleschi?

«Noi viviamo tra le logge una forte comunione d'intenti. La Gran Loggia Nazionale d'Italia viene indicata ormai da molti osservatori come il portabandiera del sistema "liberale" all'interno del mondo massonico. Questo perché la nostra Comunione ha avuto l'intuizione di creare, sette-otto anni fa, una unione tra le obbedienze massonico-liberali del bacino del Mediterraneo. Questa Unione Massonica Mediterranea celebra una conferenza ogni anno. Le tre conferenze che hanno portato alla costituzione di questa Unione sono state organizzate in Italia: a Reggio Calabria, a Palermo e a Napoli. Abbiamo collegamenti con 62 obbedienze all'estero; e abbiamo addirittura sette logge della Gldi situate fuori dall'Italia.»

Quanto agli obiettivi, Danesin sottolinea l'importanza del lavoro culturale e simbolico.

«Innanzitutto, ci proponiamo di istruire i fratelli sui temi della ritualità. Abbiamo lavorato molto su questi aspetti. Per noi è una questione di principio: se Lei viene a Palazzo Vitelleschi, nell'area sacra di torre Argentina, vedrà che abbiamo quattro templi massonici. Se Lei va a Villa Medici del Vascello, la sede del Grande Oriente, troverà uffici, ufficietti e scrivanie. Oggi noi siamo molto protesi anche verso l'esterno. Prima seguivamo la nostra politica del tempio massonico e basta. Mentre adesso ci sono tutta una serie di momenti pubblici.»

Faccio notare al Gran Maestro che ogni obbedienza descrive un clima idilliaco, perfetto. Proprio non è possibile una riunificazione con il Grande Oriente?

Il Gran Maestro veneziano allarga le braccia: «Abbiamo tentato di instaurare rapporti proficui, ma non ci si riesce...».

Ma cosa c'è di così insuperabile?

«C'è il tema della donna nella massoneria. Da noi c'è la possibilità per le donne di appartenere all'obbedienza, mentre il Grande Oriente non lo consente. Questo è un punto di differenza forte. La donna stravolge il sistema dogmatico che caratterizza il Grande Oriente e le altre massonerie europee "rigide".»

Sicuramente l'appartenenza della donna è un indice di «democraticità» che può piacere al mondo esterno. Ma faccio presente al Gran Maestro che non sono solo rose e fiori. Nel corso della nostra inchiesta è stato possibile raccogliere la testimonianza di una ex massona di piazza del Gesù[10] che parla senza mezzi termini di maschilismo nelle logge, di invidie, di cordate, di ruolo subordinato, di difficoltà a «far carriera»: una situazione non priva di ombre, quindi.

Il Gran Maestro affronta anche questo tema.

«Addebiti di maschilismo nella nostra massoneria? Dobbiamo fare una premessa storica. Le donne sono state accolte nella Gran Loggia Nazionale d'Italia nel 1956, cinquantun anni fa. All'inizio erano tre, in tutto. Non è stato facile, ma ora sono il 27 per cento del totale. E il loro numero è in costante crescita. Ma si tratta di un percorso. Detto questo, non c'è maschilismo verso le sorelle, anzi dico loro: "Organizzatevi, crescete, fate delle liste, al fine di essere più rappresentate in termini di cariche".»

Restano tuttavia differenze sottili, ma importanti.

«Le donne generalmente hanno un percorso diverso, in massoneria. Bisogna tenere presente che per arrivare al vertice, per diventare un 33° grado, servono in genere vent'anni.

---

10. Cfr. pp. 281-293.

È un tempo lungo, durante il quale le donne devono fare i conti con la famiglia, con i figli, con tante dimensioni personali che le astraggono dal lavoro massonico.»

Quanto all'accusa di contare poco nelle logge, di avere scarso accesso alle decisioni che contano, anche dal punto di vista finanziario, Danesin replica: «Quanto ai conti interni, è vero che vige una certa riservatezza, ma non ci sono problemi, chi vuole mi chiami. Certamente non si va in giro per l'Italia a far vedere i conti, però il nostro bilancio è a disposizione dei 450 maestri, per un mese prima dell'assemblea. Poi ci sono i revisori dei conti a effettuare i controlli».

Quanto al discorso del far carriera in loggia, del «crescere» rapidamente, Danesin è netto: «Bisogna tener conto che la massoneria è un'obbedienza: dobbiamo stare all'ordine, la nostra è una struttura obbedienziale, tutti i fratelli e le sorelle devono obbedire. L'unico consesso che può cambiare le regole è la Gran Loggia Unita. L'obbedienza non è un'associazione qualsiasi, si chiama appunto obbedienza».

Il confronto con lo storico

Anche con Aldo Mola – storico della massoneria presente al convegno per una relazione su Carducci – parliamo del ruolo attuale della Gran Loggia Nazionale d'Italia.

Sul tema delle differenze col Goi, Mola è più morbido rispetto a Danesin e commenta: «Non ci sono delle vere e proprie diversità, tra le due Comunioni. I riferimenti alla storia sono sostanzialmente convergenti. Si tratta di due obbedienze che sono nate da una lotta durissima sulla libertà di insegnamento della religione nelle scuole. Una parte della massoneria, proprio quella che ha dato vita alla Gldi, era per la libertà d'insegnamento della religione, dalle elementari in su. Il Goi era contrario. È curioso osservare che questa difesa della libertà dell'insegnamento religioso sia stata portata avanti proprio da un pastore protestante: Saverio Fera. È da questa diversità di orientamento su un tema che all'inizio del secolo scorso era molto caldo che si originò tutto. Da quell'evento, infatti, nacque la scissione del 1908. E le due obbedienze imboccarono ognuna una propria strada. Quando due realtà camminano divise ci vuole poi del tempo – a volte molto – per riconoscere che sono due rami dello stesso tronco».

La Gldi ha celebrato di recente il cinquantesimo anniversario dell'entrata delle donne in massoneria. Anche questo è un tema controverso.

Il pensiero di Mola è articolato: «La massoneria, grazie alla Gldi, sta facendo quello che esiste già da tempo in Francia, dove ci sono 1200 associate in una Gran Loggia di rito misto; che esiste da cento anni e senza scandalo».

Ma perché il Grande Oriente non vuole ammettere le donne?

«Il Goi ha sempre detto che non vuole far entrare le donne perché lo imponeva la Gran Loggia Unita d'Inghilterra. E il Goi aveva il riconoscimento di regolarità dall'Inghilterra. Gli inglesi massoni sono tradizionalisti e non vogliono vedere nulla di femminile all'interno delle logge. Ma è fondato tenere fuori le donne dalla massoneria solo perché si diceva che la massoneria è fondata su riti solari (maschili) mentre la donna è "lunare"?»

Chiedo a Danesin quali siano, a livello istituzionale, le figure politiche di riferimento di piazza del Gesù. Si è parlato di importanti esponenti politici di Forza Italia, di ex ministri.

«Noi non ci interessiamo di politica. Si tratta di un fatto molto concreto: se uno viene in loggia a parlare di politica, finisce per essere espulso. Sono due impostazioni di pensiero – quella politica e quella massonica – che creano attrito. A Beirut abbiamo una loggia composta da fratelli di nove credenze religiose diverse: vanno d'accordo perché non parlano di religione e perché non si afferma alcun dogma.»

C'è chi sostiene, però, che la massoneria sia inconciliabile con il cattolicesimo.

«Non è affatto così. Per quanto riguarda i rapporti con la Chiesa, le posso rivelare che di recente abbiamo fatto nostro "fratello" padre Esposito, un prete che da cinquant'anni scrive di quanto siano conciliabili Chiesa e massoneria che, a suo avviso, hanno lo stesso dna.»

Le mosse di apertura da parte della Gran Loggia Nazionale d'Italia nei confronti della Chiesa sono numerose. Il 27 aprile 2007, durante una conferenza stampa, Danesin ha affermato: «Abbiamo scritto a Ruini e ora anche a Bagnasco, affinché i vescovi imparino che cosa vuol dire massoneria liberale; non siamo atei». Il Gran Maestro ha aggiunto: «Scrivemmo al cardinale Camillo Ruini in qualità di presidente della Cei e ora abbiamo mandato una missiva all'arcivescovo Bagnasco affinché vengano informati i vescovi italiani sull'abolizione della scomunica verso i massoni fatta da papa Giovanni Paolo II. Se un vescovo dice che non si dà la comunione a un massone è ignorante, non siamo più i mangiapreti dell'Ottocento».

Su questo tema, senza dubbio forte, durante il convegno su Carducci, Aldo Mola ha affermato: «La massoneria non è laica. È rispettosa delle fedi e di tutte le religiosità, perché comprende i bisogni dell'uomo. Mette al centro l'uomo e recupera il concetto di famiglia, di comunità e di tradizione religiosa. Questo però lo fa in un ambito di libertà e di rispetto. La massoneria ha sempre cercato di tutelare l'uomo dai poteri, perché è sempre stata universale. La massoneria nasce prima degli Stati nazionali. Ne favorisce la creazione, ma non lavora alla creazione di Stati totalitari. La massoneria, che nasce nel 1700 con una lunga tradizione iniziatica alla spalle, prende corpo ponendo al centro del suo agire i concetti di fratellanza, di comunità e di sovranazionalità».

Mola mette in guardia dal pericolo di favorire con atteggiamenti sbagliati l'emergere di tendenze «teocon» che si traducano in un clima antimassonico.

«Bisogna stare molto attenti a non fornire a forze reazionarie l'occasione di presentarsi come difensori di certi valori fondamentali. Certe battaglie laiciste hanno dato uno spazio enorme a reazionari che si spacciano come gli unici difensori di valori generali che invece fanno parte della tradizione della massoneria.»

Il concetto è ripreso da Danesin: «Noi dobbiamo difendere l'istituzione. Se ci sono schieramenti politici che sono contrari alla massoneria, allora noi dobbiamo agire. Non come singolo, ma come obbedienza».

Resta però il problema di quale posizione prendere sui grandi temi civili.

Mola risponde facendo l'esempio delle battaglie laiche degli anni Settanta. «Il Paese si spaccò. Ma la massoneria non prese posizione: i fratelli erano liberi di scegliere secondo coscienza. E così oggi avviene per la regolamentazione delle convivenze. Siamo nell'identica situazione. La massoneria ritiene che si debbano tutelare i diritti individuali, ma questo forse può essere ottenuto utilizzando al meglio la normativa esistente, piuttosto che introducendo nuove norme che potrebbero creare fraintendimenti.»

Affrontiamo con i due interlocutori un altro problema. È indiscutibile che la massoneria, nelle sue varie forme nazionali ed estere, sia un «corpo intermedio» attraverso il quale si attua una selezione delle élite. Ma si assiste a una sorta di competizione occulta in questo campo, un «rampantismo» nella selezione della classe dirigente: basta guardare all'Opus Dei, a Comunione e liberazione, ai Neocatecumenali, persino a Scientology. La massoneria non rischia di ritrovarsi svantaggiata e di perdere posizione rispetto a queste nuove «agenzie di formazione e selezione», rispetto a questi «corpi intermedi» così aggressivi?

Il primo a rispondere è Aldo Mola.

«Questa forma di concorrenza c'è già stata nel passato, quando la massoneria lanciò nel Settecento e nell'Ottocento l'idea dell'organizzazione di uomini per la difesa dei propri interessi e dei propri diritti elementari. Solo dopo nacquero il mutualismo e i sindacati, che utilizzavano simboli tipicamente massonici: le mani che si intrecciano. C'è tutto un "ideario" che è stato prestato dalla massoneria. La massoneria non ha mai temuto la concorrenza: piuttosto ha fatto da volano alla creazione di nuove forme di solidarietà.»

In seguito, spiega Mola, questi corpi intermedi che dalla massoneria hanno mutuato filosofie e approcci, hanno preteso di porsi in forma egemone.

«La massoneria ha dovuto subire una "deviazione di percorso" quando queste organizzazioni, che ne avevano mutuato stili e valori, hanno ritenuto di avere il monopolio della rappresentanza. Tuttavia, non credo che ci sia motivo di preoccuparsi per la moltiplicazione di queste organizzazioni che pretendono di rappresentare "tutti". Si tratta solo di ricordare loro che rappresentano solo i rispettivi associati.»

Certo è che il carattere di «segretezza» genera sempre il timore che si tratti di associazioni illecite, che cospirano contro lo Stato limitando la democrazia del cittadino.

Mola è severo su questo punto. «Questa è la questione veramente importante su cui la massoneria dovrà impegnarsi molto: stare attenta a che non succeda quello che è accaduto in Francia, dove il governo si è stufato del caos che esiste nel mondo dell'associazionismo e ha emanato una legge contro le sette. È un bel problema. Perché, poi, chi stabilisce che cosa è una setta? Qual è la carta di identità di una setta? Io sono molto preoccupato che sorga qualche comitato di salute pubblica che possa stabilire dall'oggi al domani che un gruppo di persone non ha più diritto di cittadinanza. Dopo l'inchiesta Cordova è stato necessario recuperare il decoro dell'immagine. E questo in gran parte è stato fatto. Adesso, quanto meno, non c'è più la convinzione che il massone sia un satanista. Troppo a lungo si è attribuito tutto il male alla massoneria.»

Resta però il problema, in assenza di leggi chiare (o in compresenza di normative in conflitto), dell'atteggiamento che su questioni specifiche possono assumere i singoli giudici. Il problema riguarda, quindi, anche le posizioni della magistratura.

Il Gran Maestro Danesin interviene con decisione su questo nodo: «C'è infatti un'altra questione: la decisione di ciò che è consentito e di ciò che non lo è non può essere lasciata solo nelle mani del magistrato che interpreta la legge. Noi abbiamo avuto dei casi di magistrati che hanno interpretato retroattivamente la legge, decidendo che tutti coloro che appartenevano a un'associazione libera erano sospettati di un qualche reato. Bisogna introdurre in Italia una legge sulle associazioni, che dichiari quali sono i requisiti elementari perché un'associazione possa vivere indisturbata e liberamente. E poi ci sarebbe anche la questione della tutela del marchio della massoneria».

Faccio notare anche a Danesin che è paradossale che realtà come Scientology, che hanno ottenuto in Italia lo stato giuridico di «Chiesa», ricevano più tutele della massoneria. Contro di loro esiste un pregiudizio maggiore rispetto alla «Chiesa» che tra i suoi leader annovera Tom Cruise?

Danesin riflette: «Dobbiamo capire perché è radicata, nella mentalità dell'uomo della strada, l'idea dell'antimassoneria. E qui bisogna vedere quali sono i professionisti dell'antimassoneria: sono la Chiesa, i sindacati, i partiti che mettevano nei loro statuti l'esclusione alla massoneria? È un po' di tutto questo. La massoneria ha raggiunto notevoli risultati nel far togliere alle regioni e ai partiti questi divieti. Ma è un lavoro estenuante: congressi, assemblee, comitati. Oggi, uno dei partiti che va per la maggiore in Italia ha abolito la clausola di espulsione dei propri membri che appartengono alla massoneria. Io, che sono massone e sono italiano, devo avere la possibilità di partecipare alla vita politica. Si arriverà per forza a regolarizzare questa faccenda».

Certo che la divisione storica con i fratelli del Goi non aiuta. Perché resta questa frattura?

Mola compie un'analisi storica: «A metà degli anni Ottanta, quando si accelerò il processo di formazione dell'Unione Europea, la Gran Loggia Unita d'Inghilterra, che asserisce di non fare politica ma invece ne fa, si preoccupò del fatto che si stesse creando una grossa federazione delle Gran Logge europee. Londra – che poi non è entrata nella moneta unica e che già allora aveva capito la direzione di marcia dell'unificazione degli Stati nazionali – ha rotto con il Goi, né ha mai riconosciuto la Gldi e il Grande Oriente di Francia e del Belgio. Ha invece creato una sua piccola "colonia" in Italia che è la Gran Loggia Regolare d'Italia, fondata da Di Bernardo che nel 1993 lasciò il Grande Oriente d'Italia».

Esisterebbe quindi una sorta di «imperialismo» inglese, in massoneria.

«La Gran Loggia Unita d'Inghilterra ha operato con l'Italia esattamente come fece con la Grecia e con l'India, perché ha interesse ad avere piccole obbedienze che facciano gli interessi inglesi» spiega Mola. «Vorrei ricordare, però, che uno dei princìpi fondamentali della regolarità massonica è che non possono esistere logge di uno Stato sovrano all'obbedienza di una Gran Loggia di uno Stato estero, quindi non potrebbero esistere logge "inglesi" in Italia. Ma si tratta di un fenomeno diffuso. In Argentina ci sono logge nazionali che sono alle dipendenze della Gran Loggia Unita d'Inghilterra. Io mi sono sempre chiesto, ad esempio, cosa facessero le logge "inglesi" presenti in Argentina durante la guerra delle Malvinas. Io non so se quelle logge in Argentina passassero delle informazioni agli inglesi...»

Il tema della massoneria inglese, considerata capostipite di tutte le massonerie mondiali, sta a cuore agli esperti, perché potrebbe portare a conseguenze ingombranti anche all'estero.

«Carlo d'Inghilterra non si è mai fatto iniziare massone. E questo pone un serio problema al futuro della massoneria inglese, visto che il Gran Maestro della massoneria inglese è sempre stato il sovrano. Noi abbiamo sempre guardato alla Gran Bretagna come a un esempio di libertà, ma bisogna ricordare che il sovrano è contemporaneamente capo dello Stato, Gran Maestro della massoneria e capo della Chiesa anglicana. Cosa avverrà se Carlo si rifiuterà di interpretare questo ruolo?»

Potrebbe essere un colpo mortale per la massoneria «dogmatica», «classica», che rifiuta l'ingresso alle donne, e potrebbe riaprire il problema dei criteri di selezione (visto anche l'invecchiamento progressivo dei fratelli, molto evidente nel mondo anglosassone). Proprio questa considerazione pone in maniera ancora più forte il tema dell'appartenenza delle donne alla massoneria.

L'arrivo dei «grembiulini rosa»

Sono loro, le donne, la vera novità del panorama massonico italiano. La presenza dei «grembiulini rosa» è piuttosto nutrita. Sono infatti almeno 1500 (salgono a 2000 se si contano le obbedienze più piccole, non riconosciute) le «massone» d'Italia. E vogliono la loro fetta di potere e di sapere «iniziatico».

Hanno un aspetto piuttosto agguerrito: si tratta di trentenni e quarantenni in carriera, decise a cogliere i segreti di uno dei più longevi *sancta sanctorum*. Attraverso la massoneria si può entrare in un *network* potenzialmente infinito, fare conoscenze, ricevere e restituire favori, trovare all'estero la calorosa accoglienza dalle «sorelle» e dai «fratelli» d'oltremare.

Per secoli non è stato così. Nella massoneria d'influenza anglosassone, strettamente legata alle Costituzioni di Anderson, le donne erano e restano escluse dall'iniziazione. Il mancato accesso alle logge è stato, per secoli, un fenomeno legato prevalentemente alla posizione femminile nell'ambito sociale. A sostegno della discriminazione che ha segnato ogni aspetto della vita della donna – e perciò anche nella massoneria – è stata invocata una motivazione esoterica, fondata sull'iniziazione di origine solare e quindi esclusivamente maschile.

Ma va anche detto che nella tradizione massonica esistono anche iniziazioni, a più forte connotazione esoterica, di tipo femminile. Esse sono state collegate, in forme primigenie, alle forze elementari della natura – quali il ciclo della notte e del giorno, o quello stagionale (fecondazione-generazione-decadenza-sterilità) – e tendevano a valorizzare la dialettica degli opposti nell'equilibrio del mondo. Di qui anche il riferirsi al rapporto di complementarietà e differenza dei sessi. I fautori dell'entrata delle donne hanno, infatti, sempre sottolineato che l'essere umano in sé ha caratteristiche psichiche solari (maschili) e lunari (femminili). Per queste ragioni alcune obbedienze hanno cominciato ad ammettere le donne (in Italia solo dal 1956, anche se pare che già Garibaldi avesse dato avvio a questa pratica).

Esistono, tuttavia, soprattutto all'estero, anche obbedienze esclusivamente femminili. Esse sono considerate tecnicamente «irregolari», nel senso di non regolari per la Gran Loggia Unita d'Inghilterra, fedele alle Costituzioni di Anderson. Vengono anche denominate obbedienze «di frangia».[11]

Le obbedienze femminili e miste si sono affermate con lo scopo precipuo di riconoscere alle donne a pieno titolo l'appartenenza massonica: la principale è l'ordine misto Le Droit Humain, fondato nel 1893 in Francia dalla femminista Maria Deraismes (1828-1894) e dal senatore Georges Martin (1844-1916).

Dalle obbedienze femminili e miste vanno invece distinte le logge «di adozione», semplici ausiliari della massoneria, che organizzano anche l'attività sociale delle mogli e delle figlie dei massoni, senza che queste ultime rivendichino in al-

---

11. La loro ideologia si allontana in genere notevolmente dallo spirito e dalla mentalità della massoneria «regolare», per cui spesso finiscono per dotarsi anche di gradi propri. Le obbedienze «di frangia» o «irregolari» più diffuse adottano una simbologia ispirata all'antico Egitto e costituiscono la famiglia (divisa in numerose obbedienze rivali) delle massonerie «egiziane», il cui antecedente storico è rappresentato dall'Alta massoneria egiziana creata da Cagliostro (1743-1795).

cun modo una effettiva appartenenza all'ordine. Di questo tipo è l'associazione massonica Stella d'Oriente,[12] che ha nel mondo circa tre milioni di adepti, tra uomini e donne, e che è molto diffusa anche in Italia.

La Gran Loggia Nazionale d'Italia, ritornando all'antica tradizione avviata da Garibaldi, si è adoperata a partire dalla metà degli anni Cinquanta affinché l'elemento femminile trovasse nei suoi templi ogni possibilità di sviluppo interiore e di proiezione esterna. Il risultato è stato positivo e il tasso di presenza femminile nella comunione guidata da Luigi Danesin continua ad aumentare di anno in anno.

Se ne ha una riprova recandosi alle *convention* tematiche organizzate dalla Gran Loggia in varie parti d'Italia. Anche durante il convegno su Carducci, aggirandosi nella sala congressi dalle ampie pareti in vetro, è possibile incontrare diverse «massone».

Una di loro, ricercatrice universitaria, dopo qualche dotto preambolo, mi confida di essere venuta per cercare marito. Suo fratello, massone, le ha detto che se entra nella Gran Loggia Nazionale d'Italia, «troverà pane per i suoi denti». Le faccio i migliori auguri. Un'altra «sorella» è giornalista e lavora in uno storico quotidiano fiorentino. In ogni professione c'è una fioritura di donne che appartengono alla massoneria. Molte ritengono ovviamente che si tratti di una esperienza positiva.[13]

---

12. L'Ordine della Stella d'Oriente è la più grande organizzazione riconosciuta in cui sono ammessi fratelli massoni e donne a essi legate da stretti vincoli di parentela. Pur nella loro similarità di ordini iniziatici, l'Oes è un organismo legato alla libera muratoria per origine, per gli stessi fini e la stessa impostazione culturale, ma ha propri rituali, propria costituzione, proprie regole e una propria tradizione.
13. Cfr. Claudio Lindner, *Il risveglio della massoneria*, in «Sette», Magazine del «Corriere della Sera», 18 luglio 2002.

Una voce critica

Capire cosa significhi in realtà per una donna fare parte della massoneria non è affatto facile. È stato possibile raccogliere a questo riguardo l'istruttiva testimonianza di una signora che ha fatto parte, in tempi recenti, della Gran Loggia Nazionale d'Italia di piazza del Gesù e che poi ne è uscita.

Alessia[14] è una donna di poco più di quarant'anni che vive a Milano, anche se Milano non è la sua città: ha origini piemontesi, mentre sono i suoi interessi professionali di fiscalista a essere ben radicati nella metropoli lombarda. Alessia è una giovane donna molto intelligente e preparata; veste con classe ed è dotata di un eloquio elegante; è single; ha fatto parte della massoneria fino a un paio d'anni fa. Cerchiamo di approfondire con lei un punto abbastanza intricato: la relazione tra donna e massoneria. Una relazione di tipo iniziatico che secondo la tradizione prevalente – quella della massoneria anglosassone – in realtà non potrebbe, e soprattutto non dovrebbe, instaurarsi. Da sempre si tratta di un matrimonio che non s'ha da fare. È un legame considerato *impossibile* per ragioni che tengono conto di una differente spiritualità tra maschile e femminile; ma c'è da chiedersi se si tratti di un legame *sconveniente* per motivi che alludono, in una visione tradizionale, alla subalternità sociale della donna e alla sua inaccettabile emancipazione.

Che sia in un modo o nell'altro, qui raccontiamo di un legame che una donna ha voluto stringere in modo assolutamente volontario e consapevole con la Gran Loggia Nazionale d'Italia di piazza del Gesù.

La sua anima bramava un'esperienza spirituale forte e le sue letture – «Paulo Coelho colpì il mio inconscio con

---

14. Nome di fantasia, perché la persona in questione ha chiesto di conservare l'anonimato, pur rilasciando un'intervista registrata e depositata presso un notaio.

L'Alchimista e *Il cammino di Santiago*» – indicavano una certa visione del mondo, non materialista e ispirata alla ricerca del sé più profondo.

«Nella mia famiglia c'è sempre stato un *humus* spirituale proteso al misticismo, al simbolismo» racconta Alessia. «È in questo contesto che si forma in me una prima visione fanciullesca dell'esoterismo e del misticismo, che a quel tempo significavano più che altro "segreto e mistero".» Una propensione, ammette lei stessa, «che contrasta con l'altra parte della mia personalità, profondamente razionale» e rafforzata dagli studi di economia.

Alessia all'età di trent'anni decide di fare un patto con se stessa: compiere una ricerca, partire dalla massoneria, anche a rischio di perdersi.

«Sentivo dentro di me un richiamo a qualcosa che probabilmente in qualche altra vita avevo già vissuto» racconta. Così un giorno naviga su Internet e il motore di ricerca le dà un primo appagamento dell'animo, con le informazioni di cui ha bisogno. Inizia a leggere di tutto sulla massoneria. Simboli e concetti esoterici cominciano a rincorrersi nella sua mente, si accavallano. Quello che Alessia riesce ad afferrare in questo primo approccio è però ben poco rispetto a quello che c'è dietro il sipario. E quel poco già basta a fare confusione.

«Il simbolismo è una lingua oscura, se cerchi di capirla con la mente non riesci a comprenderla. I simboli li devi sentire, percepire.» Era un rischio, un rischio che doveva correre, perché a quel tempo «nei momenti di *down* a livello psicologico-affettivo, una persona si domanda: perché sono qui, perché soffro?». La risposta non è dietro l'angolo, purtroppo. E allora comincia la ricerca personale, fatta di tanti percorsi. Come sempre, un incontro diventa elemento determinante.

«In quel periodo della mia vita frequentavo un uomo al quale raccontavo certe mie inclinazioni intellettuali e spirituali. Lui ascoltava interessato e, anzi, ribatteva con osservazioni intelligenti, in totale sincronia con me. Gli domandai: "Cosa ne sai della massoneria?", e lui rispose: "Cosa ne sai *tu*?". Mi accorsi che lo avevo colpito. Un giorno andai a casa sua e vidi su un mobile un "pupazzetto" con un grembiulino, vidi libri di Giordano Bruno sugli scaffali, vidi simboli dappertutto. Simboli che intanto stavo imparando a riconoscere. Scoprii così che l'uomo che frequentavo era un massone, ma io non lo sapevo. Mi parla della Gran Loggia Nazionale d'Italia[15] che accetta anche le donne, promettendo di farmi fare una "tegolatura". La "tegolatura" è una serie di tre colloqui di presentazione del neofita a un Gran Maestro che valuta la motivazione e seleziona all'ingresso.»

Dopo la «tegolatura», tempo tre mesi, per Alessia arriva il momento dell'iniziazione.

«Una sera, alle otto, raggiungo in macchina il luogo dell'appuntamento, all'uscita di un casello autostradale. Ero da sola. Avevo paura, lo ammetto. Dovevo incontrare gente che non conoscevo. Arrivano in due, mi fanno salire su un'auto, mi portano in una zona periferica della città. Scopro solo in un secondo momento che la nostra destinazione sarebbe stata la zona industriale di quella località. Questo lo vedo solo alla fine di tutto, solo dopo alcune ore.»

Anche nel racconto si percepisce la tensione di quei momenti.

«Appena monto in auto, sul sedile posteriore, mi mettono una benda sugli occhi. So soltanto che in macchina con me c'è quel massone che mi aveva "tegolato" e un suo amico. C'è un fitto silenzio attorno. Sì, ho timore, in quel momento, di essermi messa nei guai.»

Molte le domande che Alessia si poneva mentre i due sconosciuti la trasportavano alla cieca in auto, verso la sua «iniziazione».

---

15. La massoneria mista di piazza del Gesù è presente nelle maggiori città d'Italia, figurando negli elenchi telefonici alla voce «Centro Sociologico Italiano».

«Iniziazione? Cosa? Come? E se è solo un inganno? Un banale trucco, una montatura? La cronaca è piena di brutte storie iniziate così. Mi invade un forte senso di paura per la mia incolumità personale, anche se in quel momento, sul mio volto, è stampato un sorriso isterico.»

Alessia sente fermarsi l'auto su cui viaggia. L'aiutano a scendere, la conducono tenendola per un braccio. Sente bussare con tre colpi di nocche sul legno di una porta. Varcata la soglia, quasi inciampa sugli scalini, ma i due uomini la sorreggono. È all'interno di un androne, i suoi tacchi rimbombano nel vuoto di un lungo corridoio. La portano davanti a qualcuno, un uomo di cui non intravede le sembianze.

«Mi spogliano dei gioielli. Io, che oggi non porto più nulla di prezioso addosso, a quel tempo andavo in giro come una madonna pellegrina, con brillanti e ori vari. Mi sfilano una scarpa e mi alzano un lembo della gonna. Mi chiudono in uno sgabuzzino, mi fanno sedere e mi tolgono la benda. Sono nel buio quasi completo, in uno spazio ristrettissimo. Mi guardo bene attorno: c'è un teschio sul tavolino, una bara lì di lato. Sono nel cosiddetto "gabinetto di riflessione", il luogo deputato all'iniziazione massonica. Ho paura, ora più di prima. Mi mettono in mano una penna e mi dicono: "Scrivi il tuo testamento". Sulle pareti c'era scritto V.I.T.R.I.O.L. *Visita Interiora Terrae, Rectificando Invenies Occultum Lapidem*,[16] il motto degli alchimisti. Sull'altra parete un monito: "Se la curiosità ti ha portato fin qui, vattene!"»

Le danno cinque minuti per scrivere il suo «testamento», un sorta di riflessione finale sulla propria esistenza. Sta per «morire», anche se di morte simbolica. Per poi rinascere a «nuova vita», una vita da iniziata. Sta per compiere un passo che, dal punto di vista esoterico, rappresenta un atto irreversibile e irrevocabile.

---

16. Visita l'interno della Terra, rettificando troverai la pietra nascosta.

«Il testamento verte sostanzialmente su una dichiarazione in merito a certi princìpi. Ti chiedono che cos'è per te la Patria, la Conoscenza, la Fratellanza...» racconta Alessia.

Ora tre uomini incappucciati la bendano nuovamente e così comincia l'iniziazione.[17]

Dall'altra parte della porta, una persona situata nel tempio massonico recita la formula: «Chi è che bussa?».

E Alessia risponde: «È un profano che bussa alla porta...».

Il *pathos* del racconto è forte, ma immediatamente la parte razionale della professionista riemerge.

«Il rituale dell'iniziazione è assolutamente anacronistico. E in seguito l'appartenenza di una persona alla massoneria viene sfruttata soltanto per i fini economici di un gruppo ristretto di persone...»

Ma poi Alessia torna all'aspetto simbolico, sottolineando il fatto che dal suo punto di vista «si tratta di riti e rituali maschili, nell'ambito di un codice cavalleresco».

Forse è per questo che le donne sono una minoranza, negli ordini massonici dove possono essere ammesse. Forse è per questo che la tradizione massonica italiana e internazionale mantiene fermo l'assoluto divieto di iniziazione femminile. Secondo Alessia non esiste un codice massonico per parlare al cuore delle donne. Almeno, non negli ordini, come la Gran Loggia Nazionale d'Italia, che adottano l'antica ritualità scozzese accettata.[18] Ma il rito di iniziazione massonica quale segreto svela alla persona?

---

17. Il senso del termine «iniziazione», secondo la visione massonica del mondo, è quello di un'azione rituale che ha lo scopo di liberare l'uomo o la donna dai condizionamenti materiali a favore del recupero di ciò che è stato perduto, del contatto diretto – e non mediato da una «Chiesa» – con Dio e più in generale con l'aspetto divino e sacrale di ogni cosa del mondo.

18. Cfr. Sebastiano Caracciolo, *L'iniziazione femminile in massoneria*, Firenze Libri, Firenze 2004. Lo studio evidenzia che esistono «Obbedienze di rito scozzese che nonostante la solarità del loro metodo iniziatico (che

«Il segreto iniziatico è l'apertura di un'energia all'interno di te, che pian piano ti fa capire cos'è il simbolismo. In sostanza il *secretum*, come dice il termine latino, è ciò che la persona stessa secerne dalla propria ricerca. Niente formule, niente segreti rivelati o cose strane. Il segreto iniziatico è diverso per ognuno, è una risposta individuale e personale all'esperienza di vita comune. Il segreto iniziatico non è mica un "messaggio" tramandato nei secoli da chissà quali poteri! Nella massoneria non ti si rivela assolutamente nulla! Il segreto iniziatico è – o dovrebbe essere – una fioritura personale, una crescita nei confronti della conoscenza che avviene secondo una ritualità, perché c'è un movimento di energia psichica che è cadenzato dall'apprendimento di simboli.»

Difficile dire se Alessia, mentre parla, non stia recuperando dalla propria memoria le definizioni scritte in qualche libro. Certo è che, dopo quella cerimonia tra uomini incappucciati, la giovane massone, tanto razionale quanto dotata di senso mistico e religioso, più che «iniziata» alla scoperta di nuove dimensioni dell'essere viene «introdotta» nella vita quotidiana della loggia. E qui vengono le prime cocenti disillusioni.

«La prima cosa che comincio a saggiare, poche settimane dopo l'iniziazione, è che tra le varie logge e tra i vari Maestri venerabili attivi sul territorio esiste una lite incredibile, una rivalità accesa, una vera e propria guerra. Appena "iniziata" mi accorsi subito che l'ego la faceva da padrone in loggia; che di mistico ed esoterico non c'era nulla.»

Il microcosmo della loggia, spiega Alessia, riflette in tutto e per tutto i meccanismi che regolano qualsiasi contesto di potere.

---

si rivolge totalmente al carattere virile del soggetto da iniziare), spesso non per risolvere il problema femminile, ma per acquisire prestigio quantitativo e poteri materiali, si sono trasformati in Riti Misti». Accettano, cioè, sia donne che uomini, «proponendo indifferentemente all'uno e all'altra la stessa "spada", tipico simbolo iniziatico dell'uomo, mentre per la donna è, tradizionalmente, la "coppa", simbolo che significa l'accoglienza tipica dello spirito femminile».

«In loggia si era creata una fortissima spaccatura, nata dal fatto che era stato nominato un Maestro venerabile che, secondo alcuni "fratelli", non avrebbe dovuto essere nominato. Personalismi allucinanti. Violente fratture interne. Questo è il punto debole fondamentale della massoneria: l'ego. Tutti mirano a salire di grado, in un meccanismo competitivo.»

All'interno della loggia si fa carriera, quindi? La professionista spiega con efficacia le contraddizioni che caratterizzano la massoneria.

«Da un lato c'è una ricerca di fratellanza, ma dall'altro c'è l'autoesaltazione competitiva. Nel giro di tre mesi dall'entrata, mi rendo conto di essere all'interno di una faida all'ultimo sangue tra il Maestro venerabile e l'ispettore provinciale. Se vai a prendere un caffè con l'ispettore vieni etichettato come appartenente alla sua fazione; e gli altri non ti parlano più. O viceversa. È assurdo, esci dalla vita profana per trovare un "paradiso" e invece ti vieni a trovare negli stessi meccanismi del mondo del lavoro. Ma nel mondo del lavoro lo accetti, in massoneria no. Lì mi pagano, mi pagano a prestazione professionale o mi danno uno stipendio; qui no. Anzi sono io che pago per cercare altro, un senso più alto.»

E, invece, di «alto» e inarrivabile ci sono soprattutto i gradi gerarchici. Una scala lunghissima, nella quale – percorsi i primi tre gradini: Apprendista, Compagno, Maestro – bisogna arrivare sino al 33° grado per toccare la cima.

«La gerarchia è fortissima, anche nello studio delle materie esoteriche. Ti dicono: "Questo non lo puoi studiare, è roba da terzo... quarto... quinto grado, mentre tu sei solo un'Apprendista". In realtà, molti bluffano: ho conosciuto gradi elevati che non sapevano nulla di quello che è un vero cammino iniziatico. Copiavano le "tavole" – le dotte relazioni che ogni maestro tiene nel tempio massonico – da Internet, si perdevano in bassissimi giochi di potere, quelli per i quali "se lui fa il maestro allora anche io voglio fare...".»

La delusione che Alessia prova in quella fase è grande. Le

sue non sono impressioni personali, a corroborare le sensazioni ci sono fatti precisi.

«A un certo momento, i conflitti interni alla loggia dov'ero stata incorporata sono talmente forti che diventa necessaria una scissione.»

Alessia decide di trasferirsi in un'altra loggia.

«Non volevo partecipare alle lotte interne, aderendo a questa o a quella fazione. Con la speranza di intraprendere un vero cammino spirituale, partecipai ai lavori di un'altra loggia, in un'altra città, gestita da una donna, Maestro venerabile. Questa loggia aveva una presenza femminile più forte rispetto alla media. Qui trovai un livello intellettuale più elevato. Il che non è poco considerato che, dal punto di vista culturale, mi sono trovata di fronte a massoni mediocri, capaci solo di fare mistero di cose a loro stessi incomprensibili.»

Qualcosa muta, nella vita massonica di Alessia, che forse in quella fase ha già iniziato il processo di demistificazione.

«L'esperienza nella nuova loggia, agli inizi, è interessante. O quanto meno divertente. Inizio a girare per l'Italia. Comincio a sentire di far parte di un gruppo. Partecipo a feste rituali bellissime, dappertutto, nelle lussuose ville dei massoni... Massoni che, dal punto di vista economico, stanno molto bene. È buffo e un po' ridicolo: a quel punto, probabilmente, non sto crescendo spiritualmente, ma di sicuro mangio e bevo alla grande.»

Passata la fase ludica, in Alessia riemerge la voglia di imparare, di capire.

«Voglio sapere di più. Tornare ad apprendere. Ma mi dicono che io, con il mio grado di Apprendista, dovrei essere meno esposta; che dovrei rispettare l'obbligo del silenzio... Oltre a ciò, le altre donne iniziano a digrignare i denti.»

Anche in quella loggia prevaleva il principio gerarchico, l'idea dell'«obbedienza» cieca?

«Sì, certo. Mi dicevano: "Ma tu come ti permetti di fare certi commenti? Tu che sei solo un'Apprendista? Tu non puoi studiare certe cose!".»

Chiedo ad Alessia un aspetto delicato: sotto l'aspetto amministrativo, quanta trasparenza c'è all'interno di una loggia massonica, la quale altro non è che un'associazione culturale non riconosciuta?

«Trasparenza? Pochissima, direi niente. Quando cominciai a "chiedere conto", toccai un punto di svolta nella mia esperienza massonica. Avevo compiuto un giro di boa e preso una direzione che mi avrebbe portato a decidere di varcare definitivamente la soglia d'uscita. Davvero mi sono messa nei guai, quando ho chiesto di vedere il bilancio della loggia.»

Alessia pensava naturalmente che fosse un suo diritto.

«Certo che era un mio diritto. Le leggi valgono per tutti. Mi avevano chiesto, oltre alla quota associativa, 1000 euro per costruire un nuovo tempio. Chiesi solo di vedere il preventivo di spesa.»

Ma in quanto massone tenuta all'obbedienza, non avrebbe dovuto stare un po' più nei ranghi e confidare nella buona gestione?

«Non mi accontentai delle formule di richiamo all'obbedienza e commisi una grave colpa: chiesi di sapere di più! Chiesi di vedere il rendiconto generale e tutti i documenti di rilevanza fiscale. Non l'avessi mai fatto!»

Conseguenze?

«Fui richiamata da un 30° grado, un massone di alto livello gerarchico. Loro vogliono che tu sia sempre pronta a versare, ma non amano la chiarezza. Ogni passaggio di grado costava 400-500 euro. Ho speso un sacco di soldi, in poco più di due anni e mezzo.»

Più si sale nella scala gerarchica e più si avanza nel percorso iniziatico? O ci sono implicazioni più concrete?

«Certo, però vede, in fondo alla motivazione di ognuno, in loggia, c'è un interesse a far carriera nella massoneria perché i gradi più alti amministrano il patrimonio dell'Ordine. Il patrimonio della Gran Loggia Nazionale d'Italia, che è cospicuo, è tutto nelle mani dei vertici, quindi il Gran Maestro.

E poi, per passare di grado devi piacere al Maestro venerabile e a tutti i "fratelli". Ma per piacere a tutti, è ovvio, devi dire sempre: "Sì! Sì, va bene!". Fare e ricevere favori. No, non c'è trasparenza interna nella gestione dei soldi della loggia. Io versavo soldi senza sapere a chi e a cosa servissero.»

Quante persone mediamente formano un loggia?

«Eravamo circa quindici nella mia loggia, ma bisogna contare almeno quaranta persone che, pur appartenendo ad altre logge della zona, utilizzavano il nostro tempio. Sa, a proposito di quanti "fratelli" si contano in una loggia, anche lì c'è un aspetto di potere: un Maestro venerabile diventa importante nella misura in cui riesce a fare proseliti. Nella mia loggia, a quel tempo, il Maestro venerabile aveva affiliato un ragazzo di ventitré anni che non aveva a mio avviso la maturità per entrare. Aveva preso una brutta piega. Alla fine di alcune sedute di riflessione mi si avvicinava e all'orecchio mi chiedeva: "Tu l'hai sentita l'energia, la scossa?".»

Alessia è critica anche in merito agli aspetti della ricerca spirituale proposta dalla massoneria.

«Oggi siamo in un'epoca in cui l'obiettivo – per una società migliore e meno violenta – dovrebbe essere la dissoluzione dell'ego, non il suo rafforzamento. Le ideologie e gli stili di vita più aggressivi dovrebbero essere messi da parte per lasciare fiorire il nostro cuore. Invece nelle logge è il contrario. La fratellanza massonica non ha più senso, perché è un'istituzione che basa la sua potenza sull'ego e sull'individuo, non è funzionale al risveglio spirituale.»

In maniera più profana chiedo se tutto l'apparato simbolico non sia funzionale a una logica clientelare, alla creazione di comitati d'affari.

«La massoneria – così come mi è stata proposta e così come l'ho vissuta io – serviva solo a certe persone che volevano creare un club esclusivo e funzionale ai propri interessi. La segretezza che serviva secoli fa per sfuggire alle persecuzioni della Chiesa – e che allora aveva un senso – oggi serve solo a sfuggire al fisco. La segretezza non significa qualità della ricerca spirituale. Il segreto è utilizzato come barriera per nascondere la mediocrità spirituale di certi massoni. O per avere una rete di rapporti d'affari garantita. Il professionista che non ha clienti, che vive una crisi economica, cosa può fare? Può entrare in massoneria; e così entra in una "famiglia", un ambiente in cui inizia a farsi degli amici. Si crea una rete... Per esperienza diretta posso dire che in certe multinazionali la Gran Loggia d'Inghilterra comanda; in Inghilterra, ad esempio, non puoi lavorare nelle aziende petrolifere del distretto di Aberdine se non sei un massone. Questo lo so per certo. E così è in tante grandi compagnie transnazionali.»

Ma il meccanismo funziona anche a livello più basso, nelle professioni e nei rapporti di lavoro di qualsiasi tipo, spiega Alessia.

«In Inghilterra, così come in Italia e ovunque, i fratelli massoni creano una rete, fatta anche di falsi obblighi "morali". Se sei un massone e devi comprare casa, quasi sei obbligato a rivolgerti al notaio o al commercialista, all'architetto o al geometra, insomma al professionista iscritto alla tua loggia. Se non lo fai, iniziano a guardarti come uno che non sta alle regole. Mi riferisco a regole non scritte: tutto ciò che è business si svolge all'interno della fratellanza.»

Le parole di Alessia richiamano alla mente un motto inglese: *no lodge, no business*. Chiedo se anche lei, in quanto libera professionista e massone, facesse buoni affari.

«Ho sempre rifiutato di avere i "fratelli" tra i miei clienti. Ho sempre rifiutato di creare delle situazioni ambigue. Nel caso qualcosa non quadrasse, come potevo fare denuncia verso un "fratello"?»

Questo aspetto, tuttavia, non è quello che ha infastidito di più la fiscalista, che era alla ricerca di un cammino interiore.

«L'aspetto più deleterio della massoneria, a cui mi riferivo poco fa, riguarda la mia esperienza generale. In termini che mi piacciono di più, dico che la supremazia dell'ego nelle logge svilisce la ricerca spirituale. Credo che in massoneria ci sia un palese esercizio del potere: vengono organizzate feste dai "fratelli" più potenti per mostrare tutta la loro ricchezza, tutto ciò che posseggono. Si fanno grandi ricevimenti per fare clienti. I fratelli più potenti, cioè più ricchi, affermano il loro potere offrendo cene a decine e decine di altri fratelli, senza che ci sia nessuna buona motivazione, nessuna ricorrenza, nessuna vera ragione se non quella di mostrare la propria capacità di ricchezza personale. Oggi, i veri percorsi di risveglio spirituale sono altri, non quelli massonici.»

Poca spiritualità e molti affari, dunque. Ci si affilia a una loggia per avere la possibilità di instaurare relazioni personali allargate e proficue sul piano materiale. Ma nascono anche altri tipi di relazioni?

«Se parla di relazioni di amicizia, le dico che nel momento in cui mi sono messa in sonno i "fratelli" sono spariti. Mi sono rimaste due persone un po' più vicine, ma non parlerei di veri e propri amici. Vede, o si è dentro o si è fuori. Certo, affiliarsi a una loggia può essere un buon modo per lenire un profondo senso di solitudine esistenziale. Ho conosciuto persone che non avevano la più pallida idea dell'aspetto mistico e spirituale dei lavori di loggia, persone che in fondo non condividevano i metodi massonici, eppure continuavano a frequentare il tempio. Si trattava di persone molto sole, che avevano bisogno di ricevere sicurezza e protezione psicologica. Se si riferisce a relazioni sentimentali uomo-donna all'interno della loggia, le dico senza peli sulla lingua che era un puttanaio!»

Una battuta forte, a cui la professionista fa seguire però una riflessione profonda.

«Sotto questo profilo, per certi aspetti capisco e condivido l'esclusione delle donne dagli ordini massonici. Posso comprendere il Grande Oriente d'Italia che, coerentemente con il tipo di iniziazione praticata, non propone l'ammissione anche alle donne. In fondo, anche se si guarda ai simboli, non ha molto senso: la spada, anche solo a livello energetico, è una violenza per la donna. L'iniziazione femminile ha bisogno di altri simboli. In realtà, la vera iniziazione femminile è la maternità. No, la massoneria fatta dagli uomini non è per una donna, è troppo mentale.»

Le donne che aderiscono al sistema di pensiero massonico, finiscono per assumere uno stile «maschile» e autoritario, segnala Alessia. Che in merito racconta un episodio illuminante: «Una volta accettai di compiere un lungo viaggio in compagnia di una donna massone della mia loggia. Mi accorsi che più che la volontà di condividere un'esperienza c'era il desiderio di sottopormi a una prova. Arrivate a destinazione in un hotel, mi accorsi che la "sorella" aveva prenotato una sola stanza. Sorpresa, ne chiesi un'altra, rifiutandomi di condividerla con lei. Scoprii solo in seguito che questo non lo avrei dovuto fare secondo le regole dell'obbedienza massonica. Inoltre mi rifiutai di portarle le valigie, anche se lei era più alta in grado nella scala gerarchica massonica. Al ritorno la "sorella" mi accusò di non essere una buona massone durante una riunione di loggia».

Alessia porta una miriade di esempi, di episodi che a poco a poco le hanno tolto ogni motivazione. Alla fine una scelta secca, coerente. Scrive una dura lettera di accusa e di dimissioni: «Siete dei buffoni, dei teatranti, venite a scaricare le vostre frustrazioni nel tempio...».

È forte l'amarezza che Alessia esprime nelle righe che segnano la sua «messa in sonno», la sua uscita definitiva dalla loggia. La giovane professionista sottolinea di averlo fatto in primo luogo per difendere la sua femminilità, ferita ma combattiva.

L'ultima cosa che mi confida prima di andar via è questa: «Quando sono uscita, i "fratelli" e le "sorelle" mi hanno detto: "Se sei arrivata alla tua età senza esserti sposata... è per questo che non sei riuscita, e non riuscirai mai, a stabilire una fratellanza, un legame con nessuno".».

La Gran Loggia Regolare d'Italia:
«Massoni all'inglese»

La scissione

Il biennio 1992-1993 rappresentò la fase in cui in Italia crollava il sistema politico e sociale che il Paese aveva vissuto e fatto proprio per oltre un cinquantennio. E anche la massoneria non rimase estranea a questa insolita quanto virulenta rivoluzione italiana.

L'inchiesta del procuratore di Palmi Agostino Cordova portò alla luce gravi connessioni tra massoneria e malavita organizzata.

L'allora Gran Maestro del Goi Giuliano Di Bernardo aveva accettato di collaborare con la magistratura, chiedendo uno sforzo di autocritica e di trasparenza. Ma contro di lui si era scatenata una violenta offensiva. Il professore decise di dimettersi e di lasciare il Grande Oriente, con un clamoroso gesto di protesta.

Dopo quel gesto, alcuni «fratelli» del Grande Oriente decisero di prendere le distanze dalle loro logge di appartenenza e, associandosi tra loro, costituirono la Gran Loggia Regolare d'Italia. Il suo motto era nelle parole iscritte all'interno dello stemma prescelto: *Iure veritati iuncti*. Diritto e verità insieme. Pochi giorni dopo, dalla nuova sede romana di via Flavia 72, venivano rese pubbliche le motivazioni della fondazione della nuova Gran Loggia Regolare degli Antichi, Liberi e Accettati Muratori d'Italia.

Il documento di fondazione, redatto dal professor Di Bernardo, recitava:

Con la Gran Loggia Regolare d'Italia ha inizio, per la prima volta nel nostro Paese, la pura e antica massoneria; con la convinzione, profonda e motivata, che i suoi princìpi universali sono stati definitivamente e irrimediabilmente violati, con la conseguenza che spesso i massoni hanno agito sulla base di regole che nulla o poco avevano a che fare con la massoneria a dispetto di quel perfezionamento morale che ognuno ha il dovere di attuare nel profondo della propria coscienza.

Il testo proseguiva:

La verità è che quando degenerano i princìpi fondamentali, ispiratori della condotta pratica, tutto diventa possibile. È così che nascono le false prospettive, le deviazioni, la ricerca di qualcosa che con la massoneria non ha nulla a che fare. Invece, il progetto di una «nuova massoneria» non fa riferimento ad una dottrina massonica diversa, poiché in massoneria tutto è stato già scritto e nulla dev'essere inventato; ma è quello di saper leggere il libro dell'autentica tradizione massonica secolare, avendo ben chiaro il senso del ritorno alle origini. Da questa scelta costituzionale derivano obblighi che vincolano moralmente tutti i suoi appartenenti. Per la Gran Loggia Regolare d'Italia, comunque, ritornare alle origini ha avuto il significato di ispirarsi a quel modello anglosassone di massoneria che dagli inizi del XVIII secolo si è diffuso in tutto il mondo.

La scelta di Giuliano Di Bernardo incontrava consensi: la nascita della nuova Obbedienza d'Italia venne premiata anche sul piano internazionale, con un flusso incessante e crescente di riconoscimenti.

La Gran Loggia Unita d'Inghilterra, «madre» delle massonerie mondiali, in occasione della comunicazione trimestrale dell'8 dicembre del 1993, conferì il proprio ambìto riconoscimento formale, togliendolo contemporaneamente al Grande Oriente d'Italia. La decisione dell'antico gruppo inglese venne seguita, poco dopo, anche dalla

Gran Loggia Nazionale Francese, dalla Gran Loggia d'Irlanda e dalla Gran Loggia di Scozia. Da qui una serie di riconoscimenti dalle massonerie di molti Paesi dei cinque continenti.

Solo tre gradi

Il carattere distintivo della Gran Loggia Regolare d'Italia è quello di avere solo tre gradi: Apprendista, Compagno e Maestro. Non ha quindi i «riti» – con le loro elaborate gerarchie che conducono sino al 33° grado – che caratterizzano le massonerie di Palazzo Giustiniani e di Palazzo Vitelleschi. Di conseguenza, non dispone dei sistemi di potere «paralleli» che spesso, nella concreta vita di loggia, creano problemi e sovrapposizioni. Un notevole vantaggio in termini di semplicità e chiarezza.

La Gran Loggia Regolare d'Italia lavora inoltre con il cosiddetto «rituale Emulation», che prende il nome dall'Emulation Lodge of Improvement di Londra. Questa particolare loggia, riunitasi per la prima volta il 2 ottobre 1823, fu specificamente formata per i soli Maestri Muratori, al fine di dare istruzione a coloro che desideravano prepararsi a un ufficio di loggia e alla successione nel seggio di Maestro venerabile.

In origine l'istruzione avveniva tramite le cosiddette «lezioni» muratorie, secondo il sistema della Grand Stewards' Lodge, le cui lezioni descrivono in dettaglio le cerimonie. La Emulation Lodge of Improvement si è sempre riunita, senza alcuna interruzione, fin dalla sua formazione e ha sempre avuto la fama di resistere a qualsiasi cambiamento nelle cerimonie. Il «conservatorismo» inglese diventa così fonte di certezza in una materia, quella del rituale massonico, che talvolta si presta a essere labile.

La Maestranza di Fabio Venzi

Al primo periodo, caratterizzato dalla Gran Maestranza del professor Giuliano Di Bernardo, seguì il 15 dicembre 2001, alla presenza dei rappresentanti di massonerie estere, l'elezione del nuovo Gran Maestro della Gran Loggia Regolare d'Italia, il quarantunenne Fabio Venzi, romano di discendenza toscana, sociologo.[1]

Lo stile «anglosassone» di Venzi trovava nuovi consensi e riconoscimenti da parte di altre massonerie internazionali. La nuova Gran Maestranza, nel corso del tempo, ha inaugurato varie nuove logge e consacrato decine di templi nelle diverse regioni italiane. Sobrio lo stile nei confronti del mondo «profano»: nei suoi sei anni di mandato, Venzi è stato parco di uscite pubbliche e dichiarazioni alla stampa.

Una delle sue rare interviste è stata quella rilasciata all'Ansa il 1° dicembre 2003, in cui ha dichiarato: «La massoneria è una sola, quella di stampo inglese, e non ha niente a che vedere con l'immagine che si è affermata in Italia: uomini che grazie a questa affiliazione segreta fanno giochi di potere e curano i propri interessi». Ha poi spiegato: «Siamo l'unica loggia riconosciuta dalla massoneria inglese, e questo perché siamo gli unici che seguono le sue regole. Noi non facciamo proselitismo, non promettiamo posti di lavoro o avanzamenti di carriera. Chi entra da noi è già al vertice, e non ha bisogno della massoneria per salire». Anche nell'organizzazione interna – ha chiarito Venzi – c'è una profonda differenza tra le diverse obbedienze. «Noi abbiamo solo tre gradi: Apprendista, Compagno, Maestro. E nel-

---

1. Classe 1961, Venzi è stato curatore della collana di studi «Meridione d'Italia» per le Edizioni d'Arte di Roma (1998-2001). È poi fondatore e direttore editoriale di due riviste di filosofia e cultura massonica, la «De Hominis Digitate» e la «Ars Quatuor Coronatorum». È stato iniziato nel 1998 nella loggia Pericle Maruzzi n. 3 di Bologna della Gran Loggia Regolare d'Italia.

la massoneria inglese i gradi sono tre. Il motivo del moltiplicarsi dei gradi è molto semplice: spalmare gratificazioni, distribuire titoli.»

Ma la differenza con l'ortodossia inglese non sta solo nella moltiplicazione delle cariche: «Quella italiana, come quella francese e brasiliana, è sempre stata molto politicizzata, e anche anticlericale. Noi vogliamo invece superare queste distorsioni, e anche la Chiesa dovrebbe capire che la massoneria non è il Grande Oriente d'Italia. Noi non facciamo politica, siamo credenti e non siamo anticlericali».

Chiediamo a Venzi se la massoneria non sia, comunque, un centro di potere. «Non più di un qualsiasi salotto buono», si schermisce. Ma poi, alla domanda se siano molto potenti gli uomini della sua loggia, Venzi non risponde se non con un'espressione dello sguardo che vuol dire: «Sì, sono molto potenti».

Uno stile molto soft, che ha richiamato l'attenzione su una frase di Venzi relativa ai rapporti tra la Gran Loggia Regolare d'Italia e l'Opus Dei. Un reportage di Rita Pennarola per «La Voce della Campania»[2] segnalava, in merito ai rapporti tra Opus Dei e massoneria, che essi sono «assai simili, soprattutto dal punto di vista dell'elitarismo di cui è permeato il loro credo, appaiono gli ideali delle due diverse "consorterie". Una riprova arriva dalle dichiarazioni del Gran Maestro della Gran Loggia Regolare d'Italia Fabio Venzi, secondo il quale "alcuni massoni sono nell'Opus Dei e alcuni membri dell'Opus Dei sono in massoneria", anche perché "queste organizzazioni si propongono di raggiungere pressappoco le stesse finalità". Venzi ha concluso ammettendo che "esiste un dialogo tra i membri delle due organizzazioni vuoi per semplice amicizia, vuoi per questioni professionali". Niente intrecci precostituiti, dunque, ma forti affinità, con percorsi che molto spesso s'incontrano nelle segrete stanze del potere».

---

2. Cfr. cap. «I canali della ricchezza massonica».

Il pensiero di Venzi

Nonostante la sua reticenza alle dichiarazioni pubbliche, Fabio Venzi ci ha concesso un'intervista. Il primo punto che cerchiamo di approfondire con lui è quello delle differenze che separano la Gran Loggia Regolare d'Italia dalle obbedienze di Palazzo Giustiniani e di Palazzo Vitelleschi.

«La Gran Loggia Nazionale d'Italia di Palazzo Vitelleschi, ammettendo le donne al suo interno, si colloca in una irregolarità inequivocabile» esordisce Venzi. «Questa è la principale distinzione tra noi e la massoneria guidata da Luigi Danesin. Per quanto riguarda le differenze tra noi e il Grande Oriente, il discorso è storicamente evidente: il Goi non ha mai nascosto di apprezzare l'intervento della massoneria nella vita politica ed economica italiana. È sempre stato coinvolto in questo tipo di situazioni. Noi invece ci rifacciamo a una massoneria "anglosassone". La massoneria di Inghilterra, Scozia e Irlanda mai ha dato pareri sui Pacs o sui Dico. Faccio un esempio a caso, per ricordare come invece il Goi abbia organizzato una tavola rotonda sulla questione delle unioni civili proprio durante la Gran Loggia di Rimini, il loro meeting annuale. Noi non abbiamo mai manifestato in un Gay Pride, come invece ha fatto il Goi. Non abbiamo nulla contro i gay; il fatto è che non è tra le nostre prerogative massoniche occuparcene e mai siamo entrati in polemica con la Chiesa cattolica. Quando il Vaticano esprime un'opinione, si può prevedere che il Goi prenderà una posizione contraria, perché il Goi è sempre entrato nei fatti politici, economici e sociali. Noi, come tutte le massonerie tradizionali, non lo abbiamo mai fatto: siamo per l'*understatement,* preferiamo rimanere sotto tono.»

Il Grande Oriente ha dovuto fronteggiare il caso della P2. Chiedo a Venzi se pensa che la loggia di Licio Gelli sia stata l'esito di questa tendenza della massoneria italiana a partecipare troppo alla vita pubblica.

«Questa è la storia! Da un coinvolgimento generale negli

affari pubblici si può creare una degenerazione particolare, come quella della P2, che non si riesce più a controllare e che va oltre la libera espressione delle opinioni, addirittura arrivando a elaborare un vero e proprio piano d'azione [il Piano Rinascita, *Nda*]. Il fenomeno della P2 non è accaduto in nessun altra parte del mondo. La P2 è un caso italiano. Tenga conto che il Gran Maestro dell'epoca, Lino Salvini, era al corrente di tutto.»

Esistono però – sottolinea Venzi – altre differenze significative.

«Una delle più importanti differenze con il Goi è che da noi i "riti" non ci sono, la nostra obbedienza ha solo tre gradi. I "riti" sono un potere nel potere. I "riti" sono strutture completamente indipendenti dall'Ordine, ma che sono nell'Ordine. Da noi si può diventare Apprendisti, poi Compagni e infine Maestri. Al di là del grado di Maestro c'è solo un rituale, che è quello dell'Arco Reale e che è, diciamo, un completamento del terzo grado di maestro. L'Arco Reale non è un "rito". Il Capo dell'Arco Reale, il Primo Gran Principale, sono sempre io, il Gran Maestro. Ecco, quindi c'è un unico "potere" che detengo io. La struttura della Glri è assolutamente verticistica.»

Molto diversa la situazione delle altre obbedienze, sottolinea il Gran Maestro.

«Nel Goi, invece, ci sono tutta una serie di "riti" con tutti i loro capi e "poteri": il capo del Rito di Memphis e Misraïm è chiamato il Gran Ierofante, il capo del Rito scozzese antico e accettato è chiamato Sovrano Gran Commendatore; poi c'è il capo del Rito di York, il capo del Rito Simbolico, e così via. Tenga presente che Raffi, il Gran Maestro del Goi, non ha la stessa possibilità di determinare l'indirizzo del Grande Oriente d'Italia. Io posso scegliere insieme al mio consiglio un indirizzo di obbedienza. Sono io che "comando". Non ho nessuno con cui condividere il potere. Raffi, invece, questo non può farlo: ha dei sottopoteri cui deve dar conto e che hanno migliaia di iscritti, come il Rito scozzese, al quale appartiene la metà dei massoni del Goi. Lei capisce che quando il Capo di un Rito dice al Gran Maestro: "Voglio che tu prenda posizione su questo argomento…". Spesso Raffi deve far da portavoce, da altoparlante delle posizioni di altri. Da noi nessuno può rilasciare interviste come questa, se non io, salvo eventuale autorizzazione. Se un fratello della nostra obbedienza rilascia una dichiarazione a un giornale viene espulso. Nel Goi chiunque può esprimere pubblicamente un'opinione, anche in contrasto con la posizione del Gran Maestro. Da questo punto di vista il Goi è ingestibile, il Gran Maestro non ha un pieno controllo. Nel Goi c'è gente di qualità e in gamba, ma i "tre giorni" di tavole rotonde a Rimini non hanno nulla a che fare con la massoneria tradizionale. Uno svedese o uno scozzese non crederebbero ai loro occhi.»

In un libro di Venzi c'è una citazione di Antonio Gramsci, il quale scrisse che l'unico vero partito della borghesia, in Italia, è la massoneria. Visto che ha citato Gramsci, la domanda è naturale: oggi la massoneria può rappresentare in Italia il vero partito della borghesia?

«Assolutamente no. Per quanto riguarda la mia obbedienza, non potrei neanche dire che i miei iscritti facciano parte della media borghesia. Non posso identificare uno strato sociale preciso. Per quanto riguarda il Goi, non lo so. A mio parere non esiste più, oggi, la borghesia in senso classico. Le parlo da sociologo: negli anni Trenta esisteva una media o alta borghesia, oggi non più. O meglio, esiste una larga e ampia piccolissima "borghesia" e poi un ristretto nucleo di ricchissimi. Comunque, se esiste una borghesia, essa non è rappresentata politicamente dalla massoneria. Anche numericamente. Negli anni Trenta il Grande Oriente aveva 30mila iscritti; oggi, a differenza di quanto dicono, secondo me il Goi non ha 18mila iscritti ma arriva sì e no a 7000-8000. Lo stesso vale per la Gran Loggia di palazzo Vitelleschi: in termini numerici, cosa può rappresentare? Saranno 5000 o 6000 iscritti. E poi nei decenni c'è stato un abbassamento della qualità culturale dei massoni italiani. In passato c'erano professionisti di altissimo livello, politici, avvocati che erano principi del foro. Oggi ci sono delle logge del Goi in Calabria di cui è meglio non parlare: e se si parla di élite culturale mi viene veramente il voltastomaco. Io, invece, nella Gran Loggia Regolare d'Italia ho cercato di fare una cernita e ho visto che arrivano persone di livello culturale medio-alto. Altrimenti che massoneria si può fare, con l'ignoranza? Io ho voluto avere carta bianca per cercare di selezionare solo le persone più motivate a entrare in massoneria.»

Chiedo a Venzi di precisare la sua opinione sulle grandi *convention* annuali che il Grande Oriente organizza a Rimini, invitando giornalisti, figure delle istituzioni, professori ed esperti.

«È propaganda fine a se stessa. Guardi se trova un solo articolo di Raffi su questioni massoniche, sulla filosofia, sulla storia della massoneria. Mai! Solo proclami! O cose su Garibaldi e Mazzini! Ma si immagini lei che Gran Maestro può essere stato Garibaldi, che quando aderì era già avanti con l'età. Magari non aveva neanche capito che cosa stava facendo! Forse sono un po' cinico, ma è la verità. Stiamo ancora andando avanti con i "santini". Che senso ha convincere le persone ad avvicinarsi alla massoneria parlando di Garibaldi? Bisognerebbe spiegare per bene che vita associativa avrai, che percentuale di esoterismo c'è nella nostra vita di loggia, se no la gente pensa che facciamo rituali dalla mattina alla sera, mentre invece è solo una parte del lavoro massonico. Molti cercano invece di far percepire che entrare in massoneria significa far parte di un gruppo di potere, che avrai chissà quali favori. Che poi è tutto millantato credito, perché oggi la massoneria non conta più nulla.»

Venzi spiega con efficacia il profondo sospetto con il quale la massoneria internazionale guarda a quella italiana.

«All'estero c'è diffidenza nei confronti della massoneria italiana. Gli inglesi, ad esempio, sono spaventati dagli italiani. Noi facciamo paura. È difficile fare massoneria in un posto dove c'è la camorra, Cosa nostra, la sacra corona unita, la 'ndrangheta, l'anonima sequestri, la banda della Magliana... Io ci ho messo la faccia, per fare qualcosa. Ma serve tanta buona volontà. Ho dovuto faticare, ad esempio, per tranquillizzare i massoni della Norvegia, che grazie alla fiducia accordata a me come persona hanno riconosciuto la regolarità, per la prima volta, della nostra obbedienza. Prima le massonerie scandinave non avevano riconosciuto nessuno in Italia. In Norvegia essere Gran Maestro significa essere una persona importante del Paese, e la Casa massonica della Norvegia è di fronte al Parlamento. È stato difficile e il pregresso era allucinante. E non parlo solo del Goi, mi creda.»

Il dialogo con la Chiesa

La Gran Loggia Regolare d'Italia è considerata con interesse dal mondo cattolico, che la valuta con occhi diversi rispetto alle altre obbedienze. Questo è frutto della ricerca di un dialogo con la Chiesa? La Glri ha persino un cappellano sacerdote...

«Noi abbiamo sempre avuto un atteggiamento di apertura totale verso le autorità religiose.[3] Purtroppo, c'è ancora un po' di confusione sul tema dei rapporti tra massoneria e Chiesa cattolica. Io ho avviato un contatto con il Gruppo studi e ricerche sulle sette, il Gris, che è un centro cattolico. Mi hanno invitato, unico massone in Italia, a partecipare a un convegno[4] dove ho spiegato che l'opinione

---

3. Il 21 aprile 2005 Venzi si è fatto promotore di un incontro con il Decano della Chiesa evangelica luterana in Italia, Jürgen G. Astfalk.
4. Il 1° marzo 2007 la spinta al dialogo tra Chiesa e massoneria è stata rilanciata da un convegno della Pontificia Facoltà Teologica San Bonaventura (Seraphicum) di Roma. La Pontificia Facoltà ha organizzato il convegno «Chiesa cattolica e Massoneria». Tra i partecipanti, oltre gli esponenti della facoltà, il presidente del Gris, Giuseppe Ferrari, l'onorevole Carlo Giovanardi e Fabio Venzi. Nel convegno, il Gris e il Seraphicum si sono fatti portabandiera dell'apertura del dialogo con la massoneria. Questo

cattolica sulla massoneria è confusa e contraddittoria. In una prospettiva storica, si parte dall'accusa di essere "eretici" del 1738 fino ad arrivare alla più recente scomunica degli anni Ottanta, con l'accusa di "relativismo culturale". Due accuse contraddittorie, secondo me. Ma stiamo dialogando. Vede, il problema del riconoscimento della massoneria da parte della Chiesa non è risolvibile in tempi brevi. Ad alti livelli c'è stato un interessamento quando nella nostra obbedienza è entrato il primo sacerdote. Ma la base cattolica ha portato un attacco terrificante: "Il fumo di Satana si è impadronito del cappellano", è stato detto. Purtroppo i vertici del Vaticano sanno benissimo che la loro "base" – il livello più modesto dei sacerdoti e dei credenti – non la convinceranno mai, per loro la massoneria è "satana", il nemico. Ci vorrebbe un progetto differente. Oggi come oggi aprire un dialogo ufficiale con la massoneria è impossibile per la chiesa, significherebbe mettersi contro milioni di credenti.»

Paolo VI aveva simpatie per i massoni?

«Può darsi, ma ufficialmente non le esternò mai. Ci provò nel 1972 il cardinale Franjo Seper: il predecessore di Ratzinger alla Congregazione per la dottrina della fede provò a fare una piccola apertura nei confronti dei massoni, interpretando in maniera ampia il codice canonico. La Conferenza episcopale del Sudamerica – regione in cui c'è una grande presenza massonica, forse la più grande del mondo – scrisse al cardinale che guidava la Congregazione per la dottrina della fede per sapere cosa fare. C'era un problema pratico: come dobbiamo comportarci verso i cattolici che sono anche massoni? Li scomunichiamo o no? Si trattava di una domanda che riguardava mezzo milione di persone, cattolici e massoni allo stesso tempo. Seper si inventò un *escamotage*: sono da

nonostante l'inconciliabilità tra Chiesa e massoneria sia stata ribadita in ben 600 documenti; l'ultimo è la Dichiarazione sulla massoneria della Congregazione per la dottrina della fede del 1983.

condannare tutti quei massoni che fanno parte di massonerie che *macchinano* contro la Chiesa. Fu un passo importante, un'apertura intelligente. Ma questa possibilità fu gestita in maniera sbagliata da Giordano Gamberini, Gran Maestro del Goi, da padre Giovanni Caprile, gesuita di «Civiltà Cattolica», e da padre Esposito, un'altra mina vagante. Questi iniziarono a cantare vittoria, come se la massoneria avesse vinto contro la Chiesa. Il cardinale Seper fu così costretto a rettificare quanto detto.»

Nel codice di diritto canonico del 1983, promulgato da papa Wojtyla, la scomunica della massoneria non figura, però.

«Sì certo, però per la prima volta nella storia del Vaticano, subito dopo l'emanazione del codice di diritto canonico, il cardinale Ratzinger, che presiedeva la Congregazione per la dottrina della fede, fece una rettifica dicendo che l'atteggiamento della Chiesa di condanna della massoneria non cambiava. Ratzinger intervenne sul codice di diritto canonico un mese dopo che era uscito. E nel 1985 chiarì meglio e in maniera più organica il perché persisteva la scomunica della massoneria, introducendo l'accusa di "relativismo". Mai prima d'allora era stato menzionato il "relativismo" come motivo di scomunica per la massoneria. È raro che un Papa promulghi un codice e quindici giorni dopo il prefetto della Congregazione per la dottrina della fede lo rettifichi con una lettera apostolica pubblicata sull'"Osservatore Romano".[5] Il potere del prefetto della Congregazione era già forte allora. Ratzinger faceva il Papa molto tempo prima della morte di Wojtyla. Dal 1985 Ratzinger non ha fatto più altri interventi sulla scomunica della massoneria, se non vaghi cenni sul relativismo.»

Veniamo al tema della trasparenza. Gli elenchi dei fratelli

---

5. Comparve sull'«Osservatore Romano» del 23 febbraio 1985 un articolo senza firma (e per questo più autorevole) dal titolo *Inconciliabilità tra Fede Cristiana e Massoneria*.

della Gran Loggia Regolare d'Italia sono a disposizione dell'autorità pubblica?

«Non più. Prima della legge Anselmi noi fornivamo gli elenchi alla Digos. Ma ora, anche per l'esistenza della legge sulla *privacy*, io non potrei più fornire gli elenchi dei nominativi dei "fratelli"; nessuno dal Ministero dell'Interno me li ha più chiesti. Gli stessi magistrati devono richiederli in modo ufficiale. Quando Woodcock ha mostrato interesse per gli elenchi di tutti i massoni italiani, ha fatto una richiesta informale a noi, così come al Goi e alla Gldi. Ecco, quella fu un'altra occasione in cui Raffi si è comportato in maniera poco abile: quando Woodcock gli ha chiesto gli elenchi in maniera riservata, Raffi ha chiamato subito i giornali per denunciare il fatto. Che senso aveva? Se si fosse comportato in maniera discreta, avremmo detto al magistrato: "Non te li possiamo dare, però fammi una richiesta ufficiale".»

Cosa risponde il Gran Maestro Venzi a chi dice che la massoneria è un comitato d'affari?

«Da noi c'è molto controllo interno. Mai avuto alcun problema. Io verifico che ogni loggia abbia una sua vita culturale documentata. Cioè ogni loggia deve produrre documenti e studi di natura storico-filosofica sulla massoneria. Quando una loggia non produce nulla di tutto questo, si va a vedere subito il perché. Questo controllo è facilitato anche dal fatto che non siamo tanti. Attualmente siamo circa in 3000. Conosco tutti i Maestri della mia obbedienza, quello che fanno, quello che dicono.»

Quali sono i progetti per il futuro?

«Continuare un progetto educativo. Voglio rendere ogni membro della mia obbedienza in grado di poter dire qual è il nostro progetto massonico. Voglio creare una omogeneità culturale all'interno dell'obbedienza. Creare un minimo comune denominatore. Se ognuno di noi pensa e fa quello che vuole, c'è il rischio di non capire più nulla.»

Il segreto

Con Venzi affrontiamo il tema della segretezza. Quali sono le regole del segreto nella Gran Loggia Regolare d'Italia?

«Secondo quanto affermano i nostri documenti», spiega il Gran Maestro, «la massoneria non è una società segreta, ma le riunioni di loggia, come le riunioni di molte altre associazioni sociali e professionali, sono private e aperte solo ai membri. I massoni sono incoraggiati a parlare apertamente della loro appartenenza, ma senza usare la loro dichiarazione per ottenere un qualsiasi beneficio per loro o per alcun altro».

Anzi, sottolinea Venzi, in alcuni casi l'appartenenza alla massoneria può causare problemi e svantaggi.

«Essere massoni talvolta comporta una discriminazione, che può essere subita nel lavoro o in altri aspetti della propria vita: questo giustifica la reticenza di alcuni. Così come altre organizzazioni e associazioni italiane, la Gran Loggia non pubblica una lista dei membri. Neppure rende pubblici i nomi dei fratelli senza il loro permesso.»

Tuttavia, «una lista degli iscritti è a disposizione dell'autorità pubblica, così come i nomi di tutte le logge e i loro luoghi e date di riunione. Le costituzioni e i regolamenti della nostra massoneria sono pure di dominio pubblico. I luoghi di riunione e le sedi dei liberi muratori sono facilmente identificabili, sono inclusi negli elenchi telefonici e in molte zone sono usati dalla comunità locale per attività non di carattere massonico. La sede della Gran Loggia Regolare d'Italia è a Roma in Lungotevere dei Mellini 17 ed è aperta al pubblico in orario d'ufficio».

Quanto ai modi usati dai «fratelli» per riconoscersi fra di loro e per provare la loro identità e rango, Venzi ironizza: «Le "strette di mano", sulle quali così tanto è stato scritto, difficilmente si possono considerare "segrete" ai nostri giorni. Per i massoni dei secoli passati erano l'equivalente del codice pin, degli odierni badge che danno accesso a un'area riservata solo a membri qualificati».

Una società di mutuo soccorso?

La Gran Loggia Regolare d'Italia ha preso posizione anche sul controverso tema del favoritismo. «I massoni non si aspettano che un loro fratello, dovendo affidare un lavoro, assegnare una promozione, stipulare un contratto o qualcosa di simile, li preferisca a spese di altri altrettanto o ancor più meritevoli. Un favoritismo sarebbe un cattivo uso dell'ideale di appartenenza all'istituzione ed è, perciò, vietato e punito dai nostri regolamenti», spiega il Gran maestro Venzi.

«Al momento del suo ingresso in massoneria, ciascun candidato dichiara inequivocabilmente di non aspettarsi alcun guadagno materiale in ragione della sua appartenenza all'istituzione. In vari punti, durante i tre stadi della cerimonia di ammissione, al candidato viene ricordato che qualunque tentativo di ottenere un favoritismo o un guadagno materiale, per se stesso o per altri, sarà considerato un cattivo uso dell'appartenenza all'istituzione e perciò non tollerato.»

Il *Libro delle Costituzioni* che ogni candidato riceve – prosegue Venzi – «contiene severe regole riguardanti l'abuso dell'appartenenza all'istituzione, regole che possono portare a provvedimenti che vanno dalla temporanea sospensione fino all'espulsione».

Un'altra accusa rivolta alla massoneria è quella di essere una società di mutuo soccorso.

«Fin dagli inizi la libera muratoria si è occupata delle vedove e degli orfani dei fratelli deceduti, qualora ne avessero bisogno, ma i liberi muratori ogni anno aiutano persone bisognose o istituzioni della società civile. Il principio base non è quello di un'assistenza caritatevole, ma quello ben più forte della solidarietà.»

Massoneria, politica e affari pubblici

Nel documento *Scopi e Relazioni della Massoneria* viene chiarita la posizione della Gran Loggia Regolare d'Italia a proposito del rapporto tra affari pubblici e massoneria. Scrive Venzi:

> A chi entra in massoneria è severamente proibito di perseguire alcuna azione che possa tendere a sovvertire la pace e l'ordine della società; egli è tenuto a prestare obbedienza alle leggi dello Stato in cui risiede e non deve mai venire meno ai doveri verso l'autorità costituita.
>
> Mentre la massoneria inculca in ogni suo appartenente i doveri di lealtà e di civismo, essa riserva a ciascuno il diritto di avere la propria opinione riguardo alla cosa pubblica, ma in loggia non gli è permesso di discutere questioni di natura teologica o politica. La Gran Loggia Regolare d'Italia si è sempre costantemente rifiutata di esprimere qualsiasi opinione su questioni di politica interna o estera, sia in Patria che all'estero, e non consente che il suo nome sia associato a qualsiasi azione, per quanto umanitaria possa apparire, che possa infrangere la sua inalterabile astensione da problemi riguardanti le relazioni tra un governo e un altro o tra partiti politici o fra ideologie opposte di governo.

Ma in fondo, che male ci sarebbe se la Gran Loggia intervenisse sui temi della nostra società?

«Se la massoneria, anche per una sola volta, deviasse dal suo alveo tradizionale per esprimere opinioni su argomenti di carattere politico o teologico, non solo getterebbe i semi della discordia fra i suoi appartenenti, ma potrebbe perdere anche quel distacco nei confronti dei fatti che accadono nella società che da sempre le ha permesso di vivere in tranquillità.»

Ma la massoneria può essere un gruppo di pressione politica?

«Assolutamente no. I singoli massoni hanno i loro personali orientamenti politici, ma la massoneria regolare, come istituzione, mai esprimerà un giudizio o una visione politica e neppure praticherà forme di *lobbying*. Le discussioni di politica, alle riunioni massoniche, sono da sempre proibite. Ci sono gruppi, in Italia e all'estero, che si autodefiniscono massonici, che sono coinvolti in questioni politiche. Ovviamente essi non sono riconosciuti dalla Gran Loggia Regolare d'Italia, unico corpo massonico a praticare la massoneria in Italia secondo i princìpi fondamentali stabiliti dalla Gran Loggia Unita d'Inghilterra, la Gran Loggia madre da cui sono filiate tutte le massonerie regolari nel mondo. La Gran Loggia Regolare d'Italia è una organizzazione non politica. Non ha un programma politico e le discussioni di politica sono vietate durante le riunioni di loggia.»

Una posizione netta. Che riflessione compie allora Venzi in merito all'inchiesta del sostituto procuratore De Magistris sui fondi europei e le logge deviate di San Marino?

«Già nel mio incontro con Woodcock ho cercato di far capire a chi fa queste indagini che esiste un *mare magnum* di sigle e riti spuri. Vede, io sono stato sentito da Woodcock e capisco la situazione in cui si trova un magistrato che indaga su un mondo in cui esistono gruppi "spuri". In Italia esistono almeno duecento massonerie spurie. Pensare che tutto questo sia massoneria vuol dire non capire mai nulla. Il problema è questo: in Italia si può creare una "massoneria" a partire dal nulla, da un gruppo di poche persone con dei grembiulini che si riuniscono in uno scantinato e che cominciano a chiamarsi "massoneria". Ma non è lo stesso piano di una realtà come la nostra.»

Il Gran Maestro insiste sul punto, invitando chi si occupa di massoneria a effettuare sempre distinzioni accurate.

«Avrebbe senso indagare sulla massoneria se fossero intercettate le telefonate di un Gran Maestro di un'obbedienza ufficiale. Ma fin quando si intercettano le telefonate di personaggi che parlano di "massoneria" senza sapere cosa significhi non si può chiamare a testimoniare me o un altro Gran Maestro come Raffi. Questo è il nostro grandissimo problema. È come intercettare un prete a Caltanissetta e chiamare Ratzinger a testimoniare. Io posso essere responsabile del fatto che uno, parlando al telefono, nomini la "massoneria"? I magistrati dovrebbero saper distinguere tra massonerie "spurie" e massonerie ufficiali. Di massonerie ridicole, nate per dare bidoni alla gente, ce ne possono essere a decine. Mi sembra che questo tipo di "massoneria" sia sempre utile, quando si vuole alzare un polverone.»

Terza parte

Massoneria e finanza

I canali della ricchezza massonica

La massoneria italiana dall'Unità al fascismo

Il nostro viaggio nei risvolti del rapporto tra finanza e massoneria comincia da Brescia, una città dove industria e sistema bancario hanno sempre espresso valori forti. E nella quale il rapporto con la massoneria ha sempre avuto connotazioni ambivalenti: se è vera infatti la forte matrice cattolica del mondo finanziario bresciano – che esprime oggi il suo «campione» nel presidente di Banca Intesa, Giovanni Bazoli – è altrettanto vero che esiste nella città lombarda una tradizione di industria e finanza che con la massoneria ha avuto rapporti intensi. Patria del Gran Maestro massone Giuseppe Zanardelli,[1] Brescia rappresenta una particolare miscela di culture.

Che cosa sia questa città, «neanche Giosue Carducci, che coniò l'appellativo felino di Leonessa quando insorse nel 1849 contro il dominio austriaco, saprebbe forse più dirlo, nel budino ecclesial-risorgimental-siderurgico-finanziario. Un budino che misteriosamente tiene insieme cultura solidaristica e cultura liberale, laicismo zanardelliano e cattolicesimo giansenista, clericalismo e massoneria, alta banca e pentolame delle Valli, aristocrazia della terra e finanza "svelta", perbenismo e cocaina a go-go, che i ragazzi nelle piazze co-

---

1. Zanardelli nacque a Brescia il 26 ottobre 1826 e morì a Maderno il 26 dicembre 1903. Patriota, giurista e uomo politico, eletto deputato nel 1859, ricoprì le cariche di ministro in diversi dicasteri, di presidente della Camera (1892-1894) e presidente del Consiglio (1901-1903).

minciano a sniffare a quattordici anni», ha scritto Alberto Statera in una bella inchiesta sulla Leonessa.[2] Sta di fatto che a Brescia la presenza massonica è antica e radicata.

Nel lontano 1773, secondo notizie frammentarie, sarebbe già stata presente una loggia massonica. Siamo, come la data indica chiaramente, agli esordi della massoneria in Italia, dato che la massoneria moderna è nata a Londra nel 1717. Ma la massoneria bresciana, in particolare, avrebbe respirato cultura francese.[3]

A Brescia abbiamo raccolto una testimonianza di straordinario interesse: quella dello storico Silvano Danesi, studioso della massoneria ma anche dei fenomeni dell'economia e del sindacato. Un profilo particolarmente interessante, quello di Danesi, un bel signore classe 1949 dall'aspetto anglosassone, che conosce a menadito i complicati intrecci tra massoneria e finanza.[4]

Con Silvano Danesi abbiamo esplorato i territori della massoneria che si intreccia con la finanza, tra storia e politica, mito e realtà.

La massoneria è considerata tradizionalmente forte nel settore della finanza e dell'industria. Chi storicamente, in

---

2. Alberto Statera, *Finanza, tondini e arte. Brescia archivia i furbetti*, in «la Repubblica», 12 febbraio 2007.
3. A Brescia la loggia del 1773 sarebbe appartenuta e avrebbe avuto relazioni e frequentazioni con la Gran Loge des Maîtres di Lione. Brescia e Lione sarebbero state legate da un filo invisibile, un legame esoterico tra le capitali spirituali delle due Gallie.
4. Danesi è autore di *All'Oriente di Brescia. La Massoneria bresciana dal 1700 ai nostri giorni*, Edimai, Roma, 1993; *Liberi muratori in Lombardia. La Massoneria lombarda dal '700 ad oggi*, Edimai, Roma, 1995; *L'anomalia dissolta. Il sindacato bresciano tra cronaca e storia*, Ente economico bresciano, Brescia, 1993; *L'autonomia sognata. La Uil di Brescia dall'Italia del Dopoguerra all'Europa del 2000*, Edizioni Uil, 1997; *Il movimento sindacale a Brescia, dalle origini ai nostri giorni*, Edizione Provincia di Brescia, Brescia, 1998; *Dalle radici al network*, Agenzia Lumetel, Brescia, 2001; *Cinquant'anni di storia*, Confcooperative Unione provinciale di Brescia, Brescia, 2002.

Italia, ha rappresentato la massoneria in questi ambiti? Danesi mette dei punti fermi.

«Una premessa indispensabile. La massoneria è un fenomeno assai complesso e lo spazio di un'intervista comporta necessariamente schematismi e semplificazioni. Prima di arrivare alla finanza, credo sia essenziale dire che se oggi c'è l'Italia unita lo si deve in gran parte alla massoneria. La storia del Risorgimento è segnata dall'iniziativa di molti massoni, quali, ad esempio, Giuseppe Garibaldi e Camillo Benso di Cavour. Non fu massone Vittorio Emanuele II, ma simpatizzò per la massoneria, dando il proprio consenso anche all'affiliazione del figlio, che diverrà poi re Umberto I. L'idea dei francesi, per quanto riguardava l'Italia, era quella di uno Stato cuscinetto nei confronti dell'Austria e niente più. Sicuramente non intendevano disturbare lo Stato vaticano. A favorire e proteggere lo sbarco in Sicilia dei Mille c'erano, al largo, le navi della marina inglese; e si sa che il Gran Maestro della massoneria inglese è il re. Affrontare la questione dell'influenza della massoneria sullo Stato unitario è dunque entrare direttamente nel cuore del potere, ossia nel palazzo dei re. I primi passi dell'Italia unita sono guidati da un Parlamento in gran parte costituito da massoni. Francesco Crispi, Agostino Depretis e Giuseppe Zanardelli erano fratelli del 33° grado del Grande Oriente d'Italia. Del resto, l'incipit dell'inno nazionale è: "Fratelli d'Italia...". Vorrà pur dire qualcosa.»

Viene da chiedersi quali canali massonici abbiano seguito in Italia la formazione della ricchezza dai primi del Novecento in poi. E quali grandi famiglie avessero simpatie o aderenze massoniche. Danesi illustra una sorta di «storia della ricchezza» italiana.

«Gli studiosi di economia sono concordi nel ritenere che la crisi, che aveva colpito il Paese a partire dal 1882, abbia prodotto effetti positivi per il Nord Italia e in particolare per la Lombardia, determinando il sorgere o il consolidarsi di un'industria dinamica e moderna. Numerosi fattori contribuirono a questo risultato. Nuove vie di comunicazione, come la ferrovia del Gottardo, aperta al traffico il 10 luglio del 1882, fecero delle città del Nord, e in particolare di Milano, il centro di collegamento fra l'Italia e l'Europa; mentre la crisi agricola, liberando notevoli capitali, che non trovavano più convenienza a investire nella terra, favorì la nascita dell'industria elettrica e agevolò la trasformazione delle altre esistenti, a cui fornì, peraltro, un'abbondante manodopera che proveniva dai disoccupati delle campagne.

«Qualche anno dopo, mentre le banche di Torino, Roma e Genova subivano gravi collassi, Milano divenne il centro finanziario più importante della nazione, perché vi si costituirono, con l'apporto di capitali tedeschi, la Banca Commerciale e il Credito Italiano.»

Anni difficili, turbolenti, quelli di cui parla lo storico bresciano. Che coincisero alla fine dell'Ottocento, con la crisi di alcune grandi banche.

«Il dissesto bancario italiano aveva origini antiche. La Destra aveva istituito nel 1886 il costo forzoso della lira, ovvero l'obbligo per i cittadini di accettare le banconote prive di copertura aurea, cioè non convertibili. Il costo forzoso aveva allontanato dall'Italia i capitali stranieri che tornarono nel 1883, con il ritorno alla convertibilità della lira. Ne derivò una spinta all'espansione industriale ed edilizia, quest'ultima particolarmente accentuata a Roma, che costruiva la sua nuova dimensione di capitale del Regno. Il finanziamento delle imprese, in particolare di quelle edilizie, comportò una forte esposizione delle banche e in particolare un'esplosione delle sofferenze. Nel 1893-1894 si ebbero quindi i crolli del Credito Mobiliare e della Banca Generale, che furono messe in liquidazione. La Banca Romana, insolvente, nel tentativo di evitare il crollo ricorse, con la copertura di molti uomini politici, alla frode, stampando più banconote con lo stesso numero di serie. Inoltre, ad aggravare la situazione dell'istituto di credito, vennero a galla gli intrecci tra affari e politica; e lo scandalo della Banca Romana travolse il mondo politico e giunse fino a lambire il colle del Quirinale, residenza del re. Si pose quindi la questione della rifondazione del sistema bancario italiano, con la costituzione della Banca d'Italia, nel 1893. E con l'introduzione della banca mista di tipo tedesco, banca universale, capace di partecipare al capitale delle imprese e di convogliare il risparmio nei grandi progetti del decollo industriale.

«All'impresa collaborarono capitali tedeschi e svizzeri, richiamati in Italia dal mutamento delle alleanze in politica estera e dall'azione mediatrice della massoneria, che attraverso i garanti d'amicizia e l'opera del massone ebreo tedesco Otto Joel, convinse i "fratelli" d'oltralpe a stabilirsi in Italia con solidi punti d'appoggio finanziari, ai quali seguirono negli anni anche quelli industriali.

«Questo decollo fu in gran parte, appunto, il frutto dell'insediamento a Milano, nel Palazzo Brambilla, della Banca Commerciale Italiana, fondata nel capoluogo lombardo il 10 ottobre 1894 da un consorzio comprendente capitali finanziari tedeschi e svizzeri. A presiedere la neonata banca d'affari fu chiamato il conte Alfonso Severino Vimercati, uomo dell'entourage crispino e già dirigente della Banca Popolare di Milano.»

Si creò un nucleo di uomini destinati a entrare nella storia dell'economia e della finanza.

«La Banca Commerciale, alla quale si affiancherà nel 1895 il Credito Italiano (banca sorella e concorrente), fu condotta da Otto Joel e da Federico Weil. Nel 1891 Joel chiamò in Italia Giuseppe Toeplitz, un uomo che avrà grande parte nello sviluppo del Nord industriale italiano negli anni a venire. A Toeplitz succederà negli anni Trenta del Novecento Raffaele Mattioli, banchiere mecenate e fine intellettuale, protagonista della creazione di Mediobanca, poi diretta dal "fratello" Enrico Cuccia. Motore dello sviluppo, le due banche favorirono il decollo della Terni, dell'Ilva, dell'Edison, delle Acciaierie Falck, della Breda, della Fiat» spiega Danesi.

«Nel contempo si venne formando nella regione una categoria di imprenditori moderni, sensibili ai progressi scientifici e tecnologici, proiettati verso una visione più dinamica dei rapporti di produzione. Sapere chi fossero gli industriali iscritti alla massoneria, a questo punto, diventa pleonastico. Fu massone, ad esempio, Luigi Orlando.[5] Il dato essenziale è che la massoneria italiana, anche in questo frangente, si impegnò per il decollo del giovane Stato unitario.»

Tuttavia, sottolinea Danesi, va ricordato che l'impegno della massoneria non fu solo nella finanza e nell'industria.

«La massoneria si impegnò anche nella nascita delle prime organizzazioni del movimento operaio, quindi del sindacalismo laico delle origini e delle società di mutuo soccorso. Vorrei ricordare che massone fu l'anarchico Michail Bakunin, che fu in Italia tra il 1865 e il 1867. Massone fu Osvaldo Gnocchi Viani, fondatore nel 1891 della prima Camera del lavoro, a Milano, che con il massone Enrico Bignami, editore a Lodi de "La Plebe", era in corrispondenza con Engels e introdusse in Italia il pensiero marxista. Massoni furono Arturo Labriola e Andrea Costa, il primo socialista a entrare nel Parlamento italiano. Massone fu anche il filosofo Antonio Labriola, che fece conoscere con le sue opere il marxismo in Italia. Massone fu il socialista Leonida Bissolati. Anche molte società di mutuo soccorso furono fondate dall'opera di massoni. Nella provincia di Brescia furono massoni come Giuseppe Zanardelli e Gabriele Rosa a fondare molte delle società operaie e di mutuo soccorso. Così accadde anche in altre province d'Italia. È un impegno che ritroveremo anche verso la fine della Prima guerra mondiale nel maggio del 1918, quando venne dato nuovo impulso all'Unione Italiana del Lavoro, fondata nel 1914, il

---

5. Industriale e imprenditore, fondatore, insieme ai fratelli, dell'arsenale di Livorno nel 1866, quando ottenne dal governo italiano la concessione di ampie aree in zona portuale. Il cantiere aveva commesse da tutto il mondo.

cui programma respingeva ogni rapporto con i partiti politici, dichiarava di opporsi al capitalismo e di essere favorevole alla direzione operaia della produzione, della distribuzione e dello scambio.»

L'impegno della massoneria nelle vicende del sindacato è un capitolo in gran parte inedito. Ma lo storico bresciano lo ha analizzato a fondo.

«Anche in questo caso, come per i precedenti delle Camere del lavoro e delle società di mutuo soccorso, i massoni furono protagonisti della nuova vicenda sindacale, sia in termini di ispirazione, sia per gli uomini che la diressero. A fondare la Uil furono infatti i "fratelli" Filippo Corridoni, Cesare Rossi, Michele Bianchi, Alceste De Ambris ed Edmondo Rossoni. Rossoni lascerà l'organizzazione nel 1920 per fondare a Ferrara i primi nuclei del futuro sindacato fascista. Per quanto riguarda le idee, che furono non solo alla base dell'azione della Uil, ma anche dei primi nuclei del sindacalismo fascista, la massoneria fornì una traccia fondamentale, come dimostra il discorso di insediamento di Domizio Torrigiani alla carica di Gran Maestro del Grande Oriente (23 giugno 1919). "Invochiamo", disse allora il Gran Maestro, "l'avvento di una Democrazia del lavoro in cui per avere capacità di diritti sia condizione indispensabile una reale ed effettiva operosità, come nell'antica Democrazia di una città d'Italia fu necessario per godere dei diritti pubblici essere iscritti ad un'arte. Io credo anzi, o fratelli, che tale debba essere l'indirizzo della nostra azione: noi dobbiamo promuovere ed imporre in Italia il concetto di una Democrazia del lavoro. Integrare il riconoscimento dei diritti del lavoro con la devozione alla patria, che è per noi gradino dell'Umanità: tale sia il nostro volere [...] Ma la borghesia italiana non deve e non dovrà porsi come nemica di contro al popolo lavoratore: ella deve fondersi a lui e illuminare generosamente e saggiamente la impreparazione di lui alla gestione della cosa pubblica in una collaborazione che deve essere sincera e piena a qualunque costo. Deve essa avviare tutto il popolo lavoratore alla conquista dello Stato, che a lui spetta e che da lui sarebbe spezzato e travolto se s'intendesse di arrestare o di frodare il corso della evoluzione sociale. Soltanto così si difende lo Stato e con lo Stato si difendono i più preziosi beni. Si difende lo Stato liberandolo dal predominio di quei ceti i quali hanno cercato di ridurlo ad uno strumento di protezione dei loro interessi particolari; si difende aprendolo al popolo lavoratore; si difende contrastandone la conquista ad ogni dittatura di classe, più fieramente e in ogni modo a quella delle classi più impreparate, come si difende affermandone nel pensiero e nell'azione il concetto ed i diritti contro l'antica pretesa della Chiesa che non disarma".»[6]

La massoneria – segnala Danesi – fu antesignana anche di una sorta di rivendicazione nordista, oggi particolarmente attuale e percepita da molte forze politiche.

«Il ritorno al potere di Crispi mise infatti la Lombardia in contrapposizione con il Grande Oriente, sino alla consumazione della rottura. Il sentimento anticrispino si estese a Milano alla classe media, rappresentata da radicali e da repubblicani, e a quella operaia e bracciantile, che si riconosceva nel partito socialista. L'onda lunga della contestazione raggiunse anche la massoneria italiana. Il Gran Maestro Adriano Lemmi era persona sicuramente estranea alla nuova borghesia industriale che si era venuta formando nel Nord ed era personalmente amico di Francesco Crispi, anch'egli affiliato al Grande Oriente. Il 24 gennaio del 1894, nel pieno delle tensioni provocate dallo stato d'assedio, "Il Secolo", organo del radicalismo lombardo, diretto dal 1896 dal "fratello" avvocato Carlo Romussi, "rivolse – come scrive Ferdinando Cordova[7] – un appello ai democratici ed ai garibaldini, antichi compagni di Crispi, perché smettessero di giudi-

---

6. Gianni Vannoni, *Massoneria, Fascismo e Chiesa cattolica*, Laterza, Roma-Bari, 1980, p. 49.
7. Ferdinando Cordova, *Massoneria e politica in Italia 1892-1908*, Laterza, Roma-Bari, 1985, p. 17.

carlo con indulgenza, restando prigionieri di un passato, che il presidente del Consiglio smentiva ogni giorno. Nel contempo, in una nota di prima pagina, lanciò un monito, neanche troppo velato, al Grande Oriente di Roma, ricordando che la massoneria non andava confusa con Crispi e dichiarando che essa, comunque, non lo avrebbe seguito nella sua politica, specie se – come si diceva – avesse tentato di avvicinarsi al Vaticano, per ricavarne un sostegno conservatore. Lemmi non volle – o non poté – raccogliere i segnali che gli venivano da Milano. Il 29 gennaio, anzi, parlando, durante una riunione delle logge romane, degli avvenimenti appena accaduti in Sicilia e in Lunigiana, assunse incautamente la difesa del presidente del Consiglio". Qualche giorno dopo il giornale cattolico "La Lega Lombarda" annunciò discordie in seno alle logge e informò che nella Settimana santa sarebbe stata convocata a Roma un'adunanza di dignitari massonici per esaminare i termini possibili di una pacificazione.»

In questo clima bollente – spiega Danesi – iniziò a Milano nel 1894 il Congresso della massoneria italiana.

«Il Gran Maestro incentrò il discorso d'apertura con molta prudenza sulle riforme sociali, quali l'estensione a tutto il Paese della mezzadria, l'espropriazione delle terre incolte e le bonifiche, una legge per regolare l'emigrazione interna, tasse progressive, economie nella pubblica amministrazione, soppressione degli enti inutili e, per mezzo dell'esercito, trasformazione dell'esercito in milizia diffusa (la nazione armata), limitazione, infine, del diritto di successione. Il tono anticrispino dell'assise fu deciso, soprattutto a opera dei "fratelli", e nell'assemblea si giunse fino a gridare: "Abbasso Crispi".

«Il congresso, inoltre, votò un ordine del giorno in cui si esprimeva l'auspicio che si ponesse fine alla politica di transazione con la Chiesa e si chiedeva che lo Stato fosse avviato alla completa laicità. Secondo il foglio repubblicano "L'Italia del Popolo", tutti gli ordini del giorno avevano biasimato il governo. "L'episodio, dunque – commenta ancora Cordova

– portò a conoscenza dell'opinione pubblica il dissenso sul governo e sullo sviluppo economico del Paese, che attraversava, anche geograficamente, la borghesia italiana e che trovava nella massoneria il terreno più vistoso, ma non il solo, di scontro e, nella persona di Crispi, un elemento emblematico di semplificazione."[8] Mi pare che quanto s'è detto sia sufficiente per ribadire che la massoneria è un fenomeno complesso che non può essere costretto nella camicia di forza della sola finanza. È un criterio che si dovrebbe usare nel valutarla anche in tempi a noi più vicini.»

Ma quale fu il ruolo di figure come Toeplitz e Mattioli rispetto alla massoneria?

«Il massone Otto Joel, come s'è visto, con Federico Weil, altro tedesco di origine ebraica, è tra i protagonisti dello sviluppo industriale italiano voluto da Giovanni Giolitti. Sua creatura è la Banca Commerciale Italiana. Nel 1891 Joel chiamò in Italia Giuseppe Toeplitz, borghese di origine ebraica, nato a Varsavia. Mattioli, stando alla biografia ufficiale, non era massone, mentre lo era Beneduce. Riguardo a Mattioli, è aperta la questione, assai interessante, della sua sepoltura nell'abbazia di Chiaravalle, in una tomba che fu dell'eretica Guglielma la Boema. Secondo alcuni sarebbe stato Giuseppe Toeplitz ad avvicinarlo alle complesse idee di Shabbetai Zevi e di Jakob Frank. In questo caso, più che alla massoneria, bisognerebbe pensare all'influenza di un certo mondo ebraico. Guglielma – o meglio Vilemina o Blazena Vilemina – eretica mistica, era figlia, secondo la sua testimonianza, del re di Boemia Premislao I e di Costanza di Ungheria. Giunse a Milano con un figlio intorno al 1260 e divenne oblata del monastero di Chiaravalle: con la sua parola e il suo esempio creò attorno a sé un gruppo di seguaci, tra i quali alcuni appartenenti a famiglie nobili come i Torrioni e i Visconti. La sua storia fa pensare che fosse una se-

---

8. *Ibidem*, p. 23.

guace del movimento del Libero Spirito, diffuso in Germania, nella Francia settentrionale e nei Paesi Bassi. Un movimento che sosteneva che Dio poteva essere ricercato in se stessi, negando, di conseguenza, il ruolo di mediazione delle gerarchie ecclesiastiche.[9] Guglielma arrivò a sostenere l'idea di un'incarnazione femminile di Dio. Alla sua morte nacque la setta dei guglielmiti, che ritenevano che Guglielma fosse l'incarnazione dello Spirito Santo e che sarebbe risorta all'inizio del nuovo secolo. Guglielma sosteneva di essere venuta a portare la salvezza a chi era fuori dalla Chiesa,[10] e in particolare agli ebrei. Jakob Frank (1726-1791) è invece il fondatore di una setta ebraica che prese il nome di frankisti e che si riconduce al movimento messianico e cabalista degli shabbetai di Shabbetai Zevi. Jakob Frank sosteneva, come scrive Gershom Scholem,[11] uno dei massimi studiosi della mistica ebraica, "che il vero buon Dio è occulto e privo di legami con la creazione" e si nasconde dietro il "Grande Fratello", la cui posizione è connessa con la Shekkinah.[12] Secondo Frank, "tutte le religioni erano soltanto fasi attraverso le quali dovevano passare i credenti, come un uomo che indossa abiti diversi, per poi abbandonarle perché prive di significato nei confronti della vera fede segreta". La massoneria, il liberalismo e persino il giacobinismo potevano essere visti come mezzo per realizzare tali fini ed è per questo

---

9. Guglielma sostenne che Dio poteva essere trovato nel corpo di una donna, così come in quello di un uomo, annullando così la differenza sessuale e sconvolgendo le idee della Chiesa sul ruolo della donna che ben ha descritto la teologa Uta Ranke-Heinemann nel suo *Eunuchi per il regno dei cieli* (Rizzoli, Milano, 1990).
10. Nel 1330 l'inquisitore Guido da Coccolato indisse un processo alla fine del quale i principali rappresentanti del movimento vennero condannati al rogo, compreso il cadavere di Guglielma, riesumato.
11. Gershom Scholem, *La Cabala*, Edizioni Mediterranee, Roma, 1982.
12. Viene definita come «l'irradiazione nascosta della totalità della vita divina nascosta che risiede in ogni creatura esistente». In sostanza, si tratta della presenza di Dio tra gli uomini che si concretizza anche grazie all'opera dell'uomo.

che, in particolare a Varsavia, molti adepti furono attivi nelle organizzazioni massoniche. L'accento su una sorta di via gnostica alla conoscenza di Dio, in qualche modo accomuna i frankisti al mito di Guglielma. Tutto questo può significare una connessione tra Mattioli e la massoneria? Una sua appartenenza a un mondo esoterico di ispirazione ebraico-cabalistica che ha una particolare attenzione all'aspetto femminile di Dio? Può darsi, ma credo che, per capire l'importanza della figura di Mattioli, non ci si debba abbandonare ai voli di Maurizio Blondet, così come appaiono nel suo *Gli Adelphi della dissoluzione*, edito, guarda caso, dalle Edizioni Ares, casa editrice dell'Opus Dei; ma guardare, piuttosto, all'impegno antifascista, ai rapporti con l'Inghilterra e l'America e, in buona sostanza, con quelle nazioni che hanno contribuito in modo determinante alla liberazione del Paese dall'oppressione nazi-fascista.»

Massoneria, fascismo, finanza

È interessante a questo punto affrontare con Silvano Danesi il capitolo dei rapporti tra massoneria e fascismo, relativamente alla finanza. Molte le contraddizioni che restano irrisolte. I quattro quinti del Gran Consiglio che dichiarò fuori legge la massoneria erano formati da massoni; Mussolini sembrava irriducibile nei confronti della libera muratoria – il Duce risulta uno dei pochi socialisti a non aver indossato il grembiulino – tuttavia affidava i destini finanziari e industriali del Paese a due figure come Beneduce, massone, e Mattioli.

«Il rapporto tra la massoneria e il fascismo viene troppo spesso riassunto nella demolizione delle logge a seguito delle leggi speciali del 1925, quasi a voler cancellare, esorcizzare, per motivazioni contingenti e politiche una relazione che, al contrario, va indagata nelle sue profonde motivazioni, pena il non comprendere molti tratti dell'attualità. C'è da chiedersi, ad esempio, quanto abbiano pesato le scelte di Raoul Vittorio Palermi nel periodo che va dal 1919 al 1945 sui destini della comunione di piazza del Gesù e quanto, al contrario, quelle di Domizio Torrigiani su quelli del Grande Oriente. Correndo anche in questo caso qualche rischio di schematicità, non è azzardato affermare che la scelta di Raoul Vittorio Palermi fu, contrariamente a quanto ci si poteva aspettare da un'obbedienza nata anche sull'onda della contestazione della politicizzazione delle logge, quella di una vicinanza al fascismo, anche dopo che questo si era trasformato da movimento in partito e in regime, mentre quella di Torrigiani fu, dopo un'iniziale vicinanza (all'interventismo, all'esperienza di Fiume e al diciannovismo), quella dell'estraneità e della sola conservazione di presenze massoniche del Grande Oriente nei gangli finanziari dello Stato (Beneduce).

«La scelta "politica" di Palermi verrà pagata all'indomani della Liberazione con una difficilissima ripresa dell'attività della Comunione di piazza del Gesù, messa in un angolo dalle nuove alleanze e soprattutto da quella con l'America, la cui potente massoneria darà segno di prediligere i rapporti con gli uomini di Palazzo Giustiniani. Ma torniamo alla nascita del fascismo. I prodromi del fascismo, il movimento diciannovista, il sindacalismo di marca interventista portano il segno di ambedue le obbedienze, allontanatesi, in conseguenza della guerra, dai socialisti e dalla matrice radicale e risorgimentale dell'Ottocento.»

Nel primo dopoguerra la massoneria, composta in prevalenza di elementi della piccola e media borghesia, sebbene si ispirasse a un patriottismo democratico di origine risorgimentale e coltivasse in larga misura propensioni progressiste, fu coinvolta dalla paura del bolscevismo e dall'ansia del ristabilimento dell'ordine.

«Si spiega così come mai alcune logge vedessero con favore il movimento fascista fin dalle origini e molti massoni partecipassero a questo e poi al Pnf», prosegue Danesi.

«Questi massoni fascisti appartenevano in parte a logge dipendenti dal Grande Oriente di Palazzo Giustiniani, di cui era Gran Maestro Domizio Torrigiani, e in parte forse maggiore alle logge scissioniste di tendenza conservatrice, dipendenti dalla Gran Loggia di piazza del Gesù di cui era Gran Maestro Raoul Palermi, che a Mussolini, già incontrato alla vigilia della marcia su Roma, conferì in seguito la sciarpa e il brevetto di 33° grado.»

Il rapporto tra fascismo e massoneria, quindi, per alcuni anni fu tutt'altro che conflittuale.

«È così, a cominciare dal finanziamento offerto da alcune logge milanesi alle squadre fasciste che si apprestavano a marciare su Roma. L'andata al potere del fascismo, del resto, fu auspicata da Palazzo Giustiniani fin dal 19 ottobre del 1922, pur con l'avvertimento che "i massoni sarebbero insorti a difesa della libertà, qualora venisse imposta all'Italia una dittatura o un'oligarchia".[13] Tra i finanziatori del nascente fascismo vi furono gli industriali massoni Cesare Goldmann e Federico Cerasola e il "fratello" Napoleone Tempini, poi perseguitati dallo stesso Mussolini.

«Il fascio di Milano fu fondato da Mussolini il 21 marzo del 1919 al numero 9 di piazza San Sepolcro, grazie a Cesare Goldmann, che mise a sua disposizione il salone dell'Alleanza industriale e commerciale di Milano. Fra gli intervenuti c'erano i "fratelli" Eucardio Momigliano, Camillo Bianchi e Pietro Bottini; Michele Bianchi, affiliato a piazza del Gesù; Ambrogio Binda, medico personale di Mussolini e massone di piazza del Gesù; Federico Cerasola, presidente del Collegio dei venerabili delle logge milanesi obbedienti a Palazzo Giustiniani; Roberto Farinacci, iscritto alla massoneria di Palazzo Giustiniani nel 1915 e passato a quella di piazza del Gesù nel 1921; Decio Canzio Garibaldi, Mario Giampaoli e il citato Cesare Goldmann; Luigi Lanfranconi, massone di piazza

---

13. Giorgio Candeloro, *Storia dell'Italia moderna. Il fascismo e le sue guerre*, vol. IX, Feltrinelli, Milano, 1967, p. 127.

del Gesù; Giovanni Marinelli; Umberto Pasella, affiliato a piazza del Gesù; Guido Podrecca, direttore de "L'Asino"; Luigi Razza, affiliato a piazza del Gesù; e Cesare Rossi. Il programma del movimento, per la parte sociale, si poneva sul piano della massonica "democrazia del lavoro" e fu elaborato dal "fratello" Alceste De Ambris.»

Ci fu un sindacalismo fascista di marca massonica?

«Anche per quanto riguarda il sindacalismo fascista, in gran parte diretto da uomini provenienti dalle file della sinistra sindacale dell'Usi, dalla Uil e dal sindacalismo soreliano e interventista, l'apporto dei massoni fu importante, a cominciare da quello di Edmondo Rossoni e di Dino Grandi, affiliato a piazza del Gesù. Il 24 e 25 gennaio venne costituita la Confederazione nazionale delle corporazioni sindacali e Edmondo Rossoni, ex sindacalista rivoluzionario e massone, proveniente dalle file della Uil, ne divenne il segretario. Il primo congresso del neonato sindacato fascista si tenne a Milano al principio di giugno del 1922.»

Danesi svela altri aspetti storici poco noti.

«Anche l'impresa fiumana fu in gran parte dovuta all'iniziativa dell'ambiente massonico. Il 2 settembre 1919, accanto al "fratello" Gabriele D'Annunzio, a prendere la città dalmata furono, tra i legionari, molti i liberi muratori, e soprattutto lo furono i Giurati dei Ronchi, i sette ufficiali dei granatieri che spinsero il poeta soldato a porsi a capo dell'impresa. La "Carta del Carnaro" fu preparata, per conto di D'Annunzio, dal "fratello" Cesare De Ambris. Il 7-10 novembre 1921, al momento della fondazione del Partito nazionale fascista, la segreteria venne affidata al "fratello" Michele Bianchi, uno dei sansepolcristi milanesi, coadiuvato da tre vicesegretari, due dei quali massoni. Segretario amministrativo fu il massone Giovanni Marinelli. I rapporti tra massoneria e fascismo si andavano facendo sempre più stretti. Il 13 agosto, a Milano, quando la direzione del Pnf stabilì di costituire un comando supremo della milizia, questo fu messo nelle mani del massone Italo Balbo. Il 16 ottobre, sempre a Milano, presente Benito Mussolini, quando il direttorio del fascio discusse sulle modalità del colpo di forza (la marcia su Roma) i partecipanti alla riunione erano tutti massoni: Michele Bianchi, Italo Balbo, Emilio De Bono, Cesare M. De Vecchi, Sante Ceccherini, Gustavo Fara. Il direttorio decise di formare un quadrumvirato, e anche in questo caso i suoi componenti furono i "fratelli" Balbo, Bianchi, De Bono e De Vecchi.»

Tra le due comunioni massoniche vi furono tuttavia differenze di atteggiamento.

«Raoul Vittorio Palermi, nel frattempo divenuto Gran Maestro di piazza del Gesù il 24 marzo 1919, coltivò l'idea di una sorta di legittimazione della sua obbedienza da parte del nascente regime, per il quale si offrì come mediatore nei confronti della Chiesa, con la quale Mussolini cercava di instaurare nuovi rapporti per chiudere la "questione romana" apertasi con la Breccia di Porta Pia. Il 20 gennaio del 1923, infatti, avvenne un incontro tra Benito Mussolini e il cardinale Gasparri a Palazzo Guglielmi, nell'appartamento del conte Santucci. Ad accompagnare Mussolini c'era Giacomo Acerbo, affiliato alla Gran Loggia d'Italia.»

L'avvicinamento di Mussolini alla Chiesa segnò una presa di distanza progressiva dalla massoneria.

Le tensioni, la frattura, gli ambigui rapporti tra fascismo e massoneria

«Il 12 febbraio 1923, anche in sintonia con quanto veniva maturando nei rapporti con la Chiesa, il Gran consiglio del fascismo decretò l'incompatibilità tra l'appartenenza al Partito nazionale fascista e quella alla massoneria. E invitò i fascisti massoni a scegliere. Raoul Palermi si era nel frattempo premunito, e già il 12 novembre del 1922 aveva predisposto una Dichiarazione di princìpi nella quale, tra l'altro, affermava: "Bisogna essere prima italiani ed in seguito massoni;

nessun legame internazionale impegna l'ordine, né i Fratelli in particolare; i membri appartenenti ad un partito non potranno mancare alla fedeltà che essi devono ai capi ed al programma di questo partito". La dichiarazione, che Mussolini aveva visto e in calce alla quale aveva appuntato un suo "visto e approvato", fu inserita negli statuti di piazza del Gesù. Nel gennaio del 1923 Palermi era inoltre riuscito a fare del Duce il Gran Maestro onorario di piazza del Gesù. Piazza del Gesù era, come s'è detto, esposta politicamente. Il Grande Oriente invece lavorò sulle strutture: sono infatti "fratelli" giustinianei il generale Badoglio, che prenderà le redini del governo all'indomani del crollo del fascismo, Belluzzo e Beneduce, artefice dell'Iri.»

In quella fase, una parte consistente della massoneria italiana e internazionale si avvicinò a Mussolini, spiega Danesi.

«Dall'America arrivò al fascismo anche il sostegno della Società teosofica, fondata a New York nel 1875 da madame Blavatsky. Alla fine del 1923, quando ormai il movimento sansepolcrista era ormai un ricordo, i teosofisti sostennero che il fascismo era vera rivoluzione e relegarono i suoi oppositori nell'ambito della reazione, identificando i valori rivoluzionari negli ideali stessi della Società teosofica. Non mancò anche chi, nella politica di avvicinamento tra il re d'Italia Vittorio Emanuele III (che si vorrebbe affiliato a piazza del Gesù) e il papato, vide il mezzo per restituire la Chiesa al suo vero volto gnostico e lo Stato a una valenza religiosa.»

In quegli anni convulsi vi furono comunque massoni che si situarono su entrambi i fronti.

«Massoni furono alcuni dei protagonisti materiali del delitto Matteotti, come Rossi, Marinelli e Filippelli, tutti e tre di piazza del Gesù, e massone fu Amerigo Dumini, prima del Grande Oriente e poi di piazza del Gesù. Massoni furono, dopo l'assassinio del deputato socialista, anche coloro che pensarono di uccidere Mussolini. Tra i congiurati troviamo Carlo Sforza, Carlo Silvestri, il direttore del "Popolo" Donati, Grimaldi, i sindacalisti Bianchi, Tulli e Cocchi; e massoni come

Tito Zaniboni, Peppino Garibaldi e probabilmente Alfredo Morea. Soltanto Zaniboni, deputato socialista di Mantova, continuò la sua attività cospirativa, che sfocerà nell'azione individuale contro Mussolini, con un attentato per il quale fu arrestato all'hotel Dragoni il 4 novembre 1925. Con lui venne arrestato anche il massone generale Capello, fondatore degli Arditi della Prima guerra mondiale e passato decisamente dalla parte degli antifascisti, condannato anch'egli a trent'anni di reclusione come Zaniboni. Il "fratello" Zaniboni tornerà libero nel 1943 e nel 1945 fonderà, con altri massoni, la Lega per la difesa delle libertà democratiche. Siamo ormai alla vigilia della resa dei conti finale. Il 22 luglio 1924, durante la riunione del Gran consiglio, Mussolini pronunciò una dichiarazione antimassonica indirizzata esplicitamente alla famiglia giustinianea, ma il 5 agosto, in sede di Consiglio nazionale del Partito fascista, nazionalisti e fascisti non massoni ottennero l'estensione dell'incompatibilità a entrambe le obbedienze.»

Il fascismo aveva preso posizione in maniera dura.

«Nel corso del 1924 si erano succedute in tutta Italia le distruzioni delle sedi delle varie logge a opera di squadre di fascisti e di delinquenti comuni. La particolare gravissima situazione all'Oriente di Milano impose al Gran Maestro dell'ordine un primo decreto, datato 15 settembre 1924, per la sospensione dei lavori delle logge di Palazzo Giustiniani. Il 12 febbraio 1925 il massone cremonese Farinacci venne eletto segretario del Partito nazionale fascista e con la sua segreteria (23 febbraio 1925-30 marzo 1926) segnò la parabola massima della massoneria di piazza del Gesù all'interno del fascismo. A contrastare la presenza massonica nel partito e quindi la segreteria Farinacci, sorse però l'Ordine dei soldati per la buona guerra (Osbg), il cui organo, "Il Giornale di Milano", il 24 e il 31 agosto del 1925 uscì con articoli che chiesero l'espulsione del massone Farinacci dal partito. Il 26 novembre 1925 furono emanate le norme contro le società segrete, ma già il 23 novembre, con decreto numero 245 del luogotenente Metelli (Palermi era all'estero, negli Stati Uniti, su incarico di Mussolini), era stato decretato lo scioglimento di tutte le officine di piazza del Gesù e la loro ricostituzione con "fratelli" disposti a sottomettersi alle esigenze della nuova legislazione. Il 2 dicembre Palermi convocò il Supremo Consiglio e decise "di cessare ogni attività massonica" e proclamò "la fedeltà dei Fratelli presenti verso il Duce, per il quale tutti sono pronti a dare anche la vita". Malgrado ciò, dopo qualche tempo, la sede di piazza del Gesù sarà saccheggiata dai fascisti per ordine dell'allora ministro dell'Interno Federzoni.»

Il 22 novembre 1925 venne sciolta anche la massoneria di Palazzo Giustiniani: il Gran Maestro Domizio Torrigiani venne arrestato il 24 aprile del 1926 e inviato al confino a Lipari. È il momento dell'eclissi, per la massoneria.

«Dopo i decreti di scioglimento del 1925, i liberi muratori si ritirarono per lo più nell'ombra. Parte di loro confluì nel Rotary che, fondato a Chicago nel 1905, aveva trovato a Milano nel 1923 un primo successo diffondendosi poi in tutta Italia (nel 1926 ne divenne presidente onorario il re). Parte di loro mantenne i contatti per iniziativa di Giovanni Nalbone, un maestro 33°, assegnato al confino nel 1927.»

Il dopoguerra e la ricostruzione

Nel periodo del conflitto, la finanza massonica sembra tessere rapporti con gli Alleati. Enrico Cuccia, già nella fase terminale del periodo bellico, era in contatto con André Meyer, massone. Chiediamo conto allo storico delle indicazioni che danno Cuccia vicino alla massoneria internazionale già dai tempi della guerra; e del fatto che in seguito l'amministratore delegato di Mediobanca sia stato iniziato, in forma riservatissima, «all'orecchio», alla loggia coperta Giustizia e libertà di piazza del Gesù. Esistono elementi in questo senso?

«Cuccia, secondo Aldo Mola, risulterebbe iscritto a una loggia massonica passata da piazza del Gesù al Grande Oriente nel 1973. Per capire figure come Mattioli e Cuccia, dobbiamo, credo, guardare ai fatti storici e alla politica, più che alla massoneria. Lo stesso vale per il Bilderberg Group,[14] fondato nel 1951 (ma ufficializzato nel '54), sul quale tanto si fantastica; e sulla Trilateral Commission,[15] nata nel 1973. Il nocciolo della questione sta nel fatto che l'Italia fascista aveva perso la guerra e che la guerra l'hanno vinta gli americani, gli inglesi e i loro alleati. Facciamo un passo indietro. Mattioli era succeduto a Toeplitz nel 1933 alla carica di amministratore delegato della Comit. Convinto antifascista, anche se tiene rapporti con Mussolini, Mattioli ha incontri segreti anche con Palmiro Togliatti. La Comit diventa un punto di riferimento per la futura classe dirigente antifascista. Nel 1933 alla Comit vengono assunti Ugo La Malfa e Giovanni Malagodi. Alla Comit lavorano già Enrico Cuccia (massone) e Cesare Merzagora (massone). L'incontro di Cuccia con André Meyer avviene quando Cuccia viene inviato da Mattioli a contattare il ban-

---

14. Il Gruppo Bilderberg (o Conferenza Bilderberg) è una conferenza internazionale annuale, non ufficiale, a invito, di circa centotrenta esponenti, spesso con ruoli di rilievo nel mondo economico, finanziario o politico. Dato che le discussioni durante questa conferenza non sono mai registrate o riportate all'esterno, questi incontri sono oggetto di forte critica. L'obiettivo iniziale del gruppo sarebbe stato, nel contesto della guerra fredda, quello di rafforzare la cooperazione tra gli Stati Uniti e i loro partner europei.

15. La Trilateral Commission (Commissione Trilaterale) è un'organizzazione fondata nel 1973 per iniziativa di David Rockefeller, presidente della Chase Manhattan Bank, e di altri dirigenti del gruppo Bilderberg e del Council on Foreign Relations. Conta come membri più di trecento influenti privati cittadini (uomini d'affari, politici, intellettuali) dall'Europa, dal Giappone e dal Nord America, con l'obiettivo dichiarato di promuovere una cooperazione più stretta tra queste tre aree. Come il gruppo Bilderberg, si tratta di un'organizzazione dall'ideologia mondialista, a cui alcuni attribuiscono l'orchestrazione della mondializzazione economica. L'organizzazione è stata oggetto di molte analisi e critiche, da parte di attivisti politici e accademici che lavorano nel settore delle scienze politiche e sociali. La Trilateral Commission è presente in molte teorie del complotto e alcuni la paragonano alla setta degli Illuminati.

chiere della Banque Lazard, ponte finanziario tra la Francia e l'America, per portare clandestinamente in Italia i *Quaderni del carcere* di Antonio Gramsci, che poi verranno custoditi nel *caveau* della Comit. Mattioli è un intellettuale, discepolo di Benedetto Croce, e ha legami con tutto il mondo antifascista, con l'America e con gli inglesi; ha protetto la banca da ogni influenza politica e viene inviato dal governo di Ivanoe Bonomi (massone), succeduto a quello del generale Pietro Badoglio (massone), a Washington, per trattare con gli americani gli aiuti all'Italia sconfitta.»

Forte, in quella fase storica, il ruolo della massoneria internazionale.

«Non dobbiamo dimenticare che il massone Winston Churchill, ovvero gli inglesi e possiamo anche dire la massoneria inglese, visto che il Gran Maestro della Gran Loggia unita d'Inghilterra è il re, avevano pensato per l'Italia una soluzione monarchica. Mentre gli americani, e possiamo dire anche la massoneria americana, visto che il Rito scozzese antico e accettato annovera tra i suoi iscritti buona parte dei Presidenti degli Stati Uniti a cominciare da George Washington, erano per una soluzione repubblicana e democratica. Vinse la tesi americana e soprattutto, visto che agli inglesi non era rimasto il becco di un quattrino, vinse la presenza americana, che aiutò la ripresa italiana con il piano Marshall.»

Il fattore economico si rivela determinante, in quel momento storico.

«Il piano Marshall era uno strumento economico strettamente connesso con la Nato, ossia con la partecipazione a un'alleanza difensiva che legava tra loro le due sponde dell'Atlantico. Gli americani, quando pensarono al nostro Paese, delegarono in buona sostanza il governo della nazione ai cattolici, che avevano il consenso della maggioranza della popolazione e una rete diffusa di presidi (le parrocchie) sul territorio; mentre la gestione dell'economia fu affidata alla finanza laica che, nella fattispecie, era incarnata da Comit e da

Mattioli. Mattioli, la Comit, Mediobanca e Cuccia sono stati, dunque, gli interlocutori e i garanti di una ricostruzione che doveva avvenire all'interno di un patto, quello atlantico, che scaturiva dalla sconfitta del fascismo e del nazismo.»

In questa chiave, spiega Danesi, si collocano altri fattori comunemente collegati alla massoneria internazionale.

«Trilateral e Bilderberg Group non sono altro che conseguenze della Nato, della guerra fredda e del confronto tra i blocchi occidentale e orientale. Può piacere o meno, ma qui la massoneria c'entra come la Chiesa, come i partiti e come qualsiasi altro attore sulla scena della storia. Mattioli fu il garante di quel patto sul versante finanziario, così come De Gasperi lo fu su quello politico. Se poi guardiamo alla massoneria, possiamo tranquillamente dire che il Grande Oriente d'Italia fu restaurato all'indomani della liberazione grazie agli aiuti della massoneria americana, grazie alla sua appartenenza al fronte antifascista. E che la massoneria di piazza del Gesù scontò le posizioni di Raoul Palermi con una sostanziale messa in disparte. La Comit e Mediobanca, indipendentemente dal fatto che Cuccia fosse massone, sono state, in primo luogo, la cabina di regia della ricostruzione dell'economia reale e del capitalismo italiani all'interno di uno schema atlantico. Nella divisione dei compiti tra politica – democristiana e cattolica – e finanza – laica – si è inserito Enrico Mattei, con l'Eni, ma lo schema non è cambiato di molto. Il resto è storia recente.»

Industriali e finanzieri massoni

Si è parlato dell'appartenenza alla massoneria di importanti finanzieri come Eugenio Cefis. Valletta era massone. Fu Valletta ad affiancare Gianni Agnelli nella sua formazione e in tutte le scelte. Che rapporto ha avuto Agnelli con la massoneria? Può essere vero, come affermano gli atti della Commissione P2 e lo stesso Gelli, che abbia fatto parte della loggia di Montecarlo?

«Gli atti della Commissione P2, al di là del fatto di non essere arrivati molto lontano, sono una miniera di informazioni. Sono atti ufficiali del Parlamento. Valletta era massone. A proposito di Cefis, Aldo Mola, nella sua monumentale e ben informata storia della massoneria, scrive che nella fusione del 1973 tra Grande Oriente e massoneria di piazza del Gesù (contestatissima), al Grande Oriente giunse in dote anche una loggia coperta, retta dal venerabile Giorgio Ciarocca, alto funzionario della Rai, della quale facevano parte, tra gli altri, il senatore Cesare Merzagora (quello della Comit), Eugenio Cefis (Montedison), Giuseppe Arcaini (Italcasse), Gianni Cervetti (membro del Comitato centrale, della direzione e della segreteria del Pci e uomo di Mosca), il genero di Fanfani, Stelio Valentini; nonché Guido Carli, Enrico Cuccia, Raffaele Ursini, Michele Sindona, il procuratore generale Carmelo Spagnolo; così come Ettore Bernabei, direttore generale della Rai e persino il cardinale Franziskus König. Mola attribuisce i dati a una dotta ricostruzione della massoneria laziale di un "altissimo e ottimamente informato dignitario giustinianeo".[16] Mola è un'autorità in materia.»

Lo storico bresciano sottolinea come la storia della massoneria italiana del secondo dopoguerra sia piena di scissioni, unificazioni, nascita di obbedienze, scomuniche reciproche che ebbero effetti anche nel mondo dell'economia e del sindacato.

«La mappa delle obbedienze dal 1945 in poi è assai frastagliata. Tra le figure significative troviamo il massone Bruno Corti, dirigente della Uil. Dopo la liberazione si era ricostituita la Cgil, ma con il deterioramento del quadro internazionale, le pressioni americane per uno sganciamento dei non comunisti dalla Cgil diventavano sempre maggiori. Gli Stati

---

16. Virgilio Gaito, *La Massoneria romana e laziale,* pp. 14-15, cit. in Aldo Mola, *Storia della Massoneria italiana dalle origini ai nostri giorni*, Bompiani, Milano, 1997, p. 744.

Uniti si adoperarono perché le correnti laico-socialiste mino-
ritarie della Cgil si muovessero in sintonia con gli scissionisti
cattolici di Pastore. Uno dei più spregiudicati in questa direzione fu Irwing Brown, sindacalista americano e agente della
Cia. Il 4 giugno 1949 socialdemocratici e repubblicani diedero pertanto vita alla Federazione italiana del lavoro, la Fil.
Enrico Parri e Giovanni Canini, *leader* dei sindacalisti repubblicani e socialdemocratici, furono nominati congiuntamente
segretari nazionali della nuova organizzazione. Elemento sca-
tenante della nuova scissione furono i fatti di Molinella (Bologna), dove il 17 maggio 1949 si ebbe l'occupazione della sede della Camera del lavoro per opera dei comunisti dopo la
vittoria delle componenti del Psli. Vittoria che i comunisti
contestavano. Ci furono scontri violenti e la situazione, resasi
incandescente, fornì il destro alla nuova scissione. I fatti di
Molinella, dunque, non furono altro che l'occasione operativa per attuare un programma che era già stato deciso a Washington il 12 aprile 1949, quando il segretario di Stato americano Dean Acheson aveva avuto un incontro riservato con
tre ospiti italiani: Giulio Pastore, Giovanni Canini e Appio
Claudio Rocchi. La Fil doveva essere una sigla fittizia, che
avrebbe portato in breve tempo all'unificazione con la Lcgil
di Pastore anche le componenti laiche. Le pressioni degli Usa
si fecero consistenti e continue, con contatti personali e offerte d'aiuto economico. Gli americani, tuttavia, non avevano
fatto bene i conti con le profonde radici del sindacalismo italiano e con una tradizione che non era, come nel caso statunitense, quella di un sindacato di sistema. Tutti questi segnali
fecero dunque crescere, nella base socialdemocratica e repubblicana, l'insofferenza verso la progettata unificazione fra
Lcgil e Fil. Nelle fabbriche lombarde ci fu allora una cospi-
cua minoranza di operai che, nelle elezioni per i rinnovi delle
commissioni interne, manifestarono dissenso verso la progett-
tata bipolarizzazione. È significativa in proposito la testimonianza di Bruno Corti, allora giovane sindacalista socialdemocratico, sbarcato con gli Alleati in Sicilia, il quale afferma:

"Nei grandi stabilimenti del Nord, e in particolare nel Bresciano e nel Milanese, registravamo adesioni spontanee del 10-15 per cento. Si trattava di gente che era stanca di stare nella Cgil, ormai dominata dai comunisti, e che non intendeva aderire all'organizzazione di Pastore, definita il sindacato dei preti". Una testimonianza, quella di Corti, che in estrema sintesi dà pienamente il senso della distanza notevole che separava le correnti laiche dalla cattolica Lcgil. Una distanza che era il portato della storia del nostro Paese e della quale gli americani non avevano tenuto ben conto. "Lo stesso errore – aggiunge Corti – che gli americani fecero in politica, con l'appoggio totale alla Dc. Essendo gli americani in prevalenza di religione protestante, questa Italia terra del Papa non li vedeva particolarmente entusiasti, ma la Chiesa era una struttura organizzata capillarmente e la Dc e la Cisl erano ad essa intimamente legate. Gli americani fecero pertanto un ragionamento di *real politik* e scelsero di appoggiare chi era in grado di contrastare il comunismo. Soltanto le organizzazioni massoniche americane, nelle quali c'erano anche alcuni emigrati come il socialista Vanni Montana, esiliato durante il periodo fascista oltreoceano, lavorarono per aiutare i laici e per impedire che l'Italia fosse divisa tra cattolici e comunisti. La Uil fu aiutata da questi ambienti e da uomini come Vanni Montana, massone e responsabile di un sindacato dei tessili, e da Walter Reuter, anche lui massone e responsabile del Cio, il sindacato dell'auto. Il Dipartimento di Stato americano, e lo posso affermare con cognizione di causa, visto che ero io stesso a tenere i rapporti con l'America per conto della Uil, guardò alla Chiesa, alla Cisl e alla Dc, non certamente a noi." Anche in questo caso, come si vede, non c'è solo finanza.»

Tentiamo di chiarire ora il nodo delicato del rapporto tra Fiat, massoneria e militari. È noto il fatto che la Fiat sia stata la più grande industria bellica italiana. E che abbia quindi goduto di connessioni con gli apparati militari nazionali e internazionali. Molti generali italiani hanno diretto i settori bellici della Fiat, ad esempio il generale Mereu, presidente dell'Unione militare di Roma, iscritto alla P2 e presidente della Lancia veicoli speciali (autoblindo, carri armati). Ma anche il generale Giuseppe Giraudo, presidente della Motofides Fiat (missili e sistemi d'arma).

«Anche in questo caso non è la massoneria al centro del problema, ma i rapporti che in tutti i Paesi intercorrono tra una grande azienda di valore strategico nazionale, il governo, gli apparati militari e i servizi segreti nell'ambito delle alleanze internazionali. Anche in questo caso mi pare si debba guardare al fenomeno con la lente della Nato. Le connessioni tra militari e industria bellica sono ovvie. Meno ovvio, ma altrettanto importante, è il concetto di difesa, che non è solo fatto di armi, ma anche di brevetti, proprietà intellettuale, di finanziamenti per stare sui mercati, di assicurazioni eccetera. Il problema è sempre uno, ovvero che ci dimentichiamo spesso di essere stati, dal dopoguerra, inseriti in un sistema di difesa, la Nato, che non è fatto solo di armamenti. Per quanto riguarda i militari, il problema non è se hanno rapporti con l'industria bellica, ma come questi rapporti sono regolati, dal Parlamento e dal governo. Tutto questo ha poco a che fare con la massoneria, al di là del fatto che questo o quel generale sia massone.»

Ma più di un analista ha parlato dei finanziamenti degli Agnelli al Gran Maestro Salvini e a esponenti della P2 di Gelli. Su denuncia dell'ingegner Siniscalchi,[17] il procuratore della Repubblica di Firenze, Giulio Catelani, aprì un'inchie-

---

17. Si tratta dell'ingegner Francesco Siniscalchi, il massone che per primo denunciò le deviazioni della loggia P2. Siniscalchi rivelò alla magistratura che i due giornalisti scomparsi il 2 settembre 1980 a Beirut, Italo Toni e Graziella De Palo (cfr. cap. «Segreto di Stato»), potevano essere stati rapiti da un'organizzazione che si dedicava al traffico di armi. Siniscalchi aveva parlato in passato di un commercio clandestino di armi, nel quale sarebbero stati coinvolti esponenti della P2. E della P2 faceva parte il generale Giuseppe Santovito, il capo del Sismi indagato nel corso dell'indagine svolta dal giudice Giancarlo Armati (poi archiviata dal giudice istruttore Renato Squillante) sui due giornalisti scomparsi.

sta sulla destinazione di 3000 assegni emessi dall'azienda torinese fra il 1971 e il 1976 per un valore di 15 miliardi. Maria Cantamessa, cassiera generale della Fiat, e Luciano Macchia, funzionario dell'Ifi (la finanziaria attraverso la quale gli Agnelli controllano la Fiat) – entrambi collegati a Edgardo Sogno – ammisero che i finanziamenti andarono alla massoneria, al fine di impedire l'unità sindacale. Come si devono valutare queste vicende?

«Un episodio simile è riportato anche da Mola a proposito di un interessamento di Licio Gelli. La vicenda di Gelli e dei suoi molteplici intrecci con le vicende politiche italiane è ormai ampiamente nota. La Fiat, devo dire, ha usato nel tempo ogni mezzo non solo per impedire l'unità sindacale, ma soprattutto per contrastare la presenza della Fiom Cgil e, in particolare, dei delegati comunisti e, comunque, di quelli scomodi. Negli anni Cinquanta e Sessanta ha usato i reparti "confino" per isolare i sindacalisti ritenuti pericolosi e i premi antisciopero per contrastare l'iniziativa sindacale. Anche il sindacato "giallo"[18] non è una novità: ha operato per anni in funzione antisindacale. Siamo sempre all'interno di quella logica, molto segnata dalla guerra fredda, che puntava a isolare i comunisti, visti come nemici e agenti dell'Unione Sovietica, e comunque tutti coloro che non erano ritenuti allineati. I fatti più recenti, quali quelli degli anni Settanta, P2 compresa, vanno inquadrati nella stagione dell'avvicinamento tra democristiani e comunisti, nel tentativo di unità sindacale, nella strategia del compromesso storico inaugurata da Enrico Berlinguer. Come sappiamo, a contrastare quella stagione politica si mossero in molti e ci furono, purtroppo, molti fatti gravi: le Brigate rosse, lo stragismo nero e quello cosiddetto "di Stato". Erano in molti a non volere il Pci al governo assieme alla Dc, nonostante Berlinguer avesse detto

---

18. Il sindacato giallo è quella particolare figura rappresentativa artificiosamente creata e sostenuta dal datore di lavoro al fine di precostituirsi una controparte fantoccio o comunque manovrabile.

di sentirsi più sicuro sotto lo scudo della Nato, passaggio fondamentale della sua strategia. Non erano favorevoli settori dell'establishment americano e sicuramente erano contrari i sovietici, che chiusero i cordoni della borsa. La P2, dietro alla quale si muovevano uomini della Cia, era diretta da un uomo che dopo essere stato fascista repubblichino e ufficiale di collegamento con le SS, ha avuto rapporti con i servizi segreti di mezzo mondo. Qui, se proprio vogliamo dare il senso di quanto accadde, non dobbiamo concentrare l'attenzione sulla massoneria, ma sui servizi.»

Sindona era massone, Calvi era massone: come va inquadrata la loro appartenenza alla P2? E in che luce va visto il rapporto di questi banchieri con la massoneria da un lato e con la finanza vaticana dall'altro? È vero che la massoneria italiana collaborò all'«operazione Polonia» del Vaticano ?

«In primo luogo vorrei chiarire che la P2, nel panorama massonico italiano, è un fatto anomalo. La loggia di Gelli non va confusa con la Loggia Propaganda che operava in Roma sin dai tempi di Garibaldi e di Zanardelli, guidata direttamente dal Gran Maestro; e che è stata chiusa, nel 1974, dal Gran Maestro Lino Salvini e ricostituita come loggia normale. La vicenda di Licio Gelli nella P2 propriamente intesa comincia, quindi, nel 1975, anche se Lino Salvini ebbe molti tentennamenti nel farsi carico delle numerose critiche che all'interno del Grande Oriente si levavano contro Gelli. Stando agli atti, alle inchieste e ai fatti storici, mi pare di poter dire che la P2 sia stata lo strumento di una strategia internazionale – nella quale ha avuto parte molto attiva il Vaticano – tesa a contrastare il comunismo e a far crollare, oggi potremmo dire con un'immagine efficace, il muro di Berlino. Calvi, Sindona, Marcinkus, Gelli, lo Ior e via discorrendo sono pedine di un disegno che ha avuto il suo epicentro sismico in Polonia, con la creazione di Solidarnosc. Per dirla con un'immagine che prendo in prestito da un amico, "hanno gettato una banca come fosse un'atomica contro il sistema sovietico". Un papa polacco, di conseguenza, non è stato eletto a caso. In quella occasione le forze dell'alleanza atlantica e del Vaticano hanno operato all'attacco. Tutto questo, sul piano politico, si può giudicare come si vuole. Resta il fatto che la massoneria ufficiale, in quanto tale, ossia il Grande Oriente e la Gran Loggia d'Italia, in questo gran darsi da fare sono state tenute ai margini. Il perno massonico dell'operazione è stato Licio Gelli, ma è noto che il Grande Oriente lo ha nettamente e in più occasioni sconfessato.»

Se Beneduce, Mattioli e Cuccia possono essere considerati i «numi tutelari» della finanza laica, è anche vero che dagli anni Ottanta in poi in Italia è sembrata prevalere la finanza cattolica.

«Beneduce, Mattioli e Cuccia possono certamente essere definiti i numi tutelari della finanza laica. Ed è anche vero che oggi la Comit è in Intesa Sanpaolo e il Credito Italiano è in Unicredit. Il mondo bancario è in ebollizione, con fusioni, incorporazioni, alleanze nazionali e internazionali. Parlare di predominanza cattolica mi sembra fuori luogo. Antonio Fazio era vicino all'Opus Dei, ma non mi risulta abbia fatto una splendida carriera, visto che ha dovuto dimettersi. Il sistema bancario, come quello industriale, sta facendo i conti con la globalizzazione dell'economia. Molte aziende italiane sono oggi nelle mani dei fondi americani e di multinazionali. Il rimescolamento delle carte è ampio. Andrebbe piuttosto posta la questione della funzione della finanza. Ai tempi di Otto Joel e a quelli di Mattioli la finanza era finalizzata allo sviluppo industriale ed economico del Paese. Oggi la finanza sembra sempre di più avulsa dal contesto, quando non è fonte di dolori. Basti pensare ai "furbetti", ai "quartierini", alle scalate e alle speculazioni. Il problema non è se la finanza sia cattolica o laica, ma capire che cosa sia, in rapporto all'economia reale e al suo sviluppo.»

Come va valutata l'appartenenza massonica di Silvio Berlusconi? La sua entrata nel 1978 nella P2 fu un fatto strumentale, di potere?

«Bisognerebbe chiederlo a Berlusconi. Non credo sia entrato per studiare la cabala o meditare sulle Costituzioni di Anderson.»

Numerosi atti processuali parlano di un rapporto tra mafia e massoneria attraverso figure di boss come Bontate, Vitale, lo stesso Sindona.

«Quella che viene definita come la massoneria italiana è un fenomeno complesso e frastagliato. Ho l'impressione che i magistrati che fino a ora si sono occupati del fenomeno non abbiano passato il tempo necessario a studiare le origini, la storia, le diramazioni della massoneria, i legami internazionali. Solo così è possibile fare una cosa utile e distinguere il grano dalla gramigna. La storia della massoneria italiana è fatta di fusioni e di scissioni, spesso per fatti rituali. Ad esempio, l'uscita di Giuliano Di Bernardo dal Goi e la fondazione da parte sua della Gran Loggia Regolare d'Italia è in gran parte giustificato, secondo lo stesso Di Bernardo, dai contatti del Goi con il Grande Oriente di Francia, deista, dalla iniziazione di atei, dall'apertura dei lavori di loggia senza il Vangelo di Giovanni, da rituali ritenuti anomali, come il matrimonio e il funerale massonico. La Gran Loggia Unita d'Inghilterra, nel togliere al Grande Oriente d'Italia il riconoscimento e nel darlo alla Gran Loggia Regolare d'Italia, ha tenuto molto in conto queste accuse. Il giudice Cordova aveva contato, nel 1993, circa venticinque obbedienze. Licio Gelli, che se ne intende, conta diciotto orienti. È evidente che alcune di queste realtà sono il frutto di scissioni mai rientrate, ma è possibile che ci siano logge e raggruppamenti di logge che sono nati e vivono fregiandosi del marchio "massoneria" come i cinesi fanno con i *brand* italiani. Sono tarocchi e fanno altro. Credo sarebbe utile, senza far polveroni mediatici, che chi di dovere si attrezzasse maggiormente a capire il complicato fenomeno massonico. Detto questo, non mi stupisce che qualche loggia spuria possa essere strumento della mafia. Ritengo del tutto assurdo, invece, attribuire alla massoneria colpe quando un suo iscritto viene indagato. Quan-

te volte siamo rimasti sorpresi per aver appreso che un co-
noscente, che ritenevamo ottima persona, si è macchiato di
reati pesanti? Il problema, semmai, è che non vi siano ostacoli di alcun genere al regolare corso delle indagini e della
giustizia. A proposito: sarebbe anche ora di sfatare la leggenda che solo la massoneria è riservata. Provate a chiedere
all'Opus Dei l'elenco degli iscritti, numerari e soprannumerari.»

Come valutare il lungo «filo rosso» che collega la massoneria al tema del controllo dei mass media in Italia? Cuccia,
Cefis, Agnelli, Rizzoli, Berlusconi, De Benedetti, Caltagirone: tutti hanno avuto a che fare, in un modo o nell'altro, con
gli ambienti della massoneria.

«La tradizione della stampa italiana è diversissima da
quella americana e da quella di altri Paesi europei, nel senso
che, salvo qualche raro caso, è sempre stata di "appartenenza", magari elegantemente, ma di "appartenenza". Non
massonica, ma di gruppi finanziari, industriali. "La Stampa" è della Fiat; "Il Sole 24 Ore" è di Confindustria; "Il
Giorno" è nato dall'Eni; "Il Giornale" è di Berlusconi e via
discorrendo. Tre televisioni sono private, ma la Rai è lottiz-
zata. Ci sono poi i molti giornali cattolici, come l'"Avvenire" e "Famiglia Cristiana", che hanno grande diffusione. Sarebbe interessante guardare da vicino i giornali di provincia, per vedere, per esempio in Veneto, quanti sono controllati dalle curie vescovili e dalle associazioni industriali locali. "L'Eco di Bergamo" è stato diretto per anni da un prete.
In Italia, va ricordato, per anni c'è stato un finanziamento
pubblico dei giornali che non ha favorito l'indipendenza
della stampa. Gli editori erano in fila a tirare la giacca al governo. Sui giornali si sono sempre appuntati gli appetiti di
chi "conta" o vuol contare. Che Ricucci, quello del quartierino che voleva mangiarsi il "Corriere della Sera", abbia a
che fare con i muratori, non v'è dubbio; ma con quelli che
lavorano in edilizia.»

Come si inquadra il rapporto di Lamberto Dini con la

massoneria? Si è parlato spesso della sua appartenenza, nonostante le smentite.[19]

«Dini doveva sostituire Ciampi alla guida della Banca d'Italia, visto che era il direttore generale; ed è stato scavalcato da Fazio, vicino all'Opus Dei. Poi Fazio ha fatto il percorso che conosciamo ed è finito con il dare le dimissioni. Potrei dire che lo vedo bene come massone, così come Ciampi, il quale, se stiamo ai simboli, ha molto insistito in questi anni su una simbologia (la bandiera, l'inno) che è sì italiana, ma anche massonica. Mameli, autore di *Fratelli d'Italia*, era massone. Tuttavia, il pensare che uno sia massone non significa che lo sia. È necessario essere cauti nell'affrontare argomenti così delicati, che coinvolgono persone che hanno o hanno avuto incarichi istituzionali importanti.»

Il 2 giugno 1992 si tenne un incontro segreto a bordo del Britannia, il panfilo reale della regina Elisabetta II d'Inghilterra, al largo di Civitavecchia. A bordo vi erano esponenti del mondo bancario (con rappresentanti delle banche Barings, Warburg, Barclays, Merryl Linch) e finanziario. Si discusse della necessità di una completa privatizzazione delle partecipazioni statali e dell'industria di Stato a seguito della svalutazione della lira. Di fatto molte industrie dell'Iri passarono in mani straniere. Vi fu – come sostengono alcuni

---

19. Ecco un brano dell'intervista a Lamberto Dini di Claudio Sabelli Fioretti pubblicata su «Sette», magazine del «Corriere della Sera», il 25 ottobre 2001: «D: È vero che lei è massone? R: Qualche volta è stato detto, ma è un'assurdità. I miei genitori, molto cattolici, mi parlavano della massoneria come di una sorta di setta segreta dalla quale stare lontani. D: Il suo amico Luigi Bisignani era della P2. R: Posso aver frequentato persone della massoneria. Ma certo non sono massone io. Ho frequentato per motivi professionali anche il ministro Stammati. Il settore della finanza e dell'economia è sempre stato un po' in odore di massoneria... Molti della Banca d'Italia... perfino Ciampi si è dovuto difendere dal sospetto di essere massone... D: Un altro che lei frequenta è Berlusconi. Tessera P2 numero 1816... R: È vero. Ma io non ho mai avuto alcun rapporto e tanto meno un legame con la massoneria».

analisti[20] – un attacco della finanza massonica all'economia italiana?

«Difficili stabilire un'equazione. Poco dopo, però, è scattata su larga scala l'operazione Mani pulite, che ha destabilizzato un sistema di potere che durava dal 1945. Craxi aveva imboccato la strada del *mare nostrum* e ha pagato. Il confronto tra carabinieri e Seals a Sigonella è un esempio. Nel frattempo, caduto il muro di Berlino, l'Italia non aveva più lo stesso ruolo strategico nel quadro Nato. Si stava aprendo la questione, oggi assai drammaticamente attuale, del rapporto con i Paesi arabi. Mi pare di capire, da osservatore, che i partecipanti all'incontro sul Britannia abbiano deciso una strategia internazionale.»

Come va valutato il rapporto tra massoneria e Opus Dei, la grande realtà ultracattolica che, al pari della massoneria, vanta forti presenze nell'economia e nella finanza?

«Ci sono obbedienze massoniche italiane che con l'Opus Dei hanno un rapporto più che cordiale. È stato anche pubblicato[21] un ipotetico elenco di militanti, simpatizzanti, sostenitori e ospiti dell'Opus Dei e, a un certo punto, si è avanzata l'ipotesi di un legame tra l'Opera e la massoneria. A riprova è stata addotta una dichiarazione del Gran Maestro della Gran Loggia Regolare d'Italia, Fabio Venzi, secondo il quale "alcuni massoni sono nell'Opus Dei e alcuni membri dell'Opus Dei sono in massoneria", anche perché "queste organizzazioni si propongono di raggiungere pressappoco le stesse finalità". Nell'occasione dell'uscita di Giuliano Di Bernardo dal Grande Oriente d'Italia, in una dichiarazione di Gustavo Raffi, allora Grande oratore del Goi, al giornalista Giorgio Morelli, in data 11 luglio 1993, si legge: "Non capisco perché abbia nascosto una cosa del genere, ricordo

20. Fabio Andriola e Massimo Arcidiacono, *L'anno dei complotti*, Baldini & Castoldi, Milano 1995.
21. Rita Pennarola, *Inchiesta Woodcock. Massoni da Dio*, in «La Voce delle Voci», giugno 2007.

che diceva di andare in Svizzera per assistere a dei concerti. Invece frequentava uomini dell'Opus Dei". Il riferimento di Raffi era alla Fondazione Dignity, della quale era membro Mario Conde, presidente del Banco Español de Credito, la Banesto, ritenuta *longa manus* dell'Opus Dei. In una memoria del Gran segretario del Grande Oriente d'Italia, Alfredo Diomede, rivolta alla Gran Loggia Unita d'Inghilterra, nella persona del Gran segretario Michael Higam, volta a dissipare le accuse che avrebbero potuto indurre gli inglesi a ritirare il riconoscimento agli italiani del Goi, al punto 11 si legge: "Non bisogna dimenticare che in Italia la presenza della Chiesa cattolica, da sempre ostile alla Massoneria, riceve oggi anche il sostegno di uomini e di mezzi forniti dall'Opus Dei, la potente e segreta organizzazione che sta occupando tutti i più importanti centri decisionali italiani e mondiali che, ovviamente, considera la Massoneria come la forza laica che le si può contrapporre e che, pertanto, va eliminata non solo in Italia ma dovunque". Più avanti, nella stessa memoria si legge: "La stampa riferisce della costituzione in Svizzera a Lucerna della Dignity Foundation di cui egli [Di Bernardo, *Nda*] è il presidente, mentre vice presidente è il marchese di Northampton e nel Consiglio di amministrazione figurano il banchiere spagnolo Mario Conde, il professor Vittorio Mathieu, il professor Giorgio Cavallo, e altri". Infine, in un articolo pubblicato sulla rivista spagnola "Año Cero" si legge: "Di Bernardo, terminó rompiendo con el Goi y constituyó la Gran Logia Regular de Italia y la fundación 'Dignity'. Esta última, legalizada en Suiza el 11 de abril de 1993, cuenta con la presencia de personajes ligados al Opus Dei y a la polémica logia Propaganda-2. A la presentación de 'Dignity' asistieron Mario Conde y el Duque de Northampton, alto dignatario de la masonería inglesa".[22] Mi sembra chiaro tutta-

---

22. «Di Bernardo terminò rompendo con il Grande Oriente e costituì la Gran Loggia Regolare d'Italia e la fondazione "Dignity". Quest'ultima, legalizzata in Svizzera l'11 aprile 1993, conta sulla presenza di personaggi

via che nei rapporti Massoneria-Opus Dei ci siano, quantomeno, posizioni ufficiali molto diverse tra loro.»

Il fratello di Romano Prodi, il professor Paolo Prodi, si è
espresso più volte favorevolmente sulla massoneria. E l'Iri di
Romano Prodi aveva più di un manager massone.[23] Inoltre,
la recente inchiesta della Procura di Catanzaro su presunte
truffe sui fondi europei, in cui la «massoneria finanziaria di
San Marino» protagonista, ha visto chiamati in causa il premier Prodi, il suo consulente Scarpellini e altre figure ritenute vicine a logge coperte. Come valutare ciò che è emerso?
Lo storico bresciano chiude con una battuta.

«Avere un fratello non significa essere un "fratello". Prodi mi pare stia da tutt'altra parte. Con questo non è detto che
Prodi non rispetti la massoneria italiana, che nelle sue componenti principali ha, come s'è visto, una storia patria di
grande spessore. Durante le inchieste, spesso dai resoconti
giornalistici più che dagli atti, spuntano logge, appartenenze,
vicinanze. L'inchiesta del procuratore Cordova di qualche
anno fa ha accumulato qualche tonnellata di carta e non è
approdata a granché. Quando ci sono di mezzo reati finanziari, sarebbe meglio guardare alle Cayman. Anche la Svizzera, ormai, è *demodé*.»

legati all'Opus Dei e alla loggia P2. Alla presentazione di "Dignity" assi-
sterono Mario Conde e il duca di Northampton, alto dignitario della massoneria inglese.»
23. Tra questi vi è Oscar Bartoli, «garante d'amicizia» del Grande Oriente
presso la Gran Loggia del distretto di Columbia: si tratta di un manager
che ha lavorato a lungo all'Iri ai tempi di Romano Prodi (ne fu vicedirettore) e che vive a Washington da anni, dove ha fondato l'International Liaison Group, società di consulenza per aziende e associazioni italiane e americane. Bartoli è stato per anni responsabile dell'Ufficio di Washington
dell'Iri, dopo avere ricoperto nella sede centrale di Roma l'incarico di responsabile per i rapporti con la stampa e la comunicazione strategica.
Oscar Bartoli ha lavorato a stretto contatto con le Finanziarie e Aziende
del Gruppo Iri, impostando e portando a compimento operazioni di finanziamento, per esempio, nel settore energia a favore di Ansaldo con riferimento all'attività della InterAmerican Development Bank, su alcuni
Paesi del Centroamerica.

Grandi fortune all'ombra del compasso

Pecunia non olet

Il potere forte per eccellenza è senza dubbio il denaro. Ma l'alta finanza non è certo una dimensione «neutra», pura, o meramente tecnica. Essa è strettamente intrecciata ai circoli del potere che rappresentano interessi più vasti. È questo il caso della massoneria che – al pari di altre realtà segrete come l'Opus Dei – ha con il grande capitale e con l'alta finanza un rapporto di elevata simbiosi.

Le ragioni di questa simbiosi sono facili da comprendere, nel caso della massoneria: da sempre la libera muratoria rappresenta le élites,[1] il mondo dell'establishment. È il mondo delle banche, della finanza, delle grandi imprese, della speculazione immobiliare, dell'*hot money*. Mondi nei quali il profitto, meglio se rapido, è tutto. Con il rischio di scorciatoie facili: la finanza derivata, gli *hedge fund* tavolta confinano con l'evasione fiscale, quando non con il riciclaggio di denaro sporco. *Pecunia non olet*: mai il detto latino è stato aureo come nell'epoca della finanza globale, del trasferimento immateriale di liquidità.

---

1. La massoneria inglese, la più antica e forte del mondo, da sempre rappresenta e incarna l'establishment finanziario e i vertici della società britannica. Non a caso il suo capo ufficiale è una figura di altissimo rango della famiglia reale inglese, il duca di Kent. In tutto il mondo europeo, statunitense e sudamericano, la massoneria è stata e resta associata ai vertici del potere economico, finanziario e spesso anche politico. L'ingresso nelle logge di persone di estrazione sociale media è un fenomeno relativamente recente, connesso anche alle «campagne» di trasparenza seguite a grandi scandali.

Ma la finanza si nutre di riservatezza, come recita la pubblicità di una famosa banca svizzera: «Noi prestiamo attenzione a quello che ci dite. Ma soprattutto a quello che non ci dite». In questo la massoneria, nella quale la violazione del segreto è severamente vietata e punita, ha pochi rivali.

La nostra inchiesta – dopo avere raccolto il parere dello storico – deve perciò ora entrare nel vivo e ricostruire i fili del «tessuto d'oro» che lega la massoneria con l'alta finanza, l'economia e gli affari; la vasta rete dei favoritismi e dei rapporti di potere che segnano la sua storia.

I *signori di Torino*

Partiamo da quella che la stampa internazionale ha definito la vera «famiglia reale» d'Italia: gli Agnelli. I padroni della Fiat hanno sempre avuto rapporti di simpatia e frequentazione con il mondo massonico, com'è d'altra parte tradizione a Torino e in Piemonte, regione che anche oggi è la terza d'Italia (dopo la Toscana e la Calabria) in termini di appartenenza massonica. Inoltre, forte è in quell'area l'influsso della grande finanza massonica francese e tedesca.

Tutto l'ambiente in cui si muovono gli Agnelli, sin dalla fine dell'Ottocento, è di impronta massonica. D'altra parte, come ha spiegato Francesco Cossiga con una efficace battuta: «Sotto il regno dei Savoia non faceva carriera chi non era della massoneria». E gli Agnelli si muovono in questo contesto. È dalla famiglia di un importante massone, l'ingegner Cesare Frescot, a lungo alla guida dell'importantissima Società per le Ferrovie dell'Alta Italia (Sfai)[2] – emanazione dei

---

2.   La Società per le Ferrovie dell'Alta Italia (Sfai) era una società privata di gestione di linee ferroviarie, fondata nel 1866, oggi non più operante. La rete della Società dell'Alta Italia comprese le linee piemontesi già appartenute allo Stato Sabaudo, quelle private prima esercitate dalla Società Vittorio Emanuele e quelle appartenenti alla Società della Lombardia e alla Società dell'Italia Centrale, in pratica la rete del nord fino a Firenze.

banchieri Rothschild – che Giovanni Agnelli senior[3] acquista la famosa Villa Frescot, un gioiello fatto costruire nel 1766 dallo scultore di corte dei Savoia Francesco Ladetti sulla collina di Torino.[4]

L'ingegner Cesare Frescot faceva parte del Grande Oriente.[5] Autore di importanti progetti,[6] si segnala per avere dato vita, nelle elezioni amministrative di Torino del 1901, insieme ad altri massoni (Angelo Rossi, industriale, senatore, consigliere comunale e parte del «Comitato liberale» composto da Adolfo Bona, Giacinto Cibrario, Edoardo Daneo, Achille Durio e Tommaso Villa), a un accordo con i cattolici per paura di una vittoria socialista. La vicenda potrebbe suscitare scarso interesse, se non fosse che l'intero gruppo aderiva alla massoneria e che, a causa

Nel 1872 la Sfai si dotò di un proprio centro di progettazione del materiale rotabile e di trazione costituendo l'Ufficio d'Arte delle Strade Ferrate a Torino. In questo ambito, sotto la direzione dell'ingegnere Cesare Frescot nacquero molti dei più validi progetti del tempo.

3.   Giovanni Agnelli senior (Villar Perosa, 13 agosto 1866-Torino, 16 dicembre 1945) proveniente da una famiglia di proprietari terrieri, fu ufficiale di cavalleria e senatore del Regno. Fondò la Fiat nel 1899, e ne fu amministratore delegato e presidente.

4.   Cristina Siccardi, in *Su quelle colline care a Nietzsche*, pubblicato ne «Il Nostro Tempo» del 16 febbraio 2006, ben descrive l'ambiente dove sorse Villa Frescot: «Ville, giardini, palazzi signorili ingemmano la collina abitata da nobili signori: da Costantino Nigra ai marchesi di Barolo, dai D'Azeglio agli Alfieri ai Savoia. Ma anche da nomi come Henry Clay Frick, Rockefeller, Guggenheim, Vanderbilt... americani che desideravano saziarsi di cultura attraverso il collezionismo d'arte; oppure Riccardo Gualino, esponente di rilievo, insieme alla moglie Cesarina, della Torino di Casorati e di Venturi. Personaggi insigni che si sono succeduti nelle cosiddette "vigne" collinari, straordinarie nella loro raffinatezza ed eleganza, come Villa Abegg e la settecentesca Villa Frescot, dimora prima dello scultore François Ladatte, poi della famiglia Frescot e infine degli Agnelli».

5.   Aldo Mola, *Storia della Massoneria italiana dalle origini ai nostri giorni*, Bompiani, Milano, 1997, p. 310.

6.   Cesare Frescot, *La ventilazione della galleria del Moncenisio*, Tipografia del Monitore delle strade ferrate, 1881.

del succitato accordo, subì l'espulsione dall'ordine libero-muratorio.[7]

Era poi massone anche uno stretto collaboratore di alto livello di Giovanni Agnelli senior, il professor Attilio Cabiati, affiliato[8] alla Real Loggia Popolo Sovrano[9] di Torino. Il legame tra il fondatore della Fiat e l'economista massone era così forte che nel 1918 Agnelli e Cabiati, che era professore al Regio istituto superiore di commercio di Genova, davano alle stampe per i tipi dei Fratelli Bocca un impegnativo saggio dal titolo *Federazione europea o lega delle Nazioni?*, in cui prescrivevano un'efficace «terapia» per la pace, che affidava più all'integrazione europea che alla Lega delle Nazioni il difficile compito. Siamo nell'ambiente dei liberali massoni,[10]

---

7. Ferdinando Cordova, *Massoneria e politica in Italia 1892-1908*, Laterza, Roma-Bari, 1985; Id., *Agli ordini del serpente verde: la massoneria nella crisi del sistema giolittiano*, Bulzoni, Milano, 1990.

8. Aldo Mola, *op. cit.*, p. 310.

9. La Real Loggia Popolo Sovrano del Grande Oriente aveva tradizioni di particolare rigore. È infatti documentato che fu l'unica loggia d'Italia a esprimere perplessità e aperto dissenso sull'operazione finanziaria grazie alla quale il Grande Oriente acquistò quella che è ancora la sua sede attuale, Palazzo Giustiniani a Roma. Avvenne che la Società Anonima «Urbs», costituita dall'avvocato Israele Ottolenghi il 4 aprile 1910 con capitale azionario di 500mila lire, interamente versato e rappresentato da cinquanta azioni al portatore, decise di acquistare Palazzo Giustiniani dal Banco di Sconto di Chiavari e lo affittò al governo dell'ordine massonico. Le trattative per l'acquisto, avviate nella primavera del 1910, si conclusero con la firma del contratto nel febbraio 1911. Subito dopo fu stipulato un mutuo con il Credito Fondiario.

10. Non a caso all'impegno europeista di Agnelli senior e Cabiati ha dedicato un saggio un liberale massone professo come Valerio Zanone, già segretario del Pli, che ha scritto (in *L'età liberale: libertà e pace*, Fondazione Einaudi, Torino, 2003): «Vi è una forma di pacifismo molto importante nella costruzione europea, che si può definire pacifismo economico e che in Italia ha avuto il suo maggiore interprete nel liberalismo di Luigi Einaudi. Il pacifismo economico si fonda sull'antico precetto che dove passano i mercanti non occorre far passare i soldati, perché l'abbattimento delle barriere doganali rimuove il protezionismo che è sempre stato uno dei più frequenti motivi di conflitto. Non a caso, il pacifismo economico si manifesta in Italia già nel 1918, ad esempio nel progetto europeista di Attilio

in contatto con la grande finanza francese e tedesca che ebbe un ruolo chiave nello sviluppo dell'industria italiana di fine Ottocento e dei primi del Novecento.

È interessante tra l'altro notare che assistente di Cabiati, all'università, diverrà il giovane Raffaele Mattioli,[11] futuro dominus della Banca Commerciale Italiana e in stretti rapporti con la grande finanza massonica mitteleuropea che diede vita alla Comit.

Giovanni Agnelli senior, il capostipite della grande fabbrica automobilistica – curiosamente anche un altro grande creatore di automobili, Henry Ford, era massone – si muoveva nei primi anni del Novecento per rilevare dai soci cofondatori della Fiat le restanti partecipazioni azionarie. La famiglia Agnelli arrivò al controllo totale della Fiat (fondata nel 1899) nel 1906.

Il capo del governo di allora, Giovanni Giolitti, vegliava sul destino di Agnelli, al quale nel 1907 aveva concesso la croce di Cavaliere al merito del lavoro. Il 29 novembre 1908, il ministro della Giustizia Vittorio Emanuele Orlando, importante massone, intervenne a favore di Agnelli – imputato di illecita coalizione, aggiotaggio e falso in bilancio[12] – eser-

Cabiati e Giovanni Agnelli sr., e assume il massimo rilievo nel secondo dopoguerra».

11. Mattioli fu assistente di Attilio Cabiati, docente di economia politica a Genova e all'Università Bocconi di Milano, che gli propone di occuparsi della «Rivista bancaria», organo ufficiale dell'Associazione Bancaria Italiana.

12. Stando a quanto scrive la Fondazione Luigi Cipriani ne *Il vizietto degli Agnelli*: «Il 23 giugno 1908 Giovanni Agnelli – divenuto dal 1906, a seguito di un aumento di capitale, azionista di maggioranza della Fiat – venne denunciato dal questore di Torino per "illecita coalizione, aggiotaggio in Borsa e falso in bilancio". Nel rapporto dell'autorità di pubblica sicurezza, Agnelli veniva segnalato come il maggiore indiziato delle manovre fraudolente in Borsa che avevano turbato il mercato dei valori e arrecato danni rilevanti ai portatori di azioni. I mezzi fraudolenti consistevano nell'avere provocato nel 1905-1906 enormi ed ingiustificati rialzi delle azioni Fiat, sia col suddividere le primitive azioni, sia col porre dal marzo 1906 in liquidazione la Fiat per ricostruirla immediatamente dopo con un moltiplicato numero di azio-

citando un'ingerenza nei confronti della magistratura torinese e affermando che «un'azione penale nei confronti di Agnelli avrebbe avuto conseguenze negative sulla nascente industria nazionale, in particolare piemontese», la regione d'origine del primo ministro Giolitti.

Peraltro, un anno dopo la denuncia, il perito nominato dal tribunale, il professor Pietro Astuti, confermava gli indizi della questura affermando che le scritture stipulate da Agnelli nel 1906 occultavano operazioni personali a scapito della società, e che le operazioni di Borsa dovevano configurarsi come un vero e proprio aggiotaggio al fine di procurare fortissimi e ingiustificati profitti.

Il 23 agosto 1909 Giovanni Agnelli venne rinviato a giudizio per rispondere di aggiotaggio e truffa. Con la benevola attenzione del ministro Vittorio Emanuele Orlando e attraverso ricorsi vari, Agnelli riuscì a rinviare il processo sino al 21 giugno 1911, mentre già nel 1909, dopo le dimissioni, era tornato all'incarico di amministratore delegato della Fiat.

Il 22 maggio 1912 il Tribunale mandava assolto Agnelli, e a nulla valse il ricorso del pubblico ministero, il quale nel giudizio di secondo grado si trovò di fronte come difensore di Agnelli l'ex ministro Orlando e come testimoni a favore di Agnelli i dirigenti della Banca Commerciale di Milano, Vittorio Roll e Lodovico Toeplitz (quest'ultimo figlio del potente banchiere massone Giuseppe Toeplitz).

La grande economia – segnala Aldo Mola – era in mano allora a uomini della finanza di appartenenza massonica: «Giuseppe Volpi, Otto Joel, Giuseppe Toeplitz, vale a dire l'alta banca privata; Bonaldo Stringher, direttore generale della Banca d'Italia e numerosi altri esponenti di prima fila del mondo finanziario, largamente rappresentato tra le co-

ni, sia con l'ingiustificato assorbimento dello stabilimento Ansaldo. Il rapporto della questura proseguiva affermando che Agnelli aveva dichiarato nel biennio del 1906 utili consistenti che furono poi distribuiti nel 1907, epoca nella quale la Fiat si trovava già in una crisi che la portò sull'orlo del fallimento» (http://www.fondazionecipriani.it/Scritti/agnelli.html).

lonne dei Templi massonici, oltre che presso Borse, Camere di commercio, consigli di amministrazione di società finanziarie, commerciali, industriali».[13]

Fu sempre Toeplitz a chiamare alla Commerciale un altro futuro grande banchiere considerato un campione della finanza laica: Luigi Mattioli.[14]

Anche durante la fase di preparazione della Prima guerra mondiale, la Fiat venne favorita dal governo e ricevette moltissime commesse militari, anche dall'estero. Agnelli ottenne dal governo che Torino venisse dichiarata zona di guerra. Gli operai vennero militarizzati e persero le pur minime tutele sindacali, il diritto di sciopero e furono sottoposti al codice militare di guerra. Con le forniture di guerra la Fiat si avviava a divenire una grande industria di livello europeo. La famiglia Agnelli ne deteneva ormai la maggioranza di controllo.

Molte le connessioni massoniche della Fiat, in quel periodo. «Siamo nella fase che precede la Prima guerra mondiale», spiega un autorevole studioso, il professor Carlo Bellavite Pellegrini,[15] docente di finanza all'Università Cattolica di

---

13. Aldo Mola, *op. cit.*, pp. 393-394.
14. Mattioli si laureò in economia nel 1921, con una tesi sulla stabilità delle monete destinata a far scalpore. In quell'anno si liberava a Milano la poltrona di segretario generale alla Camera di Commercio. Mattioli, ventisettenne, vinse il posto grazie all'aiuto del Rettore della Bocconi Angelo Sraffa. Ad agevolare il suo successivo ingresso alla Comit fu la sua amicizia con Giuseppe Toeplitz, ebreo nato a Varsavia, trasferitosi poi a Genova e diventato dominus incontrastato della Comit. In seguito differenti visioni sull'economia e sulla finanza creeranno un disaccordo insanabile tra i due. Nel 1933 Mattioli succedeva a Toeplitz come amministratore delegato della Comit. Nel 1942 Mattioli partecipò alla stesura del manifesto del Partito d'Azione. Fu soprannominato il «banchiere eretico» per il suo distacco dal potere del Vaticano e dagli affari di Chiesa, anche se lo stesso Vaticano in più occasioni finanziò la Comit. Nel dopoguerra, Mattioli strinse amicizia con i cattolici Vanoni ed Enrico Mattei e appoggiò con discrezione la svolta di centrosinistra del Paese. Nel 1960 venne nominato presidente della Comit. Morì il 27 luglio 1973.
15. Il professor Carlo Bellavite Pellegrini è autore di numerosi studi. Tra i più recenti si segnalano *Il venture capital per lo sviluppo. Analisi delle eco-*

Milano, che abbiamo intervistato su questi temi. «Non bisogna dimenticare che nel 1914 il vicepresidente della Fiat è Dante Ferraris,[16] un manager interventista e nazionalista, uomo di garanzia della massoneria. I protagonisti della Sinistra storica erano tutti massoni; sia in politica che in economia. È una storia che affonda le sue radici nel Risorgimento e nella seconda rivoluzione industriale. Non dimentichiamo che il Credito Italiano nel 1870 era stato fondato con l'apporto dei francesi massoni e dei loro capitali.»

Il vicepresidente della Fiat «garante dei massoni» in quella fase si dà anche all'editoria, anticipando quella che sarà una futura costante degli Agnelli. Nell'ottobre del 1914 il settimanale nazionalista «l'Idea Nazionale» diventa quotidiano grazie alla creazione di una società anonima, presieduta proprio dal vicepresidente della Fiat Dante Ferraris.

Valletta, il supermanager massone

Con l'avvento del fascismo, Agnelli senior divenne sostenitore di Mussolini, anche presso il re piemontese. Successivamente il creatore della Fiat fu nominato senatore e benemerito del regime: Mussolini lo premiò in persona il 1° marzo 1923, col Laticlavio.

Il capostite dell'azienda automobilistica, tuttavia, continuò a fare riferimento anche in quegli anni agli ambienti massonici della grande finanza nordeuropea. Abbiamo visto, del resto, come lo stesso fascismo intrattenesse un rapporto complesso con la finanza di matrice massonica. Restano in-

nomie emergenti (con Marco Arnone e Francesco Graziadei), Vita e Pensiero, Milano, 2005; *Storia del Banco Ambrosiano: Fondazione, Ascesa e Dissesto 1896-1982*, Laterza, Roma-Bari, 2001.
16. Dante Ferraris (1868-1931) è stato un manager di alto livello dell'industria meccanica e automobilistica piemontese. Allo scoppio della Prima guerra mondiale, mentre era vicepresidente Fiat, con l'aiuto del Credito Italiano attrezzò alcuni stabilimenti per la produzione di armi.

fatti da approfondire i percorsi attraverso i quali le tre banche private di allora – Comit, Credito italiano e Banco di Roma – finirono all'Iri,[17] guidato da un altro importantissimo massone, Alberto Beneduce, suocero di un futuro mago della finanza come Enrico Cuccia.

Il professor Carlo Bellavite Pellegrini spiega: «Beneduce e Mattioli, comunemente considerati i leader della finanza laica e massonica, avevano un rapporto pragmatico con Mussolini. La loro competenza in materia economica e industriale era riconosciuta e il fascismo non ebbe quindi interesse a entrare in conflitto con la finanza massonica».

Anche se dal 1925 l'atteggiamento del fascismo nei confronti della massoneria divenne apertamente censorio e critico, tuttavia la grande industria continuava a fare riferimento alla finanza e al management allevato in ambienti massonici.

Nel 1921 Giovanni Agnelli senior assunse alla Fiat come manager il massone Vittorio Valletta. Il professor Aldo Mola conferma la sua appartenenza alla libera muratoria.[18] Nello stesso anno in cui veniva assunto Valletta nasceva, il 12 marzo, Giovanni Agnelli junior, che dal supermanager massone verrà seguito e affiancato per ben quarantacinque anni.

Valletta, classe 1883, era divenuto ragioniere frequentando i corsi serali, poi si era diplomato presso l'Istituto superiore di commercio (l'attuale Facoltà di Economia e Commercio), sempre continuando a lavorare. Insegnò in un istituto per ragionieri e collaborò a uno studio di commercialista, poi entrò in un'azienda automobilistica piemontese: la Chiribiri. Nel 1921 venne chiamato alla Fiat, con il grado di direttore centrale. Compì poi una brillante carriera che lo avrebbe portato fino alla presidenza. Uno schema molto simile a quello che Gianni Agnelli realizzò poi con Cesare Romiti.

Valletta fu protagonista della crescita della Fiat già negli

---

17. Su questo tema si veda Massimo Pini, *I giorni dell'Iri – Storie e misfatti da Beneduce a Prodi*, Mondadori, Milano, 2000.
18. Vedi anche Aldo Mola, *op. cit.*, p. 453.

anni del fascismo: divenne infatti direttore generale nel 1928 e amministratore delegato nel 1939.

Giovanni Agnelli senior pensò bene di consegnare la fabbrica – il cui slogan «Terra, Cielo e Mare» era stato preso a prestito dal poeta Gabriele D'Annunzio – a un massone professo, che della Fiat fece una sorta di religione laica. Sul ragioniere-professore gli aneddoti si sprecano. Piccolo di statura e con una salute di ferro, Valletta era solito dire: «La Fiat poi la famiglia». Ai suoi familiari pare intimasse: «Scusatemi, posso dedicarvi solo un quarto d'ora».

Il manager massone aveva fatto del lavoro una religione laica. Praticamente vegetariano, Valletta non beveva e non fumava. La «leggenda» aziendale narra che il giorno di Natale nel palazzo della Fiat ci fossero solo lui e il sorvegliante. Il senatore Agnelli, dopo averne testato le capacità, aveva detto di lui: «*St'om a fa par mì* (quest'uomo fa per me)».

La Liberazione e il ruolo della finanza massonica

Gli anni della Liberazione, tra il 1943 e il 1945, vedono una forte spinta da parte dei servizi segreti alleati – fortemente infiltrati dalla massoneria americana, con figure come il massone italo-americano Frank Gigliotti – a coinvolgere la massoneria italiana nella difesa da quello che, superato il fascismo, era il nuovo pericolo per la libertà: la presa del potere da parte dei comunisti con il sostegno «esterno» del grande blocco sovietico.

Nel 1945 un folto gruppo di grandi industriali (tra cui proprio Vittorio Valletta, Piero Pirelli, Rocco Armando ed Enrico Piaggio, Angelo Costa e Giovanni Falck) si riunisce a Torino – il 16 e 17 giugno – per decidere i piani per la «lotta al comunismo con qualsiasi mezzo»,[19] sia con la

---

19. Secondo un rapporto del funzionario del Pwb (Psychological Warfare Branch) Lovering Hill, i presenti erano: Pierluigi Roccatagliata, Vittorio

propaganda che con l'organizzazione di gruppi armati, questi ultimi affidati a Tito Zaniboni, un ex deputato socialista vicino alla massoneria e autore di un attentato a Mussolini che aveva provocato dure ritorsioni contro la muratoria. Secondo un rapporto dei servizi segreti americani, «le spese previste sono enormi ma gli industriali sono disposti a finanziare l'avventura».[20] I primi fondi, 120 milioni, sono stanziati subito e vengono depositati in Vaticano.

Nel 1954 (ma le prime riunioni informali si tennero già nel '51), in piena guerra fredda, nacque ufficialmente il Bilderberg Group,[21] un organismo «paramassonico» e atlantico tutt'oggi esistente: un club riservato che avrebbe dovuto raggruppare gli uomini più influenti d'Europa e degli Usa. Primo presidente fu Bernardo d'Olanda (massone implicato nello scandalo Lockheed nel 1976), coadiuvato da Paul Van Zeeland, ministro degli Esteri belga (Nato) e Paul Rijkens, presidente della Unilever. Tra coloro che parteciparono al primo meeting del Bilderberg (anche se il gruppo non aveva ancora preso questo nome) nel 1951 figurano molti personaggi in qualche modo legati alla Cia, come risulta da un'inchiesta del «Sunday Times» di Londra, censurata dal governo inglese e pubblicata in Italia da «l'Europeo» il 17 ottobre 1975. I primi membri italiani del Bilderberg furono Giovanni Agnelli, Vittorio Valletta, Manlio Brosio, Guido Carli, Alighiero De Michelis, Amintore Fanfani, Ettore Lolli, Imbriani Longo, Giovanni Malagodi, Giuseppe Petrilli,

---

Valletta, Piero Pirelli, l'ingegner Falck, Rocco Piaggio, Angelo Costa. Il funzionario americano forniva anche i nomi di nove dei dieci industriali impegnati, a loro volta, a fornire finanziamenti: Rocco Piaggio, 15 milioni; Angelo Costa; Anselmo Foroni-Lo Faro; Gerolamo Gaslini; Armando Piaggio, Enrico Piaggio; Lorenzo Bruzzo; Fortunato Merello; Cevasco, per conto delle raffinerie di zucchero Eridania, si è impegnato per 500 milioni.
20. Aldo Mola, *op. cit.*
21. Marco Cobianchi, *I rituali segreti di Bilderberg*, in «Business People», marzo 2007, pp. 62-63.

Pietro Quaroni e Pasquale Saraceno. Tra gli statunitensi figuravano: George Ball, segretario di Stato, Gerald Ford, Henry Kissinger, David Rockefeller, Andrew Goodposter (comandante delle forze Usa in Europa), Allen Dulles della Cia, il professor Zbigniew Brezinski, il generale Lauris Norstad, comandante della Nato. Tra i componenti degli altri Paesi vi erano Joseph Luns (segretario generale della Nato), Ludwig Erhard, Franz Joseph Strauss, Hermann Abs (già presidente della Deutsche Bank), Fritz Berg (presidente della Confindustria tedesca), Donald McDonald, ministro della Difesa del Canada.

La sola elencazione degli ordini del giorno[22] dice molto sulla natura del Bilderberg, i cui componenti erano anche in gran parte massoni.

---

22. 1954 – Olanda – «Difesa dell'Europa dal pericolo del comunismo e dell'Urss».
1955 – Francia – «Infiltrazione comunista in Occidente».
1955 – Germania – «Stato della Nato, energia nucleare, riunificazione della Germania».
1956 – Danimarca – «Blocchi antioccidente, la Cina, la sovversione comunista in Asia».
1957 – Italia – «Armi moderne e sicurezza dell'Occidente, strategie della Nato».
1958 – Gran Bretagna – «Il futuro della Nato e il ruolo dell'Urss».
1961 – Canada – «Iniziative per la nuova leadership occidentale, la Nato e le armi atomiche».
1964 – Usa – «Alleanza atlantica e suoi mutamenti, lo stato dell'Urss, la Cina e Cuba».
1965 – Italia – «La situazione della Nato».
1966 – Germania (per la realizzazione di questo incontro venne incaricato Gianni Agnelli) – «Riorganizzazione della Nato e sviluppo dell'Europa in rapporto al Terzo mondo».
1967 – Gran Bretagna – «Il gap tecnologico con gli Usa e i nuovi problemi della Nato».
1971 – Usa – «Il cambiamento di ruolo degli Usa nel mondo».
1972 – Belgio – «Europa e Nato».
1974 – Francia – «La situazione dell'Europa dal punto di vista politico e militare».

L'*«educazione massonica»* di Gianni Agnelli

Torniamo alla famiglia Agnelli e alla Fiat. Dopo la morte di Giovanni Agnelli senior (nel dicembre 1945), a prendere in mano la Fiat nel dopoguerra fu ancora una volta il massone Vittorio Valletta. Il figlio del fondatore, Edoardo Agnelli, era infatti morto prematuramente nel 1935, in un incidente in idrovolante. Il nipote del capostipite, Gianni Agnelli, aveva solo ventiquattro anni. Così nel 1946 Valletta assunse la presidenza della Fiat. Sarà presidente per vent'anni, fino al 1966.

In tutta la sua vita aziendale, Gianni Agnelli fu «educato» dal «fratello» Vittorio Valletta, protagonista della ricostruzione dell'azienda e della sua grande espansione negli anni Cinquanta. Gianni Agnelli ne riconobbe subito il valore e si espresse così su di lui: «Attivissimo, concreto, conoscitore di uomini, autocrate... Era convinto che quello che è bene per la Fiat lo è di conseguenza per l'Italia. Dimostrava una resistenza fuori dal comune alla fatica».

Al supermanager massone non dispiaceva che il giovane Agnelli si tenesse fuori dagli affari: raffinato playboy, amante delle macchine veloci e delle belle donne (ma con grande riserbo), Gianni Agnelli appariva come il prototipo del giovane che di affari non vuole saperne. Come scrisse il 17 gennaio 1969 «Time»: «Prima di passare alle pagine della finanza egli fece una brillante carriera sulle colonne della cronaca mondana».

Il cambio di vita, per l'erede designato della Fiat, si realizzò con l'incidente stradale che stava per costargli la vita nel 1952, allorché sulla strada tra Cannes e il Principato di Monaco finì contro un autocarro.

La fase successiva al 1952 è infatti quella in cui la collaborazione tra Gianni Agnelli e il top manager massone si fa più intensa. Valletta esce dalla Fiat il 30 aprile del 1966, nel cassetto ha il nome del suo successore: il suo braccio destro, l'ingegner Gaudenzio Bono, membro della Real Loggia Popolo Sovrano di Torino. Una successione «massonica» in piena regola? Difficile dirlo. Nel maggio del 1966, infatti, Gianni Agnelli assume la presidenza della Fiat. Negli ultimi anni dell'era Valletta, Agnelli aveva lavorato come una sorta di ambasciatore all'estero, tessendo rapporti internazionali ad altissimo livello. Ora, a quarantacinque anni, ne diventava il timoniere. Proprio nel 1966 Valletta venne nominato senatore a vita.

Difficile stabilire con certezza se anche Gianni Agnelli abbia fatto parte della massoneria. Secondo quanto ha scritto il massone Roberto Fabiani,[23] Valletta introdusse Gianni Agnelli nella massoneria. E Licio Gelli ha dichiarato che Agnelli faceva parte di una loggia «coperta», la loggia di Montecarlo.

Cos'era questa struttura? Della loggia di Montecarlo parla la relazione Anselmi alla Commissione P2. Secondo Tina Anselmi, la loggia di Montecarlo fu «intesa da Gelli come alternativa alla localizzazione italiana del centro delle sue attività». Nella relazione si legge anche:

> Licio Gelli pervenne ad inserire l'organizzazione da lui guidata in un più ampio contesto organizzativo, di respiro internazionale. Rilievo questo che si pone del resto in armonia con la natura in certo qual senso internazionale della massoneria, la quale, come abbiamo già rilevato, aspira a porsi e concretamente si muove come un'organizzazione che, assumendo a sua base premesse filosofiche di portata generale, tende a stabilire legami fra gli affiliati che travalicano le frontiere. Nell'ambito di questa dimensione sovranazionale, Licio Gelli appare interessato a due iniziative la cui esistenza è documentata in modo certo. La prima è la cosiddetta Loggia di Montecarlo, per la cui esistenza la Commissione è in possesso di inequivocabili elementi documentali. È agli atti un modulo di iscrizione (le indicazioni sono in tre lingue e cioè nell'ordine: inglese, francese ed italiano),

---

23. Roberto Fabiani, *I Massoni in Italia*, Editoriale l'Espresso, Roma, 1978.

per un Comitato esecutivo massonico che aveva sede nel Principato di Monaco e che dal contestuale riepilogo delle finalità associative risulta porsi come una sorta di organizzazione di livello superiore rispetto alle tradizionali strutture massoniche.

La relazione afferma ancora:

> La finalità reale dell'organismo traspare dal documento, pur condito dagli abituali generici richiami a superiori motivazioni, nel quale è dato leggere: «... Scopo è quello di realizzare una forza di governo universale...» ed ancora: «La Massoneria è l'organismo più qualificato a governare, perciò se non governa manca alla sua vera ragion d'essere...». Schede di iscrizione già compilate e corrispondenza agli atti dimostrano che il Comitato di Montecarlo ebbe pratica attuazione, superando la fase progettuale; ma non ci è dato di sapere quale consistenza esso venne a raggiungere. In sede interpretativa si può affermare che esso si pose certamente come un momento qualificante dell'operazione piduista.

È possibile che Gianni Agnelli, assieme ad altri industriali, facesse parte della massoneria. Certo è che dopo l'esperienza «paramassonica» del Bilderberg, nel 1973 Giovanni Agnelli e il grande finanziere americano David Rockefeller si fecero promotori di una sorta di nuovo Bilderberg, meno clandestino e questa volta allargato al Giappone, usando ancora i canali internazionali. Nacque in questo modo la famosa Trilateral Commission,[24] una struttura con una veste formalmente meno riservata, ma con funzioni analoghe a quelle del Bilderberg. Se gli ordini del giorno della Trilateral tendevano ad assumere un'ottica planetaria e terminologie meno da guerra fredda, lo stile era il medesimo. Tra i componenti della Trilateral che in passato hanno fatto parte della delegazio-

---

24. Si veda l'inchiesta *Trilaterale – la storia della più potente organizzazione privata mondiale* di Marco Cobianchi, in «Business People», marzo 2007, pp. 58-63.

ne italiana figurano: Gianni Agnelli; Giovanni Auletta Armenise, presidente della Banca dell'Agricoltura; Piero Bassetti, presidente della Camera di commercio di Milano; Giorgio Benvenuto, segretario della Uil; Renato Bonifacio, presidente della Aeritalia; Margherita Boniver, sezione esteri del Psi; Carlo Bonomi della Invest; Umberto Colombo dell'Enea; Roberto Ducci, consigliere di Stato; Arrigo Levi, giornalista della «Stampa»; Cesare Merlini, presidente dell'Istituto affari internazionali; Mario Monti della Bocconi; Egidio Ortona, ex ambasciatore e presidente della Honeywell; Mario Schimberni presidente della Montedison; Federico Sensi, diplomatico; Guido Carli, governatore della Banca d'Italia; Virginio Rognoni, ex ministro dell'Interno.

Un'inchiesta segnala: «Per i suoi detrattori, la Trilateral è il burattinaio dei governi planetari, insabbiatore di scandali, finanziatore di oscuri piani segreti per scatenare la rivoluzione liberista in ogni angolo del pianeta. In questa visione i suoi aderenti, politici, industriali e intellettuali, sarebbero una solida e presentabile copertura per i più loschi traffici finanziari».[25] Una logica «globalizzatrice», quella della Trilateral, che in effetti presenta forti analogie con quella della massoneria, in particolare anglo-americana.

Servizi segreti, massoneria e schedature

Il nome del massone Vittorio Valletta, l'importante amministratore della Fiat, torna in causa nell'agosto del 1971 per una vicenda con connotazioni molto particolari: il pretore Raffaele Guariniello, durante una perquisizione, scoprì una colossale attività di schedature messa in atto dall'azienda di Torino. Nell'ufficio «servizi generali» della Fiat erano custodite 354mila schede informative: di queste 151mila si riferi-

---

25. Il suo nome ricorre anche in Aldo Mola, *op. cit.*, pp. 737, 738, 739.

vano al periodo dal 1967 al 1971. Un lavoro certosino, che ricordava quello dei «dossier» – costruiti dal Sifar del generale Giovanni De Lorenzo – che finirono in mano a Gelli e alla P2.

Dalla tipologia degli assunti e dei respinti, risultò che l'operaio ideale per la Fiat doveva essere «apolitico, frequentatore della parrocchia, godere di buona reputazione pubblica». Il giudizio era positivo se il dipendente era iscritto ai partiti di centro, oppure monarchico e missino. Inventore delle schedature era stato proprio il presidente della Fiat, il massone Valletta. La struttura del sistema di spionaggio Fiat era articolatissima e utilizzava varie figure: uomini dei servizi segreti, ma anche messi comunali, vigili urbani dei paesi minori e persino preti delle parrocchie. A capo di questo servizio interno vi era un ex colonnello di aviazione, Mario Cellerino (pilota personale di Giovanni Agnelli), che per vent'anni era stato nei servizi segreti: era stato assunto nel 1965 insieme a una ventina di ex carabinieri.

Cellerino, con il consenso del Sid, costituì il collegamento esterno dello «spionaggio» Fiat, che prevedeva lo scambio di informazioni reciproche con carabinieri, polizia, Sios dell'aeronautica di Torino e Sid. La Fiat assunse di fatto anche il colonnello dei carabinieri Enrico Settermaier, che comandava il Sid di Torino.

I dirigenti della Fiat addetti alla selezione del personale avevano praticamente libero accesso agli schedari del Sid, del Sios, dei carabinieri e della polizia. E potevano commissionare a basso costo – rilevarono gli inquirenti – qualunque tipo di schedatura. Per la Fiat operarono in quegli anni anche Marcello Guida, questore, ex carceriere di Pertini a Ventotene, implicato nel caso Pinelli a Milano e autore della pista anarchica per piazza Fontana; e Filippo De Nardis, che Giovanni Leone dopo la nomina a Presidente della Repubblica chiamò a capo dell'ispettorato di pubblica sicurezza al Quirinale. Anche l'ufficio di collocamento di Torino era al servizio della Fiat e si limitava a dare il nulla osta sulle richieste avanzate dall'azienda. I lavoratori che costruirono la grande fabbrica automobilistica a Togliattigrad in Urss, e i tecnici sovietici in Italia furono costantemente sorvegliati dai servizi segreti Fiat. Le schedature proseguirono anche dopo l'approvazione dello Statuto dei lavoratori, nel 1970.

La perquisizione del pretore Guariniello colse di sorpresa Gianni Agnelli, che si trovava in vacanza. Rientrato precipitosamente, Agnelli si incontrò col Presidente Saragat e col procuratore generale della Cassazione, Giovanni Colli. Quest'ultimo avocò a sé l'inchiesta, la tenne nei cassetti per un mese e successivamente la rinviò alla Corte di cassazione a Roma, sostenendo che per motivi di ordine pubblico l'inchiesta non poteva essere realizzata a Torino. La Cassazione accettò la tesi di Colli e il processo venne trasferito a Napoli, dove gli imputati furono assolti. Venne apposto anche il segreto di Stato – per quanto riguardava i rapporti con la Nato – su alcune produzioni Fiat. I rapporti della Fiat coi servizi segreti non si limitavano alle schedature, erano molto più fitti; e avevano la caratteristica della dipendenza diretta di agenti nei confronti di Valletta. Ad esempio, il colonnello Renzo Rocca, morto suicida il 27 giugno 1968, era capo dell'Ufficio ricerche economiche del Sifar, ma in effetti era un dipendente Fiat, alla quale inviava regolarmente rapporti riservati.

Difficile non vedere, in tutte queste vicende, il lungo «filo rosso» di carattere massonico che caratterizza molti dei protagonisti di quegli eventi.

È inoltre storicamente assodato (lo ha dichiarato lo stesso Agnelli ai giudici) il fatto che la Fiat abbia finanziato abbondantemente il Grande Oriente d'Italia, all'epoca della guida di Lino Salvini. Ce lo ha confermato anche l'ex Gran Maestro Giuliano Di Bernardo, che data la militanza nel Grande Oriente dal 1961 al 1993 ha vasta conoscenza storica di questi eventi.

Ancora schedature

La pratica delle schedature ideata dal massone Valletta continuò per molti anni.

Il 10 luglio 1995 a Torino, ai magistrati che lo interrogavano, il dirigente della Fiat Luigi Pagella dichiarò: «Fin dal 1978 ebbi la disponibilità di denaro contante di cui non ero tenuto a dare giustificazione. Non ne rilasciavo ricevuta. Questo nella mia veste di responsabile della sicurezza. Per essere precisi io ebbi il ruolo di responsabile per la sicurezza dal 1982, però già nel 1978, anno della mia assunzione, io mi occupai di antiterrorismo. Sono infatti un ex ufficiale dei Cc. Nel 1978 il terrorismo era una delle preoccupazioni primarie dell'azienda. Vi era quasi un ferimento al giorno. Era necessario disporre di informazioni che il normale dispositivo di sicurezza non riusciva ad assicurare. Si è creata una struttura informativa tra i dipendenti e all'inizio si è fatto fare ingresso in azienda a persone legate ai Servizi. Io preparavo dei tesserini con nomi di fantasia a persone legate ai servizi segreti o comunque già confidenti dei Carabinieri o della polizia perché potessero entrare in azienda, avere notizie e, al contempo, rafforzare la rete informativa interna. Da questo primo embrione la struttura poi si allargò. Dalle 20-30 persone dei primi mesi si arrivò a circa 70-80 persone. Vi era un problema di retribuzione. All'inizio il loro rimborso era effettuato dall'autorità competente (carabinieri, polizia e servizi). Poi ci venne chiesto se eravamo disponibili a dare un contributo per il rimborso a queste persone...»

«Dalla fine del 1978», prosegue Pagella, «si iniziò a dare somme di circa 1 milione al mese a ciascuno degli informatori. La spesa quindi ammontava a 70-80 milioni al mese. Tra l'altro l'esigenza di riservatezza non era solo nostra, ma anche dei corpi che si avvalevano di questa rete di confidenti. Io allora agivo di concerto con la Prefettura e con gli uomini dell'Antiterrorismo. Il prefetto si rese garante dell'elenco degli informatori. L'elenco annoverava i nominativi degli informatori dei Carabinieri, polizia, Sisde e Sismi. Nel '90 il numero degli informatori si era ridotto a circa una quarantina. L'allarme terroristico era cessato nel 1984 circa, ma la preoccupazione di prevenire comunque la rinascita del fenomeno ci ha dissuaso dallo smantellare completamente la rete costruita. Negli stabilimenti Alfa vi erano comunque problemi di sicurezza non essendo stata fatta una pulizia all'epoca del terrorismo. D'altronde Pomigliano è interessata dal fenomeno camorristico.»

«Ogni anno – conclude Pagella – il prefetto mi dava l'elenco degli informatori. Ritengo di essere vincolato al segreto di questo elenco, come da disposizioni del prefetto.»

L'11 luglio del 1995, sempre a Torino, i magistrati interrogano Antonio Centonze, che conferma quanto già dichiarato da Luigi Pagella il giorno precedente, specificando che ogni informatore «tra fisso ed extra riceveva mediamente ogni anno circa 20 milioni» e che a lui il denaro «veniva dato dall'amministratore delegato di Fiat auto, nel '90 dal dottor Romiti e poi dall'ingegner Cantarella».

I «fratelli» della grande finanza

Le rivelazioni di Florio Fiorini, il grande «lavandaio»

Per continuare a indagare le pieghe del rapporto tra finanza e massoneria in Italia, abbiamo raccolto la testimonianza di Florio Fiorini, classe 1940, protagonista di alcune tra le più clamorose vicende finanziarie degli ultimi anni: dai finanziamenti dell'Eni all'Ambrosiano di Roberto Calvi, alle maxi-tangenti petrolifere; dal crack Sasea che coinvolse il Vaticano, al tentativo di scalata della Metro Goldwin Mayer, con Giancarlo Parretti e Silvio Berlusconi. Per finire con le avventure televisive della Odeon Tv di Calisto Tanzi.

Fiorini è quindi un uomo che conosce come pochi i rapporti tra finanza e poteri occulti, i canali sotterranei attraverso i quali si decidono le sorti del denaro. La sua è una esperienza unica: a soli trentun anni Fiorini occupava già, come direttore finanziario del gigante petrolifero Eni,[1] una posizione di enorme potere. Maneggiava gigantesche liquidità, la cui destinazione veniva decisa in sede politica e con pesanti incursioni piduiste: il presidente dell'epoca era infatti Leonardo Di Donna, un socialista iscritto alla P2. E l'Eni in quel periodo era la camera di compensazione di enormi affari pubblici e privati.

Ma Fiorini[2] è stato anche molto altro: ha avuto rapporti

---

1. Si veda in merito Florio Fiorini, *Dall'Eni, alla Sasea, alla prigione*, Foedus, Bergamo, 1997.
2. Jean Ziegler, *Banquiers et filous – Dans les coulisses du Credit Lyonnais*, in «le Monde Diplomatique», settembre 1999.

fiduciari con la finanza vaticana, per la quale ha operato co-
noscendone – come pochi in Italia – i meccanismi più
profondi; è stato depositario dei segreti finanziari di molti
«big» italiani; ha conosciuto e dialogato con figure del calibro di Gianni Agnelli, Roberto Calvi, Raul Gardini, Silvio
Berlusconi, Giancarlo Parretti, Calisto Tanzi.

«L'Eni dei miei tempi aveva un grande vantaggio: eravamo un'azienda piena di funzionari con grosse competenze nel
settore della chimica. A un certo punto Cefis si mise in testa
di comprare Montedison perché dava fastidio all'Eni nella
chimica. Cefis voleva entrare nella chimica. Morale della favola la comprò, però era piena di buchi. A Roma i politici si
incazzarono, gli dissero piglia e vai a sistemare la Montedison. Così metà del personale Eni se ne andò in Montedison.
L'altra metà rimase a Roma. Io inizialmente dovevo venire a
Milano, in Montedison. Girotti [Raffaele Girotti, vice presidente della Montedison dal gennaio 1970 al marzo 1971,
Nda] si incazza con Cefis e dice: ma ci porti via tutti, e qui chi
ci rimane? Qui c'è solo Fiorini, in Eni. E così a trentun anni
mi ritrovai direttore finanziario dell'Eni. Un potere enorme.
Se n'erano andati tutti in Montedison. Con la libertà di movimento che avevamo, eravamo i padroni d'Italia. Con la Montedison, noi dell'Eni eravamo i padroni d'Italia.»[3]

Il finanziere ha ormai saldato con la giustizia tutti i debiti
contratti negli anni, e oggi è un tranquillo signore che vive
tra Roma e l'amata Toscana, dove ha una piccola produzione

---

3. Fiorini ammette senza problemi il legame simbiotico dell'Eni col potere
politico. «Noi rispondevamo a Andreotti. Quel furbo di Girotti si mise in testa di farsi comandare da Andreotti... e lì c'è stata la frattura... lui con Andreotti, noi che ci alleiamo con Rovelli...» Quanto alla consistenza dell'Eni,
Fiorini spiega: «Il fatto è che l'Eni estraeva 13 milardi di metri cubi l'anno di
gas. Il vero patrimonio dell'Eni era quello. L'atto costitutivo dell'Eni dice: il
patrimonio dell'Eni è costituito da 30 miliardi di lire e dal metano della Val
Padana. 13 miliardi di metri cubi l'anno, erano 130 miliardi gratis che entravano. Oggi l'Eni è una delle grandi sorelle. La morte di Mattei? Cefis diceva
che era stato un incidente, che partì malgrado le condizioni del tempo...».

di vino Montepulciano. Il suo sguardo è vigile e conserva il corrosivo *sense of humor* che gli ha consentito di definirsi il «grande lavandaio».[4]

Tuttavia, anche quando parla di vicende passate da anni, si avverte in Fiorini la tensione di chi ha «visto» cose per le quali persone come Roberto Calvi e Raul Gardini sono morte, mentre altre – come Calisto Tanzi – sono sopravvissute per miracolo.

Insieme a Fiorini ci addentriamo nei territori oscuri del rapporto tra finanza e massoneria, facendoci accompagnare nella rilettura di vicende complesse e spesso drammatiche.

La prima domanda è netta: se si possa effettivamente parlare di un «filo rosso» della finanza massonica. E se sì, a quando risalga e come si sviluppi.

«Sì, io credo di sì, da quello che ho potuto sperimentare e vedere. È un percorso complesso, che parte da molto lontano. La massoneria ha avuto un forte sviluppo, anche in termini di potere economico e finanziario, già alla fine del Settecento e agli inizi dell'Ottocento, all'epoca di Napoleone. Tutti gli ufficiali di Napoleone[5] – gli uomini che pose a capo

---

4. Giuseppe Oddo, *Io, il lavandaio, Tanzi e i banchieri*, «Il Sole 24 Ore», 21 gennaio 2004.
5. La massoneria, diffusa in Francia dagli inizi del Settecento, entrò in crisi durante la fase acuta della Rivoluzione Francese, ma riprese vigore sotto il Direttorio tant'è – che nel febbraio 1797 – il Grande Oriente di Francia annunciò che era pronto a riprendere forza e vigore. L'atteggiamento di Napoleone (il *deus ex machina* del Direttorio e delle fasi politiche successive) nei confronti dei culti era molto liberale in quanto il suo intendimento era quello di non avere alcuna religione predominante, ma di tollerare tutti i culti. Napoleone desiderava che tutti gli uomini – protestanti, cattolici, ebrei, musulmani, deisti e quanti altri – fossero eguali, in modo che la religione non potesse avere alcuna influenza sull'assegnazione degli incarichi governativi, sulle carriere pubbliche. E in modo che essa, quindi, non potesse contribuire a far accogliere o respingere le persone in base a una raccomandazione: una persona doveva essere in primo luogo capace.

del suo impero – erano massoni.[6] Questo fatto ha generato delle conseguenze importanti anche in Italia. È necessario infatti comprendere il ruolo della massoneria francese nella economia e nella finanza italiana: dai primi circoli napoleonici in poi è rintracciabile una lunga corrente di uomini ed eventi che hanno avuto un peso rilevante in Italia.»

Fiorini spiega: «La finanza massonica di matrice napoleonica si è sviluppata subito, con l'impero. Nel senso che Napoleone,[7] coi suoi vari fratelli e col cognato Gioacchino Murat, cercò di sviluppare in Italia un sistema di potere che coincideva con la massoneria. Lo realizzò, ad esempio, nel Regno di Napoli: c'è una traccia molto chiara nell'azione di Murat, importante massone, quando divenne re di Napoli.

---

6. Circa la presenza della massoneria nell'Armata imperiale va detto che su ventisei marescialli del Primo Impero, non meno di diciotto erano, in modo più o meno stretto, affiliati al Grande Oriente di Francia. Tra questi Augerau, Bernadotte, Brune, Jourdan, Kellermann, Macdonald, Massena, Murat, Ney, Oudinot, Lannes, Soult. Il maresciallo Massena era stato iniziato nel 1784 e divenne, nel 1804, Gran rappresentante del Gran Maestro con il 33° grado. Brune era Gran conservatore, Kellermann, fin dal 1803, era Gran guardiano dell'Archivio. Su 2400 generali in servizio tra il 1792 e il 1815 si contavano circa 400 massoni. Le logge si diffusero nell'esercito napoleonico con una velocità straordinaria.

7. Napoleone tentò un'opera di riunificazione delle varie sette massoniche italiane. Non vi riuscì, nonostante l'esperienza personale in patria, dove mise a capo dell'Arte Reale il fratello Giuseppe e l'intero stato maggiore dell'esercito, e nonostante l'esperienza del «fratello» Gioacchino Murat. La frammentarietà italiana rimase un fatto compiuto anche dopo l'esperienza di Murat in Italia. Soltanto con la cosiddetta «ricostruzione torinese» la massoneria italiana risolse la propria divisione e si sottopose all'obbedienza del Grande Oriente di Parigi: sia per l'esperienza, la laicità e la graniticità transalpina, sia per l'indubbio gravame del debito dei Savoia verso i banchieri francesi, presenti in gran numero nel tempio, sia per la consolidata attività militare e finanziaria d'oltralpe, che generò l'idea secondo la quale la rivoluzione del 1789 sarebbe stata opera di una regìa massonica. L'adesione della più antica loggia massonica italiana, la Ausonia di Torino, alla tutela francese provocò il risentimento della Loggia madre inglese, desiderosa di costituire un ordine massonico mondiale sulla scorta della propria ritualità e dei propri fini.

Si portò un certo Lefebvre[8] come ministro delle Finanze. Dalla sua stirpe vengono fuori tutti i Lefebvre che poi nel bene e nel male si faranno un nome nella finanza italiana».

Fiorini si riferisce alla dinasty di Ovidio Lefebvre d'Ovidio, sesto conte di Balsorano, morto nel gennaio 2006 a novantacinque anni: l'uomo dello scandalo Lockheed, il Watergate all'italiana, quello che negli anni Settanta ha portato alle dimissioni il Presidente della Repubblica Giovanni Leone. Il nipote Manfredi Lefebvre guida una società di crociere[9] per milionari (in euro), la Silversea cruises, che possiede quattro navi registrate alle Bahamas, che ha il quartier generale in Florida (a Fort Lauderdale) e sedi a Montecarlo, Londra, Sidney.

Ma nelle vicende degli eredi del Lefebvre che fece fortuna con i napoleonidi qualche ombra c'è. Sergio Bocconi, sul «Corriere della Sera», segnala: «La vita e la carriera dell'erede di Ovidio non sono comunque state sempre così brillanti. Anzi, nel '96 viene arrestato con l'ex vicepresidente della Confindustria Carlo Patrucco per concorso in bancarotta nel crack Unipar, la holding milanese fallita sotto il peso di 500 miliardi (di lire) di perdite. Sempre in quegli anni i Lefebvre sono poi partner di Florio Fiorini nella Sasea, altro storico crack della finanza italiana, attraverso giri finanziari che hanno visto il "trascinamento" di un pacchetto (circa il 7 per cento) detenuto nella Bruxelles Lambert, la banca belga in seguito conquistata dagli olandesi della Ing. Dalla Sasea però la fa-

---

8. Aldo Mola (in *Storia della Massoneria italiana dalle origini ai nostri giorni*, Bompiani, Milano 1997, p. 54). Tra gli industriali giunti al seguito del cognato di Napoleone, Gioacchino Murat, vi era un industriale, Carlo Antonio Beranger, nato a Ubuf in Francia e poi domiciliato a Napoli. Fu Beranger a dare vita nel 1812 alla cartiere di Isola del Liri (poi Cartiera del Fibreno). A Beranger successe alla guida della cartiera Carlo Lefebvre, abile imprenditore. Dalla sua grande opera di modernizzazione della fabbrica verrà la sua considerevole fortuna finanziaria.
9. La Silversea, che offre una supercrociera «giro del mondo» in 126 giorni, è stata selezionata da Vladimir Putin per i fasti dei trecento anni di San Pietroburgo.

miglia romana esce in anticipo, prima cioè che Fiorini si lanciasse con Giancarlo Parretti nell'assalto (fallito) alla major Metro-Goldwin-Mayer. Antonio però finisce nel caso Enimont. Insomma, la dinasty Lefebvre ha attraversato gran parte della storia dell'Italia. All'inizio c'è Carlo Lefebvre de Cluniéres, dal 1854 primo conte di Balsorano per concessione di Ferdinando II, re delle Due Sicilie. Poi ci sono Ovidio, Antonio e le tangenti Lockheed pagate al misterioso Antelope Cobbler per l'acquisto degli Hercules da parte dell'aeronautica italiana. Lo scandalo, esploso negli Usa nel '76 dopo la pubblicazione del rapporto Church, ha travolto l'Italia per tre anni. Oggi, infine, c'è Manfredi che, superati i cinquanta anni e più di un crack, con discrezione guida un piccolo impero delle crociere di lusso».[10]

Florio Fiorini prosegue il suo ragionamento sul «filo rosso» che lega massoneria e finanza.

«Viene dalla massoneria napoleonica anche il filone di scuola amministrativa che c'è in Francia: inizia con l'Ecole Polytechnique, voluta da Napoleone per dotare la Francia di tecnici esperti; e continua nell'Ena.[11] Questo filone di massoneria finanziaria nasce nelle grandi banche d'affari legate ai gangli dello Stato. Di fatto in Francia tutto l'establishment è legato ai quadri statali cresciuti nell'Ena. È lì che si forma l'alta dirigenza dei gruppi di investimento. Molte figure del gruppo Suez,[12] vicine alla massoneria finanziaria, vengono da quegli ambienti, la cui origine è tanto lontana.»

---

10. Sergio Bocconi, in «Corriere della Sera», 26 gennaio 2006.
11. L'Ecole National d'Administration Publique nacque il 9 ottobre del 1945. La sua missione era e resta tutt'oggi quella di formare i nuovi dirigenti dello Stato, uniformando e adeguando ai tempi i criteri di reclutamento e selezione.
12. Suez è il nome della compagnia franco-belga originatasi dalla fusione della francese Lyonnaise des Eaux e della belga Compagnie de Suez. Si calcola che oggi la Suez rifornisca di acqua quasi 120 milioni di persone in tutto il mondo.

Florio Fiorini si collega rapidamente alle vicende finanziarie del presente.

«Sicuramente quel gruppo di potere francese, legato alla massoneria di tradizione statalista, laica e napoleonica, è quello che ha conquistato l'Italia: Bernheim[13] punta sulle Generali, il giovane Bolloré[14] conta sempre di più in Mediobanca. Mentre nel gruppo Intesa-San Paolo c'è una grossa partecipazione del Credit Agricole. La lista potrebbe continuare a lungo: tutta l'industria italiana del Nordovest si forma nell'Ottocento e Novecento a partire dal rapporto con la finanza francese, spesso contigua alla massoneria. Quello dell'influenza francese è un discorso di presenza massonica nelle banche transalpine che di fatto hanno preso il controllo della vera finanza italiana, quella che conta. Quando determinate forze hanno messo le mani sulle Assicurazioni Generali, su Mediobanca e su Intesa, rimane ben poco.»

Fiorini individua anche altre presenze finanziarie «massoniche» forti, nell'economia italiana.

«Certo, nelle origini della finanza italiana c'è anche l'influenza dell'alta finanza massonica mitteleuropea: le Generali nascono sicuramente come un'espressione dell'alta massoneria austro-ungarica. Ma credo molto nel ruolo del filone francese, che ha la sua origine storica nella borghesia creata da Napoleone e che nel corso dei secoli ha influenzato certamente una parte della Chiesa cattolica, la parte più progres-

13. Il banchiere francese Antoine Bernheim (Parigi, 1924) fa parte del consiglio d'amministrazione delle Assicurazioni Generali dal 1973; dal 1995 al 1999 ne è stato presidente e poi, dopo un brusco allontanamento (di cui lo stesso Bernheim attribuisce parte della responsabilità a Enrico Cuccia), è stato rieletto nel 2002. Dal 1988 al 2001 è stato vicepresidente di Mediobanca. Alla sua banca, la Lazard, erano particolarmente legati gli Agnelli.
14. Industriale e uomo d'affari francese, classe 1952, dirige il gruppo d'investimento di famiglia. Nell'aprile del 2003 un accordo tra Unicredit, Capitalia e i francesi di Bolloré porta alle dimissioni di Vincenzo Maranghi, successore di Cuccia alla guida di Mediobanca.

sista. Anche il Risorgimento italiano è nato da questa idea rivoluzionaria, francese e laica: Mazzini, la massoneria e così via. Ma su un altro versante, quello cattolico, questa corrente di pensiero massonico è filtrata anche attraverso i membri più aperti della Chiesa. Pensiamo a figure progressiste come il cardinale Tisserant,[15] che anche se magari non hanno mai fatto parte di una loggia, hanno portato avanti un certo discorso di rinnovamento della Chiesa cattolica.»

Curiosamente, le analisi di un grande esperto della finanza come Florio Fiorini richeggiano quelle di un battagliero sacerdote che incontreremo oltre, don Luigi Villa, convinto del fatto che già Giovanni XXIII e poi papa Montini ebbero contatti in Francia (prima di salire al soglio pontificio) con gli ambienti «massonici» dei Rosacroce e della libera muratoria di matrice cattolica.

Chiedo a Fiorini se è esistito ed esista veramente un rapporto forte tra finanza vaticana e finanza massonica.

«Sì, assolutamente», è la riposta netta e convinta del finanziere che insieme al Vaticano è stato protagonista del crack Sasea[16] e dei giganteschi finanziamenti all'Ambrosiano di Calvi, all'epoca in cui il banchiere piduista era impegnato nei complessi rapporti con lo Ior.[17]

Fiorini è convinto di questo «filo rosso» tra due mondi finanziari apparentemente antagonisti; e spiega come sia venuto a crearsi.

«La finanza vaticana è stata più o meno stabile fin tanto che non è arrivato al soglio pontificio Giovanni XXIII. Prima di lui, ad avere in mano la finanza vaticana era la cosid-

---

15. Il cardinale francese Eugène Tisserant (1884-1972), orientalista, presiedette due conclavi, quelli del 1958 (che elesse papa Giovanni XXIII) e del 1963 (che elesse papa Paolo VI).
16. In merito alla complessa vicenda, Fiorini racconta: «Il mio contatto in Vaticano era il cardinale Caprio. Mi disse: "Abbiamo questa società, non sappiamo che farne, la vuoi prendere tu?"».
17. Al momento del crollo, l'Eni era il singolo maggior creditore nei confronti del Banco Ambrosiano.

detta "nobiltà nera", la quale era imparentata sia coi francesi – basti citare Paolina Bonaparte,[18] che aveva sposato il principe Borghese – sia con gli inglesi, pensiamo al legame dell'ammiraglio Nelson[19] con Napoli. Quindi la finanza vaticana, gestita dalla nobiltà romana, era infiltrata da elementi di contatto con la massoneria francese e inglese, che fungevano da "sponde" internazionali in Europa. Tutto cambiò con Giovanni XXIII il quale, da buon figlio di contadini, non si sentiva legato a questo mondo della nobiltà romana ed europea. Era invece un uomo che aveva viaggiato e che come nunzio apostolico aveva conosciuto molte realtà. In particolare, fu il primo Papa a orientare la finanza vaticana verso gli Stati Uniti.»

Chi fu il *trait d'union*, l'uomo che materializzò questi rapporti con la finanza d'oltreoceano?

«L'uomo che ha cambiato la finanza vaticana e che quindi ha rotto la tradizione romana ed europea è stato il cardinale Francis Spellman di New York. Giovanni XXIII aveva un'amicizia particolarmente forte con il cardinale Spellmann, che ho conosciuto e con il quale ho avuto io stesso rapporti personali.»

Il potente cardinale di New York Francis Spellman, arcivescovo dal 1939, vicario apostolico delle forze militari americane (visitò quarantasei Paesi durante il conflitto) e cardinale dal 1946, fu il «gran protettore» dell'Ordine dei Cavalieri di Malta, ritenuto «vicino» alla massoneria e attivo negli

------

18. Paolina Bonaparte sposò il principe Camillo Borghese a Parigi nel 1803. Durante l'impero, ella preferì vivere a Parigi, alternando soggiorni a Torino presso il marito, che aveva avuto la carica di Governatore del Piemonte dall'imperatore. Paolina dedicò assai poco tempo alla splendida residenza romana di Palazzo Borghese, dove peraltro era conservato nella camera da letto di Camillo il celebre ritratto di Paolina del Canova.
19. Horatio Nelson, nel corso di una missione a Napoli nel settembre del 1793, conobbe Emma Lyon, moglie dell'ambasciatore britannico alla corte borbonica sir William Hamilton, con la quale strinse successivamente una intensa relazione sentimentale e da cui ebbe una figlia, Horatia.

Stati Uniti dal 1927. Spellman ebbe intensi rapporti con un famoso amministratore delle finanze vaticane, l'ingegner Bernardino Nogara,[20] del quale disse: «Dopo Gesù Cristo la cosa più grande che è capitata alla Chiesa cattolica è Bernardino Nogara».[21]

Nell'immediato dopoguerra, Spellman lavorò a stretto contatto con l'arcivescovo Montini, futuro papa Paolo VI, all'epoca segretario di Stato in Vaticano. Si è molto discusso, tra l'altro, sui rapporti di Spellman con gli ambienti dell'intelligence americana. Come lui anche James Jesus Angleton, che diventerà poi capo del controspionaggio della Cia, era membro dei Cavalieri di Malta. Lo erano anche Alexander Haig, segretario generale della Nato, il generale Vernon Walters e il leggendario capo dell'Oss, l'Office of Strategic Service (precursore della Cia) «Wild Bill» Donovan.

Come avvenne l'incontro di Fiorini con il cardinale Spellman?

«Io ho iniziato la mia avventura alla Banca Toscana di Firenze, come impiegato, nel 1958, giovanissimo. Poiché dimostravo una certa abilità negli affari, a un certo punto mi misero a seguire la clientela privata di alto livello. Dovevo

---

20. Bernardino Nogara nel 1929, dopo la firma dei Patti lateranensi, fu chiamato da Pio XI a dirigere l'Amministrazione speciale della Santa Sede, carica che conservò per venticinque anni. A tal proposito le condizioni che pose furono: «1) qualsiasi investimento che scelgo di fare deve essere completamente libero da qualsiasi considerazione religiosa o dottrinale; 2) devo essere libero di investire i fondi del Vaticano in ogni parte del mondo». Grazie a Nogara, nell'area economica della Chiesa cattolica entrarono a far parte diversi pezzi importanti dell'economia del Paese e segnatamente: Italgas nel quale, in qualità di rappresentante del Vaticano, entrò come consigliere di amministrazione l'avvocato Francesco Pacelli (fratello del futuro Pio XII); il Banco di Roma; il Banco di Santo Spirito; la Cassa di Risparmio di Roma; la Società generale immobiliare. In queste ed altre società, i nomi ricorrenti, all'interno del consiglio di amministrazione, erano quelli dei principi Carlo, Marcantonio e Giulio Pacelli (nipoti del cardinale segretario di Stato Eugenio).
21. David Yallop, *In nome di Dio*, Pironti, Napoli, 1997, p. 103.

occuparmi in particolare della cognata di Spellman, la moglie di Timoteo Spellman, fratello del cardinale. Era una signora protestante molto abbiente: aveva due ville, una a Firenze, che poi è diventata sede dell'Università americana; e l'altra al confine tra Francia e Italia, a Mentone. A un certo punto la signora Spellman si trasferì lì; io avevo l'incarico di andare a trovarla una volta al mese; per portarle i conti, bere il tè con lei, raccontarle degli aneddoti sulla vita dell'alta borghesia italiana e internazionale. Fu in quegli incontri che conobbi il marito Timoteo e anche il cardinale Spellman, un uomo di grande mente finanziaria, che consentì a Giovanni XXIII di uscire dagli investimenti in Italia e di trasferire ingenti risorse finanziarie del Vaticano in America. Lei pensi che oggigiorno la Chiesa cattolica americana è la quarta potenza immobiliare negli Stati Uniti. Da questo dato nascono anche tutte le cause promosse contro le diocesi negli Usa per fatti di pedofilia: questo accade perché gli avvocati di alto livello che promuovono le *class action* sanno che la Chiesa ha un grosso patrimonio immobiliare.»

Il filone americano della finanza vaticana ha delle implicazioni «massoniche», perché – come spiegato dal professor Giuliano Di Bernardo – dopo il 1945, nel contesto della guerra fredda, gli Stati Uniti esplicarono la loro politica estera in Italia anche attraverso la massoneria. E il Vaticano sfrutterà questi canali per i suoi investimenti in Usa. Fiorini concorda con l'analisi dell'ex Gran Maestro.

«Il legame della finanza vaticana col mondo americano diventa in Italia un fattore forte, nel dopoguerra. Esso si intreccia con i rapporti esistenti tra il mondo industriale del Nord e la finanza massonica francese da un lato; e quella mitteleuropea dall'altro.»

Nel quadro del mutamento gestionale attuato da Giovanni XXIII si colloca, spiega Fiorini, anche il caso Sindona.

«Il problema del rapporto tra finanza vaticana e massoneria deviata nasce così: la decisione di Giovanni XXIII di internazionalizzare la finanza vaticana, cioè di vendere molte partecipazioni italiane e investire negli Stati Uniti, trovò l'opposizione della "nobiltà nera", che veniva a perdere dei privilegi e un ruolo importante nella gestione delle finanze vaticane. Allora, anziché vendere a dei compratori seri, hanno fatto delle operazioni fiduciarie: la prima fu quella relativa alla Pantanella.[22] E questo generò il primo problema con Sindona, perché gli vendettero un'azienda che non funzionava, lui non pagava, ci fu il commissariamento e così via. Poi, sempre con Sindona, venne il problema della "lista dei 500"[23] in cui molti erano cardinali.»

Gli stessi legami perversi tra finanza e Vaticano, dopo Sindona, si riproposero con Calvi.

Fiorini racconta: «Lo stesso avvenne con l'Ambrosiano. Cosa succede lì? L'idea di Calvi per risolvere i suoi problemi era quella di far entrare in scena dei soggetti che portassero liquidità. Fece sorgere delle società alle isole Cayman, costituite dal Vaticano, oppure da terzi ma garantiti dal Vaticano e queste società comprano la banca. L'idea è molto semplice: siccome la banca rende ci finanziamo e restiamo padroni della baracca. Ma non si resero conto di due cose: che si erano indebitati in dollari comprando degli asset in giro per il mondo, mentre il dollaro da 600 lire andava a 1000; e i tassi dal 4-5 per cento salivano al 20 per cento. Questo a prescindere da tutte le distrazioni operate da Ortolani e da altri. Il problema stava tutto lì: l'Ambrosiano aveva accumulato un debito così elevato che era impossibile rifinanziarlo».

Chiedo a Fiorini di spiegare la natura dei rapporti che esistevano tra l'Eni e l'Ambrosiano. Perché l'Eni finanziava così pesantemente l'Ambrosiano? Qual era la ragione di

---

22. Tra le molte partecipazioni del Vaticano figuravano l'Istituto Farmacologico Serono e l'azienda agro-alimentare Molini e Pastificio Pantanella S.p.a., che negli anni Cinquanta vedevano i nipoti di papa Pacelli, Pio XII, tra i propri consiglieri di amministrazione.
23. La lista dei 500 maggior esportatori illegali di valuta, con cui Sindona ricattò molti interlocutori.

fondo, strutturale? I soldi destinati ai partiti, le pressioni della P2?

«C'era sicuramente una spinta di Umberto Ortolani su Craxi, che dava istruzioni a Di Donna che era il capo in testa dell'Eni e così via; ma vede, il problema fondamentale è che a quei tempi come Eni, avevamo fatto una joint venture coi libici che ci consentiva di avere una grossa liquidità. A parte le spinte politiche, emerse dopo, bisogna anche dire che l'Ambrosiano all'epoca era una banca rispettabile, come tutte le altre. Pagavano qualche cosa in più degli altri, in termini di interessi sui capitali da noi versati come Eni. Era un fatto di sistema: se Lei ha della liquidità da allocare, si mette in circolazione, sente delle offerte, valuta, alla fine va da quello che le dà un ottavo di punto in più di interessi. È così che va. Alla fine di ogni mese la situazione dei nostri conti la mandavamo in Banca d'Italia, dicevamo «abbiamo dei depositi qui è là...»

Peccato – faccio notare a Fiorini – che una parte degli interessi sui soldi dell'Eni finissero nelle casse del Partito socialista. Il governatore Ciampi, in Bankitalia, sapeva che di fatto l'Eni finanziava l'Ambrosiano nelle sue spericolate imprese? Che il Banco aveva una situazione disastrosa? Il rapporto dell'ispettore Padalino[24] già dal 1978 parlava chiaro...

«Sicuramente in Banca d'Italia sapevano la situazione; e non si sono mossi sino all'ultimo minuto. Ma sa... Ciampi... si santificano anche i poveri peccatori, in un mondo in cui non ci sono santi... I soldi all'Ambrosiano li versava chi nell'Eni piazzava le nostre risorse sul mercato... certo le linee di credito venivano anche stabilite in base ad altri criteri, politici: i top manager di Milano dell'Eni mi dicevano: hai incontrato Calvi?... se possiamo aumentare i fondi versati al Banco di 50 milioni di dollari, diamoglieli. Vabbé, allora si diceva, all'Ambrosiano hanno già preso dall'Eni 100 milioni di dol-

24. Si tratta di Giulio Padalino, ispettore della Banca d'Italia che nel 1978 iniziò un'approfondita indagine sui conti del Banco Ambrosiano. Fu il primo a scoprire i trucchi azionari di Calvi per il controllo del Banco.

lari, diamogliene 150... in fondo non cambiava molto», spiega Fiorini con il suo proverbiale cinismo.

Ma quanto era forte il filone massonico tra l'Eni e i socialisti? Chi era che teneva il contatto con il giro della P2?

«Gelli aveva tra gli iscritti alla P2 Renato Marnetto, anche lui massone, che era il mio capo all'Eni, poi Leonardo Di Donna, iscritto anche lui alla loggia massonica P2...»

Sorge spontanea una domanda da porre a Fiorini: Gelli «nasce» come direttore di una fabbrica di materassi. Come si spiega tutto il potere che ha accumulato?

«Guardi, per certi aspetti è inspiegabile. Lui dava per riferimento Andreotti. E aveva alle spalle una grande mente finanziaria, che era Umberto Ortolani.[25] Era un uomo di grande esperienza. E le rivelo un dettaglio essenziale: era lui che aveva amministrato i fondi americani del piano Marshall in Italia, era lui il responsabile dell'erogazione dei fondi dell'Erp.[26] Era l'uomo di fiducia degli americani.»

Florio Fiorini cercò, in virtù dei rapporti tra l'Eni e l'Ambrosiano (l'azienda petrolifera, al momento del crack del

---

25. Nato nel 1913, Ortolani era figlio di un capostazione di Viterbo, che fece fortuna in America, dov'era emigrato. Umberto Ortolani divenne presto avvocato e già da giovane sviluppò una forte passione per il mondo della carta stampata. Secondo alcuni autori, come Charles Raw, con capitali di derivazione incerta Ortolani comprò l'agenzia di stampa Italia, che poi rivendette all'Eni; successivamente rilevò per un certo periodo la Stefani (la futura agenzia Ansa), operazione nella quale, stando ad altri autori, come Tosches, perse molto denaro. Fu la sua conoscenza con il cardinale Giacomo Lercaro a schiudergli le porte del Vaticano. Verso la fine degli anni Cinquanta, ampliò il raggio dei suoi interessi verso il Sud America, in particolare verso l'Uruguay, dove rilevò – forse con l'aiuto del Vaticano – una piccola banca, il Banco Financiero Sudamericano, conosciuto con il nome di Bafisud. In Italia Ortolani possedeva anche una partecipazione nella Voxson, società di produzione di apparecchi radio. Sembra che Ortolani, nonostante i suoi profondi legami col mondo cattolico, si sia rivolto a Licio Gelli per avere aiuto riguardo ad alcuni pesanti attacchi personali sulle sue attività in Sud America, in particolare in Argentina. Questo avvenne nei primi anni Settanta, momento nel quale Ortolani, su invito dello stesso Gelli, si iscrisse alla massoneria.
26. European Recovery Program.

Banco, era il maggior singolo creditore), di salvare il banchiere in difficoltà. Chiedo a Fiorini di parlarmi della famosa ultima cena con Roberto Calvi, il 9 giugno 1982, pochi giorni prima che morisse a Londra.

«È vero, ci fu un tentativo di salvataggio. Pierre Moussa di Paribas era venuto su indicazione mia per offrire di comprare il Banco Ambrosiano del Lussemburgo.»

Il tentativo fallì. Chi aveva interesse a uccidere Calvi?

«Secondo me Calvi negli ultimi tempi si era imbarcato con la delinquenza comune, come ha fatto il povero Roveraro...[27] Aveva perso la testa. Sul piano delle violazioni, tutto quello che Calvi aveva fatto stava per venir fuori comunque. La sua morte la vedo quindi come un effetto di un suo coinvolgimento con la criminalità comune.»

Che ricordo ha Florio Fiorini di Roberto Calvi?

«Calvi l'ho visto alcune volte. Non ho il ricordo di una persona tecnicamente forte, anche se aveva dei collaboratori molto bravi. Ricordo che una volta lo incontrai con Di Donna. Un'altra volta lo incontrai con monsignor Marcinkus, alle Bahamas. Calvi mi aveva invitato a colazione nella sua villa.»

Che spessore aveva Marcinkus, il capo dello Ior?

«Beh, era un furbacchione. Un uomo dal punto di vista intellettuale molto superiore a Calvi. Molto sveglio e disin-

---

27. Fiorini si riferisce a Gianmario Roveraro patron di Banca Akros, scomparso il 5 luglio 2006 da Milano e ritrovato cadavere il 21 luglio nei pressi di Parma. Originario di Albenga, Roveraro aveva fondato nel 1987 la finanziaria Akros, poi passata nel 1998 assieme alla controllata Banca Akros al gruppo Bipop. Laureato in economia, cattolico rigoroso, tre figli, il manager era stato nominato nel 1974 amministratore delegato della Sige, Società italiana per imprese e gestione, braccio operativo dell'Imi. La stessa banca d'affari utilizzata nel 1986 da Raul Gardini e dal gruppo Ferruzzi per scalare Montedison. Pochi anni dopo, nel 1990, fu la Akros di Roveraro a organizzare la quotazione in Borsa della Parmalat di Calisto Tanzi. Un'operazione complessa che, stando alle ultime ricostruzioni processuali, finì per salvare una prima volta le sorti del gruppo di Collecchio.

volto. Dopo l'incontro alle Bahamas vidi Calvi la volta che Micheli cercò di fissare un appuntamento...»

Chi lo ha tradito, chi lo ha abbandonato?

«Guardi anch'io ho vissuto delle situazioni difficili, ma lui aveva perso la testa... si era messo con della gente... Calvi doveva aspettare pazientemente che passasse la tempesta, non dire niente di quello che sapeva. Sa come funziona in Italia, se rimaneva lì tranquillo non succedeva nulla. Io stesso ho fatto l'errore di andare in Svizzera – e ho fatto tre anni di carcere –, se no in Italia me la cavavo con tre mesi. Lo stesso sarebbe successo per lui. I processi in Italia non si chiudono mai. Lui si doveva ritirare con le sue galline sul lago di Como e stare fermo lì. Si faceva sei mesi, dodici al massimo, di carcerazione preventiva; poi usciva. Calvi invece discese una brutta china. All'ultimo si serviva di mezze figure tipo Hilary Franco.»[28]

C'è chi vede un lungo «filo rosso» di finanza massonica tra le vicende della Banca Rasini, Berlusconi, i Rovelli, l'Antoniana, Pontello, Fiorani, i Caltagirone e Ricucci: che ne pensa Florio Fiorini?

Il finanziere ha un momento di pausa, poi inizia a raccontare: «Io Rovelli l'ho conosciuto bene, è stato azionista della Sasea. Era una persona che ho stimato perché nelle varie vicissitudini della Sir che ha attraversato, lui si è comportato con stile. Sì è vero sono spariti mille miliardi... ma comunque era uno che pagava, che girava col libretto di assegni circolari per pagare i politici, non con gli assegni normali di conto corrente. Glielo aveva dato la Comit. C'era una certa simpatia umana, tra me e Rovelli. Quando mi sono messo a

---

28. Hilary Franco era un monsignore cui Roberto Calvi scrisse poche settimane prima di morire, per sollecitare un intervento a suo favore da parte delle finanze vaticane. Monsignor Franco organizzò il 23 maggio 1982, mentre il Papa e Marcinkus erano a Londra, un incontro tra Calvi, Luigi Mennini e altri amministratori del Vaticano. L'incontro non sortì nulla di positivo. Calvi sperava, stando agli atti processuali, in un intervento dell'Opus Dei.

fare l'operazione Sasea gli dissi: "Ce lo mette qualche soldo?". Lui disse sì, aveva due banche – una ce l'ha ancora a Lugano, la Banca Commerciale – e la Banca Rasini. In fondo era un uomo indipendente, creatosi dal nulla, con quella fabbrica di vernici.[29] Poi si era trovato in un gioco più grande di lui, perché lui di fatto agiva per conto di Andreotti. Ma ne è uscito con onore...»

Fiorini riesce a raccontare con il suo *humour* nero – e minimizzandola – anche una delle più grosse storie di corruzione della Repubblica italiana, il caso Imi-Sir.

«Una delle ultime cose di cui mi venne a parlare Rovelli fu quando mi disse: "Ho questa causa contro l'Imi, è venuto l'avvocato Attilio Pacifico[30] che m'ha detto che mi fa vincere la causa con l'Imi se gli prometto il 5 per cento di quanto prendo". Io gli dissi scherzando: "Ma guarda che io Pacifico lo conosco, è un avvocaticchio che manco gli affiderei le scarpe da risuolare". "Ma io che rischio?", disse lui. "Se incasso... io glieli do, i soldi." Io gli dissi: "Senti Nino, io non ci credo, ma se vuoi provare...". Dopo un po' di tempo Rovelli venne da me, tirò fuori la sentenza e mi disse: "Hai visto che avevo ragione io?". Pacifico era uno di quegli avvocati che quando ero all'Eni continuava a venire lì a dire "dammi una pratica", quando lo incontrai dopo la sentenza mi disse: "Fefé, hai visto come è andata?". Io gli dissi: "Fate quel cavolo che vi pare...". Ma a Rovelli consigliai: "I soldi portali subito all'estero".»

Quelli sono gli anni in cui si viene affermando Silvio Berlusconi. Chiedo a Fiorini se Silvio vada interpretato più come un uomo aiutato dalla finanza massonica e dalla Bnl, o dalla finanza vaticana.

«Io leggo come un uomo fortunato. Lui ha azzeccato molte cose... è anche abile. Io l'ho conosciuto, c'ho fatto af

---

29. La Sir, Società Italiana Resine.
30. L'avvocato Attilio Pacifico è stato accusato di corruzione dei giudici nell'ambito del contenzioso Imi-Sir.

fari, gli vendevamo noi i diritti cinematografici. La regola di Berlusconi era: io non faccio affari se non ho con me la piccola formichina milanese che poi se ne occupa. Ha avuto questa intuizione della televisione, montata con metodi aggressivi, perché la pubblicità se la faceva pagare in frigoriferi che poi doveva vendere.»

Non era questa la domanda. Fiorini tergiversa, ma poi una risposta illuminante la dà.

«Berlusconi? L'hanno aiutato sicuramente ambienti cattolici. I soldi glieli ha dati il Vaticano. E soprattutto la Banca Popolare di Novara. La Banca Popolare di Novara è stata uno dei suoi grandi finanziatori. La Banca Popolare di Novara ai tempi di Piero Bongianino prendeva ordini solo da Andreotti. E quindi praticamente dal Vaticano.»

E Gelli? Quanto conta nella carriera massonica di Berlusconi?

«Berlusconi è stato abile perché ha deciso di scendere in politica –contro ogni consiglio – io gli dissi: "Lei è matto Cavaliere" – ma aveva ragione, perché se non lo faceva non sarebbe riuscito a quotare in Borsa la Fininvest.»

Fiorini parla anche di Tarak Ben Ammar. «Era un piccolo produttore, lavorava per noi con la Mgm, era una persona capace. Ebbe una grande fortuna: quando ci fu il discorso dei soldi di Berlusconi a Craxi con la All Iberian, Tarak Ben Ammar rischiò la prigione e disse: "Li ho incassati io, quei soldi". Si è offerto come capro espiatorio. Naturalmente ha avuto qualche contropartita, poi si è ristabilito. Anni dopo è entrato nelle grazie di Bolloré, che gli ho presentato io tra l'altro. Bolloré aveva una partecipazione nel settore del petrolio che rilevammo noi come Eni. In contropartita gli abbiamo dato delle partecipazioni in un gruppo francese, così abbiamo fatto questo affare con lui. Facemmo uno scambio tra la sua Bolloré Energie, che si occupava di petrolio, e le cose che gli facemmo avere in cambio. L'ho conosciuto molto bene.»

Torniamo a Berlusconi, che Fiorini ha conosciuto bene. Di quali solidarietà ha goduto il Cavaliere? Ciampi sembra aver «rispettato» Berlusconi, consentendogli spazi di manovra notevoli anche in politica. Ciampi era massone? Fiorini ne sembra sicuro: «Che Ciampi sia massone mi pare ovvio. D'altra parte, uno di Livorno! Uno di Livorno non può non essere massone! Solo che uno non deve confondere la massoneria seria, di cui faceva parte Ciampi, con quella di Gelli. Era tutto un altro mondo».

Ciampi è stato un terminale, come Cuccia, dell'alta finanza internazionale vicina alla massoneria?

«Indubbiamente Ciampi si muoveva in un certo ambiente della finanza laica. La massoneria seria, in Italia, è sempre stata una eredità di Mazzini. Il segretario del Partito repubblicano era Ugo La Malfa: quella era la massoneria seria...»

Da una certa fase in poi – gli inizi degli anni Novanta – in Italia sembra prevalsa la finanza cattolica. Come valuta Fiorini figure come Fazio e Geronzi?

«Io Geronzi non lo considererei un cattolico. Geronzi è il tipico rappresentante del gruppo di potere venuto fuori dalla Banca d'Italia. Quando uscivano da via Nazionale, questi funzionari venivano posti in posizioni importanti. Non si può dire che Geronzi fosse tra i cattolici. Fazio magari è un po' diverso. Certo che lui e Fiorani avevano fatto il Paese dei furbetti: avevano coinvolto tutto l'arco costituzionale da sinistra a destra...»

E la figura di Mario Draghi? Secondo alcune letture il suo arrivo alla guida di Bankitalia è l'esito di uno scontro tra massoneria e Opus Dei.

«Secondo me Draghi è un terminale di finanza americana. Io credo che oggi la massoneria seria, in ambito finanziario, sia quella francese. Ed è lontana da Roma e dalla Banca d'Italia. La massoneria seria è l'impero milanese e torinese. E quello è un potere che non ha bisogno di Roma.»

La figura di Valletta, il supermanager massone, come può essere letta, in questo filone interpretativo?

«Sicuramente la finanza Fiat è collegata agli ambienti francesi di cui si è parlato prima. Gli Agnelli in una certa fase hanno aperto alla finanza americana, perché mancavano interlocutori seri a Roma. Agnelli era uno dei pochi che all'estero si presentava bene.»

Fiorini ha conosciuto bene anche un uomo discusso come Giancarlo Parretti. Come può essere qualificata la sua figura?

«Parretti è un fiduciario di De Michelis, un suo uomo. L'operazione Mgm effettuata con lui nel '90 mi ha rovinato. Nessuno gli disse "levati di torno, non facciamo più quell'operazione..." invece lui andò da Craxi, il quale lo mandò da Berlusconi. Berlusconi ci ha dato molti milioni di dollari, che poi ha recuperato grazie a me. Il problema era che Parretti era credibile solo grazie a De Michelis.»

Con Fiorini parliamo anche di Carlo De Benedetti. Come si sviluppò il rapporto tra De Benedetti e Calvi?

«Sicuramente quando De Benedetti si accorse della situazione dell'Ambrosiano e uscì, volle essere pagato... le cose sono difficili a dirsi, però... quando lui si rese conto della situazione, volle uscire e farsi monetizzare profumatamente.»

C'è chi ha visto delle analogie, tra l'uscita dalla Fiat e l'uscita dal Banco.

«Chi ha bruciato i ponti a De Benedetti è stato Agnelli... Agnelli tutte le volte che se ne parlava diceva: "Persona capace, però ha tentato di portarmi via la Fiat". Nel mondo finanziario, quando lei parla di De Benedetti si ritrova a che fare con questo giudizio. È la condanna a morte che gli ha dato Agnelli. Un giudizio severo dato da Agnelli in un certo mondo internazionale conta... ed era vero, sa? Aveva tentato ciecamente di dare la scalata alla Fiat.»

Secondo lei può essere vero che Agnelli apparteneva alla loggia di Montecarlo, come asserisce Gelli?

«Sa, il discorso delle logge vale per la bassa forza, per quello che si mette lì col grembiulino a fare le cerimonie. Agli alti livelli della massoneria ci si muove secondo altre logiche. Non ci sono le logge normali: il duca di Kent, il capo della massoneria inglese, non ha bisogno di andare in loggia. Mantiene dei contatti ad alto livello, tiene dei rapporti. Lo stesso Carlo d'Inghilterra, che pure non intende diventare Gran Maestro, quando viene a Firenze in vacanza, è ospitato e protetto da quei nobili fiorentini e livornesi che fanno parte della massoneria, ma ad alto livello. A Firenze c'è Pontello che è il capo della loggia fiorentina ufficiale, la quale per carità ha nomi illustri, però poi c'è un altro livello... quando Carlo va dai marchesi Frescobaldi, è chiaro che si tratta di persone che non sono iscritte alla loggia, ma che però appartengono a un certo mondo... della loggia di Firenze faceva parte anche il direttore finanziario dell'Iri, che veniva dalla Comit.»

Torniamo alle vicende della finanza massonica. Il Banco Ambrosiano poteva essere salvato?

«L'Ambrosiano poteva essere salvato, aveva degli attivi, 1200 miliardi di debiti erano niente rispetto agli attivi che aveva. Infatti io ero favorevole al salvataggio per proteggere i nostri investimenti, come Eni. Il Banco gli attivi li aveva. Perché dovevamo perdere i nostri soldi? L'Ambrosiano aveva un sacco di asset, tra i quali le assicurazioni. A Calvi mancò la lucidità. Il problema di come uno si comporta nei momenti difficili è fondamentale: o si perde la testa o ci si mette seduti e si aspetta che passi. Tutto passa...»

Calvi riciclava denaro sporco, come sostengono ora i magistrati?

«Dio solo sa in che giro si era messo negli ultimi anni. Che qualcosa facesse è probabile. Lo ripeto, è una vicenda simile a quella di Roveraro... uno perde la testa e si mette a fare cose che non controlla più...»

Parliamo del rapporto tra due mondi diversi e apparentemente contrapposti, quello della massoneria e quello dell'Opus Dei: chi è più forte oggi?

«Questi spagnoli hanno una cultura che chiamerei del complesso di inferiorità. La Spagna è sempre stata una terra di soldati, che dal Cinquecento in poi si sono mossi alla conquista di vaste aree del globo come l'America Latina. La Chiesa cattolica è stata una bandiera. Hanno ammazzato decine di migliaia di indios in nome della Chiesa cattolica. Mandavano avanti i frati e gli altri giù a dar spadate... perciò è rimasta in certi ambiti della Chiesa questa cultura militare da cui vengono fuori quelli dell'Opus Dei e i Legionari di Cristo. È gente che pensa: tutti quelli che hanno qualcosa da dire vengono con noi. Così contano qualcosa...»

Ma Lei ha mai fatto parte dell'una o dell'altra realtà?

«Io ho rifiutato di entrare nella massoneria con Pontello; e ho rifiutato di entrare nell'Opus Dei quando il buon Roveraro me lo offrì. Mi invitò a fare qualche conferenza all'Opus Dei di Roma: io ci andai, poi ci fermammo a cena e mi disse "Ma perché non vieni con noi?". Con Pontello era lo stesso, mi invitò qualche volta a delle riunioni di massoni, poi nella sua villa a Viareggio... c'erano diverse persone e anche lì mi dissero: "Ma dài, entra in massoneria". Purtroppo entrare in queste congreghe non fa parte della mia tradizione di famiglia; e in tutti e due i casi dissi di no. Pontello era incazzato come una belva, Roveraro invece la prese bene e ridendo mi disse va bene... mi aveva persino portato da un cardinale. L'Opus Dei è una congrega di gente ambiziosa, la quale fa parte di questo circolo perché porta dei vantaggi. L'Opus Dei è una raccolta di professionisti. E lo stesso sono i Legionari di Cristo: li ho conosciuti bene a Roma, cercavano un terreno e glielo ho procurato io. Stanno facendo cose molto innovative nella loro Università. Nei normali collegi della Chiesa, dove arrivano da tutto il mondo, i giovani perdono molto tempo negli studi di teologia. Nell'Università dei Legionari di Cristo si puo studiare medicina e legge. Hanno aperto pure una sezione femminile e danno una buona formazione. Se uno deve andare a fare il missionario è meglio che sia medico, no? Il vecchio Maciel[31]... aveva una grande fede... il giovane suc-

31. Padre Marcial Maciel nacque il 10 marzo 1910 a Cotija de la Paz, Michoacan (Messico). Trascorse i suoi primi anni di vita in mezzo a una crisi sociale e religiosa, che sconvolse la popolazione messicana nel decennio

cessore, che è stato un importante dirigente in Texas, ha una forza... loro dicono: "Se io ci credo perché non devo usare tutti i mezzi a mia disposizione?". L'Opus Dei è più un network... per comprare i terreni si sono indebitati col solito Geronzi...»

Fiorini torna a parlare delle finanze vaticane, nella sua visione strettamente interconnesse alla finanza «laica» di simpatie massoniche.

«In Vaticano, per la parte finanziaria hanno creato una struttura di controllo. Il Vaticano funziona come una monarchia assoluta: il re è il Papa, c'è un segretario di Stato e poi esistono dei cardinali al vertice delle prefetture economiche. Mentre in un primo momento c'è stata nelle finanze vaticane una grande non professionalità, dopo lo scandalo Calvi a capo dei dicasteri hanno messo dei cardinali cui non si raccontano barzellette. Il cardinale Agnelo Rossi era uno di questi, tutta gente che per formazione personale – o perché sono stati formati ad hoc – ne capisce di economia e di finanza. Sì l'esperto può essere Mayer di Deutsche Bank, ma i conti li vogliono vedere i cardinali. Il Vaticano ha grandi sostanze da gestire. Ci sono i grandi bilanci degli enti ecclesiastici. I francescani ad esempio hanno proprietà immense. L'altra grande fonte di reddito per il Vaticano sono le diocesi. Pochi lo sanno, ma il bilancio della diocesi di Colonia è superiore a quello della Città del Vaticano. Molto ricche sono anche le diocesi di Los Angeles, Chicago e Vienna...»

È per questo che la finanza massonica cura tanto i rapporti col Vaticano?

«La Santa Sede ha un patrimonio immobiliare enorme, solo a Roma. Poi ci sono i contributi dei fedeli. Basta vedere quanti fedeli ha una diocesi per fare un rapido calcolo basa-

degli anni Venti. Nel 1936 partì per Città del Messico, per cominciare la sua formazione sacerdotale. Il 3 gennaio del 1941 fondò la Congregazione dei Legionari di Cristo, e nel 1959 il movimento d'apostolato Regnum Christi.

to sulla media dei versamenti annui: se prende una grande diocesi con 3 milioni di fedeli e calcola 100 euro l'anno versati da ogni persona, fanno 300 milioni di euro solo per una diocesi.

«Io penso che il Vaticano abbia degli attivi liquidi che si situano tra 50 e 100 miliardi di euro. Quella è ovviamente una piccola parte del patrimonio complessivo, perché bisognerebbe fare un consuntivo dei beni della diocesi e degli enti, chiese comprese. Il cattolicesimo è sicuramente una religione ricca, la più ricca. La Chiesa islamica non ha un vero patrimonio, i vari imam non controllano un patrimonio, perché non sono organizzati, ognuno va per conto suo. La nostra invece è una Chiesa ricca perché è la struttura che ha seguito l'impero romano, che ne è l'erede diretta. E la finanza massonica ha sempre avuto rapporti molto forti con quella vaticana...»

Come funziona il sistema dei conti allo Ior?

«In passato si apriva il conto, si lasciava un tot come donazione alla Chiesa – un 5 per cento – al Vaticano e il resto transitava dove si desiderava. Ma dopo lo scandalo Bisignani è diventato difficile fare queste operazioni per un non ecclesiastico. Anche creare le fondazioni di diritto vaticano ora è difficile.»

Che ne pensa Fiorini delle affermazioni di Ricucci sui Caltagirone, del fatto che farebbero parte della massoneria «bianca» legata al Vaticano?

«Sicuramente. Sicuramente i Caltagirone fanno parte di quel genere romano che intrallazza a destra e sinistra... sa com'è...»

Finanza massonica «coperta»

Come abbiamo visto trattando le vicende della Fiat e ascoltando il racconto di Florio Fiorini, la rete della finanza massonica è molto forte in Italia e risale già alla fine del Settecento. Ma è indubbio il fatto che essa cresca con la grande industria del Novecento e in particolare dopo il 1945. Nel dopoguerra, lo scontro internazionale generato dalla guerra fredda e l'acuirsi della tensione interna tra Partito comunista e grande blocco conservatore crearono infatti il clima ideale al nascere di «logge coperte» e di «raggruppamenti riservati».

La massoneria perse il suo carattere di grande fronte laico e divenne terreno di coltura di interessi economico-finanziari forti, ammantati talvolta da giustificazioni ideologiche o strategiche. Ecco il sorgere, all'interno del Grande Oriente, di un fenomeno come la P2. Ma il problema riguarda anche l'altra grande obbedienza italiana, quella di piazza del Gesù. Anche in quest'ultima infatti – come peraltro in tutte le massonerie del mondo – esisteva una loggia coperta, destinata a riunire i fratelli più in vista. Ne parla anche lo storico Aldo Mola[32] che cita come fonte Virgilio Gaito, già Gran Maestro del Goi. Si chiamava «Giustizia e libertà» e vide la comparsa, tra le sue file, dell'ex presidente del Senato e senatore a vita Cesare Merzagora, dei generali Giuseppe Aloja e Giovanni De Lorenzo e perfino del «caporione» fascista Giulio Caradonna.

La loggia era stata affidata a Giorgio Ciarrocca, direttore centrale della Rai, libero docente dell'Università di Roma. In quel «forziere» riservato Ciarrocca aveva concentrato un novero di figure di primissima scelta: tra i politici erano presenti Giacinto Bosco, Marcello Simonacci ed Eugenio Gatto (democristiani), Luigi Preti (socialdemocratico) e perfino un dirigente comunista, speranza del partito, Gianni Cervetti. Molto forte anche la presenza di grandi condottieri di industrie e banche pubbliche, dai boiardi di Stato a personaggi usi a trattare col potere da pari a pari: Eugenio Cefis,[33] iscrit-

32. Aldo Mola, *op. cit.*, p. 744.
33. Secondo Flavio Santi (*L'omicidio di Pier Paolo Pasolini e il cuore di tenebra dell'Italia*, in «Liberazione», 10 maggio 2006) da un appunto del Sismi risulterebbe che Cefis è stato il fondatore della loggia P2. Certo è che il presidente di Montedison (e poi dell'Eni, dopo la morte di Enrico Mat-

to dal 15 settembre 1961; Leopoldo Medugno, dirigente delle Partecipazioni statali, faceva parte della loggia dal 9 giugno 1965; Giuseppe Arcaini,[34] presidente dell'Italcasse, fu iniziato il 15 luglio 1963. Anche il governatore della Banca d'Italia Guido Carli sarebbe figurato tra i massoni di Giustizia e libertà dal 19 settembre 1967. E un altro grande e riservato personaggio del mondo bancario internazionale, Enrico Cuccia, amministratore delegato di Mediobanca, avrebbe accettato di far parte di questa loggia fin dal 27 marzo 1955.

Importante, da un punto di vista massonico, anche l'appartenenza di Raffaele Ursini (l'uomo del crack della Liquigas che diventerà amico e maestro di Ligresti), che aveva la carica di luogotenente del Sovrano Gran Commendatore del Rito. Di altissimo livello la presenza militare: Corrado Sangiorgio, generale di corpo d'armata, comandante dei carabinieri, aderente dal 14 febbraio 1961 e Arnaldo Ferrara, capo di stato maggiore dell'Arma, iniziato il 15 luglio 1969. Oltre ai già citati generali Aloja e De Lorenzo.

Il mondo dei costruttori romani era rappresentato da Fortunato Federici e da Aladino Minciaroni. Non mancava un intimo del Quirinale, il presidente della Compagnia italiana grandi alberghi, Alberto Mircangeli e due habitué di casa Fanfani, Ettore Bernabei e Stelio Valentini, genero del presidente del Senato.

L'avvocato Francesco Buccellato rappresentava il mondo delle libere professioni e Salvatore Comes, direttore generale per l'insegnamento universitario al Ministero della Pubblica Istruzione, quello della burocrazia.

Il potere giudiziario aveva tra le fila dei liberi muratori

tei) ebbe un ruolo in molte vicende oscure del dopoguerra. Cefis coinvolse Montedison nell'*affaire* Rizzoli nel momento di maggior potere della P2. Negli ultimi anni di vita Cefis si mostrò poi interessato a società televisive. E una delle società accomandanti della Edilnord centri residenziali, già Edilnord s.a.s. di Silvio Berlusconi, si chiamava Cefinvest.

34. Il presidente dell'Italcasse fu protagonista di uno dei più grossi scandali finanziari italiani.

di piazza del Gesù uno dei magistrati all'epoca più potenti d'Italia, Carmelo Spagnolo,[35] massone dal 1947. Siccome Francesco Bellantonio era parente di Michele Sindona,[36] in quegli anni lanciato alla conquista di traguardi sempre più ambiziosi, anche l'intraprendente finanziere di Patti era stato arruolato. Dopo di lui nella loggia Giustizia e libertà sarebbe entrato anche un personaggio equivoco: quel don Agostino Coppola,[37] economo della cattedrale di Monrea-

---

35. Il giudice di Cassazione Carmelo Spagnolo fu sostenitore di Michele Sindona, in favore del quale rese una deposizione sia a New York che in presenza dell'ambasciatore degli Stati Uniti a Roma. Spagnolo, indiziato di reato nel 1974 in relazione allo scandalo Mangano-Coppola (sui rapporti tra mafia e polizia), sarà poi destituito dall'ordine giudiziario.

36. Significativa dei rapporti tra Sindona e Andreotti è una lettera datata 8 novembre 1973 che Piersandro Magnoni, genero di Sindona, scrive a Giulio Andreotti: «La mia profonda impressione su quanto Ella ha voluto suggerirci riguardo la strategia che il nostro gruppo vuole seguire in Italia, mi autorizza a pensare di avere noi, se mi consente, un sincero amico in Lei ed un formidabile esperto con cui poter concordare di volta in volta le decisioni più importanti...» (Sergio Flamigni, *Trame Atlantiche. Storia della Loggia massonica segreta P2*, Kaos Edizioni, Milano, 1996, p. 176). Ed è lo stesso Magnoni che, interrogato da un giudice-istruttore il 2 giugno 1980 nel carcere di Bergamo, riferisce di un incontro avvenuto nel 1977 tra Andreotti, allora presidente del Consiglio, e lo stesso Sindona (incontro che avrebbe avuto luogo al Waldorf Towers e al quale era presente anche Fortunato Federici, vicepresidente del Banco di Roma). Oggetto dell'incontro sarebbe stato l'esame di un progetto di salvataggio della Banca Privata Italiana con l'intervento del Banco di Roma. Probabilmente non è etranea a questa ipotesi la scarsa vigilanza da parte della Banca d'Italia nei confronti delle banche di Sindona. Guido Carli era in quel periodo governatore di Bankitalia. La Banca d'Italia conosceva, già nel 1971, le gravi irregolarità commesse da Sindona e lasciò in vita il sistema fraudolento del finanziere di Patti per altri tre anni. Negli Stati Uniti la Franklin Bank di Sindona era già sotto il mirino dell'inchiesta delle autorità monetarie anche per i rapporti sospetti con Cosa nostra.

37. Don Agostino Coppola era nipote del grande boss mafioso di Cosa nostra Frank Coppola, legato a Luciano Liggio, condannato per associazione a delinquere di stampo mafioso, coinvolto nel sequestro dell'ing. Luciano Cassina e in altri sequestri consumati nell'Italia settentrionale. Sequestri che, secondo quanto riferito da Tommaso Buscetta, sarebbero da ascrivere alla famiglia dei corleonesi e in particolare a Pippo Calò.

le, che sarebbe stato condannato a diciott'anni di carcere con l'imputazione di appartenere alla banda di Luciano Liggio. Il suo nome ricorre molte volte negli atti del processo Calvi, come tramite per operazioni di riciclaggio.

Nessuno sa spiegare come potessero convivere nella stessa organizzazione e in spirito di «fraternità» personaggi a dir poco incompatibili come Cuccia e Sindona, le cui lotte avrebbero segnato non solo la cronaca, ma addirittura la storia d'Italia. Ed è difficile capire cosa facessero insieme lo stalinista Gianni Cervetti, il socialdemocratico Luigi Preti e il democristiano di destra Marcello Simonacci. Alla Giustizia e libertà sarebbe appartenuto persino un alto prelato come Franziskus König, arcivescovo di Vienna e cardinale.

Quando nel 1973 venne realizzata la fusione tra la massoneria di piazza del Gesù e quella di Palazzo Giustiniani – riunificazione realizzata per opera di Lino Salvini, Gran Maestro della nuova obbedienza, rimasta in vita però soltanto due anni – gli affiliati della loggia Giustizia e libertà furono assorbiti dalla loggia Propaganda 2 di Gelli (ovvero la corrispondente loggia coperta della massoneria di Palazzo Giustiniani). Tuttavia tra i documenti sequestrati nel 1981 dalla guardia di finanza nell'abitazione e negli uffici di Gelli non vennero rinvenuti i nominativi degli affiliati alla loggia Giustizia e Libertà.

In merito al tema delle logge «coperte», l'ex Gran Maestro Giuliano Di Bernardo spiega un aspetto importante: «Le logge coperte sono sempre esistite, in massoneria. La loro funzione era quella di salvaguardare persone di particolare importanza istituzionale, politica e finanziaria, proteggendole da pressioni indebite da parte di altri "fratelli"».

Ma c'è anche un altro aspetto che Di Bernardo spiega in merito alle appartenenze «coperte» di molti importanti personaggi italiani dell'economia, della finanza e delle istituzioni: il fatto che non figurino come affiliati alla massoneria talvolta dipende dal fatto che sono membri di logge straniere. Quindi «tecnicamente» non sono massoni in Italia, ma dispongono comunque della rete dei rapporti massonici in quanto appartenenti alla massoneria internazionale. Di Bernardo spiega: «Un cittadino italiano, comune o altolocato che sia, può chiedere l'iscrizione a una loggia della massoneria straniera: in Inghilterra, in Francia, negli Stati Uniti, a Tokyo. Se uno ha rapporti di amicizia all'estero – poniamo il caso di un manager che abbia lavorato in una multinazionale, o un professore che abbia insegnato all'estero – questi amici possono proporgli di entrare in una loggia inglese, ad esempio. Ci sono tanti italiani che sono membri di logge straniere, senza esserlo in Italia. Anzi questo è più facile se una persona non appartiene alle massonerie italiane. Perché se uno appartiene a una realtà massonica italiana e vuole affiliarsi – poniamo – a Londra, allora la massoneria inglese va a vedere se la massoneria cui appartiene è regolare, cioè se è stata riconosciuta dalla Gran Loggia Unita d'Inghilterra. In quel caso ci si può iscrivere all'estero solo se c'è stato riconoscimento reciproco tra obbedienze: se una persona che fa parte del Grande Oriente volesse entrare in loggia a Londra, gli si chiederebbe probabilmente di lasciare la massoneria italiana per entrare in quella inglese».

L'affiliazione all'estero sembra essere prassi, per i «vip» della finanza e della politica.[38] Di Bernardo conferma: «È ciò che avviene normalmente; cioè che esponenti delle banche e della finanza italiana si iscrivano a logge straniere, dove sono presenti figure con cui hanno già rapporti personali o di lavoro. In questo caso, il banchiere italiano si iscrive direttamente a una loggia inglese, dove sono presenti i

---

38. C'è chi ipotizza che questo sia il caso di Francesco Cossiga, il quale parla del Rito scozzese come del «rito di famiglia»: se fosse iscritto a una massoneria estera, tecnicamente potrebbe affermare, come fa di frequente, che egli non fa parte della massoneria italiana.

membri della City di Londra. Allora si stabilisce un ulteriore rapporto, rafforzato dall'appartenza alla massoneria. Capita spesso».

Esistono quindi grandi «canali europei» di finanza massonica, di professionalità e competenze che si muovono secondo comuni appartenenze?

«Certo che esistono, sono sempre esistiti. Le influenze straniere sull'economia e sulla finanza italiana ci sono sempre state. E a volte la massoneria è stato un canale di supporto importante. È chiaro che massoni italiani autorevoli nella finanza stabiliscono rapporti con i loro colleghi stranieri e l'appartenenza comune alla massoneria fa da catalizzatore, migliora una situazione di relazioni che sono già fluide. La massoneria sviluppa queste connessoni, le rafforza.»

Ma esistono effettivamente dei rapporti tra finanza ebraica e massoneria?

«Io ho iniziato i rapporti con Israele quando ero Gran Maestro del Grande Oriente. E via via si sono rafforzati. Tanto che la massoneria israeliana, quando nel 1993 sono uscito dal Goi, ha tolto il riconoscimento al Grande Oriente per darlo alla Gran Loggia d'Italia. La massoneria israeliana ha voluto segnare una svolta, che inizialmente significò una sofferenza per gli ebrei massoni italiani. Ma il Gran Maestro Fuchs non ebbe esitazioni nel farlo. Anche oggi ho rapporti molto stretti con la massoneria israeliana, a titolo personale, nell'ambito degli Illuminati. D'altra parte c'è sempre stato un rapporto forte tra ebraismo e massoneria: i rituali massonici, soprattutto anglosassoni, danno grande importanza alla storia di Israele e molte leggende, come quella del tempio di Salomone, entrano nei rituali massonici a pieno titolo. Vi è sempre stato interesse da parte degli ebrei per la massoneria. Se prendiamo il Rito dell'Arco Reale, in Inghilterra, ci accorgiamo che esso è costruito sulla letteratura relativa alle dodici tribù di Israele. Esiste quindi un interesse dottrinale di Israele e dell'ebraismo per la massoneria. Un interesse che è anche di natura politica: i rapporti dello Stato ebraico con gli Stati Uniti nel corso del tempo si sono manifestati anche attraverso la massoneria, in modo particolare attraverso la comune appartenenza di alcuni maestri, come me, al Rito scozzese antico e accettato.»

Il banchiere di Dio e l'unto del Signore

Trattare delle logge coperte implica necessariamente occuparsi anche dell'affiliato più celebre della loggia P2. L'iscrizione di Silvio Berlusconi alla loggia di Licio Gelli è cosa ormai nota e documentata.[39] Meno conosciuti sono invece i rapporti tra Berlusconi e il banchiere che fece da «ponte» tra la P2 e il Vaticano: Roberto Calvi.

È una storia interessante, perché illustra – come ha spiegato efficacemente Florio Fiorini – i fecondi rapporti che esistono tra la finanza massonica e quella vaticana.

Il 13 ottobre 2002, Carlo Calvi – il figlio del banchiere – afferma: «I magistrati Monteleone e Tescaroli mi hanno chiesto di fornire altri dettagli sui movimenti di denaro avvenuti negli anni Settanta sui conti esteri dell'Ambrosiano e sui rapporti tra Francesco Di Carlo [all'epoca boss mafioso di stanza a Londra, poi diventato collaboratore di giustizia, *Nda*] e Marcello Dell'Utri. Ci sono indicazioni anche sui soldi con cui venne costituita la Fininvest».[40]

Carlo Calvi, in un'altra occasione, parla ancora di Berlu-

---

39. Silvio Berlusconi si affilia nel 1978 alla loggia del Maestro venerabile Licio Gelli, a cui viene presentato dal giornalista Roberto Gervaso. Berlusconi riceve la tessera numero 1816. Sono documentati i consistenti crediti bancari ottenuti dal Monte dei Paschi e dalla Bnl, due banche con alcuni uomini chiave affiliati alla P2. Berlusconi inizierà anche a collaborare, con commenti di politica economica, al «Corriere della Sera», controllato dalla P2.
40. «la Repubblica», 13 ottobre 2002.

sconi. E racconta che il padre, in una riunione del dicembre 1976 alle Bahamas, presente Marcinkus, lo prese sottobraccio e gli sussurrò: «Finanzieremo le attività televisive di Silvio Berlusconi».[41]

La storia dei rapporti tra il *banchiere di Dio* Roberto Calvi e l'*unto del Signore* Silvio Berlusconi (come ironicamente si è definito lo stesso ex premier) è stata trattata nell'ambito di recenti processi[42] che hanno portato alla luce questo interessante «filo rosso» di finanza massonico-vaticana.[43]

Nel lungo rapporto redatto dalla Banca d'Italia[44] per conto dei pubblici ministeri Luca Tescaroli e Maria Monteleone sul crack dell'Ambrosiano c'è un capitolo, quello finale, intitolato «Il circuito finanziario: ulteriori forme di erogazione di disponibilità finanziarie: Capitalfin International Ltd», in cui si segnala: «Numerose sono state le operazioni finanziarie effettuate [da Roberto Calvi, *Nda*] utilizzando società del Gruppo o della "costellazione estera" del Banco Ambrosiano».

La consulenza così prosegue: «Dette società, come evidenziato dai Commissari Liquidatori e, successivamente, dal Pubblico ministero Pierluigi Dell'Osso, avevano caratteristiche di elevata anomalia operativa già per le modalità di costituzione ed in particolare per il luogo ove venivano fondate e domiciliate. Fra dette operazioni si è rintracciata anche l'acquisizione di una partecipazione estera nella Capitalfin International Ltd, la "All 12", sul cui conto, il

---

41. Inchiesta condotta da Franco Giustolisi, Peter Gomez e Leo Sisti, e pubblicata su «L'espresso» del 25 ottobre 2002.

42. Si tratta del processo per l'omicidio Calvi, ancora in corso, giunto alla sentenza di primo grado.

43. Su questo tema si veda anche l'articolo apparso sulla rivista «Micromega», n. 3, luglio-agosto 2004, di Peter Gomez e Marco Lillo: *Il Banchiere di Dio e l'Unto del Signore*, pp. 39-47.

44. Si tratta del rapporto stilato da un esperto della Banca d'Italia, Francesco Paolo Giuffrida, per conto della Procura di Roma nell'ambito del processo per l'omidicio di Roberto Calvi, P.p. 13034/95 RG Noti.

Dr. Dell'Osso, così scriveva: "Nel novembre 1977 Belrosa acquistava da altre società del gruppo Banco Ambrosiano (Baol e Promotion) 4.900.000 azioni della Capitalfin International Ltd.-Nassau, società cui partecipavano a quell'epoca:

- Hydrocarbons International Holding, Zurigo;
- Banca Nazionale del lavoro Holding, Lussemburgo;
- IFI International, Lussemburgo;
- Montedison Holding, Lussemburgo;
- Bodry AG, Zurigo (probabilmente legata alla Banca Nazionale del Lavoro).

I fondi necessari per tale operazione, il cui controvalore era di circa 25 milioni di dollari, provenivano da AGBC [Ambrosiano Group Banco Comercial, situato in Nicaragua, *Nda*]. Capitalfin era una finanziaria con interessi prevalenti nel settore della navigazione; deteneva altresì una rilevante partecipazione in Acqua Marcia".»[45]

La relazione della Banca d'Italia più oltre segnala: «Capitalfin fu messa in liquidazione nel settembre 1981; la società aveva accumulato perdite pari a circa 100 milioni di dollari. Liquidatore fu nominato M. Onorati, amministratore delegato di Acqua Marcia e rappresentante del gruppo Eni nel consiglio di amministrazione della Capitalfin».

La relazione di Bankitalia per la Procura di Roma evidenzia ancora: «Sulla Capitalfin, Filippo Leoni, nell'interrogatorio del 7 aprile 1983 dichiarava: "Mi sono ricordato di un'altra operazione relativa alla Capitalfin, della quale mi portò a conoscenza Calvi. Risale alla fine del 1979 o comunque del 1980, perché il finanziamento fu fatto dall'An-

---

45. L'Acqua Pia Antica Marcia è un'antichissima società, che aveva iniziato a operare con decreto pontificio nel 1865, per poi diversificare in molti ambiti. Oggi è attiva nei settori immobiliari, alberghieri e aeroportuali. L'attuale presidente della società è l'ingegnere Francesco Caltagirone.

dino, che venne costituito appunto nell'ottobre del 1979.
Calvi dopo aver fatto finanziare Belrosa, mi disse che in
qualche modo ci si sarebbe dovuti occupare della Capitalfin per conto dello Ior, che deteneva una partecipazione
nella società. Capitalfin divenne partecipata dell'Andino,
per conto dello Ior. In sostanza Belrosa, ricevuto il finanziamento dall'Andino, ha acquistato questa partecipazione
nella Capitalfin. La Capitalfin era una società bahamense e
non c'era pertanto nominatività dei titoli azionari. Seppi
da Costa che la Capitalfin aveva numerosi problemi finanziari ed economici, venuti alla luce dopo l'acquisizione
della partecipazione. Dopo il finanziamento iniziale del-
l'Andino, più di una volta ci fu necessità di esborsi di ulteriori capitali, anche perché i vecchi azionisti avevano richiesto che anche noi contribuissimo a queste ricapitaliz-
zazioni. Gli interventi erano sempre effettuati tramite finanziamenti alla Belrosa. Mi risulta che Calvi abbia sempre aderito a queste richieste di nuovi esborsi, anche se talvolta tergiversava e li faceva aspettare un po'. Nel corso
del 1981 Costa diede le dimissioni perché era seccato; non
era interessato a quel tipo di lavoro, che gli creava anche
dei problemi politici".».

La relazione della Banca d'Italia segnala ancora: «Le dichiarazioni di Leoni danno già una prima contezza della valenza negativa nell'economia del gruppo dell'operazione Capitalfin, che verosimilmente Calvi doveva aver voluto più nel
contesto delle sue frequentazioni con altri confratelli delle
P2 interessati alla vicenda, che non nell'ottica di una effettiva convenienza del gruppo».

Stando al rapporto redatto dal perito della Procura di Roma, le partecipazioni detenute, negli anni di operatività, da
Capitalfin erano le seguenti:

SOCIETÀ PARTECIPATA	% INTERESSENZA	DURATA PARTECIPAZIONE
Capitalfin Internazionale Spa	100%	1971-1974
Società dell'Acqua Pia Antica Marcia SpA	27%	Dal 1972
Capitalfin International Bank	100%	1973-1976
Navcot Shipping Ltd	50%	1973-1978
First Europe Holding SA	51%	1973-1975
Signal Companies Inc		1974-1976
Incas Bonna Spa	18%	1973-1980
Incas Bonna Saudi Arabia	33%	1977-1980
Fininvest Ltd – Grand Cayman	100%	1974
Brascapital – Industria, Comercio & Partecipacoes SA	100%	1979-1979
H. Clarkson Holding Ltd	75%	1975-1978
Capital Industrial Bank or Capital Bank Ltd	100%	1973-1982
Finservice SA	100%	Dal 1977

In questa scarna tabella è contenuta una notizia interessante. Il fatto che nel 1974 una società finanziata anche da Roberto Calvi controllava al 100 per cento una società ritenuta appartenere a Silvio Berlusconi: la Fininvest Limited, situata nelle Grand Cayman. Ma anche, dal 1977, Finservice. Il consulente della Banca d'Italia scrive: «Presidente della società Capitalfin era il rappresentante della Banca Nazionale del Lavoro, Alberto Ferrari (P2), mentre tra gli amministrativi risultava Gianfranco Graziadei (P2), dirigente di Servizio Italia, fiduciaria della Banca Nazionale del Lavoro».

Più oltre il consulente tecnico aggiunge: «La Lavoro Bank Overseas, società della Banca Nazionale del Lavoro, aveva negli anni in esame partecipato a Capitalfin e finanziato sia la stessa Capitalfin International (dal 1972 al 1976 e sino ad un massimo di $ 110.000.000 nel 1973) che il Banco Ambrosiano Holding di Lussemburgo (nel 1979 $ 50.000.000). In proposito è intervenuto recentemente anche Robinson Geoffrey

Wroughton incaricato, per conto della società di revisione Touche [la società Touche & Ross, *Nda*] di collaborare ai lavori di accertamento condotti per conto della liquidazione del Banco Ambrosiano Holding di Lussemburgo. Lo stesso ha dichiarato che gli approfondimenti, condotti sulle società partecipate o finanziate dal Banco Ambrosiano Holding, venivano sintetizzati in appositi "rapporti di bozza" (*draft report*), che evidenziano per singola società la destinazione delle somme ricevute più che la provenienza a monte delle stesse somme. Lo stesso ha precisato: "Con riferimento alle società che avevano acquistato azioni del Banco Ambrosiano ricordo che le stesse acquisivano le necessarie disponibilità finanziarie dalle quattro società, che possiamo definire Holding esterne, quindi U.T.C., Manic, Anli, Zitropo. Le stesse, come rilevabile dai relativi report, traevano le necessarie risorse finanziarie da Ior, da Banca del Gottardo nonché da Baol"».

Va poi detto che la Capitalfin apparteneva pienamente al circuito Ior-Roberto Calvi. Come spiega la sentenza della Cassazione del 1998 sugli aspetti penali della bancarotta dell'Ambrosiano, la Belrosa,[46] una società panamense riferibile al circuito segreto tra lo Ior e Calvi, nel novembre 1977 acquistò (con un finanziamento da parte dell'Ambrosiano Group Banco Commercial) la società Capitalfin.[47]

In questo contesto, Umberto Ortolani ottenne 1 milione e 200mila dollari da Calvi come compenso per l'operazione e ne girò 500mila a Licio Gelli. Siamo sempre nell'ambito dei rapporti di potere tra Vaticano, massoneria e banche.

Capitalfin, la società di Calvi che aveva tra le sue partecipate la Fininvest Grand Cayman e la Finservice, stando agli

---

46.   La Belrosa aveva ottenuto dalla società Manic finanziamenti per circa 72 milioni di dollari.
47.   La Capitalfin era stata creata già nel 1971 della Banca Nazionale del Lavoro, Eni, Montedison e Istituto Finanziario Italiano. Si veda Carlo Bellavite Pellegrini, *Storia del Banco Ambrosiano. Fondazione, ascesa e dissesto, 1896-1982*, Laterza, Roma-Bari, 2001, p. 698.

atti giudiziari, è una specie di «pozzo senza fondo» nel quale
Roberto Calvi è costretto a buttare soldi in continuazione
per finanziare gli «amici degli amici». Capitalfin è in sostanza una società che produce gigantesche perdite e debiti, che
il banchiere di Dio, iscritto alla P2, era chiamato in continuazione a coprire.

Nel 1977-1978, segnala un accurato studio del professor
Carlo Bellavite Pellegrini,[48] «per la terza volta società di Calvi
sono chiamate a immettere nuovi capitali nella Capitalfin. Infatti, nel febbraio del 1977, di fronte al rifiuto dell'Istituto Finanziario Italiano a partecipare a un aumento di capitale, la
società segreta Pueblo acquista 3.920.000 azioni della Capitalfin. Quindi, nel novembre dello stesso anno, è richiesto un
nuovo intervento, attraverso l'acquisto per 25 milioni di dollari di azioni della Capitalfin da parte della Cisalpine e della
Promotions», ovvero società che fanno sempre capo a Calvi e
all'Ambrosiano, ma anche allo Ior (la Cisalpine).[49] Ma i soldi
non bastano mai. E Calvi intervenne una terza volta, prestan-
do 8 milioni di dollari alla Capitalfin, sempre attraverso la Cisalpine e il Banco Comercial di Managua, in Nicaragua. Versamenti che vennero coperti con le solite operazioni di *back
to back*, la tecnica dei depositi fiduciari mutuata da Sindona.

Ma torniamo alla Fininvest Limited delle Grand Cayman
controllata al 100 per cento dalla Capitalfin. Il tempo e il luogo di questa società segnalata nel rapporto della Banca d'Italia
meritano attenzione. Ufficialmente la Fininvest conosciuta al
largo pubblico è stata fondata a Roma il 23 marzo del 1975. Si
chiamava Finanziaria d'investimento Fininvest Srl e il suo capitale sociale era detenuto da due fiduciarie della Bnl[50] (Servi-

---

48. *Ibidem*, p. 712.
49. Nel consiglio della Cisalpine di Nassau (Bahamas) sedeva anche
monsignor Paul Marcinkus, capo dello Ior.
50. Sempre nell'ambito della finanza zurighese in sintonia con la Bnl guidata dai piduisti troviamo Alfred Hartmann, membro del consiglio di amministrazione della Lavoro Bank di Zurigo, controllata dalla «socialista» Banca

zio Italia e Saf), la banca ai cui vertici sedevano i piduisti Alberto Ferrari e Gianfranco Graziadei. Alla luce dei documenti forniti dalla Banca d'Italia alla Procura di Roma (sulla base della perizia della società di revisione internazionale Touche & Ross), la nascita della più celebre di tutte le società di Silvio Berlusconi deve essere retrodatata di almeno un anno e collocata all'estero, nel paradiso off shore delle Gran Cayman.

Un luogo anch'esso non casuale: come è stato documentato da accurate inchieste, le Cayman sono anche il punto d'appoggio fiscale dello Ior. «È impossibile sapere delle società partecipate all'estero dallo Ior. Basta un esempio per capire dove i segreti vengono conservati: le isole Cayman, il paradiso fiscale caraibico, guidato dal cardinale americano Adam Joseph Maida, che tra l'altro siede nel collegio di vigilanza dello Ior», scrive Marina Marinetti in un'inchiesta per «Panorama Economy»[51] mai smentita dal Vaticano. «Le Cayman sono state sottratte al

Nazionale del Lavoro. Ex direttore generale dell'Union de Banques Suisses nei primi anni Settanta, Hartmann torna sulla scena agli inizi degli anni Ottanta come direttore generale della Rothschild Bank di Zurigo. Ritroviamo Hartmann vicepresidente della Rothschild Bank di Zurigo nel 1991. Nel febbraio 1993, Hartmann sarà costretto a lasciare il suo posto alla Rothschild in seguito al clamoroso scandalo provocato da Jürg Heer, un funzionario che lavorava a stretto contatto con lui. In un'intervista rilasciata nell'autunno del 1992 al «Wall Street Journal», Heer dichiarò di aver consegnato una borsa con 5 milioni di dollari ai killer mafiosi di Roberto Calvi. Heer rivelò di avere ricevuto quest'enorme somma (pare da un uomo dell'entourage P2), insieme alla metà di un biglietto da 100 dollari, con l'istruzione di consegnare la borsa a due persone che si sarebbero presto presentate con la metà mancante della banconota. Seguendo le istruzioni, Heer consegnò quei 5 milioni di dollari a due stranieri che arrivarono alla Rothschild Bank a bordo di una limousine blindata. Solo in seguito il banchiere avrebbe appreso che si trattava dei soldi per pagare i killer di Calvi: denaro che presumibilmente faceva parte dei fondi distratti dal Banco Ambrosiano e occultati tramite la Rothschild stessa.
51. Marina Marinetti, *Il patrimonio di Pietro. Rapporto sullo Stato più ricco del mondo*, in «Panorama Economy», n. 2, 8 gennaio 2004, pp. 10-24.

controllo della diocesi giamaicana di Kingston per essere proclamate *missio sui iuris*, alle dirette dipendenze del Vaticano».[52]

Sempre alle Cayman sono state compiute le operazioni occulte che hanno caratterizzato l'esplosione del gruppo Parmalat presieduto da Calisto Tanzi, un industriale molto vicino alle finanze vaticane ma che ha avuto a che fare anche con professionisti legati alla P2. Curiosamente, anche i 500 milioni di euro spariti nel corso di un altro grande crack finanziario italiano, quello del gruppo Cirio guidato da Sergio Cragnotti, sono finiti proprio alle Cayman.[53] Tra l'altro, una delle controllate di Sindona, la Edilcentro Sviluppo International, aveva sede proprio alle Cayman Islands. Ed esisteva una società consorella con lo stesso nome e la stessa sede a Nassau.

Sarebbe possibile sapere molto di più, naturalmente, se venisse resa pubblica la superperizia della Touche&Ross che venne effettuata al momento del crollo del Banco Ambrosiano. Ma non è mai stato possibile visionarla, perché sul documento[54] il governo inglese ha posto il segreto di Stato[55] e nessuno ha avuto la possibilità di verificare se nell'analisi[56] effettuata dai revisori dei conti figurino altri finanziamenti concessi da Calvi agli «amici degli amici».

52. *Ibidem.*
53. Si veda il mensile «Gente Money», dicembre 2003.
54. Una copia è custodita in Lussemburgo, sede formale della holding del Banco Ambrosiano. L'altra copia è in possesso della Touche&Ross (ora Deloitte&Touche), che anche a distanza di oltre vent'anni non l'ha mai resa disponibile.
55. Sembra su pressione di Bettino Craxi.
56. La perizia sviluppata dalla Banca d'Italia per conto della Procura di Roma si basa sulla documentazione di Touche&Ross e non è quindi fondata su opinioni o analisi soggettive del consulente della Procura.

La Banca Rasini e i Cavalieri di Malta

C'è un altro interessante punto di contatto, per quanto riguarda l'inizio della carriera di Berlusconi, tra la finanza vaticana e quella «massonica»: la Banca Rasini.[57] Ovvero la banca che finanziò l'ex presidente del Consiglio nelle sue prime imprese immobiliari e che in seguito ebbe intensi rapporti con le 38 holding di Berlusconi. Secondo questa lettura dei fatti, l'uomo di Arcore sarebbe l'espressione dei due «poteri forti» che da sempre esercitano una pesante influenza sulla società italiana: la massoneria e il Vaticano.

La Banca Rasini s.a.s. di Rasini, Ressi & C. apre i battenti a Milano negli anni Venti,[58] con un capitale di 100 milioni. Nel 1956 i soci (che non subiranno sostanziali modifiche fino all'inizio degli anni Settanta) sono i seguenti: Enrico Ressi, Carlo Rasini, Gian Angelo Rasini, Giovanni Locatelli e Maria Rivolta, tutti milanesi; più il signor Giuseppe Azzaretto, siciliano di Misilmeri, una piccola frazione della periferia di Palermo. Nel 1970 i soci della Rasini erano: Mario Rasini, Angelo Frova, Ernesto Crignola, Cesare e Massimo Turkheimer, Mino Spadacini, Francesca Cilia, Rosolino Baldoni, Giuseppe Azzaretto a cui si aggiunge per la prima volta il figlio, Dario Azzaretto e una misteriosa società – denominata Brittener Anstalt – con sede a Mauren nel Liechtenstein, uno dei paradisi fiscali utilizzati da Sindona.

Nello stesso periodo aumenta il peso del gruppo palermitano della famiglia Azzaretto ed entrano in scena altre due società fantasma (Wootz Anstalt e Manland Financière) costituite da persone che non vogliono apparire. Infatti hanno anch'esse sede nel Liechtenstein.

---

57. Su questi aspetti, si veda Udo Gümpel, Ferruccio Pinotti, *Berlusconi Zampanò – Die Karriere eines genialen Trickspielers*, Riemann Verlag, Random House-Bertelsmann, Münich, 2006, pp. 122-128.
58. Angiolo Silvio Ori, *Banca Padrona*, Sugarco, Milano, 1974.

Nel 1970 la Banca Rasini assume una quota di capitale in una collegata della Brittener di Mauren, la Brittener Anstalt di Nassau, nelle Bahamas. Nell'isola questa finanziaria ha stretti rapporti con la Cisalpine Overseas Nassau Bank, che vede nel consiglio di amministrazione persone che diventeranno poi famose per il crack dell'Ambrosiano: Roberto Calvi, Michele Sindona e il cardinale Marcinkus.

Il 14 dicembre 1973 la Banca Rasini si trasformava da società in accomandita semplice in società per azioni. Il peso del gruppo palermitano Azzaretto in quel periodo continuava a crescere.

La prima iscrizione del libro soci della Spa evidenzia la seguente compagine sociale:

SOCI	LUOGO DI NASCITA	DATA DI NASCITA	VALORE AZIONI
Azzaretto Giuseppe	Misilmeri	10/01/09	219.725.000
Baldoni Rosolino	Roma	27/03/10	2.000.000
Azzaretto Dario	Milano	31/08/41	15.050.000
Rasini Mario	Milano	04/08/05	25.000
Spadacini Mino	Milano	19/10/07	25.000
Burckhardt Anna Vedova Locatelli	Milano	28/08/89	4.100.000
Rivolta Maria Giuseppina	Milano	02/03/36	2.150.000
Crignola Ernesto	Milano	05/01/08	1.500.000
Crignola Romilda in Lanfranconi	Milano	19/11/08	1.500.000
Vecchio Gerosa Piera	Milano	08/01/04	650.000
Sommaruga Pier Luigi	Milano	11/06/33	250.000
Sommaruga Isidoro	Milano	12/06/37	350.000
Levi Silvera Anna	Nova	14/10/13	125.000
Turkheimer Massimo	Milano	06/01/31	675.000
Turkheimer Cesare	Milano	21/06/28	650.000
Lombardo Laura in Turkheimer	Milano	24/09/34	975.000

Adorno Nelly Maria in Turkheimer	Milano	18/02/38	1.050.000
Wootz Anstalt	Eschen		37.500.000
Brittener Anstalt	Mauren		76.650.000
Manlands Financiere S.A.	Schaan		131.250.000
Padana Partecipazioni S.p.a.	Milano		253.800.000
Totale			**750.000.000**

Lo scettro del comando, in quella fase, passa dai milanesi Rasini ai palermitani Azzaretto. Ecco chi siede nel nuovo consiglio di amministrazione della fine del 1973: Dario e Giuseppe Azzaretto, Mario Ungaro (avvocato romano, amico di Michele Sindona e Giulio Andreotti), Rosolino Baldoni e Carlo Rasini.

Anche i sindaci della banca cambiano: entrano due commercialisti di Siracusa, uno di Lecce e uno di Napoli. Il 30 gennaio 1974 Carlo Rasini getta la spugna e se ne va. Dario Azzaretto ne prende il posto, assommando anche la carica di direttore generale. Il 28 marzo 1974 Carlo Rasini abbandona definitivamente la banca fondata dalla sua famiglia: dà le dimissioni anche da consigliere. Il 7 giugno, in una girandola di nomine, entra nella Rasini Spa Antonio Vecchione, con l'incarico di direttore generale.

I soci siciliani

Luigi Berlusconi, il papà di Silvio, aveva iniziato la sua carriera come semplice impiegato nella Banca Rasini, situata in piazza dei Mercanti, nel centro di Milano, a due passi dal Duomo. Si era guadagnato in fretta la stima del presidente, il conte Carlo Rasini, che lo ha ricordato come uno dei suoi più fedeli collaboratori, un uomo con una dedizione assoluta

al suo lavoro. «Prima di dare una matita nuova a un impiegato, si faceva esibire i mozziconi di quelle in uso. Era abituato
a spegnere le luci che non servivano.»[59]

Il 4 aprile 1957 Luigi Berlusconi fu nominato direttore, con
potere di firma, fino al 1973, quando andò in pensione. Il sostegno offerto dalla Banca Rasini al giovane Silvio non solo è
stato risconosciuto dallo stesso premier, con espressioni affet-
tuose nei confronti del padre, ma, specialmente nel periodo dal
1960 al 1973, è documentato. È stato lui a supervisionare (insieme al commercialista Alberto Minna, sindaco della Rasini)
le operazioni del giovane imprenditore.[60] E anche dopo il suo
pensionamento – come ha raccontato lo stesso Berlusconi – lo
aiutò a ottenere i finanziamenti necessari a completare i suoi
progetti come costruttore, offrendogli prezioso consiglio.[61]

Ciò di cui si sa meno è la compagine della Banca Rasini,
nella quale era presente una strana miscela di interessi. La
piccola banca monosportello, situata al numero 8 di piazza
dei Mercanti, fino alla fine della Seconda guerra mondiale
era stata la banca privata dell'alta borghesia meneghina: il
conte Rasini proveniva da una delle più note famiglie aristocratiche di Milano.[62] Peraltro il legame nato con i Berlusconi
sembra essere proseguito nel tempo, perché i Rasini risultano essere tra i fondatori di Telepiù.[63]

---

59.   *Ibidem*, p. 8.
60.   Direzione Investigativa Antimafia, Centro Operativo di Palermo.
Procedimento Penale n. 6031/94 R.G.N.R. Pag. 543.
61.   Silvio Berlusconi, *Una Storia Italiana*, Mondadori, Milano, 2001, p. 8.
62.   I Rasini erano proprietari nel Settecento del feudo di Buccinasco,
alle porte di Milano. Ma le radici della famiglia si perdono nel XIV secolo.
63.   Dei primi azionisti oggi è rimasta solamente la Fininvest (Mediaset)
con il suo invariato 10 per cento. Al momento della costituzione della società, cioè quando viene depositato l'atto in tribunale, ci sono 10 miliardi
di capitale sociale e dieci soci, ognuno col 10 per cento: la Fininvest, Leonardo Mondadori, Massimo Moratti, Bruno Mentasti, la famiglia Rasini, il
gruppo Cecchi Gori, Della Valle, la famiglia Boroli, i fratelli Formenton e
Luigi Koelliker. Nell'agosto del 1991 il gruppo tedesco Kirch (che oggi

Meno chiara è invece la storia della famiglia Azzaretto di Misilmeri, un paese di 23 mila abitanti nell'hinterland di Palermo caratterizzato da alta densità mafiosa.[64] Secondo le ricerche che è stato possibile compiere,[65] Giuseppe Azzaretto (1875-1972) era figlio di Rosario Azzaretto, un umile calzolaio. La famiglia viveva in via Palestro 17, in una piccola casa vicina alla Chiesa Madre. L'abitazione pare consistesse di due stanzoni, ognuno di 35 metri quadri, uno sopra l'altro: al piano terra Rosario riparava scarpe, nello stanzone di sopra viveva la famiglia degli Azzaretto con i loro sei figli. In questo contesto crebbe il futuro azionista della piccola ma prestigiosa Banca Rasini di Milano.[66] Come fece fortuna Giuseppe Azzaretto? Non è dato saperlo. Risulta solo che un fratello, Antonio, emigrò a New York.

Giuseppe Azzaretto fu tuttavia in grado, pur provenendo da umili radici, di affermarsi rapidamente, forse in ragione di un matrimonio fortunato: il 15 marzo 1936 sposò infatti Goffreda Baldoni, nipote di un cardinale, Paolo Marella (1895-1984), che fu assistente spirituale di Pio XII, papa Pacelli.[67]

Non a caso, un parente di Goffreda Baldoni, Rosolino Baldoni, è figurato a lungo tra gli azionisti della Banca Rasini.

Forte di questi appoggi vaticani, Azzaretto negli anni

detiene il 45 per cento) annuncia il suo ingresso nel capitale con una quota dell'8 per cento rilevata dalla famiglia Rasini.

64. Basta consultare gli archivi del «Giornale di Sicilia» per accorgersi che a Misilmeri c'è sempre stata una forte presenza mafiosa. Solo negli ultimi dieci anni si sono registrati circa venti omicidi di mafia.

65. Cfr. Udo Gümpel, Ferruccio Pinotti, *op. cit.*, pp. 122-128.

66. Giuseppe Azzaretto, in un censimento del 1930, all'età di ventun anni, viene qualificato come «contadino», che potrebbe significare coltivatore diretto ma anche possidente terriero.

67. Un Pontefice con un forte senso delle finanze vaticane e abituato a mettere i propri uomini nei consigli di amministrazione delle società controllate dalle finanze vaticane.

Cinquanta divenne un affermato imprenditore, con forti appoggi in politica e in grado di acquisire partecipazioni bancarie, come la Rasini.[68] Negli anni Sessanta Azzaretto figurava come titolare di una grossa azienda di componentistica elettrica, la Elettrocarbonium di Melegnano, nella zona a sudest di Milano, che impiegava 250 lavoratori e godeva di un contratto di fornitura esclusiva col Vaticano.[69]

Azzaretto grazie ai suoi agganci, faceva incetta di titoli cavallereschi. Nel 1970, due anni prima della morte, risultava insignito del titolo di Cavaliere dell'industria, Grande Ufficiale dell'ordine al merito della Repubblica, Cavaliere di Gran Croce (quinto ceto, terza classe) del Sovrano Militare Ordine di Malta, Commendatore della Corona d'Italia, Commendatore di Sant'Agata, Commendatore dell'Ordine di Santo Sepolcro.[70] Particolarmente significativa l'appartenenza ai Cavalieri di Malta,[71] una *lobby* molto potente – ne fecero parte anche Licio Gelli e Umberto Ortolani – in ambito politico-finanziario, strettamente legata agli ambienti vaticani e molto forte anche negli Stati Uniti sin dal 1927. Tra le figure più in vista in

---

68.   Angiolo Silvio Ori in *Banca Padrona* (*op. cit.*), scrive: «La famiglia Rasini ha ceduto all'implacabile corteggiamento di gruppi finanziari che, perdurando il blocco per l'apertura di nuovi sportelli, sono disposti a pagare qualunque prezzo pur di inserirsi nel sistema bancario».

69.   *La Madrice di Misilmeri* di monsignor Francesco Romano, pubblicato privatamente nel 1970, p. 657.

70.   *Ibidem*, pp. 657-658.

71.   Eugenio Ajroldi di Robbiate, responsabile dell'Ufficio Comunicazioni del Sovrano Militare Ordine di Malta, ha confermato l'appartenenza di Azzaretto all'Ordine con la seguente lettera: «Egregio dr. Gümpel, posso confermare che il Cavalier Giuseppe Azzaretto era un membro dell'Ordine di Malta. Il 21 giugno 1941 è stato insignito Cavaliere Gran Croce di Grazia Magistrale. Purtroppo questo è tutto quello che possiamo dirle. I fascicoli dei membri dell'Ordine sono per 100 anni consultabili solo dai parenti. Solo trascorso questo periodo diventano aperti al pubblico». Cfr. Udo Gümpel, Ferruccio Pinotti, *op. cit.*, pp. 122-128.

questo ambito va ricordato il già citato cardinale di New York Francis Spellmann, «gran protettore» dell'ordine dei Cavalieri di Malta.

Secondo Pio XII, i Cavalieri di Malta erano la *longa manus* della massoneria in Vaticano, tanto che formò una commissione incaricata di sciogliere l'Ordine. Che si salvò grazie alla morte del Pontefice tradizionalista e all'avvento di Giovanni XXIII, un Papa accusato di simpatie «massoniche» che approvò le costituzioni dell'Ordine decretando la fine della commissione.

Quindi i Cavalieri di Malta sono sempre stati percepiti come uno snodo importante tra la finanza massonica e quella vaticana. E la Banca Rasini – di cui il siciliano Azzaretto divenne il dominus nel 1973 – si collocava proprio in quest'alveo.

È stato possibile[72] reperire in Sicilia una rara foto di Azzaretto in «uniforme» da Cavaliere di Malta. E ne esiste un'altra che lo ritrae insieme a papa Pacelli, a riprova dei forti legami esistenti tra la famiglia Azzaretto e il Vaticano.

Importante anche l'appartenza di Azzaretto all'Ordine dei Cavalieri del Santo Sepolcro, guidati a lungo dal cardinale Giuseppe Caprio dell'Apsa (Amministrazione patrimonio sede apostolica), l'alto prelato che faceva affari con Florio Fiorini e che si rese disponibile a testimoniare in favore di Michele Sindona al processo di New York per il crack della Franklin Bank. Dei Cavalieri del Santo Sepolcro di Palermo hanno fatto parte – ancora una volta – Umberto Ortolani, Licio Gelli e molti piduisti, oltre a Giuseppe Mandalari.[73]

Quando la famiglia Azzaretto divenne – insieme alle misteriose società fantasma del Liechtenstein – il gruppo di

---

72. Grazie al giornalista Dalbert Hallenstein.
73. Mandalari è stato definito il «commercialista di Totò Riina». Cfr. Mario Guarino, *I mercanti del Vaticano*, Kaos, Milano, 1998, pp. 60-70.

controllo della Banca Rasini, nominò presidente, nel 1973, Carlo Nasalli Rocca di Corneliano, cavaliere di Malta[74] e nipote del cardinale Nasalli Rocca, che fino al 1952 era stato il potente arcivescovo di Bologna.

L'ingegnere, il banchiere e la massoneria

Ricostruire il lungo e complesso «filo rosso» della finanza massonica significa occuparsi anche della figura dell'ingegner Carlo De Benedetti.[75] Una figura la cui storia imprenditoriale è intrecciata con quella di altri uomini della finanza ritenuti vicini alla finanza «laica» e alla massoneria: Roberto Calvi in primis, Enrico Cuccia e soprattutto Silvio Berlusconi, un massone «dormiente» con il quale De Benedetti si è più volte incontrato e scontrato.

De Benedetti risulta essere entrato nella massoneria a Torino, nella loggia Cavour del Grande Oriente d'Italia, «regolarizzato nel grado di Maestro il 18 marzo 1975 con brevetto n. 21272» (Ansa, 5 novembre 1993). L'informazione è accertata, in quanto proviene direttamente dal Gran Maestro del Goi Gustavo Raffi, che lo ha dichiarato pubblicamente nel novembre 1993. La documentazione relati-

---

74.   Carlo Nasalli Rocca di Corneliano, membro del corpo ausiliare del Sovrano ordine di Malta.

75.   Carlo De Benedetti (Torino, 1934) si laureò in ingegneria elettrotecnica nel 1958 al Politecnico di Torino. Assieme al fratello Franco, acquisì nel 1972 la Gilardini. Nel 1974 fu nominato presidente dell'Unione Industriali di Torino. Nel 1976, grazie all'appoggio di Umberto Agnelli, ottenne la carica di amministratore delegato della Fiat, ma dopo soli quattro mesi la abbandonò. Nel 1978 entrò in Olivetti e all'inizio degli anni Ottanta entrò nell'azionariato del Banco Ambrosiano guidato da Roberto Calvi. Dopo appena due mesi De Benedetti lasciò il Banco e nel 1996 lasciò anche la Olivetti, poco dopo aver fondato la Omnitel. Imprenditore noto per le sue idee legate al centrosinistra, dal 2006 è tornato a guidare in prima persona le sue attività editoriali, subentrando a Carlo Caracciolo nel ruolo di presidente del Gruppo editoriale L'espresso Spa.

va è stata poi pubblicata sui giornali[76] senza ricevere smentite dall'interessato.

Ma già riguardo all'ingresso dell'industriale nella loggia Cavour esiste un piccolo «giallo»: il Gran Maestro Raffi ha affermato che De Benedetti era «proveniente dalla massoneria di piazza del Gesù». Quindi la sua affiliazione dovrebbe essere anteriore: a quale anno risale? Ancor più interessante sarebbe capire a quale loggia di piazza del Gesù appartenesse l'imprenditore. È noto infatti che la massoneria di piazza del Gesù – molto forte in Piemonte – aveva al pari del Goi delle logge coperte, la più celebre delle quali è stata la Giustizia e libertà, cui sarebbero appartenuti Cuccia, Merzagora, Carli e altre figure della finanza laica. Sembra inoltre che la Giustizia e libertà sia confluita nel Grande Oriente nel 1973. Ma De Benedetti non è entrato nel Goi col grado di Apprendista: era già maestro all'interno di una non meglio precisata loggia di piazza del Gesù. Quale? Impossibile stabilirlo, certo è curioso che molti anni dopo De Benedetti lanci una iniziativa politica chiamata Libertà e Giustizia:[77] sicuramente un riferimento ai valori dell'azionismo cari a De Benedetti, ma anche un curioso anagramma del nome della loggia coperta.

---

76. Antonio Socci, *Quando De Benedetti era massone*, in «il Giornale», 24 marzo 1994.

77. Nel manifesto dell'associazione si legge: «Libertà e Giustizia è nata dalla proposta di un gruppo di persone che si è costituito come comitato dei garanti. I loro nomi sono: Gae Aulenti, Giovanni Bachelet, Enzo Biagi, Umberto Eco, Alessandro Galante Garrone, Claudio Magris, Guido Rossi, Giovanni Sartori, Umberto Veronesi. [...] Oggi tanti nostri concittadini non sono soddisfatti dello stato del Paese ma non trovano gli strumenti culturali per unirsi e cambiarlo, per contare insieme, per far valere il loro impegno civile. [...] Libertà e Giustizia sarà il luogo per discutere serenamente, per creare occasioni di approfondimento e di documentazione sui fatti fondamentali che stanno mettendo in crisi la nostra democrazia. Libertà e Giustizia non è un partito, non vuole diventarlo e non punta a sostituire i partiti, ma vuole dare un senso positivo all'insoddisfazione che cresce verso la politica, trasformandola in partecipazione e proposta».

All'epoca in cui De Benedetti viene «regolarizzato» come maestro alla loggia Cavour, l'imprenditore è alla guida della Gilardini, una società quotata in Borsa che fino ad allora si era occupata di affari immobiliari e che i due fratelli Carlo e Franco De Benedetti trasformeranno in una *holding* di successo, impegnata soprattutto nell'industria metalmeccanica. Nel 1974 era stato nominato presidente dell'Unione Industriali di Torino, una realtà che ha sempre vantato una forte presenza massonica, a partire dallo storico «fratello» Gino Olivetti,[78] una dei massoni più rappresentativi del mondo economico torinese negli anni Venti.

«Quando divenni presidente degli industriali di Torino, fui invitato ad iscrivermi alla massoneria perché era una tradizione. Partecipai per due volte a delle riunioni, ma in seguito non ci andai più», ha raccontato De Benedetti, quando nel novembre 1993 ha avuto una polemica a mezzo stampa con Gustavo Raffi, che dichiarava che l'ingegnere «si è scatenato contro le logge che a suo dire lo perseguitano. Viste le vicende che lo travagliano, il Goi-Palazzo Giustiniani non può che rallegrarsi di tale accanimento. Può così evitare interessate generalizzazioni che lo possono accomunare alle azioni dell'Ingegnere». Carlo De Benedetti rispose tramite il portavoce dell'Olivetti: «Sempre e solo nel 1975 l'Ingegnere partecipò a due riunioni e poi a nessun'altra non avendo riscontrato motivazioni tali da giustificare un ulteriore impegno di tempo» (Ansa, 5 novembre 1993).

Sta di fatto che, secondo Raffi, De Benedetti resta nel Grande Oriente, come maestro, dal marzo 1975 al dicembre

---

78.   Nato ad Urbino nel 1880, visse in Gran Bretagna, Francia e Germania, studiando a fondo le tematiche dell'associazionismo imprenditoriale e delle relazioni industriali, nonché le teorie dell'ingegnere americano Frederick Taylor sulla razionalizzazione dei procedimenti di lavoro. Direttore generale della Confindustria dal 22 maggio 1910 fino al 1° gennaio 1934, fu eletto deputato nella XXV legislatura (1915-1919) e riconfermato nell'incarico parlamentare anche nelle tre successive legislature.

1982. Un periodo estremamente significativo, in cui accadono molti eventi forti legati alla massoneria.

Un anno dopo l'ammissione al Grande Oriente, nel 1976, a De Benedetti viene affidata la carica di amministratore delegato della Fiat. Come «dote» porta con sé il 60 per cento del capitale della Gilardini, che cedette alla società degli Agnelli, in cambio di una quota azionaria della stessa Fiat (il 5 per cento). De Benedetti cercò di rinnovare la dirigenza della società torinese, nominando manager a lui fedeli (a cominciare dal fratello Franco) alla guida di importanti unità operative del Gruppo. Ma dopo un breve periodo, quattro mesi – a causa, si disse, di «divergenze strategiche» – abbandonò la carica in Fiat. Per alcuni, ma il condizionale è più che d'obbligo, i due fratelli avrebbero trovato un ostacolo insormontabile nella parte di dirigenza Fiat più legata alla famiglia Agnelli, che avrebbe scoperto un loro tentativo di scalata della società, appoggiata da gruppi finanziari elvetici.

Con il denaro ottenuto dalla cessione delle sue azioni Fiat, De Benedetti rilevò le Compagnie industriali riunite (Cir), a cui in seguito garantirà il controllo azionario del quotidiano «la Repubblica» e del settimanale «L'espresso». Successivamente vedrà la luce anche Sogefi, operante sulla scena mondiale nei componenti autoveicolistici di cui De Benedetti è stato presidente per venticinque anni consecutivi, prima di cedere il posto al figlio Rodolfo, conservando però la carica di presidente onorario. Nel 1978 entrò in Olivetti, di cui divenne presidente. In questa azienda, dal nome glorioso, ma molto indebitata e dal futuro incerto, porrà le basi per un nuovo periodo di sviluppo, basato sulla produzione di personal computer e sull'ampliamento ulteriore dei prodotti, che vide aggiungersi stampanti, telefax, fotocopiatrici e registratori di cassa.

Nel 1981 il primo incontro-scontro con un potente «fratello»: Roberto Calvi, membro della P2 e della massoneria d'oltralpe, ma anche uomo di riferimento della finanza vaticana. Il 19 novembre 1981, dopo una serie di contatti avviati in ottobre, Carlo De Benedetti acquista il 2 per cento delle azioni del Banco (tramite due società, Cir e Finco). L'imprenditore entra nel consiglio di amministrazione dell'Ambrosiano e viene nominato vicepresidente.[79] Vi rimarrà per sessantacinque giorni, sino al 25 gennaio 1982 quando, a seguito di contrasti sulla gestione e sulla reale situazione finanziaria dell'istituto, rassegna le dimissioni e viene liquidato con oltre 80 miliardi di lire.

Cos'era successo in quel lasso di tempo? Le interpretazioni si dividono. Uno scontro tra De Benedetti e Calvi sui conti reali del Banco Ambrosiano e sulle gestione della rete estera è fuor di dubbio. Ma c'è un versante che è stato meno analizzato. Dal luglio del 1981 Calvi aveva iniziato un processo di rottura con gli ambienti della P2 e durante la detenzione a Lodi aveva manifestato la disponibilità a collaborare con i giudici, parlando dei rapporti tra la P2 e la politica (in particolare con i socialisti). Far entrare nel capitale dell'Ambrosiano un imprenditore che godeva di un'ottima immagine (De Benedetti era stato nominato da poco «imprenditore dell'anno» e controllava «la Repubblica» e «L'espresso») poteva essere un'opzione vincente. Qualcuno, però – forse la componente piduista della massoneria – gli aveva detto che avrebbe dovuto ripensare a quella scelta.

Già durante un incontro del 21 novembre 1981 (due giorni dopo l'accordo) nella villa di Calvi, a Drezzo, il banchiere inizia a lanciare messaggi ambigui all'ingegnere.

«Sembrava un animale impaurito che cercasse di sfuggire alla luce. Ovviamente qualcuno o qualcosa gli aveva suggerito di abbandonare l'associazione con De Benedetti», osserva

---

79. Con l'acquisto del 2 per cento del capitale, De Benedetti ricevette la carica di vicepresidente del Banco, ma si tratta di una funzione puramente onoraria e a cui non era collegata alcuna attività di gestione effettiva: nella sede milanese dell'Ambrosiano, in via Clerici, non gli era stato assegnato neppure un ufficio.

un fine analista, Rupert Cornwell.[80] Così, dopo l'incontro del 21 novembre, la situazione tra Calvi e De Benedetti si deteriora rapidamente.

«Poco prima della riunione del consiglio di amministrazione [del Banco, *Nda*] del 6 dicembre 1981 Calvi aveva preso da parte De Benedetti in un corridoio: "Stia attento, la P2 sta raccogliendo informazioni su di lei. Le consiglio di fare attenzione, perché io so"»,[81] racconta Cornwell. Era una minaccia o una disperata richiesta di aiuto?

Emilio Pellicani,[82] nel suo memoriale, rivela un dettaglio interessante: «L'onorevole Armando Corona [che sarebbe diventato Gran Maestro del Goi pochi mesi dopo i fatti di cui si narra, nel marzo 1982, *Nda*] doveva intervenire con il vicepresidente del Banco, De Benedetti, il quale stava procurando qualche fastidio a Calvi. A tale proposito Carboni mi riferì che lo stesso Corona effettuò un viaggio in Israele, affinché fosse richiamato il De Benedetti dai fratelli massonici; tale richiamo sfociò, sempre a detta del Carboni, nell'uscita del De Benedetti, clamorosa, dal Consiglio del Banco Ambrosiano».[83]

Pellicani aggiunge un altro dettaglio rivelatore: «Mazzotta [Maurizio Mazzotta, l'assistente di Francesco Pazienza, *Nda*] disse al Carboni che doveva preoccuparsi anche del fatto che non accadesse nulla al De Benedetti».[84]

Questo aspetto delle possibili «minacce»[85] a De Benedetti è

---

80.   Rupert Cornwell, *Il banchiere di Dio Roberto Calvi*, Laterza, Roma-Bari, 1984, p. 149.

81.   *Ibidem*.

82.   Segretario e factotum di Flavio Carboni, è stato uno dei testi chiave del processo Calvi. Le sue dichiarazioni, formalizzate in un memoriale, sono state ritenute attendibili.

83.   «Memoriale Pellicani», Procura della Repubblica di Roma, Atti del processo per l'omicidio Calvi.

84.   *Ibidem*.

85.   Di minacce parla anche Rupert Cornwell, *op cit.*, p. 151: «Qualcuno che aveva dato il nome di "Ortolani" fece varie telefonate alla famiglia di

stato spesso letto come un «avviso» da parte di Calvi. C'è un passo della requisitoria del processo Calvi in cui figura una deposizione di Francesco Pazienza: «Francesco Pazienza ha dichiarato che i rapporti tra Calvi e Rosone erano di odio/amore. Quando Calvi era stato arrestato per la violazione della legge valutaria Rosone aveva tentato "un colpo di mano" alleandosi con Carlo De Benedetti. Dopodiché i rapporti erano diventati piuttosto tesi e Calvi non si fidava più di Rosone. Rosone osteggiava tutto quello che faceva Roberto Calvi».[86]

Ma esiste un'altra chiave di lettura, secondo la quale gli ambienti della mafia e del riciclaggio – che si erano già avvicinati al Banco Ambrosiano e a Roberto Calvi, costringendolo a «collaborare» – non gradissero una «presenza estranea» come quella di De Benedetti.

Calvi avrebbe corteggiato il finanziere proprio per sottrarsi a quell'«abbraccio mortale» con forze contigue alla mafia, ben documentato dalla requisitoria del pm Tescaroli. Diversamente, non si comprende perché Calvi avrebbe dovuto cedere la vicepresidenza del Banco Ambrosiano per un modesto 2 per cento del capitale. Il banchiere, in realtà, già nel 1981 temeva per la propria vita. Non a caso già nell'autunno di quell'anno, quando la sua presidenza non era ancora in discussione, aveva elaborato un piano di fuga in caso di emergenza. Segno che Calvi temeva, più che di perdere la sua leadership, di perdere la vita.[87] E che già nel 1981 il pre-

De Benedetti a Ginevra con allusioni minacciose. In seguito ricevette nella sede dell'Olivetti a Ivrea una lettera imbucata a Ginevra che parlava dei pericoli incombenti su di di lui e su i suoi figli che venivano chiamati, nel più puro stile mafioso, "piccoli gioielli"».
86.   Requisitoria del pm Luca Tescaroli, Processo per l'omicidio di Roberto Calvi, Parte II, p. 36, marzo 2007.
87.   «Pazienza fu incaricato da Calvi di preparare un complesso piano di fuga, l'"Operazione Cinguena". Calvi avrebbe dovuto salire sul veloce motoscafo di Pazienza, un Magnum Marine, ormeggiato a Rapallo; e di lì essere condotto all'isola di Cavallo, in prossimità della Corsica. Lì l'attenzione degli eventuali inseguitori sarebbe stata distratta da un "sosia" di Calvi, una controfigura opportunamente truccata. Calvi, nel frattempo,

sidente dell'Ambrosiano era al corrente dell'esistenza di un piano per eliminarlo, qualora avesse rivelato il coinvolgimento in attività di riciclaggio (i pm parlano dei proventi di ben tre sequestri) e di investimento per conto della mafia e di imprenditori a essa vicini. Ma c'era anche un'opposizione politica all'accordo.

«Calvi trascurava di considerare la non irrilevante questione che la presenza di De Benedetti gli avrebbe alienato le simpatie di Bettino Craxi e di certi settori della Dc», osserva Pazienza nel suo memoriale.[88]

Che in ogni caso Calvi volesse svincolarsi dall'abbraccio mortale con la P2 è testimoniato da una drammatica lettera che il banchiere inviò al Gran Maestro Armando Corona nella primavera del 1982.[89] Ma anche dalle lettere al cardinale Palazzini, gran protettore dell'Opus Dei, che inviò nello stesso periodo.

L'intesa con De Benedetti, però, non funzionò. Il leader dell'Olivetti, con una tecnica non dissimile da quella usata nei suoi «100 giorni alla Fiat», uscì dal Banco Ambrosiano, abbandonando Roberto Calvi al suo destino. Le interpretazioni, su questo punto, divergono. C'è chi, come Leo Sisti e Leonardo Coen,[90] è sicuro delle buone intenzioni di De Benedetti nel tentare sino all'ultimo il salvataggio del Banco. Su

sarebbe salito su un Cessna e fatto atterrare in un campo militare in Marocco, dove Pazienza conosceva il capo dei Servizi. In una seconda fase, con un aereo militare più potente e fornito di serbatoi di riserva, Calvi sarebbe stato trasferito a Panama o in un paese dell'America Latina» (Charles Raw, *La grande truffa: il caso Calvi e il crack del Banco Ambrosiano*, Mondadori, Milano, 1993, p. 370). Si tratta di un'ipotesi compatibile con i continui riferimenti a Panama e al Venezuela – che emergono dalle indagini più recenti – come capisaldi di un'operazione segreta di trasferimento di fondi dell'Ambrosiano all'estero, a favore di un ristretto nucleo di persone.

88.   Francesco Pazienza, *Il Disubbidiente*, Longanesi, Milano, 1999, p. 273.
89.   Il testo è pubblicato in Ferruccio Pinotti, *Poteri Forti*, Rizzoli-Bur, Milano, 2005.
90.   Autori de *Il caso Marcinkus. Le vie del denaro sono infinite*, Mondadori, Milano, 1991.

questa linea anche David Yallop,[91] secondo cui «la nomina di un vicepresidente non era conforme ai piani di Gelli e Ortolani di continuare a rubare nel Banco Ambrosiano».[92]

Secondo l'interpretazione di Floriano De Angeli,[93] su Calvi e sull'Ambrosiano si giocò uno scontro tutto interno alla massoneria, quello tra la «galassia Mediobanca» e la cordata Sindona-Gelli-Craxi-Andreotti.[94] Nell'ambito di questo scontro andrebbe letto il dissenso espresso da Romiti e Agnelli sull'accordo tra Calvi e De Benedetti e alcune dichiarazioni critiche della famiglia Calvi.[95]

Più sfumata la lettura di Rupert Cornwell, che sottolinea: «L'associazione di Calvi con De Benedetti ha un particolare

---

91.   David Yallop, *op. cit.*, p. 299.

92.   *Ibidem*, p. 299.

93.   Direttore del centro studi e documentazione Mafia Connection, proviene da una importante famiglia, la De Angeli-Frua, imparentata con gli Agnelli.

94.   Giuseppe Ferrara, *L'assassinio di Roberto Calvi*, Massani Editore, Bolsena (VT), 2002, pp. 29-32.

95.   Come quella di Clara Calvi: «Agnelli lo odiava, perché lo ammirava. Ha mandato Romiti a parlargli. Sono andati a cena e Romiti gli ha offerto di allearsi con Agnelli. Ma lui non poteva, perché si era già messo con De Benedetti. È stata una cosa veramente disgraziata, si poteva salvare lui e si poteva salvare il Banco Ambrosiano. De Benedetti gli ha mangiato miliardi. È diventato socio poi ha cominciato a ricattarlo: voglio questo, voglio quello... E a questo punto mio marito ha dovuto pagare. Non potendo conquistare il Banco Ambrosiano, gli ha fatto un "green-mail", lo fanno molto in America». Stando a quanto sostenuto dalla figlia Anna Calvi (Parte generale della requisitoria, p. 357) De Benedetti si era recato presso la loro abitazione e i rapporti nella circostanza erano piuttosto cordiali. Suo padre, però, aveva commentato negativamente l'entrata di De Benedetti nel Banco Ambrosiano, del quale «non si fidava» (p. 156, trascr. 20.6.2006). Quando la collaborazione era terminata, aveva commentato dicendo che era stata molto nociva e che De Benedetti ne aveva beneficiato moltissimo finanziariamente (pp. 117-118, trascr. 20.6.2006). Il padre non era stato d'accordo con l'ingresso di Orazio Bagnasco nel consiglio di amministrazione del Banco Ambrosiano. Si era dovuto adeguare alla volontà degli altri componenti. Aveva fatto dei commenti amari, dicendo che era «un continuo andare e vieni come se fosse... un tram che si sale e si scende» (p. 118, trascr. 20.6.2006).

risalto in quanto fu voluta da lui solo, come dimostrarono le pressioni esercitate su di lui per cambiar rotta. Forse Calvi immaginò di poter sfruttare brevemente De Benedetti per poi scartarlo, di utilizzarlo per placare i suoi nemici "laici" a sinistra e nella magistratura milanese che, si era andato convincendo, era uno strumento del Partito comunista. Oppure si trattava di un atto spontaneo per esprimere, nel solito modo indiretto, la volontà di farla finita con tutto e di salvare la banca che aveva creato dal precipizio che l'aspettava? Non lo sapremo mai».[96]

C'è infine chi, come Luigi Cavallo, parla di un «piano estorsivo di De Benedetti in tre fasi: 1. vicepresidenza e finta collaborazione; 2. contestazione e pressione crescente su Calvi; 3. ultimatum, rottura, estorsione e incasso».[97]

Va peraltro detto, al riguardo, che il 22 aprile 1998 la Cassazione ha annullato senza rinvio la condanna a quattro anni e sei mesi comminata a Carlo De Benedetti nel 1996 (a sua volta frutto di una riduzione rispetto alla precedente sentenza nel 1992, che erogava sei anni e quattro mesi per bancarotta fraudolenta) per il crack del Banco Ambrosiano.

È interessante notare il fatto che attorno alla figura del piduista Calvi si muovono due imprenditori, De Benedetti e Berlusconi, che perseguivano l'obiettivo della conquista del «Corriere della Sera», di fatto controllato dall'Ambrosiano.

Come nota Cornwell, De Benedetti «voleva impossarsi del "Corriere" attraverso la porta di servizio». L'Ingegnere stesso non fa mistero delle sue intenzioni in un'intervista[98] a Enzo

---

96.   Rupert Cornwell, *op. cit.*, pp. 154-155.
97.   Luigi Cavallo, *La strategia giudiziaria dei poteri occulti*, Collana Human Rights, Montigny sur Long, 1993, pp. 97-130.
98.   Nell'intervista a Enzo Biagi pubblicata su «la Repubblica» il 14 ottobre 1981, De Benedetti prospetta un futuro del «Corriere della Sera» con un patto di sindacato a tre fra Rizzoli e Tassan Din, la Centrale e il suo gruppo.

Biagi. Ma nel maggio del 1982, anche Berlusconi sembra comparire sulla scena con gli stessi appetiti per il quotidiano milanese: nasce infatti una cordata Cabassi per rilevare l'Ambrosiano dietro la quale si sarebbe celato Berlusconi, pronto a subentrare in un secondo tempo.[99] Giuseppe Cabassi si muoveva nell'entourage di marca «socialista» del direttore finanziario dell'Eni, Florio Fiorini,[100] e di altri imprenditori vicini a Bettino Craxi. Oltre che con Berlusconi, Cabassi aveva infatti intensi rapporti con Giancarlo Parretti. Ma anche con De Benedetti.

Il lungo duello tra l'Ingegnere e il Cavaliere

Secondo le dichiarazioni di Raffi, Carlo De Benedetti, il «maestro» iscritto alla loggia Cavour, entra «in sonno» nel dicembre 1982, poco dopo la morte di Calvi. E nel quale sono appena agli inizi gli esiti giudiziari dello scandalo Calvi-Ambrosiano. Il

---

99.   Carlo Bellavite Pellegrini, *op. cit.*, p. 344.

100.   Florio, Fiorini, nel suo *Dall'Eni, alla Sasea, alla prigione* (*op. cit.*), ha messo in evidenza il fatto che Cabassi aveva intensi rapporti con lui e con Parretti. Ricorda: «Un giorno la Arthur Andersen, la grande società di revisione contabile, ci segnala che un certo Parretti ha preso il controllo di tutte le società assicurative del Gruppo Cabassi, ben quattro società: l'Ausonia a Milano, la Intercontinentale a Roma, la Levante a Genova, la Veneta a Venezia. [...] È così che mi sono associato con Parretti» (p. 60). Fiorini scrive ancora: «Gianni De Michelis nel frattempo aveva lasciato il Ministero delle Partecipazioni Statali per quello dell'Industria, che in Italia ha anche la vigilanza delle imprese assicurative. Giuseppe Cabassi, un industriale che controllava le quattro società assicurative menzionate, tutte in difficoltà, aveva chiesto a Parretti il suo aiuto d'intervenire per evitare che il Ministero dell'Industria le commissariasse. Era così che Parretti aveva ricevuto gratis le azioni della Ausonia. Le aveva rivendute a noi della Sasea, che le avevamo rivendute alla Latina del Gruppo De Benedetti, guadagnandoci 80 miliardi, quaranta per noi e quaranta per Parretti, che si era ritrovato ricco a quarant'anni» (p. 72). Le affermazioni di Fiorini trovano una serie di riscontri nel libro del presidente della Commissione d'inchiesta antimafia dell'Assemblea Nazionale francese, François D'Aubert, *L'argent sale. Enquete sur un krach retentissant* (Plon, Paris, 1993), un'inchiesta sul crack del Credit Lyonnais-Mgm nel quale furono coinvolti Parretti e Fiorini.

«fratello» Silvio iscritto dal 1978, è stato sfiorato dallo scandalo delle liste di Gelli ma prosegue imperterrito nella costruzione del suo impero televisivo. Il loro confronto sul campo di battaglia dell'Ambrosiano è stato breve, ma il destino vuole che debbano incontrarsi di nuovo, interpretando in modo diverso i due versanti della finanza «laica».

Il primo campo di battaglia è quello della Sme, la Società meridionale di elettricità, una realtà controllata dall'Iri che, a dispetto dell'antico nome, controllava importanti aziende dell'agro-alimentare.[101] La vicenda Sme ha origine tre anni dopo il crack dell'Ambrosiano, nel 1985, quando l'Iri e la Buitoni (società appartenente al gruppo Cir di De Benedetti) raggiunsero un'intesa per la vendita della Sme a un prezzo ritenuto congruo secondo alcuni, ma inferiore rispetto a quello di mercato, secondo altri.

Il valore venne stabilito in 497 miliardi di lire – corrispondente al 64 per cento della società stessa in mano all'Iri – da una perizia del professor Roberto Poli, all'epoca docente di ragioneria generale presso l'Università Cattolica di Milano. Una perizia successiva effettuata dal professor Luigi Guatri (all'epoca rettore dell'Università Bocconi) confermò la stima di Poli.

Romano Prodi, allora presidente dell'Iri, e Carlo De Benedetti raggiunsero un'intesa in base alla quale l'Iri avrebbe ceduto la sua partecipazione in Sme (63 per cento) a De Benedetti per 497 miliardi. Ma la decisione vide la ferma opposizione dell'allora presidente del Consiglio Bettino Craxi.[102]

---

101. Nel dopoguerra la Sme vedeva quale maggiore azionsta l'Iri, seguito dalla Buitoni; un grosso pacchetto (quasi il 40 per cento) era detenuto dalla Société Financière Italo-Suisse, dietro la quale si celavano molte famiglie italiane di spicco. Si veda Giancarlo Galli, *Il padrone dei padroni. Enrico Cuccia. Il potere di Mediobanca e il capitalismo italiano*, Garzanti, Milano, 1995.
102. Alexander Stille in *Citizen Berlusconi*, Garzanti, Milano, 2006, pp. 122-123, scrive: «Craxi iniziò a usare Berlusconi come una sorta di ariete imprenditoriale per combattere battaglie di conquista aziendale contro in-

Altre realtà si mostrarono interessate alla trattativa – oltre alla cordata Barilla-Ferrero-Fininvest, la Lega delle Cooperative, Unicoop e la Cofima (un gruppo di imprenditori meridionali) – e l'accordo con la Buitoni fu ritenuto non vincolante.

De Benedetti si rivolse al Tribunale di Roma dopo che l'accordo fu ritenuto non vincolante in seguito a una comparazione con le altre tre offerte[103] intervenute. I giudici, presieduti da Filippo Verde (relatore anche della sentenza) diedero torto all'ingegnere di Ivrea. Ne nacque un lunghissimo contenzioso giudiziario:[104] i magistrati milanesi sospettavano che il provvedimento fosse stato «aggiustato» dietro il versamento di tangenti a Verde e all'ex capo dei gip di Roma, Renato Squillante.

La Buitoni di De Benedetti quindi citò l'Iri in giudizio davanti al Tribunale di Roma, ma il ricorso non venne accolto nei tre gradi di giudizio.

La seconda battaglia è stata quella del 1989-1991, per il controllo della Mondadori, la casa editrice che all'epoca deteneva quotidiani («la Repubblica» e tredici giornali locali),

teressi finanziari che considerava ostili. Nel 1985, per esempio, Craxi chiamò Berlusconi e gli chiese di aiutarlo a organizzare un'offerta di acquisto per l'impresa alimentare Sme. [...] Craxi era preoccupato perché l'Irim, di proprietà statale, aveva accettato di vendere a De Benedetti, che Craxi considerava un nemico».

103. Le perizie private fatte dalla controparte, e presentate successivamente durante lo stesso processo, attestarono un valore commerciale della Sme pari a 470 miliardi secondo la Ferrero (in cordata per l'acquisizione della Sme con la Barilla e la Fininvest) e a 490 miliardi secondo la perizia della stessa Barilla; quindi, in realtà, la cifra chiesta e accettata dalla commissione bilancio presieduta da Paolo Cirino Pomicino era addirittura superiore di 27 miliardi in un caso e di 7 nell'altro.

104. Il processo Sme nasce il 9 marzo 2000 presso il Tribunale di Milano dal sospetto che la corte di Roma fosse stata influenzata attraverso il versamento di tangenti al capo dei gip Renato Squillante e al giudice Filippo Verde, presidente del Tribunale, da parte di Silvio Berlusconi (proprietario della Fininvest), Cesare Previti e Attilio Pacifico (all'epoca legali della Fininvest). Il 10 dicembre 2004 Berlusconi è stato assolto «per non aver commesso il fatto» dall'accusa di aver comprato la sentenza sulla Sme. Assolto e prescritto, dopo aver ottenuto le attenuanti generiche, per altri episodi di corruzione che gli erano stati contestati dalla Procura.

settimanali («Panorama», «L'espresso», «Epoca») e tutto il settore libri.[105]

Grazie a una sentenza del giudice Vittorio Metta, che il Tribunale di Milano riterrà poi comprata attraverso tangenti dall'avvocato Previti, il Cavaliere strappava la Mondadori al suo concorrente. Una successiva mediazione politica porterà poi alla restituzione a De Benedetti dei quotidiani e del settimanale «L'espresso». Tutto il resto rimarrà a Berlusconi.

La «pace» tra i duellanti

Nel luglio 2005, De Benedetti e Berlusconi sembrano mettere una pietra sopra ai loro dissapori, decidendo di creare insieme una società per salvare aziende italiane in crisi. A proporre la notizia è un trafiletto dell'agenzia Agi del 9 luglio 2005, ripreso inizialmente solo da «la Repubblica». Nel trafiletto si parlava di una visita in Mediobanca dell'amministratore delegato Fiat Sergio Marchionne; poi si accennava a un possibile ruolo di Piazzetta Cuccia – insieme alla Lehman Brothers – in un «fondo salvaimprese» che sarebbe stato creato da Carlo De Benedetti, Silvio Berlusconi, altri imprenditori e istituzioni finanziarie.

La notizia inizialmente non provocava grandi titoli. Veniva ripresa con moderazione nei giorni successivi, fino al 22 luglio. Poi calava di nuovo il silenzio. L'Ingegnere e il Cavaliere sembravano lanciare messaggi subliminali. La sera del 28 luglio la notizia diveniva ufficiale: era lo stesso Ingegnere a renderla nota, con tanto di dettagli e numeri. De Benedetti e Berlusconi sarebbero stati i soci principali (con 50 milioni di euro ciascuno) di un nuovo fondo salvaimprese, nel quale era prevista la presenza anche di Della Valle e Montezemolo.

Questa volta la grancassa parte sul serio: giornali e telegiornali si riempiono di grandi titoli, per annunciare la noti-

---

105. Giancarlo Galli, *op. cit.*, p. 147.

zia dell'anno. Tutte le testate cominciano a dedicare alla nuova società cronache, interviste, editoriali e approfondimenti. Nel frattempo si scatena anche la borsa. Lunedì 1° agosto, sui giornali si discute ancora del perché e del percome della strana alleanza tra l'Ingegnere e il Cavaliere, con dovizia di analisi politiche, etiche ed economiche. Intanto riapre la Borsa: è il grande giorno. Alle 10,59 la Reuters, nel comunicare che a seguito dell'entusiasmo dei mercati il titolo Cdb Web Tech veniva sospeso per eccesso di rialzo, faceva notare che alle 10,45 il titolo segnava un prezzo teorico di 4,89 euro (ai massimi degli ultimi quattro anni) e commentava: «Già venerdì il titolo ha dato un segnale chiaro: al mercato è piaciuta moltissimo l'operazione, soprattutto per il compromesso storico tra Berlusconi e De Benedetti, due numeri uno del mercato».

Il segnale è chiaro: il mercato ama la pace tra l'Ingegnere e il Cavaliere. Ma qualcuno, proprio quella mattina, stranamente con lo stesso entusiasmo, comincia a vendere, e a palate. Nella giornata passano di mano 10 milioni di azioni. Più di 1 milione di queste erano del gruppo De Benedetti. Lo si apprende perché, essendo il maggiore azionista della società, è obbligato a renderlo noto.[106] Vende tutte queste azioni al prezzo di 4,70 euro, praticamente ai massimi, incassando oltre 4,88 milioni di euro. Niente male. Nel frattempo la storia del fondo De Benedetti-Berlusconi va avanti. E qualcuno continua a fare un po' di *trading*: tra il 1° e il 4 agosto mani ignote continuano a comprare e rivendere, comprare e rivendere. Nei giornali e telegiornali, intanto, prosegue il dibattito.

Il 3 agosto veniva pubblicata un'intervista di De Benedet-

---

106. «Cdb Web Tech ha comunicato che il presidente, Carlo De Benedetti, ha venduto ieri 1.040.000 azioni al prezzo unitario di 4,6973 euro, per un controvalore di oltre 4,88 milioni di euro. Sempre ieri De Benedetti ha acquistato 230mila titoli a 4,33 euro per un controvalore di 995.900 euro. Nei giorni scorsi Cdb Web Tech ha annunciato la creazione di un fondo salva-imprese al quale partecipa anche Fininvest.»

ti al «Financial Times», nella quale l'industriale spiegava che l'accordo con Berlusconi si sarebbe fatto, ma solo sul fondo salvaimprese. Come riportato da «la Repubblica», l'ingegnere spiegava di non vedere alcun motivo per rifiutare i soldi di Berlusconi in un progetto che vedeva impegnati investitori come Diego Della Valle, Luca di Montezemolo e il finanziere di Wall Street Peter Cohen.

«Il Riformista», dal canto suo, si premurava di offrire la copertura ideologica alle manovre dei due imprenditori, benedicendole in nome della grande visione economica e dei grandi benefici per il Paese.

Il 4 agosto 2005 qualcuno, in Borsa, comprava ancora: 220mila azioni, a 3,98 euro. Il Paese ancora discuteva dell'accordo storico con Berlusconi, mentre mani amiche correvano a comprare di nuovo: il «parco buoi» riportava il titolo sopra i 4,20 euro, e lì attorno lo manteneva per tutto venerdì 5. Allora qualcuno ricominciava a vendere, incassando un altro premio. Sabato 6 agosto, a Borsa chiusa, la vicenda volgeva all'epilogo.

È «la Repubblica», il giornale di De Benedetti, a pubblicare l'annuncio: contrordine, compagni, niente accordo con Berlusconi. Carlo De Benedetti dichiarava il ritiro della iniziativa finanziaria studiata con lo storico antagonista.

Chi era affezionato allo schema destra *vs* sinistra tirava un respiro di sollievo; chi sapeva operare in Borsa era ancor più contento. Tutto è bene quel che finisce bene.

Banche, giornali e muratori:
gli scandali degli anni Duemila

Furbetti in grembiulino

Il lungo «filo rosso» della finanza massonica torna in superficie nel 2005 (con strascichi fino al 2007), nelle intricate vicende dei cosiddetti «furbetti del quartierino». Nelle giostre finanziarie che si articolano attorno al tentativo di scalata del «Corriere della Sera» da un lato, e di Bnl e Antonveneta dall'altro, troviamo infatti la stessa miscela già incontrata di finanza massonica e aderenze cattoliche; di imprenditori con cazzuola e compasso e sobri affaristi vicini al Vaticano.

Partiamo dalla fine: nel giugno del 2007 Stefano Ricucci, l'immobiliarista diventato celebre nell'estate 2005 per il suo tentativo di scalata al «Corriere della Sera», viene interrogato dai magistrati[1] a seguito del crack della Banca Popolare di Lodi, l'Istituto guidato da Giampiero Fiorani che gli ha prestato gigantesche somme di denaro per le sue operazioni. Ricucci è stanco del ruolo di capro espiatorio e parla. Come riporta il quotidiano «la Repubblica», a un certo punto delle deposizioni «Ricucci sbotta: "Ah, da quando ero piccolo così, lo sa tutta Italia che la massoneria... De Bustis, Caltagirone, Nattino sono tutti... la massoneria"».[2]

---

1. Stefano Ricucci ha rilasciato le sue deposizioni in sette lunghi interrogatori resi ai pubblici ministeri della Procura di Roma Giuseppe Cascini e Rodolfo Maria Gabelli, che hanno trovato riscontri e conferme al racconto dell'immobiliarista.
2. Giuseppe D'Avanzo, *Ricucci: io e quel patto bipartisan sulle banche*, in «la Repubblica», 16 giugno 2007.

Più di un giornale evidenzia la paura di Ricucci nel fare queste rivelazioni, il timore di rischi per la propria vita. Ma l'ex odontotecnico, ormai esasperato, vuota il sacco. «È massone, secondo le allusioni di Ricucci, Vincenzo De Bustis, il banchiere, oggi alla guida di Deutsche Bank Italia, che era a fianco di D'Alema sui palchi dei comizi elettorali delle politiche 2001 a Gallipoli. È massone, secondo *rumors* incontrollabili, lo stesso Giovanni Consorte, che ha già smentito vibratamente questo pettegolezzo. L'unico a rivendicare con orgoglio la sua appartenenza alle logge è un amico di Consorte (ma anche di Francesco Cossiga): Vittorio Casale. L'immobiliarista di "Operae" ha ammesso di aver dato una mano al presidente di Unipol portandogli alleati "del suo ambiente" per la scalata a Bnl: Marcellino Gavio, Alvaro Pascotto. Del resto, aveva un debito di riconoscenza, visto che nel 2002 Consorte gli aveva fatto rientrare con lo scudo fiscale, come fossero stati soldi suoi, un milione e mezzo di euro parcheggiati a Montecarlo. Erano tornati in Italia insieme a 46 milioni di euro di Consorte e Sacchetti, il "tesoretto delle scalate", il malloppo più misterioso di questa storia di misteri. Poi Casale aveva fatto affari (davvero poco chiari) con immobili Unipol.»[3]

Per contestualizzare le affermazioni di Ricucci e poterle valutare, bisogna ora fare un passo indietro, tornare al 2005. Giampiero Fiorani e la Banca Popolare di Lodi (poi pomposamente ribattezzata Banca Popolare Italiana)[4] nell'estate 2005, oltre alla scalata – poi fallita – alla Banca Antoniana Veneta, sono stati protagonisti con Ricucci della scalata al «Corriere della Sera».

Ovvero l'eterno oggetto del desiderio su cui si sono cimentati finanzieri come Roberto Calvi, Carlo De Benedetti e Silvio Berlusconi. Il discusso Giampiero Fiorani, nono-

3. Gianni Barbacetto, *Il banchiere che fa paura a Ricucci*, in «Diario della settimana», 22 giugno 2007.
4. Il mutamento di nome è stato ufficializzato il 29 aprile 2005.

stante i guai della sua banca, nel 2005 trova infatti il tempo per dare una mano al progetto – dietro il quale molti hanno intravisto l'ombra di Berlusconi – per conquistare il più importante giornale italiano, il «Corriere della Sera».

A essere utilizzato per la scalata allo storico quotidiano con la classica tecnica del *portage* (fare comprare le azioni di una società a un prestanome per poi rivenderle in un secondo tempo al vero destinatario) è proprio Stefano Ricucci. Il giovane imprenditore di Zagarolo si propone come l'uomo che vuole acquisire da solo uno dei più antichi giornali d'Europa. Una farsa tutta italiana, se non fosse che dietro di essa c'è il progetto di conquistare – dopo l'informazione televisiva (ormai nelle mani di un solo «fratello») – anche quella della carta stampata. Oltre agli ultimi «pezzi vaganti» del sistema bancario.

Ricucci ha dietro di sé Giampiero Fiorani, l'uomo che con la Popolare di Lodi aveva in passato acquisito la Banca Antoniana di Silvano Pontello,[5] il braccio destro di Michele Sindona. Ma la Lodi aveva ancor prima acquisito anche la Banca Rasini, che finanziò gli esordi di Silvio Berlusconi.

Giampiero Fiorani sostiene nel suo sforzo titanico Stefano Ricucci, che nell'estate del 2005 si impegna a fare incetta di azioni addirittura su tre fronti: oltre al «Corriere della Sera», compra i titoli di Antonveneta e quelli della Banca Nazionale del Lavoro. La banca che (insieme all'Ambrosiano di Calvi) finanziò le prime attività di Berlusconi versa in profonda crisi, ma nel 2005 è ancora un gigante, che bisogna far finire in mani «amiche».

Anche lì, come sul fronte del «Corriere», la guerra diventa totale: il governatore della Banca d'Italia Antonio Fazio ostacola un'offerta pubblica di acquisto da parte del gruppo spagnolo Banco Bilbao Vizcaya, con la scusa di difendere l'«ita-

---

5. Stefano Vietina, *Silvano Pontello. Biografia a più voci di un banchiere-imprenditore*, Marsilio, Venezia, 2004.

lianità» delle banche. Ma allo stesso tempo non gradisce nemmeno l'Opa di un gruppo assicurativo italiano, l'Unipol, ritenuto troppo vicino al centrosinistra. Si creano intrecci complicati, alleanze trasversali in quella che diventa una vera e propria *no man's land* della finanza. Il 6 dicembre 2005 finisce tra gli indagati della Procura di Roma anche Giovanni Consorte, amministratore delegato di Unipol.[6]

La battaglia per il «Corriere della Sera», nel frattempo, diventa memorabile: Ricucci attacca tramite la Garlsson, la sua società off shore (con base nelle British Virgin Islands) che viene finanziata alla grande dalla discussa Bpl Suisse per comprare azioni Rcs e Antonveneta. Però, come rivelato da «L'espresso»,[7] la Garlsson non si muove da sola: a dare una mano a Ricucci ci sono i costruttori romani Caltagirone, cresciuti all'ombra di Andreotti e protagonisti di clamorosi affari tramite un membro della loggia coperta Giustizia e libertà: Giuseppe Arcaini, presidente dell'Italcasse.[8] Caltagirone, in quel momento, è anche azionista di Bnl, oggetto di scalata da parte di Unipol.[9]

---

6. L'attenzione degli inquirenti si è in particolare concentrata sull'informazione diffusa da Unipol secondo la quale gli interessi manifestati per il titolo Bnl andavano inquadrati in un'azione di tutela dell'investimento in Bnl Vita Spa. Secondo gli investigatori non era chiaro come, per difendere una relativamente modesta partecipazione, Unipol ritenesse necessario e indispensabile acquisire la società capogruppo, ovvero Bnl, con un impegno finanziario senza precedenti. Oltre alle comunicazioni ufficiali, sono pesati nell'inchiesta anche gli accertamenti compiuti sulle compravendite di azioni Bnl, non ufficializzate al mercato. Il sospetto infatti era che ci potessero essere stati passaggi rilevanti non segnalati alle autorità di vigilanza. Si veda Gianluigi Nuzzi, *Scalata Bnl, indagati i vertici della Unipol*, in «il Giornale», 6 dicembre 2005.
7. «L'espresso», 16 giugno 2005.
8. L'Italcasse era un ente morale che raccoglieva ottantanove Casse di risparmio.
9. Giuseppe D'Avanzo (in *Ricucci: io e quel patto bipartisan sulle banche*, cit.) descrive così lo scenario: «Via Barberini, Roma. Il quartier generale di Francesco Gaetano Caltagirone. Dal 14 luglio del 2005, sono al lavoro i sette del "contropatto" della Banca Nazionale del Lavoro. Sono lì chiusi

Ricucci continua a comprare azioni Rcs, ha come obiettivo quello di raggiungere il 30 per cento e lanciare poi un'offerta pubblica di acquisto. I soldi con cui compra sembrano non finire mai e sulla stampa si fa strada il sospetto che dietro di lui – oltre a Fiorani – ci siano ambienti finanziari vicini a Berlusconi. Trapela l'ipotesi che a dare una mano a Ricucci ci sia Ubaldo Livolsi, banchiere d'affari e membro del consiglio di amministrazione di Fininvest. Il premier ovviamente smentisce il suo interesse per il «Corriere», ma Livolsi, in un'intervista rilasciata proprio al quotidiano di via Solferino l'8 agosto 2005, fa una mezza ammissione: «Non ci vedo nulla di male a lavorare per conto di Ricucci. Che si possa ipotizzare la scalabilità di un'azienda come la Rcs da parte di nuovi azionisti finanziari e industriali fa parte del gioco. Lo ripeto: non c'è nulla di male. La finanza può servire a far crescere le aziende, a renderle più forti in un'ottica globale».

Livolsi parla apertamente di «soci che affiancherebbero Ricucci nella sua scalata», ma non si sbilancia in alcun modo sui nomi dei partner coinvolti nell'operazione. La finanza cattolica – Fazio in testa – guarda con favore alla scalata del «Corriere» da parte di *raiders* con appoggi misteriosi. E si parla persino del coinvolgimento, nell'operazione, del genere dell'ex primo ministro spagnolo José María Aznar: il finanziere Alejan-

da quattro, cinque giorni. Se la devono sbrigare con Gianni Consorte e Ivano Sacchetti di Unipol. Questa è la verità di Stefano Ricucci: "... Dotto', chi parlava con la Banca d'Italia con il Governatore (Fazio), chi con Francesco Frasca (capo della vigilanza), quell'altro parlava con Fassino, quell'altro ancora parlava... Era un tutto 'ciao Piero', 'ciao Massimo'. Non è che per me non sia positivo. In fondo, quell'operazione è un vantaggio politico, una fusione politica, un concetto del genere l'accetto, è una cosa buona... Poi, scusi eh!, Consorte si compra Bnl con i suoi soldi. Ne aveva i mezzi perché consideri che Unipol ha fatto un aumento di capitale di 2 miliardi e 6 di euro. Assolutamente sottoscritto, eh! [...] Che Unipol avesse avvertito prima e dopo e durante Fassino e D'Alema o quant'altro è pure giusto, ma che Caltagirone è il suocero di Casini e non l'avverte? Scusa, eh! Parlavano al telefono sempre, lì davanti a me. Caltagirone parlava con il suo genere di assegni, era tutto pubblico, noi stavamo lì davanti a tutti...".». Casini ha smentito seccamente le indiscrezioni filtrate sui giornali.

dro Agag, già segretario generale del Partito popolare europeo e vicino all'Opus Dei, la «massoneria bianca».

Che Berlusconi sia favorevole alla scalata emerge da un'intercettazione telefonica del 12 luglio 2005, resa pubblica dai giornali. Fiorani telefona a Emilio Gnutti (finanziere bresciano presente nei Cda di Unipol e Monte dei Paschi) che è a cena con Berlusconi. Gnutti parla con il premier della scalata alla Rizzoli-Corriere della Sera. Emilio Gnutti dice a Fiorani: «Gli ho detto che andremo avanti con Rcs e che ci deve dare una mano». Poi aggiunge: «A Berlusconi ho detto che se non ci dà una mano, la sinistra si prende tutto».

La scalata di Ricucci sembra inarrestabile. Ma a fine agosto 2005 l'immobiliarista è indagato per aggiotaggio e ostacolo alle autorità di vigilanza, nell'ambito dell'inchiesta romana sulla scalata a Rcs.[10] Intanto i magistrati di Milano, grazie ad alcune intercettazioni telefoniche, accertano un gioco di complicità da parte della Banca d'Italia che non ha niente di legale.

L'esposizione di Ricucci verso la Bpi passa da 160 a 450 milioni di euro, ma la Popolare di Lodi lo finanzia. Ricucci deve sfondare nella Rcs e la sua esposizione arriva a 850 milioni di euro.[11]

Il 7 dicembre 2005 si diffonde la notizia che tutti i membri del consiglio di amministrazione della Banca Popolare Italiana e tutti i sindaci dell'istituto risultano iscritti nel registro degli indagati della Procura di Milano, nell'ambito del filone di indagine avviato con l'ipotesi di aggiotaggio sui titoli della stessa Bpi. I titoli della Antonveneta vengono sequestrati e l'istituto deve essere ceduto agli olandesi di Abn Amro, a dispetto del governatore di Bankitalia Antonio Fazio. Giampiero Fiorani, spogliato da tutte le cariche nella Popo-

---

10. Elsa Vinci, *Rcs, Ricucci indagato a Roma. Alla Consob gli atti su aggiotaggio*, in «la Repubblica», 31 agosto 2005.
11. Giovanni Pons, Vittoria Puledda, in «la Repubblica», 5 ottobre 2005.

lare Italiana, passa il suo tempo negli uffici dei pm milanesi. Il 13 dicembre 2005 il giudice per le indagini preliminari Clementina Forleo emette un'ordinanza di cattura nei confronti di Fiorani e di altri tre dirigenti della banca.[12] L'accusa è pesantissima: associazione per delinquere e appropriazione indebita. L'ordinanza parla di «enormi arricchimenti personali», di operazioni di «pirateria finanziaria», di un «tesoro rubato» di centinaia di milioni di euro. Vengono alla luce anche i rapporti tra il gruppo di affaristi che faceva capo a Fiorani e la politica. Spuntano i nomi del sottosegretario agli interni Aldo Brancher (Forza Italia), un ex sacerdote trasformatosi in un potente politico; del senatore di Forza Italia Luigi Grillo; dei due parlamentari dell'Udc Ivo Tarolli e Vito Bonsignore. Si ipotizza che anche il sottosegretario alla Giustizia del governo Berlusconi, Giuseppe Valentino, abbia fatto sapere all'immobiliarista Stefano Ricucci dell'esistenza di intercettazioni telefoniche da parte della magistratura.

Ma viene alla luce che anche importanti esponenti della sinistra, come l'ex premier Massimo D'Alema, hanno rapporti privilegiati con la Banca Popolare di Lodi. D'Alema, in quella fase, risulta intestatario di un conto corrente per pagare un leasing da 8000 euro al mese per la sua barca a vela da 18 metri, comprata con due «amici» per quasi 1 milione di euro.[13] L'imbarazzo, anche nella sinistra, è enorme.

Ma l'inchiesta della Procura di Milano, che molti commentatori ritengono sia l'ultimo atto di Mani pulite, non si arresta. E arriva fino ai vertici della Banca d'Italia: il governatore Antonio Fazio viene iscritto nel registro degli indagati dalla Procura di Milano. L'uomo che ha aiutato Giampiero Fiorani nella sua scalata alla Banca Antonveneta e che si è lasciato apostrofare dal banchiere arrestato con espressioni co-

---

12. Si tratta di Gianfranco Boni, Giulio Marmont e Fabio Conti.
13. Fabrizio Roncone, *Bpi, conto di D'Alema per pagare un leasing*, in «Corriere della Sera», 21 dicembre 2005.

me «Tonino, io sono commosso... guarda, ti darei un bacio in fronte»,[14] tenta di resistere per qualche giorno di fronte allo scandalo che lo travolge. Poi l'uomo protetto dal Vaticano e dall'Opus Dei cede e il 19 dicembre 2005 si dimette. È il crollo della credibilità italiana: mai una vicenda ha trascinato l'Italia così in basso nelle credibilità internazionale. Tutti i giornali del mondo dedicano commenti preoccupati alla vicenda.

Un patto oscuro

Gli esiti giudiziari della vicenda iniziata nel 2005 si protraggono fino al 2007. Ma ciò che poco a poco emerge dalle indagini dei magistrati è l'oscuro patto tra i poteri occulti che governano la politica e l'economia italiana. Lo schema sembra essere: la Bnl alle sinistre, affamate di avere una propria banca; l'Antoveneta e il «Corriere» alle destre. Qualcosa si è inceppato e non è andata così, ma il «patto» rispecchia l'eterno sogno della finanza italiana: l'accordo tra finanza massonica e finanza cattolica, tra destra e sinistra; ma rappresenta anche l'eterno ritorno dei poteri forti che operano fuori dalle regole del mercato.[15]

Che sia andata così lo ha raccontato, con sorprendente schiettezza, chi è uscito più bastonato dalla vicenda: Stefano

---

14. Intercettazioni telefoniche registrate dalla magistratura milanese il 12 luglio 2005.
15. Giuseppe D'Avanzo, (*Ricucci: io e quel patto bipartisan sulle banche*, cit.) ha scritto: «Politici di campo opposto (Letta, D'Alema) concordano operazioni finanziarie che vengono accettate da finanzieri con interessi opposti (Consorte, Bonsignore). La scena conferma la concretezza di quel che Giuseppe Oddo e Giovanni Pons hanno definito *"L'Intrigo"* (Feltrinelli). Un disegno che va in scena tra la fine dell'inverno e l'estate del 2005 quando, frutto della confluenza di interessi e convenienze diverse e opposte, forze politiche, oligarchie bancarie, consorterie finanziarie si associano temporaneamente sotto banco, concertano le loro iniziative in modo opaco».

Ricucci, l'ambizioso di turno usato dai poteri forti della finanza ai pubblici ministeri di Roma Giuseppe Cascini e Rodolfo Maria Sabelli: «A Stefano Ricucci, fu Francesco Gaetano Caltagirone a spiegare come, in quel momento, andavano le cose in Italia. Lo prese da parte. Gli disse: "Tu devi capire che questa è un'operazione di sistema, è di qua, è di là". Ricucci capì, ma l'aveva già capito. "Dotto'", dice al pubblico ministero, "era il segreto di Pulcinella." Ricucci era il topo nel formaggio, in quei mesi del 2005, infilato in tutte le operazioni (Rcs, Bnl), a bordo di tutti i vascelli (con la destra e con la sinistra). Con Silvio Berlusconi, nell'avventura dell'assalto alla Rizzoli-Corriere della Sera. Con la Quercia, nell'operazione che sostiene Unipol nell'acquisizione della Banca Nazionale del Lavoro».[16]

Dal racconto di Ricucci emergono chiare tante connessioni massoniche, ma non solo. «I Ds di D'Alema vogliono rafforzare il mondo cooperativo affiancandolo alla Bnl. Vogliono trasformare Unipol in un grande attore della finanza e dell'editoria con l'acquisizione anche del Gruppo Riffeser ("La Nazione", "Il Resto del Carlino", "Il Giorno"), come ammette anche Consorte quando è in vena di sincerità. Silvio Berlusconi vuole creare un polo bancario gradito alla Lega (Bpi, Antonveneta) e mettere le mani sul "Corriere della Sera" per contrapporlo al gruppo L'espresso-la Repubblica e dopo il "Corriere", sottratto alla presa di Mediobanca, forse anche Generali, chissà.»[17]

Il quadro che emerge dagli atti giudiziari è fosco.

«Nell'affresco che Ricucci affida ai magistrati compaiono Berlusconi, D'Alema, Letta, Fassino, Prodi, Rovati, Fazio, misteriosi argentini,[18] una banca enigmatica, qualche cap-

---

16. Giuseppe D'Avanzo, *Ricucci: io e quel patto bipartisan sulle banche*, cit.
17. *Ibidem*.
18. Gianni Barbacetto (*Il banchiere che fa paura a Ricucci*, cit.) in merito al famoso «pacchetto argentino» scrive: «Il primo allarme lo aveva lanciato Antonio Fazio: il governatore, che voleva impedire a Bnl di andare all'este-

puccio massonico, banchieri che si accreditano su l'uno e l'altro fronte. Nelle migliaia di pagine dove sono trascritte le dichiarazioni del "furbetto", si intravede la qualità di un "caso" assai rumoroso in cui una politica debole e per nulla trasparente sostiene affari fragili e per nulla trasparenti.»[19]

«Sostiene Ricucci: "Dottor Cascini, mo' le spiego: per appoggiare l'operazione Antonveneta, dentro Bpi (la Banca popolare italiana di Fiorani), c'era Carige, Banca popolare di Vicenza, Deutsche, Dresner, Unipol e Banca popolare dell'Emilia Romagna, quasi tutti sotto l'1,9. Al centro Fiorani e Gnutti, che sono soci, non so se mi spiego. Ma voi avete mai fatto un'indagine su Fingruppo? E allora voi vedete quali sono le società estere... Fate voi, mica le posso

ro, era preoccupato per un 15 per cento d'azioni che non rispondevano all'appello. Da una parte c'era il patto di sindacato che aveva più o meno un 30 per cento e che era pronto ad accogliere a braccia aperte i baschi del Banco di Bilbao. Dall'altra c'era il contropatto guidato da Caltagirone, con Ricucci, Coppola e Bonsignore, che avevano rastrellato un 27 per cento. La bilancia sarebbe precipitata da una parte o dall'altra se si fosse schierato quel misterioso 15 per cento... Aveva cominciato a coagularsi nel 2003, come raccontano sul "Sole 24 Ore" Vincenzo Chierchia e Giuseppe Oddo. Un 8 per cento era stato messo insieme da Francisco Macrí, l'Agnelli dell'Argentina, da suo nipote Angelo Calcaterra e da Alan Clore, banchiere inglese. Uno strano immobiliarista, Fabio Calì, aveva poi raccolto un altro 1,6 per cento, ma aveva un'opzione su un pacchetto di Bnl del 5 per cento riposto in un forziere della Hong Kong and Shanghai Bank. Questo è un vero mistero nel mistero: l'8 per cento di Macri è spiegabile con il progetto di un gruppo di imprenditori argentini di impossessarsi degli sportelli della consociata Bnl Argentina; ma chi diavolo aveva parcheggiato a Hong Kong, tra il 1999 e il 2000, un 5 per cento di Bnl? E chi è questo Calì? Quarantenne, catanese con base a Roma, Fabio Calì si definisce un immobiliarista a cui piace la finanza. Racconta di essere stato in affari con Macri e di avere ottime relazioni in giro per il mondo. Non racconta però che cosa ha lasciato a Catania: innanzitutto un fratello, Carmelo, che fa l'avvocato ed è stato il legale del boss di Cosa nostra Nitto Santapaola; e poi un passato, un brutto passato con inchieste giudiziarie e un arresto, nel 1997, per una storia oscura di soldi e assegni spacciati ad agenzie locali del Banco di Sicilia e del Montepaschi».

19. Giuseppe D'Avanzo, *Ricucci: io e quel patto bipartisan sulle banche*, cit.

fare io, queste indagini, no? Sono soci di fatto Fiorani e Gnutti, come Coppola, Zunino, Banca Intermobiliare. Soci di fatto. È un sistema moggiano. Ora guardate Unipol. È uguale! Carige, Banca popolare dell'Emilia Romagna, Banca popolare di Vicenza... Fiorani era l'elemento di *trait d'union* tra Banca d'Italia e Unipol, la persona di fiducia per l'operazione Antonveneta, la persona di fiducia del Governatore, ma l'altra persona di fiducia di Fazio era l'ingegnere Caltagirone. Caltagirone telefonava al Governatore... andava a casa... andava a pranzo dal Governatore insieme a Fiorani. Quindi, Caltagirone rappresentava quest'operazione su Roma per Bnl e Fiorani al Nord per l'operazione Antonveneta. È il segreto di Pulcinella"».[20]

La sponda della finanza vaticana

Dalle deposizioni di Ricucci emerge che i «furbetti in grembiulino» avevano anche un'importante sponda nella finanza di matrice vaticana.

Quando i magistrati chiedono a Ricucci: «Lei che cosa sa degli argentini?», riferendosi ai misteriosi soci della Bnl, l'immobiliarista risponde: «Non deve parlare con me di questi argentini... Lei si convochi Bonsignore e Caltagirone e se lo faccia dire, che lo chiede a me? Io non so niente. Conosce Caltagirone? Chiami anche la Banca Finnat e Giampietro Nattino. Chiami Vincenzo De Bustis ("un banchiere che ha rapporti privilegiati con D'Alema" si legge nell'*Intrigo* ndr).[21] Sa che cos'è la banca Finnat? Chi è Nattino?»[22]

Giampietro Nattino è una delle più potenti figure della finanza vaticana in Italia. Se si consulta l'Annuario Pontificio

---

20. *Ibidem.*
21. Giuseppe Oddo e Giovanni Pons, *L'intrigo. Banche e risparmiatori nell'era Fazio*, Feltrinelli, Milano, 2005.
22. Giuseppe D'Avanzo, *Ricucci: io e quel patto bipartisan sulle banche*, cit.

del 2007,[23] pubblicato dalla stessa Santa Sede, si vede infatti che Nattino è uno dei laici che sono «consultori» della Prefettura degli affari economici della Santa Sede. Una struttura di importanza essenziale nell'amministrazione delle finanze vaticane. Giampietro Nattino, già vicepresidente di Borsa italiana spa, è consigliere di Banca Fideuram (la banca di Ennio Doris, grande alleato di Berlusconi), e di Caltagirone Editore, nonché amministratore delegato di Banca Finnat Euramerica e presidente di Unione Immobiliare. Insieme con lui lavorano al servizio del Vaticano uomini come Ettore Quadrani, presidente di Fidindustria Lazio e azionista delle Terme demaniali di Acqui che, grazie alla fusione del febbraio 2003, ha portato la Finnat di Nattino in Borsa; Maurizio Prato, tra gli amministratori di Finmeccanica ed ex direttore centrale dell'Iri; l'economista Giovambattista Santucci ed Edoardo Boitani, uno dei tre avvocati del Vaticano per il foro civile.

I magistrati chiedono a Ricucci: «E che fa questo Nattino?". Ricucci. "... Ma lei vuole che a me mi uccidono stasera qui dentro. Lei forse non si rende conto di chi sta a toccare lei. Mi faccia la cortesia, lei lasci perdere questo dottore... io lo dico per me poi, se lei vuole andare avanti, lo faccia. Lei fa quello che gli pare, ci ha 600 persone che la proteggono, ma a me chi mi protegge? Nessuno, su questa roba...»».

I pubblici ministeri insistono. E l'immobiliarista racconta: «Senta, dotto', secondo me, la Finnat è una banca molto vicina a... al mondo della massoneria, di clienti molto... ma comincio dall'inizio... È un fatto che io, quando sono dovuto scendere al 4,99 in Bnl, l'operazione l'ha curata tutta la Finnat per conto di Caltagirone; le azioni mie finirono a Bonsignore e mi sembrò tutto molto strano. Perché non farlo direttamente? Ma ci fu un altro fatto, più importante di questo. Quando sono entrato io in Bnl c'era un patto che io ho dovuto accettare: Caltagirone poteva nominare due consiglieri di cui il presiden-

---

23. *Annuario Pontificio 2007*, Libreria Editrice Vaticana, Città del Vaticano, p. 1285.

te della Bnl. Dopo un po', io dico a Coppola e Statuto (loro immobiliaristi e azionisti Bnl): ma scusa, i soldi so' soldi, il cinque per cento mio è come il tuo non cambia niente, dico: perché avete accettato questa clausola? Ma lui, Caltagirone, rappresenta anche altre persone, mi rispondono. All'epoca si parlava di questo Macrí, che erano però tre fratelli argentini. Da quello che io ho capito però le cose non stanno così. Me lo spiegò una volta Francesco Frasca, il capo della Vigilanza. Era l'aprile del 2005, prima dell'assemblea della Bnl. Frasca mi disse: "... tanto poi quelli, gli argentini, fanno riferimento all'ingegnere Caltagirone". Ma, dotto', la verità è che un conto sono gli argentini, che di quel dieci per cento avevano soltanto il cinque, e che appoggiavano Caltagirone – è vero, me lo aveva detto proprio lui – un conto è l'altro cinque per cento che era direttamente di Caltagirone appoggiato su hegde funds. Me lo disse anche Frasca, quando mi incontrò a maggio del 2005. Mi disse: "L'ingegnere Caltagirone che comunque ci ha di più (del 5 per cento)" e Fazio era comunque informato di questa cosa perché Caltagirone è amico di famiglia, sono amici di famiglia, mica è amico mio».

«I pubblici ministeri ritornano, e più volte, sulla Finnat: "Perché lei assegna alla banca Finnat questo ruolo centrale?"».

«Ricucci sbotta: "Ah, da quando ero piccolo così, lo sa tutta Italia che la massoneria... De Bustis, Caltagirone, Nattino sono tutti... la massoneria"».[24] Affermazioni la cui veridicità è, naturalmente, tutta da verificare.

Spioni e massoni: il caso Telecom

Nell'estate del 2006 scoppia lo scandalo delle intecettazioni abusive effettuate da uomini del gruppo Telecom.

Il 20 settembre 2006, infatti, venti ordinanze di custodia cautelare vengono emesse dalla Procura di Milano nell'am-

---

24. Giuseppe D'Avanzo, *Ricucci: io e quel patto bipartisan sulle banche*, cit.

bito dell'inchiesta sulle intercettazioni abusive coordinata dai pm Nicola Piacente, Stefano Civardi e Fabio Napoleone, che tocca anche il gruppo Telecom. Secondo la Procura, gli intercettati erano giudici, giornalisti, politici e uomini dell'economia e della finanza.

Tra gli arrestati vi sono anche l'ex manager della società ed ex sottufficiale dell'Arma Giuliano Tavaroli – a lungo braccio destro di Marco Tronchetti Provera e capo della sicurezza del gruppo fino al maggio 2005 – ed Emanuele Cipriani, legato a Licio Gelli e titolare dell'agenzia di investigazioni fiorentina Polis d'Istinto. I due vengono arrestati rispettivamente a Milano e Firenze.

L'inchiesta si viene a sovrapporre a un'altra originata dal rapimento, il 17 febbraio 2003 (in via Guerzoni a Milano), dell'imam Abu Omar.[25] Il rapimento è stato compiuto dalla Cia con l'aiuto di uomini del Sismi. Viene scoperta in quell'occasione una struttura della Cia[26] e del Sismi che si occupava di depistaggi, disinformazione, produzione di falsi carteggi per compromettere personaggi pubblici o politici e soprattutto per pilotare le informazioni su vicende scottanti.[27] Il servizio segreto militare era peraltro reduce da uno scandalo avvenuto nel 2005: lo spionaggio ai danni di Alessandra Mussolini prima delle elezioni regionali nel Lazio.

---

25. Secondo quanto ricostruito dagli inquirenti, Abu Omar è stato prelevato in pieno giorno da un commando in via Guerzoni, a Milano, mentre si recava in moschea, caricato su un furgone bianco, portato nella base militare di Aviano, dove è stato duramente interrogato, e infine trasferito al Cairo, dove è stato per mesi torturato dagli egiziani: torture in *outsourcing*, per conto degli americani.

26. La Cia, subito dopo il rapimento, nel marzo 2003, invia alla polizia italiana (precisamente alla Direzione centrale polizia di prevenzione, da cui dipendono le Digos) una nota in cui si afferma che Abu Omar si è volontariamente trasferito in una ignota località balcanica da cui avrebbe dovuto proseguire per andare a combattere in Iraq.

27. I file illegali reperiti dagli inquirenti sono più di centomila. Lo spionaggio avveniva attraverso la sicurezza Telecom e l'agenzia d'investigazione privata di Emanuele Cipriani, *longa manus* di Tavaroli.

Il Sismi aveva infatti attrezzato un ufficio, in via Nazionale a Roma, che dava il suo valido contributo a sfornare falsi
scoop. In quest'ufficio lavorava un ex dipendente Telecom –
Pio Pompa – che aveva stretti rapporti con il capo del Sismi
Niccolò Pollari, che lo chiamava «il mio orecchio». Pompa
raccoglieva veline, fabbricava dossier, gestiva un archivio parallelo, teneva rapporti con molti giornalisti, spacciava informazioni, diffondeva veleni. Ed era riuscito a trasformare cro-
nisti, anche noti, in agenti a uso del servizio e infiltrati all'interno dei giornali.

Un nome di spicco fra i giornalisti a doppio servizio è il
vicedirettore di «Libero», Renato Farina. Avrebbe avuto un
rapporto continuativo – retribuito con almeno 30mila euro –
e avrebbe fatto anche da inviato per intervistare uno dei due
giudici inquirenti, Spataro, per capire quali elementi avevano in mano. Farina ammise, ma si giustificò talmente bene
che nessuno lo mandò via dal giornale. Il motivo essenziale
per cui alcuni scelsero di avere un doppio ruolo nella stampa
sembra sia da ricercare nelle promesse di «scalate» professionali.

Mentre – dall'altra parte – chi cercava di collaborare con
la magistratura, in particolare Adamo Bove, dirigente della
Technology Security di Tim e docente nei corsi professionali
ad alto livello dell'Elis Fellows, scuola legata all'Opus Dei,[28]
veniva minacciato, preso di mira, perseguitato. Bove si tolse
la vita il 21 luglio 2006 gettandosi da un ponte della tangen-
ziale di Napoli.[29]

Bove era stato accusato di aver violato il sistema Audit
per estrapolare alcuni tabulati (per esempio sul banchiere
Geronzi). Quale era la sua vera colpa? Aver fatto individuare
alla magistratura, nell'inchiesta sul rapimento di Abu Omar,

---

28. Fra i professionisti del programma Fellow ce ne sono molti che fanno
parte del gruppo Pirelli. Si veda Rita Pennarola, *Telecom-plotto*, in «La
Voce della Campania», ottobre 2006.
29. La Procura di Napoli ha aperto un fascicolo per istigazione al suicidio.

le utenze coperte degli uffici del Sismi. Infatti la Procura di Milano aprì un'inchiesta per sequestro di persona e vennero rinviati a giudizio proprio i vertici del Sismi: Nicolò Pollari e il suo vice Marco Mancini.[30] In questa vicenda di intercettazioni illegali in totale sono state arrestate ventun persone: ex manager, pubblici ufficiali, funzionari dell'agenzia delle entrate e undici fra agenti e militari in servizio in polizia di Stato, guardia di finanza e carabinieri.

Fra i principali accusati c'è Giuliano Tavaroli. Il suo regno era in una palazzina milanese, in via Victor Hugo. Da semplice brigadiere dei carabinieri era diventato capo della *security* di una multinazionale: ascese simili non sono frequenti. Infatti nel maggio 2005, durante la perquisizione, nella sua abitazione vengono trovati documenti riguardanti l'Opus Dei,[31] carte del Sisde, volantini delle Br e gli organigrammi segreti dei servizi di sicurezza italiani.[32] Spunta an-

---

30. Avrebbe incassato denaro per consegnare a un investigatore privato di Firenze (Emanuele Cipriani) le notizie riservate in possesso del Sismi. Cfr. Piero Colaprico, Giuseppe D'Avanzo, Emilio Randacio, *«Da Telecom ai dossier sui Ds». Mancini parla dei politici*, in «la Repubblica», 26 gennaio 2007.
31. Il 14 novembre 2004 Giuliano Tavaroli era presente a una tavola rotonda organizzata per il «Fellow Thanksgiving Day» presso la sede Elis. Alcuni «dissidenti» dichiarano che, al di là degli aspetti religiosi, Telecom Italia sarebbe entrata da qualche anno nel dna dell'Opus Dei con la nascita del Consorzio Consel, che permette agli affiliati un accesso diretto alle principali aziende di Stato poi privatizzate. Infatti non ci sarebbe solo Telecom fra i membri del consorzio fondato in Italia dall'Opus, ma anche Vodafone, Wind, Autostrade, Acea, Siemens (cfr. Rita Pennarola, *Telecom-plotto*, cit.).
32. «Quando è stato perquisito, tra i documenti sono emerse parecchie carte che riguardano l'Opus Dei. E alla prelatura fondata da Escrivá de Balaguer fa anche riferimento un appunto, datato gennaio 2003, in cui il big boss della security elenca quelli che vengono indicati come targets (obiettivi), forse da colpire o forse da infiltrare: compaiono tra le altre le diciture "Cl-università cattolica", un riferimento a "Tabacci" (probabilmente Bruno, il parlamentare Udc), la sigla Ag, che normalmente sta per autorità giudiziaria, e quella della Guardia di Finanza, cioè Gdf, e poi i nomi di Umberto Bossi, del forzista Aldo Brancher e, infine, una serie di

che quello che sembra essere il suo progetto: la One Security, una gigantesca società di sicurezza globale che avrebbe dovuto essere finanziata proprio da Pirelli e dagli Istituti di Vigilanza dell'Ivri e che secondo i magistrati avrebbe potuto trasformarsi in uno strumento per ricattare e promuovere manovre occulte.

Tavaroli era responsabile della sicurezza di Telecom e di quella personale di Marco Tronchetti Provera. Secondo il gip Paola Belsito «agiva con grande frequenza mediante operazioni fuori sistema e non riferiva costantemente a nessuno se non al presidente». Dall'ordinanza di custodia – emessa il 20 settembre 2006 dai pm Piacente, Civardi e Napoleone – emerge che «l'enorme mole di informazioni e dati riservati illegalmente ottenuti e memorizzati nell'archivio rinvenuto nella disponibilità di Cipriani è per la stragrande maggioranza commissionata da uomini del Gruppo Telecom e Pirelli e pagate con denaro proveniente da tali società».

Fra gli spioni si aggiunge il nome di Emanuele Cipriani: ex funzionario della Banca Nazionale dell'Agricoltura e poi imprenditore nel settore della *security*; la sua agenzia d'investigazioni si chiama Polis d'Istinto.

Fra il 2004 e il 2005, stando a quanto ricostruito dagli inquirenti, sono state di oltre due milioni di euro le parcelle versate da Telecom all'agenzia di Cipriani. Secondo gli investigatori «le indagini illegali, piuttosto che un interesse immediato e diretto del Gruppo Pirelli Telecom, servivano a far lavorare i privati su indagini di interesse dei servizi, o semplicemente già note ai servizi, facendone ricadere il costo su Pirelli Telecom»; l'obiettivo era quindi quello di creare fondi neri. I magistrati hanno scoperto una rete di conti bancari intestati a società off shore tra Lussemburgo e Londra e un «tesoretto» di circa 20 milioni di euro provenienti dalle

giornali come "L'espresso", "la Repubblica", "il Mondo" e tutto il gruppo Rcs» (Peter Gomez e Vittorio Malagutti, *Dio, patria e spioni*, in «L'espresso», 9 febbraio 2007).

casse Telecom e Pirelli, pagati da Tavaroli e nascosti all'estero da Cipriani.

Quest'ultimo – in un'intervista rilasciata a Carlo Bonini e Giuseppe D'Avanzo[33] – dichiara che il fatturato della sua agenzia dipendeva per il 45-50 per cento dalle commesse Pirelli e Telecom; che le sue indagini venivano commissionate da Giuliano Tavaroli che conosceva da trent'anni. Erano amici d'infanzia e proprio attraverso Tavaroli, negli anni Ottanta, aveva conosciuto Marco Mancini:[34] entrambi lavoravano all'anticrimine dell'Arma dei carabinieri di Milano. I milioni di euro all'estero – stando a quanto dichiara a Mancini – non sono provviste personali di dirigenti Telecom o fondi neri: il denaro è solo suo. Aggiunge di non conoscere Licio Gelli – lo ha visto al funerale della figlia – ma da oltre quindici anni è amico del figlio Raffaello e della moglie Marta.[35] Ma dall'inchiesta risultano essere talmente amici da domiciliare presso la loro casa di Montecarlo uno dei conti esteri su cui arrivano i soldi liquidati da Telecom per le sue «indagini». E infatti Cipriani conferma: «Per quanto riguarda le mie disponibilità presso Monaco, inizialmente indicai

---

33. Carlo Bonini e Giuseppe D'Avanzo, *Parla l'uomo dei dossier. "Così spiavo per Telecom"*, in «la Repubblica», 2 giugno 2006.
34. «I due entrano in contatto (1986) con John Spinelli, l'ufficiale di collegamento della Cia con l'intelligence italiana. La circostanza lascia credere che "la piattaforma" sia stata sostenuta e utilizzata dalla Central Intelligence Agency. L'essenziale dettaglio è confermato dai primi risultati dell'inchiesta. Due protagonisti – Tavaroli e Mancini – appaiono "legati" alla Cia. "L'orecchio di Nicolò Pollari" (Pio Pompa) si lascia intercettare mentre rivela che "Tavaroli è stato pagato 15mila dollari o euro al mese dalla Cia"» (Piero Colaprico, Giuseppe D'Avanzo, Emilio Randacio, *Gli interrogatori ai pm di Milano. Mancini: «Ma sui conti non ho trovato nulla». Da Telecom al Sismi dossier sui Ds*, in «la Repubblica», 26 gennaio 2007.
35. Mancini dice di aver saputo che Cipriani aveva rapporti con i figli di Licio Gelli, il Gran Maestro della loggia P2. «Proprio perché sapevo che sarebbe stato al suo matrimonio – dice – rifiutai di fargli da testimone. Partecipai alle nozze come semplice invitato», in Fiorenza Sarzanini, «Corriere della Sera», 27 gennaio 2007.

la domiciliazione presso l'abitazione dei signori Gelli quando gli stessi erano residenti a Montecarlo... I rapporti con la famiglia Gelli sono esclusivamente di amicizia...».[36]

Molti giornalisti sostengono che Cipriani sia legato alla massoneria,[37] in particolare sul quotidiano «La Stampa» il giornalista Alfio Caruso, il 4 settembre 2006, scrive: «Nella vicenda delle intercettazioni abusive la presenza di Emanuele Cipriani garantisce la tradizione che pretende almeno un massone dentro ogni intrigo italiano. E Cipriani non soltanto è un adepto del Grande Architetto dell'Universo, ma, per assicurarsi benefici più terreni, risulta legato anche alla famiglia Gelli».

Il giorno dopo il Grande Oriente d'Italia, con un comunicato stampa riferito proprio a quest'articolo, smentisce l'appartenenza di Cipriani alla massoneria.[38] Perché un intervento così tempestivo per smentire l'appartenenza dell'affarista al Goi? Cipriani viene interrogato tre volte e ogni

---

36. Cfr. Rita Pennarola, *Telecom-plotto*, cit.
37. Cfr. Gianni Barbacetto, *Compagni che sbagliano*, Il Saggiatore, Milano, 2007; Rita Pennarola, *Telecom-plotto*, cit.
38. Giuseppe Abramo, Gran segretario del Grande Oriente d'Italia, dichiara: «Nei momenti di crisi del nostro Paese, assistiamo alla riproposizione di un fenomeno di malcostume volto ad accreditare genericamente la presenza dei massoni nei misteri d'Italia; la tecnica usata è sempre la stessa: non si specifica mai a quale istituzione massonica costoro appartengano, se si tratti di responsabilità collettive o individuali, e ciò al precipuo fine di evitare di incorrere in responsabilità civili e penali, che verrebbero inevitabilmente ravvisate se il riferimento riguardasse il Grande Oriente d'Italia. Anche nel nostro Paese come esistono tante Chiese, esistono tante massonerie, talché occorre specificare a quale ente si faccia riferimento, posto che nella nostra legislazione non esistono norme che tutelino il diritto alla denominazione massoneria in esclusiva. Colpire nel mucchio, persegue, pertanto, il duplice obiettivo di criminalizzare una formazione sociale e di non essere perseguiti come sarebbe avvenuto nel caso in cui il Cipriani fosse stato qualificato come appartenente al Grande Oriente d'Italia. Quale Gran Segretario del Grande Oriente d'Italia posso attestare che quest'ultimo non è membro, non lo è mai stato e mai lo sarà della nostra Istituzione».

volta i verbali vengono secretati; per i pm milanesi l'ipotesi di reato è associazione a delinquere finalizzata alla corruzione di pubblici ufficiali per l'acquisizione di notizie coperte da privacy.

Al commercialista di Cipriani, Marcello Gualtieri, è stato contestato il reato di riciclaggio: avrebbe provveduto a nascondere in vari Paesi europei – tra cui Svizzera, Belgio, Lussemburgo e Montecarlo – circa 14 milioni di euro di provenienza illecita. Secondo gli investigatori, il commercialista avrebbe anche avuto il compito di creare società fittizie. A coadiuvare il lavoro della Polis d'Istinto ci sarebbero stati due giornalisti di «Famiglia Cristiana»: Guglielmo Sasinini e Francesco Silvestri, che in precedenza erano collaboratori della rivista dei carabinieri. C'è in merito la testimonianza della segretaria di Cipriani: Sasinini era stato visto frequentemente in compagnia di Tavaroli e di Adamo Bove. Per la sua attività Sasinini avrebbe ricevuto un compenso annuo di circa 160mila euro. Fra gli appunti che gli sono stati sequestrati si parla dell'accordo fra Bossi e Berlusconi in base al quale il secondo avrebbe dato 70 miliardi di lire al leader della Lega in cambio della sua fedeltà.[39]

Lo spionaggio permetteva a chi operava nella cosidetta «piattaforma» (Tavaroli; Cipriani; un ex agente della Cia, John Spinelli; un ex fiduciario del Sisde, Marco Bernardini; il capo del controspionaggio del Sismi, Marco Mancini) di mettere da parte il bel gruzzoletto in euro e in dollari assicurato da Telecom. In manette è finito anche Guido Iezzi, manager della Pirelli incaricato della sicurezza all'interno dell'azienda.

Nell'inchiesta Telecom molte Procure entrano in gioco: Milano, Torino, Roma, Napoli, Catanzaro perché la matassa è più intricata di quello che sembra. Fra i dossier con le intercettazioni illegali ce ne sono due scoperti nel maggio

---

39. Ordinanza del gip Gennari.

2005[40] a casa di Giovanbattista Papello,[41] massone – iscritto negli anni Novanta – e collaboratore dell'ex viceministro Ugo Martinat (An), in contatto con spioni privati a loro volta in contatto con Tavaroli. Papello sedeva nel Consiglio d'amministrazione dell'Anas, in quota Alleanza nazionale, e ha avuto rapporti con un'agenzia investigativa, la Data General Security di Roma, gruppo Sipro.

Un bel giro, non c'è che dire: a riprova del fatto che quando c'è qualche affare poco pulito la massoneria «deviata» non esita a offrire la propria collaborazione.

---

40. Il sostituto procuratore Luigi De Magistris fa perquisire l'abitazione privata di Papello e trova elementi che riconducono alla massoneria e tre dossier con intercettazioni telefoniche certamente abusive, e forse anche falsificate, di Piero Fassino (Ds), Pietro Folena (ex Ds, ora Rifondazione) e Vincenzo Pozzi, presidente dell'Anas.

41. Giovanbattista Papello è stato interessato da accertamenti giudiziari in quanto socio di Lorenzo Cesa (segretario Udc) nella Spb optical disk, che avrebbe dovuto investire in Calabria il finanziamento erogato dalla Comunità Europea nell'ambito dei Por (Programma operativo regionale).

Tra affari e Palazzo:
l'inchiesta di De Magistris

Quindici anni dopo l'inchiesta del procuratore Cordova del 1992, nel 2007 una nuova inchiesta ha coinvolto la massoneria italiana con pesanti addebiti.

Il 27 marzo 2007 parte dalla Procura di Catanzaro, guidata dal sostituto procuratore Luigi De Magistris, un'inchiesta ad ampio raggio sui rapporti tra politica corrotta, massoneria, lobby d'affari e malavita organizzata. Un terremoto giudiziario che – collegandosi alle inchieste avviate dal pm John Henry Woodcock a Potenza, dalla Procura di Trapani e dalla Procura di Roma sui rapporti tra mafia e massoneria – disegnava una vera e propria «tangentopoli massonica del Sud», una Mani pulite in grembiulino che non ha più come epicentro Milano, ma l'intero meridione.

L'inchiesta di De Magistris, infatti, parte dalla Calabria ma si estende al resto d'Italia: un presunto gruppo di potere trasversale agli schieramenti politici viene infatti messo sotto accusa dal sostituto procuratore, che ordina ventisei perquisizioni in tutto il Paese.

Finiscono nel mirino politici e consulenti a tutti i livelli, anche i più alti. Il 25 giugno 2007 si diffonde la notizia di un avviso di garanzia al premier Romano Prodi e tra gli indagati figurano Piero Scarpellini, consulente del governo Prodi, tre consiglieri regionali (due erano assessori in carica nell'esecutivo di centrosinistra della Regione Calabria), ma anche esponenti del centrodestra, un generale della guardia di finanza e alcuni imprenditori; come pure i servizi segreti: tra i perquisiti un dipendente del Sismi e uno del Cesis.

Ventisei le perquisizioni, venti gli indagati,[1] ma molto più numerosi i nomi che figurano nelle 273 pagine del decreto di perquisizione,[2] che è valso anche come avviso di garanzia.

Il sistema affaristico indagato da De Magistris sarebbe stato tenuto assieme, sempre secondo l'ipotesi accusatoria, da una loggia massonica coperta con sede a San Marino: un comitato d'affari che avrebbe influito sulle scelte di amministrazioni pubbliche sia per l'utilizzo di finanziamenti europei che per l'assegnazione di appalti. Oggetto dell'inchiesta, infatti, sarebbe stata proprio la gestione del denaro pubblico, che De Magistris definisce «devastante».

Nell'ordinanza il pm De Magistris, che si avvale del Reparto Operativo dei Carabinieri di Catanzaro, scrive:

> L'attività investigativa ha consentito di individuare la sussistenza di condotte criminose finalizzate alla consumazione di truffe e corruzioni con riferimento, in particolare, all'erogazione di fondi pubblici. I reati vengono consumati, soprattutto, attraverso la costituzione di «schermi» societari che consentono di spostare il denaro con maggiore facilità e creare condizioni per la realizzazione del prezzo del reato. Dall'analisi delle compagini societarie e dei flussi economico-finanziari emerge uno scenario devastante circa la gestione di denaro pubblico e della pervicace volontà di depredare le risorse pubbliche pur di raggiungere lucrosi interessi criminali. [...]

---

1. Le perquisizioni sono state poste in essere, oltre che in Calabria, a Roma, Padova e Milano. A venti delle persone che hanno subito le perquisizioni i carabinieri hanno notificato contestualmente informazioni di garanzia, emesse dal sostituto procuratore Luigi De Magistris, in cui si ipotizzano, a vario titolo, reati che vanno dall'associazione per delinquere, alla truffa, alla corruzione, alla violazione della legge Anselmi sulle associazioni segrete al finanziamento illecito dei partiti.
2. Procura della Repubblica presso il Tribunale di Catanzaro: decreto di perquisizione personale e locale disposto dal sostituto procuratore della Repubblica Luigi De Magistris in base agli artt. 249, 250 e ss. c.p.p. – 15 giugno 2007.

Le indagini preliminari hanno anche evidenziato comuni colleganze affaristiche – riscontrate anche da altra attività investigativa e dall'esame di materiale sequestrato all'esito di precedenti perquisizioni – tra società e persone riconducibili, anche indirettamente, ad amministratori pubblici facenti parte di «opposti schieramenti». In tal modo si delinea un controllo – si potrebbe dire «blindato» – di fette rilevanti della spesa pubblica, in settori determinanti per lo sviluppo. È emersa la costituzione di vere e proprie *lobby affaristiche*, costituite con modalità tali da rimanere occulte e non consentendo di individuare i partecipanti alle stesse (tenuto anche conto dell'appartenenza a ramificazioni significative delle Istituzioni di taluni sodali), svolgendo attività diretta ad interferire sull'esercizio delle funzioni di Istituzioni, amministrazioni pubbliche e di servizi pubblici essenziali di interesse nazionale. Dall'esame delle visure camerali emerge un coacervo di società collegate tutte riconducibili a soggetti comunque coinvolti nell'attività investigativa, tanto da far ritenere che si tratti di imprese finalizzate alla consumazione dei delitti di truffa e corruzione ed utilizzate, anche, quali «contenitori» per la raccolta ed il successivo reimpiego di somme di denaro. [...]

Conseguentemente vi è fondato motivo di ritenere che *artificiosamente* siano state costituite una serie di società, create ad hoc, per fare profitto illecito ed ottenere commesse nell'ambito degli appalti e delle gare e per perpetrare ingenti truffe ai danni della Comunità europea nell'ambito dei finanziamenti pubblici di volta in volta confluiti presso le *casse* della Regione Calabria da parte dell'Unione Europea. Utilizzando spesso le società per piazzare persone che hanno prestato loro "opere" in favore dei vari sodali. In particolare, dall'esame analitico delle compagini societarie – anche attraverso la verifica delle visure di tipo storico – è emerso che diversi nominativi di persone coinvolte, soprattutto taluni indagati, compaiono in diversi assetti di società, spesso con ruoli apicali, talvolta uscendo da alcune per rientrare in altre di medesimo oggetto sociale. Altresì, le società interessate – che sembrano costituire un collaudato sistema di "*scatole cinesi*" – hanno quasi sempre come oggetto sociale il settore ambientale (rifiuti o acque), quello immobiliare (verosimilmente per investire i soldi illecitamente acquisiti), quello finanziario, quello informatico, quello dei servizi e del terziario e che risultano rapporti e transazioni – per il reimpiego, verosimilmente, delle somme illecitamente acquisite – con società fiduciarie. Sono emerse dazioni di denaro (attraverso bonifici) tra talune delle società coinvolte e nominativi di persone interessate all'attività investigativa in corso.[3]

L'inchiesta della Procura di Catanzaro è stata denominata «Why not», dal nome di una società di lavoro interinale da cui è partito il meccanismo investigativo allargatosi poi a molte figure ed entità. Buona parte del decreto di perquisizione è corredata da intercettazioni telefoniche e ambientali effettuate sulle conversazioni di politici di tutti gli schieramenti con l'ex titolare della Why Not, Antonio Saladino, una delle figure di vertice della Compagnia delle Opere nel Sud Italia. Il gruppo di potere trasversale vedeva coinvolto, secondo gli inquirenti, anche un generale della guardia di finanza, Paolo Poletti, attuale capo di stato maggiore delle Fiamme gialle, anche lui oggetto di avviso di garanzia.

Le indagini di De Magistris si sono innestate su una precedente inchiesta, la «Poseidone», in cui erano indagati politici e amministratori: un'inchiesta sull'uso dei fondi per la depurazione delle acque, cui poi si erano aggiunti altri filoni legati all'uso delle risorse nell'informatica e per i lavoratori a termine. Nell'inchiesta «Poseidone» era finito indagato anche il segretario nazionale dell'Udc, Lorenzo Cesa, accusato di avere raccolto, attraverso una sua società, fondi in favore del partito.

L'impegno comune delle Procure

L'inchiesta sviluppata da De Magistris nella primavera del 2007 si è mossa in piena autonomia. Tuttavia è sembrato esistere un sottile «filo» analitico e tematico tra le indagini svol-

---

3. *Ibidem.*

te dalle Procure di Catanzaro e Potenza. Un filo che fa capo a due magistrati titolari di inchieste che vedono indagati politici e amministratori pubblici. Inchieste che hanno al centro, soprattutto, l'utilizzo distorto di fondi pubblici, ma anche la presenza inquietante di logge massoniche «coperte» come collante del potere.

I magistrati in questione sono Henry John Woodcock e Luigi De Magistris, due sostituti procuratori che hanno avuto il coraggio di affrontare fattispecie di reato complesse, perché legate agli intricati gangli della massoneria deviata e dei comitati d'affari che ruotano attorno alle logge coperte.

Le due Procure in cui lavorano i magistrati hanno ormai raggiunto la notorietà delle maggiori Procure nazionali ai tempi delle grandi inchieste sull'utilizzo del potere in Italia. C'è un record, tra l'altro, che riguarda De Magistris: sul suo conto sono state presentate alcune decine di interrogazioni da parte di parlamentari, finalizzate a dichiararne l'incompatibilità ambientale e quindi l'allontanamento dalla Procura della Repubblica di Catanzaro (l'ultima datata settembre 2007).

Certo è che nel mirino di De Magistris sono finiti alcuni politici di livello nazionale come Lorenzo Cesa, l'ex presidente della Regione Calabria, Giuseppe Chiaravalloti e importanti esponenti di An come l'ex assessore all'Agricoltura della Regione Calabria Giovanni Dima e Giovanbattista Papello, vicino a Maurizio Gasparri. Ma non ci sono stati soltanto esponenti di centrodestra, tra gli indagati di De Magistris. Nell'inchiesta che ha portato alle perquisizioni effettuate tra marzo e giugno 2007 è finito anche il vicepresidente della Regione Calabria Nicola Adamo, esponente di punta dei Ds calabresi, il consigliere regionale Antonio Acri (Ds) e l'assessore regionale all'Agricoltura Mario Pirillo, del Partito democratico meridionale. In una delle sue inchieste, inoltre, è coinvolto il presidente della Regione, Agazio Loiero, ex Margherita, oggi uno dei punti di riferimento del nascente Partito democratico.

De Magistris è diventato, inevitabilmente e forse suo malgrado, il referente di quella parte della società civile del meridione che si prefigge la moralizzazione della vita pubblica.[4] Lui si è sempre schermito: «Il mio fine – ha affermato – è solo la ricerca della giustizia».[5] Ha sempre rigettato l'accusa, mossagli da ambienti sia di destra che di sinistra, di ricercare con le sue inchieste finalità politiche. E soprattutto ha sempre detto di non avere velleità di alcun tipo. «Voglio continuare – ha spiegato – a fare il magistrato. La politica non mi ha mai interessato. Mio nonno era un magistrato e magistrato era anche mio padre. Io cerco soltanto di continuare la loro opera, nel solco di una tradizione familiare che è sempre stata al servizio dello Stato e della giustizia.»[6]

Donne coraggiose

Le analogie tra la storica inchiesta milanese di Tangentopoli e la «Mani pulite del Sud» sono anche nel ruolo di una donna quale teste chiave nell'avvio delle indagini. Allo stesso modo in cui fu una donna a denunciare Mario Chiesa, l'uo-

---

4. Dall'inizio della sua carriera in magistratura, nel 1995, il sostituto procuratore Luigi De Magistris, quarant'anni, si è spesso concentrato sui casi di corruzione nella pubblica amministrazione e sui rapporti tra criminalità e politica. L'inchiesta sulle «Toghe lucane», che ha coinvolto anche magistrati e dirigenti di polizia, è stata una delle più rilevanti. Da sempre a Catanzaro (tranne un intermezzo dal 1998 al 2002 alla Procura di Napoli), De Magistris è stato oggetto di diverse interrogazioni parlamentari da parte del centrodestra, per presunta incompatibilità ambientale. In un'intervista del dicembre 2006 a Telitalia, un'emittente locale, ha dichiarato: «Per poter affrontare il tema della giustizia in modo serio bisogna essere anzitutto non corporativi e molto critici al proprio interno. Ritengo che la magistratura abbia fatto parte molto spesso, in alcune sue componenti, di un sistema non trasparente».

5. Ansa, 18 giugno 2007.

6. *Ibidem.*

mo delle tangenti al Pio Albergo Trivulzio da cui scattò Tangentopoli, anche nell'inchiesta condotta da De Magistris il teste chiave è stata una donna coraggiosa.

L'operazione della Procura di Catanzaro ha infatti subìto un'accelerazione dopo l'interrogatorio di una signora,[7] che lavorava nella Why Not, la società di lavoro interinale di cui era titolare l'imprenditore Antonio Saladino, indagato anche in una precedente inchiesta connessa a quella che ha portato alle perquisizioni ordinate da De Magistris. La testimone, il cui nome nel decreto di perquisizione è stato coperto da *omissis*,[8] è stata ascoltata dal sostituto procuratore il 26 marzo 2007 in una località segreta.

Come in ogni maxi-inchiesta che riguardi la massoneria deviata, non poteva mancare nell'operazione «Why Not» un capitolo riguardante i servizi segreti. Due le persone indagate nell'inchiesta: Brunella Bruno,[9] trentun anni, in servizio al Cesis, e Massimo Stellato, quarantaquattro anni, capocentro del Sismi a Padova. Nei confronti di Brunella Bruno è stato ipotizzato il reato di associazione per delinquere finalizzata alla commissione di una serie di truffe in Calabria e in altre regioni. Lo stesso reato è stato ipotizzato nei confronti di Stellato, con l'aggiunta della violazione della legge Anselmi sul divieto di costituzione di associazioni segrete. Stellato, insieme al fratello Gianmario, indagato per i

---

7. Ansa, 18 giugno 2007, *Inchiesta Catanzaro: c'è teste che collabora a inchiesta*.

8. Sulla stampa è emerso poi che la supertestimone è Caterina Merante, che dal 1996 fu una delle più strette collaboratrici di Antonio Saladino. In seguito la Merante divenne responsabile di filiale di Obiettivo Lavoro in Calabria.

9. Il testo del decreto di perquisizione la qualifica come «l'ufficiale della Guardia di Finanza Brunella Bruno, sorella dell'Avv. Giovanni Bruno, tutti coinvolti in una importante e delicata attività d'indagine svolta dal Gico della Guardia di Finanza di Milano ove emergevano contatti ad alto livello in Roma, con particolare riferimento al partito dell'Udc», Decreto di perquisizione, p. 271.

suoi stessi reati, avrebbe fatto parte della «Loggia di San Marino», la loggia massonica coperta attorno alla quale ruotava il gruppo di potere trasversale la cui attività è stata al centro dell'inchiesta.

C'è comunque una vasta mole di intercettazioni telefoniche e ambientali – ma anche deposizioni da parte di testi – nel voluminoso decreto di perquisizione firmato dal sostituto De Magistris. Si va dai contatti con esponenti del governo regionale in carica al momento dell'indagine (centrosinistra) con quelli – ad alto livello – del precedente governo Berlusconi, in termini di affari ancora da chiarire o di assunzioni di parenti. C'è anche un curioso riferimento a un personaggio, di cui si fa solo il cognome (tale Castellucci), che sarebbe stato a sua volta legato a Primo Greganti. Non mancano persino – come segnalazione di persone da assumere – i riferimenti a settori del movimento sindacale e perfino un'utenza intestata al Vescovado di Lamezia Terme. Sullo sfondo dei grandi affari sui fondi europei c'è infatti il rinnovo del contratto per ottantaquattro lavoratori e quello che il pm definisce «il sistema della spartizione», ossia il rapporto tra il guadagno di un lavoratore e il costo effettivo per la Regione Calabria. Un grumo di interessi che comunque spaziava anche in altre regioni italiane.

C'è poi il riferimento al consulente di Romano Prodi. «Piero Scarpellini», si afferma nel decreto di perquisizione, «consulente di Romano Prodi, con base nella Repubblica di San Marino, sembra avere una passione per gli affari tra Italia e nord Africa. Pare essere esperto di investimenti pubblici in Africa, membro del Consiglio direttivo di Teresy's Foundation – International Observatory of economic, juridical and fiscal policies – Republic of San Marino.»[10]

---

10. *Ibidem*, p. 267.

Le logge di San Marino e il comitato d'affari

Se l'inchiesta è partita dalla Calabria, è indubbio che il cuore finanziario delle indagini è altrove, a San Marino, una realtà dove non solo esiste un sistema fiscale molto vantaggioso che induce molte imprese italiane (e non) a trasferire lì la propria sede, ma dove fiorirebbero anche comitati d'affari trasversali, legati a gruppi di potere occulti.

Gli accertamenti finanziari su due degli indagati, Pietro Macrì[11] (dirigente di una società di informatica e considerato uomo vicino a Romano Prodi) e il cognato Francesco De Grano (responsabile dei finanziamenti del programma operativo regionale della Calabria), avrebbero messo in evidenza flussi di denaro, considerati sospetti dalla Procura, verso San Marino. Movimenti che De Magistris ha approfondito con il supporto del consulente tecnico Piero Sagona, ex ispettore della Banca d'Italia e dell'Ufficio italiano cambi come esperto di antiriciclaggio.

È tuttavia Piero Scarpellini il perno dell'inchiesta di Catanzaro che ha coinvolto il presidente del Consiglio Romano Prodi, lo rivela il settimanale «Panorama»[12] in un articolo sull'indagine che ha portato all'iscrizione nel registro degli indagati del premier per abuso d'ufficio. Scarpellini è «impiegato» della società sanmarinese Pragmata, fondata negli anni Novanta da un gruppo di ex uomini della Nomisma, il pensatoio bolognese fondato da Prodi. Gli investigatori stanno passando al setaccio le operazioni finanziarie di Scarpellini e sono partite le richieste di rogatoria per studiare i movi-

---

11. Nell'odinanza di perquisizione (p. 265) Pietro Macrì viene qualificato come «rappresentante della cd. Loggia di San Marino in Calabria, amministratore delegato di Met Sviluppo, vice-presidente di confindustria a Vibo Valentia ed in particolare presidente del terziario avanzato della confindustria di Vibo Valentia».
12. Giacomo Amadori, *Da San Marino alla Calabria: Mi manda Prodi, ma non sono un massone*, in «Panorama», 20 giugno 2007.

menti bancari sammarinesi. Gli inquirenti hanno cercato di decifrare le missioni all'estero di Scarpellini che con il figlio Alessandro si è spostato spesso tra San Marino e il Nordafrica, dove i due hanno svolto attività di consulenti del Primo ministro per l'area del Maghreb. In particolare in Libia. Nell'inchiesta sul comitato d'affari è risultato coinvolto un altro personaggio considerato vicino a Prodi: Franco Bonferroni, tra l'altro consigliere della Finmeccanica. De Magistris ha indagato anche sul ruolo dell'azienda (che ha come azionista il Ministero del Tesoro) negli investimenti in Calabria, in particolare nei progetti da realizzare con i contratti di area e di programma nell'ex area Sir di Lamezia Terme e nell'area del crotonese.

Il decreto di perquisizione di De Magistris segnala aspetti importanti. Il consulente tecnico della Banca d'Italia, il dottor Piero Sagona, scrive:

Le indagini effettuate dalla Procura della Repubblica di Catanzaro hanno fatto emergere anche che, per offrire un apparente schermo di legalità ed anche per consolidare i rapporti, di tipo pure massonico, tra i soggetti, venivano costituite associazioni e fondazioni, soprattutto operanti con l'Estero. È questo il caso dell'Osservatorio del Mediterraneo, in cui si è ricostruito un solido legame tra Fabio Schettini e l'ex ministro Franco Frattini, attuale Commissario europeo a Bruxelles, ed in cui è confluito denaro illecito nella disponibilità del predetto Schettini (persona incaricata di raccogliere denaro, per conto di Forza Italia, il cui ruolo apicale lo si riscontra, in particolare, nella vicenda Digitaleco Optival Disk). Legame di tipo anche affaristico che si consolida attraverso la costituzione – grazie alla collaborazione dello «Studio Livolsi» – dell'Istituto per il Turismo nel Sud, avente il dichiarato obiettivo di perseguire attività turistiche e imprenditoriali nel Sud Italia, attraverso la Nuova Merchant Spa con il supporto della Banca Nuova Spa, con sede in Palermo, che ha un ruolo, guarda caso, proprio nell'Osservatorio del Mediterraneo. È questo il caso della Free Foundation For Research on European Economy in cui assume un ruolo il consigliere economico, On. Brunetta, dell'ex Presidente del Consiglio dei Ministri, On. Berlusconi, ed ove compare Stefano Torda, già coinvolto in indagini aventi ad oggetto proprio il settore dei finanziamenti pubblici, nonché persona legata all'attuale coordinatore regionale in Calabria di Forza Italia. Non può non rilevarsi, a dimostrazione degli intrecci che stanno emergendo dalla complessa attività investigativa, che il dr. Gianfranco Imperatori è il Segretario Generale dell'Associazione Civita, sita in Roma alla piazza Venezia 11, ove è risultata allocata la predetta Free Foundation. E nel contempo è presidente di Capitalia Luxemburg spa, Banca presente nel Consiglio della Mecofin e Banca di riferimento nell'affare Mercuri, Scordo, Mecofin SA, Fecofee SA e Steriano Holding che ha portato alla scalata, con denaro in gran parte di provenienza illecita, della Pianimpianti da parte di persone direttamente riconducibili all'allora Sottosegretario alle Attività Produttive, con delega al Cipe, on. Galati (Udc) e all'allora presidente della Giunta Regionale della Calabria Chiaravalloti (Forza Italia). È questo il caso, sembrerebbe, del Progetto Euro-Mediterraneo, anche in questo caso con l'intento di creare un «ponte» con i Paesi del Mediterraneo ed in cui gli ispiratori risultano essere persone riconducibili alla cd. Loggia di San Marino ed alla Compagnia delle Opere: in particolare l'On. Gozi.[13]

---

13. Ordinanza De Magistris, pp. 265-266.

Gli Illuminati della finanza

Nel 2001, quando Giuliano Di Bernardo affida la guida della Gran Loggia Regolare d'Italia al successore Fabio Venzi, decide di dare vita a una nuova realtà. Il professore, in quel momento, sta infatti maturando un'ulteriore riflessione critica sulla massoneria italiana. E desidera creare qualcosa che, pur partendo da premesse massoniche, superi i limiti sperimentati all'interno del Grande Oriente e persino nella comunione da lui stesso avviata nel 1993.

L'11 luglio 2002, a Roma, nascono così gli Illuminati, un consesso che si richiama al gruppo degli Illuminati di Baviera fondato nel Settecento; ma che si rifà anche ad altre esperienze più recenti, soprattutto statunitensi.[1]

«Sono Illuminati coloro che appartengono alle società esoteriche che si ispirano alla luce. Fin dall'antichità l'uomo ha usato il termine "luce" per caratterizzare il divino. Si pensi alla luce nella creazione della Bibbia, che è all'origine dell'Ebraismo, del Cristianesimo e dell'Islamismo. La luce ha anche ispirato le manifestazioni del divino nelle società ar-

---

1. Giuliano Di Bernardo ha rivelato al quotidiano «La Stampa» (23 marzo 1990), che l'ex Presidente americano George Bush senior sarebbe un 33° grado della massoneria di Rito scozzese. Bush sarebbe stato iniziato, nel 1943, alla setta «Skull and Bones» (Teschio e Ossa) dell'Università di Yale, fondata nel 1832. Nel numero del 25 dicembre 1992, «The Economist» elencava una decina delle maggiori «società d'influenza» del mondo occidentale, rivelando la loro comune derivazione dall'Ordine degli Illuminati di Weisshaupt fondato nel 1776. Bill Clinton, che appartiene anche al C.F.R., alla Commissione Trilaterale e al Bilderberg, farebbe parte degli Illuminati.

caiche. L'immagine della luce, per indicare il principio assoluto dell'essere, rappresenta un fondamento comune a tutto il pensiero filosofico antico. Dall'antichità ai nostri giorni, il concetto di luce ha assunto significati diversi, che possono essere distinti secondo le seguenti categorie: luce originaria, luce divina, luce intellettiva, luce morale.»

Di Bernardo sottolinea però che uno degli obiettivi chiave è proprio quello di non ripetere gli errori storici degli Illuminati di Baviera, la cui colpa principale fu quella di abbandonare l'idea «universale» originaria per appiattirsi sulla massoneria. Proprio questo è il punto di partenza di Di Bernardo, la critica ai limiti della massoneria, particolarmente se riferita al «caso italiano».

«L'uomo si sente sempre più estraneo e preoccupato nel mondo in cui vive. I valori tradizionali diventano sempre più deboli ed egli perde, poco a poco, le certezze che da secoli lo hanno sorretto. Si apre così una profonda contraddizione: da una parte, il dubbio nei confronti dei valori tradizionali e, dall'altra, l'anelito verso nuove certezze. La ricerca delle certezze lo porta a vedere, sotto una luce nuova non più negativa, i poteri forti che, in modo più o meno occulto, hanno guidato le sorti dell'umanità.»

Di quali «poteri forti» parla l'ex Gran Maestro?

«Si tratta di quei poteri secolari come, ad esempio, gli ordini preposti all'esercizio del potere temporale che esistono all'interno di alcune Chiese (l'Opus Dei nella Chiesa cattolica), la massoneria, certe organizzazioni ebraiche (l'Anti-Defamation League)[2] e altre. Questi poteri, almeno nei tempi moderni, hanno rappresentato visioni differenti e alternative che hanno esercitato, all'interno delle loro specificità, un ruolo di propulsione e di sviluppo. Ogni visione era sovrana

---

2. La Anti-Defamation League è considerato un vero e proprio braccio operativo del B'nai B'rith. B'nai B'rith è, un'associazione fraterna ebraica fondata negli Stati Uniti nel 1843. Daniel Ligou, *Dictionnaire de la Franc-Maçonnerie*, Ed. P.U.F., Paris, 1998, p. 150.

e autosufficiente, anche se tentativi di collaborare su alcuni progetti non sono mancati. I poteri forti, tuttavia, erano spesso in conflitto, poiché si contendevano lo stesso oggetto: il controllo della politica, dell'economia e l'educazione delle nuove generazioni. Così la storia dei rapporti tra massoneria e Chiese cristiane (in particolare, quella cattolica) è una storia di conflitti sul piano dottrinale, morale e pedagogico. Questi poteri secolari, nonostante difficoltà di vario genere, fino a qualche decennio fa erano in grado di gestire se stessi concependo progetti e realizzandoli. Tuttavia, proprio in seguito ai profondi e radicali cambiamenti nella scienza, nell'economia e nella religione, non sono preparati per affrontare le nuove sfide planetarie. Il rischio che corrono è quello di ritrovarsi oggetti da museo a testimoniare antiche glorie. Sono giganti dai piedi d'argilla, potenti ma incapaci di stare al passo con i tempi. Mentre l'umanità corre sempre più veloce, essi rimangono sempre più indietro. Le tenebre avvolgono anche loro.»

Questi poteri secolari, presi singolarmente, non sono in grado di fronteggiare le sfide che vengono rivolte all'umanità, sostiene Di Bernardo. Potrebbero vincerle «se si unissero, realizzando un potere veramente mondiale». Ma questo non è possibile perché le differenze dottrinali e pratiche sono troppo rilevanti e insuperabili. Allora che fare? Ecco il progetto del Gran Maestro.

«Quando le istituzioni nazionali e internazionali sono in crisi, quando la società è conflittuale e a tale conflittualità non esiste soluzione, allora è necessario ritornare all'uomo, al singolo uomo, all'uomo di qualità, all'uomo illuminato e porlo al centro dell'universo. Uomini illuminati, senza distinzione di sesso, razza, lingua, religione e cultura, si incontrano per creare una comunione universale il cui compito principale è quello di difendere i princìpi e i valori che possono dare all'uomo benessere e felicità. Saranno questi Illuminati – filosofi, scienziati, medici, matematici, artisti, giuristi, economisti, imprenditori, comunicatori, sportivi, musicisti – a costruire il faro che respingerà le tenebre che avvolgono l'umanità.»

Di Bernardo ha una visione «ecumenica» del potere.

«Gli Illuminati rappresenteranno tutte le concezioni dell'uomo e della vita, da quelle religiose a quelle laiche. Massoni, preti, ebrei e altri insigni uomini potranno coesistere e concepire insieme un progetto ideale capace di garantire la sopravvivenza, il benessere e la felicità dell'uomo. È tempo che la luce trionfi sulle tenebre. È tempo che ritornino gli Illuminati.»

Un ruolo forte, nel progetto degli Illuminati, è assegnato all'economia e alla finanza.

«L'economia ha introdotto, nei secoli scorsi, le regole capitalistiche del libero mercato. Insieme con il progresso della scienza e della tecnica, ha radicalmente trasformato il mondo statico del Medioevo, creando mercati aperti, grazie anche ai nuovi mezzi di comunicazione. Da questo stato di cose i Paesi occidentali hanno tratto ricchezza e privilegi. Attualmente, il processo di globalizzazione tende a trasformare la terra in un unico mercato, facendo nascere contraddizioni e paradossi. Mentre da una parte aumenta la circolazione delle merci, dall'altra le imprese, che non hanno la capacità di adeguarsi alle nuove condizioni di mercato, entrano in crisi. La conseguenza è che la globalizzazione genera crisi e approfondisce sempre di più il divario tra ricchi e poveri. Anche qui l'uomo è disorientato e si sente sprofondare nelle tenebre.»

Ma in concreto gli Illuminati come hanno preso avvio in Italia?

«Qualche tempo fa venne a trovarmi un massone di Torino, che mi disse: "Ho fatto parte del Grande Oriente d'Italia e poi della Gran Loggia Regolare d'Italia. E sono rimasto deluso. Credo nei valori della massoneria e vorrei sollecitarti a realizzare qualcosa di nuovo. Se tu crei qualcosa, immediatamente ci sarà una fuga da tutte le altre massonerie". Io lo ascoltai con interesse, poi gli spiegai le ragioni per le quali non avrei mai ricostituito una nuova loggia, o comunque una comunione massonica classica. Gli dissi che mi ero dimesso dalla massoneria, non solo italiana ma mondiale, e che non mi sarei mai impegnato in un nuovo progetto di massoneria. Gli parlai degli Illuminati.»

Come è iniziato il lavoro per la creazione degli Illuminati?

«Ho iniziato una sorta di "viaggio in Italia", partendo da Catania, perché ho imparato, nel corso della mia esperienza, che le idee nascono al Nord ma non si realizzano senza il Sud. Allo stesso modo, quando fondai la Gran Loggia Regolare d'Italia cominciai da Messina. Intanto un caro amico, professionista di alto livello, stava lavorando partendo dal Nord Italia: era riuscito a coinvolgere nel progetto degli Illuminati grandi industriali del Nord.»

Di Bernardo, nel corso del 2001 e nella prima metà del 2002, continuò il suo lavoro per creare un gruppo di uomini deciso a rifondare gli Illuminati. L'11 luglio 2002 depositò presso uno studio notarile l'atto costitutivo degli Illuminati, la cui sede venne fissata in piazza di Spagna 31.

Insieme a Di Bernardo c'è un nucleo interessante di figure. Si parte con monsignor Giorgio Eldarov,[3] di origine bulgara, uomo fondamentale nella penetrazione della Santa Sede in Bulgaria. Eldarov è un uomo interessante anche perché ha scoperto notizie inedite sul periodo di Roncalli come nunzio apostolico in Bulgaria, una fase in cui si dice che il futuro papa Giovanni XXIII fosse stato iniziato ai Rosacroce. Nel corso dell'estate del 2000, l'archimandrita bulgaro Eldarov rinvenne, negli archivi dello Stato bulgaro, circa ottanta lettere di Roncalli fino ad allora sconosciute, inviate tra il 1925 e il 1934 – nel corso della sua permanenza in Bulgaria come visitatore e delegato apostolico – al vescovo di Russe, il passionista olandese Theelen. Ottenute le copie,

---

3. Giorgio Eldarov è nato a Jambol (Bulgaria), il 27 febbraio 1926 ed è stato ordinato Presbitero il 10 marzo 1951 per l'Istituto Maschile Ordine Francescano Frati Minori Conventuali (O.F.M. Conv.).

monsignor Eldarov le consegnò al professor Alberto Melloni, docente della Terza Università di Roma e membro della Fondazione per le Scienze Religiose Giovanni XXIII di Bologna.[4]

Oltre a monsignor Eldarov sembra essere vicino agli Illuminati un altro prelato: monsignor Patrizio Benvenuti, cappellano della Marina militare e presidente della fondazione Kepha Onlus, attiva nell'aerea del sud-est asiatico con speciale attenzione allo Sri Lanka, ma anche organizzatore di kermesse politico-mondano-religiose.

Sul fronte laico, tra i fondatori degli Illuminati troviamo un big della comunicazione, Carlo Freccero – classe 1947, già potente direttore di Rai2 e brillante programmista Fininvest, nei primi anni Ottanta direttore dei palinsesti di Canale 5 e Italia 1 – che però ha, in seguito, lasciato.[5]

Sempre sul fronte televisivo, tra i fondatori degli Illuminati troviamo il nome del responsabile degli affari legali della Rai, l'influente avvocato Rubens Esposito, un uomo di cui si dice: «Nulla viene deciso senza che Rubens Esposito sappia». Considerato l'uomo più potente della Rai, da oltre trent'anni è stato protagonista discreto di grandi scelte su temi delicati come il confronto con le reti nazionali televisive e radiofoniche concorrenti. Sempre sul fronte della comunicazione, tra i fondatori degli Illuminati figura anche Sergio Bindi, per tredici anni consigliere di amministrazione della Rai, in ottimi rapporti con la discussa università Pro Deo, che gli ha conferito anche una laurea *honoris causa*.

Sul fronte della scienza Di Bernardo ha coinvolto, tra i fondatori, figure di primo piano come il professor Severino

---

4. Melloni ha parlato delle lettere in un'intervista a Radio Vaticana.
5. Freccero ha dato a «Panorama» (22 giugno 2006), questa versione sul frettoloso abbandono: «Ho firmato l'atto di fondazione perché me lo ha chiesto un amico. Sono una persona curiosa e mi interessava conoscere questi ambienti, ma mi sono subito dimesso». Perché? «[...] Erano riunioni noiosissime, per nulla divertenti.»

Antinori, lo specialista delle fecondazione assistita, noto in tutto il mondo per i suoi discussi esperimenti. Un altro protagonista della cultura tra i fondatori degli Illuminati è il filosofo Vittorio Mathieu, rappresentante dello spiritualismo cristiano e autore di importanti studi su Immanuel Kant, da molti anni considerato vicino all'Opus Dei e tra i costituenti, nel 1994, del movimento politico Forza Italia.

Tra fondatori degli Illuminati c'è il generale Bartolomeo Lombardo, ex direttore del Sismi. Infine Piergiorgio Bassi, trentatré anni, «lobbysta», produttore romano e presidente dell'Associazione Foto-Video.

Il settimanale «Panorama» ha definito l'accademia «una lobby che mette insieme ex massoni e uomini dell'Opus Dei, il diavolo e l'acqua santa».[6] I nomi? Di Bernardo preferisce non farli («le liste possono essere strumentalizzate»). I politici? «Pochissimi: il nostro progetto è al di sopra dei partiti e dei governi e non ha niente di eversivo.»

All'interno degli Illuminati c'è una scala gerarchica: si entra con il grado di quadrato, si diventa cerchi (il simbolo della perfezione) e infine triangoli (lo strumento utilizzato dal demiurgo di Platone per creare il mondo). Simboli geometrici e riti legati al concetto di luce caratterizzano il gruppo: «L'esoterismo è alla base della nostra ricerca e la luce può essere identificata sia con la ragione sia con la divinità» spiega Di Bernardo.

Quanto all'accusa di anticlericalismo tradizionalmente rivolto alle logge massoniche, Di Bernardo spiega: «Inizialmente in Baviera gli Illuminati combattevano lo strapotere gesuitico. Oggi è diverso. Le nozioni religiose sono indispensabili per sconfiggere le tenebre. Anche se l'obiettivo è una religione più genuina. In altre parole: la differenza principale tra gli Illuminati di ieri e quelli di oggi sta nel fatto che,

---

6. Giacomo Amadori, *Gli Illuminati sono tra noi*, in «Panorama», 22 giugno 2006.

mentre i primi volevano movimentare un mondo chiuso e stabile dominato quasi completamente dai gesuiti, i secondi vogliono, viceversa, rendere più stabile un mondo che sembra troppo variabile».

Come si entra? «Bisogna essere presentati e la proposta deve essere votata e accettata. C'è anche un rito di iniziazione, ma quello non posso spiegarglielo.» Gli Illuminati sono raggruppabili in dodici categorie o aree disciplinari: Filosofia, Scienze naturali e matematiche, Scienze bio-mediche, Scienze umane e sociali, Scienze ingegneristiche, Architettura e ambiente, Diritto, Economia e finanza, Arte, Religione, Relazioni internazionali, Comunicazione. Ogni area disciplinare è presieduta da un coordinatore e i dodici coordinatori formano il Supremo Consiglio degli Illuminati, che è presieduto dal Sovrano Grande Illuminato.

Una fondazione in Svizzera

Nel 1992 Giuliano Di Bernardo creò in Svizzera la Fondazione Dignity, prodromica alla nascita degli Illuminati. Nell'atto costitutivo della società – situata a Lucerna, in Haldenstrasse 40 – figuravano infatti gli stessi ideali che dieci anni dopo caratterizzeranno la nascita degli Illuminati. Subito però si scatenava la caccia alle motivazioni di questo progetto, che presenta similitudini con la Fondazione Limmat creata a Zurigo dall'Opus Dei nel 1972, con l'ausilio dell'avvocato Wiederkeher, che compare nella vicenda Calvi-Ambrosiano come tecnico di società off shore.

Il giornalista Fabio Andriola intervistò in merito alla Dignity l'allora Gran Maestro del Grande Oriente d'Italia, l'avvocato Virgilio Gaito, e gli chiese: «Che rapporti ci sono, tra voi e la cosidetta "massoneria cattolica", l'Opus Dei?».

«Penso» rispondeva Gaito «che l'Opus Dei abbia una visione universale abbastanza ampia. Mario Conde è un noto esponente dell'Opus Dei ed è anche nel consiglio d'amministrazione di una certa società che fa capo all'ex Gran Maestro Di Bernardo.»[7]

Lo stesso Gaito rivelava alla rivista «Trenta Giorni»:[8] «A Lucerna, in Svizzera, Di Bernardo ha creato la fondazione Dignity. La presiede il Professor Vittorio Mathieu, che mi pare appartenga all'Opus Dei; vi partecipa Giorgio Cavallo, ex rettore dell'Università di Torino, ex iscritto alla P2. [...] C'è il finanziere opusdeista Mario Conde».

In un libro, scritto sempre da Andriola insieme al collega Arcidiacono, si legge: «Poco chiari appaiono finanziatori e intenti della Fondazione Dignity, questo organismo di cui Di Bernardo è il presidente. Il banchiere spagnolo Mario Conde è uno dei principali ispiratori. Alla fondazione si affiancano un'accademia filosofica e un istituto delle tradizioni mistiche. Quest'ultimo prepara un convegno sul "misticismo ebraico e cristiano": il finanziatore altri non sarebbe stato se non Mario Conde, vicino all' Opus Dei. Tra i possibili mecenati della Dignity Foundation, anche quel Marc Rich, citato dallo stesso Di Bernardo come finanziatore di corsi di esoterismo ebraico».[9] Ma quali sono i nomi della fondazione svizzera?

Nel consiglio della Fondazione Dignity figuravano, oltre a Di Bernardo (presidente), Hans Rudolf Meyer (vicepresidente, avvocato a Lucerna), il professor Walter Hess (membro anche del consiglio dei governatori, professore di chirurgia all'Università di Basilea) e il dottor Joseph Guggenheim (segretario generale). Mentre nel consiglio dei governatori, oltre a Di Bernardo ed Hess, figuravano anche il marchese di Northampton (membro della Camera dei Lord e altissimo dignitario della Gran Loggia Unita d'Inghilterra), il tesoriere Felix Ruben (Mi-

---

7. Fabio Andriola, *La Loggia è una casa di vetro*, in «L'Italia Settimanale», 26 gennaio 1994, p. 72.
8. Giovanni Cubeddu, *Giuliano il teista*, in «Trenta Giorni», febbraio 1994.
9. Fabio Andriola e Massimo Arcidiacono, *L'anno dei complotti*, Baldini & Castoldi, Milano, 1995, pp. 322-323.

lano), Giorgio Cavallo (professore di microbiologia all'Università di Torino), Vittorio Mathieu (all'epoca professore di filosofia morale all'Università di Torino) e Mario Conde, presidente del Banco Espanol de Credito (Banesto) a Madrid.

Conde, inziato alla loggia Concordia di Madrid del Grande Oriente di Spagna il 15 novembre 1980 e salito rapidamente ai vertici dell'organizzazione massonica, è stato protagonista del crack della Banesto, fondata nel 1902 a Madrid e quinta società finanziaria in Spagna. La banca attraversò un periodo di crisi agli inizi degli anni Novanta, con le indagini per appropriazione indebita che videro coinvolto (e in seguito condannato) proprio l'allora presidente Mario Conde. Per uscire dalla crisi intervenne il Banco de España (l'equivalente della Banca d'Italia) e la Banesto venne acquisita nel 1994 dal Santander. Sullo sfondo delle imprese di Conde ci sono gli anni Ottanta dei rampanti socialisti spagnoli e la cultura del *pelotazo*, l'«arricchimento facile» della quale proprio Conde era stato principale interprete. Una cultura dallo stesso banchiere definita come tensione verso un «beneficio ottenuto unicamente sulla base di operazioni speculative senza impegni nella gestione di un'impresa, senza proponimenti a lungo termine, senza disegno o progetto imprenditoriale», il cui massimo risultato si realizza «quando a un beneficio speculativo corrisponde l'uscita dello speculatore dal mondo degli affari per ammministrare i propri guadagni».

La figura di Conde è interessante perché lo spregiudicato finanziere massone fu protagonista di una grossa operazione tra Italia e Spagna: insieme a un altro investitore, Juan Abello, nel 1987 Conde acquisì infatti il 3 per cento del gruppo Montedison, che vedeva allora il gruppo Ferruzzi come importante azionista, con il 40 per cento. Al termine di una complicata operazione, Conde acquisiva 60 milioni di azioni Montedison, per 18 miliardi di pesetas.[10] Veniva così portata

---

10. Reuters, 23 maggio 1987.

a termine la più grossa operazione di investimento all'estero realizzata con capitoli spagnoli, per finalità mai completamente chiarite.

La connessione americana ed ebraica

Vicina agli Illuminati di Di Bernardo sembra essere oggi anche una delle realtà ebraiche più importanti a livello internazionale, un vero e proprio simbolo della «Israel lobby».[11] Già nell'iniziativa della Fondazione Dignity era coinvolto anche il potente Abraham Foxman dell'Anti-Defamation league, una delle più influenti organizzazioni ebraiche americane, figlia del B'nai B'rith, una sorta di potentissima massoneria in rapporti con molti gruppi di potere.

Giuliano Di Bernardo spiega: «Con la Fondazione Dignity volli creare un'associazione di uomini di qualità, esempi fulgidi in diversi Paesi. Dignity fu approvata dal cantone e dal governo federale. Già allora, come Gran Maestro, pensavo a un progetto come quello degli Illuminati. Nel 1992 vi fu l'atto di fondazione, a Castel Ashby di Lord Northampton, in Inghilterra, alla presenza di figure internazionali molto importanti. Poi Vittorio Feltri scrisse un articolo molto pesante, con illazioni assurde, del tipo "scoperta la loggia segreta di Di Bernardo". Gettò fango e creò imbarazzo in personaggi importanti come il direttore della Anti-Defamation League, che è al vertice della lobby ebraica in Usa, Abraham Foxman. Dichiarai lo scioglimento della fondazione: la cattiva pubblicità fece naufragare il progetto, che era alla luce del sole e aveva già ricevuto il placet del governo svizzero».

L'esperienza della Gran Loggia Regolare d'Italia non aveva soddisfatto Di Bernardo.

---

11. *Israel Lobby* è il titolo di un libro dei professori di Harvard John J. Mearsheimer e Stephen M. Walt, tradotto in Italia da Mondadori (Milano, 2007).

«La Glri a poco a poco introduceva persone che non avevano le qualità sufficienti per comprenderne la natura. Rinascevano i conflitti all'interno, le espulsioni, le fughe, come nel Goi. Allora nel 2002 ho fondato gli Illuminati e ho ripreso il progetto nato in Svizzera nel 1992.»

Chiediamo a Di Bernardo quali siano i riferimenti internazionali degli Illuminati d'Italia.

«I referenti sono negli Stati Uniti; sono le più importanti famiglie, quelle che hanno sempre dettato la storia, la cultura e la politica degli Usa, che hanno sviluppato al loro interno una società riservata che nasceva da una comunanza di intenti e di valori che poi si è manifestata anche nella finanza. Questo perché gli Illuminati americani hanno sempre svolto un ruolo importante nella finanza internazionale. Quindi io mi sono ricollegato storicamente agli Illuminati di Baviera, di cui ho messo in evidenza i limiti e le differenze. Ma, nel presente, ho fatto riferimento agli Illuminati degli Stati Uniti.»

L'Ordine degli Illuminati negli Usa è una realtà potente. Si sussurra che il nocciolo duro di questa casta siano le più importanti famiglie americane o americanizzate – dai Kennedy ai Rockefeller, dai Rothschild agli Onassis – e si fa anche il nome di Clinton.

Di Bernardo spiega: «La maggior parte delle grandi famiglie del potere americano ha sempre sviluppato questa modalità di essere, oltre a quella statuale, attraverso il Congresso. Accanto alla via politica e sociale si è sempre sviluppato questo filone riservato degli Illuminati. In quella sede si analizzavano i problemi: c'è un filo sotterraneo che ha sempre caratterizzato la storia dell'uomo.

«Non dimentichiamo che a livello mondiale il Rito scozzese – su cui si fondano gli Illuminati – ha epicentro a Washington. Il potere massonico negli ultimi tre secoli si è articolato su due pilastri: la massoneria inglese e il Rito scozzese di Washington. Con zone di influenza e metodologie diverse, ma sempre nel mondo anglosassone».

Ma torniamo all'Italia. Chi, sul piano dell'economia e della finanza, può essere considerato vicino agli Illuminati?

Ovviamente Di Bernardo è restio a citare specifiche persone, ma dopo un po' di insistenza lascia capire che vicino agli Illuminati sarebbe il banchiere De Bustis. Si tratta del banchiere Vincenzo De Bustis (Deutsche Bank Italia), ritenuto «vicino» a Massimo D'Alema.

Chiediamo a Di Bernardo quale sia il profilo ideale di un Illuminato nel mondo della finanza. Il Gran Sovrano, dopo una pausa, risponde: «Giovanni Bazoli, il presidente di Intesa-San Paolo».

Questa risposta provoca un'altra domanda: un sacerdote che si occupa da cinquant'anni di massoneria afferma che anche il premier Romano Prodi è un Illuminato.[12] Di Bernardo resta in silenzio. Un silenzio che può essere interpretato in molti modi.

Al di là dei nomi, secondo Di Bernardo esiste un forte consenso attorno al progetto degli Illuminati.

«Ad altissimi livelli vi è certamente comprensione, e quindi predisposizione verso il progetto degli Illuminati. Disponibilità a condividerlo. La visione degli Illuminati è naturalmente di tipo elitario. Non in senso negativo, ma è una realtà in cui bisogna conoscere, sapere di storia, filosofia, diritto. Essere Illuminati significa essere uomini di qualità, essere in grado di capire e quindi di condividere. Non può essere un fenomeno di massa come la massoneria, dove non c'è più un'analisi della preparazione culturale dei candidati. Gli Illuminati devono rimanere pochi, non possiamo introdurre persone dei livelli più bassi, questo può produrre un inquinamento.»

Chiedo a Di Bernardo che senso ha mantenere il vincolo iniziatico, anche per gli Illuminati.

«È vero che l'iniziazione ha creato problemi alla masso-

---

12. Cfr. cap. «La massoneria alla conquista della Chiesa».

neria, ma resta un vincolo forte. Serve un vincolo iniziatico, per progetti di grande respiro. Nel caso della massoneria, è stato indebolito il fondamento iniziatico. Conseguenza di ciò è stata la profanizzazione della massoneria: mentre il fondamento iniziatico è diventato sempre più formale, il fondamento profano è quello che ha imposto le regole all'organizzazione e ne ha determinato le finalità, diventate sempre più di natura politica e affaristica. Cominciano le degenerazioni. Così, ad esempio, il segreto della massoneria, che riguarda esclusivamente i riti di iniziazione e di passaggio, viene ora interpretato come una modalità di esistenza: la massoneria è una società segreta che persegue fini non conoscibili ai profani, in particolare allo Stato e ai suoi rappresentanti.»

Di Bernardo è severo su questo punto.

«Se i fini della massoneria non sono palesi, allora si può anche pensare che siano contro lo Stato. Nasce così il pregiudizio che la massoneria possa tramare contro lo Stato e le sue istituzioni. Da degenerazione segue degenerazione, e della massoneria originale e autentica resta ben poca cosa. Il lento e graduale deterioramento della massoneria è seguito, di pari passo, dal sorgere di organizzazioni cosiddette massoniche le quali, però, con la massoneria non hanno proprio nulla a che fare. La massoneria è oggi afflitta da lotte intestine che ne indeboliscono sempre più l'autorità e la credibilità. L'esistenza delle massonerie irregolari e la conflittualità fra le massonerie regolari rendono questa nobile e antica società anacronistica e incapace di comprendere le profonde innovazioni che stanno cambiando il mondo. Inoltre, la confusione tra fondamento iniziatico e fondamento profano (ad esempio, l'errato modo di concepire il segreto) è causa di persecuzioni. Ne segue uno stato di crisi che potrebbe imporre, quale tentativo estremo di sopravvivenza, la rinuncia al fondamento iniziatico. Ma la massoneria, senza fondamento iniziatico, non è più massoneria.»

Da qui la necessità di un nuovo progetto.

«L'Accademia degli Illuminati, nel risvegliare gli Illumi-

nati di tutto il mondo, dovrà tener conto anche delle difficoltà in cui incorre oggi la massoneria, almeno per evitarle.
In primo luogo, dovrà ripristinare il corretto rapporto tra il
fondamento iniziatico e il fondamento profano. L'Accademia dovrà esprimere vera universalità, aprendosi a uomini di
qualità senza distinzioni di nessun tipo. Nella massoneria, viceversa, esiste solo una limitata universalità, poiché essa
esclude importanti categorie come le donne e gli atei. Caratteristica comune alla massoneria e all'Accademia è la consapevolezza dei suoi adepti, i quali devono conoscerne i principi, la dottrina, l'esoterismo, la storia, i progetti. In massoneria, purtroppo, sono stati ammessi uomini che non avevano tale consapevolezza (autocoscienza) o che non avrebbero
potuto averla. Quaesta è un'altra importante causa della sua
degenerazione. L'Illuminato deve conoscere per educare.
L'Accademia degli Illuminati, per quanto riguarda i rapporti
con la massoneria, non deve cadere nell'errore degli Illuminati di Baviera. La decisione del barone Knigge di collegare
l'Ordine alla massoneria, se da una parte ne determinò lo sviluppo, dall'altra lo coinvolse nelle persecuzioni che ne segnarono la distruzione. Oggi, purtroppo, l'immagine della
massoneria nel mondo è negativa, mentre la sua credibilità è
in discussione.»

Memorie di un banchiere

Il rapporto tra massoneria e finanza è ben documentato dalla testimonianza di un banchiere che ha accettato di raccontare la sua storia solo coperto dalla garanzia dell'anonimato. Pur se i nomi sono stati mutati per ovvie ragioni legali, si tratta di una storia reale – ambientata nel mondo bancario del «profondo Nord» – sostenuta da documenti depositati presso uno studio legale.

Il racconto del banchiere, lo chiameremo Fabrizio Girelli,[1] inizia così.

«Sono stato assunto alla Banca Popolare nel 1994 dopo alcuni mesi di indecisione sulle mie future scelte professionali. Ero infatti in procinto di trasferirmi a Londra per Banque Paribas dopo aver sostenuto con successo il colloquio di selezione presso la sede inglese della banca d'affari. La decisone di scegliere l'istituto anziché Londra è stata presa per ragioni familiari; era infatti dal 1986 che la mia vita si svolgeva lontano da casa e vedevo la soluzione Banca Popolare come un'opportunità di avvicinamento. Non era facile per le mie caratteristiche professionali trovare un lavoro soddisfacente vicino a casa. Avevo lavorato esclusivamente in istituzioni finanziarie internazionali (Goldman Sachs, Merrill Lynch e ING) e la professionalità maturata in molti anni di lavoro con esperienze anche all'estero non rendevano facile una collocazione in una banca italiana. Dovetti accettare un ridimensionamento professionale ed economico significativo in cam-

---

1. Il nome è fittizio e volutamente generico.

bio di una scelta di vita e mi sono rimesso in gioco. D'altronde pensavo che gestire la fase di ristrutturazione di un istituto di credito, anche se piccolo, avrebbe potuto creare delle opportunità e una nuova esperienza che poteva anche riuscire interessante.»

Gli inizi furono un po' faticosi, per il giovane banchiere.

«I primi mesi furono molto difficili perché non riuscivo ad adeguarmi ai lenti ritmi di lavoro e la mentalità era un po' troppo arretrata. Dopo un mese circa di assoluta inattività iniziai a cercare di capire almeno i numeri della tesoreria per sapere come la banca gestiva il portafoglio titoli di proprietà e quali erano i risultati che si prospettavano per fine anno. Insomma, non si sapeva se si guadagnava o si perdeva e non c'erano strumenti di monitoraggio adeguati per valutare le posizioni d'investimento. Con mia enorme sorpresa, fu difficilissimo ottenere i dati relativi a un portafoglio titoli che era di quasi 600 miliardi nel 1994 e incontrai un certo ostruzionismo da parte di alcune persone che vedevano il mio interessamento come un'intrusione in affari altrui.»

Quando chiese il perché di questa strana difficoltà ad avere i dati, Fabrizio incontrò le prime allusioni alla massoneria e ad altri giri di potere occulto che alcune persone esercitavano nella banca, scoprendo che alcuni percorsi di carriera all'interno dell'azienda sembravano, per alcune persone, già tracciati e accettati dai più come cose fatte.

«Ma non volli fermarmi a quelle voci e mi impegnai ancora di più nel lavoro. Con l'aiuto di un bravo impiegato del settore si iniziò la ricostruzione manuale di tutta la posizione in titoli che richiese più di un mese. Alla fine emerse con enorme stupore che la banca stava perdendo circa 150 miliardi ma nessuno lo sapeva, o almeno si cercava di non farlo sapere. 150 miliardi erano l'intero patrimonio di allora e quando me ne resi conto fui preso dal panico. Avevo deciso di venire a lavorare in un istituto dove avrei dovuto giocarmi tutto il mio passato e il mio futuro e ora mi accorgevo che la mia scelta era stata un gravissimo errore perché la banca era virtualmente fallita. Tutto poteva finire in poche settimane nel peggiore dei modi. Potevo già immaginare una imminente aggregazione con un altro istituto dove avrei dovuto spiegare che io non c'entravo nulla e che avevo trovato una situazione disastrosa. La banca sarebbe fallita su errati investimenti in titoli e io ero il responsabile, seppure da pochi mesi, proprio di quel settore. Le voci su interferenze massoniche proseguivano, ma non sapevo che peso veramente attribuire a tali indiscrezioni e come valutarle. Cercai di tenere duro.»

Fabrizio Girelli spiega: «In ogni caso non potevo tornare più indietro e mi diedi da fare per informare la direzione e cercare di uscire dalla tragica situazione. Il nuovo direttore generale Ramada[2] dovette correre in Banca d'Italia per informare la vigilanza e dopo alcune titubanze gli fu concesso un anno per sistemare le cose. Con un po' di fortuna e una serie di operazioni azzeccate uscimmo da tale situazione; e nell'arco di un anno eravamo ancora in corsa con la possibilità di iniziare a esplorare nuove esperienze manageriali, nuove strategie e nuove iniziative. La banca era ripartita e i risultati erano veramente incoraggianti. Da parte mia ero riuscito a creare un gruppo di persone veramente affiatato e molto motivato. Quando ero arrivato mi avevano assegnato un ufficio di tre persone. Alla fine del 1999 avevo una intera direzione con oltre 60 persone e il 50 per cento dei ricavi dell'istituto provenivano direttamente e indirettamente dal settore finanziario. Tutto andava per il meglio fino a quando nell'estate del 1999 la direzione generale decise di acquistare una rete di promotori finanziari».

Di nuovo il giovane banchiere non capisce, sente che c'è qualcosa di strano.

«Quella decisione non venne motivata. E di nuovo iniziarono i *rumors* che parlavano di pressioni massoniche del-

---

2. Nome fittizio.

l'ambiente romano per effettuare quella acquisizione. Purtroppo tale acquisto si rivelò una decisione sciagurata perché la rete rilevata celava una serie di pesantissime minusvalenze sul portafoglio titoli e questa situazione era stata tenuta nascosta dai venditori alla direzione. Non essendo stata effettuata alcuna *due diligence* [verifica tecnica basata su parametri bancari specifici, *Nda*] sulla composizione delle attività finanziarie in essere sui clienti, nessuno si era accorto che la rete era ingestibile e che le perdite sui titoli della clientela avrebbero compromesso qualsiasi possibilità di ottenere reddito da tale acquisizione, anche perché il portafoglio dei clienti avrebbe potuto rimanere immobilizzato per anni in attesa che i titoli obbligazionari strutturati, che erano stati collocati a suo tempo, tornassero al valore di emissione. Le minusvalenze complessive si quantificavano in circa 80 miliardi su un portafoglio di 500 miliardi circa. Una cifra enorme per una piccola banca del Nord come la nostra, dove tutti i ricavi di un anno (il margine lordo d'intermediazione), in quel periodo, assommavano a 200 miliardi di lire. Fui io a constatare il disastro in seguito ad alcune verifiche che avevo fatto fare da un collaboratore e informai con urgenza la direzione generale.»

Ma fu così che iniziarono i problemi di Fabrizio Girelli.

«Dopo anni di oculata gestione e di un impressionante lavoro di organizzazione per creare una Direzione Finanziaria che potesse fregiarsi di tale nome, iniziarono da parte del direttore generale Ramada e dei soci della «Rete di Private Banking»[3] – la rete dei promotori appena acquisita – pesanti interferenze per cercare di gestire una situazione di fatto ingestibile. Il direttore generale (della Banca Popolare), in accordo con i «soci» che gli avevano rifilato il "pacco" esigeva che gli trovassimo delle soluzioni per risolvere il caso. Fu così che si pretese, nonostante le evidenti difficoltà, di sostitui-

3. Nome fittizio.

re i titoli in perdita con altri che potessero offrire la speranza di recuperare le minusvalenze in essere e consentire ai clienti e ai promotori di ricominciare a lavorare e rendere la rete dei promotori profittevole per la Banca Popolare. Non sapevamo come fare a uscire da tale situazione e quindi cercammo di avvalerci della consulenza di primarie istituzioni internazionali per avere consulenza in merito, illustrando loro la problematica che eravamo in procinto di risolvere. Ci consigliarono di sostituire i titoli in perdita con altri da loro emessi, illustrandoci tutti i vantaggi dei "titoli strutturati", a quel tempo finanza innovativa trattandosi di titoli collegati a derivati di credito, ed enfatizzando l'ottima correlazione rischio-rendimento di tali investimenti. Dopo alcune discussioni al nostro interno si decise di procedere. Ritirammo quindi i titoli in perdita presenti sulla rete promotori e li sostituimmo con queste nuove obbligazioni.»

Era solo l'inizio di un calvario.

«Purtroppo dopo circa dodici mesi le cose si mettevano nuovamente male. Nel 2001, in seguito alla grave crisi economico finanziaria e per l'attentato al World Trade Center, le banche in questione modificarono a nostra insaputa e in modo premeditato il profilo di rischio dei titoli a suo tempo acquistati (di questo la nostra banca si accorse nel 2003), e nell'arco di pochi mesi tali titoli cominciarono a scendere vertiginosamente, facendo riemergere le perdite a suo tempo coperte dalle sostituzioni effettuate» spiega il banchiere.

«In un primo tempo avevo attribuito il calo dei prezzi alla situazione finanziaria mondiale e alla crisi che aveva colpito il settore delle obbligazioni *corporates*, in seguito alle vicende Enron e Worldcom. La direzione e i soci della Rete di Private Banking volevano che si trovassero altre soluzioni per procedere a nuove sostituzioni e non erano disponibili a subire perdite, così come già era accaduto in precedenza. Si fingeva di non ricordare che tali emissioni erano state fatte per sostituire i titoli in perdita che erano stati conferiti con l'acquisizione della rete e si cercava di attribuire le perdite attuali alla direzione finanza che non aveva saputo sostituire con successo i titoli che al conferimento perdevano anche fino al 40 per cento del loro valore.»

Girelli parla di «pressioni massoniche» forti, ma anche di una vasta rete di favoritismi personali tra figure altolocate della finanza italiana.

«Fu nel maggio del 2001 che mi accorsi che la direzione generale non aveva informato il consiglio di amministrazione del problema relativo alla "Rete di Private Banking" e che riteneva di non informarlo nonostante i consigli ricevuti da un legale esterno a cui mi ero rivolto per cercare di gestire la vicenda. In una riunione alla presenza dei due vicedirettori generali della banca e del direttore generale, il legale aveva consigliato di andare anche in Banca d'Italia per informare la vigilanza. Nonostante tali raccomandazioni cominciai a sospettare nell'ottobre 2001, che la direzione non aveva informato né il consiglio di amministrazione né la Vigilanza di Bankitalia sull'argomento, anche se in più occasioni mi era stato confermato l'esatto contrario e che i due vicedirettori, assieme al direttore generale, avevano taciuto al consiglio su tutta la vicenda. Infatti a metà novembre dello stesso anno fui convocato a margine di un consiglio di "Rete di Private Banking" per risolvere un problema di bilancio che affliggeva la rete dei promotori. Il consiglio (dove sedevano anche i due vicedirettori della nostra banca oltre al direttore generale Ramada) voleva che si mettessero in piedi una serie di operazioni in titoli strutturati con la finalità di coprire un buco di bilancio di Rete di Private Banking. Poiché mi rifiutai di adempiere alle richieste del consiglio fui convocato dal direttore generale il giorno dopo, per sentirmi dire che volevano rimuovermi dal mio incarico di direttore finanza perché "non facevo il gioco di squadra".»

Di nuovo il banchiere ebbe la sensazione che i vertici della banca rispondessero a logiche esterne, lontane dalla normalità e contigue invece a reti di potere occulte.

«Rifiutai di dimettermi dall'incarico e dissi che se volevano spostarmi dovevano motivarlo per iscritto. Ho atteso per giorni, ma nessuno mi ha mai scritto nulla o contestato nulla. Nel frattempo ai miei collaboratori venivano ordinate operazioni che non potevo condividere (nuovi collocamenti di titoli in sostituzione dei soliti titoli in perdita e operazioni di aggiotaggio[4] sulle azioni Banca Popolare).»

Situazioni pesanti, che richiamano alla mente quelle del Banco Ambrosiano di Calvi.

«Sono rimasto quindi al mio posto fino al febbraio del 2002, quando, dopo essermi sentito dire che avrei potuto rimanere ma dovevo limitarmi a leggere il giornale senza interferire sulle decisioni della direzione, iniziai a subire un costante e feroce mobbing, rafforzato anche nei corsi di "motivazione" tenuti dallo psicologo aziendale, dove pubblicamente venivo indicato come l'esempio da non seguire per i colleghi. La Banca aveva infatti ingaggiato uno psicologo per fare dei corsi di motivazione sui dipendenti.»

Il giovane direttore sente con chiarezza che in banca a comandare è una sorta di «cupola» che chiede obbedienza totale e soprattutto favorisce persone che non chiedono ma eseguono.

«In un primo tempo venivo portato ad esempio per come avevo creato la squadra e per come avevo motivavo i miei collaboratori, ma dopo le mie prese di posizione l'atteggiamento dello psicologo era radicalmente cambiato. Aveva avuto disposizioni precise da parte della direzione di mettere in evidenza che ero un elemento scomodo e non allineato

---

4. L'aggiotaggio è un reato, disciplinato dal codice penale, all'articolo 501, intitolato «Rialzo e ribasso fraudolento di prezzi sul pubblico mercato o nelle borse di commercio». Con le operazioni di aggiotaggio è possibile trarre grandi profitti illeciti, provocando conseguentemente danni economici agli altri operatori sul mercato. Oltre che dal punto di vista giuridico e penale, questo reato è considerato anche particolarmente deplorevole dal punto di vista morale, in quanto il danno economico maggiore ricade molto spesso sui piccoli risparmiatori.

con la filosofia aziendale. Ora, tutti coloro che partecipavano ai corsi erano evidentemente sorpresi dalla improvvisa inversione di rotta e mi veniva riportato che anche in mia assenza si parlava sempre di me, come elemento fuori dagli schemi. Oltre alla costante pressione psicologica a cui ero quotidianamente sottoposto per aver scelto di non schierarmi con la direzione, dovevo anche subire gli attacchi pubblici orchestrati dallo psicologo su input della direzione. Certamente tutto questo lo vivevo come un segnale di avvertimento, perché in effetti lo era. Lo scopo ovviamente era quello di cercare di riallinearmi agli altri dirigenti.»

Le dimissioni

La situazione per il giovane esperto di finanza si fa critica. Fabrizio Girelli capisce che è il momento di una decisione forte.

«Venivo sistematicamente escluso dalle riunioni di direzione dove abitualmente partecipavo, e dopo essere stato costantemente escluso dalla gestione della mia stessa direzione, ho deciso di presentare le mie irrevocabili dimissioni a far data dall'inizio del 2002. Avevo dato tutto e avevo perso tutto. Appena uscito dalla banca sono stato investito da una vera e propria ondata di diffamazione. I vertici non sapevano come giustificare al pubblico, ai clienti, ai dipendenti e al consiglio di amministrazione come mai il più giovane dirigente e con evidenti prospettive di carriera, aveva deciso di dare le dimissioni. Fatto mai verificatosi nei tempi recenti di storia dell'istituto. La direzione cercava di far capire ai colleghi che ero stato licenziato perché avevo provocato pesanti perdite alla banca. Ebbi chiara la sensazione che fosse una punizione per non essere entrato anch'io nel giro dei "grembiulini" – ma anche di finanza cattolica "sporca" – che dominava dentro e fuori la banca. I mesi successivi alla mia uscita furono molto difficili, perché non riuscivo a capire come mai queste persone si accanissero contro di me, ma ero consapevole che avrei dovuto sostenere il ruolo del capro espiatorio e accollarmi le colpe per la gestione di un problema che non avevo creato io, ma che mi era stato scaricato addosso da persone che avevano fatto gravi errori di valutazione nell'acquisizione della rete dei promotori e avevano taciuto il tutto al consiglio di amministrazione. Nelle riunioni interne organizzate dalla direzione generale con i dipendenti si continuava a sottolineare che io ero stato la fonte di gravi perdite e che per questo motivo ero stato allontanato. Ovviamente tutti ci credevano.»

Fabrizio Girelli venne sottoposto a un pesante isolamento.

«In tutta la zona non si parlava d'altro e non potevo più sopportare una situazione così terribile, e devo ammettere di avere pensato più volte al suicidio a causa del profondo stato di angoscia e depressione nel quale mi trovavo e che ancora oggi non è completamente passato. Dopo qualche settimana dalla mia uscita sono stato convocato dal vicepresidente e dal presidente del Comitato di Controllo e a loro ho raccontato tutta la vicenda con supporto di ampia documentazione scritta. Purtroppo da questi incontri non ci furono gli sviluppi che mi auguravo. Tutti preferivano che la storia finisse così, senza ulteriori scandali, tanto un colpevole era stato trovato. Mi fu riferito, dagli amministratori che avevo relazionato sulla vicenda, che avevano riferito tutto al presidente, ma che costui aveva consigliato di non dare particolare importanza a quei fatti, dato che erano cose che comunque "sapeva".»

Nel frattempo Girelli aveva trovato un lavoro e doveva trasferirsi nuovamente a Milano.

«I mesi che seguirono furono molto pesanti sia sotto il profilo fisico che psicologico perché non riuscivo ad accettare una situazione così assurda e la lontananza dagli affetti familiari accentuava la pressione negativa. La solitudine del soggiorno milanese era molto difficile da reggere, specialmente la sera, quando ti viene in mente tutto il peggio del tuo passato e non riesci a vedere il futuro. Non riuscivo più a essere me stesso e non trovavo la motivazione necessaria per dedicarmi al nuovo incarico, per riuscire almeno a dimenticare la negativa vicenda. Inoltre ero totalmente diffamato sul mio territorio e difficilmente avrei potuto essere reintegrato umanamente e professionalmente nella mia città. Ero formalmente un esiliato e tutti mi evitavano. In poco tempo tutto quanto avevo costruito in anni di impegno professionale era andato distrutto dall'opera di persone che si erano rivelate il peggio che avessi potuto incontrare nella mia vita. Credo che l'impatto con dei delinquenti comuni non avrebbe creato lo stesso danno psicologico.»

La trama svizzera e le operazioni coperte

Da persona di successo e stimata Girelli era divenuto il colpevole di tutte le nefandezze

«I mesi passarono nella più totale depressione senza poter intravedere una possibile via d'uscita, fino a quando nei primi mesi del 2003 incontrai per un pranzo a Lugano un amico che non vedevo da tempo. Era funzionario di un'importante banca svizzera e iniziò a parlarmi di alcune strane operazioni che transitavano dalla sua banca e che riguardavano la società quotata Zeta[5] e Banca Popolare. Manovre che avevano luogo in paradisi fiscali e tramite fiduciari svizzeri dal passato discusso e dai legami pericolosi. Queste operazioni si riferivano a transazioni su titoli Zeta e su azioni della nostra banca che avvenivano con fideiussioni emesse da un grande gruppo creditizio e che comportavano trasferimenti di ingenti pacchetti azionari delle aziende citate in paradisi

---

5. Nome fittizio.

fiscali. Le movimentazioni dei conti erano effettuate da un fiduciario italiano residente in Svizzera.»

Strani giri, situazioni oscure delle quali Girelli cercò di decifrare la trama.

«Le informazioni che trapelavano cominciarono a farmi nascere dei forti sospetti sulla dirigenza della Banca e sul fatto che qualcosa di strano stava accadendo. Iniziai ad assumere le prime informazioni sui personaggi coinvolti e iniziai a scoprire strane assonanze con i casi Parmalat e Cirio, con storie di massoneria e politica, faccendieri e intermediari poco puliti. Un professionista coinvolto era specializzato nella costituzione di strutture off shore; ed era molto conosciuto a Lugano per i suoi legami con figure del gruppo Cirio e Parmalat. Dopo alcune settimane avevo la certezza che la mia vicenda personale era in qualche modo collegata alle strane operazioni che la banca aveva in corso con il gruppo Zeta. Cominciavo a sospettare che la direzione avesse voluto eliminarmi perché potevo essere pericoloso.»

A poco a poco nella mente di Girelli si disegna il quadro.

«Nella primavera del 2001 mi ricordavo che la direzione della Banca Popolare aveva deciso di procedere a un aumento di capitale della banca che non era assolutamente necessario. Io avevo espresso dubbi sulla fattibilità dell'operazione perché la banca aveva ancora un cospicuo *free capital*[6] e per me sarebbe stato difficile giustificare alla comunità finanziaria (dato che la banca era quotata in Borsa) la richiesta di nuovi mezzi patrimoniali. Mi ricordavo che il direttore generale aveva attribuito l'incarico di costituire un consorzio di garanzia a una grossa banca nazionale, ma anche costoro, dopo accurata *due diligence*, evidenziarono l'inutilità dell'aumento di capitale e si ritirarono dall'operazione. L'operazione si fece comunque, obbligando tutte le filiali a

---

6. Capitale libero, in pratica risorse finanziarie prontamente disponibili per investimenti strategici.

collocare i titoli sui clienti e imponendo dei budget per filiale. Tra le altre cose che mi rammentavo, ora mi ritornavano
in mente le continue pressioni da parte della direzione di reperire continuamente mezzi finanziari con collocamenti di
obbligazioni della banca presso istituzioni. Nel 2001 avevo
appena collocato un bond della Banca sull'euromercato per
un importo di 400 miliardi con l'aiuto di un consorzio internazionale guidato da una grande banca estera. Dopo pochi
giorni che l'obbligazione era stata emessa e collocata presso
investitori istituzionali, il vicedirettore mi disse che i soldi
che avevo trovato non erano sufficienti che dovevo trovarne
altri.

«Dove finissero tutti quei soldi non mi era chiaro, ma era
evidente che la banca erogava crediti a un ritmo fuori dal
normale. I fidi crescevano a un ritmo del 30 per cento all'anno, quando il sistema aveva tassi di crescita del 5-7 per cento. Credo che anche la Banca d'Italia, oltre che il consiglio di
amministrazione, avrebbe dovuto chiedersi come mai ci fosse una tale anomalia nella dinamica degli impieghi. È evidente che dalla mia posizione di direttore finanziario avrei potuto vedere alcune operazioni sospette e siccome avevo già
creato problemi sull'occultamento del buco sulla rete promotori, si erano adoperati in tutto e per tutto per farmi di-
mettere.»

Nella mente di Fabrizio cominciano ad affacciarsi gli scenari più inquietanti; forse comincia a capire il perché di tanto accanimento.

«Anche se avevo deciso di farmi da parte, dovevo essere
non più credibile e possibilmente i dipendenti ed ex colleghi
dovevano cercare di evitarmi a tutti i costi. Le persone più
vicine mi riportavano infatti che la direzione aveva fatto di
tutto per farmi terra bruciata intorno al fine di impedire contatti con il sottoscritto. Erano arrivati al punto di vietare di
parlare con me e in molte riunioni, anche dopo molti mesi
dalla mia uscita, mi veniva riportato che venivo citato come
il responsabile dei problemi della banca e che con la mia

uscita la situazione era tornata sotto controllo e non c'era motivo di temere per il futuro dell'istituto.»

La situazione nella ex banca di Girelli intanto si aggrava.

«Nella primavera del 2002 arrivò una ispezione della Banca d'Italia. Alcuni dipendenti della direzione finanziaria furono convocati dalla direzione generale per ricevere le seguenti disposizioni: "Qualsiasi cosa ci dovessero contestare date tutta la colpa a Girelli, tanto lo abbiamo pagato". Ero diventato la persona da evitare, il reprobo, il traditore. Ma non mi arresi. Potevo contare ancora su alcuni amici fidati e soprattutto sui miei ex collaboratori della direzione finanza, che mi stimavano ancora e sapevano come erano andate veramente le cose.»

La ricostruzione del puzzle

Girelli si mette d'impegno a ricostruire il puzzle.

«La conferma che qualcosa non quadrava l'ho avuta una sera a cena con un mio caro amico della tesoreria. Mi disse che come avevo lasciato la banca erano iniziate strane operazioni di bonifici esteri con banche svizzere e paradisi fiscali per impuniti e dimensioni notevoli. Tutto sembrava girare intorno a Zeta, a una grossa società petrolifera araba e a strane finanziarie caraibiche e svizzere. Nel frattempo l'ispezione della Banca d'Italia era finita nel dicembre del 2002, ma nulla sembrava avere turbato i sonni dei vertici della mia ex banca. Decisi di approfondire le indagini e iniziai a contattare tutte le persone di cui potevo fidarmi che lavoravano all'interno della banca in vari settori per avere le informazioni necessarie. Iniziai a riallacciare i contatti con i miei ex colleghi e cominciai a raccogliere più informazioni possibili su quanto stava accadendo. Non tralasciai nulla. Le cose che sembravano semplici circostanze in realtà non erano tali. Le lunghe e solitarie sere milanesi si trasformarono in tempo di studio, analisi e ricerca per sapere tutto sul gruppo Zeta e sulle persone che ci giravano attorno. Ma soltanto nella tarda primavera del 2003 venni a conoscenza di informazioni fondamentali. Grazie ad alcune persone che lavoravano nell'ambito crediti ero riuscito ad avere informazioni su tutte le pratiche riferite al gruppo Zeta e molto altro ancora. C'erano state anche numerose operazioni su titoli Zeta che erano molto sospette. Dovevo avere accesso anche a queste informazioni.»

Girelli si lanciò nella ricerca di informazioni.

«Grazie all'aiuto di dipendenti della banca riuscivo a sapere tutto. Io chiedevo ciò che mi serviva e loro iniziavano in modo discreto le ricerche per fornirmi quanto poteva essere utile. In breve tempo avevo tutto quanto poteva servirmi per ricostruire il mistero. Ho passato intere notti su internet per cercare di capire i collegamenti con le varie persone che erano citate nelle pratiche di affidamento. Ore e ore di consultazione di articoli apparsi sull'argomento o sulla società, analisi dei bilanci della Banca, reperimento di tutte le informazioni che potevano essere utili a comprendere, pranzi e cene per parlare con persone che potevano essere informate sull'argomento. Piccoli indizi o inaspettate informazioni, ricevute da persone che potevo immaginare sapessero qualcosa, mi servivano a raccogliere i pezzi di un puzzle finanziario incredibile che lentamente prendeva forma sotto i miei occhi. Talvolta da un nome apparentemente sconosciuto si aprivano piste nuove e il quadro si completava lentamente con i contorni sempre più certi di una gigantesca truffa premeditata e studiata nei minimi dettagli.»

Dopo quasi nove mesi Girelli giunge a sconcertanti conclusioni.

«Parmalat, Cirio, Banca Popolare e Zeta sembravano appartenere a un medesimo disegno. Le strade attraverso le quali si disperdevano i quattrini erano più o meno le stesse, a volte anche le persone erano le medesime, così come pure i metodi utilizzati. Crediti erogati a fronte di false garanzie o garanzie inesistenti. Società che si scambiavano garanzie incrociate per ottenere altri crediti, banche svizzere, paradisi fiscali e personaggi comuni a storie che apparentemente sembravano diverse e una girandola di società e persone che seguivano la logica delle scatole cinesi.»

Ma c'è molto di più.

«I bilanci della banca erano falsi perché non evidenziavano le ingenti perdite su crediti divenuti già inesigibili. Ma sia la direzione che il cda ostentavano una sicurezza incredibile. La Banca d'Italia non poteva non essersi accorta di una situazione così grave, semplicemente perché aveva condotto un'ispezione nell'estate del 2002, ma la cosa assurda era che anche la società di revisione approvasse bilanci platealmente fasulli. Le perdite erano talmente grandi che secondo i miei calcoli si erano divorate più del patrimonio della banca e tutti fingevano di non vedere (oltre 1 miliardo di euro tra il 2001 e il 2005).»

Girelli inizia a sospettare anche collusioni con la criminalità organizzata.

«Era evidente che i dirigenti dell'area crediti e il capo contabile non potevano non sapere. Le posizioni creditizie sospette erano talmente numerose che solo un cieco non poteva vederle. Mi ero ribellato alle regole non scritte e senza saperlo ero diventato pericoloso per la tenuta del sistema, quindi dovevo essere eliminato a tutti i costi. Allora ero perfettamente cosciente che il mio destino era segnato, ma non ho desistito nelle mie posizioni, al fine di lasciare davanti a tutti la testimonianza che avevo lottato contro queste persone. Dovevo essere diffamato: per essere il meno credibile possibile, affinché tutto potesse essere compiuto senza sospetti. Avevo messo a rischio il progettato dissesto della Banca Popolare.»

Una tecnica, quella del dissesto programmato, usata spesso in Italia, complici leggi poco punitive.

«Il progetto dei furbi si stava per completare con il gran finale che sarebbe coinciso probabilmente con la vendita della banca alla Popolare di Lodi, che grazie alle inspiegabili distrazioni della Banca d'Italia avrebbe messo tutto a tacere. Ora si spiegava anche perché alcuni clienti speciali della Popolare di Lodi avevano acquistato azioni di Banca Popolare oltre a quelle di Antonveneta; e perché il nuovo direttore generale, mi dicevano, incontrava periodicamente i vertici della Lodi. La banca era fallita e tutti facevano finta di nulla, anzi negli incontri con i dipendenti si ostentava sicurezza e si parlava del futuro radioso dell'indipendenza dell'istituto. A questo punto era necessario pensare a come si potevano utilizzare le informazioni raccolte e come pianificare "l'operazione verità".»

L'operazione verità

Girelli non si dà per vinto. L'uomo è un duro, uno che non molla.

«Il mio primo pensiero era però rivolto ai rischi che tale operazione comportava. In considerazione della gravità dei fatti in corso mi ero reso facilmente conto che tutto era certamente gestito da una organizzazione criminale di tipo massonico. Infatti nessuno poteva architettare una truffa di tale entità per fini personali. Doveva esserci una regia, un coordinamento occulto che partiva dall'alto e che "usava" persone compiacenti per gestire il tutto. Nessuno ruba un miliardo di euro per scopi personali, se ne accorgerebbero tutti, e quindi era chiaro che tutta la vicenda aveva fini non personali e dietro doveva esserci veramente una organizzazione che doveva godere di appoggi anche importanti, perché tutto era stato fatto con estrema spregiudicatezza.»

Come muoversi, allora?

«Dovevo cercare di non uscire in "campo aperto" e fare uscire le informazioni utili per smascherare il tutto, senza però espormi direttamente, semplicemente perché non sapevo con chi avevo a che fare. Doveva esserci riciclaggio, massoneria, politica o fondi neri, e non potevo sapere chi era veramente l'avversario, dunque anche l'avversario non doveva sapere chi era l'eventuale smantellatore della truffa. Per prima cosa feci una copia scrupolosa di tutta la documentazione con una precisa relazione sulla dinamica dei fatti, poi la depositai presso alcune persone fidate, che tuttora dispongono di questa documentazione. Persone diverse, che non si conoscevano neppure ma che se mi fosse accaduto qualcosa dovevano informare subito la magistratura di tutto quanto. Il periodo che trascorse tra la scoperta della truffa e la conoscenza pubblica della stessa fu certamente il più pericoloso. Avevo paura di essere scoperto e di essere eliminato. Non sapevo con chi avevo a che fare e quindi ero tenuto a pensare al peggio.»

Continuano intanto le manovre oscure sul titolo della Banca Popolare.

«Nonostante le evidenti difficoltà finanziarie il titolo continuava stranamente a salire in Borsa. Venni a sapere in seguito che per sostenere i corsi azionari i vertici della Banca Popolare utilizzavano le risorse del Fondo Pensione dei Dipendenti e che tale situazione aveva portato a forti scontri in seno al cda del Fondo stesso. Molti finanziamenti erogati a clienti erano finalizzati a fare acquistare azioni di Banca Popolare per continuare a proclamare come il corso del titolo evidenziasse che la banca andava benissimo ed era così sana che era appetibile per tutti. Ma non solo, tra i compratori c'era anche una società che faceva parte del patto di sindacato di una grande banca, una società con legami massonici provati ed evidenti, e che probabilmente era stata chiamata da amici per sostenere il titolo in un momento di difficoltà.»

Nell'autunno del 2004 Girelli era giunto a completare un documento riassuntivo sull'intera vicenda con cifre, società e persone coinvolte. Non lo riportiamo integralmente perché molto tecnico e complesso. Da tale documento emergevano rapporti illeciti con grossi immobiliaristi e speculatori; strani e ingenti acquisti di azioni Banca Popolare sulla Borsa di Milano, quasi tutte finanziate con fidi erogati dalla stessa Banca

Popolare che accettava come garanzia collaterale le stesse azioni acquistate con i finanziamenti. Ma anche erogazioni di crediti a misteriose società libiche, nonché operazioni di bonifici esteri e depositi tra Banca Popolare e una piccola banca svizzera di Lugano, che figurava tra le banche più attive con Zeta. Spuntavano i nomi di noti politici, società situate alle Cayman Islands ma anche a Panama, in Canada e in Russia.

«Iniziarono a uscire le prime indiscrezioni sulla stampa finanziaria relativamente al fatto che Banca Popolare aveva qualche problema e che l'esposizione dichiarata su Zeta non era rispondente al vero. Banca Popolare dichiarava di essere oggetto di una "campagna stampa diffamatoria" orientata a destabilizzare la credibilità del management per giustificare una scalata ostile da parte di altri istituti. Nell'aprile del 2005, un socio riceveva un esposto anonimo che raccontava la dinamica dei fatti con dovizia di particolari e si premurava di denunciare immediatamente il tutto alla magistratura.»

La collaborazione con la magistratura

Nel frattempo la Procura della Repubblica aveva aperto le indagini sulla società Zeta per sospetto di bancarotta fraudolenta. La società era infatti insolvente nel rimborso di un'obbligazione emessa e da mesi non pagava fornitori e dipendenti. Inoltre le società di revisione che si erano avvicendate nell'incarico non certificavano il bilancio e nonostante tutto ciò la società rimaneva inspiegabilmente quotata alla Borsa valori: Girelli racconta: «I magistrati avevano in corso un braccio di ferro con il tribunale fallimentare, mentre spuntavano "cavalieri bianchi" che si presentavano e poi sparivano, tutti finanziati da Banca Popolare tramite le solite società che venivano create al momento e ricevevano i soldi dalla banca tramite canale estero su paradisi fiscali».

Nell'estate del 2005 falliva il gruppo Zeta, perché i piani

di salvataggio, pianificati con i soldi di Banca Popolare che passavano attraverso società in paradisi fiscali, non potevano più essere realizzati. La Banca Popolare fu travolta dall'insolvenza.

Il banchiere racconta: «Era evidente che il dissesto di Banca Popolare era probabilmente un'operazione premeditata da tempo e progettata nei dettagli, anche se tutto è stato fatto con assoluta spregiudicatezza, come se i protagonisti dell'operazione potessero fare affidamento su coperture di assoluta affidabilità e di alto livello. Alla fine del 2005 fui chiamato dal pubblico ministero come persona informata dei fatti, per aiutare a svelare i segreti che si celavano dietro i crediti di Banca Popolare. Mi disse che avevano chiamato alcuni dirigenti della banca ma non avevano avuto nessuna collaborazione significativa. Il magistrato si chiedeva come mai ci fosse una tale omertà davanti a fatti così eclatanti. Evidentemente tutti avevano paura di parlare. Mi fu riferito, in seguito, che un funzionario che aveva collaborato con la magistratura era stato piuttosto maltrattato dalla direzione e per rappresaglia era stato rimosso dai suoi incarichi, con un evidente ridimensionamento professionale, tanto che costui avviò una causa di lavoro con Banca Popolare».

Nel frattempo le indagini procedono a ritmo serrato e nel giro di qualche giorno avviene l'arresto di alti esponenti dell'istituto di credito.

«Venivano alla luce una serie di reati che comprendevano le false comunicazioni sociali, falso in bilancio, ostacolo alla vigilanza, riciclaggio e concorso in bancarotta fraudolenta. L'ufficio legale della Banca Popolare risultò inoltre coinvolto in una serie di operazioni volte a sottrarre le garanzie immobiliari di Zeta ai creditori del fallimento ormai dichiarato, creando una serie di società intestate a prestanome dove far confluire gli immobili di Zeta e dei loro soci. A questo proposito mi era stato riferito da persona molto informata, che il funzionario addetto era un esponente di una potente organizzazione cattolica che negli anni passati era già stato denunciato per un tentativo di sottrazione di eredità ai danni di un'anziana signora. Fu condannato in primo e secondo grado e poi assolto in Cassazione.»

La banca in vendita

Nella primavera del 2006 l'assemblea rinnovava il cda e nominava un nuovo presidente della banca in cui aveva lavorato Girelli.

«Il cambiamento degli organi amministrativi sembrava completo e ora si doveva procedere alla vendita della banca, secondo le indicazioni della Banca d'Italia, da attuare entro la fine del 2006. Ma alcune cose apparvero subito strane. Il nuovo cda, chiamato a gestire una difficile transazione con i creditori di Zeta che avevano chiamato in causa la banca per concorso in bancarotta, chiedevano che la transazione fosse vincolata alla esenzione da eventuali responsabilità per gli ex direttori generali. Questo atteggiamento aveva particolarmente irritato la Procura, che si oppose a qualsiasi accordo che potesse fornire una copertura ai direttori generali responsabili dell'esercizio abusivo del credito e pose interrogativi sulla reale indipendenza dei nuovi amministratori con un passato nella Banca Popolare. L'assemblea dell'aprile 2006, che aveva portato al cambio della presidenza, era stata caratterizzata da una votazione abbastanza contrastata rispetto alle votazioni bulgare delle precedenti assemblee e, in quella sede, la votazione spontanea di numerosi dipendenti mi aveva procurato molti voti, senza peraltro che io mi fossi candidato per il cda.»

Spuntano nomi noti alle cronache.

«Il nuovo consiglio aveva chiamato alla direzione generale una persona di una certa esperienza, legata agli ambienti della finanza cattolica e proveniente dal gruppo Popolare di Lodi di Fiorani. Appena assunto l'incarico il nuovo direttore generale si reca, stranamente, a Fatima e il viaggio riceve una certa pubblicità, tanto che la cosa mi sembrò un po' strana. Solo in seguito compresi il significato che quel viaggio. In una banca dove erano spariti 1,3 miliardi di euro e dove tuttora la magistratura chiedeva chiarimenti su alcuni fatti non chiari, la prima azione della nuova direzione si indirizzava sulla direzione finanziaria e sul suo ex dirigente. Anche la figura del nuovo presidente aveva qualche lato oscuro. Era infatti un personaggio abbastanza noto per i suoi trascorsi politici e proveniva, stranamente, da un istituto di credito recentemente travolto da un'inchiesta per operazioni non regolari condotte a danno dell'istituto stesso, denunciate anche da esponenti politici del governo, che ne avevano chiesto la rimozione dall'incarico e avevano invocato l'intervento di una commissione d'inchiesta per appurare i fatti illeciti contestati. Tutti si chiedevano come era potuto accadere che proprio lui avesse potuto diventare presidente di Banca Popolare, dato che sul territorio non era particolarmente ben visto.»

Intercettazioni telefoniche illecite

Girelli in quella fase scoprì anche un sistema di intercettazioni illecite.

«Nel frattempo, alcuni ex colleghi mi avevano informato che durante la precedente direzione, in piena tempesta giornalistica, erano state disposte da parte della banca delle intercettazioni telefoniche e informatiche per capire chi faceva uscire notizie e documenti dall'istituto, il tutto senza rispettare le normative in tema di intercettazioni verso i dipendenti. L'incarico era stato affidato a un'azienda esterna che faceva capo indirettamente o direttamente a uomini di un gruppo telefonico, che erano coinvolti in una inchiesta che aveva svelato una ragnatela di intercettazioni e di illeciti, culminati poi con arresti e avvisi di garanzia.»

Di nuovo rinasce il conflitto tra Girelli e la sua ex banca.

«Quando emerse la storia delle intercettazioni il nuovo direttore generale si adoperò per mettere il più possibile tutto a tacere e minimizzare l'accaduto, negando che ci fossero in atto sistemi di intercettazione, nonostante questo fosse stato rilevato dallo stesso personale del servizio informatico della banca, che si era accorto per caso della cosa. Era quindi evidente che costoro sapevano che cosa potevo aver scoperto e con chi mi relazionavo all'interno della banca. Per correttezza chiamai telefonicamente il nuovo presidente per informarlo che, essendo in contatto da molto tempo con il pm, stavo relazionando la Procura su tutta una serie di cose, che forse, sarebbe stato utile che la nuova dirigenza di Banca Popolare sapesse. La telefonata non fu accolta favorevolmente e mi fu riferito che aveva creato un certo fastidio; anzi, il nuovo direttore generale disse ad alcune persone che considerava tali iniziative da parte mia come una minaccia per la banca. Che strano, mi offrivo spontaneamente per spiegare alcuni eventi di fondamentale importanza su cui indagava la magistratura e venivo ritenuto una minaccia. Direttori e presidenti cambiavano, ma i comportamenti erano sempre gli stessi.»

In breve tempo la realtà si rivela peggiore dell'immaginazione.

«Una mattina di fine luglio del 2006 il pubblico ministero mi chiamò sul cellulare e mi chiese se potevo recarmi in Procura con urgenza perché doveva parlarmi. Non riuscivo a capire cosa ci fosse di così urgente, in considerazione del fatto che avevo già riferito tutto quanto sapevo e non avrei potuto aggiungere altro a quanto avevo già detto sulla vicenda. Appena arrivato in Procura a Milano entrai nel suo ufficio e le sue prime parole furono: "Ma perché questa gente mostra un tale accanimento verso di lei? Ieri è stato qui da me il nuovo direttore generale di Banca Popolare, che avevo chiamato per altre cose, e mi ha detto che io dovrei arrestarla perché avrebbe rubato milioni e milioni di euro, e mi ha consegnato un pacco di documenti che proverebbero quello che lui dice, ma che è tutta roba che lei mi ha già dato mesi fa e che riguardano la vicenda della rete promotori. Tutte cose che già so e che non considero importanti rispetto alla faccenda Zeta". Sotto un certo punto di vista rimasi ovviamente sorpreso per l'accaduto, ma contemporaneamente molti dubbi divennero certezze e oramai ero convinto che la vera "pulizia" e la rottura con il passato non si erano ancora realizzate alla Banca Popolare.»

Girelli parla apertamente di connessioni criminali.

«Un'indagine della Procura di una nota provincia siciliana e di altre Procure sparse per l'Italia, portarono all'arresto di numerose persone collegate con la mafia e accusate di riciclaggio nella primavera del 2006. Con stupore, emerse che molti conti bancari collegati con tali personaggi erano aperti presso filiali di Banca Popolare. Non solo, da alcune ricerche emergeva che un'indagine della Banca Mondiale aveva smascherato infiltrazioni mafiose in varie realtà creditizie: erano coinvolte due banche italiane che finanziavano le aziende di copertura al riciclaggio di denaro sporco. Le banche citate nell'inchiesta erano un grosso gruppo creditizio (tramite una piccola agenzia) e la mia ex banca.»

Giri pericolosi.

«Un quotidiano aveva pubblicato alcuni mesi prima un ampio articolo che descriveva gli strani collegamenti della mia ex banca con personaggi che avevano attività immobiliari in Colombia e che avevano ricevuto finanziamenti da Banca Popolare tramite alcune aziende immobiliari colombiane, finanziate nel 1997 per oltre (20 milioni di euro) 40 miliardi di vecchie lire di allora. Nel novembre del 2006 venivano arrestati per associazione a delinquere di stampo mafioso e traffico di cocaina alcune persone legate a questi personaggi. Tra gli affidati c'era un noto imprenditore romano residente a Cartagena in Colombia, i cui rapporti con Banca Popolare risalivano alla metà degli anni Novanta, ma le attività che facevano capo a queste persone, secondo fonti della magistratura, facevano da copertura al riciclaggio dei proventi del narcotraffico.»

Scarsi i controlli a livello di sistema.

«Banca d'Italia si era accorta nel settembre 2005 (forse un po' tardivamente) di queste erogazioni che Banca Popolare aveva fatto e aveva allertato il comitato di controllo interno della banca, che non si era accorto di nulla fino a quel momento. Era quindi evidente che il miscuglio di malaffare che girava attorno a una media banca locale non era così diverso da quanto già visto per il Banco Ambrosiano (mafia, P2, politica, e faccendieri di ogni tipo), con tutti i rischi connessi. Ennesima conferma che il dissesto era stato pilotato ad arte, e ora mi ritornavano con forza alla mente le notizie di incontri tra la nostra direzione generale e i vertici di Popolare Lodi, informazioni che avevo ricevuto da un dirigente di Banca Popolare in tempi non sospetti (2004), e del fatto che il titolo fosse sostenuto da mani "amiche".»

Girelli si prepara all'ultima battaglia.

«Nel frattempo si era avviato il processo di scelta del partner che Banca Popolare doveva individuare all'interno di una *short list* e in Consiglio si apriva un certo dibattito sull'operazione, anche perché il nuovo presidente e il nuovo direttore generale non erano favorevoli a nessuna delle tre banche selezionate dal precedente cda. Si cercava quindi di prendere tempo per vedere come sarebbe finita un'importante operazione di aggregazione in corso tra altri istituti ed eventualmente riaprire i giochi. In questo temporeggiamento c'era l'alibi fornito dalle trattative in corso con il Tribunale Fallimentare per risolvere la vertenza Zeta. La banca, chiamata a rispondere in solido verso i creditori per concorso in bancarotta fraudolenta, doveva trovare un accordo prima di definire il prezzo di vendita all'eventuale compratore e rendere certo il perimetro del danno richiesto per il concorso in bancarotta ed erogazione abusiva del credito. Se non si accettavano le richieste di rimborso del danno si poteva contare su ulteriori rinvii e ulteriore tempo a disposizione per decidere o trovare offerte alternative. Ma grazie ai miei contatti ero riuscito a trovare un canale di comunicazione con quella parte del cda di Banca Popolare che, in minoranza, lottava contro la maggioranza del nuovo presidente e direttore generale e che aveva capito che qualcosa non quadrava. Organizzai un incontro con un consigliere al quale raccontai un po' di cose e fortunatamente trovai un atteggiamento positivo e interessato. Nel giro di qualche giorno gli feci pervenire tutta la documentazione utile a dimostrare che quanto gli avevo relazionato era vero e grazie a questo gli equilibri in consiglio di amministrazione si ribaltarono a favore della minoranza e a favore dell'aggregazione con una delle banche della *short list*. L'impossibile era dunque accaduto: il nemico era costretto ad abbandonare il campo e si spianava la strada per l'ingresso di un nuovo direttore generale e un nuovo consiglio di espressione dei nuovi azionisti di Banca Popolare».

Fabrizio Girelli ha visto riconosciute le ragioni delle sue scelte coraggiose e contro corrente; in qualche modo ha «vinto» la sua lunga guerra. Ma il prezzo pagato è stato alto.

«La soddisfazione per il successo silenzioso e segreto che ho ottenuto è ancora velata dalla tristezza per l'odio e l'ostilità che molti dipendenti di Banca Popolare provano verso di me, nonostante me ne sia andato in tempi non sospetti, all'inizio del 2002. E dopo aver invano lottato per contrastare il management di allora. Ma anche costoro sono vittime e per questo sono da perdonare. Forse le mie ferite non si rimargineranno mai, e oggi sono pienamente consapevole in che tipo di Paese vivo, quali sono le regole non scritte, i mali che lo affliggono e quali sono i contesti nei quali si devono muovere coloro che vogliono rimanere onesti, denunciando il malaffare dilagante o le condizioni di ingiustizia. All'inizio mi ha spinto forse la vendetta, poi è stato un senso di speranza, il desiderio di fermare i disegni di coloro che passano sulle persone per realizzarli a qualunque costo, usando tutto e tutti e trasformando gli ingenui in complici. Mi sono anche reso conto che molti vedono e tacciono. Sicuramente alcuni per paura, altri per carrierismo, altri ancora per indifferenza; ma questo atteggiamento continua a favorire il sistema che ci rende sudditi e non cittadini; servi e non persone. Credo nel lavoro come azione di sviluppo sociale, formazione del singolo e terreno dove far emergere i talenti di cui noi tutti, e ripeto noi tutti, abbiamo bisogno per migliorare la nostra vita e quella degli altri. Nella nostra società c'è spesso poco spazio per il singolo e molto spazio per le organizzazioni di ogni tipo – pulite e non – che pretendono di organizzare il nostro futuro, disegnare le strade che dobbiamo percorrere e gestire le nostre capacità per fini non sempre così buoni come vogliono far credere. Mi sono sentito dire che non potevo mettermi contro l'istituzione, contro la banca, perché era un valore per il territorio e io minacciavo questo valore. Mi sono sentito dire che non si può lottare contro il sistema, che si devono accettare le regole, altrimenti il sistema ti espelle. Ma sono convinto che non sia giusto accettare ciò che non è giusto. E il senso civico deve prevalere sui poteri forti.»

Quarta parte

Massoneria e poteri criminali

'Ndrangheta e massoneria

Occupandoci del rapporto tra massoneria e finanza, abbiamo già sfiorato il nodo delle contiguità con i poteri criminali. Proseguiamo su questo delicato fronte, con una nuova tappa della nostra inchiesta.

Il nostro viaggio tra i segreti della massoneria prosegue in Calabria, una terra dove il fardello della 'ndrangheta condiziona la politica, l'economia, la finanza e la vita civile.

Il terreno della 'ndrangheta è uno dei più difficili da indagare: le inchieste giornalistiche[1] e i libri[2] in materia sono

---

1. Ricordiamo il bel reportage di Curzio Maltese pubblicato su «la Repubblica» il 30 aprile 2007. Un passo recita: «A Reggio Calabria il controllo mafioso è più asfissiante che nella Palermo degli anni Ottanta. Non serve chiedere chi comanda in città. La mafia più ricca del mondo domina senza oppositori la regione più povera d'Europa. [...] Nel rapporto tra affiliati ai clan e popolazione [...] a Reggio Calabria siamo al 50 per cento, significa che una persona su due è coinvolta, a vario titolo, in attività criminali. La 'ndrangheta era fino a quindici o vent'anni fa ancora una mafia rurale, specialista nei sequestri di persona. Oggi controlla 40 miliardi di euro all'anno, il 3,5 per cento del Pil italiano (Eurispes) e quasi tutta la cocaina d'Europa, possiede quartieri di città a Bruxelles e Toronto, a San Pietroburgo come ad Adelaide, da Reggio ad Aosta; siede nei consigli d'amministrazione d'innumerevoli multinazionali. Secondo la polizia tedesca, è il principale investitore italiano nella borsa di Francoforte e controlla una quota rilevante del colosso energetico russo Gazprom. In una intercettazione del '96 uno dei Piromalli, i boss della piana di Gioia Tauro, confidava: "Abbiamo il passato, il presente e il futuro". Sul futuro, con molto ottimismo, si può coltivare una pallida speranza, ma sul passato e ancora di più sul presente, non vi sono dubbi. Al colosso nero della 'ndrangheta lo Stato spara con fucilini giocattolo».
2. Il libro più importante e informato su questo tema è quello di Antonio Nicaso e Nicola Gratteri, *Fratelli di sangue*, Pellegrini Editore, Cosenza 2007.

meno numerosi rispetto a quelli sul fenomeno mafioso, e trovare testimonianze è estremamente difficile.

Tutte le relazioni sulla criminalità organizzata predisposte dal Ministero dell'Interno, dalla Direzione investigativa antimafia e dalle commissioni parlamentari antimafia evidenziano l'assoluto controllo della 'ndrangheta sul territorio calabrese, attraverso l'accaparramento degli appalti pubblici, la capacità di sostituirsi all'economia legale e di inserirsi nelle istituzioni e nella pubblica amministrazione. In Calabria la 'ndrangheta riesce ad avere un cospicuo reddito illecito persino dal settore della sanità, la cui spesa provoca un danno all'erario per oltre cento milioni di euro (su un totale nazionale di 288,8 milioni). Non c'è dubbio sul fatto che in Calabria esista un forte sodalizio tra politica, 'ndrangheta, imprenditoria e massoneria deviata che a oggi, nonostante l'impegno delle forze dell'ordine e della magistratura, è stato impossibile disarticolare.[3]

L'ex procuratore nazionale antimafia, Pier Luigi Vigna,[4] ha definito la 'ndrangheta «la mafia più potente, l'agente monopolistico nel traffico degli stupefacenti. Ha collegamenti internazionali in Germania e in Francia e con logge massoniche coperte che non appartengono alla massoneria ufficiale: centri di interessi, di incontri, di agevolazioni».

Nel 2004, il sostituto procuratore della Repubblica di Reggio Calabria Francesco Mollace, che per nove anni, dal 1994 al 2003, ha coordinato per la Direzione distrettuale antimafia reggina l'attività di ricerca dei latitanti della 'ndrangheta, ha affermato: «Serve sviluppare un'azione investigativa intelligente per colpire quella "zona grigia" attraverso la quale imprenditoria collusa, massoneria, politica e 'ndrangheta stringono alleanze per gestire i loro affari. L'attività di

---

3.   Si veda l'interpellanza di Angela Napoli alla Camera dei deputati per lo scioglimento del Consiglio regionale della Calabria (seduta n. 108 del 13 febbraio 2007).
4.   Intervista a «News Settimanale», 16 febbraio 2006.

ricerca dei latitanti resta fondamentale, e per questo bisogna complimentarsi con i carabinieri del Ros. Ma accanto a questo è necessario attaccare la 'ndrangheta sul fronte delle strategie complessive dell'organizzazione criminale per scoprire dove si celano i suoi affari e qual è il collante con cui si collega al mondo dell'imprenditoria e degli affari».[5]

La situazione, nel corso degli anni, non è migliorata, come ha dimostrato la vasta inchiesta avviata nella primavera del 2007 dal pubblico ministero della Procura di Catanzaro Luigi De Magistris.[6]

Il 28 gennaio 2007 il vescovo di Locri, monsignor Giancarlo Bregantini, in un convegno della Caritas tenutosi a Falerna (Catanzaro), è arrivato al punto di proporre una revisione delle modalità delle esequie per i mafiosi e per coloro che appartengono alla massoneria deviata. «La mafia – ha dichiarato monsignor Bregantini – è diventata ancora più insidiosa perché ora è meno evidente e stringe sempre più i rapporti con la massoneria.» Un'affermazione che ha subito provocato una dura reazione di Gustavo Raffi, Gran Maestro del Goi, ma che rende bene il clima nel quale si vive in Calabria la problematica dei rapporti tra 'ndrangheta e massoneria.

«Accanto a una 'ndrangheta che intimidisce, che difende il proprio territorio, che ammazza, c'è una 'ndrangheta rap-

---

5. Intervista all'Ansa del 6 agosto 2004.
6. De Magistris ha ottenuto, al termine della sua inchiesta «Poseidone», la condanna a sette anni per truffa del capogruppo regionale della Margherita, Enzo Sculco. Nel servizio pubblicato su «la Repubblica» il 30 aprile 2007, Curzio Maltese scrive: «Per queste ragioni, o se si preferisce crederlo "per vizio di forma", l'inchiesta gli è appena stata tolta. L'avessero fatto con la simpatica Vallettopoli potentina di Woodcock, sarebbe insorta la società tele-civile. Ma la Calabria, nel bene e nel male, non fa notizia. Il bavaglio alla magistratura è la regola. Sei anni fa, il pool antimafia reggino di Salvatore Boemi, che aveva indagato su 64 cosche e portato a 400 ergastoli, fu smantellato pezzo per pezzo, con i magistrati distaccati sul "fronte della guerra al terrorismo islamico". E non uscì un articolo di giornale».

presentata da personaggi di diversa levatura culturale che vivono al crocevia dell'intricato mondo dei capicosca, dell'imprenditoria e della politica. Sono i massoni dal volto coperto, che assicurano le entrature nei Palazzi del potere, la copertura per quanto riguarda l'azione delle forze dell'ordine, le complicità con magistrati acquiescenti. Sono essi, i "fratelli" incappucciati, a tenere i contatti anche con il mondo finanziario, per assicurare ai loro sodali finanziamenti bancari e per riciclare il denaro da lavare perché provento di attività illecite», scrive il giornalista investigativo Mario Guarino.[7]

«Mentre i manovali del crimine eseguono dunque il "lavoro sporco" eliminando gli avversari, e mentre i capicosca trattano per accaparrarsi appalti e per concludere affari su enormi quantitativi di droga, ci sono Maestri della massoneria che, al riparo dei loro "centri studi" o dei propri uffici commerciali o notarili, tessono la tela con pezzi del potere politico, finanziario o giudiziario. Essi rappresentano il "volto istituzionale" delle 'ndrine. È un passaggio obbligato, perché attraverso la massoneria la 'ndrangheta da organizzazione avulsa dalla società civile assume un'altra sembianza per diventare mafia imprenditrice.»[8]

Secondo la Commissione parlamentare d'inchiesta sulla massoneria, nella sola Calabria – negli anni Ottanta e primi anni Novanta – c'erano circa 2500 «cappucci», per la maggior parte appartenenti a logge coperte.

Guarino, uno dei più esperti analisti di problematiche criminali, ritene che l'inchiesta avviata nel 1992 dal procuratore di Palmi Agostino Cordova avesse radici solide: «La connection tra i poteri forti per anni ha in Agostino Cordova, oltre alla Dda reggina, un occhiuto indagatore. Sia le inchieste condotte a Reggio dal pool di Boemi [il pubblico ministero

---

7.   Mario Guarino, *Poteri segereti e criminalità – L'intreccio inconfessabile tra 'ndrangheta, massoneria e apparati dello Stato*, Dedalo, Bari, 2004, pp. 105-106.
8.   *Ibidem.*

Salvatore Boemi della Procura di Reggio Calabria, *Nda*] sia
quelle condotte da Cordova hanno portato alla luce la costante e pesante interferenza della massoneria coperta nella
vita sociale. Ed è soprattutto Cordova a entrare in rotta di
collisione con il potere politico. Specialmente con le forze
più contaminate dalla presenza dei cappucci e di esponenti
della mafia calabrese: il Partito socialista. I motivi per i quali
il magistrato reggino è entrato in conflitto con quelle forze
politiche sono tutti da ricercare nelle inchieste scottanti del
suo ufficio, che ha indagato, messo sotto accusa i poteri forti
calabresi per tangenti, concussioni, affari multimiliardari, la-
drocinio».

Vari gli ambiti in cui Cordova ha indagato il rapporto
tra 'ndrangheta e massoneria: 1. la sanità, un ambito in cui
«la massomafia la fa da padrona»;[9] 2. l'import export di armi e droga (il processo denominato 437-'90, con 134 rinvii
a giudizio); 3. il commerco di rifiuti tossici, «consistente in
affari di centinaia di miliardi di lire l'anno, con il corolla-
rio, al solito, di socialisti e massoni»,[10] ma anche con la partecipazione di grandi aziende, di «imprenditori molto noti
e potenti, i Ferruzzi-Gardini»;[11] 4. il traffico di titoli di valuta, ovvero la vicenda dei 294 certificati di deposito del
Banco di Santo Spirito trafugati in una rapina il 2 novembre 1990 a Roma e riciclati grazie a pesanti complicità massoniche e politiche.[12]

Guarino evidenzia le pesanti pressioni subite da Cordova
e da altri magistrati[13] che hanno indagato su questi temi:

---

9. *Ibidem*, pp. 124-136.
10. *Ibidem*.
11. *Ibidem*.
12. *Ibidem*.
13. Guarino (*op cit.*, p. 135) cita il caso del pm della Procura di Palmi Maria Grazia Omboni che nel 1994 chiese di acquisire gli elenchi degli iscritti
a Forza Italia, e «scatenò la furibonda reazione dell'apparato mediatico (già
allora il più potente d'Italia) del Cavaliere, nonché quella dei suoi sodali e
reggicoda. Qualche tempo dopo, la Omboni sarà trasferita a Verona».

«Sperando che la smetta di occuparsi di questioni tanto destabilizzanti per la politica e la massomafia, i Palazzi del potere già da tempo avevano deciso di isolare Cordova, attraverso giornali ed emittenti amiche. La sua candidatura a Procuratore antimafia nazionale era stata bocciata, ma poiché il magistrato aveva le carte in regola, ecco il trasferimento-promozione alla Procura di Napoli, il 6 ottobre 1993. Un modo come un altro per far sì che non si impicciasse più di massomafia-politica. Prima di trasferirsi a Napoli, Cordova ha avuto la soddisfazione di assistere a una manifestazione popolare in suo favore. Neppure a Napoli il magistrato ha avuto vita facile, attaccato da un lato dal potere politico e dalle forze occulte che lo sostengono; e dall'altro da avversari all'interno dello stesso Palazzo di Giustizia».[14]

Per analizzare a fondo il tema del rapporto tra 'ndrangheta e massoneria siamo andati a incontrare due tra i massimi esperti in materia: il magistrato Nicola Gratteri e il giornalista e scrittore Antonio Nicaso.[15] Il nostro incontro si svolge nella sede della Direzione distrettuale antimafia di Reggio Calabria, presso la quale opera il sostituto procuratore Gratteri, che poche settimane dopo il nostro colloquio verrà chiamato a occuparsi della strage di Duisburg,[16] simbolo della potenza raggiunta anche all'estero dalla 'ndrangheta.

---

14. *Ibidem*, p. 136.
15. Autori del volume *Fratelli di sangue*, *op. cit.*
16. Nella notte tra il 14 e il 15 agosto 2007, presso il ristorante «Da Bruno» di Duisburg, in Germania, in un agguato sono morte sei persone. Sono stati eliminati, con oltre settanta colpi di arma da fuoco e un colpo alla testa: Tommaso Venturi, diciotto anni; Francesco e Marco Pergola di ventidue e venti anni; F.G., diciassette anni; Marco Marmo, venticinque anni; e Sebastiano Strangio di trentanove anni. Gli uccisi sarebbero vittime della faida di San Luca, località nella Locride, tra il clan Nirta-Strangio e il clan Vottari. Il 12 ottobre 2007 è stato arrestato Francesco Vottari, ritenuto dagli inquirenti implicato nella strage.

Un pensiero scomodo

Nicola Gratteri è un uomo che ha dedicato la vita alla legalità: già nell'agosto del 2004 il Sismi aveva segnalato il rischio di un attentato nei confronti del sostituto procuratore di Reggio Calabria, segnalazione in seguito alla quale gli era stata potenziata la scorta. La 'ndrangheta ha continuato a progettare la sua morte, come hanno appreso le forze dall'ordine grazie alle intercettazioni telefoniche effettuate dal Ros,[17] che il 21 giugno 2007 ha scoperto l'arsenale[18] che sarebbe stato utilizzato per ucciderlo.

«Gratteri fici disgrazi 'nta Ionica»: così suona una parte della registrazione ambientale effettuata dagli inquirenti durante un colloquio nel carcere di Melfi tra Vincenzo Macrì, «u baruni», nipote del potentissimo boss di Siderno Antonio Macrì, assassinato a metà degli anni Settanta, e un suo fedelissimo, sposato con la figlia. Dal tono dell'affermazione si evince tutto l'odio della 'ndrangheta nei confronti di Nicola Gratteri e delle forze di polizia per le numerose operazioni condotte contro il traffico internazionale di stupefacenti, di cui le cosche calabresi sono lo snodo principale per tutto il continente europeo. «Picchì tuttu chissu sangue?» chiede il giovane interlocutore al vecchio boss, dopo aver capito che il tritolo destinato al sostituto procuratore della Repubblica avrebbe dovuto uccidere anche la sua scorta.

Il magistrato preso di mira ha continuato a lavorare nel suo ufficio presso la Procura della Repubblica di Reggio Calabria, e nei suoi confronti è stata rafforzata la vigilanza. Ma è stato costretto ad allontanarsi momentaneamente dalla fa-

---

17. *Nicola Gratteri, magistrato sotto tiro*, in «L'eco di Siderno», 14 agosto 2007.
18. Armi ed esplosivo sono stati scoperti nella Piana di Gioia Tauro dal Sismi e dal Ros dei carabinieri nell'ambito di un'operazione coordinata dalla Dda di Reggio Calabria.

miglia, per alloggiare in una delle tante caserme dell'Arma dislocate in città.

La preparazione di un attentato contro Gratteri è stata valutata dagli inquirenti non come il frutto della decisione di una o due cosche della Locride, ma come una scelta del *gotha* 'ndranghetistico dell'intera provincia: dieci «famiglie», tra Reggio città, la Piana di Gioia Tauro e Ionica, il cui assenso viene ritenuto strategico per effettuare un atto criminale di tale portata. Nell'arsenale con il quale la 'ndrangheta stava preparando l'attentato a Gratteri figuravano lanciarazzi, kalashnikov, un chilo di plastico con detonatore e bombe a mano.

Nonostante i rischi che corre, Gratteri affronta con decisione il tema del nostro incontro, quello del rapporto fra 'ndrangheta e massoneria.

«Massoneria, 'ndrangheta, camorra e mafia si giovano del "trasversalismo" che ormai impera anche nei rapporti tra politica e crimine organizzato» esordisce il magistrato, che rifiuta di essere inquadrato in correnti e appartenenze di qualsiasi tipo; «un trasversalismo che coinvolge sinistra, destra e centro senza distinzioni, da Forza Italia ai Ds.»

Prosegue Gratteri: «La situazione, in questo senso, è persino peggiore che in passato: nella cosiddetta Prima Repubblica c'erano due blocchi di potere che erano realmente contrapposti ed esercitavano un controllo reciproco; ora domina l'omologazione, tutti "dialogano" con tutti. Ma dietro questo "dialogo" si celano gli interessi reali, che talvolta sconfinano nell'economia criminale. Tutti sono in affari con tutti. Questo essere tutti "assieme", nell'accezione peggiore del termine, genera un decadimento accelerato».

Il pensiero di Gratteri è un pensiero scomodo. Tanto che il magistrato commenta: «Per restare libero ho rinunciato agli incarichi come consulente della commissione antimafia».

Una posizione polemica che intende sottolineare le pesanti commissioni tra 'ndrangheta, politica e poteri occulti. I mafiosi calabresi fanno poca galera, spiega il sostituto procuratore, «perché gli istituti processuali non conoscono dero-

ghe significative e, tra riti abbreviati e sconti di pena, la Calabria sta diventando una terra benedetta per la malavita. Un
mafioso non ha più paura di finire in galera, ha paura se
qualcuno lo minaccia di non farlo uscire più. Diversamente,
qualche anno di carcere è solo un breve infortunio, come la
rottura di un menisco per un calciatore».

Il sostituto procuratore parla senza esitazioni dello «sgre-
tolamento inesorabile della legislazione antimafia avvenuto
dal 1992 a oggi».

«La 'ndrangheta – prosegue Gratteri – è la struttura mafiosa che meno ha subìto l'intervento repressivo dello Stato.
Mentre la Sicilia veniva "aggredita" dallo Stato, la 'ndrangheta si rafforzava ovunque e stabiliva collegamenti internazionali. Si sprovincializzava senza perdere, però, quel tratto
di orizzontalità che è anche la sua forza rispetto alla forma
piramidale della mafia. Mi trovi un collaboratore di giustizia
affiliato alla 'ndrangheta che abbia fatto incarcerare duecento o trecento capiclan.»

L'omicidio Fortugno[19] e la strage di Duisburg segnano
una fase nuova.

«Con l'omicidio di Fortugno la 'ndrangheta ha perduto
ogni freno inibitore» continua il sostituto procuratore «e non
può che essere così, quando il livello d'impunità è garantito
da un giro d'affari equivalente a una legge finanziaria.»

Milioni di euro che viaggiano lungo i canali del terziario,
degli appalti edilizi, degli ospedali e del monopolio sul traffico di cocaina: «Milioni facilmente riciclati attraverso la grande distribuzione. In Calabria fare il commerciante onesto
non conviene».

---

19. Francesco Fortugno, vicepresidente del Consiglio regionale della Calabria eletto con la Margherita, viene assassinato davanti al suo seggio elettorale il 16 ottobre 2005, giorno delle elezioni primarie dell'Unione. Nel
2006 sono stati arrestati i nove presunti killer, tutti di Locri, e il presunto
mandante dell'omicidio, Salvatore Marcianò. Il 15 ottobre 2007 il pentito
Bruno Piccolo, principale accusatore degli assassini, è stato trovato impiccato nell'appartamento segreto in cui viveva protetto dalla Dda.

Il fatto che in Italia siano presenti vari gruppi di potere che si comportano secondo i canoni dell'organizzazione mafiosa può aver influito sulla trasformazione della 'ndrangheta da realtà «primitiva» a moderna organizzazione criminale?

«La politica con i suoi comportamenti arroganti di spartizione di qualunque cosa ha dato una specie di legittimazione al potere mafioso.»

Gratteri sfata il mito secondo cui la 'ndrangheta, almeno in passato, sapesse «stare al suo posto».

«La 'ndrangheta di una volta era "proporzionata" all'economia di una volta. Un tempo si accontentava in alcuni casi anche della "mangiata di maiale", o di una parte del raccolto o dell'"aiuto ai carcerati", che potevano sostituire la mazzetta odierna. La povera economia di una volta non offriva molto. Quando è iniziata la stagione delle opere pubbliche, le cose sono cambiate. Ogni fase storica vede la trasformazione della 'ndrangheta: pur mantenendo l'osservanza rigida delle leggi che regolamentano la vita all'interno della famiglia e del "locale", la 'ndrangheta è permeabile alle novità, sa stare al passo con i tempi.»

'Ndrangheta e massoneria

Il rapporto tra la massoneria deviata e il crimine organizzato genera, secondo Gratteri, ulteriori metastasi. Né vanno tralasciate le analogie, anche formali, tra le due «organizzazioni», che favoriscono una sorta di riconoscimento reciproco. Così come la massoneria, la 'ndrangheta ha origini antiche. Il termine deriva etimologicamente dalle due parole greche *antropos*, uomo, e *agatos*, buono, sicché 'ndrangheta paradossalmente vuol dire «associazione di uomini buoni». Del resto questa tesi è confortata dal fatto che anche altre organizzazioni criminali sono caratterizzate da richiami alla bontà, alla cavalleria, al mutuo soccorso, alla fedeltà e ad altri nobili sentimenti, almeno *ab origine*. Autopercezioni analoghe a quelle che si possono trovare in molta parte della massoneria.

Gratteri spiega: «Così come la libera muratoria si rifà alla storia dei templari, la 'ndrangheta ama credere di avere antiche tradizioni. Il mito vuole che i suoi padri nobili siano tre cavalieri spagnoli, appartenuti alla Garduna, un'associazione cavalleresca fondata a Toledo nel 1412. I tre – il cui nome nel tempo è stato "calabresizzato" in Osso, Mastrosso e Carcagnosso – portarono nel Mezzogiorno d'Italia le regole e i metodi usati dalla Garduna. Sembra che i tre cavalieri abbiano lavorato per ventinove anni nelle "viscere" della terra, precisamente nell'isola di Favignana, sede di un carcere borbonico; alla fine di questo lungo lavoro essi avrebbero diffuso le regole sociali di quella che sarebbe divenuta la camorra in Campania e la 'ndrangheta in Calabria. Una leggenda che è servita a creare un mito, a nobilitare le ascendenze, a costituire una sorta di albero genealogico con tanto di antenati. Resta però il fatto che la 'ndrangheta, al pari della massoneria, ha un proprio codice, un vasto panorama di simboli e la convinzione di essere in qualche modo «benedetta». In un codice segreto della 'ndrangheta, sequestrato nel 1987 al boss Giuseppe Chilà, alleato con la nuova camorra organizzata, si è appreso che la 'ndrangheta è denominata, al suo interno, la "Santa"».

Vi sono – al pari delle cerimonie massoniche – delle formule rituali previste per l'inizio di una riunione di 'ndrina, la famiglia degli appartenenti alla 'ndrangheta. Dopo la «purificazione» del luogo e la consegna delle armi, il capobastone dice: «Santa sera a tutti li santisti!». Gli altri rispondono: «Santa sera!». Il capobastone è detto anche «maestro di controllo», una denominazione di ascendenza massonica.

Anche nella 'ndrangheta, come nella massoneria, agli affiliati è richiesto un giuramento di fedeltà, che prevede di recitare una formula, che tradotta in italiano suona: «Giuro su quest'arma e di fronte a questi nuovi fratelli di Santa di rinnegare la società di sgarro e qualsiasi altra organizzazione, associazione e gruppo e di fare parte della Santa Corona e di dividere con questi nuovi fratelli di Santa la vita e la morte nel nome dei cavalieri Osso, Mastrosso e Carcagnosso. E se io dovessi tradire dovrei trovare nello stesso momento dell'infamia la morte».

Vi sono poi espressioni come «il giudice supremo» per indicare il capo, la «santa riunione» per indicare il consiglio della 'ndrina, «il nostro santo Cristo» per indicare il primo santista che – secondo la tradizione – sarebbe nato il 25 dicembre poiché in tale data gli sarebbe stata incisa una croce sulla spalla sinistra. Anche in questa organizzazione criminale, come nella mafia, si riscontra una straordinaria capacità di confondere il sacro col profano.

Gratteri, in merito alle pericolose somiglianze tra 'ndrangheta e massoneria, rivela un aspetto illuminante: «Se noi analizziamo la Santa, ci accorgiamo che alcune figure di riferimento per la massoneria – come Garibaldi, Mazzini e Cavour – sono stati presi a riferimento dalla 'ndrangheta in sostituzione di personaggi simbolo come i cavalieri Osso, Mastrosso e Carcagnosso. Questo mi pare davvero preoccupante».

L'analisi di Gratteri ricorda l'espressione coniata da Eric Hobsbawm sulla 'ndrangheta che col tempo si civilizza e si fa «sonnacchiosa massoneria». Nella realtà, il corso delle cose è stato probabilmente inverso. All'inizio esistevano organizzazioni massoniche nelle quali segretamente si inquadravano i membri dei ceti possidenti in età borbonica, quando mancavano le libertà di opinione e soprattutto di associazione. Poi questi modelli di associazionismo clandestino sono stati ripresi dal popolo nel secondo Ottocento, quando le associazioni popolari erano ancora proibite. Certamente queste società si diedero a commettere dei reati, e probabilmente i criminali calabresi si scambiarono tra loro le conoscenze sui più efficienti modelli di organizzazione criminale e sui riti stessi durante le loro permanenze in carcere e in isolette dove venivano inviati al confino.

L'analisi di Gratteri coincide con questa lettura, sottolineando inquietanti analogie.

«Al pari della massoneria, che richiede obbligatoriamente la credenza in un essere supremo e che si avvale di una serie di conoscenze esoteriche e iniziatiche, l'élite della 'ndrangheta ha un proprio codice e si identifica con la Santa.»

Ma è possibile, tecnicamente, far parte allo stesso tempo della 'ndrangheta e della massoneria? Il sostituto procuratore, su questo punto, non ha dubbi.

«Esiste certamente la possibilità di una doppia affiliazione a 'ndrangheta e massoneria. La doppia appartenenza è particolarmente utile quando si tratta di operazioni di un certo livello, di sedersi al tavolo della pubblica amministrazione per decidere gli appalti.»

Dalla Calabria al Canada

Per proseguire la nostra indagine su 'ndrangheta e massoneria, ci spostiamo in Canada. L'analisi di Antonio Nicaso, che con Gratteri ha scritto *Fratelli di sangue*, è assai ampia, nonostante abbia lasciato la Calabria molti anni fa per andare a vivere a Toronto, su suggerimento di Giovanni Falcone: fu il grande magistrato a dire al giovane giornalista di continuare la sua professione in Nordamerica, con parole il cui senso recondito era: «Vattene, altrimenti ti uccideranno, le tue inchieste ti costeranno la vita, come è successo a tanti altri». Come è successo a Falcone.

Nicaso, negli oltre vent'anni trascorsi dal suo arrivo in Canada, si è guadagnato sul campo le medaglie della propria reputazione, con inchieste modello come *Bloodlines* e altri libri di successo.[20] E con il recente *Fratelli di sangue*.

---

20. *Bloodlines, Project Omertà and the fall of mafia's royal family* (con Lee Lamothe, Harpers & Collins, Toronto, 2001); *Deadly Silence: Canadian Mafia Murders* (con Peter Edwards, Macmillan Canada, Rexdale, 1972); *Alle origini della 'ndrangheta: la picciotteria* (Rubettino, Soveria Mannelli, 1990); *'Ndranghete: le filiali della mafia calabrese* (Monteleone, Vibo Valentia, 1994); *Io e la mafia. Le verità di Giulio Andreotti* (Monteleone, Vi-

Oltre che come giornalista investigativo, Nicaso lavora alla York University di Toronto: presso la facoltà di legge è riuscito a dar vita a un centro di ricerca che si occupa di crimine organizzato, il Nathanson Centre on Organized Crime.

Quando e come ha iniziato Nicaso a occuparsi di 'ndrangheta e mafia?

«Molto presto. Quand'ero giovanissimo, leggendo i libri di Sharo Gambino[21] e Luigi Malafarina.[22] L'incontro con il fenomeno reale è però avvenuto molti anni prima. Avevo sei anni quando ho scoperto che il padre di un mio compagno di scuola era stato ucciso dalla 'ndrangheta, davanti agli occhi di tanti. Nessuno vide niente. Molti sospetti vennero fermati, ma nessuno ebbe il coraggio di testimoniare e aiutare i carabinieri a venire a capo di quell'omicidio, che restò impunito. Quando ho avuto l'età della ragione, ho capito che non era possibile chiudere gli occhi e far finta di niente.»

Cosa ha significato, per un giovane come Nicaso, nascere e crescere in un contesto complesso come quello calabrese?

«Mi ha aiutato a capire quanto fosse difficile emergere senza affidarsi ai potentati politici. Ma l'ambiente mi ha anche formato professionalmente, mi ha fatto capire che non bisogna dare nulla per scontato, che bisogna sempre e comunque verificare le fonti. Rispetto e attenzione per le fonti sono due componenti essenziali del giornalismo investigativo.»

In Antonio Nicaso l'amore per la legalità è sempre stato una spinta forte, indissolubilmente legata alla passione per l'inchiesta. Ma che prezzi ha dovuto pagare per restare fedele a questa idea, per non piegarsi?

«Forse il prezzo più caro è stato quello di lasciare la mia terra, dove non c'era posto e dove, a causa di alcuni articoli

bo Valentia, 1995); *Global Mafia: The New World Order of Organized Crime* (con Lee Lamothe, Macmillan Canada, Toronto, 1995); *Senza Onore*, antologia di testi letterari sulla 'ndrangheta (Pellegrini, Cosenza, 2007).

21. *La mafia in Calabria*, Parallelo 38, Reggio Calabria, 1971.

22. *Il codice della 'ndrangheta*, Parallelo 38, Reggio Calabria, 1978.

che avevo scritto, cominciavo a subire preoccupanti minacce. Ho lasciato tutto: amici, famiglia. Ma soprattutto mia madre, una donna straordinaria che a me ha dedicato tutta la sua esistenza. Ricordo ancora le sue lacrime, ma anche quel mare davanti al quale avevo sognato da bambino.»

Poco prima di partire Nicaso aveva conosciuto Giovanni Falcone, un uomo il cui esempio fu per lui fondamentale.

«Ho conosciuto molti magistrati, tra cui Falcone e Gratteri, due personaggi diversi, con in comune la passione per il proprio lavoro. Falcone l'ho conosciuto a Palermo. Ero andato a trovarlo per un'intervista e siamo diventati amici. Fu lui che mi indirizzò in Nordamerica, dandomi il numero di telefono di Rudolph Giuliani[23] e Rod Stamler.»[24]

Con Nicola Gratteri, che giovanissimo aveva collaborato all'inchiesta Cordova sulle connessioni tra mafia e massoneria, il rapporto è proseguito nel tempo.

«Gratteri è stato sempre un punto di riferimento imprescindibile, un modello. Di lui apprezzo la coerenza, l'onestà, l'integrità e la capacità di restare sempre con i piedi per terra. Se lo Stato avesse più gente come lui, non sarebbe difficile – con strumenti legislativi adeguati – dare filo da torcere a mafiosi e affiliati alla 'ndrangheta.»

Da Falcone Nicaso ha imparato molto, sul piano investigativo.

«Giovanni Falcone esercitò un'impressione profonda su di me. Quella di un magistrato che conosceva la mafia a menadito. Un uomo che aveva intuito l'importanza di seguire le rotte del denaro, dei trasferimenti bancari. Ciò gli permise di

---

23. Dopo un lungo lavoro come pubblico ministero presso lo United States Attorney's Office for the Southern District of New York, che lo portò a diventare «U.S. Attorney», Giuliani è stato per due mandati consecutivi sindaco di New York (1994-2001), città in cui ha ridotto significativamente il tasso di criminalità.
24. Rodney Stamler è stato uno dei più celebri investigatori della Royal Canadian Mounted Police. Intelligente, preparato, ostinato, Stamler ha condotto alcune delle più scottanti inchieste sul grande crimine canadese.

capire i rapporti della mafia siciliana con quella canadese e statunitense.»

Fu Falcone a consigliargli di battere rotte diverse da quelle delle inchieste sul territorio calabrese, che avrebbero potuto costargli la vita senza per questo raggiungere la piena comprensione del fenomeno.

«Falcone mi disse che in Nordamerica, se avessi deciso di continuare a occuparmi di mafie, avrei potuto contare su alcuni investigatori di cui lui si fidava ciecamente. A parte Stamler e Giuliani, mi parlò di un certo Marc Bourque, un sergente dell'Rcmp (Royal Canadian Mounted Police) che aveva indagato sui Cuntrera-Caruana.[25] Questo contatto mi servì molto quando nel 1998 decisi di scrivere un libro proprio su questa potente famiglia, originaria di Siculiana. Quando lo conobbi, Bourque era demotivato: lo avevano assegnato al reparto scorte dei politici; aveva messo il naso nei santuari della finanza e lo avevano fermato. Troppo audace, un uomo che spesso andava a briglie sciolte. Ma anche un uomo che era riuscito a ricostruire – assieme a magistrati e uomini delle forze dell'ordine come Alessandro Panza, Gianni Di Gennaro, Giovanni Falcone – le rotte del narcotraffico e del riciclaggio del denaro sporco riconducibili ai Cuntrera-Caruana.»

Un'amicizia destinata a durare poco, purtroppo.

«Bourque, che non si era mai rassegnato al nuovo incarico, nel 2005 accettò di recarsi ad Haiti per lavorare nel contingente di pace dell'Onu. Purtroppo per lui, quella scelta non fu felice. Venne ucciso il 20 dicembre di quello stesso anno. Mi aveva scritto da Haiti, poco prima di morire: "Finalmente torno a fare qualcosa di importante". È il prezzo che ha pagato alla politica del quieto vivere di molte forze di polizia.»

---

25. Si tratta di uno dei più potenti clan mafiosi internazionali, frutto dell'alleanza tra le famiglie Cuntrera e Caruana, emigrate da molto tempo in Canada e Stati Uniti e specializzate nel riciclaggio del denaro proveniente dal narcotraffico e da altre attività illecite.

Nicaso fu il primo a organizzare una manifestazione antimafia in Canada.

«Avvenne nel 1992, dopo l'omicidio di Borsellino. In due mesi erano stati uccisi due simboli della lotta alla mafia, lui e Giovanni Falcone. La notizia ebbe grande risalto anche oltreoceano. Allora frequentavo un gruppo di intellettuali che si erano trasferiti come me in Canada e che lavoravano in vari settori, molti nell'ambiente universitario. In pochi riuscimmo a organizzare una fiaccolata. La mafia, soprattutto negli ambienti italiani, era un tabù. Nessuno ne parlava apertamente. Gli anglosassoni spesso la utilizzavano per criminalizzare gli italiani, soprattutto coloro che avevano avuto successo. Fu una grande scommessa. "Non verrà nessuno a sfilare con noi contro la mafia", ci dicevamo per smorzare le aspettative. Il giorno della manifestazione oltre seimila persone scesero in piazza con noi. Tutte le grandi emittenti televisive fecero collegamenti in diretta e la fiaccolata si concluse con una messa concelebrata da una decina di sacerdoti sotto un grande poster raffigurante Falcone e Borsellino. Lanciammo un messaggio esplicito: diciamo no alla mafia e a tutte le altre forme di criminalità organizzata. Fu una giornata straordinaria. La mia vita cambiò. Il Nathanson Centre on Organized Crime è stato fondato su mio impulso dopo la manifestazione antimafia del 1992. Ad aiutarmi a realizzarlo fu proprio Rod Stamler. Fu lui a trovare Mark Nathanson, il quale per dare vita al centro investì tre milioni di dollari.»

Subito l'ombra della mafia iniziò a seguire i passi di Nicaso.

«Con quella manifestazione cominciarono anche i miei problemi: continue minacce. Ci sono stati momenti in cui ho vissuto sotto scorta, rinunciando a quella libertà che avevo faticosamente conquistato. Agli amici ho sempre detto di avere il coraggio della paura. Mi ha aiutato a superare i momenti più difficili.»

Logge pulite e logge sporche tra Calabria e Sicilia

Con Nicaso affrontiamo il tema del rapporto tra massoneria e poteri criminali in Italia: come può essere inquadrato, storicamente?

«Vorrei fare una premessa: la massoneria è stata oggetto di grandi pregiudizi. Ci sono logge pulite e logge sporche. Non bisogna generalizzare. Le logge sporche non hanno lesinato contatti e rapporti con organizzazioni criminali, come la 'ndrangheta, la camorra e Cosa nostra. Il rapporto è diventato organico dagli anni Quaranta in poi. In Sicilia, la massoneria ha utilizzato la mafia per contrastare il potere dei social-comunisti. In Calabria ha utilizzato la politica – il confino di polizia, l'operazione Marzano[26] – per spezzare l'intreccio che si era creato tra 'ndranghetisti e social-comunisti. I rapporti si sono intensificati nel tempo, tanto che sul finire degli anni Sessanta esponenti di 'ndrangheta e Cosa nostra hanno dato vita o aderito a logge coperte, nelle quali si sono saldate strategie anche con forze eversive. Il proliferare delle logge massoniche e paramassoniche è andato di pari passo con la ritirata dello Stato dal controllo di determinati territori, soprattutto al Sud. L'infiltrazione della criminalità organizzata in certe logge paramassoniche è stata grave e certamente non ha fatto bene né alla vita delle popolazioni né alla storia morale della massoneria.»

È vero che fu proprio un massone calabrese naturalizzato americano, Frank Gigliotti, agente della Cia, a favorire lo sbarco e la penetrazione degli americani?

«Il suo ruolo è stato molto importante. Frank Bruno Gigliotti era un pastore protestante di origine calabrese, ma

---

26. L'operazione Marzano, voluta nel 1955 dal ministro dell'Interno Tambroni, prese il nome dal questore di Reggio Calabria, Carmelo Marzano. Si proponeva di eliminare esponenti della mafia legati ai partiti politici. Durata solo tre mesi, secondo alcuni critici era legata all'obiettivo di far piazza pulita degli esponenti politici contrari alla Dc.

cresciuto negli Stati Uniti. Fu in contatto prima con l'Oss, l'Office of Strategic Service, e poi con la Cia. Gigliotti nel 1942 formò con l'Oss l'American Committee for Italian Democracy, appoggiato dai Sons of Italy, un'associazione di cui facevano parte anche mafiosi e agenti segreti, usata per preparare lo sbarco in Sicilia. Lucky Luciano arruolò anche il giovanissimo Michele Sindona per collegare l'Oss con i capi della mafia siciliana. Gigliotti aveva un tale peso da costringere la massoneria italiana – appena riemersa dopo le ostilità del fascismo – ad accogliere tra le proprie fila la loggia segreta del principe palermitano Alliata di Monreale in cambio della restituzione di Palazzo Giustiniani.[27] Il principe Alliata di Monreale venne indagato – e prosciolto in istruttoria – per la strage di Portella delle Ginestre. Gigliotti nel 1947 fu l'artefice del primo riconoscimento del Grande Oriente d'Italia di Palazzo Giustiniani, che sarà tra l'altro la casa madre della loggia P2, da parte della prestigiosa Circoscrizione del Nord della massoneria statunitense. In quello stesso anno, durante un incontro avuto con Giuseppe Saragat, in visita a Washington, Gigliotti gli disse di aver incontrato il bandito Salvatore Giuliano e di "condividere l'uso dell'illegalità e della violenza impiegate da Giuliano contro i comunisti".»

Che collegamenti si realizzarono tra massoneria, intelligence americana e servizi segreti italiani?

«In Italia la strategia dei servizi segreti americani, dal 1941 in poi, individuò nella massoneria, nella Chiesa, nei fascisti disposti ad abbandonare Mussolini e nella mafia gli alleati che avrebbero permesso, prima, di vincere la guerra e poi di fronteggiare il comunismo e ogni proposito contrario agli interessi statunitensi. Alcune logge americane agirono

---

27. Gli americani iniziarono a operare pressioni affinché la storica sede del Grande Oriente d'Italia, Palazzo Giustiniani, sequestrata dal regime fascista, fosse restituita alla massoneria. Il 7 luglio 1960, si svolse a Roma la cerimonia di riconsegna da parte del ministro delle Finanze Trabucchi, alla presenza dell'ambasciatore americano Zellerbach e di Gigliotti.

in Italia sin dal 1941, in collegamento con l'Oss, i cui capi erano tutti massoni di Rito scozzese e affiliati a ordini cavallereschi.»

Da questo pericoloso impasto sono venute pesanti conseguenze per la storia italiana.

«C'è stato un patto strategico tra poteri criminali, finanziari e politici che ha compromesso la democrazia italiana. Dal caso Sindona al piduismo degli anni Ottanta, fino a Tangentopoli e alle ultime stragi, è emerso il ruolo della massoneria deviata, della mafia e dei servizi segreti che, sotto l'ombrello atlantico, hanno dato vita a un "governo invisibile", illegale e impunito. Sarebbe interessante analizzare le dinamiche di questa "alleanza", la sua crisi attuale, ma anche il tentativo dei "poteri forti" di ristrutturarsi per condizionare i poteri politici degli anni a venire.»

Ci fu, quindi, una convergenza di interessi tra servizi americani, mafia, 'ndrangheta e massoneria?

«Ci fu una convergenza di interessi che oggi, consultando gli archivi della Cia, si può anche documentare. Per esempio, agenti speciali americani hanno lasciato le loro tracce a Portella delle Ginestre. All'epoca l'Oss, in Italia, era guidato dal capitano James Jesus Angleton. Una decina di uomini che Angleton aveva reclutato tra le file della X-Mas e della sbirraglia fascista sbarcò a Palermo in anticipo su quel Primo Maggio. La missione siciliana e le altre incursioni contro i "rossi" in varie città italiane, come si evince dai documenti della Cia desecretati negli ultimi anni, erano state programmate da quattordici mesi. In un cablogramma del 12 febbraio 1946 indirizzato da Angleton al War Department si legge: "Ho bisogno immediatamente di almeno dieci agenti per aprire basi a Napoli, in Sicilia, a Bari e a Trieste. Devono essere sottoposti a un addestramento intensivo. [...] Servono per operazioni militari". A Portella delle Ginestre a sparare non furono solo gli uomini di Giuliano, ma anche gli agenti reclutati dall'Oss che utilizzarono armi speciali in dotazione ai servizi segreti americani, come la bomba aerea simulata, una sorta di congegno pirotecnico che produceva un fischio e poi esplodeva come un grosso petardo. In molti, a Portella, vennero raggiunti dai frammenti di questa bomba. Ma grazie ai servizi segreti italiani queste schegge scomparvero per sempre dai rapporti medico-legali.»

Collegamenti organici tra elementi deviati di varie realtà, quindi; con la massoneria a fare da «collante».

«Quello dell'Oss fu un approccio tentacolare. Primo obiettivo fu quello di favorire lo sbarco in Sicilia, ma quell'operazione venne preceduta da un frenetico lavoro di tessitura a vari livelli, soprattutto a Roma, a Napoli, a Bari, a Trieste. La massoneria si prestò a questa operazione, convinta di potersi accaparrare i favori della libera muratoria statunitense.»

Licio Gelli, che era in contatto con la massoneria già dal 1946, che ruolo ebbe in quelle complesse vicende storiche?

«Secondo quanto scrive Daniele Ganser[28] nel suo libro *Nato's Secret Armies*,[29] Gelli venne personalmente reclutato da Gigliotti con l'incarico di contrastare il fronte comunista con il supporto della Cia. Gelli venne inoltre presentato da Ted Shackley, il responsabile di tutte le operazioni sotto copertura della Cia in Italia, ad Alexander Haig, il comandante delle truppe americane in Vietnam e successivamente consulente militare del Presidente Nixon. Haig, secondo alcuni documenti pubblicati da Ganser, nell'autunno del 1969 autorizzò Gelli ad affiliare alla sua loggia massonica, la P2, quattrocento ufficiali italiani ed esponenti importanti della Nato. Sindona, come ho già detto, venne reclutato da Lucky Luciano e si rivelò importante nello sbarco degli alleati in Sicilia: ebbe il compito di mettere in contatto l'Oss con i capi della mafia siciliana. Calvi, infine, venne utilizzato dalla massoneria e dalla mafia per finanziare operazioni politiche, co-

---

28. Ganser è uno storico svizzero, capo di un gruppo di ricerca al Centro per la politica di sicurezza di Zurigo.
29. Daniele Ganser, *Nato's Secret Armies. Operation Gladio and Terrorism in Western Europe*, Frank Cass, London, 2005.

me Solidarnosc in Polonia, o investimenti off shore per conto di Cosa nostra e dello Ior.»

Come si declina la peculiarità della 'ndrangheta in rapporto alla massoneria?

«Anche in questo caso sarebbe interessante studiare il ruolo di Gigliotti, che era originario di Serrastretta, in provincia di Catanzaro. Negli anni Cinquanta, la 'ndrangheta diventa un male necessario con il quale convivere e che serve a raccogliere, specie in periodo elettorale, voti e consensi. Tutto ciò finisce per vanificare ogni azione di contrasto nei confronti di un'associazione criminale che per decenni vive in una sorta di cono d'ombra, al riparo dall'attenzione generale.»

In quel periodo, secondo Nicaso, si verifica un altro passaggio importante, in termini di rapporti tra 'ndrangheta e massoneria.

«A cavallo tra gli anni Sessanta e Settanta la 'ndrangheta crea al proprio interno una sorta di enclave, nel quale molti 'ndranghetisti cominciano a flirtare con logge deviate della massoneria. Questo passaggio si riflette, come abbiamo visto, anche nel codice della 'ndrangheta, dove figure mitiche come Osso, Mastrosso e Carcagnosso vengono sostituite da leggendari condottieri, legati alla massoneria, come Giuseppe Garibaldi, Giuseppe Mazzini e Alfonso La Marmora. Secondo i tomi della Commissione parlamentare d'inchiesta sulla massoneria, nella sola Calabria – tra gli anni Ottanta e i primi anni Novanta – c'erano circa 2500 massoni, la maggior parte dei quali appartenente a logge coperte e, dunque, vietate dall'articolo 18 della Costituzione.»

Chi sono storicamente i «notabili», gli artefici di questo matrimonio malato?

«Se a Palermo il "fratello" più potente è Giuseppe Mandalari,[30] chi tira i fili a Reggio è il notaio Pietro Marrapodi. Così scrivevano di lui i magistrati reggini: "Smascherati e in parte

---

30. Mandalari è stato soprannominato «il commercialista di Totò Riina».

chiariti i foschi contorni delle sofisticate e complesse entità criminali presenti a Reggio Calabria, officina e teatro dello storico legame tra massoneria deviata e potere mafioso, deve essere ancora ripresa ed approfondita la complessa e spinosa vicenda del Marrapodi Pietro, notaio di successo, massone esperto ed apprezzato, imprenditore audace ed avventato, fiancheggiatore emblematico e rappresentativo di non pochi baroni della 'ndrangheta calabrese. In particolare, pubblicizzati tali illeciti legami per anni coltivati dal notaio massone con il pianeta mafioso reggino, deve essere ancora sciolto l'intricato nodo attinente alle recondite ragioni che avevano indotto il Marrapodi, sin dalla primavera del 1992, a denunciare impietosamente quello che egli stesso aveva più volte definito il vero volto delle devianze istituzionali a Reggio Calabria". Della masso-mafia calabrese ha parlato anche il pentito Giacomo Lauro.»[31]

Viene spontaneo chiedere a Nicaso se tra 'ndrangheta e massoneria esistano affinità in termini di importanza del segreto, di ruolo dei simboli, di stili comportamentali, di trasmissione delle informazioni.

«L'importanza del segreto è fondamentale in entrambe le organizzazioni, così come la trasmissione delle informazioni.

---

31. Nel 1996, al processo per il delitto Pecorelli (il cosiddetto «processo Andreotti»), il pentito Giacomo Lauro, ex uomo della 'ndrangheta, parla del progetto elaborato per consentire la fuga dell'estremista di destra Franco Freda e anche del progetto di Freda e Paolo Romeo (ex ordinovista calabrese, ex deputato Psdi) di organizzare in Calabria una «superloggia» massonica. Secondo Lauro, inoltre, Romeo, arrestato per la fuga di Freda, fu detenuto nel carcere di Reggio Calabria nella stessa cella in cui era rinchiuso Paolo De Stefano, capo della 'ndrina De Stefano e figura di spicco della criminalità calabrese, «a dimostrazione – secondo Lauro – dell'affiliazione dell'ex parlamentare alla 'ndrangheta». Lauro ha anche detto di avere ricevuto in carcere confidenze e particolari sul ruolo che Paolo Romeo avrebbe avuto nella 'ndrangheta, nella massoneria, nei servizi segreti e nell'eversione di destra dallo stesso Paolo De Stefano, ucciso in un agguato a Reggio Calabria nell'ottobre del 1985. Il pentito ha riferito infine degli «appoggi elettorali» che Romeo avrebbe avuto da diverse famiglie mafiose di Reggio Calabria.

Gli obiettivi sono diversi, ma sia le mafie che le masso-mafie, come fine ultimo, perseguono il potere. Le mafie non hanno ideologia. Si schierano con chi detiene il potere, ossia con chi possono utilizzare per raggiungere i loro scopi.»

La mafia in questo differisce dalla 'ndrangheta, o il rapporto con la massoneria è analogo?

«Pentiti come Vincenzo Calcara[32] hanno disegnato scenari intricati e preoccupanti. Hanno parlato di riunioni tra rappresentanti della mafia, della 'ndrangheta, esponenti deviati delle forze armate, dell'esercito, dei servizi segreti, personaggi molto vicini al Vaticano. Facciamo un passo indietro: negli anni Settanta dalle raffinerie siciliane passava un terzo della droga destinata agli Stati Uniti. Un giro enorme che non poteva essere più solo "girato" in Borsa, magari in Svizzera, o dirottato per finanziare i soliti insediamenti turistici. Per pulire questo denaro la mafia si affidò a Michele Sindona, che era proprietario di un vasto impero diviso tra banche, titoli azionari e società controllate. Nel giro dei mafiosi si diceva che Sindona fosse riuscito a far dialogare i quattro pilastri della società italiana: potere politico, Vaticano, massoneria e mafia.»

Le cose – osserva Nicaso – cambiarono dopo il fallimento della Franklin Bank, la banca americana di Sindona.

«A Sindona, nelle preferenze della mafia, subentrò Roberto Calvi, il cui successo fu legato alla cosiddetta politica delle "scatole vuote", società acquistate e poi rivendute attraverso una rete di strutture apposite formate da filiali off shore del Banco Ambrosiano alle Bahamas, società pirata in Centroamerica, *holding* in Lussemburgo, casseforti e conti correnti in Svizzera. Il tutto gli permise di diventare nel 1975 presidente del Banco Ambrosiano, banca privata legatissima allo Ior, la banca vaticana diretta da monsignor Marcinkus.»

L'intesa tra mafia e massoneria non sempre funzionò a dovere ed ebbe risvolti tragici.

---

32. Cfr. cap. «Mafia e massoneria».

«Sia Calvi che Sindona morirono in circostanze misteriose. Calvi pagò con la vita i suoi errori, tra i quali molti investimenti sbagliati a danno della mafia e del Vaticano. E Sindona venne avvelenato in carcere, come Pisciotta, ma anche come tanti altre morti misteriose di un Paese senza verità come l'Italia.»

Secondo diverse risultanze processuali, fu il superboss Stefano Bontate la figura principale in questo sforzo di avvicinamento tra mafia e massoneria, con la creazione di una superloggia cui erano affiliati i rappresentanti dei vari mandamenti. Che ne pensa in merito Antonio Nicaso?

«Si racconta che Stefano Bontate creasse riti e logge in continuazione. Bontate era noto come "il principe di Villagrazia". Il padre, don Paolino, era stato uno dei mafiosi più potenti della Sicilia e trattava i politici come suoi sottoposti, non esitando a schiaffeggiarli in pubblico. Stefano Bontate aveva studiato al Gonzaga di Palermo, un liceo dei gesuiti. Era scaltro e si muoveva con disinvoltura negli ambienti politico-finanziari. Fu lui a ospitare e proteggere Sindona nel 1979, in occasione della fuga del finanziere in Sicilia. Buscetta ha raccontato che nel 1970 Luciano Liggio, Gaetano Badalamenti e Stefano Bontate erano interessati a creare un "clima di tensione" che avrebbe dovuto favorire un colpo di Stato, il cosiddetto "golpe Borghese". Secondo il collaboratore di giustizia, gli omicidi del giornalista Mauro De Mauro [16 settembre 1970] e del magistrato Pietro Scaglione [5 maggio 1971], così come le bombe fatte esplodere a Palermo da Francesco Madonia [primi anni Settanta], erano funzionali a questo progetto.»

Antonio Nicaso prosegue nei collegamenti fattuali.

«Massone era anche il cognato di Bontate, Giacomo Vitale, affiliato a una delle logge siciliane del Camea (Centro attività massoniche esoteriche accettate), l'organizzazione fondata a Rapallo nel 1958 dal medico Aldo Vitale insieme a Giovanni Allavena (alla guida del Sifar nel 1966, legato a Licio Gelli e risultato iscritto alla loggia P2), da Jordan Vesselinoff[33] (finanziatore di Carlo Fumagalli)[34] e altri. Gli esponenti cameini Giacomo Vitale, Michele Barresi e Joseph Miceli Crimi rimasero poi coinvolti nell'inchiesta sul finto sequestro di Michele Sindona.»

C'è un punto importante che chiedo a Nicaso di chiarire: la doppia appartenenza alla mafia e alla massoneria è possibile o no?

«Sono compatibilissime, anche perché l'amicizia con i boss fa comodo a molti. Ci sono delle logge coperte alle quali sono affiliati mafiosi, politici, imprenditori, gente senza scrupoli che persegue il potere e che utilizza queste affiliazioni per trarre vantaggi.»

La guerra di mafia che vide sconfitto e ucciso Bontate pose termine al rapporto tra mafia e massoneria, o questo rapporto proseguì indisturbato?

«Bontate non fu l'unico mafioso ad aderire alla massoneria. Il divieto per gli uomini di Cosa nostra a far parte della massoneria rimase solo e sempre sulla carta. Il pentito Angelo Siino racconta che le regole in materia erano elastiche, un po' come la norma secondo cui i mafiosi non potevano avere relazioni extraconiugali. Erano stati soprattutto i boss della vecchia mafia, Stefano Bontate e Salvatore Inzerillo, ad avere intuito l'utilità di aderire alle logge. Secondo Rosario Spatola, un altro collaboratore di giustizia, Bontate "stava cercando di modernizzare Cosa nostra. Vedeva più in là, vedeva la potenza della massoneria, e magari riteneva di potere usare Cosa nostra in subordine, come una sorta di manovalanza". Forse per questo Bontate venne ucciso, per il potere enorme

---

33. Un promemoria riassuntivo della guardia di finanza sul conto di Jordan Vesselinoff parla di lui come di un promotore di formazioni minori di estrema destra e di strutture clandestine e semiclandestine. Si rileva che Vesselinoff «a suo tempo sembra fosse a stretto contatto con il col. Allavena del Sid. Ad una visita di questi a Bolzano era stato visto riceverlo alla stazione ed abbracciarlo calorosamente».

34. Fondatore del Mar, gruppo terroristico di estrema destra.

che era riuscito ad accumulare come Gran Maestro della loggia dei Trecento. Il 23 aprile 1981, Bontate fu ucciso dai corleonesi di Totò Riina e Bernardo Provenzano. Spatola ha svelato che fu proprio Provenzano, in seguito capo dell'organizzazione mafiosa, a prendere l'iniziativa di sciogliere la loggia dei Trecento. Sarebbe interessante capire a che titolo Provenzano abbia deciso di intervenire su una *fratellanza* tanto riservata.»

Nicaso è convinto che il filo sotterraneo dei rapporti tra mafia e massoneria non si sia mai interrotto, per lo meno in certi ambiti.

«Sappiamo che i rapporti con la massoneria sono proseguiti. Mariano Agate, capomafia a Mazara del Vallo, legato nel traffico di stupefacenti a esponenti della 'ndrangheta, era massone come tanti altri boss del trapanese. A Trapani vennero scoperte sette logge, tra cui la cosiddetta loggia "C", alla quale erano affiliati imprenditori, banchieri, commercialisti, amministratori e dipendenti pubblici, uomini politici.[35] Un deputato democristiano, Francesco Canino, arrestato nell'estate del 1998 per collusioni con Cosa nostra, ammise l'appartenenza a quella loggia, pur non figurando il suo nome negli elenchi sequestrati. Massone era anche il commercialista di Totò Riina, Giuseppe Mandalari, Gran Maestro dell'Ordine e Gran Sovrano del Rito scozzese antico e accettato, un uomo al centro di mille sospetti e di altrettanti misteri.»

Lo stragismo seguito alla morte di Bontate come si inquadra, nei termini del rapporto tra mafia e massoneria? Nel rapporto coi servizi segreti e con l'eversione nera?

«Lo stragismo fu una scelta contraria alle caratteristiche profonde della mafia, al suo dna, nel senso che storicamente la mafia è sempre stata un fenomeno intrastatuale. È sbagliato definire Cosa nostra un anti-Stato, un contropotere criminale, eversivo dello Stato democratico. Un'analisi della ma-

35. Cfr. cap. «Mafia e massoneria».

fia, nel suo percorso storico e nella realtà attuale, non può non registrare come dato caratterizzante il rapporto con settori istituzionali, senza il quale molte attività non sarebbero pensabili, a cominciare dagli appalti di opere pubbliche. Ci sono stati però momenti in cui Cosa nostra ha assunto caratteristiche stragiste ed eversive. E questo è innegabile.»

Come va valutato il ruolo di figure come Giuseppe Calò, punto centrale di snodi tra più mondi?

Secondo Nicaso si tratta di «uno dei tanti boss di Cosa nostra che si è affermato anche fuori dalla Sicilia. Lo chiamavano "salamandra" per la capacità di uscire indenne dalle situazioni più scottanti. In Sicilia era noto per il suo coraggio e per la sua determinazione. Poi, dopo essere diventato capo del potente mandamento di Porta Nuova, lo stesso nel quale militava Buscetta, agli inizi degli anni Settanta si trasferì a Roma, dove, sotto la finta identità di Mario Aglialoro, antiquario di professione, fece numerosi investimenti nel settore edilizio, riciclando per conto delle cosche siciliane moltissimi miliardi, tanto da guadagnarsi l'appellativo di "cassiere di Cosa nostra". In quegli stessi anni strinse rapporti con il mondo eversivo, ma anche con la banda della Magliana, coinvolta in alcuni dei più importanti misteri italiani. Calò fu uno degli organizzatori dell'attentato al "rapido 904", il treno che esplose la notte del 23 dicembre 1984, provocando la morte di dodici passeggeri e il ferimento di altri duecento. Il convoglio saltò in aria nei pressi di San Benedetto Val di Sambro (Bologna), nella stessa galleria in cui dieci anni prima vi era stato l'attentato al treno "Italicus" che fece dodici morti e centocinque feriti. L'attentato venne realizzato per stornare dalla mafia l'attenzione dei media, dell'opinione pubblica e delle forze di polizia».

Molti i misteri, in quella fase storica. Come valuta Antonio Nicaso il fatto che anche il generale Dalla Chiesa fosse iscritto alla P2?

«Non conosco le ragioni che hanno spinto Dalla Chiesa a iscriversi alla P2. Dalla Chiesa era di famiglia massonica; lo erano lui, suo padre e suo fratello. Dalla Chiesa era negli elenchi della P2, ma la pagina con il suo nome fu strappata. Non saprei come inquadrarlo. Ho sempre pensato che Dalla Chiesa fosse un nemico irriducibile dei princìpi piduisti. Licio Gelli e alcuni suoi consulenti avevano anche stilato il "Piano di rinascita democratica" che, attraverso il controllo dei mass media, mirava alla normalizzazione dei sindacati, al controllo della magistratura e al rafforzamento in senso autoritario del potere istituzionale. Il dubbio che a tutt'oggi rimane è che in realtà quella che è stata scoperta sia soltanto una parte, la meno influente, della loggia. E che il potere cospirativo e occulto della massoneria riservata sia continuato negli anni.»

Perché, omicidio Fortugno a parte, dopo la morte di Falcone e Borsellino non si uccide più? Un rinnovato patto con la massoneria e la politica?

«Come ho detto prima, i rapporti con la massoneria e la politica sono sistemici, non episodici. L'arresto di Riina ha spianato la strada a boss molto più "ragionevoli", come Provenzano, i quali hanno messo da parte lo stragismo per meglio gestire, lontano da occhi indiscreti, i mille affari della mafia. In Italia si ha la tendenza a considerare la mafia come un'emergenza. Esiste solo se spara. Tutta la legislazione antimafia è stata dettata dall'emergenza. Se non ci fosse stata la strage di Ciaculli non avremmo avuto la Commissione antimafia. Se non avessero ucciso il generale Dalla Chiesa non avremmo avuto il 416 bis.[36] Se non avessero ammazzato Libero Grassi non avremmo avuto alcuna misura di agevolazione e risarcimento per le vittime delle estorsioni. Se non avessero ucciso Falcone e Borsellino non avremmo avuto la legislazione premiale e il carcere duro. La mafia, però, esiste e opera anche quando non spara, quando non ammazza. Quando ammazza è meno forte, oppure è governata da men-

---

36. Si tratta dell'articolo del codice penale che istituisce il reato di «associazione per delinquere di tipo mafioso».

ti malate come quella di Riina che si era messo in testa di fare la guerra allo Stato, eliminando, nel contempo, tutti coloro che non rientravano nella logica dei corleonesi. Il rapporto con le istituzioni è fondante: se non ci fosse la politica, la
mafia non sarebbe stata mafia, ma semplice criminalità organizzata. Il rapporto con la politica e la finanza non è episodi-
co, né carsico, ma continuo e costante. Non basta accumulare denaro in contanti, bisogna anche riciclarlo, pulirlo, inve-
stirlo. E per fare questo non si può contare sull'intelligenza
di persone con la quinta elementare come Totò Riina o Bernardo Provenzano.»

Torniamo a parlare di Calabria. Come legge Nicaso un
grave fatto come l'omicidio Fortugno? Il vicepresidente della Commissione antimafia del Parlamento, l'onorevole Angela Napoli di Alleanza nazionale, ha chiamato in causa più
volte – e con forza – l'intreccio 'ndrangheta-massoneria.

«Non mi piace commentare le inchieste che sono in corso, né sparare sul mucchio. L'omicidio Fortugno costituisce
uno spartiacque. La 'ndrangheta in precedenza non aveva
mai ucciso un politico. Gli omicidi eccellenti della mafia calabrese si contano sulle dita di una mano. Per capire questo
omicidio bisogna valutare il contesto nel quale è maturato.
In Calabria ci sono due grandi business, quello dell'immigrazione clandestina (e del relativo controllo della manodopera) e quello della sanità.»

Può avere senso l'interpretazione secondo cui Francesco
Fortugno aveva «sgarrato», rispetto a ipotetici patti siglati
coi boss locali?

«Non conoscevo Fortugno. Conosco invece la famiglia Laganà,[37] che nella Locride vanta una lunga tradizione politica.

---

37. La famiglia Laganà (da cui proviene la signora Laganà, vedova del primario Fortugno) secondo molti analisti è stata «padrona» della sanità lo-
crese per decenni, prima con Mario Laganà, poi con Maria Grazia Laganà
e Francesco Fortugno. La Asl di Locri sarebbe stata chiamata in causa per
infiltrazioni da parte dell'ndrangheta (nel personale, nei responsabili medici, nelle forniture e negli appalti) e ciò è avvenuto, come afferma la rela-

In Calabria non si può prescindere dalla 'ndrangheta. In molte zone della regione i voti della 'ndrangheta sono determinanti. Si può naturalmente fare a meno del sostegno dei boss. Si può scegliere di andare avanti da soli, ma se si scende a patti con la 'ndrangheta non ci sono deroghe. I boss non impongono il loro sostegno; lo offrono, ma non incondizionatamente.»

Come valuta Nicaso l'inchiesta di Potenza di John Henry Woodcock e le rivelazioni del teste Massimo Pizza sulle connessioni tra massoneria e malavita organizzata in Basilicata e Calabria?

«Massimo Pizza millantava rapporti con servizi segreti civili e militari, ma anche con l'Onu. Si spacciava per capo del cosiddetto Ufficio K del Sisde. In uno degli interrogatori, Pizza, la cui attività lavorativa resta un mistero, parla dell'esistenza di "una loggia massonica", cioè di un "centro di potere" in Basilicata che si finanzierebbe con operazioni legate al petrolio, all'acqua e ai rifiuti e che avrebbe diramazioni in tutta Italia. Nell'interrogatorio Pizza fa riferimento anche al coinvolgimento della massoneria, del Vaticano e di ex rappresentanti delle istituzioni. In merito alla massoneria sostiene: "Sono due le gran logge d'Italia. Una in Calabria, l'altra in Basilicata. Se Lei [riferito al pm Woodcock, *Nda*] va a vedere i componenti per esempio della loggia di Calabria e va indietro, ricostruisce esattamente una parte di rapporti italiani che ci sono stati, ma ricostruisce anche la trasformazione organica della criminalità organizzata calabrese all'interno delle istituzioni". Se queste dichiarazioni trovassero riscontri, allora bisognerebbe veramente riscrivere non solo la storia della 'ndrangheta, ma anche quella dell'Italia.»

La 'ndrangheta può essere più funzionale della mafia, per la massoneria deviata?

zione della Commissione che ha portato al commissariamento della Asl stessa, grazie al favore dei funzionari dirigenti. Maria Grazia Laganà in quella Asl era responsabile del personale (e vicedirettore sanitario) mentre Francesco Fortugno era primario (anche se per lunghi anni in aspettativa per attività sindacale e politica).

«La 'ndrangheta ha modificato il suo assetto organizzativo per favorire l'ingresso dei suoi esponenti di vertice nelle logge coperte. Una sorta di enclave paramassonica in seno alla 'ndrangheta è servita a favorire il dialogo diretto con esponenti delle istituzioni, della finanza, senza più delegare questo delicato compito ai politici. In Calabria, il processo di integrazione con gli ambienti eversivi e paramassonici avvenne nel 1979 quando, durante la latitanza a Reggio Calabria del terrorista nero Franco Freda, venne costituita la cosiddetta "Superloggia", un organismo segretissimo con diramazioni a Messina e Catania, collegato alla Loggia dei Trecento, l'organizzazione massonica di Stefano Bontate. Alla Superloggia, oltre ai più importanti capibastone della 'ndrangheta, avrebbero aderito esponenti della destra eversiva, "fratelli" già affiliati alla P2 e ad altre logge coperte, uomini politici, rappresentanti delle forze dell'ordine e del mondo imprenditoriale, magistrati. Sarebbe interessante approfondire il ruolo nelle vicende eversive di logge massoniche atipiche come la P2, le logge di Alliata di Monreale, le logge del generale Ghinazzi, quelle di Savona, il Camea, la loggia di Bontade e la stessa Superloggia calabrese.»

È possibile tracciare una mappa dei rapporti tra 'ndrangheta e potere politico-massonico nel Sud Italia? Quali sono le famiglie e le zone chiamate in causa?

«Storicamente fu la 'ndrangheta del Reggino a entrare in contatto con esponenti della massoneria. I De Stefano, i Piromalli, ma anche personaggi della vecchia guardia, come Antonio Macrì, erano legati ad ambienti massonici. Ora i comitati d'affari, all'ombra di grembiulini e compassi, germinano un po' dappertutto. La 'ndrangheta non delega più come un tempo. Nel rapporto con la politica è *bipartisan*. I boss in ogni caso non stanno mai all'opposizione. Le avvisaglie delle ultime inchieste coordinate da Luigi De Magistris sono inquietanti. Se venissero confermate le intuizioni investigative, si potrebbe parlare di una nuova P2, proprio in Calabria, con ramificazioni in tutta Italia. Comunque, al di là di ogni commento, la magistratura dovrebbe lavorare con più tranquillità. In Italia fare indagini sta diventando sempre più difficile. Fino a quando in carcere finivano gli *scassapagghiari* nessuno alzava la voce, adesso a essere indagati sono uomini che si credevano intoccabili.»

Partendo proprio da queste ultime inchieste, viene spontaneo chiedere a Nicaso – che si muove tra le due sponde dell'oceano – se, vista da fuori, l'Italia sia migliorata o peggiorata rispetto a quando la lasciò.

«Certe volte mi sembra che la situazione si sia cristallizzata. Ci sono segnali di novità, soprattutto tra i giovani, ma la corruzione e la mafiosità mi sembrano situazioni incontenibili. L'Italia purtroppo continua a essere un Paese a legalità limitata e la "linea della palma", di cui parlava Sciascia,[38] mi sembra che avanzi a ritmi sostenuti. Eviterei di parlare però di *calabresizzazione* o *sicilianizzazione* dell'Italia, perché bisogna tenere conto che ci sono realtà, gruppi di potere, professionisti che sono funzionali alle mafie e che spesso vivono lontano dalla Calabria e dalla Sicilia. Se dovessi fare dei distinguo, non saprei dire chi è più mafioso: chi spara, estorce oppure chi garantisce longevità politica e finanziaria alla mafia, alla 'ndrangheta, alla camorra, attraverso operazioni molto discutibili?»

All'estero, in Canada ad esempio, esistono norme per la trasparenza riguardo all'appartenenza alla massoneria per le cariche pubbliche?

«In Canada i simboli della libera muratoria campeggiano sugli edifici che ospitano le logge massoniche. Nessuno fa mistero di appartenere alla massoneria. Ho conosciuto centinaia di poliziotti che ne fanno parte e spesso investono le loro energie per cause condivisibili. Ritengo comunque che an-

---

38. Sciascia ha raccontato che, secondo i botanici, il clima propizio alla vegetazione della palma si sposta costantemente verso nord; ecco perché «la linea della palma» diventa metafora di quella mentalità mafiosa, subdola e strisciante, che dalla Sicilia penetra in tutta Italia e perfino in Europa.

che in Nordamerica la massoneria abbia soprattutto a cuore
le sorti degli affiliati e che quindi si adoperi per favorirne
successi e carriere. Un tempo, soprattutto nella polizia, senza l'affiliazione alle logge orangiste non si faceva molta strada. In questo, tutto il mondo è paese. La massoneria è una
realtà complessa: non è un mondo segreto, bensì un mondo
esoterico; non è un'associazione segreta, ma un'associazione
di segreti iniziatici.

«Non ho mai sentito parlare di grosse commistioni tra criminalità organizzata e massoneria, in Canada. Esistono però
dei massoni che nell'esercizio della loro professione – come
avvocati, commercialisti, agenti di Borsa – hanno favorito mafiosi. È più un problema di mele marce che di organizzazione
nel suo complesso. Ci saranno anche logge segrete o coperte,
ma penso che siano funzionali a interessi più complessi.»

Torniamo all'Italia, a quella Calabria da dove partì, nel
1992, la clamorosa inchiesta su mafia e massoneria del giudice Agostino Cordova. Cosa pensa un esperto come Nicaso dell'inchiesta Cordova, sulla quale tanto fango è stato
gettato?

«Ho conosciuto Cordova quando era procuratore di Palmi. Ricordo una sua indagine sul voto di scambio, condotta
assieme a Nicola Gratteri. A Cordova tutto possono contestare, tranne che non sia un grande magistrato. Non ha mai
guardato in faccia nessuno, come dovrebbero fare tutti i magistrati. L'inchiesta di Cordova sulla massoneria partì dalla
procura di Palmi, ma poi si estese a quasi tutto il territorio
nazionale. Il codice di procedura penale prevede infatti che
la competenza territoriale, quando non sia possibile determi-
narla, sia del giudice in cui ha sede l'ufficio del pubblico ministero che ha provveduto per primo a iscrivere la notizia di
reato. La Corte di Cassazione confermò la competenza di
Palmi. Dopo un anno dal trasferimento di Cordova, il procedimento fu trasmesso a Roma, nel giugno 1994. E lì venne
archiviato. Era il mese di luglio del 2000. Roma poteva archiviare solo quanto era di sua competenza, ma in quel fascico-

lo, composto da oltre 1300 "faldoni", non c'era solo Roma: c'era mezza Italia. Ignoro che sorte abbia avuto tutto il resto di quella indagine. Non se ne è avuta più notizia. Però le logge coperte esistono tuttora, sono tante e, secondo alcuni, ancora più potenti di prima. Ne farebbero parte anche numerosi magistrati. Sia chiaro: Cordova non ce l'ha mai avuta con la massoneria in generale, ma con quella deviata, che è cosa ben diversa, e che, a mio avviso, costituiva il tessuto connettivo per la gestione del potere.»

L'inchiesta, dopo il trasferimento a Roma, fu archiviata dal gip Augusta Iannini. Come valutare quella scelta di chiudere il sipario su un fenomeno che si è ripresentato con caratteristiche simili nella primavera del 2007, all'esplodere dell'inchiesta condotta da De Magistris?

«Non ho letto le motivazioni che portarono all'archiviazione dell'inchiesta di Cordova.»

Un ex Gran Maestro come Giuliano Di Bernardo ha rivelato che in realtà l'inchiesta di Cordova aveva basi solide. Che ne pensa?

«Ripeto: conoscendo la reputazione di Cordova, non ho dubbi sulla fondatezza della sua inchiesta. Cordova ha sempre fatto le cose con grande scrupolo, con grande perizia e con grande professionalità. Non entro nel merito delle conclusioni di quella vicenda, perché non amo fare dietrologia.»

Il fatto che l'uomo più potente d'Italia, Silvio Berlusconi, sia stato massone e piduista che importanza ha in termini storici e di sviluppi futuri? Il piano Rinascita di Licio Gelli si è davvero realizzato?

Nicaso, come ogni vero giornalista, guarda alla sostanza delle cose, non alle appartenenze politiche.

«Molti obiettivi del piano Rinascita sono stati realizzati. Spesso si parla di Berlusconi, ma non mi sembra che sia un fenomeno isolato, un nano in un mondo di giganti. Prodi era il presidente dell'Iri, un istituto simbolo della corruzione democristiana. Non può passare per il nuovo che avanza. Su

Berlusconi si è detto tutto e il contrario di tutto. Penso che sia sceso in politica più per difendere i propri interessi che per tutelare quelli dei suoi connazionali. Si parla spesso, riferendosi a Berlusconi, di conflitto di interessi: come mai allora il centrosinistra, pur essendo stato più volte al governo, non ha mai risolto questo problema? E perché ha approvato l'indulto? Ecco: non penso sia un problema di persone, di leader. Ma di una mentalità dura a morire. Di questo passo, il gap tra la politica e la società civile è destinato ad allargarsi. Destra e sinistra rischiano di diventare due facce della stessa medaglia. Quando c'è crisi di rappresentanza, i poteri forti si insinuano tra le pieghe della democrazia. E sconvolgono il sistema.»

Mafia e massoneria

Il nostro viaggio nella storia delle logge italiane prosegue in Sicilia, per indagare i rapporti tra mafia e massoneria. Lo faremo attraverso gli atti dei processi, ma anche attraverso tre importanti testimonianze: quella di Luca Tescaroli, che ha lavorato a lungo in Sicilia sul fronte dell'antimafia e che oggi è sostituto procuratore della Repubblica di Roma; quella del giudice Carlo Palermo, sopravvissuto a un gravissimo attentato mafioso; e quella del boss Vincenzo Calcara, l'uomo che doveva uccidere il giudice Borsellino e che ha constatato *de visu* quale fosse la natura di questi rapporti.

Partiamo dalle carte processuali. Nelle udienze tenutesi presso il tribunale di Roma tra il 9 e il 28 marzo 2007 è stata pronunciata la requisitoria per l'omicidio di Roberto Calvi, il piduista «banchiere di Dio» coinvolto in uno dei più grossi scandali della finanza internazionale. Il processo[1] è ancora in corso, essendo stata emessa finora solo la sentenza di primo grado[2] e avendo annunciato il pubblico ministero che intende ricorrere in appello. A prescindere dalle sorti degli imputati, cui va ovviamente riconosciuta sino al terzo grado di giudizio la presunzione di innocenza, le migliaia di pagine che compongono la gigantesca requisitoria contengono dei

1. Si tratta del Procedimento penale n. 13034/95 RG Noti.
2. Essa ha visto l'assoluzione, con una formula che equivale all'insufficienza di prove, per Giuseppe Calò, Flavio Carboni, Ernesto Diotallevi e Silvano Vittor. Ma ha riconosciuto ufficialmente il fatto che Calvi sia stato ucciso. Il processo proseguirà in appello e con ogni probabilità anche in Cassazione. Resta quindi ancora irrisolto il mistero degli autori dell'omicidio di Calvi.

passaggi di enorme interesse che riguardano proprio i rapporti tra mafia e massoneria. Il processo si è avvalso infatti delle dichiarazioni rese nel corso degli anni da diversi ex boss mafiosi, divenuti collaboratori di giustizia, la cui attendibilità è stata oggetto di numerosi riscontri anche in altre sedi processuali. È interessante allora leggere nelle carte del processo Calvi e di altri procedimenti ciò che su questo tema hanno da raccontare i pentiti. Le loro rivelazioni sono spesso assai sorprendenti.

Le rivelazioni di un pentito

Angelo Siino – considerato, per la sua esperienza in materia di appalti, il «ministro dei lavori pubblici» di Cosa nostra e oggi collaboratore di giustizia – racconta di un incontro con Roberto Calvi a Santa Margherita Ligure nella sede della loggia Camea (Centro attività massoniche esoteriche accettate). Nella requisitoria si legge: «Gran Maestro dell'Oriente di Palermo della loggia massonica Camea, con il grado di trentatré, Angelo Siino ha riferito di aver incontrato per caso Roberto Calvi a Santa Margherita Ligure all'interno della sede della loggia, una chiesa sconsacrata, adibita a tempio massonico, mentre stava parlando con l'allora Gran Maestro della loggia, Aldo Vitale, personaggio importante in quella zona, medico condotto. Siino si era recato a Santa Margherita con Giacomo Vitale, cognato di Stefano Bontate, massone parimenti appartenente alla loggia Camea».[3]

Siino descrive così quell'incontro: «Aldo Vitale, sempre espansivo, gentile ed accogliente nei suoi confronti, gli aveva detto di "aspettare un attimo". Si era meravigliato ed aveva domandato al suo accompagnatore "ma chi è questo che è in

---

3. Requisitoria del pubblico ministero Luca Tescaroli al processo «Omicidio di Roberto Calvi», Procura della Repubblica, Tribunale di Roma, P.p. 13034/95 RG Noti, Roma, 9 marzo 2007, parte I, p. 106.

compagnia di Vitale?". Questi gli aveva risposto che era Calvi, "un banchiere di Milano" "un personaggio importante", "anche perché gestisce dei soldi nostri". Aveva usato il plurale maiestatis per fargli intendere che "gestiva dei soldi di Cosa nostra". Nell'occasione, aveva detto che gestiva anche denaro di altri. Aveva usato l'espressione "e non solo". Si era meravigliato del fatto che Aldo Vitale conoscesse Roberto Calvi. Era, però, un personaggio importante, anche amico di Licio Gelli, circostanza che aveva potuto constatare personalmente».[4]

Il 18 febbraio 2004 al pm Luca Tescaroli, che lo interrogava, Angelo Siino ha rivelato: «Nel 1982, subito dopo la morte di Calvi, quando si accese l'interesse dei media, mi trovavo a Sigonella, nella mia proprietà, insieme con Nitto Santapaola. Commentando il fatto, quest'ultimo disse che non si trattava di un suicidio. Ricordo anche che mi disse che "ci tiraru o'coddu" [gli tirarono il collo, *Nda*] e che si era impadronito dei soldi non solo di Cosa nostra, ma anche di altri. Fece menzione dei marsigliesi e dei sudamericani».

Colletti bianchi tra mafia e massoneria

Importanti anche le dichiarazioni rese da un altro collaboratore di giustizia, Gioacchino Pennino. Così lo inquadra la requisitoria: «Uomo d'onore riservato, medico specialista, Gioacchino Pennino ha fatto parte di una loggia appartenente all'obbedienza di Palazzo Giustiniani e, prima ancora, sin dagli anni Sessanta, all'ordine di Rito scozzese antico e accettato di cui era Grande Sovrano il principe Giovanni Alliata di Monreale,[5] che aveva sede a Roma, in via del Gesù, e che si rifaceva alla loggia del Mondo di Washington. Negli anni Sessanta aveva ricevuto il titolo massonico di "dumitis"

---

4. *Ibidem*.
5. Cfr. cap. «'Ndrangheta e massoneria».

dell'Ordine del gladio e dell'aquila».[6] Il suo defunto zio, Gioacchino Pennino, aveva assunto il ruolo di capo mandamento di Brancaccio-Ciaculli. «Era stato associato a Cosa nostra non con il rito formale con il quale venivano cooptati gli altri, legato alla puntura di un dito e al bruciare di una santina. Era un professionista e si occupava anche di politica. La famiglia di Brancaccio e il mandamento di Brancaccio-Ciaculli avevano ritenuto di strumentalizzarlo. Non si doveva fare il suo nome in seno all'organizzazione o il meno possibile, per la sua qualità nella società civile. Era rimasto nell'organizzazione per sedici anni circa dal 1977 al 1993. Egli ha fornito un apporto di sicuro affidamento.»

Ecco le rivelazioni fatte da Pennino in merito alla massoneria e al ruolo di Giovanni Francesco Alliata. «Il principe Gianfranco Alliata [Giovanni Francesco, *Nda*] è appartenuto alla famiglia mafiosa di Brancaccio e, al contempo, ha rivestito il ruolo di Grande Sovrano della massoneria di piazza del Gesù, con il ruolo di sovrano dell'ordine di Rito scozzese antico e accettato, che aveva come riferimento il duca di Kent, la Gran Loggia Unita di Inghilterra e, in America, la loggia del Mondo di Washington. È stato uno dei mandanti della strage di Portella delle Ginestre per conto del partito monarchico e della massoneria. Facevano parte di questa massoneria Michele Sindona e Antonino Schifando; ed era frequentata da alcuni associati a Cosa nostra, quali Angelo Cosentino, responsabile della famiglia di Santa Maria del Gesù a Roma, con il ruolo di capo decina; da Giuseppe Calò e Luigi Faldetta. Aveva appreso le circostanze sull'appartenenza e le frequentazioni massoniche di questi boss nel corso degli anni, da Stefano Bontate e dal cognato Giacomo Vitale, entrambi defunti e massoni. Non era in grado di precisare a quale massoneria apparteneva Bontate. Giacomo Vitale, dapprima, apparteneva alla massoneria di piazza del Gesù e, suc-

---

6. Verbale del 12 aprile 2006, Procedimento penale n. 13034/95 RG Noti, p. 8.

cessivamente, aveva aderito alla Camea, loggia di origine ligure, con alcune logge in Sicilia e a Palermo soprattutto. Gianfranco Alliata aveva presentato Michele Sindona a Stefano Bontate».[7]

La requisitoria del processo Calvi, in un capitolo intitolato *L'investimento di flussi di denaro di Cosa Nostra nelle holding di Sindona e il trasferimento di parte delle risorse a Roberto Calvi*,[8] riporta altre confessioni del medico mafioso e massone: «Pennino afferma di aver appreso da Stefano Bontate e, soprattutto, da Giacomino Vitale il fatto che i proventi illeciti delle famiglie di Santa Maria del Gesù, di Uditore-Passo del Rigano, le quali facevano capo, rispettivamente, a Stefano Bontate ed a Inzerillo, erano stati convogliati nelle holding di Sindona. Erano stati fatti confluire anche soldi di altre famiglie, collegate alle due. Nella seconda metà degli anni '80, Pennino aveva appreso questi fatti da Giuseppe Marsala, il cui diminutivo era "u Pinuzzu"; e da Giacomo Vitale, il quale, in quegli anni, "doveva recuperare i loro capitali, i capitali fuori famiglia mafiosa, della sua famiglia di sangue". Costoro lo avevano reso edotto del fatto che Sindona "quando vi fu il crack delle sue banche canalizzò il denaro presso il Banco Ambrosiano di Calvi". Egli era a conoscenza del fatto che il Banco Ambrosiano "aveva nel suo statuto delle facoltà di gran lunga superiori" a quelle degli altri istituti. Gli era stato detto che vi erano dei "vantaggi legati alla gestione del denaro"».[9]

Stando alle carte processuali, Pennino ha affermato che «Sindona aveva degli "impegni di carattere economico perché deteneva i soldi" delle famiglie mafiose e "quando ebbe il crack, li dovette restituire. Una parte era riuscito a resti-

7. *Ibidem.*
8. Requisitoria del pubblico ministero Luca Tescaroli al processo «Omicidio di Roberto Calvi», Procura della Repubblica, Tribunale di Roma, P.p. 13034/95 RG Noti, Roma, 9 marzo 2007, parte I, pp. 116 ss.
9. *Ibidem.*

tuirli e la restante la 'canalizzò' nel Banco Ambrosiano di Calvi", "che era pur sempre di origine cattolica". Sindona aveva rispettato i suoi impegni con Cosa nostra. Sindona era stato protetto dalla famiglia di Santa Maria del Gesù e dal suo capo Stefano Bontate, in considerazione del "debito di riconoscenza" legato al "trust economico cui erano collegati". Sindona era, poi, sostenuto dalla massoneria dalla quale derivava, vale a dire quella di Gianfranco Alliata, quella di Stefano Bontate e dalla Camea».[10]

Sempre dalle stesse fonti, il medico-boss aveva saputo che «Calvi aveva preso degli impegni con appartenenti a Cosa nostra; ma che "non aveva onorato l'impegno preso" e "non aveva restituito il denaro che gestiva". Calvi aveva ottenuto delle risorse finanziarie tramite lo Ior, l'Istituto Opere Religiose, la banca del Vaticano, all'epoca diretta da monsignor Marcinkus. Calvi gestiva anche parte delle finanze di origine vaticana. Giacomo Vitale si era recato da lui [Gioacchino Pennino, *Nda*] perché voleva sapere se fosse "nelle condizioni di reperire Licio Gelli". Lo scopo che "si prefiggeva era quello di rientrare del denaro che era stato consegnato a suo tempo al Banco Ambrosiano di Calvi". Agiva per sé, per la sua famiglia di sangue e per la famiglia mafiosa di cui faceva parte. Vitale si era rivolto a lui perché "sapeva che era massone e che aveva avuto la possibilità di conoscere un po' tutti i massoni dell'epoca"».[11]

In un'occasione, verso la metà degli anni Settanta, «alcuni membri della P2 gli avevano richiesto di mettere a disposizione dei locali nella sua disponibilità per una riunione. Nel 1975 si era prestato offrendo quelli ubicati in un immobile in via Roma 111, a Palermo».

In sede di controesame della difesa, il 10 febbraio 2004, Pennino ribadiva di «avere avuto per la prima volta notizia che i mezzi finanziari affluivano nelle holding di Sindona

---

10. *Ibidem*, pp. 116-117.
11. *Ibidem*, p. 117.

nella metà degli anni '70. Sindona era un banchiere, che si diceva operasse tanto in Italia, quanto in Svizzera e all'estero, ove agiva con la "Franklin Bank". Aveva appreso soprattutto da Giuseppe Marsala – uomo d'onore della famiglia di Santa Maria del Gesù, con un ruolo di comando e di coordinamento in quella famiglia[12] – che parte dei capitali consegnati a Sindona erano poi confluiti nelle holding di Calvi. Quando si era verificato il crack finanziario di Sindona aveva restituito una parte dei capitali a Cosa nostra e la restante l'aveva dirottata, "certamente con il placet di coloro che gli avevano affidato il denaro", "al Banco Ambrosiano di Calvi". I capitali dirottati, a suo avviso, dovevano essere ingenti».[13]

Uomini d'onore col grembiulino. Le minacce ad Ambrosoli

Il medico mafioso viveva senza particolari problemi la sua doppia appartenenza alla mafia e alla massoneria. Un dato anch'esso molto importante. Il sostituto procuratore Luca Tescaroli, nella requisitoria, osserva: «Il suo capo mandamento ed il capofamiglia sapevano che Pennino apparteneva alla massoneria. Non era a conoscenza dell'esistenza di una regola per la quale l'appartenenza a Cosa nostra era incompatibile con quella alla massoneria e nessuno gli aveva mai detto nulla in merito. Giuseppe Ciaccio[14] era un suo amico ed era massone e uomo d'onore della famiglia dell'agrigentino, Villafranca Zepola. Del pari, Gianfranco Alliata, uomo

---

12. Era capo mandamento di Vicari.
13. Requisitoria del pubblico ministero Luca Tescaroli al processo «Omicidio di Roberto Calvi», Procura della Repubblica, Tribunale di Roma, P.p. 13034/95 RG Noti, Roma, 9 marzo 2007, parte I, pp. 119.
14. Di professione radiologo, uomo d'onore di una «famiglia» dell'agrigentino, ma residente a Palermo. Fin dal 1974 è stato sottoposto ad accertamenti, anche in seguito alle dichiarazioni del collaboratore Leonardo Vitale, che lo indicò come affiliato a Cosa nostra. È morto il 2 agosto 1995.

d'onore della famiglia di Brancaccio e massone, come del resto Stefano Bontate».

La requisitoria sottolinea l'attendibilità delle indicazioni rese da Gioacchino Pennino, che non aveva nessun interesse nei fatti riferiti.

«Pennino è uno di quei colletti bianchi, appartenente al mondo delle professioni, con esperienza politica, che ha messo a disposizione dell'organizzazione la propria posizione sociale e l'appartenenza alla massoneria; e ha permesso di navigare nell'area grigia delle relazioni esterne che gli appartenenti all'organizzazione hanno allacciato con i detentori del potere finanziario. Il suo contributo è rilevante soprattutto in riferimento agli investimenti di denaro del gruppo dei "perdenti"[15] nelle holding di Sindona, poi fatti transitare in parte nel Banco Ambrosiano, e al ruolo del massone Giacomo Vitale, il quale ha cercato di recuperare i soldi tramite Licio Gelli. Si tratta di circostanze che consentono di capire come gli interessi economici di Cosa nostra siano passati, dapprima attraverso Sindona e, successivamente, tramite Calvi, senza che vi sia stata una frattura.»

Inquietanti appaiono anche i collegamenti tra Pennino e Giacomo Vitale, il boss che minacciò Giorgio Ambrosoli, il commissario liquidatore delle banche di Sindona[16] assassi-

---

15. Si fa riferimento ai contrasti interni a Cosa nostra e alle cosiddette «guerre di mafia» che videro soccombere la fazione guidata da Stefano Bontate.

16. Il 27 settembre 1974 il ministro del Tesoro dispone la liquidazione coatta della Banca Privata Finanziaria di Michele Sindona e nomina come liquidatore Giorgio Ambrosoli. È l'inizio del crollo a catena di tutta una serie di istituti finanziari, dell'«impero Sindona» in Europa e negli Stati Uniti. Nel crack è coinvolto anche lo Ior, la banca del Vaticano. Sindona fugge negli Stati Uniti. Con Sindona sparisce una lista di 500 italiani che attraverso le sue banche avevano esportato clandestinamente enormi somme di denaro. Per cinque anni, fra il 1974 e il 1979, Sindona è in stretto collegamento con Gelli e la P2.

nato dalla mafia nel 1979.[17] È stato Pennino, ascoltando una registrazione telefonica davanti a un magistrato, a riconoscere la voce di Giacomo Vitale. In un passo della requisitoria intitolato *Le minacce rivolte da Giacomo Vitale all'avvocato Ambrosoli e l'aiuto dato a Sindona per fuggire dagli Stati Uniti*, il pubblico ministero segnala infatti che «Giacomo Vitale aveva minacciato l'avvocato Ambrosoli poiché aveva riconosciuto la sua voce in una registrazione che gli era stata fatta ascoltare. Ecco il drammatico contenuto della telefonata.

> Avvocato: Pronto?
> Uomo: Pronto avvocato?
> Avvocato: Sì.
> Uomo: Buonasera, sono io.
> Avvocato: Sì, mi dica.
> Uomo: Senta avvocato, se le può fare piacere gli volevo dire questo, dato che lei domani ha quell'appuntamento...
> Avvocato: Sì...
> Uomo: Guardi che puntano il dito soprattutto sopra di lei. Io adesso la sto chiamando da Roma.
> Avvocato: Sì...
> Uomo: Che sono a Roma, e puntano il dito tutti su di lei come se è lei che non vorrebbe collaborare. Io [inc.] perché tutti sono pronti a buttare la colpa su di lei.
> Avvocato: ...[inc.]
> Uomo: Sia dal capo grande...
> Avvocato: Sì.

Michele Sindona era stato aiutato a fuggire dall'America dalla famiglia Gambino. Una delle sue prime tappe era stata la Grecia, poi era stato portato a Brindisi e, successiva-

---

17. Il 12 luglio 1979 Giorgio Ambrosoli, che ha indagato per tre anni i risvolti segreti dell'attività internazionale del banchiere della P2, viene ucciso a Milano con quattro colpi di pistola da William Joseph Aricò, un killer venuto dagli Stati Uniti. Sindona sarà condannato all'ergastolo come mandante.

mente, a Palermo dalla famiglia Inzerillo, che era vicino a Stefano.»[18]

Tutto il contesto appare intessuto di rapporti tra mafiosi e massoni. La requisitoria, ad esempio, segnala il fatto che anche Giulio Lena, un abile falsario coinvolto nelle complesse vicende del ricatto al Vaticano sulla borsa di Calvi,[19] «apparteneva ad una *setta massonica di Firenze*. Lena era un emissario della banda della Magliana».[20]

I ricatti al banchiere di Dio

La requisitoria sottolinea il fatto che il «banchiere di Dio» da utile strumento si era trasformato in un pericolo, perché dopo la carcerazione dell'estate 1981 (per reati valutari) aveva iniziato a minacciare di parlare.

Anche Maurizio Abbatino, ex boss della banda della Magliana, ha confermato i coinvolgimenti massonici e le intimidazioni di cui era vittima il banchiere. «Calvi doveva essere avvertito "perché non era più considerato affidabile" e "forse aveva intenzione di parlare" aveva avuto delle pressioni da ambienti mafiosi, massonici e politici e sembrava che stesse "andando fuori di testa". L'attentato a Roberto Rosone[21] rap-

---

18. Requisitoria del pubblico ministero Luca Tescaroli al processo «Omicidio di Roberto Calvi», Procura della Repubblica, Tribunale di Roma, P.p. 13034/95 RG Noti, Roma, 9 marzo 2007, parte I, pp. 120-121.

19. Il 23 marzo 1993 il Tribunale di Roma ha condannato Flavio Carboni (cinque anni), Giulio Lena (due anni) e il vescovo cecoslovacco Pavel Hnilica (tre anni) per la ricettazione della borsa di Roberto Calvi. Sono poi stati assolti in appello.

20. Requisitoria del pubblico ministero Luca Tescaroli al processo «Omicidio di Roberto Calvi», Procura della Repubblica, Tribunale di Roma, P.p. 13034/95 RG Noti, Roma, 9 marzo 2007, parte I, p. 129.

21. Il 27 aprile 1982 il direttore generale del Banco Ambrosiano, Roberto Rosone, fu oggetto di un attentato in cui venne ferito a colpi di pistola. L'autore dell'agguato, Danilo Abbruciati, membro della banda della Magliana, fu colpito a morte da una guardia giurata.

presentava un "attentato dimostrativo". Tale notizia l'aveva appresa da De Pedis,[22] il quale ne era a conoscenza perché molto legato a Danilo Abbruciati e a Franco Giuseppucci.»[23] Il documento della Procura sottolinea anche il fatto che Maurizio Abbatino in un'intervista a Fiore De Rienzo – giornalista della trasmissione *Chi l'ha visto?* – ha affermato di aver saputo da Enrico De Pedis che «Calvi era "una persona che si sentiva oppressa", che "stava dando segni di inaffidabilità" e che "probabilmente avrebbe parlato". Aveva fatto riferimento anche a un prestito richiesto, tramite banca, da De Benedetti dell'Olivetti che Calvi voleva concedere. Vi erano, però, delle pressioni da parte di persone legate alla massoneria che non volevano. Tale circostanza aveva riferito per far capire che Calvi era "sotto pressione"».

È interessante, riguardo a questo aspetto, anche un altro passo della requisitoria, che riporta le testimonianze della figlia del banchiere Anna Calvi ed è intitolato *I rapporti di Roberto Calvi con Carlo De Benedetti e Orazio Bagnasco*. Il pm segnala il fatto che Anna Calvi abbia riferito che «De Benedetti si era recato presso la loro abitazione ed i rapporti nella circostanza erano piuttosto cordiali. Suo padre, però, aveva commentato negativamente l'entrata nel Banco Ambrosiano di De Benedetti, del quale "non si fidava". Quando la collaborazione era terminata aveva commentato dicendo che era stata molto nociva e che De Benedetti ne aveva beneficiato enormemente dal punto di vista finanziario. Il padre non era stato d'accordo anche con l'ingresso di Orazio Bagnasco nel consiglio di amministrazione del Banco Ambrosiano. Si era dovuto adeguare alla volontà degli altri componenti. Aveva fatto dei commenti amari, dicendo che era "un continuo andare e venire come se fosse... un tram che si sale e si scende".

---

22. Boss della banda della Magliana.
23. Requisitoria del pubblico ministero Luca Tescaroli al processo «Omicidio di Roberto Calvi», Procura della Repubblica, Tribunale di Roma, P.p. 13034/95 RG Noti, Roma, 9 marzo 2007, parte I, p. 148.

Il genitore le aveva detto che Bagnasco era appoggiato da Andreotti, circostanza dalla stessa riscontrata personalmente perché la prima volta che lo aveva visto, Bagnasco era in compagnia di Ciarrapico, quest'ultimo l'aveva accompagnata in occasione dell'incontro avuto con il senatore Andreotti».[24]

Mafia, massoneria e servizi deviati

Un altro collaboratore di giustizia, Pasquale Galasso, ha messo a fuoco l'ulteriore commistione tra la mafia, la massoneria e i servizi segreti operativi all'epoca.

La requisitoria del processo Calvi sottolinea infatti che Galasso «aveva avuto riferito da Giuseppe Cillari[25] che Vincenzo Casillo[26] gli aveva detto di aver ucciso Calvi insieme ad elementi mafiosi e dei servizi segreti deviati. Cillari aveva anche detto che: nell'uccisione di Calvi "c'era la mafia". Galasso riferisce ancora: "Quando è successo il fatto di Calvi il Cillari mi riferisce che nell'uccisione di Calvi, a suo dire ammazzato da Casillo in primis e da altri elementi, dietro questo omicidio c'era la mafia". Precisava inoltre che "esponenti della massoneria erano coinvolti nel delitto"».[27]

La requisitoria sottolinea un aspetto importante: il fatto che Vincenzo Casillo – ritenuto uno degli esecutori materiali

---

24. *Ibidem*, p. 357.
25. Si tratta di un personaggio ambiguo, coinvolto in vari processi per camorra e poi pentitosi. È stato indagato a Napoli per associazione con il clan Alfieri e per l'omicidio di Vincenzo Casillo.
26. Luogotenente di Raffaele Cutolo «prestato» alla mafia e in rapporti con ufficiali del Sismi. Indicato da pentiti di mafia come uno degli autori materiali dell'omicidio di Roberto Calvi, il 29 gennaio 1983 fu fatto saltare in aria con la sua macchina. Il 2 febbraio 1984 si apprese che anche la compagna di Casillo era stata uccisa. Il cadavere di Giovanna Matarazzo fu ritrovato in un pilone di cemento.
27. Requisitoria del pubblico ministero Luca Tescaroli al processo «Omicidio di Roberto Calvi», Procura della Repubblica, Tribunale di Roma, P.p. 13034/95 RG Noti, Roma, 9 marzo 2007, parte I, p. 185.

dell'omicidio Calvi e in seguito ucciso perché non rivelasse i nomi dei mandanti – era in stretto contatto con i vertici dei servizi militari del generale Santovito, iscritto alla P2: «Casillo aveva rapporti con il generale Santovito, il quale rappresentava una delle sue coperture istituzionali».[28]

La requisitoria segnala un altro dettaglio: subito dopo la morte del padre, Anna Calvi, «dopo numerose perquisizioni effettuate nell'abitazione di Drezzo, si era recata per prelevare degli effetti personali ed aveva trovato all'interno di una cassettiera chiusa a chiave una cartolina riproducente il Black Friars Bridge ed un biglietto da visita con la scritta "dal manuale delle giovani marmotte: chi la fa l'aspetti". Aveva consegnato il materiale allo zio, con l'incarico di farlo avere agli avvocati».[29]

Un «covo a tre»

La rete di rapporti tra mafia e massoneria trova conferme anche nelle deposizioni di un altro collaboratore di giustizia, Antonino Giuffrè.

Il pm Tescaroli descrive questa rete di rapporti come «un sistema di potere che trova una puntuale descrizione nel racconto di Giuffrè, laddove ha riferito che vi era un "covo a tre": Cosa nostra, una certa massoneria e Marcinkus collaboravano tra loro. Ben presto Calvi, nella seconda metà degli anni Settanta e fino agli inizi degli anni Ottanta, entrava in un grosso giro di denaro, proveniente dal traffico di stupefacenti. Marcinkus era particolarmente esposto con Calvi ed era coinvolto, come riferisce Giuffrè, "in certi discorsi con Sindona". Giuffrè ha riferito che Marcinkus era uno degli amministratori dello Ior e riciclava soldi della mafia».[30]

---

28. *Ibidem*, p. 187.
29. *Ibidem*, p. 356.
30. *Ibidem*, p. 88.

In questo ambito, anche il boss mafioso pentito Lorenzo Di Gesù ha fatto riferimento a «un contesto a tre, rappresentato dal cardinale Marcinkus, da Cosa nostra dalla loggia massonica P2, in particolare, Licio Gelli».[31]

La requisitoria segnala che secondo Giuffrè i soldi confluiti da Cosa nostra all'Ambrosiano «avevano anche consentito a Calvi e allo Ior di finanziare imprese e progetti volti a contrastare i regimi comunisti dell'Europa dell'Est, da sempre avversati dalla Chiesa Cattolica Apostolica Romana, come in Polonia attraverso il finanziamento al sindacato di Solidarnosc,[32] e nell'America Latina».[33]

Su Calvi, detentore di pesanti segreti, vennero esercitate forti pressioni.[34]

---

31. *Ibidem.*
32. Francesco Pazienza ha dichiarato ai magistrati di aver curato, nel marzo 1982, il trasferimento di dieci milioni di dollari in lingotti d'oro a favore di Solidarnosc, su incarico di Roberto Calvi. Ha confermato questa circostanza anche in una lettera all'autore scritta dal carcere.
33. Sull'avversione al comunismo in quell'epoca vi era una convergenza di interessi con Cosa nostra, dal momento che gli esponenti del Pci rappresentavano, a livello nazionale e, soprattutto, siciliano, una spina nel fianco per l'organizzazione, essendo fautori di una politica antimafiosa e di aspra denuncia, che ha avuto in Pio La Torre (ucciso nel 1982) uno dei maggiori artefici e nel giornale «l'Ora» uno degli strumenti mediatici più impegnati.
34. Tescaroli in un passo della sua requisitoria segnala: «Il piano delittuoso è stato accelerato una volta percepito che il banchiere sarebbe stato esautorato. Il consulente tecnico Francesco Paolo Giuffrida ha spiegato che ciò era divenuto chiaro sin dal 7 giugno 1982. La *"mungitura della vacca grassa"* si è attuata dal febbraio del 1982. L'induzione alla fuga e la divulgazione della notizia dell'espatrio clandestino rivestono nel disegno criminale una significativa valenza strategica: hanno determinato la definitiva perdita di credibilità del banchiere nei confronti dei vertici del Banco Ambrosiano e l'impossibilità per qualunque detentore di potere di difenderlo».

Il denaro di Cosa nostra

La requisitoria in merito al rapporto organico tra mafia, massoneria e finanza contiene rivelazioni inedite.

Il pubblico ministero scrive: «Occorre prendere le mosse dal ruolo rivestito nella gestione del denaro proveniente da Cosa nostra da Roberto Calvi e Michele Sindona, uomini venuti dal nulla ed assurti ai vertici del mondo finanziario italiano ed internazionale, appoggiandosi alla massoneria, ad autorevoli politici e alla P2, e a Cosa nostra siciliana e americana. Invero, i conflitti inframafiosi si intrecciano e si infrangono con gli interessi finanziari e la grande posta del narcotraffico, che di fatto hanno portato a superarli ogni qual volta vi è stata una convergenza di esigenze tra i rivali».[35]

La requisitoria osserva: «Orbene, le circostanze riferite da Gioacchino Pennino, per averle apprese da Giacomino Vitale, Stefano Bontate e Giuseppe Marsala, vale a dire il fatto che: Calvi avesse gestito denaro appartenente alle famiglie riconducibili a Stefano Bontate e a Salvatore Inzerillo ed ad altri aggregati territoriali; non avesse mantenuto gli impegni assunti; Giacomo Vitale abbia svolto, cercando di rivolgersi a Licio Gelli, attività finalizzata al recupero dei flussi finanziari convogliati, dapprima, nelle holding di Sindona e, poi, al momento del crack del suo impero economico, dirottate in parte, con il placet di Cosa nostra, nel Banco Ambrosiano di Roberto Calvi, consentono di comprendere come il banchiere milanese fosse collegato ed avesse avuto interessi, tramite Sindona, anche con appartenenti all'ala cosiddetta dei perdenti di Cosa nostra alla quale era stato allineato Gaetano Badalamenti, sino al momento in cui non era stato posato».[36]

---

35. Requisitoria del pubblico ministero Luca Tescaroli al processo «Omicidio di Roberto Calvi», Procura della Repubblica, Tribunale di Roma, P.p. 13034/95 RG Noti, Roma, 9 marzo 2007, parte II, p. 64.
36. *Ibidem*.

Il documento giudiziario porta alla luce l'intreccio delle frequentazioni del banchiere di Dio. Scrive il pubblico ministero: «Proprio Badalamenti aveva partecipato, a Napoli nel 1976, a fianco di Calò, di Michele Zaza, di Nunzio Barbarossa, di Stefano Bontate, di Bardellino e di altri, agli incontri al night club "Lido 21" e al ristorante "al Cafone", preparatori al furto commissionato da Roberto Calvi ai danni della Banca Antoniana Veneta di Padova, come ha ricordato Luigi Giuliano. La presenza del banchiere, unitamente a Badalamenti e Calò al ristorante "al Cafone" sei anni prima del suo omicidio, costituisce un qualificato riscontro di Gioacchino Pennino e dimostra la sussistenza di una cointeressenza di interessi tra di loro».[37]

Prosegue la requisitoria: «Sicché è dato individuare un interesse anche da parte di Badalamenti a punire Calvi per non aver mantenuto le promesse assunte con la frangia dell'organizzazione nella quale era inserito che si è potuto ben saldare con quello dei corleonesi. Tale ultima circostanza è stata spiegata da Francesco Marino Mannoia e da Francesco Di Carlo. Mannoia ha, tra l'altro, riferito che il principale canale di investimento e di riciclaggio di Bontate era Sindona, mentre Calò investiva i suoi soldi attraverso Roberto Calvi e Licio Gelli, aggiungendo che Calvi si era impossessato di forti somme di denaro appartenenti all'ala vincente di Cosa nostra come Pippo Calò, Totò Riina e Bernardo Brusca. Dunque, le indicazioni di Pennino e Mannoia, lungi dall'essere tra loro incompatibili, si completano e rappresentano le facce di una stessa medaglia, viste da due angoli di osservazione: quello dell'uomo vicino all'organizzazione pienamente inserito nel mondo massonico (Pennino) e quello dell'estraneo all'organizzazione, vicino, nel corso del tempo, ad entrambi gli schieramenti (Mannoia); e consentono di comprendere come Calvi, nel subentrare a Michele Sindona, abbia svolto una funzione di volano tra i vecchi ed i nuovi equi-

37. *Ibidem*, p. 65.

libri strategici avvicendatisi in seno a Cosa nostra, a seguito della cosiddetta ultima guerra di mafia».[38]

La requisitoria rivela inoltre che «anche il denaro direttamente riconducibile al mandamento di Caccamo veniva fatto transitare nel Banco Ambrosiano. Due o tre volte l'anno ogni singolo componente della famiglia effettuava delle "puntate" per l'acquisto della droga. Il denaro veniva consegnato al capo mandamento Francesco Intile, il quale, a sua volta, lo faceva avere a Bernardo Provenzano o a Salvatore Riina. Si veniva, poi, a creare un ponte tra Roberto Calvi e Cosa nostra. [...] Vi erano dei soldi investiti in titoli in Borsa, vi erano dei soldi in Svizzera e nel Banco Ambrosiano».[39]

Il banchiere di Dio – stretto tra l'operazione Rizzoli-Corriera della Sera, il sostegno a Solidarnosc e il finanziamento illecito ai partiti – distrusse però molte delle ingenti disponibilità affidategli.

I pentiti di mafia, evidenza sempre la requisitoria, hanno raccontato che «Calvi a sua volta si era giustificato e aveva detto: "Non vi allarmate" perché vi era ancora tanto denaro "qualche cosa mancherà". Se Calvi, per assurdo, avesse detto: "I soldi sono finiti tutti" "finiva anche lui"».[40]

«Questi soldi si trovavano nella banca Franklin di Sindona, in Italia, in Svizzera e i responsabili erano Sindona e Calvi. La cosa era finita tragicamente. Sindona era stato arrestato e avvelenato. Calvi era stato eliminato.»[41]

La masso-mafia del Centro Scontrino

Una prova dei rapporti esistenti tra mafia e massoneria deviata è rinvenibile anche nella vicenda del Centro studi Scontri-

38. *Ibidem*, p. 66.
39. *Ibidem*, p. 68.
40. *Ibidem*, p. 125.
41. *Ibidem*.

no di Trapani. Il 6 aprile 1986 il vicequestore Saverio Montalbano, capo della Squadra mobile di Trapani, fece irruzione nel Centro, situato in via Carreca, sequestrando gli elenchi di sette logge massoniche (circa duecento gli iscritti). Da un primo esame, la documentazione sembrò regolare. Ma bastò un controllo più accurato per far capire agli investigatori che una loggia tra le sette era coperta e i suoi quasi cento affiliati non erano presenti in alcun elenco o registro ufficiale. Dopo qualche settimana emersero i primi nomi degli affiliati segreti: funzionari del comune e della provincia, un burocrate della prefettura, imprenditori edili, commercianti, un famoso deputato della Democrazia cristiana, boss mafiosi.

«Alcuni "fratelli", ammette un investigatore, oltre ad essere in buoni rapporti con i boss, occupano posti importanti nella Pubblica amministrazione. Altri, forse, hanno anche in mano le chiavi della città... Un sospetto inquietante», scrisse all'epoca Attilio Bolzoni su «la Repubblica».[42]

I magistrati dell'ufficio istruzione di Trapani firmano trentaquattro comunicazioni giudiziarie ipotizzando il reato di costituzione e appartenenza a un'associazione massonica occulta. Gli indiziati erano l'assessore regionale democristiano agli enti locali Francesco Canino (che smentì la sua iscrizione alla loggia), l'ex assessore provinciale Dc Salvatore Bambina, il vicequestore Saverio Bonura, il primo dirigente della prefettura, alcuni capi ripartizione del Comune, il comandante dei vigili urbani.

«Il giorno dopo la perquisizione allo Scontrino il capo della Squadra mobile Saverio Montalbano viene sospeso dal questore Mario Gonzales. La motivazione ufficiale: uno scontro sull'uso delle auto blindate. A Trapani è certo solo un fatto: da quando è stata aperta l'indagine sono cambiati quattro questori e tre capi della Squadra mobile», scriveva qualche tempo dopo Attilio Bolzoni in un servizio sugli sviluppi della vicenda.[43]

---

42. «la Repubblica», 3 dicembre 1986.
43. «la Repubblica», 13 febbraio 1988.

Sempre Bolzoni parla del Centro Scontrino come di «una super loggia legata alla P2, uno scandalo che scopre l'ultimo intreccio tra mafia, armi e droga. L'inchiesta adesso coinvolge cento nomi, tutti gli affiliati a Iside 2, quei fratelli che risultano iscritti alla loggia segreta inaugurata a Trapani nella primavera del 1980 dal maestro venerabile Licio Gelli. Dopo le prime trentaquattro comunicazioni giudiziarie indirizzate a uomini politici e boss, professionisti e burocrati, i magistrati indagano sui legami internazionali di Iside 2 e sui contatti con la criminalità organizzata. Accanto a boss come Mariano Agate o Natale L'Ala ecco i quattro capi ripartizione del Comune di Trapani: Bartolomeo Agugliaro, Filippo Sparla (nel 2001 coinvolto nello "Scandalo Asili Nido" e poi Segretario generale della Camera di Commercio di Trapani), Giuseppe Ferrauto, Giovanni Soldano. Accanto al questore Giuseppe Varchi (che risultò iscritto alla P2 – Tessera n. 908) ecco il presunto autore della strage di Pizzolungo Gioacchino Calabrò e l'ex assessore ai Lavori pubblici Salvatore Bambina. Un intreccio di nomi e di storie che porta gli investigatori ad avanzare un'ipotesi: quella loggia trapanese è una sorta di cupola, un super comitato che decide nella città di Trapani».[44]

Del famigerato Centro Scontrino si occupa anche la Commissione parlamentare antimafia. Il resoconto stenografico della seduta del 4 dicembre 1992, presieduta dall'onorevole Luciano Violante, segnala: «Nell'aprile del 1986 la magistratura trapanese dispose il sequestro di molti documenti presso la locale sede del Centro studi Scontrino. Il centro studi, di cui era presidente Giovanni Grimaudo – con precedenti penali per truffa, usurpazione di titolo, falsità in scrittura privata e concussione – era anche la sede di sei logge massoniche: Iside, Iside 2, Osiride, Ciullo d'Alcamo, Cafiero ed Hiram. L'esistenza di un'altra loggia segreta, trovò una prima conferma nel rinvenimento, in un'agenda sequestrata al Grimaudo, di un elenco di nominativi annotati sotto la dicitura "loggia C"; tra que-

---

44. «la Repubblica», 14 febbraio 1988.

sti quello di Natale L'Ala, capomafia di Campobello di Mazara. Nella loggia Ciullo d'Alcamo risultano essere stati affiliati: Fundarò Pietro, che operava in stretti rapporti con il boss mafioso Natale Rimi; Pioggia Giovanni, della famiglia mafiosa di Alcamo; Asaro Mariano, imputato nel procedimento relativo all'attentato al giudice Carlo Palermo».

La relazione della Commissione antimafia riporta ancora: «Nel procedimento trapanese contro Grimaudo vari testimoni hanno concordato nel sostenere l'appartenenza alla massoneria di Mariano Agate; dagli appunti rinvenuti nelle agende sequestrate al Grimaudo risultano poi collegamenti con i boss mafiosi Calogero Minore e Gioacchino Calabrò, peraltro suffragati dai rapporti che alcuni iscritti alle logge intrattenevano con gli stessi. Alle sei logge trapanesi ed alla "loggia C" erano affiliati amministratori pubblici, pubblici dipendenti (comune, provincia, regione, prefettura), uomini politici (l'onorevole Canino ha ammesso l'appartenenza a quelle logge, pur non figurando il suo nome negli elenchi sequestrati), commercialisti, imprenditori, impiegati di banca. Gli affiliati a questo sodalizio massonico interferivano sul funzionamento di uffici pubblici, si occupavano di appalti e di procacciamento di voti in occasione delle competizioni elettorali, tentavano di favorire posizioni giudiziarie e di corrompere appartenenti alle forze dell'ordine amici. Il Grimaudo risulta aver chiesto soldi agli onorevoli Canino (Dc) e Blunda (Pri) per sostenerne la campagna elettorale; la moglie di Natale L'Ala ha testimoniato che, su richiesta del Grimaudo, il marito si attivò per favorire l'elezione degli onorevoli Nicolò Nicolosi (Dc) e Aristide Gunnella (Pri)».[45]

La relazione riferisce inoltre: «Particolare rilevanza assume, infine, nel contesto descritto, il rapporto di Grimaudo

---

45. Commissione parlamentare antimafia, resoconto stenografico della seduta del 4 dicembre 1992 (n. 38, XI legislatura) presieduta dall'onorevole Luciano Violante, pp. 1833-1834.

con Pino Mandalari. Mandalari fu arrestato nel 1974 per favoreggiamento nei confronti di Leoluca Bagarella e nel 1983, fu imputato con Rosario Riccobono. È legato a Totò Riina e socio fondatore nel 1974, con il mafioso Giuseppe Di Stefano, della società Stella d'Oriente di Mazara del Vallo, della quale fece parte dal 1975 Mariano Agate. Della società facevano parte parenti del boss camorristico Nuvoletta, membro di Cosa Nostra. Mandalari è un esponente significativo della massoneria e riconobbe, nel 1978, le logge trapanesi che facevano capo a Grimaudo».[46]

Nel corso del tempo, emerge un quadro più preciso.

«Stavano tutti assieme, mafiosi, politici, imprenditori, nobili, sacerdoti, funzionari comunali, ufficiali dei vigili urbani. Tutti iscritti alla loggia massonica Iside 2 che si celava dietro il più esclusivo circolo di Trapani, lo Scontrino, nella centralissima via Carreca. A ventiquattro "fratelli" della loggia massonica sono arrivate ieri le comunicazioni giudiziarie nelle quali si ipotizza una pesantissima imputazione: associazione per delinquere di tipo semplice e mafioso. Il fine dell'associazione segreta, secondo l'accusa, era soprattutto quello di proteggere i fratelli (mafiosi e non) che si trovavano in difficoltà. Secondo gli inquirenti, il circolo serviva però anche da copertura ad interessi di vario tipo, dalla promozione in posti chiave della pubblica amministrazione, all'assegnazione di grandi appalti pubblici, all'elezione di politici amici. Un primo coperchio sembra essere stato sollevato su uno dei molti misteri di Trapani, dove gestione della cosa pubblica e affari tutt'altro che puliti venivano strettamente legati. Iside 2 era infatti una vera e propria centrale del potere, a lungo collegata con la potente loggia massonica P2. Alcuni fratelli erano organici alla famiglia dei corleonesi ad altri mafiosi. Tra i colletti bianchi, Francesco Ingrande, funzionario della Commissione provinciale di controllo, il maresciallo dei vigili urbani di Trapani Nino Corselli, altri

46. *Ibidem.*

due funzionari del Comune, l'ex sacerdote Agostino Coppola, nipote del defunto boss Frank Coppola», ha scritto Francesco Viviano.[47]

Come è avvenuto in tante altre inchieste «scomode», anche nel caso del procedimento sulla loggia Scontrino si scatenarono pesanti pressioni.

«Nella sua requisitoria il sostituto procuratore Franco Messina ha scritto che il trasferimento di Montalbano fu un lampante esempio "della capacità di penetrazione e quindi di influenza sull'attività della pubblica amministrazione" della loggia Iside 2», notava Alessandra Ziniti.[48]

Nel 1993 i legami tra mafia e massoneria venivano confermati anche in sede processuale.

«I rapporti e gli intrecci tra mafia, massoneria e politica, sono stati rievocati ieri nell'aula bunker di Rebibbia a Roma dai pentiti Leonardo Messina e Giacoma Filippello, nel processo al "Gran Maestro" della loggia segreta "Iside 2", di Trapani, Giovanni Grimaudo e ad altri cinque "fratelli". Giacoma Filippello ha raccontato ai giudici del Tribunale di Trapani che Giovanni Grimaudo, presidente del circolo culturale "Scontrino", dietro il quale si celava la loggia segreta "Iside 2", era il tramite con la mafia trapanese per "curare" affari e appoggiare uomini politici vicini ai boss. La donna, rispondendo alle domande del pm, ha anche detto che la loggia attraverso le conoscenze mafiose di Natale L'Ala, che era iscritto alla "Iside 2", "si interessò di fare campagna elettorale per i deputati regionali democristiani Francesco Canino e Nicolò Nicolosi". L'onorevole Canino ha ammesso che, sia pure per pochissimi giorni, si era iscritto al "Circolo Scontrino". E a sostegno della sua "buona fede" ("lo feci per ottenere appoggi elettorali") Canino, intervistato giovedì nella trasmissione "Rosso e nero" ha sostenuto che il circolo Scontrino era frequentato anche da vescovi e ministri, come il dc Calogero

---

47. «la Repubblica», 11 aprile 1989.
48. «la Repubblica», 19 agosto 1992.

Mannino che, attraverso l'assessorato regionale alla pubblica istruzione, fece dare un sostanzioso contributo al circolo.»[49]

Attilio Bolzoni, sempre su «la Repubblica»,[50] sottolineava come pure il commissario Ninni Cassarà fu allontanato da Trapani dallo stesso questore che allontanò Montalbano.

Un altro articolo evidenziava: «Le affiliazioni massoniche offrono all'organizzazione mafiosa uno strumento formidabile per estendere il proprio potere per ottenere favori e privilegi in ogni campo, sia per la conclusione di grandi affari sia per l'aggiustamento di processi, come hanno rilevato numerosi collaboratori della giustizia. [...] È stato accertato che l'aeroporto "Birgi" di Trapani nel 1980 – l'anno in cui secondo il pentito Marino Mannoia, Andreotti sarebbe atterrato su un aereo privato per incontrarsi con i cugini Ignazio e Nino Salvo – era sotto il controllo di "fratelli" iscritti alla "Iside 2". Il direttore dello scalo aereo era allora Giovanni Bertoglio; Andrea Barraco era assistente al traffico aereo, Giuseppe Di Genova era addetto al controllo dei voli. Erano tutti iscritti alla loggia segreta "Iside 2"».[51]

Il 5 giugno 1993 Grimaudo veniva condannato.

«Per la prima volta nella storia giudiziaria italiana, esponenti di logge massoniche sono stati condannati per "direzione ed organizzazione di associazione segreta". La "storica" sentenza, è stata emessa ieri dal Tribunale di Trapani, presieduto da Francesco Garofalo, nei confronti del "Gran Maestro" della loggia segreta "Iside 2", Giovanni Grimaudo e del suo vice, Natale Torregrossa. Il primo è stato condannato a tre anni di reclusione; il secondo a due. Sono stati invece assolti, perché il reato è stato amnistiato, altri tre "fratelli" che devono rispondere di partecipazione ad associazione segreta. Sostanzialmente la sentenza ha accolto le richieste del pubblico ministero, Luca Pistorelli. [...] Questo la-

---

49. Francesco Viviano, «la Repubblica», 21 marzo 1993.
50. «la Repubblica», 15 aprile 1993.
51. «la Repubblica», 23 aprile 1993.

voro non è il punto di arrivo di un'inchiesta, ma una tappa, perché quella di Trapani è soltanto la punta di un iceberg che va fatto emergere.»[52]

Va notato che nel corso del processo, Grimaudo ha confermato di avere scritto a Licio Gelli invitandolo in visita ufficiale alla massoneria del circolo Scontrino. Emergerà anche il fatto che l'onorevole Dc Calogero Mannino si adoperò per far avere finanziamenti al Centro Scontrino dalla Regione Sicilia.[53]

Davanti alla Corte di Assise Grimaudo ebbe anche la disinvoltura di sottolineare le analogie tra il giuramento massonico e quello mafioso, affermando: «Il rito mafioso è lo stesso».[54]

Nel corso del processo emergerà che del Centro Scontrino faceva parte l'avvocato piduista Augusto Sinagra, legale di Gelli.[55] Ma è di grande rilievo soprattutto l'appartenenza di Giuseppe Mandalari, che finirà in carcere il 12 dicembre 1994 con l'accusa di associazione a delinquere di stampo mafioso.

L'ordinanza di arresto del «commercialista di Totò Riina» recita: «Pino Mandalari è stato per Cosa Nostra un costante punto di riferimento, capace di mettere al servizio dell'organizzazione criminale mafiosa la sua capacità professionale e l'intensa trama di rapporti che la sua appartenenza alla massoneria (in un alto grado della gerarchia massonica) gli ha procurato. [...] Mandalari è così diventato per Cosa Nostra, fin dagli anni Settanta, uno degli elementi fondamentali di collegamento della mafia con la società civile. Un punto di riferimento costante per il reinvestimento degli illeciti guadagni, per i contatti con il mondo giudiziario, politico e so-

---

52. Francesco Viviano, «la Repubblica», 6 giugno 1993.
53. Sergio Flamigni, *Trame Atlantiche. Storia della loggia massonica segreta P2*, Kaos, Milano, 1996, p. 368.
54. *Ibidem*.
55. *Ibidem*, pp. 369-370.

ciale in genere, nei confronti del quale il Mandalari, forte del suo grado massonico e della sua statura criminale, ha saputo svolgere magistralmente un ruolo di collante con l'organizzazione mafiosa».[56]

C'è infine un «dettaglio» che riguarda le attività di Mandalari: nel corso di intercettazioni telefoniche disposte dalla magistratura di Palermo e Caltanissetta è emerso il «consistente impegno profuso dal noto commercialista palermitano Mandalari in favore di alcuni candidati di Forza Italia nonché Alleanza Nazionale in occasione delle varie consultazioni elettorali del 1994 e, in particolare, di quelle politiche del 27 e 28 marzo».[57] Nella telefonata del 19 marzo 1994 tra Mandalari e tal Giovanni Ferrito ricorrono i nomi di Silvio Berlusconi ed Enrico La Loggia.[58]

Incontri pericolosi. Il racconto di Francesco Di Carlo

Anche dagli atti del processo Dell'Utri si evincono importanti indicazioni e testimonianze in merito al rapporto tra mafia e massoneria. La monumentale requisitoria pronunciata dai pubblici ministeri Antonio Ingroia e Nico Gozzo nel corso di diverse udienze, dal 5 aprile all'8 giugno 2004, è ricca di illuminanti deposizioni di ex boss mafiosi oggi collaboratori di giustizia. I pm scrivono: «Il tema della massoneria è centrale in questa parte della requisitoria che riguarda la fine degli anni '70. È fondamentale per l'associazione mafiosa, e specie per Bontate, che voleva svezzare Cosa nostra ed introdurla ancora di più negli ambienti che contano. Tra-

---

56. Commissione parlamentare antimafia, seduta del 17 ottobre 1985, Senato della Repubblica, resoconto della Commissione, relatore onorevole Giuseppe Ayala, pp. 55-56.
57. Sergio Flamigni, *op cit.*, p. 372
58. *Ibidem*, pp. 371-373.

mite la massoneria viene acquisita una serie di contatti [...].
La massoneria – ed in particolare proprio Licio Gelli, fondatore della loggia massonica coperta Propaganda 2 – in quel
periodo si trova al centro di una serie di interessi, che avevano come propri terminali associati mafiosi».[59]

Numerosi sono in questo procedimento i riferimenti al
rapporto tra mafia e massoneria. Che si sommano a quelli
emersi nel processo Calvi.

Scrivono i pubblici ministeri: «La circostanza dell'appartenenza alla massoneria di Stefano Bontate e di altri importanti
uomini d'onore trova conferma nelle dichiarazioni rese a giudizio da Antonino Calderone, che ha riferito che Stefano Bontate, insieme ad altri mafiosi, aveva ricevuto l'autorizzazione a
far parte della massoneria – in deroga a una vecchia regola di
Cosa nostra – e ciò sempre per perseguire i fini dell'associazione mafiosa e potere contattare altre persone potenti non associate. Anche Francesco Di Carlo[60] ha riferito del fatto che –
anche su iniziativa del cognato Vitale – Bontate aveva idea di
intessere rapporti con ambienti massonici. E ciò anche al fine
di entrare in contatto con la finanza milanese».[61]

Francesco Di Carlo, nell'udienza del 2 marzo 1998, ha dichiarato: «Bontate aveva vaste vedute su Cosa nostra, nel
senso di meno violenza e più ampie amicizie ad alto livello:
nella massoneria, nella finanza a Milano. Uno della massoneria ce la aveva dentro come cognato, Giacomo Vitale. Poi
hanno ospitato anche Sindona. Poi aveva le sue conoscenze.
Bontate si sfogava con me per la mentalità di certuni, che lui

---

59. Testo della requisitoria relativa al procedimento penale numero
4578/96 N.R nei confronti di Gaetano Cinà e Marcello Dell'Utri, pubblicato in Peter Gomez e Marco Travaglio, *L'amico degli amici*, Rizzoli-Bur,
Milano 2005, p. 227.
60. Francesco Di Carlo, un tempo boss mafioso operante tra la Sicilia e
Londra, poi principale accusatore di Totò Riina e importante collaboratore di giustizia in vari processi di mafia, è stato chiamato in causa nel processo per la morte del giornalista Mauro De Mauro.
61. Peter Gomez e Marco Travaglio, *op. cit.*, p. 228.

voleva ampliare. Diceva: la politica l'abbiamo nelle mani, ci mettiamo la finanza a Milano».[62]

Gozzo e Ingroia osservano che anche il pentito Gaspare Mutolo «ha confermato le notizie su questa pericolosa *liaison* tra l'associazione mafiosa ed alcuni ambienti massonici. Questi contatti di Stefano Bontate con appartenenti della massoneria sono esemplificati magistralmente dalle dichiarazioni di Angelo Siino, anche egli massone, che riferisce di una "missione" a Milano compiuta nell'interesse di Silvio Berlusconi da un massone calabrese e da Stefano Bontate, entrambi appartenenti alla loggia Camea».[63]

Anche il pentito Tullio Cannella, nell'udienza del 9 luglio 2001, ha riferito di intensi rapporti tra mafia e massoneria: «Appresi che la P2 aveva costituito diverse logge regionali, tra le quali questa denominata Camea, che anche se aveva sede in Liguria – se la memoria non mi inganna a Santa Margherita Ligure – era una loggia che era espressione di gruppi mafiosi della Sicilia. Nella fattispecie era una loggia creata e costituita per volontà di Stefano Bontate. Il lavoro durò quattro anni. Bontate era in società con il costruttore Domenico Sanseverino per la realizzazione di una serie di edifici».[64]

Cannella riferisce che il boss Giacomo Vitale gli confidò di «ingenti somme di denaro che suo cognato Stefano Bontate aveva dato alla P2 e che poi tramite la P2 erano finiti in gruppi finanziari e imprenditoriali del centro nord», soldi «transitati attraverso la Camea ed attraverso la P2. Lui mi parlava di svariati miliardi, 40-45-50, una cosa del genere».[65]

Anche Antonino Giuffrè ha riferito, osservano i magistrati di Palermo, che «Bontate era parte di una importante loggia massonica, oltre che in rapporti con imprenditori e poli-

---

62. *Ibidem.*
63. *Ibidem*, p. 229.
64. *Ibidem*, p. 230.
65. *Ibidem.*

tici. Nel medesimo periodo in cui Dell'Utri va via dall'imprenditore Silvio Berlusconi, quest'ultimo si iscrive alla loggia P2.[66] In questo periodo Bontate inizia un processo di avvicinamento con la massoneria deviata al fine – Cosa Nostra non è una associazione filantropica – di ottenere vantaggi per l'associazione mafiosa».[67]

Stando agli atti del processo Dell'Utri, nel 1974 Silvio Berlusconi ebbe contatti proprio con Stefano Bontate e con altri esponenti di Cosa nostra: l'incontro sarebbe avvenuto a causa delle minacce di rapimento di cui Silvio Berlusconi e la sua famiglia erano oggetto, in anni in cui i sequestri,[68] nel Nord Italia, erano molto frequenti. È possibile ricostruire su base documentale l'incontro milanese del 1974. Secondo i magistrati, tramite Marcello Dell'Utri, Silvio Berlusconi decise di accettare un incontro per garantire la protezione della sua famiglia e delle sue attività imprenditoriali. A raccontare questa storia – ormai agli atti – è stato il mafioso pentito Francesco Di Carlo, un boss di prima grandezza appartenente all'aristocrazia palermitana, oltre che noto killer, soprannominato «Frankie the strangler» per la sua abilità nell'uccidere con le mani. Di Carlo, che è oggi collaboratore di giustizia, ha descritto in maniera dettagliata gli ambienti della cosiddetta *Milano Connection*. I pubblici ministeri di Palermo Domenico Gozzo e Antonio Ingroia nella loro re-

---

66. L'iscrizione avviene nel 1978.

67. Peter Gomez e Marco Travaglio, *op. cit.*, p. 231.

68. Negli anni Sessanta e Settanta inizia a manifestarsi il problema della penetrazione della mafia a Milano e in Lombardia. Sono ben 372 i mafiosi che furono inviati al soggiorno obbligato in Lombardia nel decennio tra il 1961 e il 1972 e qui costruirono la prima stabile rete d'affari delle organizzazioni criminali. Tra il 1974 e il 1983, solo in Lombardia sono 103 le persone sequestrate per chiedere un riscatto. La maggior parte dei rapimenti è operata dai calabresi della 'ndrangheta e dai siciliani di Cosa nostra. Sono centinaia, in quella fase, le aziende minacciate, ricattate e vittime di estorsioni. Cfr. Gianni Barbacetto e Mario Portanova, *Sapessi com'è strano, parlare di mafia a Milano*, in «diario della settimana», 17 dicembre 2004.

quisitoria scrivono: «Di Carlo riferisce di aver partecipato personalmente a un incontro a Milano, in Foro Bonaparte, sede della Edilnord di Berlusconi. Incontro cui parteciparono anche Stefano Bontate, Mimmo Teresi e Marcello Dell'Utri. Prima di andare in Foro Bonaparte, Di Carlo e gli altri partecipanti si erano incontrati in via Larga, che vedremo essere il centro nevralgico della *Milano Connection*, nonché sede delle imprese di Ugo Martello [un imprenditore siciliano, detto "Tanino", contiguo alla mafia, *Nda*]. Gli uffici di via Larga erano anche punto di riferimento per Pippo e Alfredo Bono, Pasquale Pergola[69] e per tutti gli appartenenti a Cosa Nostra di Milano. Subito dopo, gli stessi Di Carlo, Bontate, Teresi e Cinà – elegantemente vestiti – si recavano con una autovettura alla Edilnord. Bontate e Teresi erano già due persone molto potenti, sia all'interno che all'esterno di Cosa Nostra. Bontate faceva già parte del cosiddetto triumvirato che reggeva Cosa Nostra palermitana e dunque siciliana. E usava avere rapporti con alcuni importantissimi "colletti bianchi". Teresi, oltre ad essere associato a Cosa nostra, era anche un importante imprenditore».[70] I pm Ingroia e Gozzo scrivono, in merito al luogo dell'incontro: «Dalla descrizione del palazzo è stato possibile individuare gli uffici di Foro Bonaparte della Edilnord come gli uffici in cui si tenne il "vertice". Del resto, anche Vittorio Mangano ha riferito di essere andato in Foro Bonaparte a conoscere l'imprenditore Berlusconi, quando venne assunto ad Arcore nel luglio 1974».[71]

Torniamo all'incontro presso la Edilnord e alla descrizione che ne fa Di Carlo ai giudici. Scrivono i magistrati: «Del-

---

69. Pergola è morto «suicida» in carcere nel 2005, poco dopo aver iniziato a collaborare con i magistrati.
70. Testo della requisitoria relativa al procedimento penale numero 4578/96 N.R. nei confronti di Gaetano Cinà e Marcello Dell'Utri, pp. 36-37.
71. *Ibidem.*

l'Utri accoglieva gli associati mafiosi all'arrivo e li conduceva in una sala, dove per circa un quarto d'ora attendevano l'arrivo dell'imprenditore Berlusconi. Una volta arrivato quest'ultimo, si cominciava a parlare, su iniziativa di Mimmo Teresi, di imprese edilizie, e in particolare della costruzione di Milano Due. Subito dopo, Berlusconi portava il discorso sulle "garanzie" specificando a Bontate che Marcello Dell'Utri gli aveva detto che lui "poteva garantire" la sua sicurezza. Bontate replicava che "poteva stare tranquillo" e che comunque c'era Marcello per qualsiasi cosa. In ogni caso, per sua maggiore tranquillità, avrebbe mandato qualcuno di sua fiducia. Di Carlo non ricorda se Mangano fosse già arrivato, o se venne fatto arrivare dopo l'incontro. Alla fine dell'incontro, Bontate aveva chiesto a Berlusconi di portare le sue imprese a lavorare in Sicilia, e Berlusconi si era schernito, dicendogli: "Ma come, ho tutti questi problemi con i siciliani, e vengo lì?". L'incontro si era chiuso con una reciproca promessa di disponibilità». Questa la sintesi, che però coglie solo in parte l'atmosfera dell'incontro. Vale allora la pena di riportare integralmente alcuni passi della deposizione resa a Palermo da Francesco Di Carlo il 16 febbraio 1998.

> Di Carlo: «Siamo entrati [alla Edilnord, *Nda*] e a venirci incontro è stato proprio il Marcello Dell'Utri, che io conoscevo. È una persona bassina. Ci ha salutati, una stretta di mano, con Tanino [Gaetano Cinà, *Nda*] si è baciato, con gli altri si è baciato, con me no. Tra di loro si davano del tu. Siamo entrati in una grande stanza e c'era una scrivania. C'era qualche divano per sedersi, delle sedie. Ci siamo seduti là. Dopo un quarto d'ora è spuntato questo signore sui 30 anni, 30 e rotti anni, e ci hanno presentato il dottore Berlusconi…»
>
> Pubblico ministero: «Ricorda chi faceva le presentazioni?»
>
> Di Carlo: «Dell'Utri. Berlusconi però conosceva già Gaetano Cinà.»
>
> Pubblico ministero: «Senta, ha modo di individuare Berlusconi? Perché, come sa ci sono due fratelli Berlusconi…»

Di Carlo: «Berlusconi è questo che oggi fa il politico, l'altro non lo conosco.»

Pubblico ministero: «Lei è sicuro di questa individuazione? Su cosa si basa per dirlo?»

Di Carlo: «Ma perché dopo qualche anno l'ho visto... a parte che l'ho visto poi, è capitata un'occasione di vederlo subito dopo. Ne ho sentito parlare tanto in seguito, da Tanino Cinà...»

Pubblico ministero: «Lei si ricorda com'erano vestiti Teresi, Bontate e Cinà, com'era vestito il Berlusconi e com'era vestito il Dell'Utri?»

Di Carlo: «Dell'Utri era con un vestito blu scuro, giacca e cravatta. Il dottore Berlusconi non era quello di adesso, senza capelli; aveva i capelli, era un castano chiaro, aveva una camicia sotto e un maglioncino a girocollo e un jeans, un pantalone sportivo comunque. Abbiamo scherzato di questo con Bontate e Teresi, dopo. Ovvero il fatto che abbiamo passato un'ora a prepararci, come le donne quando si truccano, e quello è venuto in jeans e maglioncino.»

Pubblico ministero: «Andiamo al contenuto dell'incontro.»

Di Carlo: «Hanno fatto arrivare il caffè, quando è entrato Berlusconi. Poi abbiamo cominciato a parlare di cose più serie. Si è cominciato a parlare di lavoro. Teresi disse che stava facendo due palazzi a Palermo e aggiunse: "Certo Lei dottore sta facendo una città intera...". Berlusconi rispose: "Ma guardi, amministrativamente non c'è molta differenza, curarne 2 o curarne 20, se uno si deve organizzare...". In 20 minuti di conversazione ci ha dato una lezione economica e amministrativa in materia di costruzioni, perché aveva in costruzione Milano Due.»

Pubblico ministero: «E poi?»

Di Carlo: «Sono andati nel discorso della garanzia [della sicurezza, *Nda*], perché Berlusconi era preoccupato. (Bontate) disse: "Oggi è preoccupante, a Milano. Forse io non lo sapevo, ma a Milano succedono un sacco di rapimenti. Quando c'era Liggio, quello aveva intenzione di portarsi tutti i soldi del Nord a Corleone".»

Pubblico ministero: «Quindi si parlò di sequestri?»

Di Carlo: «Aveva ragione, Berlusconi, di essere preoccupato per quella che era la situazione.»

Pubblico ministero: «Cosa disse esattamente Berlusconi?»

Di Carlo: «Disse che era preoccupato. Stefano (Bontate) gli fece raccontare la situazione. Lui disse che aveva dei bambini, dei familiari, che non stava tranquillo, che avrebbe voluto una garanzia. (Berlusconi) disse: "Marcello mi ha detto che Lei è una persona che può garantirmi questo e altro". Allora Stefano, modesto, rispose: "No, io sa... però Lei può stare tranquillo, se lo dico io può stare tranquillo. Lei avrà persone molto vicine, che qualsiasi cosa chieda sarà fatta. Poi ha Marcello qua vicino e per qualsiasi cosa si rivolga a lui". Disse che oltre a Marcello gli mandava qualcuno, una persona molto vicina a loro. Disse: "In ogni caso Marcello può garantire, perché è molto vicino a noialtri".»

Pubblico ministero: «Berlusconi disse che aveva avuto minacce?»

Di Carlo: «Disse che aveva avuto sentore, dei sintomi. Niente di strano, perché noi di Cosa Nostra prima minacciavamo e poi andavamo a offrire la garanzia della sicurezza. Era una cosa normale in Cosa Nostra, altrimenti che bisogno ha uno di chiedere protezione...»

Pubblico ministero: «Berlusconi spiegò chi temeva?»

Di Carlo: «Disse che temeva i meridionali, i siciliani, in particolare i catanesi. Ma in quel periodo a Milano c'erano tanti emigranti che non appartenevano a Cosa Nostra – messinesi, siracusani, calabresi – che facevano sequestri per conto loro. Cosa Nostra teneva gli occhi aperti, perché non gradiva che si facessero sequestri senza la sua autorizzazione. Cosa Nostra li ammazzava: ne sparivano tanti, ne strangolavano tanti a Milano; gente che non era Cosa Nostra».

Pubblico ministero: «Poi avete discusso della persona fidata da mandare a Berlusconi?»

Di Carlo: «Non mi ricordo se già c'era andato Mangano, ho sentito parlare di Mangano. Quando ne parlammo Teresi disse: "Ma c'è già Vittorio, perché questo Vittorio è amico di Dell'Utri. Per quello che deve fare va bene Mangano, perché in Cosa Nostra non è la presenza che conta, c'è Cosa Nostra che protegge, basta che si sappia che uno è protetto da Cosa Nostra e può stare tranquillo. Chi vuole organizzare il rapimento ha delle difficoltà, gli diventa difficile gestire il sequestro". E allora (Bontate) dice: "Va bene Mangano. Vittorio Mangano è Cosa Nostra e io l'ho avuto presentato nel '72 o '73. Mangano è nel mandamento di Porta Nuova, Porta Nuova significa Pippo Calò".»

Pubblico ministero: «Berlusconi chiese delle cose a Bontate. E Bontate chiese delle cose a Berlusconi?»

Di Carlo: «Si parlava di costruzioni e Bontate gli disse: "Ma perché non viene a costruire a Palermo? In Sicilia?".»

Pubblico ministero: «E Berlusconi cosa rispose?»

Di Carlo: «Con una battuta, con un sorriso sornione ha detto: "Ma come, debbo venire proprio in Sicilia? Ma come, qua con i meridionali e i siciliani ho problemi e debbo venire là…". Stefano Bontate gli ha detto: "Ma lei è il padrone quando viene là, siamo a disposizione per qualsiasi cosa".»

Pubblico ministero: «Ricorda se Berlusconi disse altre cose al Bontate?»

Di Carlo: «Berlusconi anche lui alla fine ci ha detto che era pure a disposizione per qualsiasi cosa. E "a disposizione" – non so se per i milanesi abbia un senso differente che per i siciliani – perché per noialtri, quando ci dicono "a disposizione", in Cosa Nostra si deve essere disponibili a tutto.»

Pubblico ministero: «Vuole ripetere per favore?»

Di Carlo: «Significa che si deve essere disponibili a tutto.»[72]

Questa la ricostruzione di Di Carlo, fornita ai giudici[73] del Tribunale di Palermo. Concordante la deposizione di un altro ex boss di Cosa nostra, Antonino Galliano, secondo cui Stefano Bontate «era piaciuto a Berlusconi: lo aveva trovato ben diverso da come si immaginava i boss, un uomo nient'affatto rozzo, anzi intelligente e *affascinevole*»,[74] ha testimoniato Galliano nell'udienza del 19 gennaio 1998, riferendo le confidenze ricevute da Gaetano Cinà. «Berlu-

---

72. *Ibidem*, pp. 41-44.
73. Leonardo Guarnotta (presidente), Giuseppe Sgadari e Gabriella Di Marco (a latere).
74. *Ibidem*, p. 53.

sconi pensava a un uomo rozzo, invece si è trovato di fronte un professionista», racconta ancora Galliano. Stefano Bontate era infatti portatore di un approccio «moderno» e meno violento alla penetrazione della mafia nei *sancta sanctorum* della finanza e dell'industria del Nord. Bontate era entrato nella massoneria[75] per dialogare meglio con il mondo politico ed economico. Un approccio *soft* che durerà poco, perché lui stesso pochi anni dopo sarà assassinato in una guerra di mafia. I pubblici ministeri, nella «premessa» alla loro requisitoria, scrivono testualmente: «Poco dopo l'incontro, Gaetano Cinà e Marcello Dell'Utri saranno i due artefici dell'assunzione di Mangano a Villa Casati, allora da poco nella disponibilità dell'imprenditore Silvio Berlusconi. Assunzione che viene effettuata ed anzi promossa da Dell'Utri proprio per "segnare il territorio", indicando a "terzi male intenzionati" un rapporto esistente a garanzia dell'imprenditore "amico" protetto. Assunzione che verrà sancita anche da un incontro tra i vertici mafiosi (Stefano Bontate e Mimmo Teresi) e i vertici della allora Edilnord in Foro Buonaparte 24. Questo rapporto con Mangano, iniziato nel luglio del 1974 durerà – sulla base degli atti raccolti in questo dibattimento – sino al 1976. In questi due anni Berlusconi avrà la possibilità di verificare cosa significhi "mettersi nelle mani" degli associati mafiosi per farsi proteggere. Non vi è, in vero, prova agli atti di una sua diversa consapevolezza. Consapevolezza che invece – emerge con chiarezza dalle prove acquisite agli atti – Marcello Dell'Utri aveva quando organizzò l'incontro Berlu-

---

75. In Sicilia, tra il 1976 e il 1980, i mafiosi fanno a gara per entrare nella massoneria. Cosa nostra offre ai massoni l'efficacia della propria macchina militare, ma soprattutto una formidabile carta di pressione politica: il denaro. I massoni offrono ai boss i canali legali per riciclare e investire i soldi, i contatti politici giusti per concludere grandi affari e i magistrati adatti per l'«aggiustamento» dei processi. Le logge, negli anni Ottanta, fioriscono. Solo a Palermo, dopo la Camea, la Armando Diaz, la Normanni di Sicilia. Nella sola Sicilia all'epoca si contano più di centosettanta logge.

sconi-Bontate. Dell'Utri sapeva perfettamente che l'organizzazione mafiosa non si sarebbe limitata a scarne richieste, ma avrebbe preteso sempre di più. Come spiegare, del resto, la presenza dell'uomo allora più potente di Cosa Nostra, Stefano Bontate, all'incontro? Dunque, Marcello Dell'Utri ha messo volontariamente Berlusconi "nelle mani" della associazione mafiosa, sapendo perfettamente che un incontro al vertice – quale quello poi avvenuto – avrebbe potuto portare a richiedere all'imprenditore milanese Berlusconi, nei progetti di Cosa Nostra, ben oltre quanto da questi prevedibile. Berlusconi si renderà presto conto quanto questo "abbraccio" pilotato da Dell'Utri possa essere mortale per lui, e per la sua visione di "conduzione unica" dell'impresa. Sin dal primo incontro, infatti, Bontate gli chiederà di effettuare investimenti in Sicilia. Ma soprattutto Berlusconi verificherà una cosa che Dell'Utri non gli aveva detto: che l'"abbraccio" non lo poneva al sicuro da altre pretese malavitose, provenienti talvolta dalle medesime persone che avrebbero dovuto "proteggerlo", e tese proprio – con un comportamento che viene sempre tenuto in questi casi da Cosa Nostra – a farlo "avvicinare" sempre più».[76]

A colloquio con l'uomo che doveva uccidere Borsellino

Quello dei pentiti di mafia è un mondo di grande complessità, quasi dostojevskiano. Attraverso un collaboratore di questa inchiesta, il giornalista Edoardo Montolli, è stato possibile avvicinare uno dei collaboratori di giustizia che hanno reso importanti rivelazioni sul rapporto tra mafia e massoneria: Vincenzo Calcara, l'ex boss di Castelvetrano (Trapani), che era stato incaricato di uccidere Paolo Borsellino e che dopo che fu arrestato e interrogato dal giudice sviluppò con lui un rap-

---

76. Peter Gomez e Marco Travaglio, *op. cit.*, pp. 27-28.

porto di collaborazione e di amicizia.[77] Da allora Calcara vive nascosto, aiutato solo dalla famiglia di quel giudice, in continua fuga dalla vendetta della mafia. Le sue rivelazioni sono un fiume in piena: dalla morte di Roberto Calvi all'attentato al Papa, fino, appunto, ai rapporti tra mafia e massoneria. E fino alle clamorose ipotesi sull'esistenza di rapporti organici tra i vertici di Cosa nostra e uomini delle istituzioni. Per anni si è discusso nei tribunali della effettiva appartenenza di Calcara a Cosa nostra, fino a quando due pentiti non hanno ammesso di averlo attaccato per sminuirne il valore criminale all'interno dell'organizzazione. Diverse sentenze dei Tribunali di Palermo e di Marsala hanno giudicato Calcara un collaboratore attendibile, in grado di fornire «formidabili riscontri» in merito al traffico di stupefacenti di Cosa nostra. Riguardo al suo famoso viaggio a Roma, insieme ad altri mafiosi, per consegnare a monsignor Marcinkus del denaro da riciclare,[78] il racconto di Calcara è stato giudicato verosimile sia in primo grado sia in appello, nel gennaio 2005. Lo abbiamo incontrato.

Vincenzo Calcara arriva sul luogo dell'appuntamento sgommando. Inchioda. Scende dall'auto e si guarda intorno.

---

77. Nel settembre del 1991 Vincenzo Calcara, uomo d'onore di Cosa nostra, disse a Borsellino: «Non deve aver più paura, io che dovevo ucciderla sono in carcere». Paolo Borsellino sorrise e rispose: «Paura? Ma tu non sai che è bello morire per cose in cui si crede; volevate uccidermi a Marsala? A Palermo dovete uccidermi, è più facile». E poi aggiunse: «Un cristiano non teme la morte». Pochi mesi dopo, il 19 luglio 1992, proprio a Palermo, la vita di Paolo Borsellino venne stroncata nella strage di via D'Amelio. Cfr. «Famiglia Cristiana», n. 32, 5 agosto 1992.
78. Nella primavera del 1992 Calcara aveva riferito a Paolo Borsellino di avere consegnato a monsignor Paul Marcinkus, nello studio di un noto notaio romano, 10 miliardi di lire del capomafia trapanese Francesco Messina Denaro. Interrogato il 21 ottobre 2002 dai pm romani che indagavano sull'omicidio di Roberto Calvi, il collaboratore di giustizia ha rivelato di avere incontrato Roberto Calvi – che aveva già visto all'aeroporto di Linate dove Calcara lavorava – mentre entrava nello studio del notaio e di non aver riferito questa circostanza a Borsellino per paura, poiché, dopo quell'incontro, aveva saputo dal capomafia Michele Lucchese che Calvi «teneva i soldi di tutte le famiglie di Cosa nostra».

Stringe la mano con un sorriso nervoso: «Via libera. Possiamo andare». È passato appena un mese da quando la moglie ha trovato nella casella della posta una busta di plastica con dentro sei pesci e cinque proiettili. Come dire: sappiamo dove siete, possiamo uccidere te e i tuoi figli. Un linguaggio mafioso. Un linguaggio che lui conosce bene. Vincenzo Calcara lo ha usato per dodici anni. Fino a quando è stato un killer di Cosa nostra. Fidato. Abile a muoversi come un fantasma. Talmente bravo che a lui avevano affidato il compito di uccidere il giudice Paolo Borsellino. «Era il 1991. Decisi di collaborare e chiesi di parlargli. Glielo dissi in faccia: "Vede, io sono quello che doveva ammazzarla. C'erano pronti due piani. Uno prevedeva che le sparassi con il fucile di precisione. Il secondo un'autobomba".» Borsellino apprezzò la sincerità, riuscì quindi a farlo trasferire dal carcere di Palermo per proteggerlo dalla vendetta. E prese appunti. Da allora sono passati sedici anni. Il giudice fu ucciso in via D'Amelio pochi mesi dopo, gli appunti sparirono e l'inchiesta si fermò. Quindi le rivelazioni di Calcara sono ancora tutte da raccontare. Ci sta provando il pm Luca Tescaroli di Roma, che ha riaperto il caso sulla morte di Roberto Calvi. Il pentito vive ormai senza protezione, mantiene il suo nome, nonostante da due anni chieda che gli vengano cambiate le generalità, testimonia in aula in processi delicatissimi. E soprattutto, dopo la recente minaccia che ha colpito lui, la sua compagna e le quattro figlie piccole, è incredibilmente ancora lì, in quella casa, costretto a muoversi come un fantasma. Come se lo Stato si fosse dimenticato di lui. Se non fosse stato per l'aiuto, anche economico, fornitogli dalla famiglia Borsellino, proprio quella famiglia che avrebbe dovuto decapitare, le sue verità sarebbero probabilmente sepolte da un pezzo. Tre metri sotto terra. «Io sono un uomo d'onore – dice Calcara – non mi tirerò mai indietro dalle promesse fatte al giudice. Per questo vado avanti.» Edoardo Montolli, per incontrare Calcara, ha dovuto prendere molte precauzioni. Ecco come è avvenuto l'incontro: «L'auto si ferma in una piccola casetta di tre stanze.

Siamo in un salotto angusto, dove la moglie di Calcara custodiva le pistole – regolarmente registrate – per difendere i figli
e che Vincenzo, una volta scoperte, le ha fatto restituire. Si-
muliamo tutti una serenità che non c'è. E cominciamo un'intervista quasi surreale, con dichiarazioni che portano ai confini della fantapolitica, ma dannatamente corroborate da documenti impilati, pagina dopo pagina, uno sull'altro».

Soldato della mafia

Calcara alza le spalle e si schiarisce la voce. «Come iniziò tutto? Abitavo a Castelvetrano, provincia di Trapani, a trecento
metri dalla casa di Francesco Messina Denaro. Fu lui a mettermi alla prova, a dicassette anni, dopo che avevo rubato
oro e fucili in una villa insieme a un amico. Arrivò a minac-
ciarmi con un coltello, per farmi dire che ero stato io. Non lo
feci, il mio amico sì. Fu quello il vero battesimo. Perché lì
iniziò la fase di studio di Cosa nostra, di cui sarei diventato
uomo d'onore nel 1979.» Periodo di prova, nella mafia, significa tacere e compiere reati. Delitti. I magistrati ne conte-
ranno cinque. «Mi allenavo spesso al poligono. Ero bravo.»
Il suo destino è segnato però dall'omicidio del commerciante Francesco Tilotta: dopo la condanna in appello a quindici
anni, Calcara viene sottoposto a sorveglianza speciale. Nonostante questo, riesce a entrare in un posto delicatissimo.
«Andai a lavorare all'aeroporto di Linate, alla dogana. Nel
1981. Avevo il compito segreto di smistare la morfina e l'e-
roina proveniente dalla Turchia.» Lo fa assumere Michele
Lucchese, politico e imprenditore di Paderno Dugnano, nel
milanese, che, come spiegano le sentenze, era uomo di sicura
estrazione mafiosa. «Di più – aggiunge Calcara – era il fi-
glioccio di Francesco Messina Denaro. E io vivevo da lui.»
Calcara diventa un soldato. Il figlio di Francesco Messina
Denaro, Matteo, che da ragazzino difese dai bulli, è considerato l'erede del trono di Bernardo Provenzano. L'intreccio

spiega tutto. Ed è proprio qui, a Paderno, dal Lucchese braccio destro di Messina Denaro, che Calcara, pur non essendo un boss, vede e assiste a riunioni di vertice. «Portavo il caffè, sorvegliavo la situazione. Poi Lucchese mi diceva tutto, per me era come un padre. E la cosa era reciproca. Un giorno mi esorta ad andare a Castelvetrano insieme a un maresciallo amico suo. Lì avrei trovato gli ordini da eseguire.»[79]

Gli ordini sono un viaggio da fare a Roma, portando con sé due valigie. «Una era aperta, piena di banconote da 100mila lire. In tutto, seppi poi, si trattava di 10 miliardi. A Fiumicino ci vennero a prendere due auto scure del Vaticano. C'erano un cardinale, poi c'era monsignor Paul Marcinkus e un notaio. Andammo a casa di quest'ultimo. Loro salirono di sopra. Io attesi in macchina. Venti minuti più tardi arrivò un tipo calvo, coi baffi. Non sapevo chi fosse, ma lo avevo già visto a Linate, dove era giunto con l'aereo privato per incontrare Lucchese, per poi essere portato in un albergo. Tornato a Paderno, lo dissi a Lucchese: "C'era il tizio dell'altra volta". E lui mi fece un sorriso: "Sei fisionomista". Mi spiegò che quello era Roberto Calvi e che avrebbe investito i dieci miliardi della "famiglia" ai Caraibi e in Venezuela.»

Il pm ha considerato credibile questo «viaggio» di Calcara.[80] Qualcosa, dopo quel viaggio, andò storto, nel rapporto

---

79. Calcara parla delle operazioni di riciclaggio di denaro sporco che, secondo gli inquirenti, il banchiere piduista Roberto Calvi aveva iniziato a effettuare per conto di Cosa nostra.
80. Nella requisitoria (9 marzo 2007) per il processo relativo all'omicidio di Roberto Calvi, a p. 96 il pm Luca Tescaroli scrive: «Calcara aveva trasferito due valigie che contenevano ognuna cinque miliardi di lire circa. Le aveva poste dentro il baule della vettura in Sicilia e a Roma. Era marzo-aprile 1981, prima dell'attentato al Papa, uno o due mesi prima. Il denaro è stato prelevato dall'abitazione di Francesco Messina Denaro, capo assoluto della famiglia di Castelvetrano, della quale faceva parte. È stato portato nell'abitazione del notaio. Il notaio aveva studio a Roma, ma era siciliano. L'abitazione di Francesco Messina Denaro si trovava non molto distante da dove era nato e cresciuto lui (via XX Settembre). Si trovava a Castelvetrano verso via Alberto Mario. In quella casa aveva visto "*una del-*

tra Cosa nostra e Calvi. Calcara fa una rivelazione drammatica: «Poco dopo quel viaggio a Roma, si svolse a Paderno una riunione molto tesa. I soldi erano andati persi. Io c'ero. C'ero come, lo ripeto, una specie di attendente. Ma non potevo fare a meno di sentire. Erano presenti anche un cardinale, un politico, un uomo della massoneria. E quella fu una delle tre volte in cui vidi Bernardo Provenzano. Lì fu decisa la sentenza di morte di Calvi».

Dieci anni dopo quella serata, la condanna di Calcara per il delitto Tilotta è diventata definitiva. È stato per cinque anni in prigione in Germania, dove era stato arrestato per una rapina con sequestro di persona. In Italia è evaso dal carcere di Favignana, approfittando di un permesso. Calcara si è dato alla latitanza, mimetizzandosi vestito da monaco e armato di pistola. «Mi chiamò Francesco Messina Denaro. Voleva che andassi a trovare Lucchese, che stava morendo. E che mi tenessi pronto per ammazzare il giudice Borsellino. Una volta fatto, sarei partito per l'Australia. Fu lì che capii che dopo quell'ultimo incarico mi avrebbero ucciso. Avevano ammazzato un mio amico, Dino Masaracchio, nel 1981, per uno schiaffo. La violenza dilagava. Ebbi paura. Quando conobbi Borsellino decisi che avrei raccontato tutto ciò che sapevo. Lui prendeva appunti su un'agenda rossa. Per alcune cose non parlava nemmeno con i suoi sostituti. Gli parlai anche di Antonov e dell'attentato al Papa.»

Calcara fa riferimento a Sergej Ivanov Antonov, uomo sospettato di appartenere ai servizi segreti bulgari. Il suo nome è tornato alla ribalta dopo la chiusura dei lavori della commissione Mitrokhin: appare in una foto in piazza San Pietro il giorno in cui Alì Agca spara al Pontefice. Sembrava una

---

le due valigie aperta e tutta piena di soldi da carte di 100 mila". Vi erano presenti il maresciallo Donato Giorgio (con il quale era arrivato da Milano), Tonino Vaccarino, l'onorevole Vincenzo Culicchia di Partanna, della Dc, Stefano Cannata, Stefano Accardi, l'onorevole Enzo Leone del Partito socialista, Giuseppe Marotta, Vincenzo Furnari».

storia chiusa. E invece ora Calcara ci torna su. «Io l'avevo detto nel marzo del 1992 a Borsellino. Due giorni prima di quel 13 maggio 1982 mi danno l'ordine di partire per Roma. Due uomini d'onore, Vincenzo Furnari e Vincenzo Santangelo, mi presentano Antonov. Io e lui passeggiamo per cinquanta metri, poi torniamo indietro. E mi fa: "Verranno da te, in questo posto preciso, due turchi. Sono armati. Ora loro ti hanno visto. Ti saluteranno dicendo: 'Ciao Antonov'. Li porterai a Milano".»

Calcara afferma di essere stato in contatto col trio nella fase successiva all'attentato. Il pentito prosegue così il suo racconto: «Venti minuti dopo che hanno sparato al Papa, arriva invece solo Antonov, agitato, insieme a un turco. Ci salutiamo e andiamo alla stazione Termini: io, il turco, Furnari e Santangelo. L'altro evidentemente era Alì Agca. Il treno ha un'ora di ritardo. Giunti a Milano, il turco va con loro, io torno da Lucchese. Il turco viene ucciso e io do una mano a seppellirlo in un campo di granturco a Calderara, una frazione di Paderno. Do anche indicazioni precise del luogo, ma quando il giudice Priore andrà a controllare, scoprirà che in quell'esatto posto hanno iniziato a scavare da poco tempo. Il campo è una voragine. La verità è che c'era una clamorosa fuga di notizie, nelle cose che dicevo a Borsellino. Non è un caso che tutto ciò che gli raccontai e che lui segnò sull'agenda rossa senza verbalizzarle, le ritrovai il 7 maggio del 1992 sul "Corriere della Sera". Lui s'infuriò. Non capiva come potesse essere successo».

L'agenda rossa sparì il 19 luglio 1992, il giorno della strage di via D'Amelio. Una foto immortala l'attuale colonnello dei carabinieri Giovanni Arcangioli con la borsa del giudice in mano. A lui i magistrati di Caltanisetta hanno chiesto che fine abbia fatto, indagandolo poi per false dichiarazioni. È possibile che anni dopo sia difficile ricordare momenti così concitati. Certo è che cosa fosse scritto lì dentro resta l'ultimo dei misteri sul periodo delle stragi. Il probabile motivo della morte del magistrato. Calcara giura: «Poco prima della strage, Borsellino si era appuntato le prossime rivelazioni che avrei poi verbalizzato. Cose fondamentali, clamorose, perchè riguardavano i rapporti tra Cosa nostra, la massoneria e le istituzioni. Cioè una sorta di supercommissione». Calcara entra in punto delicato del suo racconto. «La famosa riunione di Paderno, in cui era presente Provenzano, un cardinale e gli altri, era una di quelle della supercommissione, come mi spiegò Lucchese. Cosa nostra non poteva decidere da sola fatti di quel tipo. Cosa nostra è solo un'entità e ha ai suoi vertici un triumvirato. Così come questo vertice lo hanno quelli della 'ndrangheta, e apparati deviati dello Stato, del Vaticano e della massoneria.»

Dell'esistenza di una supercommissione nessuno ha mai parlato, nemmeno boss pentiti del calibro di Nino Giuffrè. Possibile? «Tante cose io so che altri, di più alto livello di me in Cosa nostra, ignoravano. Se è per questo, ad esempio, Giuffrè non ha mai parlato nemmeno di Marcinkus, eppure quel viaggio dei dieci miliardi è risultato credibile. Evidentemente non lo sapeva nemmeno lui. Provenzano lo sa. Le mie dichiarazioni, anche quelle apparentemente incredibili, hanno sempre avuto riscontri: la presenza di Antonov il giorno dell'attentato è stata confermata solo quest'anno. Ma io ne parlai nel '91.»

Calcara è uscito dal programma di protezione volontariamente. Quando fu indagato per calunnia parlando del viaggio a Roma per incontrare Marcinkus, pareva follia. Ma è stato assolto in un'aula di tribunale (il che non prova ovviamente che le cose dette fossero vere). Fino a oggi ha cambiato sei abitazioni, vive nascosto ma continua a collaborare con la magistratura. «È una cosa che non sopportavo, quella di non essere creduto. Da Borsellino ho imparato la lealtà. Che fini reconditi dovrei avere? Non prendo soldi, non chiedo niente. Perché io non ho mai parlato di ciò che ho sentito dire. Io dico solo le cose a cui ho assistito. Calvi l'ho visto quel giorno. Il turco l'ho seppellito io, potete controllare anche il ritardo del treno. Potete controllare che lui e Agca soggiornarono in un albergo di Palermo prima dell'attentato. E infine: io c'ero alla riunione della supercommissione, nell'estate del 1981 a Paderno Dugnano. Ero lì. Vidi e sentii tutto. Lì si decise la sorte di Calvi. E l'attentato a Wojtyla, che, mi spiegò Lucchese, avrebbe voluto rimuovere personaggi molto discussi all'interno della Chiesa. Come Marcinkus.» Nel frattempo Lucchese è morto. Marcinkus pure. L'agenda rossa è scomparsa. L'ultima prova rimasta della presunta supercommissione, Provenzano a parte, è un collaboratore di giustizia minacciato di morte. Un collaboratore atipico. Un uomo solo. Della cui vita lo Stato non sembra preoccuparsi molto.

Fin qui il racconto di Calcara. Ecco cosa riporta la requisitoria del pm Tescaroli sulle sue dichiarazioni in tema di rapporti tra mafia e massoneria nel capitolo intitolato *La ricognizione delle dichiarazioni rese da Vincenzo Calcara durante la collaborazione, acquisite con il consenso delle parti*: «Appare utile, per poter apprezzare l'attendibilità delle sue dichiarazioni dibattimentali, riportare quanto ha riferito Calcara sui temi d'interesse del presente processo. In data 2.12.1992, ha riferito: "Voglio adesso parlare di un argomento del quale avevo già iniziato a parlare con il Giudice Borsellino ma solo a voce. E con il quale avevamo rimandato la verbalizzazione di tali fatti. Esiste infatti un grosso collegamento tra la Loggia Massonica di Castelvetrano, Campobello e Trapani e l'organizzazione mafiosa che milita in quella zona. Infatti il Vaccarino è un massone, e anche l'avv. Pantaleo di Campobello. Voglio essere molto preciso nel parlare di queste cose perché chiaramente sono cose molto delicate. So per certo che molti uomini d'onore delle famiglie di cui ho parlato sono appartenenti alle Logge Massoniche. Una volta il Vaccarino parlando di tale argomento, mi disse che la Massoneria era una cosa grande, più grande di noi. E mi disse che il suo piacere era che io facessi parte di tale organizzazione. Fu lo stesso Vaccarino a dirmi che lo Schiavone è massone e nell'ambito delle famiglie si diceva che anche il giudice Carnevale era massone. Ricordo, che una volta mi recai a

Roma e lì andai a trovare lo Schiavone il quale mi accompagnò a Montecitorio perché io dovevo consegnare per conto di Pantaleo una grande busta sigillata, da consegnare a mano all'on.le Miceli dell'Msi. A Montecitorio la Segreteria dell'on.le Miceli mi disse che l'onorevole non era in sede. Io allora uscii da Montecitorio (fuori mi aspettava lo Schiavone) e chiamai per telefono il Pantaleo che mi aveva consegnato la busta. Questi mi disse di consegnarla allo Schiavone. Di tali fatti chiesi spiegazione al Vaccarino che mi disse: 'Cose di Massoni' e in quell'occasione aggiunse che parlavano di una cosa più grande di noi. Sono argomenti estremamente difficili e delicati perché di difficile riscontro. Bisogna anche considerare che i probabili anzi più che probabili elenchi dopo tutti questi fatti siano stati occultati. Ricordo che il giorno prima che Borsellino morisse, conversammo, per telefono; Borsellino in quella occasione mi disse che dovevamo vederci presto per parlare di quelle 'cose importanti' e chiaramente intendeva riferirsi a quei discorsi sulla Massoneria che insieme avevamo fatto. Voglio aggiungere sull'argomento che ho anche sentito dire che l'on.le Culicchia era massone e comunque ribadisco che moltissimi uomini d'onore delle famiglie di cui ho parlato fanno parte della Loggia Massonica e ciò perché per la realizzazione di determinati traffici tale condizione li aiutava, e anche per quello che è la vita sociale in genere. Voglio però precisare che non intendo affermare che, per quanto a mia conoscenza, il semplice fatto di essere massone significhi essere legato all'organizzazione mafiosa. Certo è comunque, come ho già detto, che i mafiosi che fanno parte della Loggia Massonica evidentemente ne ricevevano i loro vantaggi"».[81]

La requisitoria di Tescaroli segnala che Calcara l'11 febbraio 1993 aveva dichiarato: «Mi risulta a proposito di tale

---

81. Requisitoria del pubblico ministero Luca Tescaroli al processo «Omicidio di Roberto Calvi», Procura della Repubblica, Tribunale di Roma, P.p. 13034/95 RG Noti, Roma, 9 marzo 2007, parte II, pp. 288-289.

argomento che un notaio della zona di Palermo che opera in Borgetto di nome Salvatore (del quale non conosco il cognome) è in stretto collegamento con il Vaccarino, con il Messina Denaro ed anche con l'on.le Culicchia. Una volta mi recai io stesso da questo notaio insieme al Vaccarino, Messina Denaro e Santangelo Vincenzo. Più volte questi uomini d'onore mi parlarono di questo notaio come appartenente all'Ordine del Sacro Sepolcro e come uomo d'onore estremamente capace di influire e di gestire un enorme potere. Non so io comunque che questo notaio sia uomo d'onore, certo è se è uomo vicino alla famiglia mafiosa. Mi risulta anche che si tratta di un uomo avente grossi interessi in Calabria. Il Vaccarino mi accennò a questo collegamento tra il notaio e la Calabria nel corso di quel trasporto di armi e cocaina di cui ho parlato in altri interrogatori».[82]

Il 24 marzo 1993, Calcara ha dichiarato: «ADR: Riconosco nelle foto allegate al rapporto del S.C.O. del 19.03.1993 il notaio di cui ho parlato nei precedenti interrogatori e che prendo atto chiamarsi Albano Salvatore. ADR: Posso precisare che il mio incontro, o meglio la mia visita con il Vaccarino al notaio, fu qualche giorno prima dell'attentato al Papa del maggio 1981. In tale occasione il Vaccarino mi disse pure che unitamente al notaio doveva avere un incontro con un alto esponente delle Forze Armate e con il rappresentante del Santo Sepolcro per discutere gli interessi economici delle famiglie mafiose. In effetti, come il Vaccarino mi confermò circa un mese dopo, l'incontro avvenne in un luogo che non so precisare. Voglio tuttavia aggiungere al proposito che, come mi disse sempre il Vaccarino, il notaio era persona vicina agli interessi di Cosa nostra ed era un momento importante per il reinvestimento dei proventi della famiglia mafiosa, che il notaio stesso curava. Ricordo anche che in qualche occasione parlando con il Vaccarino gli sentii fare il nome del cardinale Marcinkus. Ricordo che all'incontro

---

82. *Ibidem*, pp. 290-291.

di cui ho sopra parlato doveva partecipare anche un ambasciatore di un Paese dell'Est europeo. Il Vaccarino mi disse anche che i reinvestimenti dei proventi della famiglia mafiosa di Castelvetrano venivano fatti in qualche modo per il tramite delle banche vaticane grazie al ruolo svolto anche dal notaio. Ricordo anche che quando il Vaccarino mi disse questi particolari aggiunse: "Lo vedi che noi siamo dei veri cattolici?!". Mi risulta ancora che il notaio ha notevoli proprietà immobiliari in Calabria che sono frutto di reinvestimenti della famiglia mafiosa di Castelvetrano e di altre famiglie e forse anche di interessi mafiosi di Borgetto. ADR: Ribadisco che il notaio in questione è uomo del Santo Sepolcro e anche molto vicino ad ambienti massonici».

Un giudice scomodo

Il 2 aprile 1985 l'auto di Carlo Palermo – un magistrato che aveva indagato sui rapporti tra mafia, massoneria e traffico d'armi – transitava sulla strada tra Pizzolungo e Trapani, in località Valderice. Mentre la vettura si avvicinava a una curva, veniva fatto esplodere un ordigno di potenza micidiale con una tecnica simile a quella usata nella strage di Capaci. Nell'attentato, da cui il magistrato si salvò per miracolo, persero la vita una donna, Barbara Rizzo Asta, e i suoi due gemellini di sei anni, Giuseppe e Salvatore. Eppure quella di Pizzolungo è una strage dimenticata dalla politica e dai mass media, che si astengono rigorosamente dal ricordarla; ma anche nell'ambito della magistratura[83] sono in molti a voler dimenticare.

Andiamo a Trento a raccogliere la storia dalla viva voce di Carlo Palermo. Il magistrato ha condotto, prima a Trento e poi a Trapani, alcune delle più scottanti inchieste degli anni

---

83. Con poche eccezioni, come Luca Tescaroli.

Ottanta: dal traffico di armi e di droga alla mafia e alla corruzione politica, affrontando nodi intimamente legati al ruolo della massoneria deviata e alla vicenda Calvi-Ambrosiano.

Per il suo coraggio e per il suo impegno civile, Palermo ha pagato un prezzo altissimo: oltre alle lesioni riportate nell'esplosione (ha perso il senso dell'olfatto), il suo corpo ha pagato con due infarti e diversi interventi il pesantissimo stress: per l'attentato ma anche per la persecuzione politico-giudiziaria di cui è stato oggetto. Il potere politico lo ha combattuto in tutti i modi, ha cercato di delegittimarlo attraverso i mass media e lo ha posto sotto processo. Carlo Palermo ha avuto ragione in tutte le sentenze, ma è a tutti gli effetti un sopravvissuto.

Il magistrato è un uomo gentile, affabile. Non dimostra i suoi sessant'anni,[84] nonostante abbia appena subìto un nuovo intervento al cuore; lo spirito è rimasto quello del giudice ragazzino che, a metà degli anni Settanta, si è lanciato in alcune delle più pericolose inchieste della storia giudiziaria italiana. Tutte contrassegnate da un filone forte: la massoneria deviata e il suo rapporto con i traffici d'armi, di droga e di riciclaggio.

Carlo Palermo racconta che è stato giudice istruttore a Trento dal 1975 fino al 1984. Soprattutto nei primi anni Ottanta si è occupato di una importante inchiesta su traffici di armi e stupefacenti, mafia e corruzione politica. Quell'indagine, in qualche modo, venne fermata, e Carlo Palermo fu trasferito a Trapani, per svolgere le funzioni di pubblico ministero. Quaranta giorni dopo subì l'attentato. Qualche mese dopo lasciò la magistratura attiva e si trasferì a Roma, do-

---

84. Carlo Palermo è nato ad Avellino il 28 settembre 1947. Figlio di un magistrato di Corte di Cassazione, dopo la laurea in Giurisprudenza ha inizialmente lavorato alla Banca d'Italia, poi è diventato magistrato nel 1975, prima come giudice istruttore a Trento, poi come sostituto procuratore a Trapani. Nel 1992 è stato eletto parlamentare e membro della Commissione giustizia della Camera.

ve lavorò per qualche anno al Ministero di Grazia e Giustizia. Nel 1989 ha lasciato definitivamente la magistratura e negli anni seguenti, ha rivestito cariche politiche come deputato al Parlamento. Dal 1992, successivamente alle stragi di Capaci e di via D'Amelio, ha ripreso a ritornare in Sicilia e ha avuto occasione di seguire i processi sulle grosse stragi mafiose, come avvocato di parte civile. In questa qualità difende familiari di magistrati o di agenti uccisi in episodi mafiosi.

Carlo Palermo esordisce con una considerazione: «Nella mia vita mi sono dedicato alla comprensione di determinati fenomeni criminosi complessi. Voglio che resti una traccia del mio impegno civile, per il quale ho pagato un prezzo molto elevato».

La strage alla quale era destinato Carlo Palermo presenta molte analogie con altre stragi sulle quali permangono molti interrogativi.

In un'intervista a Rai Educational Palermo ha spiegato: «Purtroppo certe situazioni si possono spiegare solo rendendosi conto del fatto che in Italia esistono dei segreti. Nella storia di quasi tutti gli episodi criminali più micidiali della nostra storia – quelli che hanno visto la soppressione di investigatori, di magistrati e anche di politici – vi è sempre un aspetto "preventivo" che non è mai stato sufficientemente approfondito, proprio perché viene eliminato colui che è il custode dei segreti. Colui che viene ucciso è portatore e custode di carte, di documenti, di conoscenze, e solo attraverso la ricostruzione di tutto quello che si nasconde dietro l'individuo è possibile risalire agli avversari che lo hanno eliminato. Certo si può solo constatare il dato di fatto che, ad esempio, quando venne ucciso il generale Dalla Chiesa sparirono dei documenti dalla sua cassaforte. Anche nel caso della strage di Capaci sono avvenute alterazioni, successive alla morte, di agende che erano in possesso del magistrato. Lo stesso è stato per l'agenda rossa di Borsellino, sparita dal luogo dell'attentato. Vi è sempre questo strano effetto concomitante, accanto alla eliminazione di bersagli scomodi: l'occultamento e la sparizione di carte, documenti. A distanza di trent'anni continuiamo a parlare dei documenti Moro. Dopo tanto tempo la verità su questi fatti, le verità racchiuse in qualche cassaforte, non sono ancora conosciute».[85]

Che ruolo ha avuto la massoneria deviata in questi segreti inconfessabili. Carlo Palermo spiega: «La mia convinzione è che vi sia una ricorrenza periodica di fatti legati alla massoneria, dalla Seconda guerra mondiale in poi, fino alla P2 ma anche oltre. Questo dimostra che la massoneria ha costituito un punto di raccordo e di incontro di soggetti eterogenei, legati prevalentemente alla destra, i quali hanno operato per acquisire il controllo della società italiana».

Della loggia P2 hanno fatto parte molti personaggi influenti del mondo della politica, della finanza e dello spettacolo. L'elenco completo degli iscritti non è mai stato reso noto. Molti di loro continuano ad avere ruoli importanti, influenti in diversi campi e anche in politica. È giusto che si continui a permetterlo?

«La risposta, piuttosto ironica, sta proprio nelle pronunce giurisdizionali che vi sono state. Vi è stato un periodo, quello più vicino alla scoperta della P2, cioè i primi anni Ottanta, nel quale le reazioni nei confronti della massoneria, e in particolare di queste logge occulte, è stata molto vivace e vi sono state prese di posizione molto rigide. Successivamente, man mano che i processi hanno ridimensionato quegli aspetti che apparivano negativi – non vi sono stati i riscontri processuali rispetto alle ipotesi che erano state formulate –, si è arrivati a una sorta di legittimazione dell'attività svolta da quei soggetti. Questa è una conseguenza storica che si è di fatto verificata in ragione delle assoluzioni che sono avvenute nei procedimenti riguardanti la P2. Quindi non ci si può meravigliare oggi del fatto che certe persone occupino

---

85. *Il grillo*, Rai Educational, «Un giudice in prima linea», 16 dicembre 1997.

certi ruoli, perché è la conseguenza di pronunce della magistratura».[86]

Cosa può dire Carlo Palermo della rete di rapporti internazionali della massoneria? «La massoneria è tutt'altro che una cosa nazionale, bensì una rete di rapporti internazionali. La storia italiana ha una sua peculiarità – legata alla presenza storica della mafia – ma la massoneria è qualcosa di molto più ampio. Aspetti come il traffico di armi e di droga, il petrolio e le guerre trovano nella massoneria un canale di comunicazione "naturale"», risponde il magistrato.

Quale ruolo di connessione hanno avuto i servizi segreti nelle stragi del 1992 e del 1993? Si è parlato di depistaggi «massonici»...

«Una bella domanda. Personalmente ritengo che vi siano state delle manifestazioni di interessi, che miravano a conservare un aggancio con quelle strutture preesistenti e con i relativi tornaconti di gruppo. In sostanza vi sono stati degli interessi a impedire un reale passaggio dalla Prima alla Seconda Repubblica. La eliminazione di Giovanni Falcone forse racchiude proprio questo: è stato ucciso non solo un magistrato, ma un personaggio che era testimone storico della Prima Repubblica e che poteva rivestire un importante ruolo nella Seconda Repubblica. Uccidendo lui si è preclusa quella possibilità di comprensione su tanti fatti che, se fossero stati resi noti e sviluppati, avrebbero potuto avere una influenza determinante nel processo sociale in corso negli anni 1992-93 e successivi».[87]

Carlo Palermo ritiene che la massoneria abbia avuto un ruolo importante nel riciclaggio del denaro sporco della mafia: «Il pentito Marino Mannoia racconta che Pippo Calò, Totò Riina e Francesco Madonia avevano somme di denaro investite a Roma, attraverso Licio Gelli, che ne curava gli investimenti». Secondo Carlo Palermo sarebbe possibile, se vi

---

86. *Ibidem.*
87. *Ibidem.*

fosse la volontà politica di farlo, indagare sulle connessioni tra massoneria deviata e criminalità organizzata: «Delle operazioni in cui si mescolano insieme forniture di armi, traffici di droga, fondi occulti, finanziamenti illeciti, tangenti o "lecite" intermediazioni, una traccia rimane spesso in quei sacri santuari, le banche, ove tutto per necessità transita. Al di là degli specifici episodi e delle ipotizzabili responsabilità penali, esistono alcune possibili chiavi di lettura, utili per decifrare il significato de legami presenti in quel torbido intreccio di interessi che più volte ha visto uniti mafia, terrorismo, massoneria, integralismo, poteri trasversali nazionali e internazionali».

Ci sono state delle collusioni tra massoneria deviata, servizi segreti e malavita?

«Facciamo qualche esempio concreto. Negli anni Ottanta vi fu un grosso scandalo: quello delle fascicolazioni riservate e segrete del vecchio Sifar. Si scoprì, in coincidenza con gli scandali legati alla P2, che venivano tenute delle fascicolazioni riservate su personaggi politici, magistrati, personaggi influenti di vario genere; fascicolazioni che servivano chiaramente a scopo di ricatto, di controllo delle persone. Quando venne accertata questa consuetudine, che veniva posta in essere dai nostri servizi segreti, venne ordinato di distruggere tutta la fascicolazione riservata. Di fatto, non solo si è verificato che parte di quei fascicoli non è stata distrutta, ma negli anni 1992-93 è riemersa la pratica delle fascicolazioni riservate sui magistrati, che indicano come quelle vecchie metodologie di conflittualità tra poteri dello Stato continuino a esserci anche oggi.»[88]

Oggi il ruolo dei servizi segreti è cambiato? Si può superare il passato?

«È difficile tracciare una croce sul nostro passato fintantoché quel passato non viene scoperto nei suoi dettagli. Fac-

---

88. *Ibidem.*

cio un esempio: nel 1987 fu costituita a Trapani una cellula Gladio, di nome Scorpio. Ci si può chiedere come e perché, in un'epoca in cui la contrapposizione ideologica veniva superata, potesse esserci la necessità della creazione di una nuova struttura Gladio in Sicilia. Questo è solo uno dei molti esempi, però sta a indicare come, quando si parla di questo argomento, è molto difficile tracciare una linea di demarcazione tra il passato e il presente; in quanto determinati fatti, posti in essere dalle strutture dei nostri servizi segreti, continuano a essere presenti tuttora, proprio perché non vi è stata una fondamentale rottura con tutti i fatti del passato. Tanti altri misteri – per esempio quello di Ustica – stanno a indicare la copertura, a tutt'oggi esistente, da parte dei nostri servizi segreti, ma anche di altri, di possibili responsabilità, che fino a quando non vengono accertate, e quindi rese note, non consentono di affrontare il futuro con una speranza di trasparenza.»[89]

Molti degli episodi oscuri avvenuti negli anni Settanta e Ottanta sono stati attribuiti alla P2. È possibile che per molti di questi fatti siano scaricate le responsabilità sulla loggia segreta per nascondere e per coprire altri gruppi di potere?

«La P2 ha rappresentato uno strumento di raccordo segreto, occulto, tra una pluralità di soggetti influenti. In molti gravi episodi italiani vi sono delle ricorrenti presenze massoniche, così come di servizi segreti deviati e interessi economici forti.»[90]

Che ferite ha lasciato in Carlo Palermo l'attentato di Pizzolungo, seguito da una lunga persecuzione giudiziaria? Nell'intervista a Rai Educational l'ex magistrato ha rivelato un aspetto umano toccante: «Credo che se dovessi in qualche modo esprimere quello che si è frantumato, che si è spezzato in me dall'attentato a oggi, forse c'è un oggetto che può indicare, in modo chiaro e limpido proprio quello che ero

89. *Ibidem.*
90. *Ibidem.*

prima e quello che sono adesso. Probabilmente è costituito da quelle mimose che sono sul tavolo. Per tutti sono dei fiori profumati, ma per me non lo sono più, perché tra le varie lesioni che subii in quell'attentato ce n'è una che ha un valore simbolico: la perdita dell'olfatto. Questa potrà sembrare una cosa banale, però per me rende percepibile un modo di sentire le cose, un modo di sentire le cose che prima avvertivo e che ora non avverto più. Sono legato ai ricordi di quelle mimose per il periodo che ho vissuto in Sicilia e che è culminato nella strage del 1985. Purtroppo oggi quelle mimose per me rappresentano solo e semplicemente qualcosa che vedo; qualcosa di cui non sento più il profumo. Ecco questo è un simbolo di quella frattura che in me si è verificata tra passato e presente».

Una strage dimenticata

Non solo il giudice Palermo chiede con forza che sia fatta giustizia sui tragici eventi di Pizzolungo. Continua a farlo anche la signora Margherita Asta, figlia della donna perita nell'attentato e sorella dei gemellini. Una giovane donna di trentatré anni che ha affrontato una sofferenza terribile, ma che ha saputo reagire con immenso coraggio e dignità, trasformando la sua vicenda personale in una battaglia civile. Il 2 aprile 2006 Margherita Asta ha chiesto la creazione di «una commissione parlamentare d'inchiesta per far piena luce sulla strage di Pizzolungo», perché «ci sono ancora molti punti oscuri da chiarire». E il suo avvocato Giuseppe Gandolfo, presidente provinciale dell'associazione antimafia Libera ha affermato che «i processi hanno chiarito il ruolo avuto dalla mafia, ma non la commistione tra massoneria e politica».

«Per la nostra drammatica vicenda sono state emesse dopo molti anni delle condanne. Ma queste non ricostruiscono appieno la verità. Non sono "tutta" la verità, purtroppo. O per lo meno, quella che emerge dalle sentenze non è una verità esaustiva delle connessioni che stanno dietro la strage di Pizzolungo.» Esordisce la signora Asta.

«Ci sono stati quattro ergastoli per quattro persone condannate come mandanti, in un processo conclusosi da poco. Sono stati condannati Riina, Virga, Madonia e Di Maggio. Per essere più precisi: nel 2005 sono stati condannati Riina e Virga, perché avevano scelto il rito abbreviato, mentre nel dicembre del 2006 si è concluso il processo contro Madonia, con sentenza confermata in Cassazione. Per Di Maggio non si è ancora arrivati in Cassazione, il processo d'appello si è concluso nel febbraio 2006.»

In alcune dichiarazioni pubbliche Margherita Asta ha affermato che però il vero «livello dei mandanti», il livello del potere, delle connessioni tra mafia e massoneria non è stato sufficientemente investigato e colpito sul piano giudiziario.

«Secondo me è così: massoneria, politica collusa, servizi segreti deviati... Nella strage di Pizzolungo c'è una miscela di tutto questo. Carlo Palermo, se si osserva su un piano storico la vicenda delle sue indagini su complesse vicende di criminalità, è stato sicuramente oggetto di una strategia omicida che andava oltre il puro fatto mafioso. Gran parte delle sue indagini il giudice Palermo le ha condotte dal Nord Italia, da Trento, toccando la vasta area grigia che si colloca tra la politica, la finanza e la mafia. Queste sono le ragioni che decretano la sua morte. Il giudice Palermo rimase a Trapani solo quaranta giorni. E in quei quaranta giorni tutto questo gran fastidio alla mafia non lo poteva dare, oggettivamente.»

Quindi la morte del magistrato sarebbe stata decisa in ragione delle sue precedenti inchieste, del fatto che avesse cominciato a indagare sul «quarto livello»,[91] quello del rapporto tra politica, massoneria deviata e Cosa nostra. Carlo Palermo aveva condotto al Nord il grosso della sua attività in-

---

91. *Il Quarto Livello* è anche il titolo di un libro di Carlo Palermo (Editori Riuniti, Roma, 1996).

vestigativa sul traffico d'armi. Anche nel caso della strage di Pizzolungo, come nell'omicidio di Giorgio Ambrosoli, lo Stato sembra preda di «bande» che cercano di spartirsi i brandelli di una Repubblica morente. E tutto ciò che ha riguardato le indagini di Carlo Palermo è stato oggetto di una violenta campagna di delegittimazione da parte della politica e dei mass media, anch'essi pesantemente manovrati e infiltrati dai partiti.

«La fase storica in cui avviene la strage di Pizzolungo è il momento in cui Carlo Palermo chiede di procedere contro il presidente del Consiglio[92] e in cui contemporaneamente riceve violente intimidazioni», spiega la signora Asta. «Forse è troppo scomodo parlare di questa strage; parlare di quello che Carlo Palermo stava facendo. Secondo me è questa la ragione della rimozione. Perché se si parlasse di quello che stava facendo Carlo Palermo secondo me si capirebbe la vera storia del nostro Paese. E si capirebbe anche quello che sta succedendo attualmente.»

In effetti chi legge gli atti delle inchieste di Palermo e di altre inchieste collegate si rende conto che riaprire quei cassetti significherebbe riscrivere la storia del nostro Paese, scoperchiare commistioni tra affari, mafia, finanza sporca, massoneria deviata, politica collusa.

«Dietro la strage dei miei familiari e l'attentato alla vita di un magistrato, c'è un intreccio terribile di mafia, massoneria e politica che purtroppo è stato e resta esplosivo. Vogliamo parlare del Centro Scontrino di Trapani dove le logge coperte si mischiavano alla malavita? Del suo presidente, il Gran Maestro Giovanni Grimaudo, sottoposto a numerosi procedimenti penali? In Italia si processano solo i criminali di basso livello, delle connivenze di alto livello i giornali non parlano. Recentemente ho rivisto Carlo Palermo, e alla mia domanda se non fosse possibile fare qualcosa, riaprire le indagini, mi ha

---

92. Bettino Craxi.

detto: "Sono ancora troppo potenti le persone che volevano la mia morte. Sono lì, in posizioni di enorme forza". È così. Ed è questo che ti lascia l'amaro in bocca. Questo Paese non è riuscito a liberarsi, perché ormai certe forze, certe realtà fanno parte del sistema e scardinarlo è davvero un'impresa titanica.»

Luca Tescaroli: rompere l'alleanza tra mafia e poteri deviati

Le testimonianze sopra riportate in merito al complesso rapporto che si viene a creare tra mafia, massoneria deviata, finanza e apparati dello Stato è al centro del lavoro di un magistrato coraggioso, impegnato in alcune delle inchieste giudiziarie più difficili della storia italiana contemporanea. Si tratta di Luca Tescaroli, sostituto procuratore della Repubblica al Tribunale di Roma. A soli ventisette anni – appena vinto il concorso in magistratura – fu l'unico «ragazzo del Nord» che chiese di essere destinato in Sicilia, di andare a combattere la mafia insieme a Falcone e Borsellino. Quel ragazzino timido e ben educato vide morire i suoi maestri e divenne uno dei magistrati di punta nella lotta contro la criminalità organizzata. Tescaroli si è per molti anni occupato delle stragi di Capaci e di via D'Amelio, così come del fallito attentato dell'Addaura.[93] E ha sostenuto l'accusa nel processo di Capaci, nel corso dei giudizi di primo e secondo grado. Oggi è pubblico ministero del processo relativo all'omicidio di Roberto Calvi e segue altre importanti indagini. Quel giovane magistrato, che negli occhi ha ancora la passione dei vent'anni, ogni settimana – dopo il lavoro – tiene conferenze nelle scuole per parlare di legalità, per spiegare come ognuno di noi può combattere la sua piccola grande battaglia civile. L'analisi di Tescaroli sulla situazione della giustizia è lucida e severa.

---

93. Il 21 giugno 1989 all'Addaura, presso una villa sul mare dove alloggiava Giovanni Falcone, vennero rinvenuti 58 chili di tritolo inesplosi.

«Dal dopoguerra sino a oggi, le politiche di contrasto alla criminalità organizzata nel nostro Paese sono state fluttuanti e non organizzate. Non sempre si sono rivelate appropriate e si sono caratterizzate per l'incapacità di annientare il fenomeno mafioso. Cosa nostra, camorra, 'ndrangheta e sacra corona unita, da una parte, e Stato, dall'altra, hanno potuto convivere proprio perché la linea di demarcazione tra le due compagini non è mai stata netta e vi sono state forti compenetrazioni tra il potere legale e il crimine mafioso, solo in minima parte evidenziate dalle inchieste giudiziarie. Collusione, corruzione, connivenza, sottovalutazione della pericolosità, assenza di una pubblica amministrazione efficiente e di un'economia sana offrono lo spunto per dare risposte persuasive sul perché del proliferare delle associazioni mafiose» esordisce Tescaroli.

«La politica di contrasto deve essere funzionale ad assicurare la garanzia collettiva primaria della sicurezza personale e della libertà d'impresa che, nelle regioni insulari e purtroppo in molte altre parti d'Italia, non sussiste. I cittadini vanno difesi non solo dagli abusi dei poteri pubblici, ma anche dalla prevaricazione dei grandi poteri criminali. Tutti coloro che hanno avuto il coraggio di denunciare, se non sono stati assassinati, si sono trovati a vivere storie drammatiche: cessare la propria attività commerciale, trasferirsi con la famiglia in località segrete e doversi reinserire in altri contesti sociali, o sopravvivere blindati nel luogo d'origine – subendo gravi conseguenze economiche per la propria impresa o attività – e spostarsi con la scorta, trovare una nuova identità, o subire vendette o atti ritorsivi.»

È necessario quindi «alzare la guardia», dotarsi di strumenti nuovi?

«Appare di fondamentale importanza comprendere la straordinaria pericolosità della mafia e rendersi conto che vi sono intere aree geografiche dell'Italia nelle quali non viene assicurata l'effettività delle leggi statuarie e della difesa dei cittadini contro le intimidazioni dei delitti mafiosi. L'obiettivo di una organica, continuativa, seria politica di contrasto alla criminalità organizzata appare un obiettivo primario per tutti. Per essere raggiunto, sono necessarie profonde innovazioni anche nei contenuti della legislazione e non appare sufficiente la delega alla magistratura e alle forze dell'ordine, che perpetuano il loro sforzo con ininterrotto impegno.» Il magistrato prosegue il suo ragionamento: «È necessario pensare a una nuova legge Rognoni-La Torre[94] idonea ad aggredire i patrimoni nella disponibilità dei mafiosi, tenendo a mente che, mentre in passato le cosche mafiose investivano in cose che si vedono (case, terreni), oggi investono prevalentemente in beni che non si vedono, trasferendo il denaro in paradisi fiscali, e si rivolgono a studi e centri finanziari capaci di pianificare gli investimenti con programmi su misura. E avendo presente che su questi temi le investigazioni sono particolarmente complesse: per la mancanza di mezzi adeguati, per l'obiettiva difficoltà di dimostrare il rapporto tra il mafioso e il riciclatore, per la presenza di società intestate a prestanome, per l'utilizzo di artifizi contabili. È importante iniziare a ragionare sull'opportunità di intervenire contro i paradisi fiscali, individuando forme di embargo finanziario nei confronti di questi Paesi e chiedersi per quale ragione ciò non sia mai stato attuato sebbene autorità internazionali (banche centrali e Fondo monetario internazionale) ed esperti di antimafia lo abbiano proposto senza successo».

Anche sul fronte legislativo esiste un percorso lungo e difficile da compiere.

«È fondamentale rivisitare la disciplina del processo, per rendere più agevole l'ottenimento di pronunce sulla responsabilità penale degli imputati. E rivedere il sistema sanzionatorio per i delitti di mafia, al fine di impedire il ritorno in libertà di mafiosi condannati con il rito abbreviato a pene blande. Si ren-

---

94. Si tratta della legge n. 646 del 13 settembre 1982. Approvata subito dopo l'omicidio Dalla Chiesa, contiene una serie di misure antimafia, tra le quali la confisca dei beni mafiosi e il loro «riutilizzo sociale».

de necessario porre mente a un testo unico sulla legislazione antimafia in cui far confluire una legislazione organica e duratura in materia di collaborazione con la giustizia, di amministrazione dello Stato, di enti locali, di disciplina degli appalti e dei subappalti, di misure di prevenzione, del sistema finanziario e bancario. Inoltre, appare urgente potenziare gli organici soprattutto delle forze di polizia e le dotazioni finanziarie.»

Ciò che preoccupa Tescaroli e gli altri magistrati impegnati come lui in prima linea, spesso pagando un alto prezzo personale, sono i pericolosi arretramenti che si registrano sul fronte della legalità.

«Dall'esterno provengono segnali non rassicuranti. Dalla politica giungono talvolta atteggiamenti di interessata disponibilità a interagire con il sistema mafioso e, contestualmente, formulazioni di teorie sull'autonomia tra mafia e politica e sulla negazione della strategia dell'immersione da parte della mafia, che si coniugano con propositi, divulgati tramite i media, di intervenire per introdurre criteri normativi apparentemente più rigorosi sui collaboratori di giustizia: innalzare il tetto di un quarto di pena da scontare prima di essere ammessi ai benefici, impedire che le condanne si possano basare sulle sole dichiarazioni dei pentiti.»

Tutto questo – segnala Tescaroli – avviene «in parallelo a una costante attività di delegittimazione della magistratura».

«Dal mondo della cultura provengono dissertazioni sul ridimensionamento del potere di Cosa nostra. Dal mondo dell'informazione una scarsa attenzione alla criminalità organizzata, soprattutto quando non coinvolge relazioni con la politica e l'alta finanza. E inviti alla "ribellione", per far abrogare il reato di concorso esterno nel delitto di associazione di tipo mafioso, considerato "uno strumento di ricatto e di condizionamento permanente della politica siciliana, sistematico e particolarmente odioso". Intanto, il Paese appare distratto da altre emergenze, infatuato dalle letture minimaliste che crescono attorno alla pericolosità del fenomeno mafioso. E persevera nel non attribuire il peso dovuto agli assassinii di mafia, che sembrano scivolare sulla coscienza collettiva quando vengono perpetrati in Sicilia o in altre regioni del Sud ad alta densità criminale. Rimane indifferente dinanzi al ritorno sulla scena a Palermo di boss di rango; risulta incapace di stimolare nuove e significative collaborazioni idonee ad aprire la saracinesca sui rapporti tra Cosa nostra, politica e imprenditoria. Appare disponibile a considerare chiusa la partita con la disfatta dell'area militare dell'organizzazione; fatica a compattarsi sugli strumenti legislativi per introdurre e rendere operativo nel nostro sistema importanti istituti di contrasto della moderna criminalità organizzata.»

Questa pericolosa sottovalutazione delle nuove dinamiche mafiose, avverte Tescaroli, fa il gioco di Cosa nostra.

«La strategia di Cosa nostra e delle altre strutture mafiose che ripudiano lo stragismo e i cosiddetti delitti eccellenti legittima i portatori di vocazioni al compromesso a esaltare – ancorché, talvolta, in una prospettiva provocatoria – la funzione di sviluppo economico della mafia e la sua attitudine a svolgere un ruolo di traino delle attività produttive in "sofferenza"; e a ritenere che "i soldi e i voti non puzzino". Si tratta di tangibili segnali di quel retroterra culturale che impregna la coscienza di una nazione incapace di fare i conti con il proprio torbido passato e di rilanciare un'azione seria, duratura e organica di contrasto al crimine organizzato di tipo mafioso.»

Molti passaggi «tecnici» sfuggono al cittadino comune, ma sono di importanza fondamentale, spiega il magistrato.

«Sul versante legislativo assistiamo a scelte contraddittorie, al varo di normative oggettivamente idonee a favorire la commissione di delitti – come quelle sul rientro di capitali illeciti, sulla riduzione della sfera di applicazione del reato di falso in bilancio, nelle cui pieghe si mimetizza l'attività di riciclaggio – sino a giungere alla predisposizione di progetti di legge che si muovono nella direzione di eliminare o, comunque, compromettere gli strumenti processuali che tante condanne hanno consentito di ottenere negli anni scorsi (si ponga mente al proposito di modifica dell'art. 192 del codice di procedura penale)[95] e ai propositi di reintrodurre l'autorizzazione a procedere per i parlamentari (la cui eliminazione nel 1993 aveva consentito di incidere sul punto di forza della mafia, di portare alla luce rapporti e legami inconfessabili e di ottenere condanne passate in giudicato dei politici collusi), senza nemmeno interrogarsi o riflettere su quale possa essere l'impatto sulle indagini di mafia.»

Lo scivolamento è lento, ma costante.

«A seguito di assoluzioni di alcuni imputati eccellenti e dell'affievolirsi del ricordo della pericolosità della mafia e della continua intimidazione a cui la magistratura viene sottoposta, è scoppiato un morbo ipergarantista che ha portato a una presunzione di inaffidabilità delle indicazioni fornite dai collaboratori di giustizia e a orientamenti interpretativi degli organi giudicanti sempre più restrittivi e rigorosi: basti pensare a quanto è accaduto in tema di intercettazioni.»

Come reagisce il cittadino di fronte a questa pericolosa tendenza?

«I cittadini, a loro volta, non essendo posti nelle condizioni di percepire segnali non equivoci di un proposito istituzionale di aggressione alla mafia, non sono favoriti a mobilitare le loro energie contro Cosa nostra, le altre associazioni mafiose e i suoi alleati. Di qui la loro accettazione silenziosa delle attività e la loro indifferenza nei confronti dei morti ammazzati, delle lunghe latitanze dei boss e del condizionamento delle gare di appalto. Temi e problemi che ritengono costituire affari di pochi, gli addetti ai lavori. Questo è lo stato di cose auspicato dal mafioso che appare in sintonia con la strategia di non conflittualità dallo stesso portata avanti nei confronti dello Stato, sempre più orientato a impegnare il proprio apparato repressivo a

---

95. Le proposte di modifica dell'articolo 192 del codice di procedura penale, in materia di valutazione della prova da parte del giudice, riguardano la disciplina prevista in ordine alle dichiarazioni di coimputati o imputati di reati connessi o collegati (commi 3 e 4).

combattere criminali comuni, spesso extracomunitari, e silenziosi guerrieri appartenenti a strutture internazionali e a gruppi eversivi italiani, protesi a portare il terrore nel cuore delle città.»

Appare invece necessario che le classi dirigenti si mobilitino sul fronte della legalità.

«È imprescindibile il richiamo al principio di responsabilità della politica – o almeno della parte sana della politica – affinché non commetta l'errore di inceppare l'antimafia e congelare la giurisdizione, con improvvide regolamentazioni della funzione requirente nel processo penale, e inizi il confronto sui rimedi da adottare per affrontare durevolmente ed efficacemente la lotta alla criminalità mafiosa soprattutto nella sua parte più pericolosa, quella dei legami con il potere. Il proposito delle classi dirigenti di ristabilire il primato della politica sulla giurisdizione deve coniugarsi con la conservazione dell'impegno antimafia e la necessità di concepire e attuare una strategia unitaria di lungo periodo al contrasto di sodalizi criminali in termini concreti.»

Gli attentati e le «trattative» tra Stato e anti-Stato

Il sostituto procuratore prosegue nella sua vasta analisi, forte di anni di lavoro investigativo.

«Cosa nostra, a partire dal 1991-92, si propose tre obiettivi: uccidere gli avversari e gli "amici" ormai inservibili, tutti politici colpevoli di non aver rispettato i patti; giungere, a suon di bombe, all'eliminazione dell'ergastolo, della normativa sui collaboratori di giustizia, sul sequestro dei beni e sul regime carcerario previsti dall'articolo 41 bis dell'ordinamento penitenziario, attraverso una trattativa con lo Stato; propiziare un nuovo assetto politico-istituzionale del Paese, più sicuro e affidabile per l'organizzazione, attraverso la creazione di un movimento indipendentista e/o l'appoggio a nascenti realtà politiche. Con queste prospettive, sviluppò rapporti con referenti istituzionali nel quadro di un aperto progetto criminale che attuò nel biennio 1992-93. Una strategia unitaria che ha visto l'organizzazione impegnata anche fuori dal territorio siciliano e verso obiettivi inediti: musei e chiese, oltre a politici, magistrati, poliziotti, ufficiali dei carabinieri, giornalisti, collaboratori di giustizia. Furono perpetrati cinque fra attentati e omicidi nel 1992 (le stragi di Capaci e di via D'Amelio, gli omicidi di Salvo Lima, di Ignazio Salvo e dell'ispettore Giovanni Lizzio), quattro nel 1993 e un attentato nel 1994 (a Formello, diretto a colpire Salvatore Contorno).»

Una decina di altri progetti criminosi non furono realizzati, sebbene vi sia stato per molti un principio di esecuzione.

Tescaroli spiega: «I processi celebrati e le indagini progressivamente espletate hanno fornito elementi per ritenere sussistente una forte interdipendenza tra quegli eventi delittuosi. L'idea di colpire il patrimonio monumentale della nazione germoglia e si attua sin dal 1992. Basti pensare alla collocazione della bomba da mortaio, contenente esplosivo ad alto potenziale, nei giardini di Boboli, annessi a Palazzo Pitti, a Firenze nell'ottobre 1992. La decisione di colpire il giornalista Maurizio Costanzo risaliva agli inizi del 1992, anche se l'esecuzione dell'attentato fu rimandata al maggio del 1993.[96] I delitti vennero rivendicati nella quasi totalità dalla sedicente "Falange armata". L'accelerazione dell'esecuzione della strage di via D'Amelio, il progetto di attentato nei confronti del presidente Alfonso Giordano[97] o del dottor Pietro Grasso,[98]

---

96. Il 14 maggio 1993 un'autobomba esplode in via Fauro, al passaggio dell'automobile con a bordo Maurizio Costanzo e la moglie Maria De Filippi. Riporteranno ferite lievi solo due agenti della scorta privata del giornalista.

97. Magistrato, presidente della corte del primo maxiprocesso per mafia (Palermo, 1986-87).

98. Magistrato, procuratore della Repubblica di Palermo, è ora procuratore nazionale antimafia.

l'arresto di Salvatore Riina con le sue singolari anomalie,[99] la riunione operativa del 1° aprile 1993 (in un villino di proprietà di Vasile, a Santa Flavia, ove il comando generale di Cosa nostra decideva il via libera alla nuova stagione delle stragi) scaturiscono, dipendono, o si accostano alla genesi e al progredire delle trattative, o ipotesi di trattative, frattanto avviate dagli appartenenti all'organizzazione con esponenti e rappresentanti delle istituzioni, nel quadro di iniziative politiche. Lo stesso ministro dell'Interno, il 7 settembre 1992, faceva riferimento in sede parlamentare a segnalazioni di diverse fonti circa ulteriori iniziative terroristiche clamorose».

Il divenire criminale, secondo il sostituto procuratore, «ha prodotto un'azione eversiva e terroristica che oggettivamente ha contribuito a disarcionare le classi dirigenti e creato le condizioni per l'affermazione di forze politiche nuove capaci di riportare stabilità e sicurezza tra i cittadini e che, per essere compreso pienamente, esige una visione e una trattazione unitaria. Alcuni momenti nevralgici di quella stagione di sangue rimangono, nonostante le indagini e i processi celebrati, ancora oscuri. Si pensi al ritrovamento di un'auto piena di esplosivo a circa cento metri da Palazzo Chigi, in via dei Sabini, nelle vicinanze di piazza Colonna, proprio nella giornata della festa della Repubblica, azione rivendicata dalla Falange armata, mai entrata nei racconti dei collaboratori di giustizia».

Sono stati registrati fatti inquietanti, correlati all'esecuzione di vari delitti all'interno di un progetto di destabilizzazione.

---

99.   Salvatore Riina, dopo venticinque anni di latitanza, venne arrestato il 15 gennaio 1993 sulla circonvallazione di Palermo, mentre si recava a una riunione della «commissione provinciale» di Cosa nostra. Notevoli perplessità, anche tra gli stessi boss, destò il fatto che Riina non fosse stato seguito per vedere con chi si incontrava e che l'abitazione del «capo dei capi» sia stata perquisita con molto ritardo. Proprio per queste anomalie, il generale Mario Mori e il capitano Sergio De Caprio (detto «Ultimo») sono stati imputati di favoreggiamento, accusa dalla quale sono stati prosciolti in sede processuale nel 2006.

«I riferimenti sono al misterioso guasto, apparentemente senza spiegazione, al centralino di Palazzo Chigi (ove da pochi mesi si era insediato il premier Carlo Azeglio Ciampi) dalle ore 0,22 alle 3,02 del 28 luglio del 1993, allorquando i telefoni della Presidenza del Consiglio rimasero isolati, in coincidenza con l'intervallo di cinquanta minuti in cui avvennero le due esplosioni a Roma (a piazza San Giovanni in Laterano e dinanzi alla chiesa di San Giorgio al Velabro) e una a Milano (di fronte al Padiglione di Arte Contemporanea). Strage quest'ultima che, a quanto è stato raccontato, fu perpetrata per effettuare un "favore" a persone che si stavano interessando per far uscire di prigione i mafiosi.»

Poco chiara – rileva il sostituto procuratore del Tribunale di Roma – anche «la sparizione dell'agenda rossa che Paolo Borsellino portava sempre con sé, nonché le cause e le modalità di cancellazione dell'agenda elettronica (che, dalle annotazioni rilevate, può farsi risalire a un periodo immediatamente antecedente o successivo alla data della strage) e il mancato rinvenimento della "ram card" del databank Casio di Giovanni Falcone. Oscuro risulta l'interesse di appartenenti alla massoneria al trasferimento di Giovanni Falcone dagli uffici giudiziari palermitani; il rinvenimento di un biglietto ove erano riportati un numero di telefono e una sede del Sisde nella zona teatro dell'agguato di Capaci (dati in qualche modo riaffiorati nelle investigazioni sulla strage di via Fauro); il tardivo affiorare di ricordi in ordine a incontri intercorsi nel corso del mese di giugno del 1992 tra Paolo Borsellino e ufficiali del Ros.[100] Così come la singolare coincidenza temporale tra l'arrivo in Sicilia di Paolo Bellini e la sua presa di contatto con Antonino Gioè, nel mentre era impegnato nella fase preparato-

---

100. Sugli ultimi mesi di vita del giudice Borsellino e sui molti misteri che li circondano si veda Giuseppe Lo Bianco e Sandra Rizza, *L'agenda rossa di Paolo Borsellino*, Chiarelettere, Milano, 2007.

ria della strage del 23 maggio 1992 [la strage di Capaci, in
cui persero la vita Giovanni Falcone, la moglie e tre agenti
della scorta, *Nda*]».

Gli interrogativi che il magistrato si pone sono molti.

«Taluni quesiti sono rimasti senza risposta. Come mai
l'attentato fallito a Maurizio Costanzo, in via Fauro, fu attuato proprio il 14 maggio 1993, due giorni dopo l'insediamento del governo Ciampi, quale esordio dell'ondata stragista di quell'anno? Vi furono ragioni ulteriori che indussero
a colpire il giornalista, rispetto alla vendetta per le trasmis-
sioni televisive contro la mafia? Per quale motivo, poi, l'attentato programmato per domenica 31 ottobre 1993, con
autobomba parcheggiata in via dei Gladiatori a Roma, a due
passi dallo stadio Olimpico (fallito a causa del mancato funzionamento del congegno di attivazione) non venne più rimesso in cantiere sino all'inizio del 1994, allorché venne fatto ritrovare l'esplosivo a Capena?[101] Come mai l'offensiva
stragista si fermò, senza che l'obiettivo dell'abolizione del
regime carcerario previsto dall'articolo 41 bis, indicato dai
collaboratori di giustizia che hanno contribuito a ricostruire
parte delle dinamiche esecutive e deliberative degli attentati
del 1993, fosse stato raggiunto? Quale furono gli ulteriori
scopi perseguiti dai vertici dell'organizzazione e con chi furono condivisi?»

In ultima analisi, secondo il magistrato, occorre chiedersi
quale fu la prospettiva connessa all'ideazione dell'attacco
frontale allo Stato da parte dei vertici di Cosa nostra.

«Hanno agito d'intesa sin dall'inizio dell'elaborazione e
dell'attuazione del programma, o con la speranza di trovare
consensi da parte di altri soggetti in corso d'opera, aspettativa alimentata dai segnali giunti da ambienti istituzionali con
i quali erano entrati in contatto? Qual è la reale dinamica e il

---

101. L'esplosivo che era stato preparato per l'attentato di via dei Gladiatori venne fatto ritrovare nascosto sotto terra a Capena (Roma), dove il pentito Antonio Scarano aveva affittato una casa.

significato ultimo delle trattative[102] di cui hanno riferito i collaboratori di giustizia come Salvatore Cancemi, Giovanni Brusca e Antonino Giuffrè, membri della commissione provinciale di Palermo?»

Si tratta di interrogativi la cui risposta richiede un rinnovato impegno investigativo unitario.

«Simili quesiti denotano una carenza conoscitiva non accettabile in un Paese democratico e non possono essere lasciati al lavoro degli storici. La nostra nazione, che si scandalizza per l'ammissione alla detenzione domiciliare del "pentito" Enzo Salvatore Brusca e che rimane indifferente alla concessione di permessi premio al detenuto modello Leonardo Greco, è matura e pronta per la verità, a fare luce su tutto?»

Il ruolo dei collaboratori di giustizia

La riflessione finale di Luca Tescaroli è dedicata a un tema che occupa grande rilievo in questa inchiesta: il ruolo dei collaboratori di giustizia.

«I media hanno una notevole capacità di condizionare le coscienze di tutti i cittadini e, perciò, dovrebbero reimpossessarsi della fondamentale funzione di far comprendere correttamente la realtà e di far conoscere qual è stato e quale potrà essere l'apporto dei collaboratori di giustizia. Nei pro-

---

102. Dopo l'esito del maxiprocesso in Cassazione, Cosa nostra decise di eliminare i suoi nemici storici (Falcone e Borsellino) e di aprire la stagione delle stragi; nel frattempo cercò di avviare trattative con lo Stato. Afferma Salvatore Cancemi: «Io posso dire che Riina aveva portato degli appunti... erano scritti i vantaggi per Cosa nostra da chiedere allo Stato... lui aveva preparato un foglio delle richieste da presentare allo Stato, che lui doveva presentare a persone che aveva nelle mani... C'era l'annullamento dell'ergastolo, cancellare la legge sul "sequestro dei beni", cancellare la legge sui pentiti. Perché per lui il male era questo» (dalle dichiarazioni di Salvatore Cancemi a *Rainews24*, maggio 2002).

cessi di mafia non v'è condanna che non si sia basata su tale strumento di prova. Tutti i latitanti catturati e i sequestri di arsenali ed esplosivi sono stati possibili grazie agli spunti investigativi da loro forniti. È importante far capire che nella schiera dei collaboratori di seconda generazione molti sono stati coloro che, oltre a fornire uno straordinario apporto, hanno tenuto un comportamento esemplare: si pensi ad esempio a Calogero Ganci, Antonino Marchese, Giovanni Drago, Francesco Paolo Anzelmo, Giovan Battista Ferrante, Salvatore Cocuzza. E a molti altri. Ma soprattutto occorrerebbe far comprendere che lo scandalo non è tanto nel permettere ai pentiti di godere di "benefici", quanto piuttosto nel permettere l'esistenza di strutture mafiose, nel tollerare che lo Stato non abbia il controllo del territorio in porzioni significative del Paese e delle attività economiche che vi si svolgono. Ritengo che tutti dovrebbero chiedersi se sia più grave accettare il ruolo del collaboratore di giustizia e i conseguenti costi, o il permanere di associazioni di tipo mafioso nel nostro Paese, assistendo ciclicamente al rafforzamento del loro potere e alle loro offensive criminali.»

L'ormai lunga esperienza come pubblico ministero consente a Luca Tescaroli di portare esempi che spiegano questo delicato problema meglio di ogni ragionamento.

«Posso citare la vicenda del pentito Francesco Marino Mannoia. Un tardo pomeriggio di diciotto anni fa, dal balcone del soggiorno dell'abitazione in cui viveva, un anziano signore, padre del "pentito", assistette impotente a una scena straziante. Quel 23 novembre 1989, mentre erano intente a posteggiare l'auto a ridosso della casa di Bagheria, in cui erano rifugiate da qualche giorno, sua moglie, sua figlia e sua cognata venivano avvicinate da un manipolo di sanguinari mafiosi e, senza esitazione alcuna, crivellate da colpi di arma da fuoco. In pochi attimi, una furia omicida cancellò gli affetti più cari di un pentito e di suo padre. Morivano così la madre, la sorella e la zia di Francesco Marino Mannoia. Si era appena diffusa la notizia della sua collaborazione ed erano passati pochi mesi da quando Rita Simoncini, la donna del cuore del collaboratore di giustizia, si era rivolta al vicequestore Gianni De Gennaro per comunicare che Mannoia era disposto a collaborare a patto che lo interrogasse Giovanni Falcone, l'unico magistrato del quale si fidava.»

Il suo contributo si rivelò essenziale alla lotta alla mafia in ragione del ruolo avuto da Mannoia in seno a Cosa nostra.

«Fama di sicario imperturbabile, Mannoia, sebbene fosse un *soldato* della famiglia di Stefano Bontate – risultata perdente a seguito della guerra di mafia – era riuscito a rimanere neutrale. Grazie alle sue doti di chimico aveva continuato, fra il 1977 e il 1985, a raffinare eroina per tutte le famiglie di Cosa nostra, che gli facevano ordinazioni. Le sue confessioni risultarono per le famiglie molto più devastanti di quelle di Tommaso Buscetta, perché egli aveva vissuto in prima persona gli ultimi quindici anni all'interno dell'organizzazione e li aveva raccontati in presa diretta.»

La sua storia racchiude una vicenda di dolore e atrocità, come tante altre vissute da collaboratori di giustizia. Tescaroli porta altri drammatici esempi.

«Basti pensare al sequestro del figlio di Mario Santo Di Matteo, Giuseppe, culminato nel suo assassinio e nello scioglimento del corpo nell'acido. Oppure all'eliminazione, nel giugno 1994, attraverso una simulazione di suicidio mediante impiccagione, del padre di Gioacchino La Barbera. O ancora all'uccisione dei familiari di Tommaso Buscetta, o all'assassinio dei collaboranti Benedetto Galati (ucciso a Bagheria il 9 ottobre 1986), Claudio Sicilia (il 18 novembre 1991) e Leonardo Vitale (eliminato nel dicembre del 1984, dopo aver subìto l'onta del manicomio criminale). Si tratta di azioni omicidiarie che si inseriscono nel solco di una collaudata strategia di attacco delle organizzazioni criminali nei confronti di coloro che violano la legge dell'omertà.»

Prezzi umani pesantissimi, quelli pagati dai pentiti; ma anche dai magistrati che si sono avvalsi della loro collaborazione. Luca Tescaroli conclude la sua analisi con una riflessione forte. E con un ricordo personale toccante.

«La fase del "ciclo basso" del contrasto al crimine mafioso porta con sé la demonizzazione e la delegittimazione su larga scala di tale strumento di prova. In molti sono tentati o auspicano di mandare al macero, in un unico grande calderone, i cosiddetti "pentiti", sull'onda di alcune assoluzioni di imputati politici e di una stampa incline a esaltare alcune loro piccole e grandi violazioni alle regole comportamentali. Ritengo sia venuto il tempo che la società civile rammenti e riviva le sofferenze affrontate dai pentiti come Mannoia, sofferenze di uomini che, nonostante le loro colpe, hanno saputo aiutare lo Stato con le loro rivelazioni. Ed è utile ricordare le parole dimenticate di Giovanni Falcone, a cui tutti in occasione delle commemorazioni dicono di ispirarsi. "Sono diventato una sorta di difensore di tutti i pentiti perché, in un modo o nell'altro, li rispetto tutti; anche coloro che mi hanno deluso, come in parte Contorno. Ho condiviso la loro dolorosa avventura, ho sentito quanto faticavano a parlare di sé, a raccontare misfatti di cui ignoravano le possibili ripercussioni negative personali, sapendo che su entrambi i lati della barricata si annidano nemici in agguato pronti a far loro pagare cara la violazione della legge dell'omertà... Io ho cercato di immedesimarmi nel loro dramma umano e prima di passare agli interrogatori veri e propri, mi sono sforzato sempre di comprendere i problemi personali di ognuno e di collocarli in un contesto preciso. Scegliendo argomenti che possono confortare il pentito nella sua ansia di parlare. Ma non ingannandolo mai sulle difficoltà che lo attendono per il semplice fatto di collaborare con la giustizia... non lo ho mai insultato, come alcuni credono di essere autorizzati a fare."»

Le parole di Luca Tescaroli – e il suo commosso ricordo di Falcone – devono far riflettere. Dopo la «primavera di Palermo», che vide importanti vittorie contro la mafia, seguite all'omicidio di Falcone e Borsellino nel 1992, si è tornati – conclude Tescaroli – a una «normalità preoccupante.»

«Il rapporto mafia-politica continua a esistere, Cosa nostra si è inabissata per continuare a operare senza la luce dei riflettori. Metà Italia vede ormai una forte infiltrazione mafiosa. E purtroppo in Parlamento vi sono esponenti politici che hanno coltivato rapporti con la mafia e che hanno subìto condanne» osserva il magistrato. Nonostante questo quadro, Tescaroli invita a «mantenere viva la speranza.»

Con un auspicio forte: «Serve una nuova primavera dell'antimafia, una repressione severa da parte dello Stato, che ha i mezzi e gli uomini per vincere. Ognuno di noi deve fare la propria parte, assumersi la responsabilità civile della difesa e della promozione della legalità».

Quinta parte

Chiesa e massoneria

Una storia di rapporti controversi

Un nodo delicato

I rapporti tra Chiesa e massoneria sono stati contrassegnati da momenti di grande chiusura, alternati a fasi di apertura e dialogo. Si tratta di una storia poco nota, costellata per lo più da condanne pontificie nel Settecento e nell'Ottocento e da momenti contraddittori nel Novecento. Il primo pronunciamento papale si deve a Clemente XII che, il 28 aprile 1738, appena ventun'anni dopo la nascita ufficiale della libera muratoria (la data presa a riferimento è il 1717), promulga una bolla con la quale sancisce l'inconciliabilità tra Chiesa e massoneria.

Analizziamo questa storia controversa con un esperto, il Gran Maestro della Gran Loggia Regolare d'Italia Fabio Venzi, cui si deve la graduale apertura di un fronte di dialogo[1] con esponenti del Vaticano.

«Volendo fare un rapido excursus tra i documenti della Chiesa cattolica sulla libera muratoria, ci si accorge di trovarsi di fronte a delle contraddizioni» esordisce Venzi. «Il primo documento della Chiesa cattolica contro la massoneria, la bolla di scomunica del 1738 *In eminenti apostulato specula* di papa Clemente XII, accusava la libera muratoria di "eresia". Vi leggiamo testualmente: "Vogliamo inoltre e comandiamo che tanto i Vescovi, i Prelati Superiori e gli altri

---

1. Il riferimento è al convegno che si è tenuto il 1° marzo 2007, organizzato dalla Pontificia facoltà teologica San Bonaventura (Seraphicum) e dal Gris, dal titolo: «Chiesa cattolica e massoneria».

Ordinari dei luoghi, quanto gl'Inquisitori dell'eretica malvagità deputati in qualsiasi luogo, procedano e facciano inquisizione contro i trasgressori di qualunque stato, grado, condizione, ordine, dignità e preminenza, e che reprimano e puniscano i medesimi con le stesse pene con le quali colpiscono i sospetti di eresia". La lettera apostolica *Quaesitum est* del cardinale Ratzinger, ora papa Benedetto XVI, accusa invece la libera muratoria di "relativismo". Tra i due documenti ve ne sono altri, apparentemente di minore importanza ma fondamentali per riscontrare l'evoluzione di opinioni e posizioni della Chiesa cattolica nei confronti della libera moratoria», prosegue Venzi, secondo il quale «non essendoci un unico organismo di riferimento che rappresenti il vasto e multiforme movimento libero-muratorio internazionale, è di fondamentale importanza conoscere quali siano le fonti su cui la Chiesa cattolica si è basata per la pubblicazione dei documenti più recenti.»

Cominciamo con il Gran Maestro questo rapido excursus.

«Successivamente al documento di Clemente XII, vi è la lettera apostolica *Providas Romanorum* di papa Benedetto XIV, che rimane coerente con le ragioni di condanna della libera muratoria espresse dal suo predecessore, invocando "quale danno si possa recare alla *purezza* della Religione Cattolica a causa di quelle Società e Conventicole segrete come la libera muratoria". Possiamo dire che il più grave fraintendimento sulla natura della libera muratoria si ha nel 1821 quando, nella lettera *Ecclesiam a Jesu* di Pio VII, si addita la carboneria quale sua filiazione, con un falso storico facilmente documentabile, che però danneggiò anche per il futuro la massoneria, che veniva così connotata politicamente.»

Il Gran Maestro Venzi ha analizzato questo testo.

«La lettera inizialmente riprende i documenti che l'hanno preceduta, per poi proporre la sua tesi: "Già da tempo questa Santa Sede, scoperte tali sette, lanciò l'allarme contro di esse con alta e libera voce e rivelò le loro trame contro la religione e contro la stessa società civile. [...] Anzi, quegli uomini, la cui iattanza sempre si accresce, hanno persino osato creare nuove società segrete [...] essa viene chiamata solitamente dei Carbonari. [...] Siamo mossi anche dall'esempio di Clemente XII e di Benedetto XIV di felice memoria, Nostri Predecessori: il primo, il 28 aprile 1738, con la Costituzione 'In eminenti', e il secondo, il 18 maggio 1751, con la Costituzione 'Providas', condannarono e proibirono la società dei Liberi muratori, ossia dei Francs Maçons, o chiamate con qualsiasi altro nome, secondo la varietà delle regioni e degli idiomi; si deve ritenere che di tali società sia forse una propaggine, o certo un'imitazione, questa società dei Carbonari".»

Paradossalmente – osserva Venzi – gli stessi carbonari cercarono di spiegare che loro con la libera muratoria poco c'entravano, ma non servì. Un altro passo del documento pontificio infatti recita: «I Carbonari pretendono, erroneamente, di non essere compresi nelle due Costituzioni di Clemente XII e Benedetto XIV, né di essere soggetti alle sentenze e alle sanzioni in esse previste».

L'atteggiamento di chiusura sarebbe proseguito anche negli anni successivi. Il Gran Maestro spiega: «Sulla stessa linea si pone la lettera di Leone XII *Quo graviora* del 1825, che ricorda come: "Da quelle antiche sette massoniche, sempre attive, molte altre sono germinate, assai peggiori e più audaci di quelle. Sembrò che quelle sette fossero tutte comprese in quella dei Carbonari, che era considerata in Italia e in alcuni altri Paesi la più importante fra tutte". Nel documento inoltre c'è la conferma dell'utilizzo di documenti massonici continentali e non appartenenti alla tradizione anglosassone. Infatti quando si legge: "Inoltre quel nefando giuramento che è stato già ricordato e che deve essere prestato anche per essere ammessi ai gradi inferiori, basta di per sé a farvi comprendere che è un delitto anche iscriversi a quei gradi meno impegnativi e partecipare ad essi. Inoltre, sebbene ad essi non siano affidate, di solito, le imprese più torbide e scellerate, in quanto non sono ancora saliti ai gradi superiori". Ci si riferisce senza dubbio agli "alti gradi" del Rito scozzese antico e accettato».

Venzi vuole infatti sottolineare che la Chiesa ha sempre preso in analisi documenti e posizioni di una massoneria che ha «deviato» da quella originale inglese. «Le pubblicazioni della Chiesa cattolica sulla massoneria si basano su documenti che fanno riferimento prevalentemente a due sole obbedienze massoniche: il Grande Oriente d'Italia e il Grande Oriente di Francia, che rappresentano una minima percentuale del movimento massonico internazionale e che, oltretutto, non sono riconosciute dalle obbedienze anglosassoni, dalle quali invece bisognerebbe partire per qualsiasi studio sull'argomento.»

Il Gran Maestro usa una immagine per farsi capire: «*Mutatis mutandis*, sarebbe come se la massoneria, volendo fare un convegno internazionale sul cristianesimo, prendesse a paradigma di tutta la cristianità i testimoni di Geova, che certamente rientrano nell'universo "cristianità" ma non ne sono rappresentativi».

Ma proseguiamo nell'analisi dei testi pontifici.

«Nel documento di papa Pio VIII *Traditi umiliati*, del 1829, si sostengono le medesime posizioni con nuovi argomenti, non più di natura teologica o politica ma filosofica. La libera muratoria viene questa volta accusata di essere fiancheggiatrice e divulgatrice della filosofia illuminista, di una visione del mondo progressista e razionale contraria alle religioni e alle strutture che le rappresentano: "Voi sapete in che modo uomini scellerati abbiano alzato insegne di guerra contro la Religione, ricorrendo alla filosofia, di cui si proclamano dottori, e a fatui sofismi tratti da idee mondane. [...] Sono rifiutati i più virtuosi precetti, derisi i riti divini, il culto di Dio è esecrato dal peccatore; tutto ciò che riguarda la Religione è considerato come una vecchia favola e come vana superstizione [...] è vostro dovere, Venerabili Fratelli, indirizzare gli sforzi contro quelle società segrete di uomini faziosi che, nemici di Dio e dei Principi, sono tutti dediti a procurare la rovina della Chiesa, a minare gli Stati, a sovvertire l'ordine universale. [...] Perciò i sommi Pontefici Clemente XII, Benedetto XIV, Pio VII e Leone XII scomunicarono quelle società segrete".»

Per ironico paradosso, Pio VIII si rivolge a ecclesiastici e fedeli chiamandoli «venerabili fratelli».

L'accusa di indifferentismo

Passiamo ora ad analizzare un altro problema che divide Chiesa e massoneria: l'accusa di «indifferentismo».

«Con l'enciclica *Mirari vos* di papa Gregorio XVI del 1832» spiega Venzi «compare l'accusa di "indifferentismo" ripresa poi da Leone XIII nell'enciclica *Humanum Genus*: "Veniamo ora ad un'altra sorgente traboccatevole dei mali, da cui piangiamo afflitta presentemente la Chiesa: vogliamo dire l'indifferentismo, ossia quella perversa opinione che per fraudolenta opera degl'increduli si dilatò in ogni parte, e secondo la quale si possa in qualunque professione di Fede conseguire l'eterna salvezza dell'anima se i costumi si conformano alla norma del retto e dell'onesto. Da questa corrottissima sorgente dell'indifferentismo scaturisce quell'assurda ed erronea sentenza, o piuttosto delirio, che si debba ammettere a ciascuno la libertà di coscienza".»

Venzi fa notare che le vere massonerie non sono affatto «indifferentiste» e «anticristiane». E osserva: «Le obbedienze libero-muratorie scandinave, tra le più antiche e blasonate d'Europa, sono d'impronta prettamente cristiana e quindi, qualora un ebreo, un musulmano o un induista chiedessero di essere ammessi in una di queste obbedienze, riceverebbe una risposta negativa. Sarebbe pertanto difficile spiegare ai liberi-muratori o agli studiosi scandinavi, che volessero approfondire l'argomento sui rapporti tra Chiesa e massoneria, il perché dell'accusa di "indifferentismo religioso"».

Venzi approfondisce l'analisi del documento.

«Dopo l'enciclica *Qui pluribus* di Pio IX del 1846, dove vengono sostanzialmente ribadite le accuse precedenti, nel 1884 si arriva all'enciclica di Leone XIII, in cui si ribadisce la convergenza tra naturalismo e princìpi massonici, accusando la massoneria di voler sopprimere tutte le religioni e in particolare quella cattolica. È un documento che risente necessariamente del clima del tempo e che di conseguenza ha un maggiore significato politico rispetto a quelli che lo hanno preceduto.»

Venzi collega l'accusa di «indifferentismo» a quella di «relativismo» attribuita nel 1985 – nell'ultimo documento ufficiale della Chiesa in materia di libera muratoria – alla massoneria nel suo complesso, senza operare distinzioni tra le diverse obbedienze.

«Nei documenti di cui abbiamo parlato compaiono quindi tutti i generi di accuse alla massoneria, ma quella di "relativismo" compare soltanto in un documento del 1985: *Inconciliabilità tra fede cristiana e massoneria. Riflessioni a un anno dalla Dichiarazione della Congregazione per la Dottrina della Fede.* È un testo del cardinale Ratzinger, allora prefetto della Congregazione per la dottrina della fede. Vi si legge: "Anche se si afferma che il relativismo non viene assunto come dogma, tuttavia si propone di fatto una concezione simbolica relativistica, e pertanto il valore relativizzante di una tale comunità morale-rituale, lungi dal poter essere eliminato, risulta al contrario determinante". Questa accusa di relativismo è un'assoluta novità, infatti la precedente accusa di indifferentismo, che considera l'equivalenza dei credi religiosi ai fini della salvezza, poco ha a che vedere con quella di relativismo, che implica la non esistenza o almeno la non conoscibilità di una verità assoluta. A questo punto ci si chiede quale sia il rituale massonico, la costituzione o il documento dal quale si evinca che la massoneria non ritiene possibile il raggiungimento o almeno l'aspirazione alla conoscenza di una verità assoluta.»

Il Gran Maestro riconosce, tuttavia, che degli errori vi sono stati anche da parte della libera muratoria.

«Tra l'altro, e questo è il vero paradosso, l'idea di tacciare di relativismo il pensiero e la ritualità massonica è stata fornita alla Chiesa cattolica dagli stessi massoni. Infatti quando, tra il 1974 e il 1980, la Conferenza episcopale tedesca creò una commissione ufficialmente incaricata di esaminare la compatibilità dell'appartenenza alla Chiesa cattolica e alla libera muratoria, tra i documenti che i massoni della Gran Loggia Unita di Germania diedero da vagliare alla commissione vi era il *Lessico internazionale dei liberi muratori* di Eugen Lennhoff e Oskar Posnter.[2] Nel libro si afferma testualmente che: "La Libera Muratoria può quindi essere concepita come un movimento che mira a raccogliere uomini di orientamento relativistico per la promozione dell'ideale umanitario. [...] Il punto di vista della Libera Muratoria sui problemi del mondo e dell'umanità si deduce dal relativismo. Nel suo simbolismo e nei suoi rituali viene chiaramente in luce la sua posizione relativistica". Monsignor Josef Stimpfle, che di quella commissione fu eminente membro, dichiarò che quel testo fu presentato dai massoni tedeschi come rappresentativo dell'autentico pensiero libero-muratorio.»

I massoni tedeschi commisero un grave errore, secondo Venzi.

«Possiamo al contrario asserire con certezza che in nessuno dei testi che canonicamente vengono considerati punti di riferimento per gli studiosi della libera muratoria nel mondo si potrebbe trovare una dichiarazione simile a quella presente nel *Lessico internazionale dei liberi muratori* in cui si definisce, con tanta sicurezza, il pensiero libero-muratorio "relativista". Quindi l'accusa di relativismo è frutto di un errore

---

2. Eugen Lennhoff e Oskar Posner, *Internationales Freimaurer Lexicon*, Amalthea Verlag, München, 1980.

piuttosto recente, dovuto all'incompetenza e alla superficialità della stessa massoneria tedesca. Sebbene Giovanni Cantoni, in un articolo su "Avvenire" del 12 dicembre 1993, scrivesse che nell'enciclica *Humanum Genus* "la massoneria viene condannata in quanto segna il trionfo del relativismo", la parola relativismo in tutto il documento di Leone XIII non è mai pronunciata, né può desumersi per analogia dal soggettivismo, naturalismo, scetticismo o indifferentismo religioso, cui pure nell'enciclica si fa riferimento.»

Venzi analizza altri momenti forti del confronto tra Chiesa e massoneria.

«Per concludere, vorrei citare i numeri della rivista "Civiltà Cattolica" del 2 novembre 1991 e del 2 aprile 1994. Nel primo numero, l'editoriale *La Chiesa e la massoneria oggi* ricorda come in base ai presupposti neoilluministici della massoneria la Chiesa ribadì l'inconciliabilità "tra dottrina della Chiesa e dottrina della massoneria, in quanto questa è estranea sia all'idea di un Dio personale e provvidente sia a quella di salvezza dell'uomo". Sarebbe interessante conoscere in base a quali documenti vengano tratte tali conclusioni, che non sarebbero sicuramente sostenibili se si facesse riferimento al rituale libero-muratorio di origine anglosassone Emulation. Tra l'altro la vulgata corrente, che vede nell'equazione tra massoneria e illuminismo un dato incontrovertibile, comincia finalmente a essere messa in discussione da più di uno storico.[3] Nel secondo numero di "Civiltà Cattolica" leggiamo che: "La visione massonica della religione è di stampo deistico [...] la vita e la prassi della massoneria attuale, almeno in Italia, è ancora di stampo deistico e positivistico, è ancora in larga misura anticlericale e ostile al Cristianesimo". E qui, come accennato in precedenza, sarebbe giusto specificare di quale obbedienza massonica italiana si parli.»

Il Gran Maestro conclude così la sua analisi.

---

3. Si veda Fabio Venzi, *The influence of neoplatonic thought on freemasonry*, Book Guild Publishing, Essex, 2007.

«Tanti errori di valutazione nei confronti della libera muratoria si sarebbero potuti evitare se gli storici avessero utilizzato per le loro ricerche i documenti a mio parere fondamentali per comprendere gli autentici princìpi del pensiero libero-muratorio: il già citato rituale Emulation e le Costituzioni della Gran Loggia Unita d'Inghilterra, della Gran Loggia di Scozia e della Gran Loggia d'Irlanda. Il rituale Emulation è infatti il rituale della Gran Loggia Unita d'Inghilterra, fondatrice della libera muratoria moderna, il più utilizzato è frutto del lavoro dei ritualisti inglesi della Loggia di Riconciliazione, prodromico alla fase di unificazione delle due Grandi Logge degli *Ancients* e dei *Moderns* e approvato nel 1816. Tale rituale per oltre mezzo secolo non venne dato alle stampe e fu tramandato soltanto per via orale; quindi, probabilmente, i papi che in quel periodo emisero documenti riguardanti la libera muratoria non poterono prenderne atto.»

Solo dal 1870, infatti, cominciarono a circolare rituali Emulation stampati. Nel 1969 la Loggia Emulation di perfezionamento di Londra ne ha ufficialmente autorizzato la stampa.

«La conoscenza di tale rituale, utilizzato tra l'altro dall'obbedienza che rappresento, sarebbe utile per sfatare tanti fraintendimenti e luoghi comuni riguardo la libera muratoria, e per capire l'infondatezza delle accuse di relativismo o persino di deismo.

«Sono infatti convinto dell'importanza di superare le incomprensioni che hanno segnato per molto tempo i rapporti tra Chiesa cattolica e massoneria. Alla luce di tali premesse è importante che gli studiosi della Chiesa facciano uno sforzo ulteriore per cercare di comprendere i molteplici aspetti, le peculiarità e le profonde differenze che si ritrovano all'interno di un fenomeno vastissimo e multiforme come quello libero-muratorio» conclude il Gran Maestro Fabio Venzi.

I momenti di dialogo

Il Novecento è stato tuttavia per la Chiesa il secolo del dialogo, anche con la massoneria. L'inizio vero e proprio dell'apertura della Chiesa nei confronti di quella che, ancora nel 1962, l'allora Gran Maestro del Grande Oriente di Francia Jacques Mitterrand definiva la «contro-Chiesa» o «anti-Chiesa», è datato 22 giugno 1928.

«Quel giorno si incontrarono privatamente, in una casa dei gesuiti ad Aquisgrana, tre alti dignitari massonici (Kurt Reichl, Eugen Lennhoff, Ossian Lang) e un padre gesuita, Hermann Grüber;[4] in un clima di cordiale dialogo venne messo a verbale che nel conflitto fondamentale tra cattolicesimo e massoneria, se pure permaneva una contrarietà dei princìpi, la controversia doveva essere libera da calunnie, menzogne e diffamazione. Lo stesso schema si sarebbe ripetuto qualche anno dopo in Francia con il dialogo tra il gesuita Joseph Berteloot e Albert Lantoine, massone di alto grado. Quest'ultimo nel 1937 scriveva una *Lettre au Souverain Pontif*, nella quale esponeva a Pio XI il comune atteggiamento della Chiesa cattolica e della massoneria nei confronti del nazismo. Un'idea che veniva ribadita nel 1938 in una lettera aperta della Grande Loggia d'Olanda all'episcopato cattolico olandese», scrive Massimo Introvigne, autore di uno studio sui rapporti tra Chiesa e massoneria.[5]

Dopo la Seconda guerra mondiale i rapporti crebbero d'intensità. Nel 1952 si giunse addirittura a contatti tra la massoneria austriaca e la nunziatura di Vienna. Ma il nuovo papa Pio XII, respingendo questa iniziativa, ribadì l'impossibilità di «armonizzare» chiesa e massoneria.

Durante il pontificato di Giovanni XXIII – un Pontefi-

---

4. Cfr. Eugen Lennhoff e Oskar Posner, *op. cit.*
5. Massimo Introvigne, *Massoneria e religioni*, Cesnur (Centro Studi sulle nuove religioni), Elle Dici, Leumann, Torino, 1994, pp. 110-111.

ce accusato di avere simpatie per la massoneria – ci fu una proliferazione di tentativi di avvicinamento da entrambe le parti. Nel 1961 il giurista cattolico Alec Mellor[6] fece scandalo per aver sostenuto che la scomunica ai massoni non avrebbe alcuna giustificazione teorica e sarebbe pertanto da annullare.

Il Concilio Vaticano II

Nel 1962 si aprì il Concilio Vaticano II. In quella sede fu il vescovo messicano Sergio Méndez Arceo a perorare più volte la causa della riconciliazione con i massoni; tuttavia la parola «massoneria» non compare in alcun testo conciliare. Il tema divideva la Curia: il Sinodo diocesano romano, celebrato poco prima del Concilio, si espresse con parole molto negative verso la libera muratoria.[7] Ma in ambito massonico si fremeva perché la Chiesa rivedesse il proprio giudizio. Così la Grande Loggia di Haiti e la Gran Loggia Austriaca si rivolsero al Papa e ad alcuni cardinali con delle suppliche. E qualcosa, in effetti, si mosse.

La «strada della tolleranza» indusse due conferenze episcopali a sancire la possibilità dell'appartenenza alla massoneria per un fedele in pochi casi speciali: nell'ottobre 1966 fu l'episcopato scandinavo a decretarla, seguito poco dopo dalla Conferenza episcopale dell'Inghilterra e del Galles.

Nel 1968 iniziò anche in Austria un intenso confronto, che durò per quindici anni, tra il cardinale viennese Franziskus König e rappresentanti della massoneria, in particolare Kurt Baresch. Il cardinale di Vienna riuscì a formare una commissione mista cattolico-massonica, la quale approdò,

---

6. Alec Mellor, *Nos frères séparés, les francs-maçons*, Mame, Paris, 1961.
7. Cfr. Sinodo Romano A.D. 1960, *Atti*, Typographia Polyglotta Vaticana, n. 247.

nel 1970, a un documento comune: la *Dichiarazione di Lich-tenau*,[8] «che originariamente era destinata a essere conosciu-ta solo da Paolo VI (un altro Pontefice accusato di "simpatie massoniche") e dal cardinale Franjo Seper, allora prefetto della Congregazione per la dottrina della fede. In questo do-cumento si ribadiva la proposta di abolire la condanna della massoneria» scrive Introvigne.

Nel 1974 i massoni tedeschi acuirono la pressione per un dialogo diretto con l'episcopato cattolico della Germania, che si svolse dal 1974 al 1980. È forse il momento in cui la «pace» tra Chiesa e massoneria si fa più vicina.

Ma la scomparsa di Paolo VI nel 1978 e l'avvento al so-glio di due Papi meno disponibili nei confronti della masso-neria (Giovanni Paolo I e Giovanni Paolo II) segnò una bat-tuta d'arresto nel dialogo avviato. Non a caso, il 12 maggio 1980, l'episcopato tedesco, dopo un accurato studio durato sei anni, proclamò l'inconciliabilità tra Chiesa e massoneria.

Era la svolta, segnata anch'essa da contraddizioni. Se in-fatti Wojtyla si pose come un Papa tradizionalista (e quindi avverso alla massoneria), è ormai documentato che non esitò a servirsi del Banco Ambrosiano guidato dal piduista Rober-

---

8.   Essa fu sottoscritta il 5 luglio 1970 a Lichtenau da nove massoni e tre cattolici (monsignor de Toth e i professori Schwarzbauer e Vorgrimler). Il padre Reinhold Sebott, gesuita, scriveva: «La *Dichiarazione di Lichte-nau* dell'anno 1970 ha eliminato una quantità di ostacoli e di equivoci esistenti fra la Chiesa e la massoneria». Certo è che, a suo tempo, quella *Dichiarazione* pretendeva di indurre Paolo VI a un cambiamento del giu-dizio della Chiesa sulla massoneria. Questo passo corrispondeva a un desiderio di Paolo VI. Infatti egli aveva «fatto capire che sarebbe stato molto contento se, da parte dei massoni, per lo meno dell'area inglese, fosse stata pubblicata, in qualsiasi forma, una dichiarazione. Questa do-veva servire come documento per spiegare come mai da parte cattolica la questione venisse di nuovo esaminata e come, su questa base o in ra-gione di tale dichiarazione, si delineassero nuovi tentativi di soluzione», ha scritto Kurt Baresch in *Katholische Kirche und Freimaurerei* (Bunde-sverlag, Wien, 1983, p. 68). Si veda su questi temi Massimo Introvigne, *op. cit.*

to Calvi per far affluire ingenti risorse al sindacato polacco di Solidarnosc, secondo alcuni storici con l'appoggio della massoneria.[9]

Forse è proprio a causa di queste contraddizioni e di questi debiti «segreti» che nel 1983, quando viene promulgato il nuovo codice di diritto canonico, la parola «massoneria» scompare, lasciando il posto all'espressione più generale «sette che cospirano contro la Chiesa». È tra l'altro interessante notare che la fase che precede l'approvazione del nuovo codice è quella che vede la concessione all'Opus Dei, spesso denominata «massoneria bianca», dell'agognato status di «prelatura personale» che ne ha fatto una Chiesa nella Chiesa.

La cancellazione del veto esplicito contro la massoneria che caratterizza il codice di diritto canonico del 1983 può quindi essere letta come la stipulazione di un delicato «patto» all'interno della Curia a fronte di situazioni storiche drammatiche come la crisi Ior-Ambrosiano, che portò il Vaticano ad ammettere le proprie responsabilità nel crack dell'istituto presieduto dal banchiere massone.

Tuttavia nello stesso anno, il prefetto della Congregazione per la dottrina della fede, il cardinale Ratzinger, intervenne ad apportare una pesante correzione al codice emanato da Wojtyla. Il 26 novembre vide infatti la luce la *Dichiarazione sulla massoneria*, elaborata da Ratzinger e approvata da Giovanni Paolo II, nella quale si spiegava che la condanna della massoneria da parte della Chiesa rimaneva inalterata. La *Dichiarazione* affermava in sostanza che la Chiesa cattolica manteneva inalterato il divieto di appartenenza alla massoneria. In particolare:

---

9. Si veda in merito il già citato articolo di Aldo Mola sulla rivista diretta da Giulio Andreotti, «Trenta Giorni nella chiesa e nel mondo», nel quale lo storico afferma che la massoneria sostenne l'operazione di finanziamento a Solidarnosc condotta attraverso Roberto Calvi.

1) i massoni non vengono più menzionati espressamente nel nuovo codice di diritto canonico esclusivamente per criteri redazionali, giacché si voleva parlare più in generale delle associazioni che cospirano contro la Chiesa e questa categoria più ampia non rendeva necessaria la menzione esplicita dei massoni;

2) la Chiesa mantiene però immutato il suo giudizio negativo nei riguardi delle associazioni massoniche, poiché i loro princìpi sono sempre stati considerati inconciliabili con la dottrina della Chiesa e perciò l'iscrizione a queste associazioni rimane proibita;

3) i fedeli che appartengono alla massoneria sono in stato di peccato grave e non possono accedere alla Santa Comunione. Se qui non si fa menzione della scomunica *latae sententiae*, ciò non vuol dire che essa non si applichi più. Al contrario essa rimane in vigore, perché l'appartenenza a questa associazione, i cui princìpi sono inconciliabili con la dottrina della Chiesa, deve essere considerata come un delitto contro l'integrità della fede; chi si lega a tali princìpi nega perlomeno *una* verità di fede ed è quindi un eretico, ovvero rifiuta la fede cristiana nella sua totalità e quindi è un apostata (canone 751); costui incorre pertanto nella pena della scomunica secondo il canone 1364 par. 1, e gli possono essere inflitte ulteriori pene in via amministrativa o penale (canoni 1364 par. 2, 1374);

4) la totale condanna da parte della suprema istanza della Congregazione per la dottrina della fede è vincolante per tutti i pastori della Chiesa, sicché né ai vescovi né alle Conferenze episcopali compete di giudicare altrimenti la natura delle associazioni massoniche, e di togliere vigore alle summenzionate conseguenze giuridiche. A tal proposito si fa riferimento al fatto che la Dichiarazione della medesima Congregazione del 17 febbraio 1981 non aveva affatto l'intenzione di conferire alle Conferenze episcopali la potestà di emettere pubblicamente giudizi sulla natura delle associazioni massoniche i quali comportassero il venir meno delle conseguenze penali previste;

5) si tratta di magistero pontificio: il Papa ha confermato questa Dichiarazione della Congregazione per la dottrina della fede e ne ha ordinato la pubblicazione.[10]

---

10. Massimo Introvigne, *op. cit.*

La posizione espressa nel 1983 sarebbe stata ribadita nel 1985, anno dell'ultimo documento ufficiale della Chiesa in materia di libera muratoria, intitolato *Inconciliabilità tra fede cristiana e massoneria. Riflessioni a un anno dalla Dichiarazione della Congregazione per la Dottrina della Fede*. È ancora un testo del cardinale Ratzinger; vi si legge: «Anche se si afferma che il relativismo non viene assunto come dogma, tuttavia si propone di fatto una concezione simbolica relativistica, e pertanto il valore relativizzante di una tale comunità morale-rituale, lungi dal poter essere eliminato, risulta al contrario determinante».

La massoneria alla conquista della Chiesa

Il sacerdote che dà la caccia ai massoni

Le «infiltrazioni massoniche» in Vaticano sono l'oggetto di una ricerca condotta per oltre cinquant'anni da un battagliero sacerdote di Brescia, don Luigi Villa. Attraverso la sua piccola Editrice Civiltà e il suo periodico «Chiesa Viva», don Villa ha scritto libri dedicati alla massoneria, a Giovanni XXIII e a Paolo VI. E un *pamphlet* dal titolo *Una nomina scandalo*, dedicato alla figura di monsignor Francesco Marchiano, Vicario generale dello Stato del Vaticano e arciprete della Basilica Vaticana.

Ho incontrato don Villa a Brescia, nella casa delle Operaie di Maria Immacolata in cui vive. Con lui l'ingegner Franco Adessa, che insieme all'anziano sacerdote svolge un'incessante ricerca sui fenomeni degenerativi della Chiesa. Parlando con loro si ha chiara la sensazione che si tratti di due persone fuori dagli schemi, che non appartengono ad alcun gruppo di potere e che, anzi, hanno pagato un prezzo elevato alla loro indipendenza.

La storia umana di don Villa è quella di un sacerdote che da cinquant'anni dà la caccia ai massoni nella Chiesa, documentando quella che secondo lui è un'infiltrazione sistematica della libera muratoria. Il suo percorso è lungo e complesso. Perché parte dagli inizi degli anni Cinquanta, per la precisione nel 1952, da un incontro destinato a cambiargli la vita: quello con padre Pio, il frate di Pietralcina poi canonizzato. Ecco come descrive questo incontro il sacerdote bresciano.

«Nel 1952 mi trovavo in Puglia. Prima della mia partenza, un amico sacerdote mi propose di conoscere padre Pio. Confesso che all'epoca non ero particolarmente interessato a quell'incontro, ma non potevo certo rifiutare. Con una jeep fummo accompagnati a San Giovanni Rotondo. Era un periodo molto particolare, quello: contro il sacerdote di Pietralcina c'era una forte ostilità in Vaticano. E papa Giovanni XXIII aveva proibito assolutamente ogni contatto con lui:[1] nessuno poteva entrare nel convento. Nonostante questo, fui condotto a una stanza – ricordo che era la numero 5 – e mi fu detto di aspettare lì vicino. Già in quel momento avvenne un primo fatto strano: io, che per natura non credo a queste cose, arrivato vicino alla stanza sentii un buon profumo, che non so descrivere. Provai cinque o sei volte a spostarmi e a pochissima distanza c'era il solito tanfo da convento. Dopo un po' che aspettavo, da una porta situata nei pressi di una scala apparve finalmente padre Pio. Con lui c'erano due medici che lo seguivano. Si fermò e mi interpellò vivacemente, con queste parole: "Cosa fa qui padre Villa?". Sembrava sapere ogni cosa di me. Mi venne la pelle d'oca, pareva mi conoscesse da sempre. I medici lo condussero in stanza, lo visitarono per pochi minuti poi uscirono. Lui mi chiamò con calore, io entrai e lui chiuse la porta. Mi abbracciò. Sentivo un

---

1. Il vaticanista Sandro Magister, in un articolo intitolato *Santa strategia* e pubblicato su «L'espresso» n. 24 del 6-13 giugno 2002, definisce la canonizzazione di padre Pio «una rivincita sull'ostracismo che tanto martoriò in vita il frate delle stimmate, contro il quale proprio dalla Chiesa arrivarono le peggiori perfidie. E tra i suoi nemici più acerrimi chi c'era? Papa Giovanni XXIII. Durante il suo pontificato la persecuzione di padre Pio raggiunse l'acme. Isolato, pedinato, spiato. Gli misero i microfoni nel confessionale. Estorsero alle sue seguaci confessioni di commerci sessuali: "Bis in hebdomada copulabat cum muliebre", due volte la settimana s'accoppiava con una donna, scrissero gli inquisitori nel rapporto finale. Tutto smontato nella causa di beatificazione. E il Papa buono che aveva ordinato l'operazione contro padre Pio? Anche lui proclamato beato, nel 2000. Persecutore e perseguitato hanno fatto pace in cielo perché anche sulla terra si impari a convivere tra diversi».

profumo incredibile, un profumo che non riesco nemmeno a riferire. Fu un incontro molto più lungo del previsto, mi parlò per trentadue minuti esatti. Senza che io dicessi una parola.»

Padre Pio, l'antimassone

Cosa disse padre Pio a don Luigi, il giovane sacerdote venuto dal Nord?

«Mi disse di combattere la massoneria. Ricordo ancora le parole: "Da questo momento tu lascerai tutto e ti impegnerai in questo compito, perché la massoneria ha invaso la Chiesa". Naturalmente ero molto turbato da quelle parole, anche perché non mi sentivo assolutamente idoneo a un compito simile. Io gli avevo subito spiegato che ero un povero prete, che non ero nemmeno laureato, che ero un *asinello* qualsiasi. Ma lui mi rincuorò e mi disse di andare da monsignor Giovan Battista Bosio, vescovo di Chieti.[2] Era bresciano, originario di Concesio; e aveva la casa vicino a quella dei Montini. È stato il vescovo più intelligente che abbia mai conosciuto. Padre Pio mi consigliò di mettermi sotto la protezione diretta di monsignor Bosio, per eseguire il mandato che mi aveva affidato. Così feci. Al termine del nostro incontro, salutandomi, padre Pio mi abbracciò e mi disse: "Monsignor Bosio ti seguirà nel lavoro che io ti ho detto di fare. Coraggio, coraggio, coraggio! Dovrai soffrire molto, da una Chiesa già invasa dalla massoneria!".»

Il giovane sacerdote, turbato per quell'incontro, sulla strada del ritorno si fermò a Chieti e riuscì a incontrare il vescovo.

«Gli dissi che mi mandava padre Pio e gli spiegai il compito che il frate mi aveva affidato. Rimase a sua volta turbato.

---

2. Vescovo di Chieti dal 1948 al 1967.

Mi disse: "Da solo non posso, è una cosa troppo grossa... tu con questo lavoro scavalchi tutte le gerarchie vaticane... se lo fai, devi farlo nel silenzio più assoluto. Nel segreto più assoluto, se no va a monte tutto. Devo parlare con Roma, torna qui tra un mese". Mi disse anche che avrebbe conferito con dei cardinali. Un mese dopo tornai e lui mi riferì che a Roma avevano detto che per un anno sarei dovuto andare tutti i mesi a trovarlo, per conoscerci meglio.»

Il presule, fa capire don Villa, voleva metterlo alla prova, saggiare la sua affidabilità e consistenza.

«Quando ero a Chieti dormivo suo ospite, al vescovado. Trascorso un anno e tre mesi mi disse: "Ti devo dare notizie da Roma. Hanno accettato che tu ti occupi di questo tema, sotto la mia responsabilità. Dovrai agire con prudenza. La massoneria è in tutto il mondo, non è solo qui in Italia; e tu adesso dovrai prendere contatti anche all'estero... certamente ti faranno delle minacce. Devi appoggiarti ai tre cardinali più sicuri e più intelligenti a Roma: il cardinale Ottaviani[3] del Sant'Uffizio, il cardinale Palazzini[4] e il cardinale Parente[5]". Mi disse di tenere soprattutto contatti con il cardinale Ottaviani. Bisognava avere la massima prudenza.»

Si trattava di tre imponenti figure di orientamento conservatore: i cardinali Ottaviani e Palazzini, in particolare, sono stati considerati molto vicini all'Opus Dei. Proprio a Palazzini si rivolse Roberto Calvi nella fase in cui maturava la sua rottura con la massoneria e la ricerca di un aiuto da par-

---

3. Sulla sua figura si veda il libro di Emilio Cavaterra, *Il Prefetto del Sant'Offizio. Le opere e i giorni del cardinale Ottaviani*, Mursia, Milano, 1990.
4. Pietro Palazzini divenne cardinale nel 1973; in seguito fu prefetto della Congregazione per le cause dei santi.
5. Nel 1950 il cardinale Pietro Parente, censore del Sant'Uffizio, aveva deciso d'iscrivere all'indice, come eretico, un libro del famoso filosofo e teologo francese Jean Guitton, *La Vierge Marie* (Aubier, Paris, 1949). È nota la lunga e stretta amicizia tra Montini e Guitton, che sfociò anche in libri di conversazione e scambio epistolare tra i due.

te dell'Opus Dei. Pochi giorni prima di recarsi a Londra, dove troverà la morte, Calvi scrisse una drammatica lettera a Palazzini, era il 30 maggio 1982:

> Eminenza reverendissima,
> sento il dovere di rivolgermi ancora una volta alla Sua illuminata e degnissima persona per informarla degli ultimi spaventosi sviluppi delle mie vicissitudini con lo Ior, che stanno pericolosamente conducendo i miei interessi e quelli più importanti della Chiesa verso un sicuro disastro.
> Vani si sono dimostrati sino a oggi tutti i tentativi di trovare un'equa soluzione alla vertenza della quale Le ho parlato tempo fa durante l'incontro da Lei benevolmente concessomi.
> Monsignor Marcinkus e il dottor Mennini continuano a rifiutarmi ogni possibile contatto con loro, diretto o indiretto, manifestando così una inconcepibile insensibilità ai reali interessi della Chiesa stessa.
> Ma a chi debbono obbedire costoro? Mi torna in mente la frase che molto spesso Monsignor Silvestrini ripeteva a un mio collaboratore, il dottor Francesco Pazienza: «Caschi la Chiesa, l'Ambrosiano, caschi pure il Papa, tanto questi non sono fatti che mi riguardano!».
> A pensarci bene, troppo incredibile sarebbe una connivenza di Marcinkus e Mennini con Monsignor Silvestrini e altri alti prelati! La credibilità morale ed economica del Vaticano è già gravemente compromessa; come mai nessuno vuole intervenire? Perché il cardinale Casaroli, sicuramente informato di quanto accaduto e di quanto potrebbe accadere, non sente il dovere di intervenire pur avendone il diritto e la possibilità?
> Questo dimostra, e sono in molti ormai ad avvertirlo, che, all'interno del Vaticano, esiste un complotto che, in connivenza con le forze laiche e anticlericali nazionali e internazionali, mira a modificare l'attuale assetto del potere all'interno della Chiesa stessa.
> [...] In siffatte condizioni cosa posso sperare io, responsabile come sono di aver svolto un'intensa opera di banchiere nell'interesse della politica vaticana in tutta l'America Latina, in Polonia e in altri Paesi dell'Est?

Roberto Calvi, dati i rapporti che aveva con il Vaticano e il ruolo centrale assunto nella gestione delle sue finanze, sapeva certamente molte cose. E anche questa lettera avvalora, indirettamente, le tesi di don Villa.

Il sacerdote prosegue nel suo racconto e spiega che il rapporto con monsignor Bosio continuò a lungo.

«Monsignor Bosio mi ordinò di tenere i contatti soprattutto con Ottaviani del Sant'Uffizio. E così fu. Anche lui mi fece andare a Roma varie volte. Parlavamo in macchina, per paura di essere ascoltati. Mi diceva: "Non creda che perché sono il cardinale Ottaviani io sia al riparo da indiscrezioni. Negli appartamenti ci sono tante cimici. Ci registrano". Aveva fiducia completa in me. E io iniziai il mio lavoro.»

Don Luigi affiancava le sue ricerche sulla massoneria agli studi accademici.

«Mi laureai a Friburgo. Il dottorato lo feci alla Lateranense, in teologia dogmatica, la materia più difficile. Ho lasciato importanti incarichi per obbedire al mandato ricevuto.»

Don Luigi in quegli anni iniziò a raccogliere segni, tracce, prove. «A Parigi, attraverso un professore che aveva contatti importanti col Grande Oriente di Francia, riuscii ad avere la conferma che il cardinale Lienart,[6] l'alto prelato che organizzò il Concilio Vaticano II, era un 33° grado.»

Non c'è luogo dove don Villa non si sia recato, in quegli anni, per avere prova dei rapporti tra libera muratoria ed esponenti della Chiesa. Si attirò delle antipatie. «Se lei va a New York, alla loggia massonica di Knightsbridge, mi troverà iscritto in un'agenda rossa, con l'indicazione che il mio nome non dovrà mai essere pubblicato e nominato.»

Don Villa è convinto che già il predecessore di Montini, Giovanni XXIII, fosse vicino alla massoneria.[7] Il Gran Mae-

---

6. Achille Lienart (1884-1973) fu vescovo di Lille dal 1928 al 1968 e fu nominato cardinale nel 1930.

7. In particolare sembra che Roncalli avesse avuto contatti con la massoneria martinista e con i Rosacroce (un gruppo massonico di ricerca filoso-

stro del Grande Oriente Virgilio Gaito, in un'intervista del 1994 concessa a Fabio Andriola, affermava: «Si dice che Giovanni XXIII sia stato iniziato alla massoneria quando era nunzio a Parigi».[8] Anche al giornalista Cubeddu di «Trenta Giorni», Gaito confermò: «Pare che papa Giovanni XXII sia stato iniziato a Parigi ed abbia partecipato ai lavori delle Officine ad Istanbul».[9] Anche il massone Pier Carpi,[10] iscritto alle liste P2, ha parlato (citando come fonte un anziano membro dei Rosacroce) di un'iniziazione di Roncalli ai Rosacroce, mentre era delegato apostolico in Turchia, nel 1935.[11] È poi documentato che Roncalli, come nunzio a Parigi,[12] fu in rapporti amichevoli con il barone Yves Marie Marsaudon, Maestro venerabile 33° della Gran Loggia di Francia.

Marsaudon fu ministro dell'Ordine di Malta, un ordine cattolico considerato vicino alla massoneria. Tanto che Pio XII l'aveva messo sotto inchiesta, nominando una commissione cardinalizia che in realtà aveva lo scopo di sopprimere l'ordine, proprio perché sospettato di favorire infiltrazioni massoniche nella Chiesa.[13] Ma papa Giovanni XXIII, il 24 giugno 1961 (festa di San Giovanni Battista, patrono dell'ordine) ricevette in Vaticano i Cavalieri di Malta, annunciando

fica, tecnicamente non scomunicato dalla Chiesa) durante la sua esperienza come diplomatico della Santa Sede.

8. Fabio Andriola, *La loggia è una casa di vetro*, in «L'Italia Settimanale», 26 gennaio 1994, p. 74.

9. Cit. in Luigi Villa, *Anche Giovanni XXIII beato?*, Editrice Civiltà, Brescia, 2000, p. 56.

10. Pier Carpi, *Le profezie di Papa Giovanni*, Edizioni Mediterranee, Roma, 1976.

11. *Ibidem*, p. 55.

12. Il capo della Gran Logia Occidental Mexicana, il Gran Commendatore del Supremo Consiglio Carlos Vasquez Rangel, affermò nel 1992: «Angelo Roncalli e Giovanni Montini furono iniziati, lo stesso giorno, agli augusti misteri della fratellanza, perciò non è strano che molte cose che sono state realizzate nel Secondo Concilio Vaticano, da Giovanni XXIII, siano basate su princìpi e postulati massonici», cit. in Luigi Villa, *Anche Giovanni XXIII beato?*, *op. cit.*, p. 56.

13. *Ibidem*, p. 59.

loro il suo «Breve» con il quale sopprimeva la commissione cardinalizia voluta da Pio XII e approvava le costituzioni dell'ordine, autorizzandolo a eleggere un Gran Maestro.

Secondo il sacerdote bresciano, la base ideologico-culturale nella quale Roncalli trovò alimento all'idea del Concilio Vaticano II è da rinvenire proprio nei contatti stabiliti all'estero da Roncalli e Montini con i mondi dei Rosacroce e della massoneria in senso più ampio.[14]

Don Villa racconta che il clima attorno a lui – a partire dall'avvio del Concilio nell'autunno del 1962 – peggiorò. Nonostante la riservatezza con cui operava, qualcuno in Vaticano osservava le sue mosse. «Monsignor Benelli dava ordini tassativi di tacere, quando qualcuno parlava di me e delle mie ricerche sulla massoneria. La mia rivista "Chiesa Viva" è ancora oggi proibita nei seminari. Il cardinale Ottaviani stesso insisteva molto sul fatto che non mi facessi scappare una parola, neanche con i vescovi, su quello che stavo facendo. Ottaviani aveva nell'archivio la lista di Pecorelli.[15] C'erano tanti prelati, in quella lista. Tra loro anche monsignor Bettazzi,[16] vescovo di Ivrea, che mi ha fatto la guerra.»

Don Villa è convinto che anche un altro influente cardi-

---

14. La rivista dei Francs-massons «Humanisme» (n. 186, 1989) raccontava l'incontro del nunzio Roncalli con il Gran Maestro Alexandre Chevalier, che aveva avanzato proposte riguardo al diritto canonico e altre materie delicate. All'intesa segreta tra il futuro Giovanni XXIII e chi è diventato poi il Gran Maestro nel 1965, invitato all'incoronazione di Giovanni XXIII a Roma, fa eco l'ipotesi che la loggia L'Etoile polaire (l'Atelier), «era all'origine del Vaticano II».

15. In coincidenza con l'elezione di papa Luciani, Mino Pecorelli pubblica su «Op» una lista di 121 esponenti vaticani affiliati alla massoneria. Cfr. capp. «Le confessioni di un Gran Maestro» e «I segreti di Licio Gelli».

16. Monsignor Bettazzi, vescovo di Ivrea, ha smentito le affermazioni di don Villa. E anche in tempi recenti ha preso aperte posizioni critiche nei confronti della massoneria. Secondo don Villa si tratta di un «mutamento di fronte» troppo netto, che confermerebbe proprio le passate simpatie massoniche di Bettazzi.

nale, oltre a Lienart, fosse massone: il cardinale belga Leon Joseph Suenens, uno degli artefici del Concilio Vaticano II.

«Suenens era massone, con tanto di matricola. Secondo delle fonti che avevo a Bruxelles aveva una compagna, dalla quale aveva persino avuto un figlio. L'ho denunciato a Ottaviani, che disse: "Bisogna fargli un processo"» racconta il sacerdote.

Illazioni? Difficile stabilirlo. Certo è che Leon Joseph Suenens fu tra quei cardinali che durante il Concilio Vaticano II adottarono posizioni estremamente avanzate, pronunciandosi contro il celibato sacerdotale e dichiarandosi favorevole all'uso dei contraccettivi. Il 29 ottobre 1964, infatti, mentre si apriva il dibattito sul ruolo della Chiesa nel mondo moderno, il cardinale Suenens chiedeva che il Concilio prendesse delle decisioni forti a favore della limitazione delle nascite. Egli invitava i Padri a interrogarsi per sapere se la Chiesa avesse sempre veramente «saputo mantenere in perfetto equilibrio i diversi aspetti della dottrina sul matrimonio»; se non avesse troppo insistito sul «crescete e moltiplicatevi», concludendo: «Io vi prego, Padri, non facciamo un nuovo processo a Galileo nei confronti della contraccezione».[17]

Ne nacque un grave conflitto interno al Concilio. Il 7 novembre 1964, dopo essere stato convocato da Paolo VI, il cardinale Suenens prendeva la parola nell'aula conciliare e negava di aver messo in dubbio l'insegnamento autentico della Chiesa sul matrimonio, affermando che tutto quello che riguardava la limitazione delle nascite atteneva alla sola autorità suprema del Santo Padre.

---

17. Il 30 ottobre 1964 il cardinale Ottaviani reagì fermamente alle argomentazioni del cardinale Suenens sul matrimonio: «Io deploro che il testo affermi che le coppie sposate possano fissare il numero dei figli che avranno. Mai la Chiesa ha affermato una cosa simile». Ottaviani si disse stupefatto che il cardinale Suenens potesse mettere in dubbio la giustezza della posizione tenuta dalla Chiesa: «Questo significa che si mette in dubbio la inerranza della Chiesa?».

Paolo VI

Con don Villa tocchiamo un punto delicato, quello dei presunti rapporti tra papa Montini e la libera muratoria. L'apertura intellettuale di Paolo VI su molte tematiche «di confine» ha fatto ritenere ad alcuni osservatori che il Pontefice coltivasse delle «simpatie» nei confronti di quel mondo. Don Villa si spinge oltre: ritiene che Paolo VI appartenesse alla massoneria.

«Non convinto: ne sono certo! Peraltro non si tratta nemmeno di una cosa ignota, qui a Brescia. L'ex presidente della Corte d'appello di Brescia, Salvatore Macca, poi magistrato di Corte di Cassazione, in una lettera pubblicata su un quotidiano scrisse "il massone Montini". Il presidente di un tribunale può contare sempre su buone fonti. Sapeva molte cose, anche in merito al supporto offerto dalla famiglia Montini alla resistenza durante la fase conclusiva della guerra.»[18]

Nel suo libro *Paolo VI beato?*,[19] don Villa cita a sostegno della sua tesi molte «prove», rinvenibili – secondo il sacer-

---

18. Nel 1931 Montini venne incaricato di una missione in Germania e Svizzera per organizzare la diffusione dell'enciclica *Non abbiamo bisogno*, nella quale papa Pio XI condannava il regime fascista per lo scioglimento delle organizzazioni cattoliche. Nel 1933 fu costretto a dimettersi dalla Fuci per l'opposizione di correnti clericali contrarie alla sua formazione culturale. Il 13 dicembre 1937 venne nominato sostituto della segreteria di Stato e iniziò a collaborare strettamente con il cardinale segretario di Stato Eugenio Pacelli. Durante tutto il periodo bellico svolse una intensa attività nell'Ufficio informazioni del Vaticano per ricercare notizie su soldati e civili. Il 19 luglio 1943 accompagnò Pio XII nella visita al quartiere San Lorenzo colpito dai bombardamenti alleati. La guerra fu occasione di violentissime polemiche relative al ruolo della Chiesa, e in particolare di Pio XII. In sostanza il Papa fu accusato di aver mantenuto verso i tedeschi, cioè verso il nazismo, un atteggiamento mai troppo distaccato, anzi sospetto di collaborazionismo. Montini fu investito appieno dalla tempesta, stante la centralità della sua posizione e la sua strettissima vicinanza al Papa, e si trovò a dover difendere se stesso e il Pontefice dalle accuse di filo-nazismo.
19. Luigi Villa, *Paolo VI beato?*, Editrice Civiltà, Brescia, 1991.

dote – nelle posizioni moderniste e «laiche» assunte da Montini nel corso del suo papato e del Concilio Vaticano II.

Che Montini avesse simpatie laiche emergerebbe, ad esempio, dai testi del lungo dialogo che il Pontefice intrattenne con il teologo Jean Guitton. Proprio Guitton, nel suo libro *Dialoghi con Paolo VI*, riporta una frase del Pontefice: «Non mi sentivo portato al chiericato, che talvolta mi sembrava statico, chiuso [...] implicante la rinuncia alle tendenze terrene nella misura della sua condanna al mondo [...] se io sento così, vuol dire che sono chiamato a un altro stato, dove io mi realizzerò più armoniosamente, per il bene comune della Chiesa».[20]

In un altro libro centrato sul loro intenso colloquio, il teologo francese scriveva di Paolo VI: «Ho notato quanto il suo pensiero fosse di tipo laico. Con lui non si era in presenza di un "chierico", ma di un laico promosso, inaspettatamente, al Papato».[21]

Ma don Villa va oltre, asserendo di aver scoperto inconfutabili indizi circa l'appartenenza di Montini alla massoneria.

«Al cimitero di Verolavecchia, qui in provincia di Brescia, si trovano le pietre tombali della famiglia materna di Montini, gli Alghisi. Il sacello della madre di Paolo VI fu disegnato dal Pontefice in persona, quando la madre morì. Ebbene, sul tombale in pietra vi sono i simboli massonici: la squadra e il compasso, sovrastati da un triangolo.» La fotografia[22] della tomba in effetti colpisce: quelli impressi sulla pietra sembrano effettivamente simboli massonici.[23]

---

20. Jean Guitton, *Dialoghi con Paolo VI*, cit. in Luigi Villa, *Paolo VI beato?*, *op. cit.*, p. 12.
21. Jean Guitton, *Paul VI secret*, cit. in Luigi Villa, *Paolo VI beato?*, *op. cit.*, p. 12.
22. *Ibidem*, pp. 154-155.
23. Suscita curiosità anche un'altra annotazione del sacerdote bresciano: un particolare della formella n. 12 realizzata da Luciano Minguzzi in occasione dell'ottantesimo compleanno di Paolo VI (porte di bronzo della basilica di San Pietro): sulla mano del Pontefice figura una stella a cinque punte, uno dei simboli forti della massoneria.

Difficile, naturalmente, valutare le affermazioni del sacerdote bresciano, che nei suoi libri su Paolo VI e sulla massoneria porta come «prove» dichiarazioni e testi del papato di Montini che potrebbero semplicemente essere interpretati come posizioni di «apertura» in un momento di particolare dinamismo della Chiesa.

Resta tuttavia il fatto che Montini ebbe – sul piano storico – rapporti con discussi esponenti della massoneria. In particolare, quando resse come cardinale la diocesi di Milano[24] aveva conosciuto un rampante finanziere siciliano: Michele Sindona. Questi si era mostrato molto generoso con la diocesi milanese, e in cambio aveva ricevuto la possibilità di entrare in contatto con lo Ior già nel 1960.[25]

Il 21 giugno 1963 Montini divenne Papa. Il Gran Maestro Giordano Gamberini, il giorno stesso dell'annuncio, affermò: «Questo è l'uomo che fa per noi!».

Dopo l'elezione,[26] Montini chiamò Sindona a Roma e gli affidò una consulenza per lo Ior, chiedendogli di modernizzare la banca. All'epoca Sindona era in grande ascesa,

---

24. Il 1° novembre 1954, dopo la morte di Alfredo Ildefonso Schuster, Montini fu nominato arcivescovo di Milano, e a molti questo parve un allontanamento dalla Curia romana. Tra l'altro senza che questo lo portasse all'elezione a cardinale (nemmeno nel Concistoro del 1953 i due sostituti alla segreteria di Stato, Montini e Domenico Tardini, erano stati nominati cardinali). Come arcivescovo di Milano seppe risollevare le precarie sorti della Chiesa lombarda in un momento storico difficilissimo, dove emergevano i problemi economici della ricostruzione, l'immigrazione dal Sud, il diffondersi dell'ateismo. Seppe coinvolgere anche le migliori forze economiche nel risollevamento della Chiesa; cercò il dialogo e la conciliazione con tutte le forze sociali; e questo gli garantì notevoli simpatie.
25. David Yallop, *In God's Name. An Investigation into the Murder of Pope John Paul I*, Jonathan Cape Ltd, London 1984; trad. it. *In nome di Dio*, Pironti, Napoli, 1997, p. 44.
26. Il Concilio Vaticano II – iniziato nell'ottobre 1962 – si interruppe il 3 giugno 1963 per la morte di papa Roncalli, malato da qualche mese. Il breve conclave successivo si concluse con l'elezione di Montini, che assunse il nome Paolo VI, il 21 giugno 1963.

faceva affari con Nixon, aveva rapporti con l'amministrazione americana, con il capo della Cia e con importanti esponenti della Democrazia cristiana. Nel 1968 Paolo VI chiamò allo Ior monsignor Marcinkus, che era stato sua guardia del corpo e che poi tesserà i rapporti con Sindona e con Calvi.[27]

Nel 1972 il Vaticano, attraverso lo Ior, cedette la Banca Cattolica del Veneto al Banco Ambrosiano di Roberto Calvi, allora in un momento di forte espansione. Fu un'operazione che irritò profondamente il patriarca di Venezia, il cardinale Albino Luciani,[28] futuro successore di Paolo VI.

Un anno prima, nel 1971, Roberto Calvi e Paul Marcinkus avevano fondato – con il supporto di Sindona – la Cisalpine Overseas Bank, a Nassau, nelle Bahamas. Una realtà che servì per coprire speculazioni immobiliari fraudolente e riciclaggio di denaro di dubbia provenienza.

---

27. David Yallop, *op. cit.*

28. Alfio Caruso in un articolo su «La Stampa» del 22 agosto 2006, scrive: «Luciani nutriva dal '72 scarsa simpatia per il vescovo Paul Marcinkus, numero uno dello Ior (Istituto opere religiose): aveva dovuto leggere sul Gazzettino che la Banca Cattolica del Veneto, di cui lui, in quanto patriarca di Venezia, aveva la guida spirituale, era stata ceduta al Banco Ambrosiano di Roberto Calvi. Luciani aveva comunicato a Paolo VI il proprio dispiacere per esser stato tenuto all'oscuro, ma Marcinkus, autore della vendita, si era rifiutato di fornire spiegazioni. Quelle che invece, da Papa, Luciani adesso pretendeva su molte operazioni della banca vaticana, senza probabilmente immaginare che il suo legittimo desiderio di trasparenza e di correttezza avrebbe messo a nudo i manovratori occulti dello Ior: Sindona, Calvi, Gelli. La ricognizione sullo Ior comportava un esame accurato anche dei conti dell'Apsa (Amministrazione del patrimonio della sede apostolica), presieduta dal cardinale francese Jean Villot, segretario di Stato e legatissimo a Montini. Villot si batteva per la continuità tra un pontificato e l'altro, di conseguenza si era già trovato in disaccordo con le prime scelte di Giovanni Paolo I. Non a caso crescevano le voci di una sua imminente sostituzione con il cardinale Benelli, ex vice segretario di Stato, che egli stesso aveva contribuito a esiliare qualche anno prima a Firenze. E proprio in quei giorni il nome di Villot apriva la lista dei 121 ecclesiastici iscritti alla massoneria pubblicata dalla rivista "Op"».

Montini ebbe modo di conoscere anche Licio Gelli.[29] Nel 1965, durante il pontificato di Paolo VI, gli venne anche riconosciuta dal Vaticano la nomina a commendatore Equitem Ordinis Sancti Silvestri Papae.

Tutto questo non dimostra che papa Montini fosse massone, naturalmente. È possibile che l'*entourage* del Pontefice abbia avuto rapporti con esponenti della finanza contigui alla massoneria, com'è accaduto in più di un'occasione nella storia delle finanze vaticane.

Non bisogna poi dimenticare che papa Montini era una figura vista con molta simpatia dal governo americano. Nel corso del suo lavoro come segretario di Stato in Vaticano aveva stretto rapporti con il cardinale Francis Spellman, «gran protettore» dei Cavalieri di Malta, una *lobby* molto potente con aderenze massoniche.

William Blum, un ex funzionario del dipartimento di Stato americano che ha avuto conoscenza diretta di molte operazioni «coperte» e che – dopo essersi dimesso per protesta sui metodi usati in molte situazioni internazionali – è stato autore di inchieste sulla Cia, sul colpo di Stato in Cile e sulla guerra in Vietnam, in un suo libro nel quale ricostruisce l'azione della Cia in Italia, scrive: «Ci fu il caso del cardinale Giovanni Battista Montini, un altro beneficiario della munificenza della Cia. I pagamenti a lui effettuati rivelano un po' delle convinzioni meccanicistiche dell'Agenzia sul perché le persone diventino radicali. Sembra che negli anni Cinquanta e Sessanta il buon cardinale promuovesse orfanotrofi in Italia. L'idea, afferma l'ex agente Cia in Italia Victor Marchetti, "era che se quel tipo di istituzioni venivano adeguatamente foraggiate, molti giovani sarebbero vissuti al loro interno e non sarebbero caduti un giorno in mani comuniste". Il cardinale, da monsignore, era stato coinvolto nell'operazione

---

29. L'incontro di Paolo VI con il capo della P2, durante il quale il Papa ne annotò il numero di telefono, ci è stato confermato personalmente da Gelli. Cfr. cap. «I segreti di Licio Gelli».

vaticana per contrabbandare i nazisti verso la libertà dopo la Seconda guerra mondiale. Aveva una lunga storia di legami con i governi occidentali e con i loro servizi segreti. Nel 1963, divenne Paolo VI».[30]

Sono stati documentati, nel corso di questa inchiesta, i legami tra gli ambienti dei servizi americani e la massoneria. Ma anche altre «coincidenze» testimonierebbero la «simpatia» di Paolo VI nei confronti della massoneria. In una lettera privata, scritta da un massone, amico di un noto scrittore francese, il conte Lion de Poncis, esperto in questioni massoniche, si legge questa frase: «Con Pio X e Pio XII, noi framassoni potemmo ben poco, ma *avec Paul VI, nous avons vençu* [con Paolo VI, noi abbiamo vinto, *Nda*]».

Sotto il pontificato di Paolo VI sono state introdotte, in Italia – senza un'opposizione paragonabile a quella dei papati di Wojtyla e Ratzinger su temi molto meno forti – leggi considerate in sintonia con certa parte della massoneria: il divorzio, l'aborto, la separazione tra Chiesa e Stato.

Anche sul piano ecclesiastico vi furono gesti simbolici di un certo rilievo: il 13 novembre 1964 Paolo VI depose la «tiara» – simbolo del «triregno» – sull'altare, rinunciandovi definitivamente; un gesto auspicato dai massoni che animarono la Rivoluzione francese.[31]

Durante il suo viaggio in Terra Santa, nel 1964, sul monte degli Ulivi, a Gerusalemme, Paolo VI abbracciò il patriarca ortodosso Athenagoras I, massone del 33° grado. Poi, alla vigilia della chiusura del Vaticano II, tutti e due «si tolsero» le rispettive scomuniche, lanciate nel 1054.

Una coincidenza di vedute è stata trovata poi tra le idee

---

30. William Blum, *Killing Hope. U.S. and Cia Military Interventions since World War II*, Common Courage Press, Monroe, Maine, 1995; trad. it. *Il Libro Nero degli Stati Uniti*, Fazi, Roma, 2003, p. 182.
31. La tiara venne messa in vendita e acquistata proprio dal cardinale Francis Spellman per finanziare missioni in Africa.

mondialiste di Paolo VI e i programmi di organizzazioni internazionali da sempre vicine agli ideali internazionalistici delle massoneria: Onu e Unesco.

In questo senso è stata letta, ad esempio, l'enciclica *Populorum progressio*, in cui Paolo VI parla di una «banca mondiale», dietro la quale c'è un «governo mondiale», che regnerebbe grazie a una «religione sintetica e universale».

La lista di Pecorelli

Il 12 settembre 1978 il settimanale «Op» diretto da Mino Pecorelli, giornalista iscritto alla P2 e poi assassinato,[32] pubblicò in un articolo dal titolo *La Grande Loggia Vaticana*, un elenco di ben 121 nominativi[33] di esponenti vaticani e di alti prelati indicati quali affiliati alla massoneria. Ha scritto Alfio Caruso:[34] «Una mano anonima aveva inserito l'articolo nella rassegna stampa sfogliata ogni mattina dal Papa. Questi aveva subito chiesto al cardinale Felici se la lista potesse essere veritiera. Verosimile, era stata la risposta. L'elenco faceva impressione: comprendeva Villot, monsignor Agostino Casaroli, ministro degli Esteri della Santa Sede, il cardinale Ugo Poletti, vicario di Roma, il cardinale Sebastiano Baggio, Mar-

---

32. Il 20 marzo 1979 Mino Pecorelli, direttore dell'agenzia di stampa «Op» che pubblicava veline dei servizi segreti italiani, veniva ucciso da un killer a Roma. Durante la successiva perquisizione nel suo studio venne trovata una copia del fascicolo «M.Fo.Biali», da cui partirà un'inchiesta su un nuovo scandalo dei petroli. Poche ore prima di essere ucciso, Pecorelli aveva parlato col giudice Infelisi dello scandalo Italcasse che coinvolgeva il piduista Giuseppe Arcani. Il suo giornale, inoltre, stava per uscire con un dossier su Giulio Andreotti. Fra i temi trattati da Pecorelli su «Op» nei mesi precedenti la sua morte figurano: il passato di Licio Gelli, il contrabbando di petroli e le responsabilità dei generali Raffaele Giudice e Lo Prete, gli assegni per alcuni miliardi in riferimento ad Andreotti.
33. La lista in realtà era già stata pubblicata due anni prima in Francia dal «Bulletin de l'Occident Chretien» (n. 12, luglio 1976).
34. Alfio Caruso, in «La Stampa», 22 agosto 2006.

cinkus, monsignor Donato De Bonis, dello Ior, don Virginio Levi, vicedirettore dell'"Osservatore Romano", padre Roberto Tucci, direttore della Radio Vaticana, monsignor Pasquale Macchi, segretario di Paolo VI. Con il disincanto tipico del vecchio habitué di Curia, Felici osservò che liste simili circolavano da sempre e che la prassi era di non prenderle in considerazione. D'altronde, aggiunse con un pizzico di malizia, Paolo VI aveva varato un comitato per cancellare la scomunica che da secoli veniva comminata ai massoni e il cardinale Villot ne era apparso entusiasta. Sentimento non condiviso da Luciani: per lui la massoneria incarnava il nemico di Roma. Pur intuendo che il suo amato Montini avesse aperto le porte delle mura leonine a una schiera di piduisti – Gelli, Ortolani, Sindona, Calvi – era contrarissimo a quell'insana commistione rivolta soltanto al profitto».

Don Villa, nel libro *Paolo VI beato?* afferma che l'elenco era veritiero.

Potenti massoni, secondo il sacerdote, sarebbero stati influenti collaboratori di papa Montini. Don Villa ne cita alcuni: monsignor Pasquale Macchi, segretario personale del Pontefice; il cardinale Jean Villot, segretario di Stato di Paolo VI, di Giovanni Paolo I e di Giovanni Paolo II, fino alla morte avvenuta nel 1979; il cardinale Agostino Casaroli, della cui appartenenza alla massoneria sarebbe stato a conoscenza anche papa Wojtyla, stando alla testimonianza resa a don Villa da un arcivescovo, stretto collaboratore del Pontefice polacco.

Ma sarebbero stati massoni anche il vescovo Annibale Bugnini, cui Paolo VI affidò la «rivoluzione liturgica» del Concilio, nonostante il precedente allontanamento del Bugnini da parte di Giovanni XXIII. E ovviamente il vescovo Paul Marcinkus.

Don Villa è anche convinto che papa Luciani, il papa dei 33 giorni (il 33 è un numero simbolico per tutti i massoni), volesse fare «pulizia» all'interno del Vaticano, avendo individuato la forte presenza massonica. E questa sarebbe stata la causa della sua improvvisa morte.

I documenti proposti da don Villa sono stati spesso censurati dai giornali, come lamenta lo stesso prete bresciano. Denunce ai suoi danni? Nessuna. Però sembra che sia stato oggetto di diversi attentati e aggressioni, una delle quali a Parigi, dove si trovava a indagare proprio su alcuni cardinali in odore di grembiulino massonico. Ma don Villa tira dritto per la sua strada, continuando a combattere la massoneria, come indicato da Padre Pio. Ha ultimato un terzo volume su Paolo VI e ha avviato una battaglia contro lo «scandalo» della nomina di monsignor Francesco Marchisano ad arciprete della basilica vaticana e vicario generale del Pontefice.[35] Marchisano era arcivescovo titolare della Pontificia commissione per i beni culturali della Chiesa e della Pontificia commissione di archeologia sacra, quando il Papa lo nominò successore del cardinale Virgilio Noè. Ma il neonominato, stando alle tesi di don Villa, sarebbe l'autore di tre lettere inviate da un certo «Frama» al venerabile Gran Maestro del Grande Oriente di Palazzo Giustiniani.

Due risalgono al 1961, nella terza la data è illeggibile. Da notare che in tutti i documenti massonici i nomi reali dei «fratelli» sono occultati da sigle e il Frama in questione potrebbe essere l'acronimo di Francesco Marchisano, all'epoca sottosegretario della Congregazione studi ed educazione cattolica. Ma non mancano altre sorprese. Il 23 maggio 1961 Frama scrive al capo dei massoni italiani di aver ricevuto «con molta gioia, tramite il F. Mapa, il Vostro delicato incarico». Il fratello «Mapa» in questione – secondo don Villa – sarebbe Pasquale Macchi, segretario personale di Paolo VI.

Sarebbe stato lui, quindi, a far da tramite fra il Gran Maestro e Marchisano. Quattro mesi dopo, il 12 settembre

---

35. Il 26 aprile 2002 l'«Osservatore Romano» riportava in prima pagina che «il Santo Padre, accogliendo la richiesta presentatagli dall'eminentissimo Signor cardinale Virgilio Noè, ha accettato le sue dimissioni» e ha nominato al suo posto «Arciprete della Patriarcale Basilica Vaticana, Suo Vicario Generale per lo Stato della Città del Vaticano e Presidente della Fabbrica di San Pietro l'Eccellentissimo Monsignore Francesco Marchisano».

1961, sempre secondo i documenti illustrati dal sacerdote lombardo, Frama scrive ancora a Palazzo Giustiniani: «Dopo aver avvicinato e contattato più volte i Ff. "Pelmi" e "Bifra", sono ritornato da "Mapa" per presentare un primo piano di lavoro».

La terza lettera di Frama parla di una riunione svoltasi la sera prima tra i fratelli «Pelmi», «Mapa», «Bifra», «Salma», «Buan», «Algo» e «Vino» in cui si è deciso di «iniziare degli esperimenti presso alcuni seminari d'Italia», ad esempio Torino, Trento e Udine, realtà ricche di massoni. Nella lettera Frama scriverebbe: «Bisogna diffondere in tutti i seminari il nostro concetto di libertà e di dignità della persona umana, senza alcuna remora né da parte dei superiori, né da parte di alcuna legge. Occorre una stampa capillare».

Secondo don Villa, «Buan» è Annibale Bugnini, autore della riforma liturgica sotto papa Montini e quindi inviato in Iran come pro-nunzio apostolico, dopo che un cardinale consegnò a Paolo VI le prove della sua appartenenza alla loggia massonica.

«Pelmi» sarebbe stato Michele Pellegrino, cardinale e arcivescovo di Torino, mentre «Algo» sarebbe la sigla massonica di Alessandro Gottardi, arcivescovo di Trento. Sotto il nome in codice di «Vino» si celerebbe invece Virgilio Noè, proprio il cardinale citato per aver passato la mano in favore di Marchisano. Mentre «Bifra» sarebbe Franco Biffi, rettore dell'Università lateranense, e «Salma» l'abate di Finalpia, nel savonese, Salvatore Marsili.

Arcivescovi, cardinali, rettori di atenei pontifici: secondo il sacerdote la massoneria avrebbe perciò pianificato, anno dopo anno, la sua infiltrazione ai massimi livelli della gerarchia ecclesiastica, arrivando infine a circondare il Soglio di Pietro.

Difficile valutare i documenti di don Villa riguardo all'esistenza di un nucleo consistente di ecclesiastici affiliati alla massoneria. Certo è che quando Paolo VI morì, nel 1978, l'elogio funebre che l'ex Gran Maestro di Palazzo Giustiniani fece su una rivista massonica fu: «Per noi è la morte di chi ha fatto cadere la condanna di Clemente XII e dei suoi successori. Ossia, è la prima volta – nella storia della Massoneria moderna – che muore il Capo della più grande religione occidentale non in stato di ostilità coi massoni».[36] Gamberini concludeva: «Per la prima volta nella storia, i Massoni possono rendere omaggio al tumulo di un Papa, senza ambiguità né contraddizione».

Si potrebbe pensare che don Villa sia un prete su posizioni conservatrici, funzionale alle forze più tradizionaliste. Ha invece parole severe anche nei confronti dell'Opus Dei, una forza per la quale simpatizzavano i suoi protettori Ottaviani e Palazzini. Dell'Opus Dei don Villa dice senza esitazione: «È una massoneria bianca». Il prete bresciano contesta anche le modalità del processo di beatificazione di Escrivá de Balaguer, canonizzato nel 2002. Al tema ha dedicato anche un numero di «Chiesa Viva» intitolato *Una beatificazione sbagliata?*[37]

Il sacerdote commenta: «Il professor Vittadini dell'Università lateranense e presidente della camera di beatificazione aveva fatto un rapporto terribile contro Escrivá santo. Allora il cardinale della Congregazione dei santi disse che sarebbe stato necessario parlarne al Papa. E lo fece. Ma Wojtyla lo ricevette, lo guardò e gli disse: "Il Papa sono io, lo voglio santo!"».

Villa non fa sconti neanche ai politici. «Che Berlusconi facesse parte della P2 è cosa nota. Oggi lui può anche dire che è "in sonno", che è un massone "dormiente", ma obbedisce a quegli interessi: quando uno è dentro non scappa più. Anche Prodi è massone, solo che appartiene al circolo degli Illuminati.»

Pochi si salvano dalla «caccia» del sacerdote bresciano. La sua conclusione è amara, ma battagliera: «La massoneria

---

36. Necrologio del Gran Maestro Gamberini su «La Rivista Massonica» del 5 luglio 1978, p. 290.
37. «Chiesa Viva», n. 298, settembre 1998.

ha in mano la Chiesa e lo Stato. Ma il loro punto debole è la superbia. Prima o poi i loro giochi di potere verranno alla luce».

Padre Rosario Esposito, il sacerdote massone

Su un fronte opposto a quello di don Luigi Villa – confermandone però le supposizioni – si pone un altro sacerdote, il paolino Rosario Esposito, che da molti anni è uno strenuo sostenitore delle grandi «concordanze» tra Chiesa e massoneria. Una simpatia decennale, quella di padre Esposito per i liberi muratori, che viene ricambiata con calore.

Da moltissimi anni, infatti, padre Esposito – classe 1921, originario di Pomigliano d'Arco, ex missionario in Congo e docente negli atenei pontifici di Roma e Napoli – si batte con i suoi libri per sostenere i punti di convergenza tra Chiesa e massoneria. Ha infatti avviato i suoi studi «massonologici» nel lontano 1954, pubblicando oltre duecento titoli sull'argomento tra libri e articoli, tra cui si segnalano: *Le grandi concordanze tra Chiesa e massoneria*[38] e *Chiesa e Massoneria. Un Dna comune.*[39]

La sua frequentazione con vari Gran Maestri succedutisi nel corso dei decenni è stata ampia e trasparente. Esposito ha partecipato anche a seminari di dialogo internazionale tra Chiesa e massoneria.

Tanto è la simpatia per la «fratellanza» del sacerdote napoletano che il 2 dicembre 2006 padre Esposito è stato dichiarato Gran Maestro onorario della Loggia Nazionale d'Italia. Non si è trattato di un'iniziazione in senso «tecnico», ma di un'ammissione «bilaterale» del rapporto di grande simpatia e «fratellanza» esistente tra alcuni qualificati esponenti della Chiesa e la libera muratoria. Il sacerdote ha

---

38. Nardini Editore, Fiesole (Firenze), 1987.
39. Nardini Editore, Fiesole (Firenze), 1999.

accettato volentieri e ha ringraziato con un discorso ufficiale.
Eccone il testo:

Carissimi Fratelli,
Ho partecipato a tante cerimonie dell'uno e dell'altro gruppo
massonico italiano, anzi di diversi, anche quelli più piccoli; e
sempre mi sono sentito profondamente commosso. Ma questa mattina davanti ad una manifestazione così – come dire –
corale, io sto ringraziando il Grande Architetto dell'Universo
che non mi ha fatto commuovere fino al pianto.
Sono riuscito a trattenerlo e mi auguro di riuscirci fino alla fine,
benché sentirsi commossi davanti a voi è come sentirsi commossi davanti ai propri Fratelli, perché Fratelli siete e Fratelli vi
ho sempre considerato, anche quando ho dovuto sorbire il cali-
ce amaro dell'incomprensione – non da parte vostra, mai –, ma
da parte dei miei perché io presentavo a loro una posizione non
facile da assumere; e bene o male, con maggiore o minore sforzo, ho sempre fatto accettare il mio diritto a chiamarvi Fratelli.
Ricordo che mi riportai a questa espressione la prima volta che
vi incontrai pubblicamente; e fu a Savona il 15 giugno 1969: là
– non c'era bisogno di dichiararlo pubblicamente – furono di-
strutti da parte mia tutti gli ostacoli sul cammino che mi porta
alle vostre sedi benedette.
Mi viene in mente una parola di un grande ecumenista tedesco: «Così viene a voi nella pacificante loggia il fratello universale, il Cristo che è il mal di cuore del nostro tempo» cioè
è la sede dell'allarme, allarme dolcissimo, allarme che esige
fratellanza, abbraccio, parole sempre di edificazione.
Qualche volta è stato necessario soffrire un po' di incomprensione – grazie a Dio lo posso dire con tranquilla coscienza – mai
da parte dei Fratelli Liberi Muratori ma da parte della Chiesa;
eppure ormai possiamo dire che il cammino in comune è confermato. L'abbraccio fraterno è registrato negli annali della vostra Comunione e quando si fa il dialogo con una Comunione
lo si fa con tutte, perché il linguaggio della fraternità e del-
l'amore non subisce rispetti umani ma si lascia andare a tutte le
confidenze: le riserve mentali non esistono più, il fuoco del-
l'amicizia le ha bruciate e gli ultimi avanzi di resistenza vengono bruciati proprio in questa circostanza nella quale tra colui

che vi parla e voi altri si può ben dire che non esiste alcun diaframma, ma esiste la totale disponibilità di dono gli uni agli altri. Io vi posso assicurare che dono a voi tutto l'affetto fraterno e sono certissimo che lo stesso facciate voi cosicché, per usare un espressione di Leopardi, noi ci sentiamo naufragare; il naufragar ci è dolce in questo mare.

Ora quale messaggio più giusto si può accentuare se non quello della reciproca accettazione? La reciproca accettazione è un primo passo; ma noi siamo molto oltre; quando c'è questo piede giusto di partenza tutte le velocità sono a nostra disposizione. Noi passiamo le distanze e ci immergiamo gli uni nelle braccia degli altri secondo il rito della pace che si usa in tutte le celebrazioni eucaristiche.

La Santa Messa è un atto iniziatico: la prima parte è la parte istruttiva, le letture dell'Antico e Nuovo Testamento, i responsori con cui la dirigenza del rito dialoga con i partecipanti.

Dopo le letture, dopo la meditazione silenziosa, la breve pausa di silenzio, arriva il momento in cui il celebrante o meglio il cerimoniere giunge alla fatidica espressione «scambiatevi un gesto di comunione fraterna»; noi in questo momento stiamo pregando il Grande Architetto dell'Universo che spande su di noi le sue benedizioni. E ognuno di noi le scambia con il suo vicino e con tutti gli altri presenti perché siamo tutti vicini in questa circostanza. Non c'è lontananza, non c'è distanza; ed allora io rendo grazie al vostro veneratissimo Gran Maestro che ha voluto rendermi questo onore, che accetto non come rivolto a me, ma come rivolto alla Santa Madre Chiesa la quale ha avuto nei vostri confronti momenti di grande diffidenza, ma mai con la Comunione di piazza del Gesù: questa testimonianza ve la posso rendere proprio a piena bocca. Piazza del Gesù è sempre stata comprensiva e fraterna. Ma anche con l'altro gruppo, che è più critico, almeno oggi non esistono più i diaframmi di un tempo. Posso considerare concluso il mio intervento, ho abusato fin troppo della vostra pazienza.

La nomina di padre Esposito come Maestro onorario non poteva passare inosservata ai vertici del Vaticano, che si muoveva con decisione nei confronti della Società di San Paolo, cui appartiene l'anziano sacerdote. Il 5 giugno 2007 è stato emesso un comunicato, a firma del superiore generale della Società San Paolo, don Silvio Sassi, che recita:

> In merito alle notizie, diffuse da alcuni organi di stampa, riguardanti il sacerdote della Società San Paolo don Esposito Rosario che, mediante atto pubblico, avrebbe liberamente aderito alla Massoneria, si precisa che la cerimonia alla quale ha partecipato il suddetto sacerdote con l'attribuzione del titolo, non richiesto, di Maestro Libero Muratore Onorario, non riveste in alcun modo il significato di un rito di iniziazione né di pubblica appartenenza. Si tratta, infatti, di una libera iniziativa della Massoneria della Gran Loggia d'Italia per esprimere apprezzamento e gratitudine all'attenzione manifestata da don Rosario Esposito in tanti anni di contatti e di dialogo. Ciononostante non si può non deplorare che il sacerdote, sia pur in situazione di grave malattia, abbia accettato tale onorificenza.

Ancor prima era intervenuto monsignor Gianfranco Girotti, reggente della Penitenzieria apostolica, che in una dichiarazione alla Radio Vaticana[40] ha sottolineato il giudizio negativo della Chiesa nei riguardi delle associazioni massoniche, espresso nel documento della Congregazione per la dottrina della fede del 1983.

Monsignor Girotti, in passato stretto collaboratore di Joseph Ratzinger alla Congregazione della fede, ha ricordato che restano in vigore le sanzioni previste per i sacerdoti aderenti alle logge. Girotti ha spiegato inoltre che Esposito ha violato le norme vigenti sulla incompatibilità tra appartenenza alla massoneria e sacerdozio cattolico, dicendo di attendersi che nei suoi confronti vengano assunti i provvedimenti previsti per i sacerdoti, ovvero la scomunica.

L'incompatibilità vale anche per i laici, sia pure in forma più tenue, ha precisato il prelato: «Chi è massone – queste le parole di monsignor Girotti – non è scomunicato, ma si tro-

---

40. *Vaticano: Sospesi i preti che aderiscono a Massoneria*, 2 marzo 2007, ore 17:50. Fonte: www.repubblica.it.

va in uno stato di peccato grave, per cui non può accostarsi ai sacramenti e, quindi, la Chiesa considera costoro come persone che sono irregolari nei confronti del Magistero della Chiesa».

Una posizione severa,[41] che testimonia quanto sia ancora delicato il tema dei rapporti tra Chiesa e massoneria.

---

41. In parziale dissenso si esprimeva il 1° marzo 2007 Giuseppe Ferrari, segretario nazionale del Gris, il Gruppo di ricerca e informazione socio-religiosa (autorizzato dalla Cei), che in occasione del convegno su Chiesa e massoneria affermava, sempre ai microfoni della Radio Vaticana: «Ritengo che si debba proseguire sulla strada del dialogo e trovare elementi comuni sui quali collaborare e portare avanti anche iniziative comuni e battaglie comuni, specialmente a difesa della vita, a difesa della dignità della persona umana, a difesa e salvaguardia della natura e via dicendo».

Massoneria e Opus Dei

Antitesi e somiglianze

Il rapporto tra massoneria e Opus Dei è stato sempre complesso: un forte antagonismo è sfociato a più riprese in aperta contrapposizione. Tuttavia queste due realtà non mancano di presentare sottili analogie. Il primo aspetto da rilevare è che il fondatore dell'Opus Dei, Josemaría Escrivá de Balaguer, nella fase in cui diede vita all'Opera, mutuò molti aspetti organizzativi dai gesuiti, spesso accusati di essere simpatizzanti della massoneria e delle sue idee progressiste.[1] Tanto che ancora oggi i gesuiti, negli incontri interni dell'Opera, vengono chiamati «i soliti noti», o più sinteticamente «i soliti». Eppure, Escrivá proprio da quel corpo scelto della Chiesa prese ispirazione per creare la sua Opus Dei.

«Il debito dell'Opus Dei nei confronti dei gesuiti è immenso. Al punto che si può affermare che se la Compagnia di Gesù non fosse esistita, la nascita dell'Opus Dei sarebbe stata impossibile», scrive uno dei biografi di Escrivá, Luis Carandell.[2]

---

1. Le maggiori aperture al dialogo con la massoneria sono venute storicamente dai gesuiti. I quali, negli anni Settanta, hanno appoggiato in America Latina i movimenti della teologia della liberazione accusati di essere d'ispirazione marxista e laico-massonica.
2. Luis Carandell, *Vida y Milagros de Monseñor Escrivá de Balaguer, Fundador del Opus Dei*, Editorial Laja, Barcelona, 1975, p. 180; citato in Michael Walsh, *Opus Dei: an investigation into the Secret Society struggling for power within the Church,* Srafton Books, London, 1989; l'edizione utilizzata è di Harper & Collins, San Francisco, 2004, p. 27.

Mentre Michael Walsh, studioso dell'Opus Dei ed ex gesuita, scrive: «La Compagnia di Gesù e l'Opus Dei sono stati frequentemente comparati. Dal secolo XVI la realtà fondata da Ignazio di Loyola non ha però mai conquistato un simile potere all'interno della Chiesa romana, né suscitato tanta controversia. Ma è vero che l'Opus Dei ha copiato la Compagnia di Gesù nel lavoro che stava cercando di fare all'interno della Chiesa, in particolare nell'educazione dell'élite cattolica. L'élite scelta dall'Opus Dei era quella che si distingueva per la ricchezza».[3]

Che l'approccio scelto da Escrivá nel 1928 per dare vita alla sua organizzazione sia stato mutuato dai gesuiti emerge da un particolare estremamente significativo e generalmente sconosciuto: Escrivá inizialmente pensava di chiamare la sua Opera «Società di cooperazione intellettuale», o Socoin.[4] Un nome che avrebbe ritratto perfettamente ciò che secondo molti osservatori è oggi l'Opus Dei: un network di cooperazione intellettuale e professionale, non dissimile dalla massoneria. Entrambi dotati di un'etica, di segretezza, di obbedienza, di capacità di fare proseliti.

Si tratta di un dettaglio altamente esplicativo, che illustra come – al di là dell'agiografia diffusa su Escrivá – egli avesse in mente non tanto un'«illuminazione divina»,[5] ma una costruzione prettamente intellettuale e funzionale, non molto dissimile dalla rete di rapporti che caratterizza il mondo massonico.

---

3. Michael Walsh, *op. cit.*, p. 4.
4. Lo rivela Daniel Artigues, *El Opus Dei en España: su evolucion ideologica y politica*, Ruedo Iberico, Paris, 1971, p. 127. Riferimenti alla Socoin sono presenti anche negli studi di Guy Hermet e Jesús Ynfante.
5. Il biografo dell'Università di Navarra (creata dall'Opus Dei) José Luis Illanes descrive così il momento in cui, il 2 ottobre 1928, nella testa di Escrivá nacque l'idea dell'Opus Dei: «Il 2 ottobre 1928, mentre svolgeva i suoi esercizi spirituali, il Signore gli mostrò chiaramente ciò che finora aveva solo intravisto. Così nacque l'Opus Dei, una realtà incisa a fuoco nell'anima di un giovane sacerdote che dedicò, da quel momento in poi, tutte le sue energie a questo fine».

I biografi ufficiali riconoscono che il nome «Opus Dei» fu identificato da Escrivá solo due anni dopo la nascita dell'organizzazione: ovvero nel 1930, quando un incidentale commento di padre Sanchez Ruiz («Come va quell'opera di Dio?») – a un gesuita va quindi il copyright del nome Opus Dei – gli fece pensare che potesse essere quello il nome dell'impresa apostolica che era chiamato a diffondere.

Ma questi primi rapporti con la Compagnia di Gesù e, più tardi, con il direttore delle «Congregazioni mariane» in Spagna, l'allora padre Angelo Carrillo de Albornoz, non restarono del tutto amichevoli.

Non si sa ancora bene se per semplici ragioni di «concorrenza apostolica» (le due istituzioni lavoravano nello stesso ambito) o per divergenze di metodi, come si potrebbe supporre dal fatto che le «Congregazioni mariane» sono sempre state una associazione pubblica, mentre Escrivá operava già allora inculcando un certo «riserbo» ai suoi seguaci.[6]

Ma le analogie con la massoneria continuano. La realtà creata da Escrivá prese avvio, secondo i biografi, il 2 ottobre 1928. Inizialmente nell'Opera era previsto solo il ramo maschile: sembra che in un primo tempo Escrivá fosse contrario all'idea di ammettere le donne. Anche in questo esiste un'analogia con la massoneria, che è sempre stata rigorosamente maschile, anche se poi alcune logge mediterranee hanno ammesso le donne alla fratellanza. Ma al pari di quanto avviene oggi nelle massonerie «miste», nelle quali le donne non assurgono mai al vertice dell'obbedienza e alla carica di Gran Maestro, anche l'Opus Dei resterà sino ai giorni nostri una realtà di impronta nettamente maschile, nella quale la

---

6. Secondo Dominique Le Tourneau, *L'Opus Dei*, Edizioni Scientifiche Italiane, Napoli, 1992, p. 40, incomprensioni si sarebbero già manifestate nel 1929, poiché alcuni non riuscivano a comprendere il messaggio dell'Opus Dei, cioè che si potesse aspirare alla santità pur restando nel mondo.

donna recita un ruolo subordinato,[7] nonostante Escrivá
avesse ammesso le donne due anni dopo la fondazione, il 14
febbraio 1930.

Identico nella massoneria e nell'Opus Dei è poi il richiamo all'«obbedienza», che dev'essere totale e incondizionata.

Lo scontro dell'Opus Dei con le forze social-comuniste e «massoniche»

Se questi elementi portano a stabilire delle analogie, sul piano
storico si registrano forti elementi di scontro e di antitesi tra le
due realtà. Per comprenderlo bisogna risalire agli anni Trenta.

Il periodo della guerra civile spagnola (1936-1939) appare fondante rispetto ai tratti essenziali dell'Opus Dei, che in
quegli anni si forma come una forza di opposizione alle tendenze social-comuniste, laiche e massoniche che volevano ri-
plasmare la cattolicissima Spagna.

Non a caso, biografi ufficiali di Escrivá e dell'Opus Dei
non amano parlare del periodo di aspro conflitto tra la fragile Spagna democratica – la Repubblica era stata dichiarata con le elezioni del 12 aprile 1931, ponendo fine alla dittatura di Primo de Rivera, e due giorni prima re Alfonso
XIII aveva abdicato ed era stato esiliato – e le forze di segno fascista guidate dal generale Francisco Franco, il futuro dittatore.

Nella fase antecedente lo scoppio della guerra civile (iniziata nel luglio 1936) Escrivá si distinse nel mettere insieme
un gruppo di giovani cattolici di stampo reazionario, decisi
a contrastare le riforme laiche della giovane democrazia
spagnola. Nel 1933 una legge statale aveva infatti proibito

---

7. A questo riguardo si vedano le numerose testimonianze femminili di
ex numerarie dell'Opus Dei riportate in Ferruccio Pinotti, *Opus Dei segreta*, Rizzoli-Bur, Milano, 2006.

alle congregazioni religiose di creare o dirigere scuole private.[8]

Il socialismo agnostico conquistava crescenti simpatie, le croci venivano rimosse dalle scuole. I beni ecclesiastici veniva formalmente espropriati dallo Stato, il concordato tra la Spagna e il Vaticano abrogato[9] e veniva introdotta la possibilità del divorzio. Molte battaglie laiche della massoneria continentale e mediterranea trovavano riscontro nell'impegno dei social-comunisti.

Il clima, per i sacerdoti che non si schieravano apertamente dalla parte di una giovane democrazia ardente di fare piazza pulita in pochi anni dell'alleanza secolare tra trono e altare, si faceva pesante, con episodi di gravi minacce a chiese e monasteri. Il cardinale Pedro Segura y Saenz, arcivescovo di Toledo, non esitò a paragonare quanto stava avvenendo in Spagna alla Rivoluzione francese del 1789. E diffuse una pastorale violentemente antirepubblicana, che provocò una profonda divisione.

In quella fase Escrivá capì che era necessario lavorare nel riserbo, sotto copertura, facendo propria quella attitudine al segreto che sarebbe rimasta sino a oggi uno dei segni distintivi dell'Opus Dei.

Studia lo stile della massoneria – il padre di uno dei suoi più stretti collaboratori, Pedro Casciaro, era massone – e capisce che uno dei suoi punti di forza è appunto la segretezza. Escrivá inizia così un lavoro sotterraneo, insieme a una dozzina di giovani cattolici conservatori, che inizialmente si riuniscono a casa sua. Nel dicembre 1933 fonda a Madrid, in Calle de Ferraz, l'Accademia Derecho y Architectura (le iniziali, tra i membri dell'Opera, significavano in codice «Dios y Audacia») mirata a fornire preparazione religiosa a professionisti del settore legale e dell'architettura.

---

8. Cfr. Joan Estruch, *Saints & Schemers: Opus Dei and its paradoex*, Oxford University Press, New York, 1995, p. 74.
9. Su questi aspetti storici di veda Michael Walsh, *op. cit.*, p. 28.

In questa fase si formò il gruppo dei più stretti collaboratori di Escrivá, coloro che sono stati descritti come i suoi «apostoli», dieci o dodici persone decise a intraprendere la «crociata» cattolica, anticomunista e antimassonica.

Questi, nel 1935, contattarono Miguel Fisac, uno studente di architettura di ventun anni, che fu messo sotto pressione per entrare nell'Opus Dei. «Non ebbi il coraggio di rifiutare, fu una debolezza di cui iniziai a pentirmi nello stesso giorno in cui firmai la domanda di ammissione», scrisse Fisac a un amico,[10] lasciando intravedere un clima non dissimile da quello di una iniziazione massonica. Fisac raccontò un altro dettaglio interessante: in un'occasione Escrivá disse a due suoi stretti collaboratori che per certe cerimonie del gruppo dirigente dell'Opus Dei stava pensando fosse opportuno che i partecipanti indossassero dei cappucci bianchi sormontati da una croce di colore rosso, le cui quattro estremità avrebbero avuto la forma di punte di freccia.[11] Rituali segreti non dissimili da quelli dei templari e della massoneria, che pure Escrivá odiava perché legata agli ideali di libertà, fraternità ed eguaglianza tipici della Rivoluzione francese e dei movimenti anticlericali illuministi.

Nel 1936, dopo una serie di omicidi e di attentati, esplose in Spagna la guerra civile. I membri dell'Opus Dei appoggiarono la causa franchista,[12] sia pure con sfumature e vicende personali diverse. Quelli che si trovavano nelle aree controllate dalla democrazia repubblicana furono arruolati a forza nell'esercito, altri disertarono o si rifugiarono nelle regioni controllate dai franchisti.

Il clima era incandescente e i miliziani giustiziavano per le strade i preti accusati di collaborazionismo. Escrivá iniziò una serie frenetica di spostamenti atti a far perdere le sue tracce.

---

10. Lettera di Miguel Fisac a Luis Borobio del 18 febbraio 1995, cit. in Robert Hutchison, *Their Kingdome Come: Inside the Secret World of Opus Dei*, St. Martin Press, New York, 1999, p. 96.
11. *Ibidem*, p. 97.
12. *Ibidem*, p. 99.

Con l'acuirsi degli scontri e dei pericoli, Escrivá giunse persino a togliersi la veste sacerdotale. Lasciò che la tonsura scomparisse e indossò l'anello nuziale di sua madre, fingendosi un uomo sposato.[13] Alcuni biografi critici, come Joan Estruch, notano che se Escrivá era attivamente ricercato dai repubblicani doveva avere avuto un ruolo di rilievo nel fronte dei franchisti. Escrivá giustificava le sue fughe dicendo ai suoi fedelissimi che aveva il dovere di rimanere vivo per compiere una missione divina. Per scampare al pericolo, arrivò al punto di rifugiarsi in un manicomio, fingendosi pazzo.[14] I repubblicani continuavano a cercarlo attivamente, in quanto – secondo alcune fonti – Escrivá «aveva guidato una violenta campagna anti-marxista, anti-massonica ed anti-giudaica».[15] Così lasciò il manicomio e trovò, nel marzo del 1937, rifugio in un palazzo che godeva dell'immunità diplomatica, la sede della delegazione diplomatica dell'Honduras.

Il 1939 iniziò con chiare indicazioni che la guerra civile era al termine, con la vittoria dei franchisti. Dal punto di vista di Escrivá e dei suoi amici, la guerra terminava con un successo che lasciava presagire sostanziosi appoggi politici e protezioni speciali per l'Opus Dei.[16] A rassicurare ulteriormente Escrivá riguardo alla vittoria dei fascisti ci fu il fatto che il nuovo papa Pio XII, Eugenio Pacelli (Pio XI era morto il 10 febbraio 1939) aveva immediatamente inviato un telegramma di congratulazioni a Francisco Franco. Il fondatore dell'Opus Dei fece perciò rientro a Madrid il 28 marzo 1939, unendosi in prima persona alla prima colonna delle truppe franchiste. L'adesione di Escrivá al franchismo nascente è quindi indiscutibile, su un piano storico, nonostante l'Opus Dei tenti di celarla.

---

13. *Ibidem*, p. 105.
14. Cfr. Joan Estruch, *op. cit.*, p. 89.
15. Tomàs Ortiz, *Opus Dei: Le nouveaux croisés*, Edimaf, Paris, 1982, p. 8, cit. in Joan Estruch, *op. cit.*, p. 91.
16. «La guerra è stata per noi», recita la massima numero 311 di *Cammino*.

Alla fine di settembre 1939 Escrivá pubblica *Cammino*, una raccolta di 999 massime, definita dal gesuita José María Castillo, professore di teologia all'Università di Granata,[17] un «manuale di autoritarismo clericale». In esse vi erano riferimenti cifrati alla massoneria.

L'enfasi sulla segretezza

Nelle sue massime Escrivá attaccava la massoneria scrivendo: «Non vedi come agiscono le società segrete? Loro si muovono, crescono...». Tuttavia, man mano che l'Opus Dei cresceva, si rafforzava anche la sua attitudine alla segretezza.

Il decreto di approvazione dell'Opus Dei come «pia unione», nel 1941, parla già del «segreto»[18] di cui si circondava l'Opus Dei. Del resto, esso era stato menzionato da Escrivá nella sua richiesta di approvazione, quando, «dato il carattere dell'Opera», lasciava alla discrezione dell'Ordinario di Madrid designare quali persone della Curia madrilena potessero conoscerne i regolamenti. Monsignor Eijo y Garay, per evitare difficoltà, decise che tutto ciò che riguardava l'Opus Dei (regolamento, regime, ordinamento, cerimoniale) venisse conservato non nell'archivio ordinario della Curia, bensì nell'archivio segreto, precludendo così l'accesso a questa fonte.

Il «riserbo» dell'Opus Dei, del resto, suscitava già allora forti perplessità perché monsignor Eijo y Garay dovette difendere l'Opera, nello stesso 1941, dall'accusa di massone-

---

17. L'Opus Dei intervenne e la licenza di insegnamento di teologia venne revocata a padre Castillo. Cfr. Robert Hutchison, *op. cit.*, p. 118.

18. La questione del «riserbo» o «segreto» nella storia dell'Opus Dei, così come si presenta nell'approvazione come «pia unione» e più tardi come «istituto secolare», viene del tutto trascurata da Dominique Le Tourneau, *op. cit.*, pp. 58 e segg., e, in genere, da tutte le pubblicazioni curate da membri dell'Opus Dei.

ria. Infatti, scrivendo all'abate coadiutore di Montserrat, don Escarré, e ricordando l'arresto di alcuni membri[19] dell'Opus Dei a Barcellona, nel 1940, da parte della polizia sotto l'accusa di appartenere alla massoneria,[20] monsignor Eijo y Garay dava del «segreto» una duplice motivazione: la prima, quella dell'umiltà, che deve essere non solo individuale, ma collettiva, nel senso che l'associazione non deve gloriarsi di nulla; la seconda, più funzionale, è legata all'attività che i membri dell'associazione svolgono in ambienti secolari, dove è necessaria una certa discrezione. Sono le stesse motivazioni addotte dalle obbedienze massoniche quando si rifiutano di consegnare gli elenchi degli iscritti alla magistratura o alla stampa.

L'Opus Dei, i fascismi e l'avversione alla massoneria

Gli anni dell'ottenimento dello status di «pia unione» sono anche quelli dello scoppio della Seconda guerra mondiale e della massima espansione dei fascismi in Europa. Anche questa – come la guerra civile spagnola – è una fase su cui i biografi dell'Opus Dei preferiscono sorvolare, lasciando scendere un velo di riserbo sul rapporto tra Escrivá e quelle travagliate vicende storiche. Eppure si tratta di aspetti interessanti, perché i fascismi hanno storicamente cercato di

---

19. Il riferimento è probabilmente a Pedro Casciaro, il cui padre – massone – era stato responsabile ad Albacete dell'uccisione di esponenti del Fronte Nazionale. Pedro Casciaro era stato accusato di essere una spia repubblicana. Secondo Noam Friedlander, teologo ed esperto di questioni religiose per il «Times», l'Opus Dei fu accusata di essere una setta eretica e *Cammino* venne bruciato in roghi pubblici. Un predicatore dell'Opus Dei fu costretto ad abbandonare il pulpito durante una messa. Si veda Noam Friedlander, *What is Opus Dei. Tales of God, Blood, Money and Faith*, Conspiracy Book, London, 2005, p. 37.
20. Cfr. Salvador Bernal, *Mons. J.M. Escrivá de Balaguer. Apuntes sobre la vida del fundador del «Opus Deis»*, Rialp, Madrid, 1980, pp. 279 e segg.

cancellare la massoneria, alleandosi – soprattutto in Italia – con le forze cattoliche più reazionarie.

In Spagna, nel periodo che seguì alla vittoria del Fronte Nazionale, l'Opus Dei strinse rapporti sempre più organici col regime franchista. «I membri dell'Opus Dei divennero parte del regime di Franco, perché Franco aveva bisogno di gente competente e quelli dell'Opus Dei lo erano» spiega Vladimir Feltzmann,[21] un sacerdote che ha fatto parte dell'Opus Dei e della ristretta cerchia di collaboratori di Escrivá, ma che poi ha abbandonato l'Opera.

Un punto di penetrazione particolarmente efficace fu quello delle università, con una tecnica simile a quella usata storicamente dalla massoneria per entrare negli ambienti professionali. Dopo la guerra civile, in Spagna molte cattedre erano vacanti, perché quasi tutti i professori di sinistra o anticlericali erano stati giustiziati o esiliati. La situazione di molti atenei era precaria e il governo era ansioso di porre i propri uomini di fiducia in posti chiave nella formazione delle giovani generazioni spagnole.

L'Opus Dei godeva di grande appoggio politico. Inoltre, uno dei suoi membri storici, José María Albareda Herrera, era intimo amico sin dai tempi della guerra civile di José Ibanez Martin, ministro dell'Educazione di Franco dal 1939 al 1951. Albareda Herrera divenne vicepresidente del Consiglio superiore della ricerca scientifica.

Attraverso questi due potenti appoggi, molti membri dell'Opus Dei occuparono cattedre chiave: infatti il Consiglio superiore della ricerca scientifica aveva un potere diretto sulle commissioni che sceglievano i professori universitari. La penetrazione dell'Opus Dei nel mondo dell'università e della ricerca fu, in quegli anni, costante. Dal 1939 al 1950,[22] un terzo delle cattedre spagnole sarebbe stato occupato da membri dell'Opus Dei.

---

21. Noam Friedlander, *op. cit.*, p. 34.
22. *Ibidem*, p. 41.

Riguardo al periodo bellico, i biografi ufficiali di Escrivá e dell'Opera osservano un inquietante silenzio: Vázquez de Prada si limita a dire che Escrivá si dedicò solo all'espansione dell'Opus Dei in Spagna e all'avvio di contatti con l'estero. In realtà il nazifascismo trovava simpatie negli ambienti cattolici di impronta franchista.[23]

Appare strano, inoltre, che in quegli anni cruciali Escrivá non si sia mai recato in Vaticano (la sua prima visita ufficiale di cui si ha notizia è del 1946), mentre è provato che due membri dell'Opus Dei, i sacerdoti José Orlandis e Salvador Canals (rispettivamente di ventiquattro e ventidue anni) si recarono a Roma alla fine del 1942 e ottennero un'udienza papale nel gennaio 1943 da Pio XII, un Papa conservatore e antimassone. Appare quanto meno curioso, data l'importanza delle approvazioni pontificie che l'Opera stava cercando di ottenere, che Escrivá abbia inviato per primi, a presentare la grandiosità del progetto dell'Opus Dei, due ventenni.

Nella storiografia ufficiale di Escrivá e dell'Opus Dei relativa agli anni del nazifascismo ci sono quindi molte lacune da colmare. E la necessità di fare chiarezza appare ancora più urgente se si tiene conto delle affermazioni che Escrivá avrebbe fatto a padre Vladimir Feltzmann e che lui stesso riferisce.[24] Alla domanda «Escrivá era un anticomunista?» postagli dallo studioso cattolico tedesco Peter Hertel, Feltzmann rispondeva: «Sì. Se nella sua vita ha odiato qualcosa, era proprio il comunismo. Esso rappresentava il male per lui, perché aveva sofferto a causa di questo. Vedeva la Germania

---

23. Secondo Joan Estruch, (*op. cit.*, p. 124) un membro dell'Opus Dei, Gomez Perez, avrebbe fatto ammissioni in questo senso nel volume *El Franquismo y la Iglesia*, Rialp, Madrid, 1986.
24. L'intervista integrale concessa da padre Vladimir Feltzmann l'11 maggio 1984 a Londra a Peter Hertel è trascritta in Peter Hertel, «*Ich verspreche euch den Himmel*». *Geistlicher Anspruch, gesellschaftliche Ziele und Kirchliche Bedeutung des Opus Dei*, Patmos Verlag, Düsseldorf, 1990; trad. it. *I segreti dell'Opus Dei. Documenti e retroscena*, Claudiana Editrice, Torino, 1997, pp. 281-303.

nazista come una crociata contro il comunismo. Ogni membro dell'Opus Dei vedeva Hitler come una crociata contro il comunismo».

Feltzmann riferisce dettagli precisi: «Ogni singolo membro dell'Opus Dei scelse spontaneamente di arruolarsi nella Division Azul (un esercito spagnolo di volontari che durante la Seconda guerra mondiale era schierato con i tedeschi e combatteva contro l'Unione Sovietica), ogni singolo membro! Non furono accettati, ma si presentarono spontaneamente».

Padre Feltzmann prosegue così il suo drammatico racconto: «Non si diceva: "Hitler contro gli ebrei; Hitler contro gli slavi", ma "Hitler contro il comunismo". Per questo era... capisce? Questo lo rese cieco. Questo lo accecò. "Io credo – mi disse, e questo lo disse proprio a me – che, se la gente pensa che Hitler abbia ucciso sei milioni di ebrei, certamente esagera. Hitler non era così malvagio. Potrebbe aver ucciso al massimo tre o quattro milioni di ebrei."».

Affermazioni gravissime, che hanno avuto vasta eco. La rivista «Newsweek», in un articolo del *religion editor* Kenneth Woodward apparso il 13 gennaio 1992, riprendeva la tesi del presunto antisemitismo del fondatore dell'Opus Dei.[25] Ed è noto che ebraismo e massoneria sono sempre stati accostati, in una certa logica antisemita.

Feltzmann aveva tuttavia cercato di contestualizzare i suoi racconti: «Io penso che Escrivá volesse vedere tutto questo in senso positivo, perché Hitler aveva salvato il cristianesimo in Spagna. Senza Hitler, Franco non sarebbe... il fondatore ha lottato sempre contro tre "macchie" da cui è segnato il tempo presente e la Chiesa: ateismo, liberalismo e comunismo».

Peraltro l'Opus Dei, in quella fase, non disdegnava di intrattenere rapporti con i Cavalieri di Malta, un ordine che

---

25. Queste «voci» sono state smentite seccamente in un'intervista concessa dal prelato dell'Opus Dei Alvaro del Portillo a «La Stampa», sabato 18 aprile 1992.

Pio XII stesso aveva tacciato di vicinanza alla massoneria. Sempre secondo Feltzmann, i Cavalieri di Malta sono un «club aristocratico di ricchi cattolici di estrema destra, che ha molti rapporti con l'Opus Dei».[26] Escrivá avrebbe cercato e ottenuto il titolo di marchese di Peralta per estendere il dominio dell'Opus Dei anche tra i Cavalieri di Malta, i cui vertici sono di norma affidati a membri dell'aristocrazia, con «un'operazione di presa di potere e di conseguente occupazione da parte dei soci nobili dell'Opus Dei di tutti i posti direttivi del Sovrano ordine militare di Malta. Questa notizia proviene da responsabili dell'Ordine di Malta estremamente inquieti per le operazioni di sondaggio realizzate da alcuni soci dell'Opus Dei in Roma e in Spagna».[27]

Escrivá e i Papi «laici»

Nel 1959 Giovanni XXIII, eletto Pontefice alcuni mesi prima, annunciò la convocazione di un concilio ecumenico: quello che sarebbe stato il Vaticano II, che ebbe il suo inizio nel 1962 e si concluse nel 1965. Per l'Opus Dei e il suo fondatore furono anni di profonda difficoltà, di crisi: il vento nuovo che attraversava la Chiesa inorridiva Escrivá.

L'Opus Dei non godeva di molta simpatia da parte dei settori progressisti della Chiesa, che con l'elezione di Giovanni XXIII avevano guadagnato spazio.

Il rapporto di Escrivá con papa Roncalli e papa Montini – i due Pontefici accusati di simpatie laiche e addirittura di essere «vicini» alla massoneria – fu profondamente difficile, così come critico fu il rapporto con il Concilio Vaticano II.

---

26. Cfr. Noam Friedlander, *op. cit.*, pp. 60-61.
27. L'informazione è fornita da Maurizio Di Giacomo nel suo libro *Opus Dei*, Pironti, Napoli, 1987, p. 76, che a sua volta cita come fonte Jesús Ynfante autore del libro *La prodigiosa aventura del Opus Dei. Génesis y desarrollo de la Santa Mafia*, Ruedo Ibérico, Paris, 1970.

Durante i suoi primi anni di soggiorno romano, Escrivá aveva sviluppato una forte idiosincrasia per i vertici della Curia romana. Né aveva perdonato a Pio XII, nonostante il pronto riconoscimento del franchismo, il fatto di avergli negato per tre volte la mitra vescovile.[28] I rapporti con il successore Angelo Roncalli, patriarca di Venezia eletto Pontefice nell'ottobre del 1958, furono ancora più problematici. Il Papa, settantasei anni, conosceva l'Opus Dei – aveva risieduto nelle case dell'Opera durante un pellegrinaggio a Saragozza e a Santiago di Compostela – ma appariva ambivalente nei suoi confronti. Inoltre, erano note le frequentazioni che Roncalli aveva avuto con gli ambienti laico-massonici quando era nunzio a Istanbul e a Parigi.

Un episodio illumina questo clima di tensione. Al termine di un incontro, nel quale Escrivá era andato a presentare l'Opus Dei a Giovanni XXIII chiedendo la trasformazione dell'istituto in prelatura personale – una richiesta allora risoltasi nel nulla – il fondatore dell'Opus Dei era uscito contrariato e aveva definito Roncalli «un contadino dal forte odore corporale».[29]

Nel gennaio del 1959 Giovanni XXIII annunciò al mondo l'apertura del Concilio Vaticano II, mirato a produrre un cambiamento in molti importanti temi come il dialogo interreligioso, le procedure interne alla Chiesa, la liturgia della messa, il ruolo dei laici. Si parlò di abolizione del celibato ecclesiastico, di controllo delle nascite. Era la prova, per molti prelati ultraconservatori, che il «fumo di Satana», la massoneria, era penetrato in Vaticano. «Lontano dal benedire l'apertura del Concilio, Escrivá lavorò du-

---

28. Cfr. Robert Hutchison, *op. cit.*, p. 182.
29. Intervista di Robert Hutchison a Peter Hebblewaite, Oxford, 5 ottobre 1993, in Robert Hutchison, *op cit.*, p. 184. Hebblewaite è autore di un'inchiesta dal titolo *Opus Dei: Lifting the Veil of Mystery*, in «National Catholic Reporter», 27 maggio 1983.

ramente per opporsi ad esso», commentano alcuni biografi critici.[30]

L'Opus Dei trovò comunque protezione in uno dei cardinali nominati[31] nel 1959 da Roncalli: Domenico Tardini, che sarebbe divenuto segretario di Stato di Giovanni XXIII. Tardini ebbe un ruolo importante nell'ambito del comitato incaricato di organizzare i lavori del Vaticano II e nominò Alvaro del Portillo, segretario generale dell'Opus Dei, presidente di un sottocomitato organizzativo.

Fu molto critico anche il rapporto di Escrivá e dell'Opus Dei con il successore di Roncalli, papa Montini, ritenuto anch'egli dalle frazioni più conservatrici della Curia troppo modernista e in odore di simpatie massoniche.

Un ex numerario spagnolo dell'Opus Dei, il sociologo Alberto Moncada, poi uscito dall'Opera, in un'intervista rilasciata nel 1986 al settimanale «L'espresso» rivelava: «L'astio dell'Opus Dei verso Paolo VI era antico, risaliva ai tempi in cui Montini era arcivescovo di Milano. Montini non amava l'Opus, era molto critico nei suoi confronti. Una volta addirittura negò l'apertura di una residenza dell'Opus a Milano. Quando Montini fu eletto Papa, Escrivá de Balaguer disse: "Tutti quelli che hanno votato Montini saranno condannati all'inferno"».

Si può ritenere che Montini rappresentasse un settore progressista della Chiesa, aperto alle innovazioni del Concilio Vaticano II e in contrapposizione con il tentativo di restaurazione dell'«armata» integralista e conservatrice rappresentata dall'Opus Dei. Distinzioni sottili ma importanti. Queste due «anime» della Curia romana – e della finanza cattolica – già trent'anni fa si contendevano aspramente il primato, con esiti che continuano sino ai giorni nostri e che

---

30. Cfr. Michael Walsh, *op. cit.*, p. 67.
31. Tra essi c'era un altro storico protettore dell'Opus, il settantaduenne Arcadio Larraona. Ma i tra nominati vi era pure Giovanni Battista Montini, allora arcivescovo di Milano, considerato critico dell'Opus Dei.

sono evidenti, sotto traccia, anche in più recenti vicende finanziarie.[32]

Il 1978: un anno chiave

Le sorti dell'Opus Dei mutano con la morte, il 6 agosto 1978, di Paolo VI. E lo scontro tra massoneria e Opus Dei viene a collocarsi in uno scenario nuovo.

Sale infatti al soglio un Pontefice che aveva espresso pubblicamente simpatie per l'Opus Dei e antipatie per i rapporti «massonici» coltivati da Marcinkus con Sindona e Calvi.

Il 26 agosto 1978 Albino Luciani, patriarca di Venezia, diventa Papa e prende il nome di Giovanni Paolo I. Poco più di un mese dopo la sua elezione al pontificato, nella notte fra il 28 e il 29 settembre, morirà per un infarto miocardico.[33]

Si è molto discusso sulle intenzioni di papa Luciani di promuovere un'azione di rinnovamento della Curia romana e nell'ambito della gestione delle finanze vaticane, di cui aveva – nonostante le apparenze – una buona conoscenza.[34] Con

---

32. Qualcosa, in merito a questo complesso scontro allo stesso tempo religioso e finanziario, è possibile cogliere sotto traccia nelle dichiarazioni rese dal professor Angelo Caloia, attuale presidente dello Ior, a Giancarlo Galli, nel libro *Finanza Bianca. La Chiesa, i soldi, il potere*, Mondadori, Milano, 2004.
33. L'infarto non è mai stato mai clinicamente documentato: il corpo venne subito imbalsamato, senza essere sottoposto ad autopsia.
34. In effetti, quando era patriarca di Venezia, Luciani aveva duramente protestato per la cessione della Banca Cattolica del Veneto dallo Ior all'Ambrosiano. Marcinkus aveva ordinato l'arresto delle attività della Banca Cattolica del Veneto e la sua integrazione all'interno dell'Ambrosiano, senza né consultare né informare il consiglio d'amministrazione della banca che veniva assorbita. La Banca Cattolica del Veneto era anche la banca al servizio del patriarca di Venezia e il suo punto di riferimento era proprio Albino Luciani. Marcinkus aveva reagito con sdegno e rabbia alle intromissioni nel suo operato: era ormai abituato a gestire lo Ior con criteri autocratici e intesseva una fitta rete di rapporti con la massoneria, per questo non gradiva che un Papa di orientamento molto più conservatore sui

un buon margine di sicurezza, si può affermare che il nuovo Papa avrebbe sollevato il discusso Paul Marcinkus dalla guida dello Ior. Si ha infatti la chiara impressione che il nuovo Papa non gradisse le iniziative finanziarie di Marcinkus e che probabilmente considerasse lo Ior con uno spirito evangelico ben diverso rispetto a quello del vescovo americano. Giovanni Paolo I, tuttavia, non ebbe tempo di proporre alcuna modifica.

La sua morte improvvisa resta misteriosa. Non verrà aperta nessuna inchiesta, né interna né esterna al Vaticano. Tre settimane prima, sempre nelle mura vaticane, un altro eminente prelato – l'arcivescovo Nicodemo di San Pietroburgo, patriarca russo ortodosso di quarantanove anni – era stato trovato morto in circostanze singolari. Durante un'udienza privata accordata dal Papa il 5 settembre 1978, al suo decimo giorno di pontificato, l'arcivescovo Nicodemo, dopo aver bevuto una tazza di caffè si era accasciato sulla poltrona.[35] La sua tazza era probabilmente stata scambiata con quella del Papa. Di qui la tesi secondo cui a papa Luciani – la mattina in cui morì – sarebbe stata somministrata una dose di veleno, nel caffè o mischiata alle medicine che regolarmente assumeva.[36]

t*emi della gestione finanziaria mettesse il naso nella spericolata costruzione cui aveva dato vita insieme a Roberto Calvi. Di qui lo scontro.*
35. Cfr. David Yallop, *Nel nome di Dio*, Pironti, Napoli, 1997, p. 230
36. Il nuovo Papa aveva l'abitudine di alzarsi prestissimo, sul fare dell'alba. La sua morte fu scoperta attorno alle 5 del mattino, mentre l'esame del corpo da parte del medico del Vaticano, il dottor Buzzonetti, avveniva alle 6. «La notizia cominciava a diffondersi per la Città del Vaticano. Nel cortile accanto alla banca vaticana il sergente Hans Roggan [delle Guardie svizzere, *Nda*] incontrò il vescovo Paul Marcinkus. Erano le 6.45. Cosa stesse facendo a quell'ora del mattino il presidente dello Ior, che vive a Villa Stritch e che notoriamente non è un mattiniero, rimane un mistero. Villa Stritch è a venti minuti d'auto dal Vaticano. Roggan gli svelò la notizia: "Il Papa è morto". Marcinkus fissò con gli occhi sgranati il sergente della Guardia svizzera. Roggan gli si avvicinò: "Papa Luciani. È morto, lo hanno trovato sul suo letto". Marcinkus continuava a fissarlo, senza mostrare alcuna reazione» (David Yallop, *op. cit.*).

Difficile stabilire quanto sia realmente avvenuto in merito alla tragica vicenda di papa Luciani. Su di essa è fiorita però la leggenda che a organizzare l'omicidio sia stata la massoneria, che non voleva perdere le posizioni di potere acquisite nelle finanze vaticane grazie ai due papi precedenti.

In effetti, se fosse vissuto più a lungo, Giovanni Paolo I avrebbe fatto piazza pulita di molte ambigue contiguità. La sua linea era il frutto di un forte movimento che, dopo le nuove prospettive aperte dal Concilio Vaticano II, pretendeva una «restaurazione». Proprio su questa linea conservatrice la candidatura di Albino Luciani era stata ben vista e appoggiata dall'Opus Dei. Già prima del suo pontificato, infatti, Luciani aveva espresso pubblicamente forte appoggio all'Opus Dei.

Da uno scritto di Albino Luciani, pubblicato come intervento sul «Gazzettino di Venezia» il 25 luglio 1978, il patriarca di Venezia tesseva apertamente le lodi dell'Opera e della sua concezione della vita laicale ed ecclesiale. Da qui si desume che, se fosse rimasto sul soglio di San Pietro, Giovanni Paolo I avrebbe presto concesso la tanto ricercata prelatura personale all'Opus Dei e ne avrebbe seguito le indicazioni su importanti questioni, certo non ultima quella delle finanze vaticane.

A riconoscere questi fatti sono stati, indirettamente, persino i vertici dell'Opus Dei. Monsignor Alvaro del Portillo, successore di Escrivá de Balaguer alla guida dell'Opera, in una lettera del 23 aprile 1979 alla Sacra congregazione per i vescovi ha rivelato: «Sua Santità Giovanni Paolo I manifestò poi nel settembre 1978 la sua volontà che si procedesse a dar l'auspicata soluzione al nostro problema istituzionale [ovvero il superamento della figura d'istituto secolare, *Nda*]. E infine, il 15 novembre 1978, nel trasmettermi una lettera autografa augurale del Santo Padre Giovanni Paolo II per il 50° anniversario dell'Opera, il compianto Em.mo Card. Segretario di Stato [Jean Villot, *Nda*] mi comunicò che Sua Santità considerava "un'indilazionabile necessità che sia risolta la questione di una sistemazione giuridica dell'Opus Dei"».[37]

L'intenzione di Albino Luciani di rimuovere Marcinkus dallo Ior, imprimendo una nuova direzione alle finanze vaticane, non era quindi dovuta solo a un semplice desiderio di pulizia e correttezza, quanto a un preciso disegno – di matrice opusiana – che intendeva affidare il delicato capitolo della gestione delle finanze della Santa Sede a figure più affidabili, sia all'interno che all'esterno del Vaticano.

Non si trattava unicamente, peraltro, di convincere un riluttante Marcinkus – in corsa per il cardinalato – ad abbandonare lo Ior; bisognava anche individuare una partnership esterna diversa da quella di Roberto Calvi, la cui stella nel 1978 iniziava già a declinare a causa delle rischiose operazioni estero su estero e del fortissimo impegno finanziario connesso ad ambigue manovre di finanza massonica.

Che l'Opus Dei avesse individuato in Albino Luciani – il quale era stato molto critico sulla cessione della Banca Cattolica del Veneto all'Ambrosiano di Calvi – l'uomo adatto per portare avanti il suo progetto di penetrazione non deve quindi stupire. L'Opera, già dai primi anni Sessanta, sorvegliava l'evoluzione delle finanze vaticane attraverso una lenta ma costante opera di accordi e contatti.

Sta di fatto che l'Opus Dei, pur se sconosciuta ai più, già all'inizio degli anni Settanta era molto attiva. E già a quell'epoca si possono ricondurre i segnali di una sua profonda penetrazione in Vaticano. La situazione si rafforza quando, dopo la morte di Luciani, sale al soglio pontificio Karol Wojtyla, che con l'Opus Dei aveva rapporti intensi.

---

37. La lettera è riprodotta da Maurizio Di Giacomo in *Opus Dei*, Pironti, Napoli, 1987. Un'ulteriore, autorevole conferma del fatto che Luciani, come anche in seguito il suo successore Wojtyla, fosse in ottimi rapporti con l'Opus Dei viene da un articolo di «Le Monde» del 2 novembre 1982, nel quale il giornalista Alain Woodrow riferiva: «Il Papa attuale [Giovanni Paolo II, *Nda*] si era raccolto sulla tomba di Escrivá de Balaguer il 18 agosto 1978, prima del conclave terminato con l'elezione di papa Luciani».

All'inizio degli anni Settanta l'arcivescovo di Cracovia, partecipando a Roma ad alcuni convegni presso il centro per i sacerdoti dell'Opera, era infatti entrato in contatto con l'Opus. Nell'aprile del 1972 sulla rivista «Studi Cattolici», vicina all'Opus Dei, era apparsa un'intervista a Wojtyla di Flavio Capucci, un giovane sacerdote dell'Opera. L'intervista fu ripresa in una pubblicazione del Centro romano di incontri sacerdotali (Cris)[38] – una struttura riservata, creata dall'Opus Dei, nella quale alti prelati potevano scambiarsi opinioni in totale libertà e riservatezza – nella cui sede Wojtyla veniva invitato spesso a fare conferenze.

Il 13 ottobre 1974 Wojtyla tenne una conferenza al Centro della residenza universitaria internazionale di Roma dell'Opus Dei, anch'essa organizzata dal Cris, sul tema «L'evangelizzazione e l'uomo interiore». Come segnala Juan Arias, vaticanista e corrispondente romano del quotidiano spagnolo «El Pais», «l'intesa fra l'Opera e l'arcivescovo di Cracovia – cementata dall'antimarxismo più radicale, dalla devozione mariana e dall'integralismo teologico – era cresciuta nel tempo. L'Opus aveva seguito il cardinale Wojtyla passo dopo passo, come avvolgendolo».

L'Opera, nel frattempo, era cresciuta in maniera esponenziale. Dal 1969 al 1973, l'Opus Dei andò addirittura al potere in Spagna, con i tecnocrati del governo dell'ammiraglio Carrero Blanco, che gestì abilmente il lungo «autunno» del franchismo. Ma anche in Francia l'espansione era indiscutibile, seppure oscillava tra vittorie ed episodi oscuri.[39]

Nel 1978, quando – con il sostegno decisivo dell'Opus Dei – Wojtyla diventa Papa, si realizza una situazione singo-

---

38. «Quaderni», n. 6.
39. Il 12 gennaio 1977 un giornale sollevava un caso sull'assassinio, avvenuto nel 1976 in circostanze misteriose, di un finanziere francese, il principe Jean De Broglie, tesoriere del partito Républicains indépendants. Il caso era connesso alle vicende di un istituto di credito, la Banque des Intérêts Français (Bif), partecipata al 35 per cento da due esponenti dell'Opus Dei spagnola, Andrea Rueda Salaberry e Rafael Termes.

lare: l'Opera inizia ad assumere sempre più peso nelle vicende vaticane, configurandosi rapidamente come una fazione compatta e potente, tendenzialmente ostile a Marcinkus. Quest'ultimo, secondo quanto pubblicato da «Op» di Mino Percorelli e dall'agenzia «Euroitalia», faceva parte della loggia Ecclesia (data di affiliazione 21 agosto 1967, matricola 43/649), cui sarebbero appartenuti anche i cardinali Sebastiano Baggio, Salvatore Pappalardo, Ugo Poletti, Jean Villot, come pure il segretario di Paolo VI Pasquale Macchi, il vicedirettore dell'«Osservatore Romano» Virgilio Levi e il braccio destro di Marcinkus, Donato De Bonis.

Tuttavia il nuovo Papa, pur dovendo riconoscenza all'Opera per il suo appoggio determinante in conclave, non se la sentì di rimuovere Marcinkus dal suo incarico, per affinità umane – erano entrambi stranieri in una Curia dominata dagli italiani –, ma soprattutto perché Marcinkus e Calvi erano funzionali alla sua politica di indebolimento del blocco comunista, sia nell'Europa dell'Est che in America Latina.

Marcinkus, fervente anticomunista, contiguo ad ambienti atlantici favorevoli all'interventismo nei Paesi dell'Est europeo, era lo strumento ideale per la politica di disgregazione del blocco sovietico.

Nonostante l'appoggio di Giovanni Paolo II all'Opus Dei e alle sue istanze di una svolta conservatrice, l'Opera fu quindi costretta a tirare il freno e convivere con una situazione che non condivideva. Dovette accettare *obtorto collo* che un banchiere iscritto alla massoneria fosse il punto di riferimento per il Vaticano. L'Opus Dei in quella fase non poté far altro che tenere d'occhio le mosse di Calvi, rilevarne gli errori, sottolinearne le incongruenze. Sono inoltre riconducibili all'Opus Dei anche altre figure chiave della vicenda Calvi-Ambrosiano. Centrale è stato, ad esempio, il ruolo del cardinale Pietro Palazzini, esponente di spicco dell'Opera. Già prefetto della Congregazione per le cause dei santi, Palazzini è stato tra i fondatori, nel 1957, della rivista «Studi Cattolici», espressione dell'Opus Dei; cardinale dal 1973, Pietro Palazzini era un personaggio molto chiacchierato anche per l'amicizia che lo aveva legato a Camillo Cruciani, alto dirigente di Finmeccanica, fuggito in Messico nel 1976 in seguito allo scandalo Lockheed.[40]

È a lui, come si è accennato, che Calvi si rivolse per chiedere protezione dalla massoneria, con la quale aveva rotto i rapporti. È all'Opus Dei che Calvi si rivolse – stando a quanto hanno affermato i familiari durante il processo inglese – per essere salvato dalla ragnatela della P2. Ed è all'Opus Dei, stando a quanto affermano alcune fonti,[41] che il Vaticano si rivolse per pagare l'assegno per chiudere il crack dell'Ambrosiano. È evidente quindi che, almeno in quegli anni, l'Opus Dei si sia posta come argine al dilagare di rapporti impropri tra gli ambienti della finanza vaticana e la massoneria.

La massoneria, l'Opus Dei e l'etica del capitalismo

Uno dei punti di forza dell'Opus Dei – che l'ha fatta spesso assimilare alla massoneria – è la sua penetrazione nella vita economica e finanziaria: la costruzione di un «impero» fatto di residenze, fondazioni, aziende «amiche», grandi istituti

---

40. Lo scandalo Lockheed fu un noto e grave caso di corruzione che coinvolse numerosi Paesi (tra cui il Giappone, i Paesi Bassi, la Germania e l'Italia). Il caso riguardava la Lockheed Corporation, un'azienda aeronautica statunitense, accusata di corruzione per ottenere forniture di aerei. In Italia lo scandalo riguardò la fornitura degli aerei da trasporto C-130, ricevuti dall'Aeronautica militare italiana a partire dal 1972: tutte le persone coinvolte furono accusate di aver intascato miliardi di lire per favorire gli acquisti di tali aerei da parte dello Stato italiano. Lo scandalo portò alla condanna dell'ex ministro della Difesa Mario Tanassi e sfiorò il Presidente della Repubblica Giovanni Leone, provocandone le dimissioni.
41. Francesco Pazienza, ex agente del Sismi e consulente personale di Roberto Calvi, afferma nel suo libro di memorie *Il Disubbidiente* (Longanesi, Milano, 1999) che l'Opus Dei pagò un assegno da 300 milioni di dollari per trarre d'impiccio il Vaticano e in cambio ottenne da Giovanni Paolo II l'agognata prelatura personale.

bancari «contigui» alla causa dell'Opera, potenti network di professionisti situati in posizioni chiave, opere corporative, università, master, accademie, centri sportivi, campus biomedici e molto altro.

Questa attenzione che l'Opus Dei – sin dai tempi della sua nascita – ha posto sulla accumulazione di un potere reale, anche se abilmente occultato, trova origine in una «religione dell'affermazione nel mondo» che presenta sorprendenti analogie con lo spirito massonico, con l'etica protestante[42] a esso sottesa e con lo spirito del capitalismo analizzato agli inizi del Novecento da Max Weber.[43]

Si tratta di un nodo di grande interesse, perché – dato il potere crescente dell'Opus Dei – simili posizioni sono suscettibili di provocare un enorme impatto sulla Chiesa del terzo millennio, una vera e propria «rivoluzione» dagli esiti imprevedibili.

L'Opus Dei mutua molti aspetti della concezione protestante del lavoro, secondo cui l'importante è lavorare sempre, dovunque, tanto e bene. La versione più «dura e pura» del protestantesimo è, come noto, quella del calvinismo. Ciò che l'Opus Dei ha in comune col calvinismo è quello che Weber chiama il «carattere costante e metodico del lavoro». Weber infatti spiega che il calvinismo è «un'intera vita di buone opere, costruite con un sistema», ma questo costante e metodico atteggiamento è proprio ciò che l'Opus Dei ha introdotto con la sua dottrina della santificazione del lavoro.

---

42. Va sottolineato che nei Paesi del Nord Europa non esiste conflitto tra religione protestante e massoneria. Il re di Inghilterra è allo stesso tempo capo della Chiesa anglicana e della Gran Loggia Unita d'Inghilterra. Vi sono alte dignità ecclesiastiche anglicane che ricoprono senza problemi cariche massoniche. Anche nei Paesi scandinavi di religione protestante la convivenza tra Chiesa e religione è pacifica.

43. Max Weber, *Die Protestantische Ethik und der Geist des Kapitalismus*, in *Gesammelte Aufsaetze zur Religionssoziologie*, Mohr, Tübingen, 1920; trad. it. *L'etica protestante e lo spirito del capitalismo*, Leonardo, Roma, 1945.

Ma la logica della «costruzione», del porre «mattone su mattone» è centrale anche nella visione massonica, secondo cui ogni «mattone» contribuisce all'edificazione del tempio.

Che l'Opus Dei abbia imitato coscientemente l'etica weberiana emerge persino dalle analisi degli studiosi «opusdeisti» ufficialmente accreditati dall'Opera come attendibili. Uno di loro, Luis Carandell,[44] parla della «stimolante dottrina economica di Escrivá» e aggiunge: «L'idea della santificazione del lavoro e attraverso il lavoro, l'idea – in definitiva – della comparabilità del successo economico e della perfezione spirituale, non sorse per generazione spontanea nella mente di Escrivá. È un'idea con radici protestanti – il libro di Weber – che lo raggiunse attraverso chissà quali complicate strade».

È possibile che il fondatore dell'Opus Dei si sia appropriato delle tesi care a Weber e che abbia fatto suoi i maggiori punti di forza del protestantesimo?

Recenti e accurate ricerche[45] provano che è stato così. All'epoca in cui Escrivá frequentava contemporaneamente il seminario e l'Università di Saragozza, ben determinato a non diventare, come lui stesso ebbe a dire, un «tipico curato da parrocchia»,[46] tra i tre più intimi amici e sodali di Escrivá vi era Luis Legaz Legambra, professore di diritto e traduttore in Spagna de *L'etica protestante e lo spirito del capitalismo*.[47]

È chiaro perciò che Escrivá, in quella fase, si nutrì delle acute analisi che Weber rivolgeva alle ragioni dell'affermarsi del protestantesimo in vaste aree d'Europa e degli Stati Uniti, dove la ricchezza prodotta era maggiore. La specifica novità dell'Opus Dei sarebbe rappresentata, in questa prospet-

---

44. Luis Carandell, *op. cit.*, p. 182.
45. Si veda in merito Joan Estruch, *op. cit.*, p. 77.
46. Salvador Bernal, *op. cit.*, p. 65.
47. Questo illuminante dettaglio è riferito da Joan Estruch, *op. cit.*, p. 77.

tiva, dall'affermarsi di un pensiero cattolico originale in tema di teologia del lavoro, differente dalla dottrina sociale della Chiesa nata a fine Ottocento, che, di fatto, sarebbe divenuto sistematico solo con papa Giovanni Paolo II. Una tale concezione fu prodotta dallo stesso Escrivá a partire dagli anni Trenta e gradualmente perfezionata e articolata nel corso del tempo.

L'aspetto più originale sotteso a questa costruzione ideologica – che mescolò abilmente aspetti teorici del protestantesimo e modalità organizzative tipiche della massoneria, aggiungendo a questa miscela elementi di integralismo cattolico e di ideologia autoritaria tipicamente franchisti – è senza dubbio l'«etica capitalista». Non a caso, come si è avuto modo di evidenziare, Escrivá inizialmente pensava di chiamare la sua realtà Società di cooperazione intellettuale.[48] Un nome di impronta calvinista, che avrebbe ritratto perfettamente ciò che per molti è oggi l'Opus Dei. Un'inchiesta di «El Pais»[49] non a caso sottolineava che «l'Opus Dei è la prima realtà protestante del cattolicesimo» e si chiedeva se «i tredici laici che Escrivá scelse per fondare l'Opus Dei nel 1928 avessero familiarità con gli scritti di Weber sulla sociologia della religione».

L'azione dell'Opus Dei all'interno della Chiesa, in questa chiave, richiama alla mente la lucida profezia di Montesquieu: «La religione cattolica distruggerà quella protestante, poi i cattolici diventeranno protestanti».[50]

Uno dei biografi «opusdeisti» di Escrivá, Peter Berglar, ammette, parlando del messaggio di Escrivá: «Cosa vuole egli infine, molti si chiedono? Cos'è la santificazione del la-

---

48. Lo rivela Daniel Artigues, *El Opus Dei en Espana: su evolucion ideologica y politica*, Ruedo Iberico, Paris, 1971, p. 127. Riferimenti alla Socoin sono presenti anche negli studi sull'Opus Dei di Guy Hermet e Jesús Ynfante.
49. «El Pais», 25 novembre 1982, p. 11.
50. A proporre l'accostamento è José Luis Aranguren, *Catolicismo y protestantismo como formas de existencia*, Revista de Ocidente, Madrid, 1952, p. 217.

voro? È qualcosa che suona molto simile al messaggio dei protestanti».[51] Ma come si è visto, la religione protestante è per antonomasia la religione della massoneria, che non a caso è così forte nei Paesi anglosassoni e nordici, Gran Bretagna e Stati Uniti per primi.

Un altro punto di contatto con il protestantesimo è quello che Joan Estruch, direttore del Centro di ricerca sulla sociologia delle religioni dell'Università di Barcellona, ha definito «l'ascetismo razionale dell'Opus Dei».[52]

È noto infatti che uno dei punti chiave del protestantesimo è la trasposizione dell'ascetismo dei monaci nella vita temporale, in uno sforzo continuo di depurazione delle attività secolari. Questo aspetto viene mutuato e trasformato dall'Opus Dei in un ascetismo razionale che legittima l'attività economica, poiché il lavoro è trasformato in un «esercizio di pietà» equivalente alla preghiera. Il lavoro non è quindi visto come una punizione – una visione tradizionalmente forte nella Chiesa cattolica – ma come un'attività per la maggior gloria di Dio. Da ciò deriva, gradualmente, una moralità del successo.

Ma se il lavoro è la virtù borghese per eccellenza e la massoneria, come scrisse Gramsci, è «il grande partito della borghesia», non siamo di fronte a un altro punto di contatto tra due realtà apparentemente molto diverse?

L'analogia tra l'Opus Dei e certe realtà è più che evidente. «Una setta», scrive infatti Weber, «è una esclusiva e volontaria associazione di persone che sono qualificate dal punto di vista etico e religioso»: solo coloro che sono qualificati sono ammessi alla setta, che a sua volta certifica la qualità del singolo, in un processo di legittimazione che prosegue all'infinito. Esattamente ciò che avviene nell'Opera, ma

---

51.   Cfr. Peter Berglar, *Leben und Werk des Gründers Josemaria Escrivá*; trad. it. *Opus Dei: la vita e l'opera del Fondatore Josemaría Escrivá*, Rusconi, Milano, 1987, p. 223.
52.   Cfr. Joan Estruch, *op. cit.*, pp. 241-245.

anche nella massoneria, nella quale l'autolegittimazione dei «maestri» continua per decine di «gradi».

L'elitismo di Escrivá – unito alla sua teologia del lavoro – può avere in questo senso dato origine a una di quelle che Weber chiamava «conventicole» o a quella che Joachim Wach[53] chiamava «ecclesiola in ecclesia». L'analisi di Wach ricorda le preoccupazioni del cardinale Sebastiano Baggio, prefetto della Congregazione dei vescovi (il cui nome figurava nella lista dei massoni pubblicata da «Op»), quando prima dell'approvazione della prelatura parlò dei pericoli di una «chiesa parallela».

Allo stesso modo, la massoneria si presenta come una società iniziatica, all'interno della quale la selezione è operata sulla base della «conoscenza».

È un approccio, quello che mira alla formazione di un'aristocrazia, che trova conferme in opere classiche del pensiero «opusiano», come quelle di Jesús Urteaga,[54] per il quale chi vive la propria religione in maniera più coerente e metodica entra a far parte «di una selezionata minoranza» situata nel cuore della Chiesa e avulsa dalla vita religiosa ordinaria.

Allo stesso modo in cui massoni e Illuminati[55] ritengono di essere *naturaliter* la classe dirigente della società, gli *happy few* dell'Opus Dei sono strumenti a disposizione di Dio, ricettacoli della grazia; ed Escrivá insisteva sul fatto che «bisogna lottare per emergere, per eccellere, per essere belli».[56] Il successo, a quel punto, è una conferma del fatto di essere stati scelti da Dio per portare avanti una missione.

---

53. Joachim Wach, *Sociology of Religion*, University of Chicago Press, Chicago 1944.

54. Il libro di Jesús Urteaga, *El valor divino de lo humano*, Rialp, Madrid, 1944, è uno dei più letti tra gli appartenenti all'Opus Dei.

55. Gli Illuminati sono rappresentati oggi in Italia da Giuliano Di Bernardo, uscito dalla Gran Loggia Regolare d'Italia da lui fondata nel 1993.

56. La citazione è in William J. West, *Opus Dei, Exploding a Mith*, Little Hill Press, Sydney, 1987, p. 151.

Un meccanismo simile a quello dell'ascetismo razionale che è alla base dell'etica weberiana, ma rivisto in chiave ultra-capitalista.

«Il ricco non è condannato per ciò che possiede, ma per il cattivo uso che fa delle risorse che Dio gli ha affidato», scrive un altro autore «opusiano», Antonio Fuentes,[57] che sottolinea: «Quando Gesù nel sermone delle montagna disse *beati siano i poveri* faceva un'affermazione spirituale, non socio-economica».

In quest'ottica rinunciare alla ricchezza significherebbe permettere ai nemici del bene di impossessarsene e di farne cattivo uso.

«L'ascetismo attivo dei seguaci di Escrivá è un ascetismo che vuole influenzare il mondo e, in definitiva, dominarlo. L'individuo stabilisce una relazione di dominazione con il mondo, perché l'uomo è fatto per dominare il mondo attraverso la conoscenza e attraverso l'azione» spiega un altro studioso «opusiano», Victor García Hoz.[58] È un approccio che ricorda molto da vicino quello delle obbedienze massoniche, nelle quali la conoscenza dei simboli e dei «segni» è strumento di dominio e di potere all'interno della loggia, ma anche fuori di essa.

Leadership e legge dell'egemonia finanziaria

Le analogie tra massoneria e Opus Dei sono rinvenibili anche nella logica elitaria ed efficientista sottesa alla nascita di logge specializzate – o «coperte» – delle quali fanno parte politici, tecnocrati, servitori dello Stato di alto livello.

José Barco Ortega, un imprenditore formato dal master

---

57.   Antonio Fuentes, *El sentido cristiano de la riqueza*, Rialp, Madrid, 1988, p. 15.
58.   Victor García Hoz, *La educacion en Mons. Escrivá de Balaguer*, in «Nuestro Tiempo», n. 264, p. 9.

Iese creato dall'Opus Dei presso l'Università di Navarra, in un articolo pubblicato su «Nuestro Tiempo»[59] scrive che un leader dev'essere al tempo stesso un tecnico esperto, un politico e un ideologo; e che tutte e tre le cose sono ugualmente necessarie, mentre una non basta. «Un progresso della nostra epoca è la direzione fondata sulla competenza, lasciando al passato le qualifiche al comando basate sul sangue o sul denaro.» Questa è chiaramente la definizione weberiana di capo, che basa la sua autorità su una legittimazione razionale e legale. Barco Ortega spiega bene le caratteristiche del leader, del perfetto tecnocrate opusiano, elencandole sinteticamente:

– deve avere una personalità forte, olistica; ed essere sicuro di se stesso, «così che attraverso la fede in se stesso possa raggiungere la conoscenza della realtà»;

– dev'essere una persona che «nel governare raggiunge la pienezza del suo essere», in modo tale che le sole persone in grado di raggiungere questo livello «sono coloro che attraverso l'esercizio del potere riescono ad essere soddisfatti, raggiungono la propria vocazione e la pienezza del loro sviluppo»;

– dev'essere un uomo con la «volontà di servire», orientato «verso gli altri invece che verso se stesso»;

– dev'essere una persona «in controllo», un individuo che non lascia che «la sua ambizione e il suo desiderio di gratificazione lo facciano agire in modo eccessivo o innaturale», perché solo in questo modo le sue azioni saranno «razionali»;

– dev'essere prudente, nel senso che «volere e lavorare» devono dipendere dalla sua «conoscenza della verità» e non il contrario; non dev'essere qualcuno che fa sì che la «verità dipenda dai desideri e dagli atti di volontà».

---

59. José Barco Ortega, *La justificacion del gobernante*, in «Nuestro Tiempo», n. 243, pp. 20-34.

Sono caratteristiche che si potrebbero applicare anche al perfetto «massone in carriera». Questa mentalità di fondo esposta da José Barco Ortega, trasposta negli affari e nella finanza, genera un'attitudine al comando che spesso si tramuta in ricerca di potere. È una ferrea volontà che – tanto nella massoneria quanto nell'Opus Dei – deve avere necessariamente esiti concreti e tangibili.

È quella che Javier Sainz Moreno, dell'Università di Madrid, ha chiamato la «legge dell'egemonia finanziaria». «La gerarchia dell'Opus Dei sa bene che il denaro governa il mondo e che l'egemonia religiosa in un Paese o in un continente dipende dall'ottenere l'egemonia finanziaria» spiega il professore.[60] Che aggiunge: «L'obiettivo aziendale dell'Opus Dei è stato, in primo luogo, quello di controllare le finanze vaticane al fine di controllare il Vaticano stesso. In secondo luogo, quello di raggiungere il più ampio livello di egemonia finanziaria dovunque sia possibile. Ma perché l'Opus Dei riuscisse in questa impresa, nel modo che Escrivá suggeriva ai suoi luogotenenti, era necessario sviluppare e gestire un capitale transnazionale».

Anche il transnazionalismo è uno dei cavalli di battaglia della massoneria.

«Profitti nascosti possono essere facilmente creati attraverso il trasferimento di beni e servizi tra Paesi con differenti sistemi fiscali e legali» spiega Sainz Moreno. Un «metodo» che è stato visto spesso con simpatia da potenti massoni coinvolti in inchieste finanziarie e in reati di evasione fiscale.

«Portare valigie piene di denaro oltre frontiera è fuori moda, superato» ironizza il professore madrileno. «Sono stati identificati nuovi metodi e contratti internazionali grazie a cui i profitti e le commissioni di brokeraggio venivano trasferiti a giurisdizioni e depositi franchi molto distanti. Da queste basi operative i soldi potevano essere smistati altrove, investendo risorse dove servivano. All'epoca, l'Opus Dei stava

---

60.   Cfr. Robert Hutchison, *op. cit.*, pp. 324-325.

divenendo il maggior attore nel mercato dell'eurodollaro, un mercato che crebbe in maniera esponenziale tra gli anni Sessanta e Settanta. Quando l'Opus Dei apre i battenti in un nuovo Paese, il suo braccio secolare si concentra sullo sviluppo di attività votate ai mercati internazionali.»

Secondo la «legge dell'egemonia finanziaria» illustrata da Sainz Moreno, il fine giustifica i mezzi. «L'Opus Dei distingue nettamente tra i suoi membri e il resto del mondo. L'istituzione non ha timore nel collaborare con gente di dubbia reputazione, truffatori e persino politici socialisti. Ma la gerarchia dell'Opus Dei è attenta a far sì che queste persone non contaminino l'Opera o si avvicinino troppo a essa. Una volta che essi sono stati usati, l'Opus Dei si lava le mani, li getta via, li abbandona e li disprezza.»

Una logica che è stata usata dalle grandi obbedienze massoniche nei confronti di personaggi come Licio Gelli che pure sono cresciuti all'ombra dei Gran Maestri di turno. Anche in questo, le analogie tra massoneria e Opus Dei sono evidenti.

«Ciò che attribuisce importanza all'Opus Dei è l'influenza che esercita e il fatto che impiega le sue immense risorse finanziarie per diffondere il suo apostolato. L'Opus Dei sa molto bene che il denaro domina il mondo. Con la sua audacia ha osato fare ciò che altre religioni non si sognerebbero mai di fare: usa le stesse armi dei suoi nemici. Per questo si serve di gente che non considera degna di rispetto, in modo che siano loro a fare il lavoro sporco. Questo consente all'Opera di raggiungere i suoi obiettivi senza essere direttamente coinvolta.»

Il professore fa esempi concreti di questo atteggiamento: «L'Opus Dei assume avvocati che la consigliano su come non pagare le tasse, ma è ovvio che dopo esserci riuscita reclama il fatto che il denaro risparmiato è servito a espandere le sue attività religiose. Si fa assistere da architetti in grado di trovare i modi per aggirare le restrizioni costruttive e per ottenere i permessi utili per costruire case di riposo a fini sociali.

Si servirà di donne abili a creare scandali e a screditare politici che si oppongono all'Opera».

Sono gli stessi metodi usati da tanti potenti massoni, o ex massoni «in sonno», che hanno dominato la scene nazionali e internazionali del business e della politica.

Questa micidiale miscela di segretezza, network affaristico, legittimazione carismatica, mistica dell'appartenenza e del sostegno reciproco conduce – tanto nella massoneria quanto nell'Opus Dei – a quella che, con un'efficace definizione, è stata definita *a new, unaccountable élite*, una nuova classe di potenti «dominatori» che non risponde a nessuna regola, che elude qualsiasi controllo perché opera con metodi nuovi e in un contesto ancora povero di norme e di sanzioni efficaci rispetto alle realtà associative occulte o riservate.

Questa nuova generazione di pericolosi «dominatori» dell'economia e della finanza – sostenuti dal potere di realtà ammantate da fini nobili – rappresenta un fenomeno in una certa misura inedito, che si articola su scala globale. È la nascita di quella che, con una felice intuizione, è stata definita *the ideology of maximum interference with minimal accountability*, l'ideologia della massima interferenza con il minimo controllo. La domanda da porsi è solo quanto l'interferenza di questi potenti gruppi riguardi ognuno di noi e la qualità stessa della democrazia.

Appendice

Cronologia
dal 1945 a oggi

giugno 1945 Un folto gruppo di grandi industriali – tra cui il massone Vittorio Valletta (presidente della Fiat e artefice di un sistema di schedature interne), Piero Pirelli, Rocco Armando, Enrico Piaggio, Angelo Costa e Giovanni Falck – si riunisce a Torino il 16 e 17 giugno 1945 per decidere i piani per la «lotta al comunismo con qualsiasi mezzo», sia con la propaganda che con l'organizzazione di gruppi armati. Secondo un rapporto dei servizi segreti americani: «Le spese previste sono enormi ma gli industriali sono disposti a finanziare l'avventura»; 120 milioni sono stanziati subito e vengono depositati in Vaticano.

11 settembre 1945 Licio Gelli, fascista della prima ora, poi volontario nella guerra di Spagna e repubblichino, viene arrestato dai carabinieri, in Sardegna, dove si è rifugiato. Viene rinchiuso nel carcere di Cagliari in attesa di essere trasferito a Pistoia, sua città natale. Offre collaborazione informativa alle autorità, forte del suo passato nei servizi di intelligence del fascismo. Il 20 marzo 1946 otterrà la libertà provvisoria. È in questa fase, il 1945-46, che Gelli – secondo alcuni storici – entra in contatto con la massoneria, anche se entrerà a far parte ufficialmente del Grande Oriente d'Italia solo molti anni dopo, nel 1962.

20 settembre 1945 Viene disciolta negli Stati Uniti l'Oss (Office of Strategic Service), che viene sostituita con l'Ssu (Secret Service Unity), da cui poi nascerà la Cia. Fu il massone americano Frank Bruno Gigliotti, già agente della sezione italiana dell'Oss e quindi agente della Cia, a preparare lo sbarco degli americani in Sicilia attraverso i rapporti con la mafia e la massoneria.

18 novembre 1945 Al Gran Maestro Davide Augusto Albarin, che ha guidato il Grande Oriente d'Italia dal 1940 al 1944, succede il Gran Maestro Guido Laj.

ottobre 1947 Secondo rapporti del dipartimento di Stato americano, Frank Bruno Gigliotti lavora per «riattivare la vecchia banda di agenti dei servizi segreti strategici in Italia come mezzo per combattere il comunismo». Il Grande Oriente d'Italia ottiene, attraverso Gigliotti, il primo riconoscimento ufficiale della Circoscrizione massonica del Nord degli Usa.

5 gennaio 1949 Alla guida del Grande Oriente d'Italia viene eletto Gran Maestro Umberto Cipollone, che succede a Guido Laj. Resterà in carica per poco più di tre mesi, fino al 18 marzo 1949.

19 marzo 1949 Alla guida del Grande Oriente d'Italia viene eletto Ugo Lenzi, che resterà in carica fino al 21 marzo 1953.

21 marzo 1953 Assume la guida del Grande Oriente d'Italia come Gran Maestro facente funzione, Carlo Speranza. La manterrà fino al 4 dicembre 1953.

4 dicembre 1953 Diventa Gran Maestro del Grande Oriente d'Italia Publio Cortini, che guiderà il Goi fino al 27 novembre 1956.

9 dicembre 1954 Gaspare Pisciotta muore nel carcere dell'Ucciardone a Palermo, assassinato da un caffè corretto alla stricnina. Al processo per Portella delle Ginestre, che veniva celebrato in quei giorni, aveva minacciato di fare rivelazioni importanti.

27 marzo 1955 Enrico Cuccia, amministratore delegato di Mediobanca, secondo alcune fonti viene iniziato, in forma riservatissima, alla loggia coperta Giustizia e libertà di piazza del Gesù. Durante il fascismo ha lavorato alla Banca d'Italia, all'Iri, alla Comit. Anche il suocero di Cuccia, Alberto Beneduce, presidente dell'Iri, potrebbe essere stato massone.

27 dicembre 1955 Il generale Giovanni De Lorenzo, uomo di Gronchi, grazie alle protezioni dell'ambasciaa Usa diventa capo del Sifar. De Lorenzo era iniziato alla loggia coperta Giustizia e libertà di piazza del Gesù.

12 ottobre 1957 Mentre Luciano Liggio diventa il boss incontrastato della zona di Corleone, a Palermo i capi delle famiglie di Cosa nostra venuti dagli Usa si riuniscono con quelli delle più importanti cosche siciliane. In quella riunione si mettono a punto le strategie per i traffici internazionali di droga. Vi partecipa anche un giovane avvocato di Patti: Michele Sindona, il futuro banchiere della P2 e della mafia.

30 novembre 1957 Sale nuovamente alla guida del Grande Oriente d'Italia l'ex Gran Maestro Umberto Cipollone; ci resterà fino al 28 maggio 1960.

primavera 1958 Frank Bruno Gigliotti fonda il «Comitato nazionale di cittadini americani per rendere giustizia alla massoneria italiana».

inverno 1959 Michele Sindona, lo Ior e la Continental Illinois Bank (la maggiore banca cattolica Usa) acquistano la Banca Privata Finanziaria.

26 febbraio 1959 Il generale De Lorenzo – su ordine del colonnello Vernon Walters, che diverrà poi vicedirettore della Cia – emette una disposizione interna dei servizi segreti italiani per intensificare la schedatura e la raccolta di informazioni su tutti i deputati, vescovi, preti, tecnici, scienziati, operai, quadri sindacali, dirigenti politici ed ex partigiani. In breve tempo le schede arriveranno al numero di 157mila, ciascuna fornita in copia alla Cia. Molte di queste schedature diverranno «patrimonio» della P2 di Gelli.

1 giugno 1959 In una nota riservata, l'ufficio R del Sifar dichiara che sono state costituite cinque unità di Gladio, per un totale di 1500 effettivi e 3000 uomini mobilitabili.

dicembre 1959 L'Italia entra nel Comitato clandestino di pianificazione della Nato, si tratta dell'organismo che coordina le attività del piano Stay Behind.

29 maggio 1960 Il Gran Maestro Giorgio Tron assume la guida del Grande Oriente d'Italia, che condurrà per meno di un anno, sino al 28 aprile 1961.

7 luglio 1960 La Cia tenta di realizzare un piano di unificazione della massoneria italiana, che porti gran parte delle logge massoniche italiane sotto l'influenza diretta di quelle statunitensi. Per questo compito arrivano in Italia i dirigenti della massoneria americana Luther A. Smith e George E. Bushnell. In una cerimonia che si svolge a Roma il ministro delle Finanze Trabucchi riconsegna Palazzo Giustiniani alla massoneria del Grande Oriente d'Italia, alla presenza dell'ambasciatore americano James Zellerbach e dell'agente della Cia Frank Gigliotti. Sempre nel 1960 i «fratelli» americani cercano di imporre l'unificazione del Grande Oriente d'Italia con il Supremo Consiglio della Serenissima Gran Loggia degli Alam del principe siciliano Alliata di Monreale.

agosto 1960 Nel loro rapporto finale sulla missione in Italia, Luther A. Smith e George E. Bushnell scrivono: «I fratelli italiani sono avviati verso la riunificazione di tutta la comunità massonica e hanno sottoscritto i protocolli aggiuntivi che prevedono l'impegno anticomunista». La massoneria italiana proclama Frank Gigliotti Gran Maestro onorario a vita e rappresentante per l'Italia alla Conferenza massonica di Washington.

2 febbraio 1961 Il massone Giovanni De Lorenzo è promosso generale di corpo d'armata.

29 aprile 1961 Viene nominato Gran Maestro pro tempore del Goi Corrado Mastrocinque. Guiderà il Grande Oriente d'Italia per soli tre mesi, fino al 16 luglio 1961.

17 luglio 1961 Giordano Gamberini, ritenuto da molti analisti agente della Cia, viene eletto Gran Maestro del Grande Oriente d'Italia, da poco reinsediatosi a Palazzo Giustiniani. Rimarrà in carica fino al 21 marzo 1970. Sarà lui a sponsorizzare la rapida ascesa di Licio Gelli nella massoneria.

15 settembre 1961 Il potentissimo finanziere Eugenio Cefis, futuro patron della Montedison e sponsor negli anni Settanta dell'operazione Rizzoli-P2, entra nella loggia coperta Giustizia e libertà di piazza del Gesù.

autunno 1962 Licio Gelli entra ufficialmente nella massoneria, attraverso la loggia Gian Domenico Romagnosi di Roma.

15 luglio 1963 Giuseppe Arcaini, in seguito presidente dell'Italcasse e protagonista di uno dei più grossi scandali finanziari italiani, entra nella loggia coperta Giustizia e libertà di piazza del Gesù.

luglio 1964 Viene alla luce il progetto di colpo di Stato del generale Giovanni De Lorenzo (Piano Solo), in opposizione all'ipotesi di un governo di centrosinistra. Il governo d'emergenza avrebbe dovuto essere presieduto da Cesare Merzagora, massone della loggia coperta Giustizia e libertà.

dicembre 1965 Il Gran Maestro aggiunto Roberto Ascarelli presenta l'«Apprendista» Licio Gelli al Gran Maestro del Goi Gamberini. Gelli sale rapidamente di grado nella gerarchia massonica e si fa affidare la loggia coperta P2, con l'incarico di rivitalizzarla.

15 aprile 1967 Il governo destituisce il generale De Lorenzo da capo di Stato maggiore dell'esercito. Palazzo Chigi viene circondato da agenti della polizia. La rete di collegamento radio dei carabinieri, voluta da De Lorenzo, viene isolata. Il governo italiano annuncia la distruzione dei 157mila fascicoli illeciti istruiti dal Sifar, ma ciò non avverrà. È l'inizio dello «scandalo Sifar».

19 settembre 1967 Guido Carli, futuro governatore della Banca d'Italia, secondo alcune ricostruzioni entra nel novero dei liberi muratori entrando nella loggia coperta Giustizia e libertà di piazza del Gesù.

22 ottobre 1968 Pecorelli fonda l'agenzia di informazioni «Op», con autorizzazione del Tribunale n. 12418.

novembre 1968 Licio Gelli, divenuto venerabile della P2, recluta il generale Giovanni Allavena ed eredita le copie dei fascicoli del Sifar.

23 settembre 1969 In una lettera inviata dal massone Bacciani al «fratello» Prisco Brilli, consigliere dell'ordine del Grande Oriente d'Italia, si riferisce un'informazione di Licio Gelli secondo cui «400 alti ufficiali dell'esercito sono stati iniziati alla massoneria al fine di predisporre un "governo di colonnelli", sempre preferibile ad un governo comunista».

dicembre 1969 Il Vaticano, in difficoltà per il dissesto della società Condotte, affida a Michele Sindona la gestione dell'operazione finanziaria, che acquista il pacchetto azionario di proprietà del Vaticano.

1970 Roberto Calvi incontra Michele Sindona a casa di Giuliano Magnoni, consuocero di Sindona.

21 marzo 1970 Viene eletto Gran Maestro del Grande Oriente d'Italia Lino Salvini, socialista. Resterà in carica sino al 18 novembre 1978, un periodo che vedrà ambigue connessioni tra gli ambienti dei servizi segreti e la massoneria deviata.

16 settembre 1970 Viene rapito Mauro De Mauro, giornalista de «l'Ora» di Palermo. Il suo cadavere non verrà mai ritrovato. Stava lavorando per conto del regista Franco Rosi sulla morte di Enrico Mattei. Nel corso delle indagini era venuto a conoscenza dei preparativi del golpe Borghese, che veniva organizzato da elementi di estrema destra con la complicità di ambienti massonici e mafiosi.

18 settembre 1970 Vito Miceli, iscritto alla loggia P2, prende il comando del Sid.

5 marzo 1971 Assemblea della loggia P2 sulla situazione economica e politica. Si parla apertamente della volontà di instaurare un «regime autoritario di destra e militare».

30 giugno 1971 Michele Sindona riesce a conquistare il controllo della Centrale Finanziaria.

8 ottobre 1971 Michele Sindona tenta di conquistare il controllo della Bastogi, ma senza successo.

12 luglio 1972 Sindona, il banchiere piduista, acquista per 40 milioni di dollari la maggioranza della Franklin National Bank. La Franklin, già alle prese con diversi problemi, viene impiegata in una politica di speculazioni sui cambi, che ben presto la affonda. Il finanziere siciliano tenta un salvataggio in extremis, promuovendo la fusione della sua Banca Privata Finanziaria nella Banca Unione. L'operazione è sostenuta dal Banco di Roma.

3-28 agosto 1973 Sindona, alle prese con un improrogabile bisogno di liquidità, tenta di uscire dalla crisi che ben presto lo distruggerà attraverso l'operazione Finambro, una società a lui collegata che effettua rapidi aumenti di capitale.

settembre 1973 Un manager appartenente alla P2, Bruno Tassan Din, entra nella Rizzoli con la qualifica di direttore centrale finanza e amministrazione.

gennaio 1974 Il piduista Michele Sindona viene premiato dall'ambasciatore statunitense a Roma come «uomo dell'anno».

agosto 1974 Il generale Raffaele Giudice, iscritto alla P2, assume il comando della guardia di finanza.

23 agosto 1974 La magistratura di Torino scopre il complotto, conosciuto come «golpe bianco», facente capo a Edgardo Sogno. Il progetto aveva il sostegno degli Usa e della loggia P2. Il golpe era previsto per ferragosto e aveva come obiettivo di forzare l'intervento dei militari a favore di una Repubblica presidenziale.

27 settembre 1974 Il ministro del Tesoro dispone la liquidazione coatta della Banca Privata Finanziaria di Michele Sindona e nomina come liquidatore Giorgio Ambrosoli. È l'inizio del crollo a catena di una serie di istituti finanziari, dell'«impero Sindona» in Europa e negli Stati Uniti. Nel crack è coinvolto anche lo Ior, la banca del Vaticano. Sindona fugge negli Stati Uniti. Con lui sparisce una lista di 500 italiani che attraverso le sue banche hanno esportato clandestinamente all'estero somme enormi. Per cinque anni, fra il 1974 e il 1979, Sindona è in stretto collegamento con Gelli e la P2.

8 ottobre 1974 La Procura della Repubblica di Milano spicca un mandato di cattura contro Sindona, latitante negli Stati Uniti.

25 ottobre 1974 Il generale piduista Vito Miceli viene arrestato per cospirazione politica dai giudici che conducono l'inchiesta sulla Rosa dei Venti. Miceli viene anche incriminato nel quadro dell'inchiesta sul tentativo di colpo di Stato di Junio Valerio Borghese.

primavera 1975 Licio Gelli fonda l'Organizzazione mondiale del pensiero e dell'assistenza massonica (Ompam), una superloggia internazionale con sede a Montecarlo.

estate 1975 Bruno Tassan Din incontra il finanziere Umberto Ortolani (cavaliere di Malta, ma iscritto alla P2) insieme ad Angelo Rizzoli (in seguito membro della P2). La famiglia Rizzoli, dopo l'oneroso acquisto del «Corriere della Sera», si trova in difficoltà. Andrea Rizzoli ravvisa in Ortolani la persona adatta per trovare un compratore. Ortolani propone ai Rizzoli di presentarli a Licio Gelli e a Roberto Calvi.

19 novembre 1975 Roberto Calvi diventa presidente del Banco Ambrosiano e conserva la carica di amministratore delegato.

dicembre 1975 Calvi viene contattato per risolvere le difficoltà finanziarie della Rizzoli. Su pressione di Ortolani e Gelli, Calvi concede un'apertura di credito di tre miliardi, seguita da affidamenti più consistenti. Ma chiede in cambio un appoggio per la sistemazione di azioni dell'Ambrosiano da detenere all'estero.

16 aprile 1976 Si rafforzano i rapporti tra Rizzoli e Ambrosiano. Calvi fa cooptare nel consiglio del Banco Angelo Rizzoli. Calvi parla dell'idea di costituire una banca in Nicaragua.

24 giugno 1976 Roberto Calvi versa 500mila lire a Licio Gelli per l'iscrizione alla loggia massonica P2.

27 giugno 1976 Michele Sindona viene condannato dal Tribunale di Milano a tre anni e sei mesi per violazione delle leggi bancarie.

10 luglio 1976 Il sostituto procuratore Vittorio Occorsio, che indaga sui rapporti fra terrorismo fascista e massoneria, viene ucciso a Roma con una raffica di mitra da un commando fascista guidato da Concutelli di Ordine nero.

8 settembre 1976 Michele Sindona viene arrestato negli Stati Uniti, ma viene rilasciato immediatamente pagando una cauzione di tre milioni di dollari.

novembre 1976 La Cisalpine (gruppo Ambrosiano) compra il 16 per cento della Capitalfin International delle Bahamas. Quando Calvi entra nella società, la carica di presidente è ricoperta dall'amministratore delegato della Bnl Alberto Ferrari (tessera numero 1625 della P2).

dicembre 1977 Inizia l'inchiesta per lo scandalo dei finanziamenti occulti dell'Italcasse. Il presidente Giuseppe Arcaini, massone, si rende latitante.

1978 Silvio Berlusconi si affilia alla loggia massonica coperta P2 del Maestro venerabile Licio Gelli: tessera numero 1816. Riceve finanziamenti dal Monte dei Paschi e dalla Bnl (due banche con alcuni uomini chiave affiliati alla P2). E inizierà a collaborare, con commenti di politica economica, al «Corriere della Sera», ormai controllato dalla P2.

3 febbraio 1978 Bruno Tassan Din, iscritto alla P2, viene nominato direttore generale della Rizzoli. Diventa il referente fisso di Calvi.

18 novembre 1978 Sale alla guida del Grande Oriente d'Italia il Gran Maestro Ennio Battelli, resterà in carica sino al 27 marzo 1982. Battelli non riesce ad arginare lo strapotere della P2. Lascerà la comunione massonica indebolita dagli scandali.

1979 Scoppia il caso Eni-Petronim, ovvero tangenti intorno al 7 per cento del controvalore di una maxicommessa per l'acquisto di greggio arabo, versate su conti esteri dell'Eni. Un documento relativo all'operazione, identificato dalla sigla M.Fo.Biali, verrà ritrovato durante una perquisizione a Licio Gelli: molte delle persone coinvolte risulteranno iscritte alla P2.

20 marzo 1979 Mino Pecorelli, il direttore di «Op» iscritto alla P2, viene ucciso da un killer a Roma.

24 marzo 1979 Un alto funzionario della Banca d'Italia, il vicedirettore generale Mario Sarcinelli, viene arrestato dalla magistratura romana. L'inchiesta si concluderà con il proscioglimento. L'arresto, viene poi appurato, serve a rallentare un'indagine sullo stato finanziario del Banco Ambrosiano di Roberto Calvi.

12 luglio 1979 Giorgio Ambrosoli, commissario liquidatore delle banche di Sindona, che ha indagato per tre anni i risvolti segreti dell'attività internazionale del banchiere della mafia, viene ucciso a Milano con quattro colpi di pistola da William Joseph Aricò, un killer venuto appositamente dagli Stati Uniti su mandato di Sindona.

21 luglio 1979 A Palermo viene assassinato il capo della squadra mobile Boris Giuliano, che indaga sui rapporti fra banche italo-americane sulla base della ricostruzione fatta da Ambrosoli.

febbraio 1980 Il giudice Carlo Palermo, della Procura di Trento, inizia un'inchiesta sui traffici di armi e droga nel mondo della massoneria deviata che susciterà immediatamente polemiche e pressioni nei potentati politici, finanziari e giudiziari. Molti degli imputati individuati da Palermo saranno poi coinvolti nelle vicende del Banco Ambrosiano.

13 giugno 1980 Michele Sindona viene condannato a venticinque anni per il fallimento della Franklin Bank.

4 luglio 1980 La Procura di Milano ritira il passaporto a Roberto Calvi. Gli verrà però restituto a settembre.

12 luglio 1980 Sindona è indiziato di reato per l'omicidio Ambrosoli.

2 agosto 1980 Una bomba con 250 chili di tritolo collocata in una borsa e lasciata nella sala d'aspetto di seconda classe della stazione di Bologna esplode provocando 85 morti e circa 200 feriti. Nel corso del tempo, la P2 verrà chiamata più volte in causa come artefice di depistaggi e come mandante dell'attentato, nel quadro della strategia della tensione.

6 agosto 1980 Il procuratore capo della Repubblica di Palermo, Gaetano Costa, viene assassinato a Palermo. Stava tentando di risalire, attraverso gli intrecci societari e bancari, ai soci occulti dei clan mafiosi degli Spatola, degli Inzerillo, dei Gambino e dei Bontate, legati a Michele Sindona, alla P2 e alla mafia americana.

2 settembre 1980 Due giornalisti italiani, Italo Toni e Graziella De Palo, scompaiono durante la realizzazione di un reportage sul traffico di armi in Libano. Sulla vicenda il presidente del Consiglio Bettino Craxi apporrà il segreto di Stato. Documentati i depistaggi operati da esponenti della P2.

18 settembre 1980 Un «patto» sul riassetto azionario della Rizzoli viene siglato a Roma, tra Roberto Calvi, Angelo Rizzoli, Umberto Ortolani, Licio Gelli, e Bruno Tassan Din. Al termine di un complesso movimento di capitali e di azioni, un'entità denominata «Istituzione», ovvero la P2, dispone del 49,8 per cento del capitale; il 10,2 per cento viene intestato a una fiduciaria facente capo a Tassan Din: la Fincoriz. Il restante 40 per cento resta in mano ad Angelo Rizzoli. Il costo dell'operazione è di 198 miliardi. L'esborso complessivo del Banco Ambrosiano è di 180 miliardi.

17 marzo 1981 La magistratura di Milano ordina la perquisizione della villa di Licio Gelli e di altri uffici. Vengono trovati così gli elenchi della loggia massonica Propaganda 2. A essa risultano appartenere 963 «fratelli», comprendenti uomini dei servizi segreti, politici, finanzieri, banchieri, personaggi dello spettacolo, alti ufficiali, funzionari dello Stato. Risulterà chiaro che la lista non è completa e nascerà così il mistero delle vere liste della P2, trasferite in Uruguay.

23 aprile 1981 Il capo della famiglia mafiosa di Santa Maria Del Gesù, Stefano Bontate, viene ucciso a Palermo. Bontate era fautore di un «matrimonio» tra mafia e massoneria mirato a una maggiore penetrazione al Nord e a un più efficace riciclaggio del denaro sporco.

20 maggio 1981 Il governo, dopo ripetute richieste, comunica finalmente al Parlamento la lista dei 963 iscritti alla loggia P2, nella quale figurano tre ministri in carica.

26 maggio 1981 Il governo è costretto a dimettersi a causa degli sviluppi dell'inchiesta sulla loggia P2.

5 giugno 1981 Il capitano della guardia di finanza Luciano Rossi si spara un colpo di pistola alla tempia dopo essere stato interrogato circa l'informativa su Licio Gelli da lui redatta insieme al colonnello Salvatore Florio. Ad alcuni amici aveva confidato di essere preoccupato per il suo coinvolgimento nella vicenda P2, perché Gelli lo aveva avvicinato minacciandolo.

9 luglio 1981 Roberto Calvi tenta il suicidio nel carcere di Lodi, dove è rinchiuso dopo il suo arresto per ordine della magistratura milanese a causa di alcune irregolarità nella gestione del Banco Ambrosiano. Malgrado una condanna a quattro anni, grazie al tentato suicidio Calvi esce dal carcere.

10 dicembre 1981 Il Parlamento scioglie la loggia P2 e istituisce una commissione parlamentare di inchiesta.

28 marzo 1982 Assume la guida del Grande Oriente d'Italia il sardo Armando Corona; resterà alla guida del Goi fino al 10 marzo 1990. Roberto Calvi si rivolge a Corona, potente politico democristiano, in una drammatica lettera nella quale chiede protezione e aiuto di fronte ai molteplici ricatti di cui è fatto oggetto. Corona fa da tramite nella conoscenza tra Flavio Carboni e Calvi.

17 giugno 1982 Roberto Calvi si rende irreperibile. La sua segretaria, Graziella Corrocher, viene trovata «suicidata».

18 giugno 1982 Il banchiere Roberto Calvi viene trovato impiccato sotto il ponte dei Frati Neri a Londra. Ma la tesi del suicidio appare subito poco credibile. Vengono iniziate le pratiche di liquidazione del Banco Ambrosiano.

3 settembre 1982 Il generale dei carabinieri Carlo Alberto Dalla Chiesa, noto per il suo impegno contro il terrorismo negli anni Settanta e in seguito impegnato nella lotta alla mafia, viene ucciso insieme alla moglie Emanuela Setti Carraro in un agguato mafioso. Le carte relative al sequestro Moro, che Dalla Chiesa aveva portato con sé a Palermo, spariscono dopo la sua morte. Anni dopo sia Gelli che Cossiga affermeranno che Dalla Chiesa era iscritto alla loggia P2, ma che la pagina con il suo nome venne misteriosamente sottratta dagli elenchi sequestrati.

13 settembre 1982 Licio Gelli viene arrestato in Svizzera.

9 settembre 1983 Licio Gelli viene fatto evadere dal carcere svizzero di Camp Dollon dove era rinchiuso. Si rifugerà in Sudamerica e si riconsegnerà alle autorità svizzere solo quando avrà garanzie sulla non punibilità di una serie di reati per cui sono stati emessi ordini di cattura in Italia. Potrà così successivamente rientrare in Italia.

10 luglio 1984 La Commissione parlamentare di inchiesta sulla P2 approva la relazione della presidente Tina Anselmi. Il ministro del Bilancio Luigi Longo è costretto a dimettersi.

2 agosto 1984 L'inchiesta di Carlo Palermo su un traffico internazionale di armi e droga viene apertamente osteggiata da Craxi e da altri settori politici governativi. Carlo Palermo viene trasferito a Trapani.

23 dicembre 1984 Una bomba esplode sul «Rapido 904» Napoli-Milano, causando 16 morti e 139 feriti.

30 marzo 1985 Viene arrestato per la strage del «Rapido 904» Pippo Calò, affiliato alla mafia e vicino alla banda della Magliana.

2 aprile 1985 Un'autobomba telecomandata riempita con cinquanta chili di tritolo esplode a Pizzolungo, in provincia di Trapani, al passaggio dell'auto che trasporta Carlo Palermo. Il giudice si salva, ma una madre con i suoi due gemelli vengono dilaniati dall'esplosione.

19 aprile 1985 Il giudice Carlo Palermo emette ventuno mandati di cattura per associazione a delinquere e truffa.

22 marzo 1986 Michele Sindona muore nel supercarcere di Voghera, dopo aver bevuto una tazza di caffè al cianuro. Alcuni giorni prima era stato condannato all'ergastolo. Sindona aveva minacciato di rivelare, dopo anni di silenzio, i misteri della finanza vaticana e della P2.

12 gennaio 1988 L'ex sindaco di Palermo, Giuseppe Insalaco, viene ucciso per aver denunciato alla Commissione antimafia alcuni rapporti fra potere politico e mafioso.

11 aprile 1988 Estradato in Italia dalla Svizzera in febbraio, Licio Gelli viene rimesso in libertà per «motivi di salute».

24 gennaio 1990 Il Csm boccia la nomina del giudice istruttore Angelo Vella a presidente di sezione della Corte di cassazione, perché iscritto alla loggia massonica Zamboni-De Rolandis.

11 marzo 1990 Sale alla guida del Grande Oriente d'Italia Giuliano Di Bernardo, professore di filosofia della scienza all'Università di Trento.

21 marzo 1990 Il Presidente della Repubblica Francesco Cossiga invia una lettera al vicepresidente del Csm Cesare Mirabelli nella quale contesta il diritto del Csm di inserire nell'ordinamento giudiziario una norma che vieti ai magistrati di iscriversi alla massoneria.

maggio 1990 A Venezia, la sezione istruttoria della Corte di appello applica a Silvio Berlusconi la prescrizione per il reato di falsa testimonianza, per aver mentito davanti al Tribunale di Verona sulla sua data di iscrizione alla loggia P2 e negato di aver mai versato la quota di affiliazione.

8 novembre 1990 Il Gran Maestro della Serenissima Gran Loggia d'Italia Giorgio Paternò dichiara, in una lettera, di riconoscere la regolarità e la carica di Maestro venerabile di Licio Gelli.

9 novembre 1991 A Roma, a conclusione dell'istruttoria sulla loggia P2, il gip Francesco Monastero chiede 16 rinvii a giudizio per gli affiliati più importanti, per «cospirazione politica»: Umberto Ortolani, i generali Franco Picchiotti, Gian Adelio Maletti, Raffaele Giudice, Pietro Musumeci e Giulio Grassini; l'ex responsabile del Cesis, Walter Pelosi; il colonnello Antonio Viezzer, il capitano Antonio Labruna; nonché Salvatore Bellassai, Domenico Niro, Ezio Giunchiglia, Luigi De Santis. Per quanto riguarda Gelli invece, il gip dichiara «non doversi procedere perché non è stata concessa l'estradizione per il reato» di cospirazione politica; Gelli sarà processato quindi solo per millantato credito e calunnia. Monastero afferma che la P2 fu una rete illegale «che consentiva all'organizzazione in ogni settore di piegare agli interessi particolari della stessa, confliggenti con quelli istituzionali propri dei singoli apparati [...] la funzione pubblica degli associati o degli organi nei quali essi esplicavano le loro funzioni o su cui erano in grado di influire [...] Settori privilegiati di intervento sono stati gli apparati militari, i servizi di informazione e sicurezza, la stampa, i vertici dell'amministrazione pubblica, alcuni settori del mondo finanziario».

27 dicembre 1991 A Varsavia è costituita, anche per l'interessamento del massone italiano Elvio Sciubba, la Gran Loggia di Polonia.

marzo 1992 A Roma il Grande Oriente d'Italia dispone lo scioglimento della loggia massonica Colosseum per irregolarità amministrative.

20 ottobre 1992 A Roma, presso la sede del Grande Oriente d'Italia a Villa Medici del Vascello, i carabinieri sequestrano, per ordine del procuratore di Palmi Agostino Cordova, gli elenchi degli iscritti.

1 novembre 1992 Nell'ambito dell'inchiesta di Palmi sulle logge massoniche parallele vengono emessi centinaia di avvisi di garanzia in tutta Italia.

3 novembre 1992 I giudici scoprono tre logge segrete, a Firenze, Milano (entrambe nate dalla P2) e Roma, che sarebbero sospettate, tra l'altro, di traffico di armi e riciclaggio di titoli rubati.

7 novembre 1992 Il ministro della Giustizia Claudio Martelli critica l'inchiesta sulla massoneria condotta dal procuratore di Palmi Agostino Cordova: «Mi sembra che questa inchiesta non abbia ancora chiarito quali siano i reati da perseguire e chi li abbia commessi. E questo può creare l'impressione di qualcosa di persecutorio».

26 novembre 1992 Tommaso Buscetta indica in Giulio Andreotti il mandante dell'omicidio di Mino Pecorelli.

6 dicembre 1992 Il Grande Oriente d'Italia reagisce all'inchiesta sulla massoneria del procuratore Cordova con un comunicato nel quale minaccia il ricorso alle «vie legali, pretendendo giustizia dai Tribunali della Repubblica italiana e dalle autorità giudiziarie italiane».

16 aprile 1993 Giuliano Di Bernardo si dimette dalla carica di Gran Maestro del Grande Oriente d'Italia.

5 maggio 1993 Assume la carica di «reggente» del Grande Oriente d'Italia Eraldo Ghinoi. La manterrà per sette mesi, fino al 18 dicembre 1993.

9 luglio 1993 Dinanzi alla Commissione parlamentare d'inchiesta sulla mafia, il procuratore Agostino Cordova denuncia gli ostacoli incontrati nell'inchiesta sulla massoneria: «Ricordo che le indagini furono iniziate con oltre tre mesi di ritardo a causa delle note difficoltà: non si riusciva ad avere locali subito dopo i sequestri, anche se alcuni locali erano stati messi a disposizione sia dai carabinieri, sia dalla polizia. Ma l'allora ministro della Giustizia [Claudio Martelli, *Nda*] si oppose a che venissero concessi. Come dato di fatto, non credo che sia stato rilevato che, postumamente, lo stesso ministro fu coinvolto in vicende riguardanti la massoneria».

29 luglio 1993 Il Senato concede l'autorizzazione a procedere contro Giulio Andreotti per associazione a delinquere di stampo mafioso e per l'omicidio di Mino Pecorelli.

19 ottobre 1993 A Roma, nella sede del Grande Oriente d'Italia, a Villa Medici del Vascello, sono sequestrati per ordine della magistratura gli elenchi degli affiliati.

18 novembre 1993 Assume la carica di Gran Maestro del Goi l'avvocato Virgilio Gaito. La manterrà fino al 19 marzo 1999.

27 dicembre 1993 A Roma il gip Francesco Monastero, su richiesta del sostituto procuratore della Repubblica Elisabetta Cesqui, provvede al sequestro, nell'ambito dell'inchiesta sulla P2, di 16 miliardi e 400 milioni fra titoli di Stato e denaro di proprietà di Licio Gelli.

16 aprile 1994 La Corte di assise di Roma pronuncia la sentenza contro gli imputati iscritti alla loggia P2 con il proscioglimento degli stessi dai reati più gravi, e condanna Licio Gelli a otto anni di reclusione per calunnia, sei anni per procacciamento di notizie riservate e tre anni per millantato credito.

29 luglio 1994 P2 e «conto protezione»: condannati per concorso nella bancarotta del Banco Ambrosiano Bettino Craxi e Claudio Martelli a otto anni e mezzo, Leonardo Di Donna a sette anni e Licio Gelli a sei anni e mezzo.

30 agosto 1994 A Palermo, Gioacchino Pennino – medico affiliato alla mafia – inizia a collaborare con la magistratura. Parlerà diffusamente dei rapporti esistenti tra mafia e massoneria.

24 novembre 1994 Il ministro della Difesa Cesare Previti designa quale vicedirettore del Cesis, tramite il Comitato interministeriale della sicurezza (Cis), il generale Paolo Pasini, affiliato alla loggia massonica coperta Augusto Elias di Ancona. L'incarico non sarà concesso sia per le informazioni sfavorevoli sul suo conto che per la «ritardata concessione del nullaosta di sicurezza Cosmic».

14 ottobre 1995 Il procuratore capo di Torre Annunziata, Alfredo Ormanni, annuncia una serie di arresti nell'ambito di un'inchiesta su massoneria e riciclaggio di denaro sporco. Sullo scenario dell'inchiesta, denominata «Cheque to cheque», compare anche il nome di Licio Gelli, ma soprattutto la rete degli affari criminali legati alla massoneria internazionale deviata. Ma l'inchiesta verrà smembrata e trasferita per competenza ad altre Procure.

23 novembre 1995 La Corte di cassazione, a sezioni unite, conferma la condanna all'ergastolo per Francesca Mambro e Valerio Fioravanti, ritenuti gli esecutori della strage di Bologna del 2 agosto 1980 e condanna Licio Gelli a dieci anni di reclusione.

23 novembre 1995 Il Tribunale cantonale del Ticino ammette il Banco Ambrosiano come parte civile al procedimento per la confisca di 168 miliardi di lire a Licio Gelli, con la motivazione che il denaro depositato in Svizzera dal capo della P2 è stato sottratto al Banco Ambrosiano.

27 febbraio 1996 Il Tribunale di Lugano ordina la confisca del denaro depositato da Licio Gelli nelle banche locali, pari a un valore di 150 miliardi di lire, a favore delle parti lese nel processo per il crack del Banco Ambrosiano.

2 marzo 1996 Secondo le dichiarazioni rese dal pentito mafioso Leonardo Messina fu Luciano Liggio a uccidere Salvatore Giuliano e a consegnarne successivamente il corpo ai carabinieri.

22 aprile 1998 La Corte di cassazione rende definitive le condanne per il crack del Banco Ambrosiano a carico di Licio Gelli (12 anni), Francesco Pazienza (8 anni), Maurizio Mazzotta (8 anni), Umberto Ortolani (12 anni), Flavio Carboni (8 anni e 6 mesi), Mario Manera Valeri (5 anni e 7 mesi), Giuseppe Prisco (5 anni e 4 mesi), Alessandro Mennini (5 anni e 3 mesi), Gennaro Casella (4 anni e 10 mesi), Giacomo Di Mase (4 anni e 10 mesi), Mario Davoli (4 anni e 6 mesi), Emilio Pellicani (4 anni e 6 mesi), Giuseppe Ciarrapico (4 anni e 6 mesi), Adriano Bianchi (4 anni e 4 mesi), Carlo von Castelberg (4 anni e 3 mesi). Sono annullate le condanne di Carlo De Benedetti, senza rinvio, e di Orazio Bagnasco con rinvio: i due erano stati rispettivamente condannati a 4 anni e 6 mesi di reclusione e a 4 anni e 2 mesi.

30 giugno 1998 Ad Arezzo è scoperta una cassa usata da Licio Gelli, irreperibile dal 4 maggio, come cassaforte per documenti e denaro pari a 6 miliardi di lire.

12 settembre 1998 Sono rinvenuti nelle fioriere dei giardini di Villa Wanda, residenza di Licio Gelli, 170 chili d'oro, pari a circa 3 miliardi di lire.

20 marzo 1999 Viene eletto Gran Maestro del Grande Oriente d'Italia l'avvocato di Ravenna Gustavo Raffi, assertore di un'operazione di trasparenza. Sarà confermato più volte alla guida del Goi.

18 giugno 1999 La rivista «Civiltà Cattolica» diffida i cattolici dall'aderire alla massoneria, rifacendosi alla dichiarazione della Congregazione per la dottrina della fede del 1983.

24 settembre 1999 A Perugia, la Corte di assise assolve con formula ampia tutti gli imputati al processo per l'omicidio di Mino Pecorelli.

23 ottobre 1999 Il Tribunale di Palermo assolve con formula ampia, «perché il fatto non sussiste», Giulio Andreotti dall'accusa di associazione mafiosa.

6 marzo 2000 Nel corso di un'intervista a Telelombardia, Silvio Berlusconi afferma che «essere piduista non è un titolo di demerito».

25 gennaio 2001 La Procura di Palermo rende noto che il mafioso pentito Francesco Di Carlo avrebbe rivelato le circostanze in cui venne ucciso il giornalista Mauro De Mauro, sequestrato il 16 settembre 1970, i nomi dei suoi assassini e la motivazione, indicata nella difesa del segreto sul «golpe Borghese» di cui il giornalista era venuto a conoscenza.

26 gennaio 2001 La Procura di Palermo chiede al giudice istruttore la riapertura formale delle indagini sul sequestro e l'omicidio del giornalista Mauro De Mauro.

17 gennaio 2002 Muore a Roma Umberto Ortolani, il faccendiere iscritto alla P2 e coinvolto nel crack del Banco Ambrosiano.

23 marzo 2002 La Corte di cassazione annulla la sentenza di condanna per il «conto protezione» a carico di Claudio Martelli e Leonardo Di Donna. È il secondo annullamento deciso dalla Corte suprema.

21 ottobre 2002 Viene interrogato dai magistrati romani che indagano sull'omicidio di Roberto Calvi il collaboratore di giustizia Vincenzo Calcara. Il collaboratore di giustizia Francesco Marino Mannoia, nuovamente interrogato dagli inquirenti, rivela che un tramite tra i mafiosi e Calvi era l'ex sacerdote Agostino Coppola, condannato per associazione mafiosa e morto nel 1995.

24 ottobre 2002 In una perizia disposta dalla magistratura per accertare le modalità della morte di Roberto Calvi, gli estensori scrivono che il banchiere fu assassinato per strangolamento prima di essere appeso da morto al ponte dei Frati Neri per simulare un suicidio.

2 maggio 2003 A Palermo, la Corte d'appello assolve Giulio Andreotti dall'accusa di concorso in associazione mafiosa, confermando la sentenza emessa in primo grado il 23 ottobre 1999.

29 settembre 2003 Le autorità inglesi riaprono per la terza volta le indagini sul caso Calvi e chiedono al detective sovrintendente Trevor Smith, della City of London Police, di ricostruire le dinamiche della morte. L'ipotesi di lavoro è l'omicidio.

12 ottobre 2003 Appartenere a una loggia massonica e non comunicarlo preventivamente alla pubblica amministrazione può costare il posto di lavoro. E a nulla vale appellarsi alla privacy: il diritto alla riservatezza deve cedere il passo al principio della trasparenza e del buon andamento dell'amministrazione. Il consiglio di Stato motiva così il rigetto del ricorso presentato da due ex amministratori pubblici dichiarati decaduti, nel 1994, per omessa o infedele dichiarazione dell'associazione di appartenenza.

15 ottobre 2003 I pm Luca Tescaroli e Maria Monteleone chiedono il rinvio a giudizio per Giuseppe Calò, Flavio Carboni, Manuela Kleinszig ed Ernesto Diotallevi, accusati dell'omicidio di Roberto Calvi, in concorso con Cosa nostra e camorra. Secondo l'accusa, Calvi è stato ucciso «per impedirgli di esercitare il potere ricattatorio nei confronti dei referenti politico-istituzionali, della massoneria e dello Ior, con i quali aveva gestito investimenti e finanziamenti di cospicue somme di denaro, anche provenienti da Cosa nostra e da enti pubblici nazionali».

30 ottobre 2003 La Corte di cassazione assolve Giulio Andreotti dall'accusa di concorso nell'omicidio di Mino Pecorelli.

9 dicembre 2003 Licio Gelli viene iscritto nel registro degli indagati per concorso in omicidio nell'inchiesta sull'uccisione di Roberto Calvi.

15 novembre 2004 «Non sono massone, non lo sono mai stato.» È la risposta data dal commissario designato Franco Frattini a una domanda che gli è stata posta al Parlamento europeo dalla baronessa Sarah Ludford dei liberaldemocratici britannici. Per la baronessa, pur essendo l'iscrizione alla massoneria un fatto privato, farne parte potrebbe essere in contraddizione con il ruolo da svolgere quale commissario europeo.

4 dicembre 2004 Luigi Danesin, eletto Gran Maestro per la prima volta nel dicembre del 2001, viene riconfermato alla guida della Gran Loggia Nazionale d'Italia.

9 aprile 2005 Sarà fondata a Sarajevo la Gran Loggia di Bosnia. Lo annuncia a Trieste il Gran Maestro del Grande Oriente d'Italia Gustavo Raffi.

19 maggio 2005 Giunge a conclusione l'indagine aperta nel settembre 2003 dalla City of London Police sulla morte dell'ex presidente del Banco Ambrosiano. «Il banchiere Roberto Calvi fu strangolato da due o più persone con una corda e impiccato a un'impalcatura collocata sotto il ponte dei Frati Neri.» Le conclusioni dell'inchiesta vengono rese note alla Procura di Roma dall'Home Office, il Ministero dell'Interno britannico.

16 giugno 2005 A Palermo si chiude l'indagine sull'uccisione del giornalista Mauro De Mauro, attribuita alla Cupola di Stefano Bontate, Gaetano Badalamenti e Salvatore Riina, che ordinarono il rapimento dopo un incontro a Roma con il principe Borghese e due ufficiali del Sid, per impedire al giornalista di divulgare il patto fra i protagonisti del golpe Borghese e la mafia. L'unico rinvio a giudizio richiesto riguarda Riina, essendo morti gli altri due mandanti e gli esecutori dell'assassinio, identificati in Mimmo Teresi, Emanuele D'Agostino e Stefano Giaconia.

16 ottobre 2005 A Locri è ucciso in un agguato di stampo mafioso Francesco Fortugno (Margherita), davanti al seggio in cui aveva appena votato. Saranno spiccati nove ordini di custodia cautelare contro affiliati della cosca Cordì, sulla base delle dichiarazioni del pentito Bruno Piccolo (morto suicida nell'ottobre 2007). Nella vicenda vengono chiamati in causa i rapporti tra massoneria deviata, malasanità e criminalità organizzata.

29 novembre 2005 Il consiglio regionale delle Marche approva all'unanimità la proposta di modifica a una legge del 1996 che prevedeva l'obbligo di dichiarare l'eventuale appartenenza alla massoneria per le nomine e le designazioni di spettanza della Regione e l'ineleggibilità per alcune cariche, in caso di appartenenza alla massoneria o a società segrete.

31 gennaio 2006 L'abitazione di Licio Gelli, Villa Wanda, viene messa all'asta al miglior offerente per ordine del Tribunale di Arezzo. Ma all'asta non si presenta nessuno.

11 febbraio 2006 Licio Gelli dona le sue carte all'archivio di Stato di Pistoia, sua città natale. Gelli si presenta alla cerimonia, grazie al permesso del Tribunale di sorveglianza che gli ha concesso di interrompere gli arresti domiciliari per la condanna sulla vicenda del Banco Ambrosiano

22 marzo 2006 Sette persone vengono indagate nell'ambito di una inchiesta della Procura di Catanzaro circa l'esistenza di una presunta loggia massonica segreta i cui componenti avrebbero condizionato le decisioni in alcuni enti locali calabresi. Nell'inchiesta si ipotizza anche che i componenti della loggia massonica segreta avrebbero cercato di accaparrarsi ingenti finanziamenti comunitari.

4 aprile 2006 Trentacinque anni dopo il sequestro e l'uccisione di Mauro De Mauro si apre a Palermo il processo per l'omicidio del giornalista, che vede alla sbarra il boss Totò Riina, l'unico imputato del gotha di Cosa nostra che avrebbe deciso e ordinato il sequestro e poi l'eliminazione di De Mauro.

10 maggio 2006 Prende corpo l'inchiesta sulla massoneria del pm di Potenza Henry John Woodcock, che ripercorre misteri e storie italiane (come la morte di Ilaria Alpi, la strage di Ustica e la scomparsa di Emanuela Orlandi) e apre nuovi scenari come presunte «operazioni fasulle» dei servizi segreti, la massoneria, le estrazioni di petrolio «in nero» in Basilicata, e altro ancora.

9 settembre 2006 Assumere «idonee iniziative» per giungere allo scioglimento del Consiglio regionale della Calabria: lo chiede la parlamentare di An Angela Napoli in un'interpellanza al presidente del Consiglio e ai ministri dell'Interno e della Giustizia: «Non v'e' dubbio che in Calabria esiste un forte sodalizio tra politica, 'ndrangheta, imprenditoria e massoneria deviata che, ad oggi, nonostante il grande e costante impegno delle Forze dell'Ordine e della Magistratura, è stato impossibile disarticolare».

1 novembre 2006 L'onorevole Pierluigi Castagnetti denuncia in un incontro pubblico l'influenza della massoneria a Reggio Emilia.

29 novembre 2006 Il sostituto procuratore della Repubblica di Catanzaro Luigi De Magistris conduce un'inchiesta per violazione della legge Anselmi che considera illegale la costituzione di associazioni segrete. L'inchiesta di De Magistris riguarda l'attività di una loggia massonica segreta che tra il 2003 e il 2005 avrebbe tentato di interferire sull'attività di uffici della Regione Calabria, del Ministero delle Attività produttive, di alcuni comuni calabresi e di altri enti locali al fine di «acquisire illecitamente finanziamenti pubblici».

4 dicembre 2006 «Chi fa parte della massoneria si pone fuori dalla Chiesa, è in stato di peccato grave e non può accedere alla Comunione.» Il vescovo di Trapani, monsignor Francesco Miccichè, scende in campo per condannare il credo massonico, «antitetico» a quello cristiano, attraverso una lettera pastorale che ha indirizzato ai presbiteri e a tutti i fedeli della diocesi.

28 gennaio 2007 Niente funerale per chi appartiene alla massoneria deviata. È la proposta emersa all'interno del convegno della Caritas tenutosi a Falerna (Catanzaro): la proposta di una revisione delle modalità di fare le esequie per i mafiosi e anche per coloro che appartengono alla massoneria deviata.

17 febbraio 2007 Si sviluppa a Bologna un'inchiesta su massoneria e cattedre universitarie. L'indagine parte dalle minacce ricevute dal professor Emilio Campos, l'oculista docente universitario a capo di una unità operativa del Policlinico Sant'Orsola-Malpighi.

25 marzo 2007 Giuliano Tavaroli ha parlato al pm di Milano Nicola Piacente, nell'ambito dell'inchiesta sui dossier illegali, di una «massoneria della sicurezza» con contatti nel Sismi pronta a «fare fuori» lo stesso Tavaroli dal suo ruolo di manager in Pirelli, a partire dal 1999, per spartirsi il mercato della security in Italia.

9 maggio 2007 I boss mafiosi avrebbero stretto alleanze anche con la massoneria pur di pilotare gli appalti pubblici nel Trapanese. Il «patto» emerge nell'indagine che ha portato la polizia di Stato a eseguire nove ordini di custodia cautelare in carcere che riguardano imprenditori, commercianti, dipendenti comunali e operai, tutti ritenuti organici o contigui al mandamento mafioso di Mazara del Vallo.

31 maggio 2007 La Corte europea dei diritti dell'uomo in una sentenza emessa in base a un ricorso presentato dal Grande Oriente d'Italia di Palazzo Giustiniani riconosce che una loggia massonica è stata discriminata da una legge regionale del Friuli-Venezia Giulia del 15 febbraio 2000 che fissa regole per le nomine a cariche pubbliche, obbligando chi intende ricoprire questi incarichi a dichiarare l'eventuale appartenenza ad associazioni massoniche. Secondo il Grande Oriente d'Italia, la legge regionale del Friuli-Venezia Giulia «è discriminatoria e incompatibile» con il diritto alla libertà di associazione e quindi viola gli articoli 14 e 11 della Convenzione dei diritti dell'uomo.

1 giugno 2007 La massoneria deviata viene chiamata in causa nel lucroso business dei rifiuti che strangola Napoli. Un reportage di Roberto Saviano sul settimanale «L'espresso» torna sulle inchieste dell'antimafia che hanno rivelato, nel corso degli anni, l'interferenza della camorra sulla gestione dello smaltimento dell'immondizia e parla di coinvolgimenti della massoneria nel business dei rifiuti.

4 giugno 2007 Agenti della polizia di Stato compiono perquisizioni e controlli in diverse regioni italiane nell'ambito di un'inchiesta sulla massoneria coordinata dal pm di Potenza Henry John Woodcock. Si rincorrono voci su nomi e attività delle persone interessate dalle perquisizioni, fatte in abitazioni e studi professionali di imprenditori e anche di uomini politici: in totale gli indagati sono oltre venti. Nelle settimane precedenti, Woodcock aveva chiesto a tutte le 103 prefetture italiane gli elenchi degli iscritti alla massoneria.

5 giugno 2007 Proseguono le indagini degli uomini della squadra mobile di Potenza e l'analisi dei documenti sequestrati tra Lombardia, Basilicata, Toscana e Lazio, in seguito alle perquisizioni disposte dal pm di Potenza, Henry John Woodcock nell'ambito dell'inchiesta sulla massoneria. Sono ventiquattro le persone indagate – per concorso formale, associazione a delinquere e violazione della legge Anselmi del 1982 sulle associazioni segrete – nell'inchiesta che ha disposto la perquisizione nelle abitazioni di ognuno degli indagati, nelle sedi dell'Udc e di una società immobiliare, entrambe a Livorno, di una casa di riposo a Rosignano (Livorno) e nei locali delle logge massoniche Oriente di Scalea (Cosenza) e Giuseppe Colorano 19 di Potenza.

6 giugno 2007 La seconda Corte d'assise del Tribunale di Roma emette la sua sentenza nel processo per l'omicidio del banchiere Roberto Calvi: i giudici, presieduti da Mario D'Andria affermano nella sentenza la certezza che Calvi sia stato ucciso, ma assolvono gli imputati, tutti accusati di concorso in omicidio, «per non aver commesso il fatto». Sulla morte di Calvi, alla Procura di Roma, era aperto un secondo fascicolo: un'indagine stralcio sui mandanti dell'omicidio, che vedeva indagate una decina di persone tra le quali Licio Gelli. Il pm Tescaroli annuncia che ricorrerà in appello e che le indagini sull'omicidio Calvi proseguiranno.

8 giugno 2007 L'inchiesta della Procura della Repubblica di Potenza sulla massoneria interessa anche Livorno e la Toscana. Gli inquirenti analizzano i documenti sequestrati a Livorno nel corso delle perquisizioni disposte dalla procura potentina. Starebbe negli «omissis» il cuore dell'inchiesta avviata da John Herny Woodcock che nasconderebbero nomi di rilievo della vita pubblica, della finanza e dell'economica locale e nazionale.

15 giugno 2007 Prende corpo l'inchiesta della Procura di Catanzaro, guidata dal pm Luigi De Magistris, che chiama in causa una «lobby d'affari» costituita da massoni, politici, imprenditori, funzionari dello Stato. In gioco è l'appropriazione di fondi pubblici, nazionali ed europei.

Grandi Maestri
del Grande Oriente d'Italia
(1859-2007)

Filippo Delpino, 8 ottobre 1859-20 maggio 1860.

Livio Zambeccari, *interim*.

Felice Govean, *reggente f.f. di Gran Maestro*.

Costantino Nigra, 3 ottobre 1861-29 gennaio 1862.

Livio Zambeccari, *interim* 8 ottobre 1861-1 marzo 1862.

Filippo Cordova, 1 marzo 1862 - 6 agosto 1863.

Felice Govean, *f.f. di Gran Maestro*.

Celestino Peroglio, *reggente f.f. di Gran Maestro*. 6 agosto 1863-maggio 1864.

Giuseppe Garibaldi, 24 maggio 1864-6 giugno 1864.

Francesco De Luca, *presidente provvisorio; reggente* settembre 1864-maggio 1865; *Gran Maestro* 28 maggio 1865-20 giugno 1867.

Filippo Cordova, 21 giugno 1867-2 agosto 1867 (*dim.*)

Ludovico Frapolli, *f.f. di Gran Maestro* 2 luglio 1867-31 maggio 1869; *Gran Maestro* 31 maggio 1869-7 settembre 1870 (*dim.*)

Giuseppe Mazzoni, *reggente* 7 settembre 1870-26 gennaio 1871; *Gran Maestro* 27 gennaio 1871-11 maggio 1880.

Giuseppe Petroni, 12 maggio 1880-16 gennaio 1885.

Adriano Lemmi, 17 gennaio 1885-31 maggio 1896.

Ernesto Nathan, 1 giugno 1896-14 febbraio 1904 (*dim.*)

Ettore Ferrari, 15 febbraio 1904-25 novembre 1917.

Ernesto Nathan, 25 novembre 1917-22 giugno 1919.

Domizio Torrigiani, 23 giugno 1919.

Gli anni del fascismo

Eugenio Chiesa, 12 gennaio 1930-22 giugno 1930.

Arturo Labriola, 23 giugno 1930-29 settembre 1931.

Alessandro Tedeschi, *Gran Maestro* 29 novembre 1931-1940.

Davide Augusto Albarin, *Gran Maestro* 1940-1944.

Comitato di Maestranza: Umberto Cipollone, Guido Laj e Gaetano Varcasia, 1943-1945.

Guido Laj, 18 settembre 1945-5 novembre 1948.
Umberto Cipollone, 5 gennaio 1949-18 marzo 1949.
Ugo Lenzi, 19 marzo 1949-21 marzo 1953.
Carlo Speranza, *f.f. di Gran Maestro* 21 marzo 1953-4 ottobre 1953.
Publio Cortini, 4 ottobre 1953-27 settembre 1956.
Umberto Cipollone, 30 novembre 1957-28 maggio 1960.
Giorgio Tron, 29 maggio 1960-28 aprile 1961.
Corrado Mastrocinque (*pro temp.*), 29 aprile 1961-16 luglio 1961.
Giordano Gamberini, 17 luglio 1961-21 marzo 1970.
Lino Salvini, 21 marzo 1970-18 novembre 1978.
Ennio Battelli, 18 novembre 1978-27 marzo 1982.
Armando Corona, 28 marzo 1982-10 marzo 1990.
Giuliano Di Bernardo, 11 marzo 1990-16 aprile 1993.
Eraldo Ghinoi, *reggente* 5 maggio 1993-18 dicembre 1993.
Virgilio Gaito, 18 dicembre 1993-19 marzo 1999.
Gustavo Raffi, 20 marzo 1999.

Bibliografia

AA.VV. *I poteri occulti nella Repubblica. Mafia, Camorra, P2, stragi impunite*, Marsilio, Venezia, 1984.

Dino P. Arrigo, *Fratelli d'Italia*, Rubbettino Editore, Soveria Mannelli, 1998.

Michael Baigent, Richard Leigh, *Origini e storia della Massoneria. Il tempio e la loggia*, Newton & Compton, Roma, 1998.

Gianni Barbacetto, Peter Gomez, Marco Travaglio, *Mani Pulite. La vera storia da Mario Chiesa a Silvio Berlusconi*, Editori Riuniti, Roma, 2002.

Kurt Baresch, *Katolische Kirche und Freimaurerei*, Bundesverlag, Wien, 1983.

Giovanni Bartolini, *Enigma Massoneria*, Bastogi, Foggia, 1998.

Enrico Bellavia, Salvo Palazzolo, *Voglia di mafia. La metamorfosi di Cosa Nostra da Capaci ad oggi*, Carocci, Roma, 2004.

Carlo Bellavite Pellegrini, *Storia del Banco Ambrosiano. Fondazione, ascesa e dissesto, 1896-1982*, Laterza, Roma-Bari, 2001.

Giovanni Bianconi, *Ragazzi di malavita. Fatti e misfatti della banda della Magliana,* Baldini Castoldi Dalai, Milano, 2004.

Stefano Bisi, *Mitra e compasso*, Protagon, Siena, 2006.

Heribert Blondiau, Guempel, *Der Vatikan heiligt die Mittel. Mord am Bankier Gottes*, Patmos Verlag, Düsseldorf, 1999.

William Blum, *Killing Hope. U.S. and Cia Military interventions since World War II*, Common Courage Press, Monroe, Maine, 1995; trad. it. *Il Libro Nero degli Stati Uniti*, Fazi, Roma, 2003.

Francesco Bonazzi, *Telekom Serbia. L'affare di cui nessuno sapeva*, Sperling & Kupfer, Milano, 2004.

Maria Antonietta Calabrò, *Le mani della mafia. Vent'anni di finanza e politica attraverso la storia del Banco Ambrosiano,* Edizioni Associate, Roma, 1991.

Giancarlo Carcano, *L'affare Rizzoli. Editoria, banche e potere*, De Donato, Bari, 1978.

Pier Carpi, *Il caso Gelli. La verità sulla loggia P2*, Inei, Bologna, 1982.

Gian Mario Cazzaniga, *La religione dei moderni*, Edizioni ETS, Pisa, 1999.

–, (a cura di), *La Massoneria – Storia d'Italia*, Annali 21, Einaudi, Torino, 2006.

Pierre Chevallier, *Histoire de la Franc-Maçonnerie française*, voll. 3, Fayard, Paris, 1974.

Stuart Christie, *Stefano Delle Chiaie: Portrait of a Black Terrorist*, Anarchy Magazine, Refract Publications, London, 1984.

Zeffiro Ciuffoletti, Sergio Moravia, *La Massoneria. La storia, gli uomini, le idee*, Mondadori, Milano, 2004.

Leonardo Coen, Leo Sisti, *Il caso Marcinkus. Le vie del denaro sono infinite*, Mondadori, Milano, 1991.

Andre Combes, *La massoneria in Francia dalle origini a oggi* (a cura di A. Mola), Bastogi, Foggia, 1986.

Commissione Parlamentare d'inchiesta sul caso Sindona, in *Dossier Sindona*, Kaos, Milano, 2005.

Fulvio Conti, *Storia della massoneria italiana. Dal Risorgimento al fascismo*, il Mulino, Bologna, 2003.

–, *La massoneria a Firenze – Dall'età dei lumi al secondo Novecento*, il Mulino, Bologna, 2007.

Ferdinando Cordova, *Massoneria e politica in Italia 1892-1908*, Laterza, Roma-Bari, 1985.

–, *Agli ordini del serpente verde: la massoneria nella crisi del sistema giolittiano*, Bulzoni, Milano, 1990.

Ennio Coretto, Bruno Marolo, *Made in Usa. Le origini americane della Repubblica Italiana*, Rizzoli, Milano, 1996.

Rupert Cornwell, *God's Banker. An account of life & death of Roberto Calvi*, Victor Golleanz, Ltd, London, 1983. Trad. it. *Il banchiere di Dio Roberto Calvi*, Laterza, Roma-Bari, 1984.

Armando Corona, *Dal bisturi alla squadra. La Massoneria italiana senza cappuccio*, Bompiani, Milano, 1987.

Francesco Cossiga, *Per carità di patria* (a cura di Pasquale Chessa), Mondadori, Milano, 2003.

Michele D'Arcangelo, Tito Livio Ricci, *Nel nome della P2*, Edizioni Nuova Italia, Milano, 1993.

Silvano Danesi, *All'Oriente di Brescia. La Massoneria bresciana dal 1700 ai nostri giorni*, Edimai, Roma, 1993.

–, *Liberi muratori in Lombardia. La Massoneria lombarda dal '700 ad oggi*, Edimai, Roma, 1995.

Massimo della Campa, G. Galli, *La Massoneria italiana. Grande Oriente: più luce. Due opinioni a confronto*, Angeli, Milano, 1998.

–, *Luce sul Grande Oriente*, Sperling & Kupfer, Milano, 2005.

Giuliano Di Bernardo, *Filosofia della Massoneria*, Marsilio, Venezia, 1987.

Luigi Di Fonzo, *St. Peter's Banker: Michele Sindona*, Franklin Watts, New York, 1983.

Natale Mario Di Luca, *La Massoneria. Storia, miti e riti*, Atanòr, Roma, 2000.

Rosario F. Esposito, *La Massoneria e l'Italia dal 1800 ai nostri giorni*, Edizioni Paoline, Roma, 1979.

–, *Le grandi concordanze tra Chiesa e massoneria*, Nardini Editore, Fiesole (Firenze), 1987.

–, *Chiesa e Massoneria. Un Dna comune*, Nardini Editore, Fiesole (Firenze), 1999.

Roberto Fabiani, *I Massoni in Italia*, Editoriale L'espresso, Roma, 1978.

Marcello Fagiolo, *Architettura e massoneria. L'esoterismo della costruzione*, Gangemi, Roma, 2006.

Giuseppe Ferrara, *L'assassinio di Roberto Calvi*, Massari Editore, Bolsena (Viterbo), 2002.

José Antonio Ferrer Benimeli, *Bibliografia de la Masoneria*, Fundacion Universitaria Española, Madrid, 1978[2].

Paul Fesch, *Bibliographie de la Franc-Maçonnerie et des sociétés secrètes*, G.A. Deny, Bruxelles, 1976.

Johann G. Fichte, *Filosofia della Massoneria*, Bastogi, Foggia, 1995.

Joseph Gabriel Findel, *Histoire de la Franc-Maçonnerie depuis son origine, jusqu'à nos jours*, voll. 2, Librairie Internationale, Paris, 1866.

Giuseppe Fiori, *Il venditore. Storia di Silvio Berlusconi e della Fininvest*, Garzanti, Milano, 1995.

Florio Fiorini, *Dall'Eni, alla Sasea, alla prigione*, Foedus, Bergamo, 1997.

Sergio Flamigni, *Trame Atlantiche. Storia della loggia massonica segreta P2*, Kaos, Milano, 1996.

Gianni Flamini, *L'ombra della piramide*, Teti, Milano, 1989.

Carlo Francovich, *Storia della Massoneria in Italia, dalle origini alla Rivoluzione francese*, La Nuova Italia, Scandicci (Firenze), 1989.

Giancarlo Galli, *Il padrone dei padroni. Enrico Cuccia. Il potere di Mediobanca e il capitalismo italiano*, Garzanti, Milano, 1995.

Licio Gelli, *La verità*, Demetra Edizioni, Lugano, 1989.

Roberto Gervaso, *I fratelli maledetti. Storia della Massoneria*, Bompiani, Milano, 1996.

Giuseppe Giarrizzo, *Massoneria e illuminismo nell'Europa del Settecento*, Marsilio, Venezia, 1994.

Peter Gomez, Marco Travaglio, *Regime*, Rizzoli-Bur, Milano, 2004.

–, *L'amico degli amici*, Rizzoli-Bur, Milano, 2005.

Robert Freke Gould, *A concise History of Freemasonry*, Gale & Polden Ltd., London, 1951.

–, *The History of Freemasonry*, voll. 6, Caxton Publishing Company, London, 1952.

Mario Guarino, *Poteri segreti e criminalità – L'intreccio inconfessabile tra 'ndrangheta, massoneria e apparati dello Stato*, Dedalo, Bari, 2004.

–, *L'orgia del potere*, Dedalo, Bari, 2005.

–, *Gli anni del disonore. Dal 1965 il potere occulto di Licio Gelli e della loggia P2 tra affari, scandali e stragi*, Il Dedalo, Bari, 2006.

Mario Guarino, Giovanni Ruggeri, *Berlusconi. Inchiesta sul signor Tv*, Kaos, Milano, 1994.

Larry Gurwin, *The Calvi Affair. Death of a Banker*, Macmillan, London, 1983.

John Hamill, *The History of English Freemasonry*, Lewis Masonic, Plymouth, 1994.

Serge Hutin, *La massoneria*, Mondadori, Milano, 1961.

Massimo Introvigne, *Massoneria e religioni*, Cesnur, Elle DiCi, Leumann, Torino, 1994.

Magaret C. Jacob, *Massoneria illuminata. Politica e cultura nell'Europa del Settecento*, Einaudi, Torino, 1995.

Christian Jacq, *La Massoneria, storia e iniziazione*, Mursia, Milano, 1998.

Bernard E. Jones, *Guida e Compendio per i Liberi Muratori*, Atanòr Roma, 1987.

David I. Kertzer, *Riti e simboli del potere*, Laterza, Roma-Bari, 1989.

Stephen Knight, *The Brotherhood, The Secret World of Freemasons*, Stein & Day, New York, 1984.

Francesco Kostner, Ettore Loizzo, *Confessioni di un Gran Maestro*, Klipper, Cosenza, 2000.

David Lane, *L'ombra del potere*, Laterza, Roma-Bari, 2004.

Agostino Lattanzi, *Bibliografia della Massoneria Italiana e di Cagliostro*, Olschki, Firenze, 1974.

Eugen Lenhoff, Oskar Posner, *Internationales Freimaurer Lexicon*, Amalthea Verlag, München, 1980.

M. Lepage, *L'Ordre et les Obédiences. Histoire et Doctrine de la Franc-Maçonnerie*, Dervy, Paris, 1993.

Daniel Ligou, *Dictionnaire de la Franc-Maçonnerie*, Ed. P.U.F., Paris, 1998.

Giuseppe Lo Bianco, Sandra Rizza, *L'agenda rossa di Paolo Borsellino*, Chiarelettere, Milano, 2007.

Otello Lupacchini, *Banda della Magliana. Alleanza tra mafiosi, terroristi, spioni, politici, prelati*, Koinè Edizioni, Roma, 2004.

A. G. Mackey, *Encyclopaedia of Freemasonry*, Lewis, New York-London, 1921.

Carlo Manelli, *La massoneria a Bologna dal XVIII al XX secolo*, Ed. Analisi, Bologna, 1986.

Gabriele Mastellarini, *Assalto alla stampa*, Dedalo, Bari, 2004.

Alberto Mazzuca, *La Erre verde. Ascesa e declino dell'impero Rizzoli. Storia di una dinastia italiana e della guerra per il «Corriere»*, Longanesi, Milano, 1991.

Alec Mellor, *Nos frères séparés, les francs-maçons*, Mame, Paris, 1961.

–, *Dictionnaire de la Franc-Maçonnerie et des Francs-Maçons*, Belfond, Paris, 1979[2].

–, *La Grande Loge Nationale Française. Histoire de la Franc-Maçonnerie Régulière*, I.D. Première, Allerey-sur-Saône, 1993.

Gianfranco Modolo, Leo Sisti, *Il Banco paga. Roberto Calvi e l'avventura dell'Ambrosiano*, Mondadori, Milano, 1982.

Aldo Mola, *Storia della Massoneria italiana dalle origini ai nostri giorni*, Bompiani, Milano, 1997.

–, *Giosuè Carducci. Scrittore, politico, massone*, Bompiani, Milano, 2006.

Gigi Moncalvo, Stefano D'Anna, *Berlusconi in concert*, Otzium Ltd., London, 1994.

Michele Moramarco, *Nuova Enciclopedia Massonica*, voll. 2, Ce.S.A.S., Reggio Emilia, 1989.

Paul Naudon, *La Massoneria nel mondo dalle origini a oggi*, Editrice Prealpina, Biella, 1983.

–, *Histoire, Rituels et Tuileur des Hauts Grades Maçonniques. Le Rite Écossais Ancien et Accepté*, Dervy, Paris, 1984.

Sandro Neri, *Licio Gelli. Parola di Venerabile*, Aliberti, Reggio Emilia, 2006.

Antonio Nicaso, Nicola Gratteri, *Fratelli di sangue*, Pellegrini Editore, Cosenza, 2007.

Piero Ottone, *Preghiera o Bordello. Storia, personaggi, fatti e misfatti del giornalismo italiano*, Longanesi, Milano, 1996.

Carlo Palermo, *Il Quarto Livello*, Editori Riuniti, Roma, 1996.

Gian Piero Pagella, *Un massone racconta*, Bastogi, Foggia, 2006.

Paolo Panerai, Maurizio De Luca, *Il crack: Sindona, la Dc, il Vaticano e gli altri amici*, Mondadori, Milano, 1975.

Francesco Pazienza, *Il Disubbidiente*, Longanesi, Milano, 1999.

Francesco Pecorelli, Roberto Sommella, *I veleni di «OP»*, Kaos, Milano, 1995.

Gianfranco Piazzesi, *Gelli: la carriera di un eroe di questa Italia*, Garzanti, Milano, 1983.

Gianfranco Piazzesi, Sandra Bonsanti, *La storia di Roberto Calvi*, Longanesi, Milano, 1984.

Ferruccio Pinotti, *Poteri forti,* Rizzoli-Bur, Milano, 2005.

Giorgio Pisanò, *L'omicidio Calvi*, Gei, Milano, 1985.

Friz L. Polo, *La massoneria italiana nel decennio post unitario*, Franco Angeli, Milano, 1998.

Procura della Repubblica di Palermo, atti della requisitoria del pubblico ministero, in *Dossier Dell'Utri*, Kaos, Milano, 2005.

Charles Raw, *The Moneychangers. How the Vatican Enabled Roberto Calvi to Steal $250 Million for the P2 Masonic Lodge,* Harper Collins, London, 1992; trad. it. *La grande truffa: il caso Calvi e il crack del Banco Ambrosiano,* Mondadori, Milano, 1993.

Gianni Rossi, Francesco Lombrassa, *In nome della loggia*, Napoleone Editore, Roma, 1981.

Giovanni Ruggeri, Mario Guarino, *Inchiesta sul Signor TV*, Kaos, Milano, 1994.

Giovanni Ruggeri, *Fratello P2 – L'epopea piduista di Silvio Berlusconi*, Kaos, Milano, 2001.

Eugenio Scalfari, Giuseppe Turani, *Razza padrona. Storia della borghesia di Stato*, Feltrinelli, Milano, 1974.

Martin Short, *Inside the Brotherhood*, Grafton Books, London, 1990.

Enrico Simoni, *Bibliografia della Massoneria in Italia*, voll. 3, Bastogi, Foggia, 1992-1993-1998.

Amos Spiazzi, *Il mistero della Rosa dei Venti*, Centro Studi Carlo Magno, Verona, 2001.

Corrado Stajano, *Un eroe borghese. Il caso dell'avvocato Giorgio Ambrosoli assassinato dalla mafia politica*, Einaudi, Torino, 1991.

Massimo Teodori, *P2: la controstoria*, Sugarco, Milano, 1986.

Luca Tescaroli, *Omicidio di Roberto Calvi, Requisitoria del Pubblico Ministero*, Procura della Repubblica, Tribunale di Roma, P.p. 13034/95 RG Noti, Roma, 9 marzo 2007.

Nick Tosches, *Il mistero Sindona*, SugarCo, Milano, 1986.

Sergio Turone, *Corrotti e corruttori dall'Unità d'Italia alla P2*, Laterza, Roma-Bari, 1984.

Tribunale di Milano (Terza Sezione Penale) *Ubs-Lugano: 633369 «protezione»: il testo della sentenza per concorso nella bancarotta fraudolenta del Banco ambrosiano*, Kaos, Milano, 1996.

Marcel Valmy, *I Massoni*, Cantini, Firenze, 1991.

Gianni Vannoni, *Massoneria, Fascismo e Chiesa cattolica*, Laterza, Roma-Bari, 1980.

Elio Veltri, Marco Travaglio, *L'odore dei soldi. Origini e misteri delle fortune di Silvio Berlusconi*, Editori Riuniti, Roma, 2001.

Fabio Venzi, *The Influence of neoplatinic thought on freemassonery*, Book Guild Publishing, Essex, 2007.

Luigi Villa, *Paolo VI beato?*, Editrice Civiltà, Brescia, 1991.

–, *Anche Giovanni XXIII beato?*, Editrice Civiltà, Brescia, 2000.

Arthur E. Waite, *A New Encyclopaedia of Freemasonry*, W. Rider & Son, London, 1921.

Philip Willan, *Puppetmasters: the Political Use of Terrorism in Italy*, Constable, London, 1991.

August Wolfstieg, *Bibliographie der Freimaurerischen Literatur*, Leipzig, 1911, ried.: Verlagsbuchhandlung, Hildsheim, 1964.

David Yallop, *In God's Name. An Investigation into the Murder of Pope John Paul I*, Jonathan Cape Ltd, Londo, 1984; trad. it. *In nome di Dio*, Pironti, Napoli, 1997.

Jesús Ynfante, *La prodigiosa aventura del Opus Dei. Génesis y desarrollo de la Santa Mafia*, Ruedo Ibérico, Paris, 1970.

Indice dei nomi

I numeri in corsivo si riferiscono ai nomi citati in nota.

Cagliostro (Giuseppe Balsamo) 279

Calabrò, Gioacchino 561-62

Calamandrei, Pietro 196, *196*

Calcara, Vincenzo 543, 577-87, *578, 581,* 709

Calcaterra, Angelo *441*

Calderone, Antonio 568

Calì, Carmelo *441*

Calì, Fabio 441, *441*

Calò, Giuseppe *42,* 224, *396, 534, 543,* 546, 558, 575, 592, 703, 710

Caloia, Angelo *672*

Caltagirone, Francesco Gaetano 126, 137, 345, 385, 393, *402,* 432, 435, *435-36,* 440, *441,* 442-44

Caltagirone, Leonardo 385

Calvi, Anna 555

Calvi, Carlo 125, *149,* 400

Calvi, Clara 424

Calvi, famiglia 97, *97*

Calvi, Roberto 29, 33-34, *38, 39-42, 39-42, 45,* 49, *49,* 54, 96-98, 102-03, 109, 119, *120,* 121-30, *125,* 164, 192, 237-39, 342, 370-72, 377, 381-82, *382,* 384-85, *385,* 389-90, 392, 397, 400-06, *401, 407,* 408, 410, 416, *416,* 419-26, *421-24,* 433-34, 471, 485, 527, 530-31, 543-45, *543-44,* 547-50, *547, 549,* 552-59, *552, 554, 556,* 568, 578-79, 581-82, *581,* 584-85, *586,* 589, 598, 629, *629,* 635-37, 644, 648, 672, *673,*

675, 677-78, *678,* 696, 698, 699-702, 709-11, 715

Calvino, Giovanni 204

Calzavara, Marco 199-201

Campora, Hector 118

Campos, Emilio 713

Canals, Salvador 667

Cancemi, Salvatore 609, *609*

Candeloro, Giorgio *328*

Canini, Giovanni 338

Canino, Francesco 533, 560, 562, 564

Cannata, Stefano *582*

Cannella, Tullio 569

Canova, Antonio *378*

Canova, Renzo 260

Cantamessa, Maria 341

Cantarella, Paolo 369

Cantoni, Giovanni 624

Canzio Garibaldi, Decio 328

Capello, Luigi 332

Capezzone, Daniele *186*

Caprile, Giovanni 305

Caprio, Giuseppe *377,* 415

Capucci, Flavio 676

Caracciolo, Carlo *416*

Caracciolo, Sebastiano *285*

Caradonna, Giulio *265,* 394

Carandell, Luis 657, *657,* 680, *680*

Carboni, Flavio 38-40, 42, 60, 96, 421, *421, 543, 552,* 702, 708, 710

Carducci, Giosue *8,* 190, 211, 241, *241,* 256, 260, 271, 273, 280, 315

Carli, Guido 337, 360, 365, 395, *396,* 417, 695

Indice

SECONDA PARTE
Viaggio nella massoneria italiana

QUARTA PARTE
Massoneria e poteri criminali

QUINTA PARTE
Chiesa e massoneria

Appendice

BUR Futuropassato

Finito di stampare nel mese di novembre 2007 presso
il Nuovo Istituto d'Arti Grafiche - Bergamo

Printed in Italy

ISBN 978-88-17-01809-8